Llyfr y Ganrif

PRIF OLYGYDD: **GWYN JENKINS**
YMCHWIL AC AWDUR Y TESTUN: **ANDY MISELL**
GOLYGYDD Y TESTUN: **TEGWYN JONES**

Argraffiad cyntaf: Hydref 1999
℗ Hawlfraint: Llyfrgell Genedlaethol Cymru a'r Lolfa Cyf., 1999
Nodwyd hawlfraint y lluniau yn y Gydnabyddiaeth Lluniau (tudalen 8)

Ymchwil ac adnoddau: Llyfrgell Genedlaethol Cymru

Clawr: Iwan Standley
Cysodi: Cyhoeddiadau Nereus

Noddwyd gan Gyngor Llyfrau Cymru
Cyhoeddwyd gyda chefnogaeth *The Western Mail*

Cyflenwyd y papur gan Arjo UK Merchants, Caerdydd
Rhwymwyd gan WBC, Pen-y-bont ar Ogwr

Rhif Llyfr Rhyngwladol: 0 86243 504 8

Cyhoeddwyd ac argraffwyd yng Nghymru
mewn cydweithrediad â Llyfrgell Genedlaethol Cymru
gan Y Lolfa Cyf., Talybont, Ceredigion SY24 5AP
ffôn (01970) 832 304, *ffacs* 832 782, *isdn* 832 813
e-bost ylolfa@ylolfa.com
y we www.ylolfa.com

Cynnwys

Rhagair

Diben y gyfrol hon yw cofnodi, fesul blwyddyn, ddigwyddiadau pwysig, ac ambell un llai pwysig, yng Nghymru yn ystod yr ugeinfed ganrif. Oherwydd natur gronolegol y gyfrol, ni fwriadwyd cyflwyno dehongliad thematig o hanes y ganrif, er y bydd llawer o'r themâu hynny'n eithaf amlwg i'r sawl sy'n troi'r tudalennau. Y gobaith yw y caiff y darllenydd nid yn unig ddifyrrwch o ddarllen y testun ac o werthfawrogi'r lluniau ond, yn ogystal, y dysga fwy am hynt a helynt cenedl y Cymry yn ystod y can mlynedd diwethaf.

Trafodais y syniad o gyhoeddi llyfr yn dwyn y teitl *Llyfr y Ganrif* gyda Robat Gruffudd, Y Lolfa yn ôl ar ddechrau'r 1990au, ond dim ond yn 1996 yr aethom ati o ddifri i gynllunio'r prosiect. Cytunwyd mai'r ffordd orau ymlaen fyddai creu partneriaeth rhwng y Llyfrgell Genedlaethol a'r Lolfa, gyda'r Llyfrgell yn gweithredu fel 'awdur' a'r Lolfa fel 'cyhoeddwr'. Noddwyd y gwaith o gynhyrchu'r testun gan y Llyfrgell a chytunodd y Cyngor Llyfrau i roi grant hael i'r cyhoeddwyr. Ar hyd y ffordd, cafwyd cymorth amhrisiadwy gan y *Western Mail* a ganiataodd fynediad i'w lyfrgell unigryw o ffotograffau newyddiadurol. I Mr John Cosslett y mae'r diolch am drefnu'r fraint hon a chafwyd cymorth parod a rhadlon gan lyfrgellydd y *Western Mail*, Mr Tony Woolway, ar hyd y daith.

Gwaith tîm fu cynhyrchu *Llyfr y Ganrif* ac y mae'n briodol i mi gofnodi cyfraniad y prif chwaraewyr. Cyflogwyd Andy Misell gan y Llyfrgell Genedlaethol i chwilio am hanesion addas ac i lunio'r testun, a hynny o fewn amserlen gyfyngedig iawn. Yn rhyfeddol, llwyddodd i baratoi canran uchel o'r testun mewn cyfnod byr iawn ac i gynorthwyo yn y gwaith o ddewis y lluniau. Cyfrifoldeb Tegwyn Jones oedd defnyddio'i allu digymar i gyflwyno'r testun ar ffurf ddarllenadwy a chywir. Fy ngwaith i oedd llywio'r prosiect, dewis a dethol yr hanesion a'r lluniau, paratoi rhai o'r straeon a'r golofn ar ddigwyddiadau'r byd, a sicrhau bod y cyfan yn cyrraedd y wasg mewn da bryd.

Y mae angen diolch hefyd i Iwan Standley am ddylunio'r clawr ac am osod y patrwm ar gyfer y testun; i Dylan Jones o Gyhoeddiadau Nereus, y Bala, am ei waith dylunio diflino a destlus, a hynny heb gwyno am aml newid meddwl y Prif Olygydd; ac i Gwydion Gruffudd am ddylunio'r tudalennau lliw. Diolch hefyd i dri o staff y Llyfrgell Genedlaethol: Manon Foster Evans, a ddaeth i'r adwy wedi i Andy Misell ymadael, gan chwilio'n amyneddgar am luniau addas; Huw Ceiriog am ddarllen y proflenni; a Heulwen Thomas am gadw trefn ar yr holl ddisgiau cyfrifiadurol.

Cyfrannwyd syniadau am straeon a gwybodaeth am ffynonellau defnyddiol gan gydweithwyr a chyfeillion rhy niferus i'w henwi yma, ond, serch hynny, mae'r diolch iddynt yr un mor wresog. Cafwyd cymorth arbennig gan staff Adran Darluniau a Mapiau ac Uned Reprograffeg y Llyfrgell Genedlaethol wrth chwilio am a chopïo'r lluniau. Rhestrir mewn man arall ffynonellau'r lluniau, ond hoffwn gofnodi ein dyled arbennig i'r ffotograffydd newyddiadurol dihafal hwnnw, Geoff Charles. Heb ei ffotograffau trawiadol ef, fe fyddai'r gyfrol hon dipyn yn dlotach.

GWYN JENKINS
Llyfrgell Genedlaethol Cymru
Medi 1999

CYDNABYDDIAETH LLUNIAU

1900

27 Chwefror

Yn Llundain, sefydlwyd y Pwyllgor Cynrychioli Llafur, rhagflaenydd y Blaid Lafur.

14 Mai

Ym Mharis, dechreuodd y Gemau Olympaidd cyntaf lle y caniatawyd i ferched gystadlu.

18 Mai

Dechreuodd deuddydd o orfoleddu ym Mhrydain pan glywyd fod y gwarchae ar dref Mafeking, De Affrica, wedi'i godi.

1 Gorffennaf

Ehedodd llong awyr yr Iarll Ferdinand von Zeppelin am y tro cyntaf.

30 Gorffennaf

Yn yr Eidal, saethwyd y Brenin Umberto I yn farw gan anarchydd.

19 Medi

Yn Ffrainc, cafwyd pardwn swyddogol i'r milwr o Iddew, Alfred Dreyfus, a gyhuddwyd ar gam o fod yn ysbïwr.

14 Hydref

Cyhoeddodd Sigmund Freud *The Interpretation of Dreams*

30 Tachwedd

Bu farw Oscar Wilde.

14 Rhagfyr

Cyflwynodd yr Athro Max Planck ffiseg chwyldroadol y Theori Cwantwm i'r byd.

Y Ddraig Goch a'r Faner Goch

Keir Hardie yn annerch torf yn ystod ymgyrch etholiad 1900.

Yr oedd arwyddocâd arbennig i fuddugoliaeth Keir Hardie yn etholaeth Merthyr Tudful ym mis Hydref. Ef oedd yr Aelod Seneddol Llafur cyntaf yng Nghymru, a'r blaid honno oedd i daflu ei chysgod dros wleidyddiaeth y wlad am y rhan fwyaf o'r ganrif. O 1922 ymlaen, Llafur fyddai prif blaid Cymru, ac o 1945 hyd ddiwedd y ganrif, o'i rhengoedd hi y dôi'r mwyafrif o Aelodau Seneddol y wlad. Keir Hardie oedd y cyntaf ohonynt ac efallai'r mwyaf carismatig.

Ond nid oedd ethol Hardie yn etholaeth Merthyr yn ganlyniad i'w ymdrechion ei hun yn unig, nac i'r dadleuon sosialaidd a roddai gerbron yr etholwyr. Yn hytrach, ac yn gwbl eironig, etholwyd ef am iddo ennill cefnogaeth D.A. Thomas, un o feistri glo amlycaf yr ardal, a chyfalafwr i'r carn.

Etholaeth ddwy sedd oedd Merthyr Tudful ar y pryd ac yr oedd anghydfod mawr rhwng y ddau ymgeisydd Rhyddfrydol a oedd i fod i'w rhannu rhyngddynt. Galwyd yr Etholiad Cyffredinol gan y llywodraeth Geidwadol i fanteisio ar yr ysbryd gwlatgar a ddilynodd Rhyfel y Bŵr yn Ne Affrica. Tueddai D.A. Thomas i fod yn feirniadol o'r rhyfel, tra oedd ei gyd-Ryddfrydwr, yr arch-imperialydd Prichard Morgan, yn frwd ei gefnogaeth iddo. Heddychwr Cristnogol o argyhoeddiad oedd Hardie, ac felly'n gwbl wrthwynebus i'r rhyfel, a phenderfynodd Thomas fod yn well ganddo sosialaeth Hardie na rhyfelgarwch Morgan. Felly cafwyd y sefyllfa ryfedd lle rhoddai meistr glo sêl ei fendith ar ymgyrch sosialaidd un o arweinwyr y glowyr er mwyn rhwystro un o'i gyd-Ryddfrydwyr. Trwy bleidleisiau ail-ddewis cefnogwyr Thomas yr enillodd Hardie ei sedd, a chyfrifwyd mai pleidleisiau ar y cyd â Thomas oedd 77% o'r 5,745 o bleidleisiau a gafodd ef.

Er mai Albanwr oedd Hardie, rhoddai bwyslais

(Drosodd)

Y Ddraig Goch a'r Faner Goch

(o'r tudalen cynt)

ar Gymreictod ei etholaeth, gan fabwysiadu'r arwyddair 'Y Ddraig Goch a'r Faner Goch'. Yn syth ar ôl ei ethol, ymunodd yn frwd â'r garfan Gymreig yn y Senedd, a byddai'n cydweithio ag Aelodau Seneddol Rhyddfrydol o Gymru yn Nhŷ'r Cyffredin. Daeth yn bleidiol iawn i ddatgysylltu'r Eglwys yng Nghymru oddi wrth y wladwriaeth Brydeinig, ac ailddosbarthu ei heiddo materol i achosion eraill. Gwelai'r Eglwys Wladol fel un o nifer o elynion cyfoethog, fel landlordiaid a chyfalafwyr, yr oedd yn rhaid eu tynnu i lawr. Trwy gydol ei yrfa wleidyddol arhosodd yn gefnogol i ymreolaeth i Gymru, a byddai'n honni mai'r Blaid Lafur oedd gwir blaid genedlaethol Cymru am ei bod am roi rheolaeth dros diroedd ac adnoddau'r wlad i'r Cymry. Rhoddai bwyslais hefyd fel Albanwr ar y cysylltiad Celtaidd gan sôn am briodoleddau cynhenid sosialaidd y Celtiaid i gyd, ac yn ôl y sôn byddai i'w glywed yn canu *Hen Wlad Fy Nhadau* gydag acen Albanaidd gref.

Y Cymry yn Beijing

Egwyl o'r brwydro i'r Ffiwsilwyr Cymreig.

Pan gipiwyd dinas Beijing ar 14 Awst, oddi ar gymdeithas gyfrin o'r enw Dyrnau'r Cytgord Cyfiawn, neu'r Bocswyr fel y'u hadweinid y tu allan i'r wlad, y Ffiwsilwyr Brenhinol Cymreig oedd y garfan fwyaf o Brydain yn y llu rhyngwladol o 16,000 a gyflawnodd hynny. Digwyddiad poblogaidd gweddol ddi-gyfeiraid oedd Gwrthryfel y Bocswyr, a wrthwynebai pob dylanwad tramor ar y wlad, gan ymosod yn filain ar y rhai a ystyrid yn 'ddiafoliaid estron'.

Ar 18 Awst, adroddodd y *Western Mail* fod milwyr o sawl gwlad wedi sicrhau mynediad i'r ddinas, a rhyddhau'r tramorwyr a oedd yn llochesu yn Llysgenhadaeth Prydain, a chyfeiriwyd at 'waith defnyddiol' y Ffiwsilwyr Cymreig. Torrodd y Ffiwsilwyr i mewn i'r ddinas trwy'r carthffosydd, ond er eu bod hyd at eu pengliniau mewn baw du, cawsant eu croesawu gan foneddigesau'r Llysgenhadaeth â gwydreidiau o siampên.

Bu farw 28 o Gymry yn ystod yr ymgyrch yn Tsieina, 8 ohonynt wedi'u lladd gan heintiau. Yn ystod yr ymladd, enillodd y Preifat Jackson y Fedal Ymddygiad Neilltuol gan y fyddin am ei ddewrder yn sefyll ar glawdd rhwng y Cymry a'r milwyr o Rwsia i alw ar y ddwy ochr i atal eu gynnau mawr. Roedd magnelwyr y Ffiwsilwyr a rhai'r Rwsiaid i fod i gydweithio â'i gilydd a phasio gwybodaeth rhyngddynt â'i gilydd ynglŷn â'r pellter i anelu eu gynnau mawr. Mesurai'r Rwsiaid y pellter mewn metrau tra defnyddiai'r Cymry lathenni, a chymrai'r ddwy garfan yn ganiataol bod y naill yn arfer yr un unedau mesur â'r llall. Y canlyniad oedd bod y gynnau'n cael eu hanelu ar gam, a lladdwyd pedwar o filwyr Americanaidd ac anafwyd un ar ddeg arall fel canlyniad.

Amddiffyn y fargen

Ym mis Tachwedd, dechreuodd Streic Fawr chwarelwyr y Penrhyn, Bethesda, streic a ddôi'n achos mawr yn hanes y mudiad llafur yng Nghymru a gwledydd Prydain i gyd. Roedd yr anghydfod hir a ddilynodd yn arwydd o'r tensiynau a fodolai yng Nghymru'r cyfnod.

Daeth y Streic Fawr yn sgil cyfnod o flwyddyn a mwy o anghydfod, o fis Medi 1896 ymlaen, pan glowyd y chwarelwyr allan o'r gwaith ar ôl i'r perchennog, Arglwydd Penrhyn, wrthod eu cais am leiafswm cyflog. Yna yn Ebrill 1900 datganodd E.A. Young, rheolwr chwarel y Penrhyn, na fyddai'n caniatáu casglu taliadau undebol yn y chwarel. Gan fod cartrefi'r dynion ar wasgar trwy'r fro yr oedd bron yn amhosib i swyddogion yr undeb gasglu taliadau ond yn y gwaith. Yn yr anghydfod a ddilynodd gwaredwyd nifer o ddynion o'r gwaith a bu'n rhaid i'r Cyrnol Ruck, Prif Gwnstabl sir Gaernarfon, alw'r milisia i mewn. Y canlyniad yn y diwedd oedd penderfynu streicio, ac ar 22 Tachwedd cerddodd 2,800 o ddynion allan o chwarel y Penrhyn. Arhosodd tua mil ohonynt ar streic tan fis Tachwedd 1903, a chollodd tua mil arall ohonynt bob gobaith am waith byth wedyn yn y chwarel. Ar wahân i bwnc taliadau undebol, yr hyn a oedd wrth wraidd y streic oedd awydd y chwarelwyr i amddiffyn eu statws traddodiadol yn y gwaith, a threfn 'y fargen', a wnâi'r chwarelwyr yn debycach i gontractwyr nag i weision cyflog. Bwriad perchnogion y chwareli oedd dileu'r 'fargen' ac adennill rheolaeth dynn dros eu gweithfeydd. Gwrthwynebydd cwbl ddigyfaddawd oedd Arglwydd Penrhyn, a fynnai hawliau dilyffethair fel cyflogwr. Rhyngddo ef a'i weithwyr yr oedd bwlch sylfaenol, gan eu bod hwy yn Gymraeg eu hiaith ac yn tueddu at Ymneilltuaeth a Rhyddfrydiaeth, ac yntau'n Seisnigaidd ei ffyrdd, yn Dori ac yn Eglwyswr. Yr oedd y ddwy ochr yn gwbl gadarn o ran safbwynt a bu pob ymgais i gyrraedd cytundeb yn ofer. Holltwyd y gymuned yn ddwfn gan y streic, a barodd am dair blynedd, a gadawodd greithiau am gyfnod hir ar ôl hynny.

Whisgi annisgwyl

Yn sgil stormydd cryfion ar ddechrau mis Awst, cafwyd hyd i wahanol fathau o froc môr o longddrylliadau yn ardal Bae Caernarfon, gan gynnwys nifer o gasgenni whisgi a ddarganfuwyd ar draethau Nefyn, Portinllaen, Porth Sgadan, Carreg y Llam ac Abererch. Diflannodd y casgenni'n fuan wedi iddynt gyrraedd glan wrth i drigolion lleol achub ar eu cyfle, yng ngeiriau gohebydd *Y Cymro*, i 'gymeryd meddiant o'r cyfryw wlybwr, yr hwn oedd gryn dipyn yn gryfach na gofynion y gyfraith'.

Yn ystod eu hymchwilad, daeth Gwylwyr y Glannau o hyd i 26 o gasgenni wedi'u claddu ar frys. Bu un hen wraig a oedd yn byw ger Nant Gwrtheyrn yn eithaf cyndyn i ildio ei chyfran hi o'r ysbail, gan fynnu deugain punt, sef gwerth y gasgen, gan y swyddogion. Yn ôl *Y Cymro*, 'Daeth Mr. Mason Cumberland, prif swyddog Caernarfon, â hi i'w synhwyrau yn bur fuan, pan ddywedodd wrthi y gallai gael pedwar mis mewn carchar'.

Cymry alltud dros y Bŵr

Milwyr o Gymru ar drên arfog yn Ne Affrica.

Roedd 'Cymry yn Rhengau y Gelyn,' yn ôl *Y Cymro* ar 18 Ionawr. Cyhoeddodd y papur ran o lythyr at ei chwaer gan un o filwyr Ucheldirwyr Gordon a wasanaethai gyda'r lluoedd Prydeinig yn Rhyfel y Bŵr. Ysgrifennu yr oedd ar ôl brwydr Magersfontein, gan sôn am y carcharorion a gymerwyd yno, ac yn eu plith dau Gymro.

Disgrifiodd y driniaeth giaidd a dderbyniodd un ohonynt, a oedd yn ffoadur o Streic y Penrhyn, gan swyddog o Sais: 'Darfu i'r corporal yn fwriadol â bôn ei wn dorri braich un o'r Cymry am ei fod yn ymladd yn erbyn Lloegr. Mwynwr yw ef, a dywedodd mai telerau Arglwydd Penrhyn barodd iddo adael ei wlad ac ymgartrefu yn y Transvaal'.

Mwy pabyddol na'r Pab

Nid oedd llawer o syndod pan ddatguddiwyd bod John Patrick Crichton Stuart, Trydydd Ardalydd Bute, a fu farw ar 9 Hydref, wedi gorchymyn mai ar Fynydd yr Olewydd, Jerwsalem, y dylid claddu ei galon.

Roedd y Trydydd Ardalydd wedi troi at Babyddiaeth yn 1868, gan beri cynnwrf mawr ymysg pendefigion y dydd. Roedd y dröedigaeth yn rhyfeddach fyth o gofio bod ei dad yn Brotestant pendant a fyddai'n dathlu Noson Guto Ffowc â sêl anghyffredin. Ac roedd Stuart yn selocach na'r Pabydd cyffredin. Cwynodd rhai o'i gyfeillion ei fod yn eu drysu a'u diflasu â'i siarad di-baid am fân bethau yn ymwneud â dys-

Patrick Crichton Stuart yn Faer Caerdydd.

geidiaeth a seremonïaeth Eglwys Rufain. Roedd ymhlith y lleygwyr amlycaf yng Nghyngor y Fatican, a byddai'n croesawu cardinaliaid i Gastell Caerdydd. Er hyn cyfrannai'n hael hefyd at godi synagogau i Iddewon y ddinas.

O'r 1860au ymlaen roedd ganddo ddiddordeb ysol yn nhiroedd y Beibl. Treuliodd aeaf 1874 yn Nasareth, ac roedd waliau lolfa Castell Caerdydd yn llawn lluniau o Balesteina. Cymaint oedd ei ddiddordeb fel y bu iddo brynu tiroedd helaeth yn y rhan honno o'r byd.

Roedd Stuart yn etifedd i holl deitlau, eiddo, a dyledion ei dad, yr Ail Ardalydd, dyn a ddisgrifiwyd fel 'creawdwr y

Gaerdydd fodern'. Cyflawnodd waith adeiladu ac addurno mawr ar Gastell Caerdydd a Chastell Coch, ond mewn gwirionedd roedd ei ymerodraeth yn ne Cymru eisoes wedi'i chreu pan ddaeth ef i'w oed.

Fel ei dad o'i flaen, medrai'r Trydydd Ardalydd Gymraeg, ac roedd yn frwd iawn ei gefnogaeth i fudiadau gwladgarol yng Nghymru a'r Alban. Byddai'n areithio'n fynych mewn eisteddfodau, a galwodd am gydnabyddiaeth i'r Gymraeg ac am godi cofeb gyhoeddus i Lywelyn ein Llyw Olaf. Daeth yn adnabyddus hefyd fel arwr y nofel *Lothair* gan Benjamin Disraeli a gyhoeddwyd yn 1870.

Ffrae Sbaenaidd

Mewn llys barn ym Merthyr Tudful ar 19 Tachwedd cafwyd y Sbaenwr Gregorio Lasuen yn ddieuog o lofruddio ei gydwladwr Martin Savada. Ymddengys fod y ddau'n gyfeillion agos ond iddynt ffraeo a dechrau ymladd yn iard gefn y Bute Inn ar 15 Awst. Honnwyd bod y naill wedi ymosod ar y llall â chŷn troedfedd o hyd a'i glwyfo yn ei glun. Daethpwyd o hyd i'r erfyn yn nes ymlaen mewn cwter gerllaw ac arno olion gwaed ffres.

Nid oedd tystion i'r ymrafael, er i sawl un weld Savada wedyn yn rhedeg trwy'r dafarn i'r stryd lle bu farw. Dywedodd Lasuen fod y cweryl wedi deillio o'r ffrafriaeth a ddangosai arolygydd y gwaith i Savada, ond gwadodd mai ef a'i lladdodd. Heb ddim ond tystiolaeth anghyson Mrs. O'Shea, tafarnwraig y Bute Inn, yn ei erbyn, cerddodd Lasuen o'r llys yn rhydd.

Daethai'r ddau ddyn o Sbaen i Gymru gyda'r garfan gyntaf o Sbaenwyr a ddaeth i weithio yn Nowlais oherwydd prinder llafur lleol.

Denu ymwelwyr

Ymwelwyr yn mwynhau cerdded pier newydd Bae Colwyn.

Y gantores opera fyd-enwog, Adelina Patti, brodor o Sbaen a pherchennog castell Craig-y-nos, Cwm Tawe, a agorodd y rhan olaf i'w hadeiladu o Bier Victoria a Phafiliwn Bae Colwyn ar 22 Mehefin.

Pier Bae Colwyn oedd un o'r pierau olaf ac un o'r mwyaf mawreddog i'w agor yng Nghymru. Lleolwyd ef ar un o bromenadau hwyaf y wlad, ac yr oedd lle i 2,500 eistedd yn y Pafiliwn ar gyfer cyngherddau a dramâu.

Pentref bach cymharol ddi-nod oedd Bae Colwyn hyd at 70au'r bedwaredd ganrif ar bymtheg, ond gyda thwf twristiaeth glan-y-môr yn y Gogledd yng nghyfnod Victoria daeth yn un o hoff gyrchfannau ymwelwyr â'r wlad, a chafodd y llysenw 'Yr Ardd Ger y Môr'. Ynghyd â threfi eraill arfordir y Gogledd, fel Llandudno, Prestatyn a'r Rhyl, daeth Bae Colwyn i ddibynnu'n drwm iawn ar yr elw a'r busnes a ddôi i'w rhan trwy dwristiaeth, a pharhaodd ymwelwyr yn ffactor o bwys yn economi'r trefi hyn trwy gydol y ganrif.

1901

'Nid oes bradwr yn y tŷ hwn'

Pwyllgor Streic y Penrhyn.

Ar 11 Mehefin, yng nghanol un o anghydfodau diwydiannol chwerwa'r ganrif, dychwelodd tua 400 o weithwyr Chwarel y Penrhyn i'r gwaith. Fe'u croesawyd yn bersonol gan Arglwydd Penrhyn a roddodd sofren i bob un ac addo codiad cyflog iddynt o 5%. Gan ofni ymateb y chwarelwyr eraill i'r 'bradwyr' yn eu plith, trefnwyd i'r rhan fwyaf o'r rhai a oedd am fynd yn ôl i'r gwaith gwrdd yn Nhre-garth, a dal trên preifat Arglwydd Penrhyn, er mwyn osgoi mynd trwy Fethesda ar y ffordd i'r chwarel.

Er hynny ni welwyd rhyw lawer o ymateb gan y streicwyr yn ystod y dydd, ond gyda'r hwyr gorymdeithiodd dwy fil o bobl i Neuadd y Farchnad, Bethesda, ac mewn cyfarfod bywiog, atgoffwyd y dorf gan y trefnydd undebol, D.R. Daniel, fod cymeriad da yn werth mwy na sofren. Awgrymwyd hefyd argraffu cardiau yn datgan 'Nid oes bradwr yn y tŷ hwn' a'u dosbarthu i'r rhai a ddaliai i streicio. Cydiwyd yn frwd yn yr awgrym, ac ymhen dim yr oedd y cardiau i'w gweld ar silff-ben-tân neu yn ffenestr ffrynt aml dŷ.

Ond er mor heddychlon yr ymateb i'r 'bradwyr' ym Mehefin, ni ddaeth y flwyddyn i ben heb drais, ac ar Nos Galan dechreuodd cyfnod o derfysg gyda'r gwaethaf yn hanes y Streic Fawr. Malwyd ffenestri Gwesty'r Victoria a Thafarn y Waterloo, am fod y ddau le wedi gwerthu diodydd i streicdorwyr, ac aethpwyd ymlaen i falu ffenestri 26 o dai lle oedd dynion a ddychwelodd i'r gwaith yn byw. Yn oriau mân bore cyntaf 1902 taflwyd cerrig mawr i mewn i dŷ Richard Hughes, contractwr a oedd yn elyniaethus i'r streicwyr, ac ymosodwyd ar nifer o dai eraill.

(Drosodd)

'Nid oes bradwr yn y tŷ hwn'

(o'r tudalen cynt)

Ym Mangor yn nes ymlaen yr un bore, trefnodd y Cyrnol Ruck, Prif Gwnstabl sir Gaernarfon, i gant o filwyr troed a deugain o wŷr meirch fynd i Fethesda, ac aeth Ruck ei hun i'r dref ynghyd ag ynad a oedd yn barod i ddarllen y Ddeddf Derfysg. Parhaodd y cyffro yn y dref, a phrynhawn yr un diwrnod, yn ôl gohebydd y *Times* bu'n rhaid i rai chwarelwyr neidio i afon Ogwen i ddianc rhag llid y streicwyr. Tawelodd y sefyllfa'n sylweddol ar ôl 2 Ionawr, er bod gwrthdystio heddychlon yn parhau fel arfer. Bu chwerwedd mawr rhwng streicwyr a streicdorwyr, a rhwng eu teuluoedd a'u disgynyddion am flynyddoedd wedyn.

Dyfarniad Cwm Taf

DEATH BLOWS AT TRADES UNIONISM.

Defnyddiwyd y gyfraith i dorri pen yr undebau, yn ôl cartwnydd y *Western Mail*.

Yn Nhŷ'r Arglwyddi ar 22 Gorffennaf rhoddwyd un o'r dyfarniadau cyfreithiol pwysicaf yn hanes y mudiad llafur, a hwnnw'n deillio o streic gan rai o weithwyr Rheilffordd Cwm Taf (*T.V.R.*) yn ne Cymru.

Aethant ar streic heb ganiatâd eu hundeb llafur, yr *Amalgamated Society of Railway Servants* (*A.S.R.S.*), ond wrth iddi fynd yn ei blaen, penderfynodd yr undeb cefnogi'r streicwyr, gan wylltio Amon Beasley, Rheolwr y *T.V.R.*, a ddaeth ag achos cyfreithiol yn erbyn yr *A.S.R.S.*. Hebryngodd ei achos yn selog o lys i lys nes cyrraedd Tŷ'r Arglwyddi, lle y dymchwelwyd dyfarniad y Llys Apêl o blaid yr undeb, a gorchmynwyd yr *A.S.R.S* i dalu iawn o £23,000 i'r *T.V.R* am golledion yn ystod y streic, a hefyd £25,000 o gostau cyfreithiol.

Roedd y dyfarniad yn ergyd drom i undebau llafur, ac edrychai i lawer un fel petai'r hawl i streicio ei hun mewn perygl o ddiflannu. Ar y llaw arall, yr oedd yn hwb mawr i achos y rhai a ymgyrchai dros gynrychiolaeth i fuddiannau llafur yn y Senedd. Os oedd cyflogwyr yn gallu defnyddio'r gyfraith i rwystro ymdrechion undebau llafur rhaid oedd cael rhywfaint o afael ar awenau'r broses ddeddfu. Datganodd James Taylor, ysgrifennydd un o ganghennau'r *A.S.R.S.* yng Nghaerdydd, 'Bydd hi'n anodd iawn nawr...Ni feiddiwn ni bicedu mewn unrhyw ffordd...Bydd penderfyniad Tŷ'r Arglwyddi yn achosi datblygiadau mawr a fydd yn chwarae rhan bwysig yn yr etholiad cyffredinol nesaf. Credaf y gorfodir y Senedd i roi i undebau llafur fwy o ryddid i weithredu nag sydd ganddynt ar hyn o bryd.'

Yn y pen draw, Dyfarniad Cwm Taf a sicrhaodd dwf y Blaid Lafur fel plaid annibynnol y dosbarth gweithiol, ac yn y tymor byr fe barodd i nifer o undebau unigol sefydlu cronfeydd gwleidyddol i noddi ymgeiswyr a fyddai'n ffafriol i Lafur. Yr oedd Ffederasiwn Glowyr Prydain ymhlith y cyntaf i weithredu felly yn 1901.

Ffrwydrad yr *Universal*

Lladdwyd 81 o ddynion mewn ffrwydrad methan anferth yng Nglofa'r *Universal*, Senghennydd ar 24 Mai.

Mor gryf oedd y ffrwydrad fel y teimlwyd ei effeithiau hyd at dair milltir a hanner i ffwrdd, a chymaint oedd ei rym yn nhwneli cyfyng y pwll fel y chwythodd offer i fyny'r siafft i'r awyr. Torrwyd dwy goes un glôwr, John Morgan, ger ceg y siafft wrth i offer pen y pwll ddisgyn arno o'r awyr ar eu ffordd i lawr. Gwaethygwyd effaith y ffrwydrad gwreiddiol wrth i dân ledaenu ar hyd twneli a rhodfeydd y pwll oherwydd y cyflenwad sylweddol o lwch glo sych a oedd wedi ymgasglu ynddynt. At hyn yr oedd effaith y nwy carbon monocsid a ddaeth yn sgil y ffrwydrad, ac a loriodd sawl aelod o'r tîm achub a aeth i mewn i'r pwll.

Taflodd y trychineb gysgod tywyll dros y gymuned lofaol fach, ond erbyn y penwythnos dilynol daeth y lle'n gyrchfan i ymwelwyr o bob rhan o'r ardal a ddaeth yno i wylio'r gwaith o godi'r cyrff yn mynd yn ei flaen. Trefnwyd trenau arbennig i gludo ymwelwyr, ac adroddwyd bod cerbydau o bob math yn llifo trwy'r pentref, a bod y ddwy dafarn yn orlawn.

Y wyrcws yn well

Mewn llys barn yn y Fenni ym mis Chwefror, daeth Alfred W.H. Taylor o Flaenafon ag achos yn erbyn ei chwaer am ei gadw'n garcharor yn ei thŷ. Ddwy flynedd ynghynt oherwydd goryfed, aeth Taylor yn rhy sâl i weithio, ac aeth ei chwaer a'i gŵr yn gyfrifol amdano, gan symud ei holl eiddo i'w tŷ hwy.

Wedi iddo wella cedwid Taylor yn was gartref gan y pâr, ac ni chaniatéid iddo fynd allan o'r tŷ ar ei ben ei hun. Ar yr un pryd casglai'r chwaer arian a oedd yn ddyledus i Taylor oddi wrth gymdeithas gyfeillgar leol. Adroddodd nifer o dystion fod Taylor yn gwneud tipyn mwy o waith yn y tŷ nag a gâi o ddâl amdano. Daeth y sefyllfa i'r amlwg pan ddychwelodd brawd iddo o America a dechrau holi yn ei gylch. Dywedodd Taylor wrth y llys y buasai wedi bod yn well iddo fynd i'r wyrcws na byw gyda'i chwaer.

Cranogwen

Yr oedd Sarah Jane Rees (Cranogwen), dros ei thrigain oed pan gytunodd i ysgwyddo cyfrifoldeb trefnu mudiad yn ne Cymru a fyddai'n efelychu'r llwyddiant mawr a gâi Undeb Dirwestol Merched Gogledd Cymru er 1892. I bleidwyr achos dirwest y De, hi oedd y dewis amlwg i arwain mudiad o'r fath gan ei bod eisoes wedi ennill enw iddi'i hun fel ymgyrchydd diflino yn erbyn y ddiod gadarn, a hefyd fel llenor a syflaenydd a golygydd y cylchgrawn Cymraeg i ferched *Y Frythones*.

Ym mis Mawrth sefydlwyd Undeb Dirwestol i Ferched y Ddwy Rondda, a ailenwyd yn Undeb Dirwestol Merched y De mewn cyfarfod yn y Porth ar 10 Ebrill. Erbyn diwedd y flwyddyn yr oedd deg cangen o'r mudiad ym Morgannwg, ac erbyn i Granogwen farw yn 1916 yr oedd tua 140 o ganghennau ar draws de Cymru o Fynwy i Benfro.

Yr oedd twf cyflym y mudiad yn ad-

lewyrchaid o faint y broblem yr oedd angen ei datrys. Nid oedd modd gwadu bod alcohol yn creu problemau difrifol yn y de diwydiannol, a miloedd o bobl bob blwyddyn yn mynd i helynt gyda'r heddlu am feddod cyhoeddus. Yr oedd Merthyr Tudful yn un o'r mannau gwaethaf yn y wlad am droseddau o'r fath. Cydiodd y capeli yn yr achos yn frwd, gan annog aelodau i dyngu llw i ymwrthod â'r ddiod gadarn, a chyhoeddi llu o bamffledi'n dwyn teitlau fel *Y Ddiod Feddwol a Dirywiad Meddyliol* a *Lles Ymarferol: Llwyrymwrthodiad*. Ond nid y rhai a gâi drafferthion â'r ddiod gadarn bob tro oedd y rhai a ddenwyd gan y mudiad dirwest. Er mai ymhlith y rhai a weithiai'n gorfforol yr oedd alcoholiaeth ar ei gwaethaf yn aml, eto siopwyr a gweinidogion yr efengyl a dueddai i lenwi'r cymdeithasau dirwest.

Er mor gyfyng oedd maes eu llafur, fe ddôi'r ddau Undeb Dirwest i ferched yn gyrff lled bwysig, gan ddarparu i lawer ohonynt fynedfa i fywyd cyhoeddus mewn cyfnod pan oedd y fath gyfleoedd yn brin. Cafodd sawl Cymraes ei phrofiad cyntaf o siarad yn gyhoeddus trwy gyfarfodydd y mudiad dirwest, a bu'r mudiad hefyd yn gyfle i ambell un finiogi ei doniau llenyddol trwy lunio pamffledi neu straeon moeswersol.

Marchog yr Olwynion

Crëwyd record byd newydd ar 19 Awst pan seiclodd Jimmy Michael o Aberaman, Cwm Cynon, un filltir mewn 1 munud 52.4 eiliad. Serch hynny, am wythnos yn unig y safodd ei record cyn cael ei thorri gan yr Americanwr Robert Walthour, a deithiodd yr un pellter 15 eiliad yn gyflymach.

Roedd Jimmy Michael wedi gwirioni ar seiclo'n ifanc iawn, ac yn ôl un chwedl amdano, pan oedd yn gweithio fel negesydd mewn siop gigydd yn Aberaman, fe fyddai bob amser yn mynd ar ei feic i ddosbarthu'r cig, ac ni fyddai byth yn disgyn oddi arno nes reidio i mewn i'r siop ac at y cownter.

Yn 1893, pan nad oedd ond 17 oed, enillodd brif gystadleuaeth seiclo Lloegr, 'Cant Surrey'. Torrodd record arall ym Mehefin 1895 ym Mharis pan seiclodd am gan cilometr. Drannoeth cymerodd ran mewn ras hanner can cilometr, gan fethu o ychydig mwy na munud â churo'r record am y pellter hwnnw a grewyd gan Arthur Linton, hefyd o Aberdâr. Yng Ngorffennaf yr un flwyddyn yn Llundain, cipiodd Michael record gan milltir y byd, gan greu record newydd o 3 awr 53 munud. Ac ym Mai 1896 eto, cipiodd recordiau proffesiynol Lloegr i gyd am y pellteroedd tair, pedair, pump, a

Tri beiciwr enwog o Aberdâr – Jimmy Michael, Morgan Thomas ac Arthur Linton.

chwe milltir mewn un noson. Drannoeth, curodd ei record ei hun am saith milltir, a chipio record y byd am wyth milltir.

Roedd seiclo wedi dod yn weithgaredd hamdden ffasiynol iawn, yn enwedig ar ôl i John Boyd Dunlop o Belfast gyflwyno ei deiars niwmatig yn 1889. Roedd hyn yn arbennig o wir am Gwm Cynon, lle y byddai pobl yn ymfalchïo mewn pencampwyr lleol fel 'marchogion yr olwynion'. Wrth i seiclo ddod yn fwyfwy poblogaidd, dechreuodd prisiau beicau ostwng a daeth mwy a mwy o bobl ddosbarth gweithiol i'w prynu. Yn 1884 sefydlwyd Clwb Beicio Aberdâr, ac o'r clwb hwn y dôi rhai o seiclwyr mawr y cyfnod.

Dwy flynedd ar ôl ei gamp, yn Rhagfyr 1904, bu farw Jimmy Michael ar y llong *Savoie* ar y ffordd i Efrog Newydd.

Y pregethwr a'r puteiniaid

Honiadau ei fod wedi ymddwyn yn anweddus trwy gael rhyw gyda puteiniaid a thrwy feddwi ac wedyn ymolchi'n noeth gyda theithiwr arall ar fwrdd llong – dyna a barodd i'r Parch. William Owen Jones, un o heolion wyth Methodistiaeth Gymraeg Lerpwl, gael ei dorri allan gan ei enwad a mynd i sefydlu ei eglwys ei hunan.

Bu Jones yn weinidog Capel Chatham Street, Lerpwl, pan ddygwyd y cyhuddiadau yn ei erbyn a daeth 'Achos Chatham Street' yn un o destun trafod mawr y dydd gan lenwi colofnau'r papurau newydd Cymraeg am fisoedd. Deilliodd y cyhuddiadau o fordaith a gymerodd Jones yn 1899 i Fôr y Canoldir ar y llong *Vita* er mwyn gwella ei iechyd.

Honnodd capten y llong, Isaac Jarvis, fod sgyrsiau Jones ar y daith yn 'amhur a llygredig', a'i fod ef – Jarvis – ar un achlysur wedi prynu deuddeg potelaid o wisgi i'r gweinidog, cymaint oedd awch Jones am y ddiod feddwol. At hyn cafwyd tystiolaeth gan R.G. Palfrey, mêt cyntaf y llong, fod Jones wedi ymweld â phuteindai ym Marseilles a Valencia

Am ddwy flynedd fe lusgodd yr achos ymlaen, nes i Jones gael ei ddiarddel yn derfynol gan y Methodistiaid Calfinaidd ar 26 Mehefin 1901. Ymatebodd Jones yn syth trwy gynnal ei oedfa ei hunan ar 14 Gorffennaf, gan ddenu dwy fil o bobl i'w glywed yn pregethu. Dyna ddechrau 'Eglwys Rydd y Cymry' a sefydlwyd ar 28 Gorffennaf. Cynyddodd yr aelodaeth yn gyflym nes cyrraedd mwy na mil, ac erbyn canol 1904 yr oedd gan yr enwad newydd saith eglwys a phedwar capel.

'Y Llew oedd ar y llwyfan'

Ar 23 Mawrth, yn y Rhyl, bu farw'r llenor a'r cerddor Lewis William Lewis (Llew Llwyfo) o Ben-sarn, Ynys Môn. Bu Lewis yn olygydd ar nifer o gyfnodolion Cymraeg ac yn awdur nifer o gerddi arwrol, ond yr hyn sydd yn rhoddi iddo le pwysig yn hanes llenyddiaeth Cymru yw ei nofelau megis *Llewelyn Parri: neu y Meddwyn Diwygedig*, *Cyfrinach Cwm Erfin*, a *Huw Huws neu y Llafurwr Cymreig*, rhai o nofelau cyntaf y Gymraeg. Bu'n ganwr poblogaidd iawn yn ystod y ganrif ddiwethaf, ac yn drefnydd cyngherddau yng Nghymru ac i Gymry America.

Y Celtiaid yn closio

Yn Nulyn ym mis Awst, cynhaliwyd cyfarfod cyntaf y Gyngres Ban-Geltaidd, gyda chynrychiolwyr o Gymru – yn cynnwys yr Archdderwydd Hwfa Môn a'r Athro John Morris-Jones – yn amlwg ymhlith y cynadleddwyr. Sefydlwyd y Gyngres ar ôl cyfarfod yn Eisteddfod Genedlaethol Lerpwl 1900, i fod yn fudiad diwylliannol ac i hybu gweithgaredd trwy gyfrwng ieithoedd y chwe gwlad Geltaidd.

Pennwyd cyfeiriad y mudiad yn bendant iawn yn ei gynhadledd yng Nghaernarfon yn 1904, pan benderfynwyd mai iaith oedd y brif nodwedd a dderbynnid i ddiffinio Celteiddrwydd cenedl. Yn 1917, ail-sefydlwyd y Gyngres gan yr Aelod Seneddol Rhyddfrydol a'r cenedlaetholwr, E.T. John, a'i hailenwi'n Gyngres Geltaidd. Ers hynny bu'r Gyngres yn cynnal cyfarfodydd yn rheolaidd yn y gwahanol wledydd Celtaidd.

Llydawyr yng Nghyngres Geltaidd Caernarfon 1904.

Smotyn Du Merthyr

Adroddwyd ym mis Ionawr fod ffwrneisiau golosg Cwmni Cyfarthfa yn Ynys-fach, Merthyr Tudful, wedi dod yn gyrchfan i drigolion digartref y dref, oherwydd y gwres a oedd yn parhau ynddynt ar ôl i'r gwaith gau am y nos. Honnwyd bod y lle bellach yn llawn dihirod ac oferwyr yn byw ar ladrad, gan ymosod ar ddieithriaid wrth iddynt adael y tafarndai, a dwyn oddi arnynt bob dimai goch a feddent.

Cofio 'Tad y Nofel Gymraeg'

Ar 31 Hydref yn yr Wyddgrug, dadorchuddiodd yr Arglwydd Kenyon gerflun Goscombe John o un o feibion enwocaf y dref, y nofelydd Daniel Owen, a fu farw yn 1895.

Mewn cyfarod cyhoeddus wedyn clywyd anerchiadau gan nifer o bwysigion yr ardal yn canu clodydd llenor arloesol a wnaeth fwy na neb arall i sefydlu'r nofel fel ffurf mewn llenyddiaeth Gymraeg, ac yn canmol y gwerthoedd a oedd i'w canfod yn ei waith.

Dewis pwyllgor lleol oedd gofyn i'r Arglwydd Keynon dynnu'r gorchudd oddi ar y gofeb, ond nid oedd hynny at ddant pawb. Cwynodd gohebydd *Y Cymro* mai anaddas iawn oedd gwahodd bonheddwr Torïaidd a di-Gymraeg i ddadorchuddio cerflun o hen Ryddfrydwr a chapelwr o Gymro. Sylwodd y papur hefyd ar le amlwg yr iaith fain yn y seremoni, gan achwyn fod yr holl siarad, ar wahân i un araith, wedi ei ddwyn ymlaen 'mewn iaith na ddeallai prif ddarllennwyr llyfrau D.O. mohoni.'

1902

4 Ionawr

Bu protestiadau yn ynys Malta pan ddisodlwyd yr Eidaleg gan y Saesneg fel iaith swyddogol y wlad.

25 Ionawr

Diddymwyd y gosb eithaf yn Rwsia.

26 Mawrth

Bu farw'r imperialydd Cecil Rhodes a roddodd ei enw i'r wlad Rhodesia (Zimbabwe yn ddiweddarach).

5 Ebrill

Lladdwyd ugain o bobl ym Mharc Ibrox, Glasgow, pan gwympodd rhan o'r stadiwm yn ystod gêm bêl-droed rhwng Lloegr a'r Alban.

8 Mai

Lladdwyd deg mil ar hugain o bobl a dinistriwyd tref St. Pierre i gyd pan ffrwydrodd llosgfynydd ar ynys Martinique yn y Caribî.

31 Mai

Ildiodd lluoedd y Bŵr i'r Arglwydd Kitchener yn Pretoria, De Affrica.

13 Medi

Am y tro cyntaf erioed cafwyd dyn yn euog gan lys barn ar sail tystiolaeth olion bysedd.

10 Rhagfyr

Yn yr Aifft, gorffennwyd adeiladu argae enfawr ar draws Afon Nil yn Aswan.

Ymadawiad Arthur

Y bardd trannoeth ei gadeirio yn ei absenoldeb.

Dechreuwyd pennod newydd yn nhraddodiad barddonol y Gymraeg yn Eisteddfod Genedlaethol Bangor pan gadeiriwyd T. Gwynn Jones am ei awdl 'Ymadawiad Arthur'.

Pan oedd bri ar feithder diawen a dieneiniad Hwfa Môn a'i gyffelyb, canodd Gwynn Jones awdl syml, ramantaidd am farwolaeth Arthur ym mrwydr Camlan a'i ddwyn i Ynys Afallon, a oedd yn llawn adleisiau o lenyddiaeth Gymraeg orau'r Oesoedd Canol. Er i feirniaid llenyddol weld tebygrwydd o'r safbwynt storïol rhwng 'Ymadawiad Arthur' a 'Morte d'Arthur' Tennyson (honnai Gwenallt ar y llaw arall i Gwynn Jones ddweud wrtho nad oedd yn gyfarwydd â'r gerdd Saesneg pan luniodd ei awdl), nid adlais o gerdd Tennyson mohoni, ond cerdd ragorach ei chrefft a saif ar ei thraed ei hun fel un o'r cerrig milltir yn hanes llenyddiaeth Gymraeg. Gwelir ffurf derfynol yr awdl, wedi i'r bardd ei diwygio sawl gwaith, yn y *Detholiad o Ganiadau* a gyhoeddwyd gan Wasg Gregynog yn 1926.

Mewn priodas yn Ninbych yr oedd Gwynn Jones pan alwyd ei ffugenw, 'Tir na n-Og', a chadeiriwyd ei gyfaill Beriah Gwynfe Evans yn ei le. Pan gyrhaeddodd ei gartref yng Nghaernarfon y noson honno, croesawyd ef gan dyrfa o tua phum mil, a

(Drosodd)

Ymadawiad Arthur

(o'r tudalen cynt)
chariwyd ef drwy'r dref i gyfeiliant band y Magnelwyr Brenhinol.

Cadeiriwyd Gwynn Jones eilwaith yn Eisteddfod Genedlaethol Llundain 1909 am ei awdl 'Gwlad y Bryniau', a dilynwyd hyn gan rai o gerddi mwyaf ein llenyddiaeth – 'Anatiomaros', 'Tir na n-Og', 'Madog' a 'Cynddilig' yn eu plith. Yr oedd yn ysgolhaig a llenor yn ogystal â bardd, a chyhoeddodd gyfrolau ysgolheigaidd, nofelau a dramâu. Cyfieithodd hefyd weithiau o'r Lladin, Groeg, Almaeneg, Ffrangeg, Gwyddeleg a Saesneg.

Dyn radicalaidd ei feddylfryd ydoedd. Yn 1916 mynegodd gefnogaeth frwd i Wrthryfel y Pasg yn Nulyn, ac yn 1907 enwebwyd ef yn ymgeisydd Sosialaidd posib ar gyfer etholaeth Sir Fflint. Serch hynny, yn 1937 derbyniodd y C.B.E. gan gydnabod ei fod yn 'llai penboeth na chynt'. Yn 1938 derbyniodd ddoethuriaeth er anrhydedd gan Brifysgol Genedlaethol Iwerddon am ei waith ar y Wyddeleg.

Bu'n fawr ei ddiddordeb yn y byd Celtaidd ar hyd ei oes, ac ar ddydd ei angladd, 10 Mawrth 1949, daeth mintai o Lydawyr yn eu gwisg genedlaethol i dalu teyrnged ar lan ei fedd.

Gyrru peryglus

Yn llys ynadon Conwy ar 7 Gorffennaf, cafodd Harold Morris Bater, gyrrwr car Ardalydd Môn, ddirwy o 20 swllt am yrru'n beryglus. Haerodd un tyst iddo weld car y diffynydd yn mynd heibio iddo ar y fath gyflymder fel na allai ganfod pwy oedd y gyrrwr. Adroddwyd bod y cerbyd yn teithio rhwng 20 a 25 milltir yr awr.

Dywedodd Cadeirydd y Fainc, Charles H. Darbishire, fod y byd bellach wedi'i rannu yn ddau ddosbarth, sef y rhai oedd yn gyrru ceir, a'r rhai a gâi eu bwrw i lawr ganddynt.

uchod:
Teithwyr cyntaf oll y Lein Fach.

Y Lein Fach

Ar 28 Gorffennaf dechreuodd trenau redeg ar hyd rheilffordd gul Cwm Rheidol o Aberystwyth i Bontarfynach.

Bwriedid i'r lein ddod â choed a mwyn plwm i dref Aberystwyth ar gyfer eu llwytho ar longau, a hefyd i ddenu ymwelwyr. Rhedai gyda glan Afon Rheidol cyn codi'n ddramatig tua Phontarfynach ar hyd ochr ddeheuol y cwm gan ddwyn i'r amlwg nifer o olygfeydd pur arswydus tua gwaelod y cwm islaw. Yn ystod agoriad swyddogol y lein ym mis Tachwedd, gwrthododd un o'r gwahodd-edigion ddychwelyd i Aberystwyth ar y trên, gan mor frawychus iddo fu'r daith i Bontarfynach.

Agorwyd y lein i'r cyhoedd ym mis Rhagfyr, a chafwyd cryn lwyddiant yn denu ymwelwyr a fyddai gynt yn teithio mewn cerbyd i weld rhaeadr Pontarfynach. Cludwyd mwy na mil o deithwyr dros wyliau'r Pasg 1903.

Yn 1924, caewyd y gangen i'r harbwr, a gosodwyd terfyn y lein wrth ochr prif orsaf y dref. Collodd ei swyddogaeth gludo nwyddau ac aeth yn wasanaeth hamdden yn unig. Hyd at 1989, pan breifateiddiwyd hi, rheilffordd Cwm Rheidol oedd y gwa-sanaeth trenau stêm olaf ym meddiant y Rheilffyrdd Prydeinig.

uchod:
Cymry Patagonia yn gadael
Lerpwl am Ganada ar yr
R.M.S. Numidian, 12 Mehefin.

O baith i baith

Wedi i lifogydd yn 1899 ddinistrio rhannau o Chubut, Patagonia, lle sefydlwyd gwladfa Gymreig yn 1865, ffurfiwyd Pwyllgor Cymry Patagonia i geisio codi arian i gynorthwyo rhai o'r Cymry colledus i fudo i Ganada. Yr oedd llywodraeth Canada yn awyddus i ddenu ffermwyr i daleithiau'r paith, a chytunodd i ddarparu trefedigaeth o 36 milltir sgwâr ar gyfer Cymry Patagonia. Gwrthododd llywodraeth Prydain gyfrannu at y fenter ond llwyddwyd i gasglu dwy fil o bunnoedd trwy danysgrifiadau cyhoeddus. Disgwylid ar un adeg y byddai cyfran sylweddol o'r pedair mil o Gymry Patagonia yn ymadael â'r Ariannin, ond yn y diwedd, 234 ohonynt a fordeithiodd ym mis Mai i Lerpwl ac yna ymlaen ym mis Mehefin i Ganada ar un o longau'r *Pacific Steam Navigation Company*. Glaniodd y fintai yng Nghanada ar 25 Mehefin, lle y llwyddwyd i sefydlu gwladfa newydd yn Saltcoats, tua 268 milltir o Winnipeg, Saskatchewan.

Yn ôl gohebydd papur newydd y *Winnipeg Free Press*, roedd y Cymry'n fodlon iawn yn byw dan 'gyfraith deg Prydain' yn eu cartref newydd, yn lle dioddef 'anffafriaeth ymhob ffordd' yn yr Ariannin, ond roedd un peth yn dal i fod yn broblem – addysg. Ym Mhatagonia cawsai'r Cymry eu gorfodi i dderbyn athrawon Sbaeneg eu hiaith yn yr ysgolion, tra yng Nghanada dim ond athrawon Saesneg oedd i'w cael, a'r plant erbyn hynny heb fedru ond y Sbaeneg a'r Gymraeg. Penderfynodd y Cymry dderbyn bod rhaid i'w plant ddysgu Saesneg, ac atebwyd y broblem trwy benodi Moses Williams, ysgol-feistr a fedrai Gymraeg, i ofalu am addysgu'r plant mewn Cymraeg a Saesneg.

Hen arferion gwarthus

Mewn achos yn llys ynadon Pwllheli ym mis Mehefin, dygwyd y gwas fferm Benjamin Davies, Llanystumdwy, o flaen ei well am yr hyn a oedd, chwedl yntau, yn un o hen aferion caru'r Cymry. Gyda'r nos ar 31 Mai, ymwelodd Davies â'r wraig ifanc Jane Catherine Williams, a chynnal sgwrs â hi trwy ffenestr ei hystafell, gan obeithio ei pherswadio i ddod i lawr ato. Gwrthododd y ferch ei gais, ond prin ei bod wedi cau'r ffenestr i derfynu'r sgwrs, na thaflodd Davies rywbeth trwyddi a'i thorri.

Dywedodd Davies na welai ddim byd o'i le ar yr hyn a wnaeth, ond o'r fainc, siaradodd y Parch. J.C. Williams Ellis yn erbyn y fath arferion caru: 'Gorau po gyntaf i roi pen arni hi, peth gwarthus iawn ydyw.' Cafodd Davies ddirwy o bum swllt a rhoddwyd costau'r achos yn ei erbyn.

Cwm Tawe ar y blaen

Yng Nghlydach, Cwm Tawe agorodd yr Almaenwr, Ludwig Mond, y gweithfeydd toddi mwynau nicel mwyaf yn y byd. Un arwydd o blith sawl un oedd hon o allu'r maes glo i ddenu diwydiannau newydd a blaengar eu technoleg.

Nid oedd Mond bob amser yn gyflogwr poblogaidd, ac o fewn blwyddyn, gwelwyd streic bur chwerw yng ngweithfeydd Clydach, streic y ceisiodd Mond ei thorri trwy ddod â gweithwyr i mewn o leoedd eraill. Arweiniodd hyn at gryn gyffro yn yr ardal ym mis Hydref, pan ymosododd torf o bobl â cherrig ar y streicdorwyr wrth iddynt adael eu trên.

Y sofren wrthodedig

Cafodd Cymro ifanc, John Arthur Evans o Fangor, ei garcharu ym Mrasil am dri diwrnod ar ddeg ym mis Mehefin ar gyhuddiad o dwyll, a bu'n rhaid wrth ymdrechion mawr gan swyddogion Prydeinig lleol i'w ryddhau. Honnodd Evans iddo gael ei fwrw i gell fudr yn llawn llygod Ffrengig, lle roedd ef a'i gyd-garcharorion, dynion a gwragedd ynghyd, wedi'u gwasgu ar ben ei gilydd fel sardîns, heb ddim ond bara sych i'w fwyta.

Ymddengys fod yr helynt wedi deillio o ymgais y Cymro i dalu am ddiod mewn gwesty â sofren aur Brydeinig, nad oedd y gwestywr yn fodlon ei derbyn.

Seisnigeiddio'r Eisteddfod

Cafwyd cwyn lled chwyrn gan William Evans, Cadeirydd Eisteddfod y Bermo, ym mis Ebrill fod yr Eisteddfod Genedlaethol yn dioddef oherwydd ei llwyddiant ei hun, 'am y rheswm fod elfenau wedi dyfod i fewn ydynt yn graddol ladd nodweddion Cymreig', gyda'r canlyniad bod rhaid i'r 'hen iaith Gymraeg gymeryd yr ail le'. Honnodd fod tri chwarter busnes yr Eisteddfod a'i chystadlaethau yn cael eu cynnal yn Saesneg, a galwodd ar bob Cymro i wneud ei orau i achub 'yr hen sefydliad cenedlaethol', er ei fod yn awyddus i bwysleisio na fynnai weld yr ŵyl yn troi'n gyfan gwbl Gymraeg.

Chwiorydd y parasiwt

Marw wedi i'w pharasiwt fethu ag agor fu tynged y Gymraes Edith Brooks ar 20 Mai, yn Sheffield. Yr oedd wedi neidio o falŵn awyr boeth 2,500 troedfedd uwchben maes pêl-droed Sheffield Wednesday. Yr oedd Miss Brooks yn cymryd lle ei chwaer hŷn Maud Brooks a oedd ar y pryd ym Mhont-y-pŵl, yn perfformio'r un gamp, gan neidio o uchder o 7,500 troedfedd.

Roedd y ddwy chwaer o Gaerdydd yn enwog am eu campau balwnio a pharasiwtio, ac roedd Maud Brooks yn arbennig o boblogaidd yng Nghaerfyrddin, lle oedd wedi neidio deirgwaith mewn arddangosfeydd cyhoeddus.

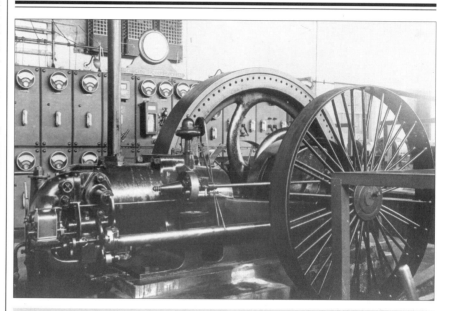

Bydded goleuni

uchod: Peiriannau cynhyrchu trydan cynnar.

Ar 5 Gorffennaf, mewn sesiwn arbennig o Gyngor Dosbarth Gwyrfai, sir Gaernarfon, sicrhaodd Charles Assheton Smith, perchennog chwareli lleol, ganiatâd y Cyngor i ddechrau'r gwaith paratoawl ar gyfer cyflenwi golau trydan i blwyfi Llanfair-is-gaer, Llanddeiniolen a Llanberis. Roedd trydan bellach yn cyrraedd mannau mwyaf diarffordd cefn gwlad Cymru, er nad cyn y '60au y dôi cyflenwad llawn i bob un o gartrefi'r ardaloedd gwledig.

Merched Beca'n pysgota

Yn ardal Rhaeadr Gwy, sir Frycheiniog, yr oedd brwydr hir yn mynd ymlaen rhwng Bwrdd Gwarchodwyr Afon Gwy a chriw o botsiwrs eogiaid lleol. Cymaint oedd pryder y Gwarchodwyr fel y galwyd ar bymtheg o ddynion ychwanegol i gynorthwyo beilïaid rheolaidd yr afon, ond bu'n rhaid i'r rhain letya yn Llanfair-ym-Muallt am nad oedd croeso iddynt yn Rhaeadr Gwy ei hun.

Er gwaethaf y cymorth ychwanegol hwn, gyda'r hwyr ar 21 Tachwedd daeth dros hanner cant o ddynion o Raeadr at yr afon a'u hwynebau wedi'u duo, ac yn cael eu harwain gan ddyn mewn gwisg fenywaidd, yn null merched Beca a ymosododd ar dollbyrth yng ngorllewin Cymru rhwng 1839 a 1844. O flaen tyrfa o gannoedd o wylwyr llwyddodd y dynion i ddal un eog, a thrywanu un arall er iddynt fethu â'i lanio. Yr oedd hysbysebion wedi eu gosod yn yr ardal yn cyhoeddi'r amser a'r lle pan fyddai 'Becca a'i Merched' yn ymgynnull i bysgota.

Bachgen bach o Ferthyr

Y Doctor Mawr.

Prin fod cerddor yn holl hanes Cymru wedi cael yr un dylanwad ar werin bobl ei wlad â Dr. Joseph Parry, a fu farw ym Mhenarth ar 17 Chwefror.

Dôi o gefndir difreintiedig, ac o ystyried anwasterau cyfnod cynnar ei fywyd, yr oedd ei lwyddiant diweddarach yn rhyfeddol. Yn 1841, ac yntau'n ddeg oed, aeth y bachgen o Ferthyr Tudful i weithio mewn pwll glo, a bu wedyn yn gweithio mewn gweithfeydd dur ym Mhensylfania, yn yr Unol Daleithiau, gan astudio cerddoriaeth yn ei oriau hamdden ac ymarfer ei ddawn offerynnol trwy gyfeilio mewn capel. Dechreuwyd sylwi ar ei ddawn, a phan oedd yn ugain oed anfonwyd ef ar gwrs tri mis i Efrog Newydd. Yn y cyfnod hwn fe'i gwysiwyd ddwywaith i ymuno â byddin taleithiau'r gogledd yn ystod Rhyfel Cartref America, ac ar y ddau achlysur bu'n rhaid iddo brynu ei ryddid.

Daeth newid mawr ar ei fyd pan enillodd wobrau yn Eisteddfodau Cenedlaethol 1863 a 1864 am gyfansoddiadau cerddorol. Codwyd cronfa gyhoeddus i ddarparu modd iddo fynd i astudio i'r Academi Gerdd Frenhinol yn Llundain yn 1868.

Yn 1874, fe'i penodwyd yn Athro Cerdd Coleg y Brifysgol Aberystwyth. Derbyniodd ostyngiad sylweddol yn ei gyflog wrth gymryd y swydd – bu'n cadw ysgol gerdd yn yr Unol Daleithiau – ond aeth ati i wneud yn iawn am ei golled trwy drefnu i'w fyfyrwyr roi llu o gyngherddau cyhoeddus er elw iddo ef, ac er mawr syndod i'w gyflogwyr.

Roedd ganddo lygad craff i ganfod cerddorion ifainc talentog, fel y glôwr William Davies y cododd Parry gronfa iddo i'w alluogi i fynd i Goleg Aberystwyth, ar ôl ei weld yn perfformio mewn eisteddfod yn Rhosllannerchrugog. Ef hefyd oedd y cyntaf i gofrestru merched yn fyfyrwyr yn Aberystwyth, gan fod angen eu lleisiau yn ei gôr, ond nid oedd yn ddisgyblwr da, a bu cryn feirniadu ar ei ddulliau dysgu.

Wedi gadael Aberystwyth yn 1880, bu am wyth mlynedd yn Abertawe, lle y sefydlodd Goleg Cerddorol Cymru. Treuliodd hefyd gyfnod yn dysgu yng Nghaerdydd, lle y bu'n Bennaeth Adran Gerdd Coleg y Brifysgol am bymtheng mlynedd. Yn ystod y cyfnod hwn sefydlodd Ysgol Gerdd De Cymru gyda chymorth ei fab Mendelssohn. Roedd galw mawr am ei wasanaeth fel arweinydd a beirniad hefyd, a byddai'n ymddangos yn rheolaidd mewn eisteddfodau. Ymysg ei weithiau poblogaidd mae'r gân *Myfanwy*, yr opera *Blodwen* a'r emyn-dôn *Aberystwyth*.

Buffalo Bill

Mawr oedd y cyffro yn y Rhyl ar 27 Mai pan ddaeth y Cyrnol Buffalo Bill Cody â'i syrcas Gorllewin Gwyllt yno. Codwyd adeilad dros dro anferth gyda seddi i 14,000 o wylwyr, a llogwyd pedwar trên i ddod â phum cant o geffylau a naw cant o berfformwyr i'r dref, gan gynnwys cant o Americanwyr brodorol. Ymysg atyniadau eraill cyflwynwyd ar-ddangosfeydd o farchogaeth ceffylau gwyllt a dawnsio rhyfel yr Indiaid Cochion, ac actiwyd ymosodiad banditaidd ar goets fawr.

Cofnodwyd y sioe fawr ar ffilm gan yr arloeswr sinema Arthur Cheetham, gan gynnwys y ddefod hynod pan ymunodd Cody â changen y Rhyl o'r *Royal Antedeluvian Order of the Buffaloes*. Dangoswyd y ffilm yn y dref dridiau wedyn, pan gafodd trigolion y Rhyl ail gyfle i weld y cowboi enwog yn ei het ddeg galwyn.

Buffalo Bill.

Peryglon gwersi gyrru

Mewn un o ddamweiniau car cyntaf Cymru, yn Llanisien, Caerdydd, lladdwyd gwraig 75 oed gan ddysgwr o yrrwr.

Clywodd crwner Caerdydd yn y cwest a ddilynodd y ddamwain fod dyn o'r enw Mr. Sully yn rhoi gwers yrru i berchennog y car, W.H. Newton, ger gorsaf Llanisien, pan geisodd y wraig, Mrs. Beale, groesi'r ffordd o'u blaen. Er i Sully gydio yn y llyw a throi'r car i'w hosgoi, trawyd Mrs. Beale i lawr, a bu farw o'i hanafiadau bum niwrnod yn ddiweddarach. Amcangyfrifwyd bod y car yn teithio rhwng 5 ac 8 milltir yr awr pan ddigwyddodd y ddamwain. Argymhellodd y crwner fod darpar-yrwyr yn dewis ffyrdd llai prysur na phrif heol Llanisien i ymarfer.

THE ORDER OF RELEASE.

uchod:
'Dame Wales' yn sefyll rhwng yr afr a'r gyllell.

Marathon Caerdydd

Ymgynullodd miloedd o bobl y tu allan i Dafarn yr Angel, Caerdydd, ar 23 Mai i weld dechrau'r ras gerdded a gynhaliwyd gan Gyfnewidfa Stoc y dref. Cystadlodd 24 o bobl yn y ras 26 milltir, a enillwyd gan F.C. Matthews mewn 4 awr 42 munud.

Crogi llygoden

Roedd crogi'n beth anarferol iawn yng Ngharchar Rhuthun, sir Ddinbych, a phan ddigwyddodd hynny ar 17 Chwefror, yng ngwydd yr Uchel-Sirydd, Arglwydd Niw-bwrch, bu'n rhaid galw ar wasanaeth dau swyddog o garchar Walton, Lerpwl, i weithredu'r gosb am nad oedd neb cymwys i wneud y gwaith yn Rhuthun.

William Hughes o Wrecsam oedd y dyn condemniedig, a chrogwyd ef am lofruddio'i wraig. Yn ôl tystion, aeth Hughes i'r grocbren yn gwbl ddidaro, a sylwyd bod rhai o'r swyddogion lleol a alwyd i wylio'r dienyddiad yn ymddangos yn fwy ofnus nag ef. Adrodd-wyd iddo gellwair gyda'i wardeniaid y noson gynt gan sefyll ar ei ben a rhedeg o gwmpas ei gell ar ei bedwar fel llygoden. Dyma'r tro olaf y câi fwynhau'r fath ddifyrrwch, meddai wrthynt Oherwydd ei ymddygiad od bu rhai'n dadlau wedyn na ddylid fod wedi ei grogi, gan nad oedd o bosib yn ei iawn bwyll.

Oes gafr eto?

Bu cryn anfodlonrwydd ymysg y Ffiwsilwyr Brenhinol Cymreig a ddychwelodd o Ryfel y Bŵr ym mis Chwefror, pan gyhoeddodd y Bwrdd Amaeth na fyddai'n caniatáu i fwch gafr y gatrawd ddod yn ôl i mewn i'r wlad pan laniodd llong y milwyr yn Southampton. Ofnid y gallai'r bwch fod yn cludo heintiau o Dde Affrica, a rhoddwyd dedfryd o farwolaeth arno, gan orchymyn ei gadw ar fwrdd y llong i aros ei dynged. Ond gan gymaint y cyffro cyhoeddus a achosodd y penderfyniad calongaled hwn, bu'n rhaid i'r Bwrdd Amaeth ildio a chydnabod mai anifail anwes catrodol swyddogol oedd y bwch, a rhyddhawyd ef ar ôl ymchwiliad mil-feddygol.

Cymru a Thragwyddoldeb

Fel Hedd Wyn ar ei ôl mae Ben Bowen, a fu farw ar 16 Awst yn 25 oed, yn enghraifft o fardd ifanc addawol ar ei dyfiant na chafodd gyfle i flodeuo'n llawn. Ganwyd ef yn Nhreorci, ac aeth i weithio dan ddaear yn 12 oed, gan achub ar bob cyfle i ddiwyllio ei hun yn enwedig mewn barddoniaeth ac athroniaeth. Dechreuodd gystadlu mewn eisteddfodau'n gynnar, a daeth cryn lwyddiant i'w ran. Yn 1897 dechreuodd fynychu Academi Pontypridd a'i fryd ar fynd i'r weinidogaeth, ac yn yr un flwyddyn urddwyd ef yn fardd yn Eisteddfod Genedlaethol Casnewydd, i'w adnabod yng Ngorsedd wrth yr enw 'Euros'. Aeth am gyfnod byr i Goleg Caerdydd ond dioddefai gan y darfod-

edigaeth, a chyda chymorth cronfa a godwyd iddo gan gyfeillion, teithiodd i Kimberley yn Ne Affrica i geisio gwellhad. Oddi yno, yn ogystal ag anfon erthyglau achlysurol i'r *South Wales News*, anfonodd hefyd erthygl i'r *Geninen* lle mynegodd ei amheuon ynglŷn â 'Chymundeb Caeth' y Bedyddwyr, sef ei enwad ei hun. Cafodd ei erlid yn ddi-drugaredd yn y wasg fel canlyniad, a dygwyd cyhuddiadau yn ei erbyn o fynychu 'hotels a billiard halls, ac o yfed Bass' yn Ne Affrica. Pan ddychwelodd oddi yno ar ôl dau fis ar bymtheg diarddelwyd ef gan ei eglwys, Moriah, Pentre er ei bod yn amlwg nad oedd ganddo oes hir o'i flaen. Yn Eisteddfod Genedlaethol Lerpwl 1900 daeth ei bryddest

ar y testun 'Williams Pantycelyn' yn ail orau, ac yn ei feirniadaeth dywedodd Iolo Caernarfon i Ben Bowen 'sôn gormod am Gymru a thragwyddoldeb'. Dywedodd y bardd wrth ei frawd mai dyna'r geiriau y dymunai eu cael ar ei garreg fedd, a phan godwyd cofgolofn ar ei fedd ym mynwent Treorci yn 1907, dyna a roddwyd arni. Dadorchuddiwyd y gofgolofn gan Owen M. Edwards, a thalwyd amdani o'r elw a wnaed o werthiant y gyfrol *Cofiant a Barddoniaeth Ben Bowen* (1904), a olygwyd gan ei frawd David Bowen (Myfyr Hefin). Yr oedd tad y beirdd Euros a Geraint Bowen yn frawd i Ben Bowen, a mam Syr Ben Bowen Thomas yn chwaer iddo.

Enllib y Penrhyn

Pwyllgor Cronfa Amddiffyn W.J. Parry.

Mewn gwrandawiad gerbron yr Arglwydd Brif Ustus ym mis Mawrth, dyfarnodd rheithgor iawndal o £500 i Arglwydd Penrhyn am sylwadau a wnaed amdano gan W.J. Parry, Cadeirydd Pwyllgor Cymorth Chwarelwyr Bethesda, ym mhapur newydd y *Clarion*. Roedd Parry wedi galw Arglwydd

Penrhyn yn ormeswr ac yn ddyn a allai daro islaw'r gwregys.

Yn ogystal â'r £500 o iawndal, bu raid i Parry ddod o hyd i £1,985 i dalu costau cyfreithiol ei wrthwynebydd, ynghyd â £48 o log, a £25 am y ddeiseb fethdaliad a ddygwyd yn ei erbyn. Talwyd y cyfan erbyn

9 Medi, trwy gyfraniadau nifer mawr o gefnogwyr, yn amrywio o dair ceiniog i £300. Wrth ddychwelyd i Fethesda ar ôl trosglwyddo'r arian i'r llys, croesawyd Parry gan dyrfa o filoedd o bobl y dref, cyn iddo fynd ymlaen i annerch cyfarfod cyhoeddus.

Archdderwydd dwy ganrif

dde: Yr Archdderwydd yn ei holl ogoniant eisteddfodol.

Prin ddwy flynedd cyn diwedd ei yrfa hir fel bardd ac eisteddfodwr o fri y cyhoeddwyd yr olaf o'r ddwy gyfrol o farddoniaeth gan Hwfa Môn (Rowland Williams o Rostrehwfa, ger Llangefni). Fel y gyfrol gyntaf o'i waith yn 1883, *Gwaith Barddonol* oedd teitl disgrifiadol ond di-fflach braidd ei ail lyfr o gerddi.

Er iddo ennill Cadair yr Eisteddfod Genedlaethol dair gwaith a'r Goron unwaith, ni chyfrifir gwaith barddonol Hwfa Môn gyda'r gorau o bell ffordd erbyn hyn, ac fel Archdderwydd Gorsedd y Beirdd y cofir amdano'n bennaf oll. Daliodd y swydd honno am ddeng mlynedd o 1895 hyd ei farw yn 1905, gan bontio'r 19eg a'r 20fed ganrif a dod yn ymgorfforiad o werthoedd yr Eisteddfod Genedlaethol a'r diwylliant Cymraeg. Credai'n ffyddiog yng ngwirionedd ffugiadau Iolo Morganwg a oedd yn sail i'r Eisteddfod a Gorsedd y Beirdd, a hynny er gwaethaf ymdrechion rhai fel John Morris-Jones i ddangos mai pethau a ddyfeisiodd Iolo o'i ddychymyg ei hunan oeddynt.

Ffarwel i'r Raddfa Lithrig

Mewn buddugoliaeth nodedig i lowyr de Cymru, llwyddwyd i gael gwared ar un o gasbethau'r glowyr, sef y Raddfa Lithrig a gyflwynwyd yn 1875. Effaith y system hon oedd clymu lefel cyflogau'r glowyr wrth bris glo, gan olygu y gallai eu henillion godi a disgyn yn ôl mympwyon y farchnad. Rhoddai hefyd gymhelliad i'r meistri glo gynhyrchu gormod o lo a'i werthu'n rhad er mwyn cadw cyflogau i lawr. Un o nodau cyntaf Ffederasiwn Glowyr De Cymru, a sefydlwyd yn Ionawr 1898, oedd dileu'r Raddfa a gosod yn ei lle drefn o fyrddau cymodi. Ar ôl cyfres o drafodaethau ym misoedd olaf 1902, llofnodwyd y cytundeb cyflogau cyntaf a wnaed trwy'r Bwrdd Cymodi newydd ar 31 Mawrth 1903.

Daniel Silvan Evans.

Un ennyd fer

Hyd at y gair 'ennyd' y cyrhaeddodd Daniel Silvan Evans yn ei ymgais ddewr i lunio geiriadur cynhwysfawr newydd o'r iaith Gymraeg, cyn ei farwolaeth ar 13 Ebrill. Ei freuddwyd oedd cyhoeddi yn y Gymraeg eiriadur tebyg i'r *Oxford English Dictionary*. Bu wrth y gwaith am 30 mlynedd, ond yr oedd yn ormod o dasg i un dyn ymgodymu â hi, ac yntau â diddordebau a dyletswyddau eraill yn ogystal. Cyhoeddwyd pedair cyfrol o'i *Eiriadur Cymraeg* rhwng 1887 ac 1896, ac un ar ôl ei farw yn 1906. Er nad aeth ymhellach na'r llythyren 'E', mae'r hyn a gyhoeddwyd ganddo yn dyst eglur o'i ddawn eiriadurol, ac elwodd geiriadurwyr diweddarach ar y deunydd y bu mor ddiwyd yn ei gasglu.

Rhoi'r wlad ar dân

Yr Evan Roberts carismatig a rhai o'r merched a ddenwyd ato.

Pobl ifanc o blith Methodistiaid Calfinaidd yn ardal y Cei Newydd, Ceredigion, ar dân dros efengylu, oedd rhai o'r arwyddion cynharaf o'r diwygiad crefyddol mawr olaf i ysgubo Cymru yn ystod y ganrif. Mis Chwefror oedd hynny, ond yn fuan gwelwyd cyffro tebyg yn Aberdâr, Pen-coed ac Aberpennar yn y De, ac yn Llanllyfni a Rhos-llannerchrugog yn y Gogledd. Yn nes ymlaen soniwyd am y diwygiad yn cyrraedd cymunedau o Gymry yn America, Canada a'r Wladfa ym Mhatagonia.

Yn anad dim, mudiad i leygwyr oedd diwygiad 1904-5, ac un a dorrodd ar draws llawer o gyfyngiadau traddodiadol crefydd yng Nghymru. Gan deimlo eu bod wedi'u rhyddhau o'r rhwystrau arferol, dechreuodd capelwyr fynegi eu sêl grefyddol mewn dulliau tra anghyffredin. Mynnodd Mary Jones o Egryn, Dyffryn Ardudwy, fod yr Iesu wedi ymddangos o'i blaen gyda llu o angylion yn Rhagfyr 1904, ac iddi weld goleuni yn yr awyr a oedd yn ei chyfarwyddo ynglyn â phwy y dylai weddïo drosto. Honnodd nifer o bobl leol eraill hefyd iddynt weld 'Goleuni Egryn', fel y daethpwyd i'w adnabod.

Effeithiodd y Diwygiad ar batrwm byw'r gymdeithas drwyddi draw: tyrrai pobl i ddos-barthiadau addysg grefyddol, ac yr oedd galw mawr am gyrddau i weddïo a darllen y Beibl. Cefnwyd ar y tafarndai, ac ym marchnad Dinbych, clywyd ffermwyr yn cwyno bod pris haidd yn cwympo am fod llai o alw amdano ar gyfer bragu cwrw. Cefnwyd hefyd ar y clybiau rygbi – cafodd ysgol Sul un capel yn Nhreorci ddosbarth ychwanegol o gyn-chwarae-wyr rygbi a oedd newydd sylweddoli natur bechadurus 'ysfa'r bêl-droed'. Llosgodd chwaraewyr o ardal arall eu crysau, tra gwelid cefnogwyr yn torri eu tocynnau tymor yn yfflon yn y stryd. Derbyniodd

(Drosodd)

Rhoi'r wlad ar dân

(o'r tudalen cynt)

holl dîm Ynys-y-bŵl eu bedyddio a rhoi'r gorau i'r gêm, ac yn Rhydaman, fel mewn sawl tref arall yn ardal y glo carreg, rhoddwyd y bêl hirgron o'r neilltu'n llwyr, a bu egwyl o dair blynedd cyn y cydiwyd ynddi drachefn. Cynhaliwyd cyfarfodydd gweddi mewn cartefi ac ar y strydoedd, a hyd yn oed yn y pyllau glo.

Yn raddol, daeth y Diwygiad yn fwyfwy dan ddylanwad Evan Roberts, gweinidog gyda'r Methodistiadd Calfinaidd o Gasllwchwr. Dyn ifanc dwys oedd ef, a gredai bod llaw'r Ysbryd Glân wedi cyffwrdd ag ef ym Mlaenannerch ym Medi 1904, gan orchymyn iddo fynd adref i Gasllwchwr am wythnos, ac yna i fynd allan gyda thair merch i daenu'r efengyl ymhlith ei gyd-Gymry. Cynhaliodd sawl ymgyrch efengylu yn ne Cymru yn 1904, a'r Gogledd yn y flwyddyn ddilynol, a nodweddid ei gyfarfodydd gan emosiynoldeb mawr ac awydd danbaid i argyhoeddi ei gynulleidfa. Daeth mor boblogaidd fel yr oedd *Y Cymro* ym Mawrth 1905 yn gwerthu bathodynnau â llun ohono arnynt am geiniog yr un o'r swyddfa. Ond nid oedd ei ddulliau at ddant pawb, a chyhuddwyd ef o symbylu crefydd-older ffug, o fyfïaeth, ac o fod yn wallgof. Roedd rhai capelwyr ceidwadol hefyd braidd yn anesmwyth ynglŷn â'r criw o ferched a fyddai'n teithio gydag ef i efengylu.

Tua diwedd 1905, ar ôl derbyn arch-wiliad meddygol corfforol a seicolegol, a chyngor i orffwyso, dechreuodd Evan Roberts encilio o'r llwyfan gyhoeddus, gan droi'n fwyfwy at fywyd o weddi breifat. Yn yr un modd dechreuodd cynulleidfaoedd mawr y diwygiad grebachu, fel y denwyd sylw'r cyhoedd gan bynciau eraill.

Elan yn mynd dros y ffin

Y dŵr yn ffrydio dros Argae Cwm Elan.

Ar 21 Gorffennaf, agorodd y brenin Edward VII weithfeydd dŵr Cwm Elan, sir Frych-einiog, a adeiladwyd i gyflenwi dŵr i ddinas Birmingham.

Yng Nghaban Coch, codwyd argae 122 troedfedd o uchder a 122.5 troedfedd o drwch wrth ei waelod ar draws Afon Elan, gan greu cronfa ac iddi arwynebedd o 500 erw. At hyn, y tu ôl i argae Caban Coch, adeiladwyd argae tanddwr yng Ngharreg Ddu gyda phont 2.5 filltir yn rhedeg ar gyfres o fwâu ar hyd-ddi uwchben y dŵr.

Boddwyd un pentref bach, dau gapel, a'r ddau dŷ mawr, Cwm Elan a Thŷ Nantgwyllt, gan y gwaith, ond ystyrid ar y pryd fod Cwm Elan yn well dewis na'r safle posibl arall yng Nghwm Ieithon ger Llandrindod, a fuasai wedi golygu boddi'r pentref sylweddol Llanddewi Ystradenni.

Rhwng 1946 a 1952, estynnwyd y gwaith i gynnwys argae arall ar draws afon Claerwen gyfagos, a agorwyd yn Hydref 1952 gan y Frenhines Elisabeth II.

Gwyrthiau Gwenfrewi

Priodolwyd dwy wyrth mewn cymaint â hynny o fisoedd i effeithiau ymolchi yn nŵr Ffynnon Gwenfrewi, Treffynnon.

Ar 15 Awst daeth tua mil o bererinion o Lerpwl i brofi'r dyfroedd, a honnwyd bod bachgen a oedd yn fyddar er yn faban wedi adennill ei glyw ar ôl golchi ei glustiau ddwywaith yn nyfroedd y ffynnon. Drachefn ym mis Medi, adroddwyd bod Josephine Kelly, merch ddeg oed a fu'n fyddar am chwe blynedd, wedi profi gwyrth debyg, er iddi hi orfod ymdrochi bedair gwaith cyn cael iachâd.

Y dafarn ddi-gwrw

Agor tafarn na fyddai'n gwerthu diferyn o ddiod gadarn – dyna'r cynllun a gyhoeddwyd ym mis Ionawr gan y Parch. John Hervey Boudier, offeiriad eglwys y Santes Ann, y Rhâth, Caerdydd, i fynd i'r afael â phroblemau medd-dod yn y dref. Gyda chefnogaeth ficer y Rhâth ac esgob Llandaf, prynwyd adeilad ar Stryd Cyfarthfa a'i addasu i'r pwrpas, gyda bar, parlwr, ac ystafell focsio. Dywedodd y Parch. Boudier ei fod wedi cynnal menter debyg yn llwyddiannus yng Nghaer-wysg, a'i fod felly'n obeithiol iawn am ddyfodol tafarn ddirwestol Caerdydd.

Golffio am Goron Cymru

Yn dilyn cyfarfod yng Ngwesty'r Angel, Caerdydd, ym mis Mehefin, cynhaliwyd pencampwriaeth golff broffesiynol gyntaf Cymru, ar gwrs Clwb Golff Rhaeadr Gwy ar 14 a 15 Gorffennaf.

Dosbarthwyd dros fil o docynnau ar gyfer y digwyddiad, a daeth bron pob un o olffwyr proffesiynol Cymru i gystadlu. Mr. Day, chwaraewr proffesiynol preswyl clwb Dinbych-y-pysgod, a enillodd, a chafodd y pencampwr newydd wobr o ddeg gini gan berchenogion y *Western Mail*. Mewn cyfarfod o'r chwaraewyr wedyn sefydlwyd adran Cymru o Gymdeithas y Golffwyr Proffesiynol.

Dyn y ceir cartref

dde: William Rollins a'i wraig yn mynd am dro.

Ymddangosodd y saer cerbydau, William Rollins, Pentre Felin, a'i wraig, ar strydoedd Wrecsam mewn car modur yr oedd ef wedi ei adeiladu ei hun. Yn 1917, gyda'i bartner busnes T.D. Evans, sefydlodd Rollins gwmni tacsis yn y dref, ac yn 1919, dechreuodd y ddau fewnforio darnau ceir *Ford Model T* a'u hadeiladu yn Wrecsam.

O'r wyrcws i Affrica

Stanley yn Affrica.

Un o blant wyrcws Llanelwy oedd y fforiwr enwog Henry Morton Stanley, a fu farw ar 10 Mai. Ganwyd ef yn Ninbych yn 1841, a rhoddwyd arno enw ei dad, John Rowlands. Gan i'w dad farw'n gynnar a chan i'w fam ei adael i fynd i Lundain, fe'i cymerwyd yn chwech oed i dloty Llanelwy, lle y bu am tua naw mlynedd. Dihangodd oddi yno yn bymtheg oed wedi iddo roi curfa i'r meistr, ac wedi cyfnod yn athro ysgol ym Mrynffordd ac wedyn yn was fferm yng Nhremeirchion, hwyliodd ar long o Lerpwl i New Orleans. Ar y llong cyfarfu â'r masnachwr cotwm Henry Stanley, a'i mabwysiadodd, ac o ganlyniad newidiodd yntau ei enw i Henry Morton Stanley.

Wedi ysbaid ym myddin taleithiau'r de yn Rhyfel Cartref America, dechreuodd ar ei yrfa fel newyddiadurwr, ac yn ddiweddarach anfonwyd ef gan berchennog y *New York Herald* i geisio dod o hyd i David Livingstone, a oedd wedi diflannu yng nghanolbarth Affrica. Daeth o hyd i Livingstone yn Ujiji yn Chwefror 1872, ond er ei fod yn sâl iawn, dewisodd beidio â dychwelyd adref gyda Stanley.

Dychwelodd Stanley i Affrica yn 1874, gan groesi'r canolbarth o'r dwyrain i arfordir Môr yr Iwerydd erbyn Awst 1877. Yn ystod ei daith dechreuodd ar y gwaith o ennill Uganda i Gristnogaeth; olrheiniodd Afon Congo i'w tharddiad, a gosododd seiliau gwladychiad y Belgiaid yn yr ardal. Aeth i ddwyrain Affrica eilwaith yn 1887, a 'darganfod' y tiroedd a fyddai'n ddiweddarach yn drefedigaeth Brydeinig dwyrain Affrica.

Bychan iawn oedd cysylltiadau Stanley â Chymru ar ôl iddo ffoi o'r wlad yn fachgen. Yn Llundain y bu farw, a chladdwyd ef ym mynwent Pirbright ger ei gartref yn y ddinas, er iddo ddymuno cael bedd yn Abaty Westminster wrth ochr David Livingstone.

Y gwrthryfel Cymreig

dde: Defnyddio plant i ymladd eu brwydrau yr oedd y capelwyr yn ôl cartwnydd y *Western Mail*.

"Onward Christian Soldiers."

Yr oedd yr ysgolion eglwysig yn ddraenen yn ystlys y Gymru ymneilltuol, a gwaethygu'r sefyllfa a wnaed gan Ddeddf Addysg 1902 a fynnai bod yr ysgolion hyn i'w hariannu gan y trethdalwyr. Arweiniwyd y gwrthryfel yn eu herbyn gan Lloyd George nad oedd ganddo atgofion hapus ei hun am ei gyfnod mewn ysgol o'r fath, a gwelai'r frwydr yn gyfle i ennill 'hunanlywodraeth gyflawn mewn materion addysgol yng Nghymru'. Yn etholiadau'r cynghorau sir 1904, enillodd gwrthwynebwyr y Ddeddf fwyafrif ar bob cyngor trwy Gymru, a dechreuodd y cynghorau newydd ymatal rhag ei gweithredu. Ymatebodd y llywodraeth Dorïaidd drwy basio Deddf Addysg (Diffyg yr Awdurdodau Lleol), neu'r 'Mesur Gormes' fel y daethpwyd i'w galw yng Nghymru, a'i gwnâi'n bosib i atal grantiau'r awdurdodau anufudd, fel yn wir y gwnaed yn achos nifer o gynghorau yn y De a'r Gogledd.

Cynhaliwyd cynhadledd ymneilltuol fawr yn y Bala ym Mai 1905, lle y penderfynwyd y dylid tynnu plant i ymneilltuwyr allan o ysgolion eglwysig, a'u haddysgu yn y capeli – 'ysgolion y gwrthryfel' fel y'u gelwid.

Daeth yr argyfwng i ben yn sydyn yn Rhagfyr 1905, gyda buddugoliaeth y Rhyddfrydwyr yn yr etholiad cyffredinol. Peidiwyd â gweithredu'r 'Mesur Gormes', er na ddilewyd Deddf Addysg 1902 o'r Llyfr Statud. Yn y pen draw, daeth yr awdurodau lleol i fodloni arni, wrth i ran yr Eglwys Wladol mewn addysg leihau'n naturiol.

'Y Moduron Mawr'

dde: Un o fysiau cyntaf Ceredigion yn Llanarth.

Caniatâd i ddechrau un o wasanaethau bysiau cyntaf Cymru oedd cais Richard Williams, Caernarfon, mewn cyfarfod arbennig o Gyngor Tref Caernarfon ar 12 Chwefror.

Roedd Williams am redeg ei 'gerbydau modur' o lannau Menai i Langefni, gan ddadlau bod cwmni rheilffordd y *London and North Western* wedi gwrthod ehangu eu gwasanaeth trenau i Langefni, a bod y ddarpariaeth ar gyfer teithwyr yn y rhan honno o'r wlad felly yn anfoddhaol.

Yr oedd gwasanaethau bysiau, neu 'foduron mawr' fel y byddai rhai'n eu galw ar y pryd, wedi dechrau yng Nghymru yn Llandudno yn 1898 pan gychwynwyd gwasanaeth i ymwelwyr haf, a'r flwyddyn nesaf gwelwyd bysiau modur yn Abertawe ac Aberdâr. Erbyn 1906 yr oedd bysiau i'w gweld mewn trefi fel Llangollen, Wrecsam, Treffynnon a'r Wyddgrug yn y Gogledd, Aberystwyth, Aberaeron a Llandrindod yn y Canolbarth, a'r Fenni yn y De. Mentrau gan y cwmnïau rheillffyrdd mawrion oedd rhai o'r gwasnaethau hyn, ond yr oedd Cymry lleol y tu ôl i eraill, gan gynnwys bysiau Llangollen a Llandrindod.

Gwaith pur beryglus oedd gyrru'r bysiau'r cynnar, a gallai teithio arnynt fod yn brofiad eithaf brawychus weithiau. Yn wyneb prinder mecanyddion medrus byddai rhai gyrwyr yn trwsio eu cerbydau eu hunain gorau y gallent. Un o'r anawsterau cynnar oedd na ellid dibynnu ar beiriannau'r bysiau i danio'n iawn bob tro, a byddai rhai gyrwyr yn ceisio datrys hyn trwy dywallt petrol cynnes yn syth i'r carbiwretor, gyda chanlyniadau fflamychol iawn weithiau.

1905

22 Ionawr

Yn St. Petersburg, Rwsia, lladdodd milwyr y Tsar bum mil o bobl mewn gorymdaith brotest.

24 Mawrth

Bu farw'r awdur ffuglen wyddonol Jules Verne.

4 Ebrill

Lladdwyd mwy na deng mil o bobl gan ddaergryn a drawodd dalaith Lahore yn yr India.

27 Mehefin

Yn Rwsia, lladdodd morwyr y llong ryfel *Potemkin* eu swyddogion a chodi'r faner goch uwchben y llong.

1 Gorffennaf

Trôdd Albert Einstein ffiseg gonfensiynol ar ei phen â'i Theori Perthnasedd.

29 Gorffennaf

Sefydlwyd Cymdeithas y Modurwyr (*AA*) - arwydd o boblogrwydd y car modur.

13 Awst

Pleidleisiodd 80% o bobl Norwy dros dorri'n rhydd oddi wrth Sweden.

19 Medi

Bu farw cyfaill yr amddifaid, Thomas Barnardo.

30 Hydref

Aeth asbrin ar werth am y tro cyntaf.

1 Tachwedd

Yn Efrog Newydd, arestiwyd yr actorion yn nrama George Bernard Shaw, *Mrs. Warren's Profession*, am dramgwyddo moesau cyhoeddus

Trechu'r Crysau Duon

Parc yr Arfau dan ei sang ar gyfer y gêm fawr.

Yn holl hanes rygbi, go brin y bu gêm mor gyffrous a dadleuol â'r un rhwng Cymru a Chrysau Duon Seland Newydd ar 16 Rhagfyr ym Mharc yr Arfau, Caerdydd.

Dros y blynyddoedd bu'r ddwy wlad yn datgan eu cenedligrwydd ar feysydd rygbi'r byd, ac yn y flwyddyn hon nid oedd amheuaeth mai gêm am bencampwriaeth rygbi'r byd oedd hon rhyngddynt. Roedd tîm Cymru ar ganol cyfnod disglair pan enillwyd chwe Choron Driphlyg mewn 11 mlynedd; ac yn eu hachos hwy, yr oedd y Crysau Duon ar ddiwedd taith lwyddiannus dros ben trwy wledydd Prydain. Curwyd timau cenedlaethol Lloegr, Iwerddon a'r Alban, a threchwyd dwy sir gryfaf Lloegr, Dyfnaint a swydd Efrog, yn ddidrafferth. Roedd y teithwyr a ddaeth i herio Cymru wedi sgorio 801 o bwyntiau ac wedi ildio 22 yn unig.

Gwasgwyd 45,000 o gefnogwyr i Barc yr Arfau ar y prynhawn tyngedfennol hwnnw, a chanwyd *Hen Wlad Fy Nhadau* gydag angerdd cyn y gêm. Cymru a gafodd y gorau o'r hanner cyntaf a sgoriwyd cais cofiadwy gan y gwibiwr Tedi Morgan. Twyllwyd amddiffyn y Crysau Duon gan ffugbas y mewnwr Dici Owen. Trodd gyfeiriad y chwarae gan daflu'r bêl i Cliff Pritchard yng nghanol y cae. Pasiodd yntau i Rhys Gabe a ryddhaodd Morgan ar yr asgell. Rhedodd yntau nerth ei draed a chroesi'r llinell yn y gornel i fonllefain y dorf.

Yn yr ail hanner bu'n rhaid i'r Cymry amddiffyn yn ddewr. Gyda llai na deng munud yn weddill, cafodd Bob Deanes gyfle euraid i sgorio dros Seland Newydd. Fe'i taclwyd wrth iddo fynd am y llinell a byth wedi hynny bu cefnogwyr y Crysau Duon yn dadlau iddo groesi am gais. Ond gwrthododd y dyfarnwr ei ganiatáu gan fynnu i Deanes gael ei daclo fodfeddi o'r llinell. Llwyddodd y Cymry i wrthsefyll holl ymosodiadau'r Crysau Duon wedi hynny gan sicrhau buddugoliaeth glodwiw o 3-0.

Mawr fu'r gorfoledd yng Nghymru wedi'r prynhawn hwnnw. Gwelir y gêm gan haneswyr fel symbol o hunanhyder y genedl mewn cyfnod o ffyniant yn economi Cymru. Roedd 'Oes Aur' ddiwydiannol Cymru yn cydredeg ag 'Oes Aur' y bêl hirgron.

Cymro yn y Cabinet

Ar ôl llwyddiant y Rhyddfrydwyr o dan arweiniad Campbell-Bannerman yn Etholiad Cyffredinol mis Rhagfyr, penodwyd David Lloyd George yn Llywydd y Bwrdd Masnach, y Cymro cyntaf i ymuno â'r Cabinet er penodiad George Cornewall Lewis yn 1855. Yr oedd yn ddyrchafiad nodedig o ystyried ei ddechreuadau distadl yn nhŷ ei fam weddw yn Llanystumdwy, a thyfodd yng

Nghymru chwedloniaeth rymus am 'Fab y Bwthyn' a oedd wedi ennill safle o bwys yn y byd mawr.

Hwn oedd y cam mawr cyntaf ar y llwybr a âi ag ef i 10 Stryd Downing ymhen y rhawg, ac a fyddai hefyd yn ei arwain ymhell oddi wrth y pynciau Cymreig a oedd mor bwysig iddo yn ei ddyddiau cynnar mewn gwleidyddiaeth.

'Yr Hen Dynnwr Lluniau'

isod:
Certiwr a chriw o bentrefwyr Aberdaron
wedi'u dal gan gamera John Thomas.

Ychydig yw'r rhai a wnaeth gymaint i gofnodi pobl a phethau Cymru eu cyfnod â'r ffotograffydd poblogaidd John Thomas o Gellan, Ceredigion, a fu farw ar 14 Hydref.

Gweithio i gwmni gwerthu ffotograffau yn Lerpwl yr oedd Thomas pan sylwodd ar gyn lleied oedd y deunydd yn ymwneud â Chymru a'i phobl ymhlith y lluniau y byddai'n eu gwerthu trwy'r wlad. Rhoddodd gychwyn yn 1863 ar ymgais i greu casgliad helaeth o ffotograffau o enwogion Cymru pan wahoddodd nifer o fawrion y pulpud yn y cyfnod i eistedd iddo gael tynnu eu

lluniau, ac y gellid eu gwerthu wedyn. Pur amharod oedd rhai ar y dechrau, a thueddai llawer un i ddrwgdybio crefft anghyfarwydd y ffotograffydd, ond efallai i'r ffaith mai gŵr crefyddol iawn oedd Thomas ei hun ddwyn perswâd ar rai o'r gweinidogion hyn i wynebu'r camera.

Yn 1867, sefydlodd Thomas ei fusnes ffotograffau ei hun yn Lerpwl dan yr enw *The Cambrian Gallery*, ac yn yr un flwyddyn daeth i Gymru ar ymweliad arbennig i dynnu llun Cymanfa Gyffredinol y Methodistiaid Calfinaidd yn Llanidloes. Dyna gychwyn

blynyddoedd o deithio trwy fröydd Cymru yn cofnodi â'i gamera luniau o adeiladau hynod, pobl o bob math, golygfeydd, crefftau, busnesau a gweithgareddau.

Detholodd dair mil o'i blatiau ffotograffig a'u gwerthu i Owen M. Edwards, a fyddai'n eu defnyddio i ddarlunio'i gyfnodolyn, *Cymru*, cylchgrawn y bu Thomas ei hun yn cyfrannu iddo. Daeth y casgliad lluniau wedyn i'r Llyfrgell Genedlaethol, lle y mae'n gaffaeliad amhrisiadwy i ymchwilwyr i hanes Cymru ac i hanes ei ffotograffiaeth.

Tri dyn lwcus

Tri yn unig o blith 122 o ddynion a ddihangodd yn fyw pan fu ffrwydrad enfawr ar un o lefelau Glofa'r *National*, Wattstown, yn y Rhondda Fach ganol dydd ar 11 Gorffennaf. Hwn oedd yr ail dro i dref Wattstown gael ei tharo gan drychineb – yn Chwefror 1887 lladdwyd 39 o ddynion yn y *National* – ond y tro hwn roedd pethau'n llawer gwaeth.

Bu timau achub yn gweithio trwy'r dydd a'r nos, ond dod â'r cyrff i ben y pwll oedd eu hunig waith. Lladdwyd tua 36 o geffylau hefyd yn y ffrwydrad a rhwystrwyd y gwaith clirio i gryn raddau gan ddrewdod eu cyrff pydredig. Fel ym mhob achos o'r fath daeth safle'r ddamwain yn gyrchfan i filoedd o sbecianwyr, a arhosai mewn tawelwch trist wrth i'r sefyllfa ddatblygu. Ymgasglodd perthnasau'r dynion a laddwyd, a phentrefwyr eraill, ar lethrau'r bryniau uwchben y pwll am sawl diwrnod wedyn, gan ymffurfio'n orymdaith brudd y tu ôl i bob arch newydd.

Trowyd efail gof yn fortiwari dros dro lle y câi teuluoedd fynd i geisio adnabod y 119 o ddynion a laddwyd, er bod rhai wedi'u llosgi'n rhy ddrwg i'w hadnabod yn hawdd. Dim ond wrth edrych ar eu hesgidiau neu

Cymru'n galaru am lowyr y National.

ar eu tuniau baco y cafwyd gwybod pwy oedd rhai o'r meirwon. Adroddodd achubwyr fod rhai o'r dynion wedi'u darganfod yn farw gelain yn eistedd wrth eu bocsys bwyd agored, wedi eu taro gan nwy wrth fwyta eu cinio. Lladdwyd pedwar aelod o'r teulu Uzzell, ac mewn sawl teulu bu farw'r tad ac un neu fwy o'i feibion. Yn ogystal â glowyr cyffredin, lladdwyd hefyd William Meredith, rheolwr y pwll.

Cafwyd neges o gydymdeimlad oddi wrth y Brenin Edward, ac agorodd Maer Caerdydd, Robert Hughes, gronfa i gynorthwyo'r dioddefwyr. Roedd rhai yn ddig am y

ddamwain, ac wrth annerch glowyr Merthyr Tudful ddeuddydd ar ôl y drychineb, honnodd yr Aelod Seneddol Thomas Richards fod nifer o ddynion wedi marw heb eisiau. Galwodd am osod offer achub a chreu tîm achub hyfforddedig ymhob cymuned lofaol, gan haeru bod digon o ddynion wrth ben y pwll yn barod i gynorthwyo'r rhai a ddaliwyd yn y ffrwydrad ond nad oedd ganddynt yr offer i wneud hynny. Wedi clywed am anffawd Wattstown, gwrthododd glowyr Glofa Pen-rhiw, Pontypridd ddisgyn i'r pwll, gan ddewis cynnal cwrdd gweddi yn lle hynny.

Wythnos ddistaw

dde: Annie Davies, Maesteg.

Ddydd Mercher 22 Chwefror, yng Ngodre'r Coed, Castell-nedd, dechreuodd y diwygiwr crefyddol Evan Roberts ar ei 'Wythnos Ddistaw'.

Roedd i fod i annerch cyfarfod yn Llansawel ar y dydd Mercher, ond honnodd ar y nos Fawrth ei fod yn dioddef ingoedd ysbrydol ac na fyddai'n gadael ei lety am wythnos, nac yn siarad â neb. Nid oedd hynny'n hollol wir gan ei fod yn fodlon derbyn ymweliadau yn ystod yr wythnos gan Annie Davies, y gantores yr oedd ei chanu'n rhan bwysig o gyffro'r Diwygiad.

Tanio llongau'r byd

Ar 27 Mai, yng Nghulfor Tsushima oddi ar arfordir Corea, cafwyd prawf ymarferol o bwysigrwydd glo de Cymru yn y byd. Ar ôl teithio o Fôr Llychlyn er mis Hydref 1904, yr oedd llynges Rwsia wedi cwrdd o'r diwedd â llongau'r Llyngesydd Togo o Siapan. Cymerodd y Siapaneaid lai na 24 awr i sicrhau buddugoliaeth ysgubol a ddifethodd longau'r Rwsiaid yn llwyr. Yn ninas Berlin, derbyniodd y Kaiser Wilhelm y newydd annisgwyl am y frwydr, ac ni phetrusodd rhag priodoli camp y Siapaneaid i'r cyflenwad newydd o danwydd a oedd ganddynt er 1902, gan ddatgan, 'Taniwyd llongau Togo gan lo Caerdydd.'

Caerdydd yn ddinas

Ar 23 Hydref, cyhoeddwyd dyrchafiad Caerdydd i statws dinas. Caewyd yr ysgolion a Choleg y Brifysgol am y dydd i ddathlu'r achlysur, a gorymdeithiodd myfyrwyr yn eu gwisgoedd academig i Neuadd y Dref. Yno clywyd areithiau gan Faer y dref, Robert Hughes o Lanegryn, Meirionnydd, a oedd bellach yn Arglwydd Faer y ddinas, a hefyd gan yr Ardalydd Bute. Yn ôl gohebydd *Y Cymro*, 'Ni ellir dweud bellach fod Cymru heb ei phrifddinas,' er mai yn Rhagfyr 1955 y rhoddwyd i Gaerdydd y statws hwnnw'n swyddogol.

uchod: Golygfa frawychus o'r ffilm *The Life of Charles Peace.*

Arloeswr y Sgrîn Fawr

Yn y flwyddyn hon rhyddhawyd dwy o ffilmiau mwyaf poblogaidd yr arloeswr sinema ddi-sain, William Haggar.

O'r ddwy efallai mai *The Life of Charles Peace* yw ei waith enwocaf, ffilm yn adrodd hanes llofrudd a grogwyd yng Ngharchar Armley, Leeds, yn 1879, gan gynnwys golygfa o'r crogi a ystyrid yn eithaf brawychus ar y pryd. Trwy'r fath feiddgarwch, byddai Haggar yn achub y blaen ar ei gystadleuwyr, a chadarnhau ei feistrolaeth ar ei grefft. Bu'r llall, *The Salmon Poachers*, hefyd yn llwyddiant mawr, ac yn ôl safonau'r dydd, gwerthwyd nifer sylweddol o gopïau ohoni. Roedd potsio ymhlith prif themâu ei waith, a byddai'n aml yn dangos cryn gydymdeimlad â'r potsiers yn eu hymrafael barhaus â'r ciperiaid.

Er mai un o Essex ydoedd yn wreiddiol, daeth Haggar yn adnabyddus iawn trwy dde Cymru, yn gyntaf gyda'i sinema symudol yn ffeiriau'r wlad, ac wedyn oherwydd y gadwyn o sinemâu a sefydlodd ef a'i deulu yng Nghymru rhwng 1910 a 1920. Ymgartrefodd yn Aberdâr, lle y bu farw yn 1925, a dadorchuddiwyd plac i'w goffáu ef a'i waith yn Neuadd Farchnad y dref yn Ionawr 1997.

Disodli Dewi Sant?

R.J. Derfel.

Ym Manceinion, ar 16 Rhagfyr, bu farw'r llenor a'r ymgyrchydd sosialaidd R.J. Derfel.

Ef yn ôl pob tebyg a fathodd yr ymadrodd *Brad y Llyfrau Gleision* i ddisgrifio adroddiad y Comisiynwyr Addysg yn 1848, pan ddefnyddiodd ef yn deitl ar ei ddrama am y pwnc yn 1854. Argraffydd ydoedd wrth ei waith, ond bu hefyd am gyfnod yn bregethwr gyda'r Bedyddwyr, a hyd ddiwedd ei oes byddai'n llafurio i lunio athroniaeth gyson yn cynnwys Cristnogaeth, sosialaeth a chenedlaetholdeb Cymreig. Enillodd gryn sylw yn 1903 pan ysgrifennodd lythyr i'r *Cymro*, yn argymell mabwysiadu'r sosialydd Robert Owen o'r Drenewydd yn nawddsant Cymru yn lle Dewi Sant .

Maer Sosialaidd ym Merthyr

Yn etholiadau cyngor tref Merthyr Tudful ym mis Tachwedd, daeth llwyddiant i ran bob un o'r deuddeg ymgeisydd Llafur a safodd, gan gynnwys un ar ddeg o lowyr. Yn goron ar y cyfan, etholwyd y glöwr Enoch Morrel, Troed-y-rhiw, yn faer y dref, y maer Llafur cyntaf yng Nghymru.

Roedd camp Llafurwyr Merthyr yn adlewyrchiad o ffyniant cyffredinol y Blaid Lafur Annibynnol a'r Pwyllgor Cynrychiolaeth Llafur yn y De. Yr oedd sosialwyr ar gyngor Abertawe er 1898, a chafodd ymgeiswyr Llafur lwyddiannau mewn llu o etholiadau i gynghorau sirol a threfol, byrddau ysgolion, a Byrddau Gwarcheidwaid y Tlodion. Er 1898 hefyd, yn Ystalyfera, Cwm Tawe, byddai D.J. Rees yn cyhoeddi'r wythnosolyn brathog a bywiog *Llais Llafur*, gan ledaenu neges y sosialwyr trwy'r ardal.

1906

10 Chwefror

Lansiodd y Llynges Frenhinol yr HMS *Dreadnought*, y llong ryfel gyflymaf a grymusaf yn y byd.

19 Chwefror

Yn yr Unol Daleithiau, ffurfiodd William Kellog gwmni i werthu creision ŷd.

11 Mawrth

Lladdwyd 1,200 o lowyr mewn ffrwydrad mewn pwll glo yn Ffrainc.

19 Ebrill

Trawyd dinas San Francisco gan ddaergryn a ddymchwelodd adeiladau a lladd o leiaf mil o bobl.

10 Mai

Agorwyd y Dwma, y senedd etholedig cyntaf erioed yn Rwsia.

7 Mehefin

Lansiwyd y llong deithio *Lusitania*, y fwyaf a'r gyflymaf yn y byd.

26 Mehefin

Cynhaliwyd y *Grand Prix* rasio ceir cyntaf yn Le Mans, Ffrainc.

30 Awst

Dechreuodd y gwasnaeth trên cyflym o Lundain i Ddulyn trwy Abergwaun.

24 Hydref

Yn Llundain, carcharwyd un ar ddeg o wragedd ar ôl protest swnllyd yn Nhŷ'r Cyffredin ynglŷn â rhoi'r bleidlais i ferched.

Y Gymru ddi-Dori

VERY UNFAIR.

Hanner Torïaidd *Dame Wales* (ar y dde) yn achwyn na chafodd gyfran deg o seddi.

Colli pob un o'u seddi yng Nghymru. Dyna fu tynged y Ceidwadwyr yn yr Etholiad Cyffredinol a gynhaliwyd dros gyfnod o fis bron o 10 Ionawr i 7 Chwefror. Ni ddigwyddai hyn eto hyd 1997.

Cipiodd Rhyddfrydwyr Campbell-Bannerman bob un ond dwy o'r 34 sedd Gymreig. Daliodd yr aelod Llafur Keir Hardie ei afael ar ail sedd Merthyr Tudful, a chipiwyd sedd Gŵyr gan Sosialydd arall, y glöwr a'r gweinidog ymneilltuol John Williams o Aberaman. I ennill ei sedd bu'n rhaid iddo ef drechu dewisddyn y Rhyddfrydwyr a rhai Llafurwyr lleol, T.J. Williams,

a safodd fel ymgeisydd *Lib-Lab* yn cynrychioli buddiannau'r mudiad llafur tra'n aros dan adain y Blaid Ryddfrydol. Daeth mwy o lwyddiant i bedwar glöwr arall a safodd fel ymgeiswyr *Lib-Lab*. Etholwyd pob un ohonynt, yn eu plith Is-Lywydd Ffederasiwn Glowyr De Cymru, William Brace o Risga, a'r enwog William Abraham (Mabon), a etholwyd yn ddiwrthwynebiad yn y Rhondda, sedd y bu'n ei chynrychioli er 1885.

Cyfnod llewyrchus oedd hwn i'r Rhyddfrydwyr yng ngwledydd Prydain i gyd, ond hyd yn oed yn ôl

(Drosodd)

Y Gymru ddi-Dori

(o'r tudalen cynt)

safonau'r cyfnod roedd eu camp yng Nghymru'n un nodedig. Mewn seddi o Gaernarfon i Gaerdydd dychwelwyd Rhydd-frydwyr gyda mwyafrifoedd sylweddol iawn,

o ystyried faint o'r boblogaeth a oedd â'r hawl i bleidleisio – mwyafrif o 3,005 i Ivor Guest yng Nghaerdydd, a thros 4,500 i William Brace yn Ne Morgannwg. Yn etholaeth De Sir Fynwy, trwy guro'r Cyrnol Courtenay Morgan, nai Arglwydd Tredegar, rhoddodd y Cyrnol Ivor Herbert derfyn ar gyfnod o oruchafiaeth y Torïaid a ymestynai'n ôl bron yn ddi-dor i'r ail ganrif ar bymtheg. Yng ngogledd y sir daliodd

Reginald MacKenna ei sedd gyda mwyafrif o 4,575.

Er hyn i gyd, natur y system etholiadol a fu'n bennaf gyfrifol am sicrhau cymaint o seddi i'r Rhyddfrydwyr. Derbyniodd y Ceidwadwyr 33.8% o'r bleidlais, a'r Rhydd-frydwyr 60.2%, ac felly nid oedd y nifer o seddi yn adlewyrchiad hollol gywir o'r gefnogaeth a roddwyd i'r pleidiau.

Pontio'r bwlch

dde: Siâp hynod pont Casnewydd.

Un o gampau pensaernïol mawr y De-ddwyrain yw Pont Gludo Casnewydd dros afon Wysg ger Maendy, a agorwyd ar 31 Gorffennaf. Roedd yn eglur ers tro fod angen croesfan ychwanegol ar draws yr afon ac ystyriwyd y posibilrwydd o sefydlu gwasanaeth fferi neu gloddio twnnel, ond penderfynwyd yn y diwedd godi pont gludo.

Er bod y bont yn un o chwech o'i bath yng ngwledydd Prydain ar un adeg, erbyn diwedd y ganrif hi fyddai'r unig un yn dal i weithio. Un llwyfan 645 troeddfedd o hyd yw'r bont, wedi ei gosod ar ddau dŵr, a gellir ei chodi â cheblau dur i uchder o 177 troedfedd uwchben yr afon i osgoi'r llongau talaf.

Y ffordd ymlaen

Bu tirfesurwr sirol Sir Fynwy, William Tanner, gerbron Comisiwn Brenhinol ar Geir Modur ym mis Awst, yn rhoi tystiolaeth am effaith andwyol ceir ar ei ardal.

Adroddodd fod cost cynnal a chadw ffyrdd trefol wedi dyblu er 1902, a chost y rhai yn yr ardaloedd gwledig wedi codi 50%

oherwydd y traul arnynt gan lorïau a wagenni masnachol. Roedd problem sylweddol hefyd yn y rhannau hynny o'r sir a oedd yn boblogaidd gan ymwelwyr. Er nad oedd eu ceir ysgafn hwy'n torri'r ffyrdd i'r fath raddau, derbyniwyd nifer o gwynion fod ceir twristiaid yn codi cymylau o lwch a oedd yn baeddu tai yn ymyl y ffyrdd, ac yn difetha planhigion mewn gerddi.

Ynglŷn â chwestiwn cyflymder gyrru, dywedodd Tanner wrth y Comisiwn ei fod

yn ystyried ugain milltir yr awr yn fwy na digon, ac y byddai'n rhaid torri gwrychoedd ar ymylon y ffyrdd i lawr os caniateid i fodurwyr fynd yn gynt na hynny, er mwyn iddynt allu gweld yn bellach. Ychwanegodd nad oedd Cyngor Sir Fynwy wedi gwneud dim eto i osod arwyddion rhybudd i fodurwyr a cherddwyr, gan ddadlau na fyddai diwedd ar y gwaith hwnnw pe dechreuid arno.

Trydan dŵr i Gymru

Yng Nghwm Dyli, Eryri, ar 13 Awst cynhyrchwyd trydan trwy rym dŵr am y tro cyntaf yng Nghymru.

Dechreuodd y gwaith yng Nghwm Dyli yn 1905, pan aeth y *North Wales Power and*

Traction Company ati i godi pwerdy trydan dŵr ar y safle. Bu dros wyth cant o ddynion yn gweithio ar y pwerdy ac yn gosod y pibellau, a defnyddiwyd timau o fulod a cheffylau, ynghyd â dau beiriant tynnu, i ddod ag offer trwm a defnyddiau adeiladu 13 cilometr trwy Fwlch Llanberis o'r orsaf reilffordd. Codwyd argae o gerrig, sment a phren ar draws Llyn Llydaw, gan ehangu'r swm o ddŵr y gellid ei storio yn y llyn i bedair miliwn o fetrau ciwbig. O Lyn Llydaw,

fe ddisgynnai'r dŵr i lawr pibell ddur i'r pwerdy, dwy gilometr i ffwrdd, a thri chan metr islaw, lle y byddai'n troi pedwar tyrbin o 1,600 marchnerth.

Yn ei ddyddiau cynnar, byddai'r pwerdy'n cyflenwi trydan i chwareli llechi lleol, ac o 1910 ymlaen i orsaf y *Marconi Wireless Telegraphy Company* yn y Waunfawr. Bu sôn hefyd am osod rheilffordd drydan i gludo llechi ac i ddenu ymwelwyr i'r ardal, ond ni ddaeth dim o'r cynllun hwnnw.

Abad mewn *Daimler*

uchod:
Glanio Ddydd Gŵyl Sant Luc
ar Ynys Bŷr.

Atgyfodi un o draddodiadau'r Oesoedd Canol a wnâi grŵp o Fenedictiaid Anglicanaidd a laniodd ar Ynys Bŷr ger Dinbych-y-pysgod ar 18 Hydref o dan arweiniad yr Abad Aelred Carlyle.

Bu mynachod Celtaidd yn byw ar Ynys Bŷr er y chweched ganrif, a'u habad cyntaf hwy, Pŷr, a roddodd i'r lle ei enw. Yn yr Oesoedd Canol cyrhaeddodd y Benedictiad cyntaf, ac aros yno nes i Harri VIII ddadwaddoli'r mynachdai yn y 1530au.

Roedd gan eu dilynwyr modern gynlluniau mawr ar gyfer Ynys Bŷr. Roedd Aelred Carlyle am godi abaty ar y safle o'r un maint â mynachlogydd mawreddog yr Oesoedd Canol. Codwyd capel, ac er na orffennwyd yr abaty mawr, yr oedd yn dal yn un o'r rhai mwyaf drudfawr yng ngwledydd Prydain, gyda llu o dyrau, ac ystafelloedd moethus. Roedd dull yr Abad o fyw weithiau'r un mor foethus: sylwyd ar ei gwch hwylio preifat, ar ei gar *Daimler* a'i yrrwr personol, ac ar y modd y byddai'n teithio yn y dosbarth cyntaf ar y rheilffyrdd, ac yn aros yn rhai o'r gwestai drutaf.

Ar 13 Chwefror 1913 cododd Carlyle gryn stŵr trwy fynd â'i fynachod a'u habaty allan o'r Eglwys Anglicanaidd ac i'r Eglwys Babyddol, ond yn Awst 1921 ymddiswyddodd ac ymfudodd i Ganada. Roedd cymuned Ynys Bŷr yn araf fynd i fethdaliad, ac er mwyn osgoi colli ei heiddo newydd, trefnodd Eglwys Rufain i urdd o Sistersiaid o Wlad Belg brynu'r ynys. Ymadawodd yr olaf o'r Benedictiaid yn 1928.

Dymchwel pabell y pregethwr

Dan orchudd y nos ar 14 Awst yn Llandrindod, dangosodd nifer o bobl yr ardal nad oedd pawb wrth eu bodd â'r diwygiwr Evan Roberts. Aethant ati i dorri'r rhaffau a gynhaliai'r babell enfawr lle bwriadai annerch fore trannoeth. Llwyddwyd i ddymchwel y babell, gan ddal y gofalwr anffodus, Edward Parry, o dani. Dihangodd yn ddianaf, a brysiodd i gyhoeddi'r newydd am yr anfadwaith.

Er gwaethaf ymdrechion y fandaliaid, cafwyd cyfarfod gorlawn a bywiog drannoeth, a gofynnodd Evan Roberts i'w gynulleidfa weddïo ar i Dduw faddau i'r troseddwyr.

Ffrwydron yn ei ffwrn

Mewn llys barn yng Nghaerdydd, ar 22 Mawrth, cafwyd William Arthur Smith, glöwr o Fro Ogwr, yn ddieuog o ddynladdiad, wedi i'w deulu i gyd a dyn a oedd yn lletya yno farw pan ffrwydrodd eu tŷ.

Deilliodd yr achos o ddigwyddiad ychydig fisoedd ynghynt pan ddaeth Smith adref o'r gwaith am chwech y bore gyda phymtheg talp o gelignit, a'u rhoi yn y ffwrn cyn mynd i'w wely i'w cadw'n sych at ei sifft nesaf. Tuag un o'r golch y bore, a gwraig Smith, ei ddau blentyn, a'r lletywr yn y gegin, clywyd ffrwydrad nerthol, a gwelodd cymydog gawod o frics yn hedfan trwy'r awyr. Gwelwyd Smith hefyd yn ei ddillad nos yn syllu trwy ffenestr ei lofft. Wrth roi eu dyfarniad, galwodd y rheithgor ar reolwyr pyllau i roi gwell cyfarwyddiadau i'w gweithwyr wrth ddosbarthu ffrwydron.

Gwersi Cymraeg i fonedd Môn

Adroddwyd ym mis Medi fod Ardalydd Môn, ynghyd â'i fam a'i frawd yn derbyn gwersi Cymraeg bob dydd, a bod y tri yn dysgu'n arbennig o dda. Yr oedd yr Ardalydd wedi mynegi ei ddymuniad i allu cyfathrebu'n Gymraeg â'i holl denatiaid.

Proffwydes Carmel

dde: Sarah Jones wrth ddrws ei bwthyn gyda'i gŵr a Mr D.J. Rees.

Nid salwch na streic a gadwodd y glöwr Daniel Jones o Garmel, sir Gaerfyrddin, o'i waith yn y pwll am bythefnos ym mis Ebrill. Bu'n rhaid iddo aros gartref i ofalu am ei wraig, Sarah a oedd bellach 'yn byw bron yn gyfan gwbl yn y byd ysbrydol', ac yn arwain mudiad crefyddol yr oedd rhai'n ei alw'n 'Ddiwygiad Newydd'.

Er ei bod yn anllythrennog, ac yn methu darllen y Beibl, daeth dwsinau o bobl leol i gredu o ddifrif fod ysbryd Duw wedi cyffwrdd â hi. Haerai pobl fod ganddi rymoedd goruwchnaturiol a'i bod wedi iacháu nifer o bobl o wahanol heintiau. Byddai'n cynnal cyrddau addoli cynhyrfus, yn dechrau am 7.30 y nos ac a fyddai'n parhau weithiau hyd 11 o'r gloch bore trannoeth. Honnodd Sarah eu hun ei bod wedi siarad â Iesu Grist ac wedi golchi ei draed a'u sychu â'i gwallt, a'i bod hefyd yn gallu bwrw allan gythreuliaid.

Emrys ap Iwan

dde: Y llenor a'r gwladgarwr Emrys ap Iwan.

Ar 6 Ionawr, yn y Rhewl, bu farw'r awdur, y cenedlaetholwr Cymreig a'r gweinidog gyda'r Methodistiaid Calfinaidd o Abergele, Robert Ambrose Jones, (Emrys ap Iwan).

Daeth Emrys ap Iwan yn adnabyddus iawn am ei ysgrifau brathog mewn cyfnodolion Cymraeg fel *Y Faner* a'r *Geninen*, lle y byddai'n ymosod yr un mor ddidrugaredd ar waseidd-dra'r Cymry Cymraeg ac ar drahauster y Saeson yng Nghymru. Roedd yn gas ganddo bob math o Ddic-Siôn-Dafyddiaeth, ac yr oedd yn elyn digyfaddawd i bob tueddiad i blygu i Seisnigrwydd, yn enwedig y defnydd o ffurfiau Seisnig yn yr iaith Gymraeg. Bu'n chwyrn ei wrthwynebiad i 'Inglis Côs' y Methodistiaid Calfinaidd, sef ymgais i efengylu yn yr iaith Saesneg ymhlith mewnfudwyr i'r bröydd Cymraeg, ac i berswadio Cymry Cymraeg a'u

teuluoedd i ffurfio cynulleidfaoedd Saesneg eu hiaith gyda'r mewnfudwyr hyn. Gwrthododd yn bendant syniad rhai mai eu crefyddoldeb a ddiffiniai'r Cymry fel cenedl, gan ddadlau'n ddiflino dros safle'r iaith Gymraeg. Er na ddangosodd unrhyw dueddiad at yr Eglwys Babyddol, ceisiodd bigo cydwybod ei gyd-Ymneilltuwyr trwy

gyflwyno yn ei lyfr *Breuddwyd Pabydd wrth ei Ewyllys*, ddarlun ffantasïol o Gymru Gatholig yn y flwyddyn 2012 lle ceir yr Eglwys Babyddol yn ffynnu oherwydd iddi goleddu'r iaith Gymraeg. Er mor ddwys oedd ei ymlyniad wrth yr Hen Gorff a'i draddodiadau, wrth sôn am yr 'Achosion Seisnigol' fe ddatganodd yn blaen, 'Os rhaid bod yn Gymro salw i fod yn Fethodist da, yna trenged Methodistiaeth, a dyweded yr holl bobl 'Amen'.' Mewn cyfnod pan oedd Ymerodraeth Prydain a Phrydeingarwch y Cymry yn eu hanterth, byddai'n dadlau dros weledigaeth wleidyddol Gymreig, ac ef a fathodd y term 'ymreolaeth' i ddisgrifio'r hyn, yn ei dyb ef, yr oedd ar Gymru ei angen.

Anogodd fyfyrwyr i ddarllen ac efelychu arddull clasuron llên Cymru, ac i ymddiddori yn llenyddiaeth Ffrainc a'r Almaen. Bu'n ddylanwad mawr ar lawer un, yn enwedig ar Saunders Lewis, a gydiodd yn frwd yn syniadau Emrys ap Iwan am y diwylliant Ewropeaidd. Bu'r syniadau hyn yn bwysig iawn yn natblygiad meddwl Saunders Lewis ac yn natblygiad cynnar Plaid Cymru.

Neuadd y Ddinas i'r ddinas newydd

dde: Adeiladwyr Caerdydd wrthi'n cau pen y mwdwl ar Neuadd y Ddinas.

Blwyddyn union bron wedi i Gaerdydd ennill statws dinas, agorodd y Pedwerydd Ardalydd Bute Neuadd y Ddinas ar y safle newydd ym Mharc Cathays, ar 29 Hydref.

Roedd yn amlwg erbyn y 1890au nad oedd hen Neuadd y Dref ar Heol y Santes Fair yn ddigonol ar gyfer anghenion tref a oedd yn datblygu mor gyflym â Chaerdydd, ac yn 1897 prynodd Corfforaeth y dref 59 erw o dir ym Mharc Cathays gan y Trydydd Ardalydd Bute.

Erbyn Rhagfyr 1898, roedd y safle ar agor

i'r cyhoedd, a darnau o dir yn cael eu nodi ar gyfer adeiladu Neuadd y Dref, y Llysoedd Barn, a'r Coleg Technegol.

Erbyn cwblhau'r gwaith adeiladu yr oedd Caerdydd wedi ennill statws dinas a'r Trydydd Ardalydd Bute wedi marw, ac felly ei fab a ddaeth i agor safle'r Neuadd newydd

yn swyddogol. Gwaith y penseiri Lanchester, Stewart a Rickards, ynghyd â phum cant o grefftwyr a llafurwyr, oedd Neuadd y Ddinas, a ddaeth yn fuan yn un o adeiladau mwyaf adnabyddus Caerdydd, gyda'i thŵr cloc a'i chromen fawr a Draig Goch o blwm ar ei phen.

1907

22 Ionawr

Difrodwyd rhannau helaeth o ddinas Kingston, Jamaica, gan ddaergryn.

28 Ionawr

Bu terfysg mewn theatr yn Nulyn yn ystod y perfformiad cyntaf o ddrama J.M. Synge, *The Playboy of the Western World*, ystyrid gan rai yn sarhad ar yr Iwerddon wledig.

27 Chwefror

Agorwyd llysoedd yr *Old Bailey* yn Llundain.

15 Mawrth

Etholwyd menywod yn Aelodau Seneddol yn y Ffindir, y rhai cyntaf yn Ewrop.

25 Gorffennaf

Sefydlwyd gwersyll cyntaf y Sgowtiaid ar Ynys Brownsea.

18 Hydref

Cyhoeddodd y Brenin Edward VII y byddai medal newydd i lowyr a beryglai eu bywydau wrth geisio achub eraill mewn damweinai pyllau glo.

18 Medi

Cyfarfu'r Methodistiaid Wesleyaidd fel eglwys unedig am y tro cyntaf.

28 Tachwedd

Daeth cyfnod brenin Gwlad Belg fel llywodraethwr dilyffethair y Congo i ben.

12 Rhagfyr

Wedi gwrthryfel aflwyddiannus, ildiodd Dinizulu, Brenin y Zwlw, i luoedd Prydain.

Merched yn mynnu llais

Merched y bleidlais yn gorymdeithio tu ôl i'r Ddraig Goch yng Nghaerdydd.

Yn Llandudno ym mis Ionawr, sefydlwyd y gangen gyntaf erioed yng Nghymru o'r mudiad i ennill y bleidlais i ferched.

Bu'r mudiad yn cynnal cyfarfodydd yng Nghymru er y 1870au, ac yn 1874 bu'r Americanes Miss Beedy ar daith yn y wlad yn ceisio symbylu cefnogaeth. Araf fu'r mudiad yn bwrw gwreiddiau yng Nghymru, ac roedd y gangen gyntaf hon yn bur ddyledus i bresenoldeb carfan ddosbarth canol sylweddol o Loegr yn y dref. Tyfodd y gangen, gan ddenu masnachwyr lleol a rhai o gynghorwyr y dref i'w rhengoedd, ynghyd â chlerigwyr Anglicanaidd ac ambell weinidog Ymneilltuol. Efelychwyd ymdrechion Llandudno y flwyddyn ddilynol gan ferched y Rhyl a Chaerdydd. Ymhlith y sylfaenwyr yng Nghaerdydd yr oedd Millicent Mackenzie, a fyddai'r unig wraig i sefyll fel ymgeisydd Seneddol yng Nghymru yn Etholiad Cyffredinol 1918. Ar 12 Mehefin 1909 yn Niwbwrch, cynhaliwyd cyfarfod cyntaf y mudiad ar Ynys Môn, ac yn yr un flwyddyn ffurfiwyd cangen ym Mangor.

Nid oedd croeso bob tro i'r swffragetiaid, a bu sawl helynt ynglŷn â'u gweithgareddau yn nhrefi Cymru. Mewn cyfarfod afreolus yng Nghaerdydd ar 12 Tachwedd 1907, daeth swffragetiaid y ddinas wyneb yn wyneb â thorf anghyfeillgar o fyfyrwyr coleg a disgyblion ysgolion bonedd. Cafwyd noson o'r hyn a alwodd gohebydd y *Western Mail* yn *'uproarious fun'* wrth i gyfres o siaradwyr ymladd yn erbyn ffrwd ddi-baid o gellwair a gwawdio gan y gynulleidfa. Ar ddiwedd y noson, gwrthododd aelodau'r gynulleidfa ddiolch i'r siaradwyr ond yn lle hynny pasiwyd pleidlais ganddynt o ddiolch

(Drosodd)

Merched yn mynnu llais

(o'r tudalen cynt)
iddynt eu hunain am ddod.

Ym Merthyr Tudful yn 1908, taflwyd penwaig a thomatos at yr ymgyrchwyr, ac ym Mhwllheli yn Ionawr 1910, ymosodwyd yn ffyrnig ar lond car ohonynt gan rwygo un o deiars y car i'w rhwystro rhag dianc.

Tueddai'r mudiad i bleidio ymgeiswyr Torïaidd, gan gredu y byddai'r Ceidwadwyr yn debycach o ildio ar bwnc yr etholfraint, ond ni chafodd eu cri "Cedwch y Rhydd-frydwyr Allan" dderbyniad ffafriol iawn yn y wlad a oedd wedi gwrthod pob ymgeisydd Ceidwadol yn etholiad 1906.

Rygbi yn gêm broffesiynol?

Yn ystod y flwyddyn gwelwyd yr ymgais gyntaf i sefydlu clybiau rygbi tri-ar-ddeg proffesiynol yng Nghymru, a fyddai'n chwarae yn ôl rheolau clybiau gogledd Lloegr.

Glyn Ebwy a Merthyr Tudful oedd y trefi cyntaf i sefydlu clybiau o'r fath, ac ar 25 Mai, cyhoeddodd y *South Wales Daily News* fod E.H. Rees o Aberdâr am ddechrau clwb rygbi proffesiynol yn y dref honno. Honnodd Rees fod y mwyafrif o glybiau de Cymru eisoes yn talu eu chwaraewyr, a'r cyfan a ddymunai oedd gwneud y taliadau hyn yn rhai agored a swyddogol. Cyfeiriodd at Dai 'Tarw' Jones,

arwr buddugoliaeth Cymru yn 1905, a oedd yn derbyn saith swllt a chwe cheiniog y gêm gan glwb Aberdâr, a haerodd hefyd fod Aberdâr wedi talu clybiau eraill i ddod i chwarae yn eu herbyn - saith punt pum swllt i Ferthyr Tudful - a'u bod wedi rhoi pymtheg punt i dîm Treorci i golli gêm olaf tymor 1904-5 yn fwriadol.

Roedd peth gwir yn yr hyn a ddywedai Rees. Oddi ar helynt tymor 1896-7, pan brynwyd tŷ yng Nghasnewydd i'r seren rygbi Gymreig, Arthur Gould, fel gwerthfawrogiad o'i gampau ar y cae, derbynnid y byddai chwaraewyr yng Nghymru yn cael rhyw fath o dâl am chwarae, ac roedd hyn yn un o'r prif resymau pam na chafodd arloeswyr rygbi'r gynghrair yng Nghymru ond llwydd-iant pitw. Nid oedd fawr o werth mewn troi'n agored broffesiynol tra oedd yn bosibl dal yn swyddogol amatur a chael tâl yr un pryd. At hyn, yr oedd meysydd chwarae'n brin, ac yr oedd gemau yn erbyn clybiau gogledd Lloegr yn rhy ddrud i'w cynnal, a'r pellter mawr yn rhwystro gweinyddiaeth effeithiol. Glyn Ebwy oedd y clwb Cymreig a arhosodd hwyaf yng nghynghrair gogledd Lloegr, ond yr oedd yntau hefyd wedi rhoi'r ffidil yn y to erbyn Ebrill 1912.

Dociau newydd i'r 'Metropolis Glo'

ALL HAIL!
CARDIFF WELCOMES THEIR MAJESTIES AND THE PRINCESS.

Croeso Caerdydd i'r Brenin a'r Frenhines.

Ar 13 Gorffennaf daeth y Frenhines Alec-sandra ynghyd â'r Brenin Edward VII, i Gaerdydd i agor y dociau newydd a enwyd ar ei hôl. Adeiladwyd Dociau'r Frenhines Alecsandra i gwrdd â'r twf parhaol mewn allforion glo, a gallent dderbyn rhai o'r llongau mwyaf. Ar y pryd, hwy oedd y dociau mwyaf yn y byd a adeiladwyd o gerrig, a chawsant eu cydnabod fel un o gamp-weithiau pensaernïaeth ddiwydiannol

Cymru. Dechreuwyd ar y gwaith o'u codi yn 1897, ac oherwydd dewis safle ar lan y môr islaw'r llinell lanw, bu'n rhaid adennill darn sylweddol o dir oddi ar y môr cyn dechrau cloddio'r doc. Codwyd clawdd milltir a hanner o hyd i gynnwys y dociau a'u harwynebedd o 52 erw. Roedd gan ddociau Caerdydd bellach 165 erw o ddŵr dwfn.

Y Gymru gapelgar

Yn ôl cyfrif a wnaed yn y flwyddyn hon yr oedd gan eglwysi a chapeli Cymru 750,000 o gymunwyr, y cyfanswm uchaf erioed. Cofnodwyd hefyd fod ganddynt filoedd o 'wrandawyr' a fyddai'n mynychu oedfaon ond heb fod yn aelodau llawn. Gallai'r capel, drwy gymdeithasau a chyfarfodydd, ddar-paru bywyd cymdeithasol llawn trwy'r wythnos.

I ryw raddau, ffrwyth Diwygiad Evan Roberts oedd y ffigyrau nodedig hyn, ond uchafbwynt ar drothwy cyfnod hir o ddirywiad ydoedd. Cyfrifwyd yng Ngwent a Morgannwg rhwng 1904 a 1912 fod tri chwarter y rhai a 'ddychwelodd' at grefydd yn ystod y Diwygiad wedi cefnu arni wedyn, ac yng Ngwynedd yn yr un cyfnod, collwyd dwy ran o dair o'r dychweledigion. Ni allai'r hen Ymneilltuaeth Brotestannaidd gystadlu â syniadau'r oes newydd, ac roedd pynciau a oedd mor bwysig i gapelwyr yn dechrau ymddangos yn fwyfwy dibwys i drwch y boblogaeth.

Amgueddfa a Llyfrgell

Syr John Williams ger carreg sylfaen y Llyfrgell Genedlaethol.

Ar ôl blynyddoedd hir o frwydro, cytunodd y llywodraeth y dylid sefydlu Amgueddfa Genedlaethol a Llyfrgell Genedlaethol i wasanaethu Cymru. Yn ystod yr 1890au gwrthodwyd cais i Gymru dderbyn rhan o'r cymhorthdal blynyddol a ddosbarthwyd i sefydliadau yn Lloegr, yr Alban, a Iwerddon. Yn ôl y llywodraeth, roedd yr Amgueddfa Brydeinig yn gwasanaethu Cymru, a beth bynnag, nid oedd y Cymry'n genedl.

O ganlyniad i bwyso pellach ar ddechrau'r ganrif, penderfynwyd sefydlu Amgueddfa a Llyfrgell genedlaethol, a bu cryn ddadlau ynglŷn â'r lleoliad mwyaf addas iddynt. Gobeithiai Caerdydd y lleolid y ddau sefydliad yno, ond cafwyd cyfaddawd, a Chaerdydd yn ennill yr amgueddfa ac Aberystwyth y llyfrgell. Un o'r rhesymau pennaf am hyn oedd addewid Syr John Williams y byddai'n cyflwyno'i gasgliad godidog o lyfrau a llawysgrifau i'r llyfrgell pe sefydlid hi yn Aberystwyth. Daeth Syr John, a fu'n feddyg i'r Frenhines Victoria, yn Llywydd cyntaf y Llyfrgell ac yn brif gymwynaswr y sefydliad.

Prinder arian oedd y brif broblem a wynebai'r ddau sefydliad, ond roeddynt yn ffodus pan ddaeth y Cymro David Lloyd George yn Ganghellor y Trysorlys. Wrth glustnodi cyllid digonol i'w cynnal adroddir iddo ofyn: 'Pa werth cael Cymro'n Ganghellor os nad oes modd iddo wneud rhywbeth dros Gymru?'.

Agorwyd drysau'r Llyfrgell ar safle dros dro yn 1909, a chodwyd adeilad ysblennydd ar fryn uwchlaw Aberystwyth yn ystod y degawdau canlynol. Gosodwyd carreg sylfaen yr adeilad newydd yn 1911, ac o ganlyniad i'r Ddeddf Hawlfraint a basiwyd yn yr un flwyddyn, gallai'r Llyfrgell hawlio un copi o bob llyfr a gyhoeddid yn y Deyrnas Unedig. Yn 1922 y caniatawyd i'r cyhoedd ymweld â'r Amgueddfa am y tro cyntaf, ond nid agorwyd yr adeilad newydd ym Mharc Cathays yn swyddogol hyd 1927.

Problemau prifysgol

Ar 26 Hydref, gorchmynnodd awdurdodau Coleg Dewi Sant, Llanbedr Pont Steffan, i'r holl fyfyrwyr aros yn eu hystafelloedd ar eu pennau eu hunain ar ôl saith o'r gloch y nos am fis. Ymdrech oedd hon i roi terfyn ar gyfres o ymosodiadau direidus, a adwaenid fel *ragging*, ar lasfyfyrwyr a staff newydd. Ymhlith y dioddefwyr yr oedd y darlithydd diwinyddiaeth newydd, y Parch. Cecil Cryer, a nifer o fyfyrwyr newydd y cipiwyd eu dillad gwely oddi arnynt yn ystod y nos.

Ymatebodd y myfyrwyr hŷn trwy orymdeithio trwy'r dref ar 2 Tachwedd gan aros i ganu y tu allan i dai darlithwyr. Chwifiwyd copïau o'r cylchgrawn *Town and Gown*, lle yr honnid mai eglwyswyr cul eu meddyliau oedd awdurdodau'r Coleg, a bod y myfyrwyr yn cael eu gormesu am na chaent chwarae eu castiau traddodiadol ar aelodau newydd. Ar 7 Tachwedd, dwysaodd y myfyrwyr eu 'gwrthryfel' trwy beidio â mynychu oedfa'r bore yng nghapel y Coleg. Yn ei dro rhybuddiodd y prifathro fod y rhai a gymerai ran yn y 'gwrthryfel' yn peryglu dyfodol eu gyrfaoedd yn yr Eglwys.

Cyrhaeddodd yr helbul ei anterth ar 28 Chwefror 1909 gyda gwrthdystiad swnllyd pan irodd myfyrwyr ddrysau, grisiau a lloriau Adeilad Caergrawnt y Coleg â jam, a thaflu inc dros ddrws tŷ'r Prifathro. O ganlyniad, fe ganslwyd y trefniadau traddodiadol i ddathlu Dydd Gŵyl Ddewi.

Sefydlwyd pwyllgor i gadw rheolaeth ar ymosodiadau ar newydd-ddyfodiaid, ond profodd yn aneffeithiol, ac am flynyddoedd wedyn yr oedd i goleg Llanbed enw am weithgareddau afreolus ei fyfyrwyr.

Crogi gwraig

Am 8 o'r gloch y bore ar 14 Awst, crogwyd Mrs. Leslie James yng ngharchar Caerdydd am lofruddio baban a roddwyd iddi i'w fabwysiadu gan wraig o Dre-lyn. Hi oedd y wraig gyntaf i gael ei chrogi yn y carchar er pan godwyd ef yn 1854.

Ychydig cyn cael ei dienyddio, cyfaddefodd ei heuogrwydd am y tro cyntaf, gan ddweud ei bod wedi ystyried boddi'r baban ond wedi penderfynu ei fygu ar y trên rhwng Llanisien a Chaerdydd ar ôl cael ei llethu gan 'demtasiwm sydyn'.

Ymgynullodd torf fawr y tu allan i'r carchar o bont reilffordd Rhymni hyd at Westy Rhymni yn Adamstown. Nododd gohebydd y *Western Mail* fod y rhan fwyaf yn dangos arwyddion o gydymdeimlad â James, er bod rhai yn dringo ar offer y rheilffordd mewn ymgais i gael golwg ar y dienyddiad. Am hanner awr wedi wyth, gosodwyd hysbysiad ar ddrws y carchar yn cyhoeddi bod Leslie James wedi marw.

'Gwaredwr mawr y Gymraeg'

Yn ystod y flwyddyn hon ac yntau ar drothwy ei 50 oed, penodwyd Owen Morgan Edwards, gynt o Goed-y-pry, Llanuwchllyn, ond bellach Cymrawd o Goleg Lincoln, Rhydychen, a thiwtor hanes yno, yn Brif Arolygydd Ysgolion cyntaf Cymru. Am y tro cyntaf rhoddwyd y cyfrifoldeb am addysg yng Nghymru yn nwylo un a oedd yn gwbl atebol i'w drafod yn ddeallus a chyda chydymdeimlad. Gwelodd ddwyieithrwydd y wlad yn gyfle yn hytrach na phroblem, ac aeth ati o'r dechrau i bwysleisio pwysigrwydd dysgu'r Gymraeg fel pwnc a hefyd fel cyfrwng i ddysgu drwyddi.

Ar hyd ei oes bu O. M. Edwards yn ddiarhebol am ei lafur di-baid dros Gymru. Yr oedd ganddo ddarlun delfrydol o'r 'werin' Gymraeg ddiwylliedig, ac nid arbedodd ei hun wrth geisio ei gwasanaethu a darparu deunydd dyrchafol ar ei chyfer. Cyhoeddodd lu o lyfrau i oedolion a phlant gyda'r bwriad o feithrin balchder ynddynt at eu gwlad a'i thraddodiadau, a hynny mewn iaith naturiol ac arddull syml a ffres. Golygodd nifer o gylchgronau hefyd i'r un perwyl, ond y pwysicaf yn eu plith yn ddiau oedd *Cymru* (y *Cymru 'Coch'* oherwydd lliw ei glawr) a lansiwyd yn 1891, ac a ddaeth yn bont rhwng pob math o

Owen Morgan Edwards.

garfannau yn y gymdeithas Gymraeg, a rhwng y gorffennol a'r presennol, a *Cymru'r Plant* (1892) a agorodd ddrysau newydd i genhedlaeth o blant a godwyd ar gynnwys mwy cyfyngedig cylchgronau enwadol.

Yn ogystal â'i waith cyhoeddi, gwasanaethodd ar bwyllgorau a chomisiynau di-ri, ac yr oedd galw mawr arno i lywyddu mewn eisteddfodau ac i annerch cyfarfod-

ydd led-led Cymru. Yn 1899 pan fu farw ei gyfaill T. E. Ellis, Aelod Seneddol Meirionnydd, etholwyd O. M. yn ddiwrthwynebiad i gymryd ei le, ond oherwydd ei alwadau eraill ymddiswyddodd o'r sedd ymhen blwyddyn.

Ar ôl ei benodi'n Brif Arolygydd aeth yn ôl i Lanuwchllyn i fyw, cododd dŷ sylweddol, ac aeth ati i brynu nifer o ffermydd yn yr ardal a'u gosod ar rent. Yn ystod y Rhyfel Mawr cofleidiodd honiad Lloyd George mai rhyfel ydoedd i amddiffyn cenhedloedd bychain, ac ymrôdd i annog bechgyn ifanc Cymru i listio yn y fyddin.

Er gwaethaf ei fywyd cyhoeddus, gŵr a thueddiadau mewnblyg ydoedd, a hoffai unigedd a thawelwch, ond a feddai ar gryn synnwyr digrifwch a direidi hogynaidd hefyd. Erbyn diwedd ei oes ef oedd un o'r ffigyrau mwyaf adnabyddus yng Ngymru. Ar y dydd Mercher yn Eisteddfod Genedlaethol Castell-nedd, 1918, ni theimlodd Penar Griffiths, yr arweinydd ar y pryd, fod angen mwy o gyflwyniad ar Lywydd y Dydd y diwrnod hwnnw na'r frawddeg 'Dyma fo i chi – Gwaredwr mawr y Gymraeg!'

Bu O. M. Edwards farw ar 16 Mai 1920 yn 62 mlwydd oed.

Plwm y Gorllewin

dde: Gweithfeydd plwm Bwlch-glas, ger Tal-y-bont, Ceredigion.

Ailagorwyd gweithfeydd mwyn plwm Bwlch-glas, Ceredigion yn y flwyddyn hon, gan gwmni newydd a ffurfiwyd at y diben, sef *Scottish Cardigan Mines Ltd.* O 1909 ymlaen dyma'r unig waith plwm yn y Canolbarth lle y defnyddid offer nwy i ddarparu'r ynni. Tua'r un pryd yr oedd y *Lerry Mining Co.* yn datblygu safleoedd Leri a Brynyrafr, a bu sôn am ailddechrau gweithio ar safleoedd Temple, Dwyrain Goginan, Gwaith-Coch, Nantyrarian, a Chaegynon, ond erbyn 1910 Bwlch-glas yn unig o'r rhain a oedd yn dal i weithio.

Bu'r diwydiant plwm yn bwysig iawn i ganolbarth Cymru o'r 1840au ymlaen yn

enwedig, a chyrhaeddodd gweithfeydd Ceredigion eu hanterth o ran cynhyrchedd yn y 1850au a'r 1860au, tra ffynnodd gweithfeydd de Meirionnydd o ddiwedd y 1860au hyd at ganol y 1870au. Ond yn 1878, cwympodd pris plwm yn sylweddol, ac ar i

lawr yr aeth pethau wedyn. Ni allai hyd yn oed y twf yn y galw am blwm yn ystod y Rhyfel Byd Cyntaf adfywio'r diwydiant, ac yn 1939 pan ddaeth gweithio i ben ym mhwll Penrhyngerwyn, ger Tre'r-ddôl, caeodd y gwaith plwm olaf yn y Canolbarth.

1908

Peryglon tlodi

Merthyr Tudful fel gwraig ifanc yn wylo dros feddau ei phlant.

Ymhlith cyfrifoldebau cyntaf David Lloyd George pan ddyrchafwyd ef yn Ganghellor y Trysorlys yn llywodraeth Ryddfrydol Asquith ar 11 Ebrill yr oedd y gwaith o lywio trwy'r Senedd y ddeddfwriaeth bensiynau'r henoed a basiwyd ar 1 Awst.

Trwy'r mesur hwn, y bu Lloyd George ei hun yn galw amdano er 1895, achubwyd miloedd rhag gwarth Deddf y Tlodion, a daeth yr ymadrodd 'mynd ar y Lloyd George' i gymryd lle 'mynd ar y plwyf' ar lafar gwlad.

Er hyn, roedd y mesur yn fwy nodedig am yr egwyddor a oedd ymhlyg ynddo nag am yr effaith a gafodd. Yr oedd yn ddatganiad o'r gred y dylai'r wladwriaeth ddarparu ar gyfer yr oedrannus, ond nid oedd y ddarpariaeth yn y mesur yn arbennig o hael: rhwng un a phum swllt yr wythnos i bawb dros 70 ydoedd, ac eithrio troseddwyr, gwallgofion, a'r rhai gydag incwm o fwy na £31 a 10 swllt y flwyddyn.

Un broblem ddybryd nad oedd pensiynau Lloyd George yn cynnig ateb iddi oedd cyflwr gwael cartrefi llawer o drigolion tlotaf y wlad. Mewn cyfarfod o bwyllgor tai Cyngor Bwrdeistref Merthyr Tudful ar 1 Ionawr, cyflwynwyd cynlluniau i godi nifer o dai cyngor newydd i gymryd lle hen dai a ystyrid bellach yn berygl i iechyd. Mewn cyfarfod o bwyllgor iechyd y Cyngor wedyn, penderfynwyd codi dau bafiliwn newydd i estyn ysbyty heintiau'r dref er mwyn mynd i'r afael â'r cynnydd mewn achosion o dwymyn teiffoid, afiechyd a ddeilliai o amodau byw gwael. Gofynnodd Dr. Alexander Duncan, y Prif Swyddog Meddygol, am orchmynion cau ar bum tŷ ym Merthyr, pedwar yn Nowlais, ac un ym Mhenydarren am eu bod yn anaddas i neb fyw ynddynt. Adroddodd yr Arolygydd Thomas fod nifer o denementau yn y Stryd Fawr, Penydarren, lle yr oedd teuluoedd yn byw yn y selerau gan dalu 11 swllt y mis am y fraint.

Daeth un awgrym anarferol ynglŷn â sut i ddatrys y broblem gan ddirprwy-dirfesurwr y fwrdeistref, Mr. F. Thackery, a ddywedodd y gellid yn hawdd godi tai i drigolion tlotaf Merthyr trwy ddefnyddio gwastraff o domenydd ffwrneisiau'r dref.

Churchill – A.S. Meirionnydd?

Ddeuddydd wedi iddo fethu â chael ei ailethol yn is-etholiad Gogledd-Orllewin Manceinion ar 24 Ebrill, derbyniodd y Rhyddfrydwr ifanc Winston Churchill lythyr oddi wrth A. Osmond Williams, Aelod Seneddol Meirionnydd, yn cynnig ei sedd iddo. Dywedodd Williams ei fod eisoes wedi trefnu cyfarfod i roi'r mater gerbron y Gymdeithas Ryddfrydol leol. Ar 28 Ebrill, esboniodd Williams ei lythyr yn *Yr Herald* Cymraeg: 'Rwy'n edmygu Mr. Churchill gymaint fel y rhoddwn i fyny fy sedd ar unwaith er ei fwyn. Mae Mr. Churchill yn un o ddynion galluocaf y Weinyddiaeth, a byddai yn golled anrhaethol ei golli o'r Senedd.'

O'i ran ef, yr oedd Churchill wedi cael cynnig sawl sedd ddiogel, ac ar 9 Mai, enillodd sedd Dundee gyda mwyafrif mawr.

Ysmygu ond dim merched

Peidio â chadw cofnodion, peidio â chynnal cyfarfodydd rheolaidd, caniatáu ysmygu ond peidio â chaniatáu i ferched ddod yn aelodau. Dyma rai o'r rheolau cyntaf y penderfynwyd arnynt gan sylfaenwyr Clwb Awen a Chân Caernarfon. Cymdeithas ddiwylliannol oedd hon, ond bod y sefydlwyr yn mynnu glynu wrth y teitl 'clwb' er gwaetha'r ffaith mai 'cyfystyr oedd yr enw â maswedd ac anfoesoldeb' yng ngolwg rhai o barchusion y dref.

Bwrlwm llengar a cherddgar arbennig tref Caernarfon ym mlynyddoedd cynnar y ganrif a ysbrydolodd T.Gwynn Jones, E. Morgan Humphreys ac O. Llew Owain i sefydlu'r Clwb. Y gweinidog a'r newyddiadurwr R.D. Rowland, (Anthropos), oedd y Llywydd a'i brif ysgogydd o 1908 ymlaen. Yn ystod ei gyfnod wrth y llyw cynyddodd yr aelodaeth o 30 i 407, gan gynnwys aelodau o Batagonia, Singapôr, a'r Aifft. Dibynnai'r Clwb i gryn raddau am ei lwyddiant ar ymdrechion y Llywydd, ac ar ôl i'w iechyd ef edwino daeth y gweithgareddau i ben yn 1932.

Anthropos.

Camp Lawn Cymru

Ym myd rygbi, cyflawnodd tîm Cymru'r Gamp Lawn am y tro cyntaf, ac ennill y Goron Driphlyg am y pumed tro.

Ar 18 Ionawr, mewn niwl trwchus ym Mryste, curwyd Lloegr, ac mewn gêm agos iawn yn Abertawe'r mis dilynol cafwyd buddugoliaeth dros yr Alban o chwe phwynt i bump, ar ôl i'r dyfarnwr wrthod cais yr Albanwr Ian Geddes yn y funud olaf. Ar 14 Mawrth, sicrhawyd y Goron Driphlyg trwy guro Iwerddon yn Belfast, ond yr oedd uchafbwynt y tymor wedi bod ddeng niwrnod ynghynt yng Nghaerdydd ar 4 Mawrth, pan drechwyd Ffrainc o 36 phwynt i 4 yng ngêm gyntaf Cymru'n erbyn y wlad honno. Sgoriodd Reggie Gibbs o Gaerdydd bedwar cais yn y gêm a thrwy hynny efelychu record 1899 Willie Llewellyn. Bu bron i Gibbs gael pumed cais, ond cafodd gorhyder y gorau arno ac fe'i lloriwyd ar ôl croesi'r llinell, wrth iddo geisio rhedeg i sgorio rhwng y pyst.

Aeth Cymru ymlaen ym mis Rhagfyr i ennill eu gêm gyntaf yn erbyn Awstralia o naw pwynt i chwech o flaen 30,000 o wylwyr yng Nghaerdydd.

Rhyddid y wasg

Yn sgil achos dadleuol yn yr Uchel Lys yn Llundain, sicrhaodd Frank Mason, perchennog a golygydd y *Tenby Observer*, hawl newyddiadurwyr i fod yn bresennol yng nghyfarfodydd cynghorau lleol. Roedd Mason wedi gwylltio aelodau Cyngor Tref Dinbych-y-Pysgod â'i adroddiadau manwl ar eu trafodaethau, ac yn 1907 gwaharddwyd ef o gyfarfodydd y Cyngor. Cefnogwyd safiad y cynghorwyr gan yr Uchel Lys, lle y dyfarnwyd mai digwyddiadau preifat oedd cyfarfodydd cynghorau lleol, a bu angen deddf Seneddol wedyn i wrthdroi'r penderfyniad a chaniatáu i Mason ac eraill wneud eu gwaith yn ddilyffethair.

Ergyd i Fabon

Ar 5 Mehefin, pleidleisodd aelodau Ffederasiwn Glowyr De Cymru dros ymuno â'r Blaid Lafur o 74,675 pleidlais i 44,616. Roedd y penderfyniad yn ergyd drom i'r hen do o arweinwyr fel Mabon (William Abraham) a ddymunai weld yr hen drefn o weithio trwy'r Blaid Ryddfrydol yn parhau. Un arwydd o blith llawer oedd y bleidlais fod y Blaid Lafur ar i fyny fel llais annibynnol i'r dosbarth gweithiol.

Ar 21 Rhagfyr, sicrhawyd o'r diwedd ddiwrnod gwaith wyth awr i'r glowyr, pan dderbyniodd Deddf Reoli'r Pyllau Glo y cydsyniad brenhinol. Ffrwyth ymgyrch hir oedd hon, yn mynd yn ôl i 1889 a 1893 pan gyflwynwyd y mesurau wyth awr cyntaf. Ymhlith gwrthwynebwyr cryfaf y mesurau cynnar hyn yr oedd meistri glo de Cymru, yn enwedig D.A. Thomas o Ferthyr, y dyn a gynorthwyodd Keir Hardie i ennill sedd Seneddol yn 1900. Roedd gan y glowyr cefnogwr brwd yn y Cabinet, sef y Rhyddfrydwr ifanc Winston Churchill, a wahoddwyd i annerch cyfarfod o lowyr Cwm Rhondda yn y Porth ym mis Gorffennaf. Dywedodd wrthynt eu bod yn taro ergyd drostynt eu hunain a thros y ddynoliaeth yn gyffredinol trwy frwydro am ddiwrnod wyth awr. Er gwaethaf cefnogaeth parchusion y Blaid Ryddfrydol fel Churchill, mae'n debyg mai bygythiad Ffederasiwn Glowyr Prydain Fawr i alw streic os na cheid deddfwriaeth a berswadiodd yr Ysgrifennydd Cartref, Herbert Gladstone, i wthio mesur wyth awr trwy'r Senedd.

Canu Gwerin

Ar 2 Medi mewn cyfarfod yn Llangollen, sefydlwyd Cymdeithas Alawon Gwerin Cymru er mwyn hyrwyddo canu traddodiadol y wlad.

Un o brif sylfaenwyr y Gymdeithas oedd Dr. J. Lloyd Williams, darlithydd mewn Botaneg yn y Brifysgol ym Mangor a hefyd Cyfarwyddwr Cerdd y coleg. Sefydlodd barti canu o blith ei fyfyrwyr o'r enw 'Y Canorion', ac fe'u hanogodd i gofnodi hen ganeuon llafar gwlad yn ystod eu gwyliau. Parhawyd y gwaith hwn gan y Gymdeithas, a fu'n gyfrifol yn ei dyddiau cynnar am recordio cannoedd o ganeuon ar roliau ffonograff cyn eu hadysgrifo ar bapur.

Dringwraig Dowlais

Ymgasglodd cannoedd o drigolion Dowlais ar 7 Mehefin i weld Jennie Evans o Bontllan-ffraith, barferch Tafarn y Tywysog Albert yn y dref, yn dringo simne 160 troedfedd o uchder a godid ar gyfer ffwrneisiau'r dref. Roedd wedi cael ei hannog i ddringo'r simne gan ddau weithiwr a oedd yn gweithio arni ac a ddaeth i mewn i'r dafarn a chlywed bod y farferch yn enwog am ei beiddgarwch ar ôl iddi fentro i lawr pwll glo.

Crwban Môr Pwllheli

Y crwban môr a dynnwyd i'r lan yn harbwr Pwllheli ar 18 Mehefin oedd yr un mwyaf a ddaliwyd yn nyfroedd Prydain hyd hynny. Mesurai 7 troedfedd 4 modfedd ar draws ei esgyll, ac o'i ben i'w gynffon 7 troedfedd 6 modfedd. Roedd yn pwyso hanner tunnell.

Cadernid yr hil Gymreig

Ar ddiwrnod cyntaf y flwyddyn yn Aberdâr, chwaraewyd y gêm rygbi tri-ar-ddeg ryngwladol gyntaf yng Nghymru o flaen torf o bymtheng mil. Trechodd Cymru Seland Newydd o naw pwynt i wyth, diolch i gais gan Dai Thomas wyth munud cyn y diwedd.

Chwaraewyd y gêm mewn tywydd rhewllyd, ac er bod rhywfaint o ymgais i drin y cae â halen, lloriwyd chwech o'r Selandwyr gan anafiadau a achoswyd gan galedi'r cae. Nid anafwyd yr un o'r Cymry, ffaith a briodolwyd gan ohebydd y *Western Mail* i gadernid naturiol yr hil Gymreig.

Ar 20 Ebrill, yn Nhonypandy, cafwyd buddugoliaeth gyffrous arall i Gymru o 35 pwynt i 18 dros dîm rygbi tri-ar-ddeg Lloegr. Seren y gêm oedd Johnny Thomas o glwb Wigan, a gafodd 14 o bwyntiau'r Cymry, gan drosi pob un o'r saith cais yn llwyddiannus.

Aur Olympaidd

Y pencampwr nofio Radmilovic yn barod am ornest polo dŵr.

Yn y Gemau Olympaidd yn Llundain, enillodd Paul Radmilovic o Gaerdydd fedal aur fel aelod o dîm polo dŵr Prydain.

Cyflawnodd yr un gamp drachefn yn Stockholm yn 1912 ac yn Antwerp yn 1920, fel rhan o'r tîm Prydeing a barhaodd yn ddi-guro hyd at Gemau Olympaidd Paris yn 1924. Yn ogystal â'i lwyddiannau polo dŵr enillodd Radmilovic fedal aur yn Llundain hefyd fel aelod o dîm nofio Prydain yn y ras gyfnewid 4 x 200 metr.

At ei gilydd bu'r Cymro'n nofio ac yn chwarae polo dŵr yn gystadleuol am tua deng mlynedd ar hugain. Roedd yn nofiwr hyblyg ac amryddawn, gan ennill cystadlaethau Cymreig a Phrydeinig dros wahanol bellterau. Enillodd ei deitl Cymreig cyntaf, am nofio 100 llath, yn 1901, a'i un olaf yn 1929, pan gipiodd bencampwriaeth 440 llath Cymru yn 41 oed. Yn 1907, 1925, ac 1926, cymerodd ran mewn ras nofio bum milltir ar hyd Afon Tafwys yn Llundain.

Byddwch Barod

Band pibau a drymiau Sgowtiaid Aberteifi.

Yn ystod y flwyddyn sefydlwyd y canghenau cyntaf o fudiad y Sgowtiaid yng Nghymru, wrth i Gymry ifainc ymateb yr un mor frwdfrydig â gweddill y deyrnas i gyhoeddi llawlyfr Robert Baden-Powell *Scouting for Boys* ym mis Ionawr.

Un o arwyr gwarchae tref Mafeking yn Rhyfel y Bŵr oedd Baden-Powell, ac yr oedd yn awyddus i addasu'r hyn a ddysgodd wrth ryfela yn Ne Affrica i greu mudiad disgybledig i fechgyn mewn adeg o heddwch. Pan gyhoeddwyd *Scouting for Boys*, nid oedd y Sgowtiaid eto'n fudiad ffurfiol, ond aeth bechgyn ati trwy'r wlad ar eu liwt eu hunain i sefydlu grwpiau annibynnol ar y patrwm a roddwyd yn y llyfr. Cyn diwedd y flwyddyn yr oedd grŵp wedi'i ffurfio yn y Mwmbwls, dan arweiniad y curad lleol y Parch. T. Owen Phillips, a hefyd yng Nghaerdydd a Chaerfyrddin. Ar 27 Chwefror 1909, ym Mharc Glanusk, sir Frycheiniog, llywyddodd Arglwydd Glanusk ar gyfarfod lle y tyngodd bechgyn a Sgowtfeistri o chwech o drefi lleol lw'r Sgowtiaid. Yn y Canolbarth, sefydlodd hanner dwsin o fechgyn Aberystwyth grŵp Sgowtio yn Hydref 1909, a'r flwyddyn nesaf, yn y Borth gerllaw, gwelwyd sefydlu grŵp Sgowtiaid Môr cyntaf yr ardal. Ym mis Mehefin 1910, mewn cyfarfod yn Sefydliad y Gweithwyr yn Y Porth, lansiwyd y gangen gyntaf o'r mudiad yn y Rhondda.

Yn 1932, ymddangosodd *Sgowtio i Fechgyn*, trosiad Cymraeg o lawlyfr 1908 Baden-Powell gan J. Adams Thomas, Llandrindod, gan gynnwys penodau ar 'Dioddefgarwch Sgowtiaid', 'Sifalri y Marchogion', a sut i osgoi 'ffieidd-dra' trwy ymdrochi mewn dŵr oer. Fel y dywedodd y cyfieithydd yn ei ragair nid addaswyd dim ar natur y cynnwys ar gyfer y gynulleidfa Gymraeg, ac ni thrafferthwyd i newid y bennod sy'n datgan mai Sant Siôr yw nawddsant pob Sgowt.

Batio dros Gymru

dde: Tîm pêl-fâs Caerdydd gyda'i gapten, y chwaraewr rhyngwladol D. Davies.

Ar 3 Awst ar faes yr Hen Harlecwiniaid, Caerdydd, chwaraewyd y gêm bêl-fas ryngwladol gyntaf rhwng Cymru a Lloegr. Cafwyd buddugoliaeth i Gymru dan eu capten Llew Lewis o Grangetown. Bu bron i Loegr golli o fatiad cyflawn, ac ni fu'n rhaid i'r Cymry sgorio ond 22 o rediadau yn eu hail fatiad i ennill o 122 rediad i 118 a saith o'u batwyr heb fod allan. Gwyliodd dwy fil o bobl y gêm.

Ym mis Mehefin 1892 yr oedd Cynghrair Rownders De Cymru wedi'i throi ei hun yn gynghrair bêl-fas, a ffurfiwyd Cymdeithas Bêl-fas De Cymru. Yr oedd nifer mawr o glybiau yn chwarae yn ardaloedd Caerdydd a Chasnewydd, gan gynnwys Eglwys Wynllyw, YMCA Treganna, Grangetown, Ceidwadwyr Y Rhâth, a Philgwennli.

Cystedlid am dlysau lleol, fel Tarian Athletaidd Caerdydd a Tharian Sialens De Cymru, ac fel ym myd rygbi, sefydlwyd clybiau ar sail gweithfeydd, fel Garddwyr y Castell a'r Clwb Trydan yng Nghaerdydd. Yn 1923, crewyd Cynghrair Menywod Caerdydd a'r Cylch er mwyn trefnu gemau rhwng y gwahanol dimau o ferched a oedd wedi codi yn yr ardal, fel tîm gweithwragedd Gweithfeydd Nwy Grange.

Yn 1912, crewyd Cymdeithas Bêl-fas Cymru (Undeb Pêl-fas Cymru wedi 1921) i reoli'r gêm trwy'r wlad i gyd. Y mae'r gyfres o gemau rhyngwladol rhwng Cymru a Lloegr wedi parhau'n ddi-dor er 1908 ar wahân i flynyddoedd y ddau Ryfel Byd.

Y Dr. Bodie a'i *Electric Life Pills*

Yn Nhonypandy ar 16 Ionawr, cynhaliwyd cwest i farwolaeth Elizabeth Anne Morgan, gwraig i löwr o'r dref.

Ar ôl archwilio'r corff, dywedodd Dr. Buchanan fod yr ysgyfaint yn dangos bod Mrs. Evans yn dioddef o'r dicâu ers tro. Ychwanegodd y pathologydd, Mr. George Embrey, fod maint sylweddol o wenwyn yn y stumog, yn deillio o fwydydd anifeiliaid pydredig. Rhoddwyd sylw hefyd i'r botelaid o *Dr. Bodie's Electric Life Pills* roedd ei gŵr, Albert Morgan, wedi eu dwyn adref ychydig cyn i'w wraig farw. Dywedodd y glöwr y byddai'n defnyddio'r tabledi ei hun i ddadwneud effeithiau goryfed, a'i fod hefyd wedi rhoi rhai i'w wraig.

Dyweododd y crwner, Dr. Macartney, mai amheus iawn oedd diflaniad deuddeg o'r tabledi cyn i'r botel gael ei rhoi i'r heddlu, ond ni chredai Mr. George Embery mai'r *Electric Life Pills* a achosodd farwolaeth Mrs. Morgan. Ychwanegodd y crwner y byddai crach-feddygon fel Dr. Bodie yn dal i ffynnu cyhyd ag y byddai pobl fel Mr. Morgan yn ddigon gwirion i brynu eu nwyddau.

1909

Pasiant Mawr y Genedl

Criw o Gristnogion ar fin cael eu haberthu gan baganiaid anwar!

Rhwng 26 Gorffennaf a 7 Awst, ar dir yr Ardalydd Bute yng Ngerddi Sophia, Caerdydd, cafwyd perfformiad bob dydd am bythefnos o'r sioe dair awr 'Rhwysg Hanes Cymru – Gwroniaeth y Cymry', neu'r Pasiant Cenedlaethol.

Roedd pasiantau o'r fath yn ffasiynol ar y pryd, a phasiant mawr Warwick ym mis Gorffennaf 1906 a ysbrydolodd trefnwyr sioe Caerdydd, er iddynt ymfalchïo mai dyma'r 'cyntaf i ddangos pasiant gwlad a chenedl gyfan, ac nid rhyw ranbarth neu adran.' Trefnwyd y pasiant gan G.P. Hawtrey, trefnydd Pasiant Cheltenham, a sgriptiwyd ef gan y Capten Owen Vaughan – Owen Rhoscomyl. Bu ef yn ei dro yn gowboi yng Ngorllewin Gwyllt America, milwr cyflog ym Mhortiwgal, ac arweinydd mintai o sgowtiaid yn Rhyfel y Bŵr. Roedd ei basiant i fod yn fynegiant o wladgarwch a oedd ar yr un pryd yn Gymreig ac yn Brydeingar.

Cymerwyd rhan Hywel Dda gan Lewis Morgan, Arglwydd Faer Caerdydd, ac Owain Glyndŵr gan Arglwydd Tredegar. Agorwyd y sioe gan Ardalyddes Bute ('*Dame Wales*') trwy alw ar yr holl siroedd i ymgynnull. Arweiniodd hyn at ymgecru brwd rhyngddynt ynglŷn â pha un oedd y sir orau. Roedd rhannau hefyd i bum mil o bobl leol, gan mai gŵyl ddemocrataidd oedd hon, yn ogystal ag un hanesyddol. Daeth yr uchafbwynt gyda chyrch Ifor Bach a'i wŷr ar gastell yr arglwydd Normanaidd, Gwilym Caerloyw, ac ymhlith y milwyr roedd nifer o chwaraewyr rygbi poblogaidd y dydd, megis Gwyn Nicholls, Percy Bush, A.F. Harding a Rhys Gabe. Yna gwelwyd Dafydd ap Gwilym, yn dawnsio gyda phump ar hugain o athrawesau ifainc ysgolion Caerdydd, yn cynrychioli'r merched y canodd y bardd iddynt.

(Drosodd)

Pasiant y Genedl

(o'r tudalen cynt)

Ymhlith y 25,000 o wylwyr roedd tîm criced Awstralia, a oedd yng Nghaerdydd i chwarae'n erbyn De Cymru, a thalodd David Davies, Llandinam i 550 o Ffiwsilwyr Brenhinol Cymreig ddod yno ar y trên o'r Fenni i ymuno yn yr hwyl.

Ystyriwyd y Pasiant yn llwyddiant mawr, a datganodd Arglwydd Faer Caerdydd: 'Rydym wedi curo'r byd mewn pêl-droed, ac nawr rydym wedi curo'r byd mewn pasiantri hefyd.' Er hyn methiant ariannol fu'r pasiant, ac ni lwyddwyd i ddenu yno ond nifer bach o bobl o'r tu hwnt i Gaerdydd a'r De.   *[LLIW 9]*

Rhwydd hynt i Sam Evans

Sam Evans yn gwrthod cri merched y bleidlais.

Cyllideb y Bobl

Dechrau'n ifanc – Megan Lloyd George yn gosod posteri ei thad.

Ar 29 Ebrill, mewn araith awr a hanner, cyflwynodd y Canghellor newydd, David Lloyd George ei gyllideb am y flwyddyn – 'Cyllideb y Bobl', fel y daethpwyd i'w hadnabod. Cyllideb hynod ddadleuol ydoedd, a gafodd groeso twymgalon gan rai ac a enynnodd lid eraill. Yn ganolog i'r cyfan roedd nifer o drethi newydd ar y cyfoethog, yn enwedig ar dirfeddianwyr: codwyd treth incwm, yn arbennig ar incwm nad oedd wedi'i ennill trwy waith, a gosodwyd trethi newydd ar dir ac ar y fasnach ddiod. Newidiwyd holl bwyslais y system drethu, o drethi anuniongyrchol i drethi uniongyrchol, a hynny ar sail yr egwyddor y dylid trethu pobl yn ôl eu gallu i dalu. Mesur lledsosialaidd ydoedd, ond apeliodd hefyd at

Ryddfrydwyr traddodiadol, gan ei fod yn ymosod ar un o'u hen elynion – y dosbarth tiriog. Cyhoeddodd Lloyd George mai cynnal 'rhyfel di-droi'n-ôl yn erbyn tlodi a budreddi' oedd ei fwriad.

Ymdrechodd Tŷ'r Arglwyddi'n galed i rwystro'r gyllideb, ac yn y pen draw, arweiniodd eu gwthwynebiad at Ddeddf (18 Awst 1911), a gwtogai'n sylweddol ar eu gallu i atal deddfwriaeth yr oedd Tŷ'r Cyffredin wedi'i phasio. Ym Mai 1910, bu raid i'r Arglwyddi basio'r ddeddf, wedi i'r Llywodraeth fygwth gofyn i'r brenin greu pum cant o Arglwyddi Rhyddfrydol newydd i ddileu dros nos y mwyafrif Toriaidd yn Nhŷ'r Arglwyddi.

Dilynodd Lloyd George lwyddiant Cyllideb y Bobl yn 1911 trwy greu system o Yswiriant Gwladol yn erbyn salwch a diweithdra. Cyfaddawd oedd y Mesur hwn, ond un o'r elfennau pwysig ynddo oedd y cymalau ynglŷn â'r dicâu. Un o bennaf pryderon y cyfnod oedd twbercwlosis, a chynhwysodd Lloyd George yn ei gynllun fesurau i gynorthwyo cleifion y dicâu a'u teuluoedd, gan sicrhau i bob claf driniaeth am ddim mewn ysbyty arbenigol. Darparwyd hefyd ar gyfer cronfa i dalu am ymchwil i achosion yr afiechyd – y tro cyntaf i'r wladwriaeth wneud ymroddiad parhaol i ariannu ymchwil meddygol. Dechreuodd pobl gyfrannu i'r cynllun yng Ngorffennaf 1912, a dosbarthwyd y budd-daliadau cyntaf yn Ionawr 1913.

Wythnosau cyn yr Etholiad Cyffreddinol a oedd i'w gynnal yn Ionawr 1910, disgwyliai Samuel T. Evans, yr Aelod Seneddol Rhyddfrydol dros Forgannwg Ganol, y byddai'n ofynnol iddo ymladd brwydr galed yn erbyn ymgeisydd y Blaid Lafur yn yr etholaeth, Vernon Hartshorn. Roedd Sam Evans yn un o wleidyddion mwyaf dylanwadol Cymru, ac wedi'i ddyrchafu'n Dwrnai Cyffredinol gan yn Prif Weinidog yn 1908. Fodd bynnag, roedd disgwyl i Hartshorn, asiant Ffederasiwn Glowyr De Cymru yn ardal Maesteg, ennill cryn gefnogaeth ymhlith glowyr yr etholaeth.

Ym mis Rhagfyr roedd rhai aelodau o bwyllgor gwaith y Ffederasiwn yn anesmwytho gan eu bod yn awyddus i gadw cysylltiad agos ag adain flaengar y Rhyddfrydwyr. Er mawr siom i Hartshorn a'i gefnogwyr, penderfynodd y Ffederasiwn yn hwyr yn y dydd beidio â chaniatau i Hartshorn sefyll yn yr etholiad. Achosodd hyn gryn chwerwder ymhlith Llafurwyr rhonc a oedd yn awyddus i ddatod y cysylltiadau 'Lib-Lab'.

Curodd Sam Evans ei wrthwynebydd Torïaidd yn rhwydd, ond o fewn ychydig fisoedd fe'i dyrchafwyd yn farnwr yn yr Uchel Lys, a chafodd Hartshorn ei ddymuniad i sefyll yn enw'r Blaid Lafur yn yr is-etholiad a ddilynodd. Er iddo golli, daeth yn Aelod Seneddol dros etholaeth Ogwr yn 1918, ac fe'i penodwyd yn Bostfeistr Cyffredinol yn y llywodraeth Lafur gyntaf yn 1924.

Draenogod a moch ar heolydd Ceredigion

Mewn cyfarfod o Gyngor Tref Aberystwyth ym mis Gorffennaf, clywyd bod un cylchgrawn i fodurwyr wedi galw ar yrwyr ceir i foicotio tref Aberystwyth, oherwydd arfer heddlu'r ardal o guddio yn ymyl y ffyrdd i fesur cyflymder ceir yn mynd heibio.

Darllenwyd llythyr gan Brif Gwnstabl Ceredigion yn dweud na fu ond chwech achos llys ynglŷn â chyflymder gyrru yn ystod y naw mis diwethaf, a bod y rheini'n ymwneud â cheir yn mynd yn eithriadol o gyflym, sef rhwng 23 a 31 milltir yr awr. Ychwanegodd na fyddai'r heddlu'n tra-fferthu dwyn achosion yn erbyn gyrwyr yn teithio o dan 23 milltir yr awr, er mai 20 milltir yr awr oedd y cyfyngiad o dan y gyfraith. Serch hyn mynegwyd pryder fod pobl yn dal i yrru'n rhy gyflym trwy bentrefi'r ardal.

Roedd yn amlwg fod tyndra'n datblygu rhwng awdurdodau'r ardaloedd gwledig a'r rhai a fynnai fwynhau cefn gwlad yn eu ceir. Cwynodd J.P. Holland, gohebydd y *Western Mail*, fod yr heddlu'n troi'n '*hedgehogs*' wrth guddio yn y gwrychoedd i ddal '*roadhogs*'.

Diwedd oes y cert a cheffyl

Crogi ei hun yng ngherbyty plas ei feistr fu tynged y coetsmon John Jones o Langynnwr, sir Gaerfyrddin, ar 28 Mai, a thrannoeth cynhaliodd y crwner J.W. Nicholas gwest i'w farwolaeth.

Yno dywedodd cyflogwr Jones, y Cyrnol Aslett, perchennog fferm Bolahaul, ei fod wedi rhoi tri mis o rybudd diswyddo i Jones, am ei fod am leihau ei staff, ac na fyddai arno angen coetsmon oherwydd ei fod wedi gwerthu ei geffylau i gyd ac yn bwriadu prynu car modur. Un o blith miloedd o goetsmyn a chertwyr oedd John Jones, Llangynnwr, a fyddai'n colli eu bywoliaeth gyda thwf poblogrwydd y car modur.

Gogoniant Abergwaun

Llong wrth y cei ym mhorthladd newydd Abergwaun.

Ar 30 Awst, dociodd y llong deithio fawr y *Mauretania* ym mhorthladd newydd Abergwaun ar ôl cipio'r Rhuban Glas am groesi Môr yr Iwerydd yn yr amser byrraf. Crewyd record newydd o 4 diwrnod, 14 awr a 27 munud, bron dair awr yn well na'r hen un, a hynny gan long wedi'i thanio gan lo'r Rhondda, a chyda chapten o Gymro, John Pritchard.

Yn briodol ddigon, y Cymro Cymraeg, Jenkin Evans o Lanbedr Pont Steffan, oedd y cyntaf i gamu oddi ar y llong yn Abergwaun , ar ôl byw yn America am 43 blynedd. Ar yr un diwrnod, creodd cwmni'r *Great Western* record newydd arall o 4 awr ac 28.5 munud wrth gludo teithwyr a phost o'r llong i Lundain. Cyhoeddwyd gŵyl gyhoeddus yn yr ardal, addurnwyd y strydoedd yn Abergwaun a Gwdig, a bu gorymdaith o blant ysgol a thrigain o ferched yn y wisg Gymreig, ynghyd â Seindorf Ddirwest Doc Penfro. Yr oedd ymweliad y *Mauretania* yn goron ar flynyddoedd o waith yn ymestyn yn ôl i Awst 1906 pan orffennwyd ailosod y cysylltiad rheilffordd ag Abergwaun, er mwyn gallu delio â threnau mwyaf y cyfnod. Yn yr un flwyddyn, dechreuodd cwmni'r *Great Western* adeiladu porthladd hollol newydd yn y dref, gan gefnu ar eu dewis cyntaf, Neyland. Codwyd gorsaf reilffordd newydd sbon, ac ehangwyd Tŷ Wyncliffe i fod yn Westy Bae Abergwaun y *Great Western*. Agorwyd y porthladd yn 1908, a dechreuwyd y gwasanaeth fferi o'r dref i Ddinas Corc yn ne Iwerddon.

Roedd yn fwriad gan y *G.W.R.* fod Abergwaun yn tyfu'n brif borthladd ar gyfer llongau mawr yn croesi'r Iwerydd – taith ddeugain milltir yn fyrrach na'r daith o Lerpwl i Efrog Newydd. Rhwng 1910 a 1914 byddai cwmni *Cunard* yn defnyddio Abergwaun rhwng chwech ac wyth gwaith y mis i wneud y daith i America, gyda phedwar trên arbennig yn cludo'r teithwyr. Ni ddychwelodd y *Mauretania* i Abergwaun byth wedyn. Nid oedd dyfroedd ei harbwr yn ddigon dwfn i'r llongau mwyaf, a'r gwasanaeth fferi i Iwerddon oedd yr unig ran o'r cynllun mawr a brofodd yn llwyddiant.

Noah Ablett a'r plebs

Ar 2 Ionawr yng Nghwm Rhondda, sefyd-lwyd cangen de Cymru o fudiad sosialaidd radicalaidd y *Plebs League*, gyda'i bencadlys yng Nghlwb y *Plebs*, Tonypandy. Mudiad cwbl ddigyfaddawd oedd hwn, a'i gred mewn 'rhyfel dosbarth' a'i fryd ar daro'n union-gyrchol yn erbyn y drefn gyfalafol.

Noah Ablett, glöwr o'r Porth yn y Rhondda Fawr, oedd yr amlycaf ymhlith y sylfaenwyr-aelodau, ac ynghyd ag eraill fel Will Mainwaring a Will Hay, ceisiai addysgu a radicaleiddio gwerin y maes glo. Daeth Ablett, fel sawl un arall o'i gyd-lowyr, o dan ddylanwad Diwygiad Evan Roberts yn 1904-5, ac roedd ei fryd ar un adeg ar fynd yn weinidog yr efengyl. Ar ôl cyfnod yn fyfyriwr yng Ngholeg Ruskin, Rhydychen, trodd yn fwy at syniadau Marcsaidd a Syndicalaidd, a daeth yn ddadleuwr cyhoeddus o fri ac yn bamffledwr medrus, gan gyflwyno achos pleidwyr 'democratiaeth ddiwydiannol' – y syniad y dylai gweithwyr eu hunain reoli'n uniongyrchol pob diwydiant, syniad a oedd yn gwbl groes i ddymuniadau'r cyflogwyr, ond hefyd yn groes i bolisi'r Blaid Lafur ac i'r mwyafrif cymedrol yn y mudiad llafur.

Bu'r *Plebs League* yn weithredol iawn yn ystod streic y *Cambrian Combine* o Dachwedd 1910 i Hydref 1911, gan annog y streicwyr i ddefnyddio'r streic fel arf wleidyddol i ennill rheolaeth dros y diwydiant glo. Yn yr un flwyddyn, gwahoddwyd Big Bill Haywood, arweinydd ffederasiwn glowyr America i dde Cymru i hybu achos y syndicalwyr.

Yng Ngholeg Ruskin – coleg i'r gweithwyr yn Rhydychen a sefydlwyd yn 1899 – y crewyd y *Plebs League*, yn 1908, ac o'r 14 aelod cyntaf cangen de Cymru, yr oedd 12 yn gyn-fyfyrwyr o'r coleg hwnnw. Galwodd rhai am gyrsiau mwy radicalaidd a Marcsaidd nag a geid yno, a phan aeth y myfyrwyr ar streic yn 1909, a myfyrwyr ag ysgoloriaethau gan Ffederasiwn Glowyr y De yn flaenllaw yn eu plith, daeth yr anghydfod hir i'w uchafbwynt, a'r canlyniad fu sefydlu coleg ar wahân yn Rhydychen ym mis Gorffennaf 1909, a symudwyd yn nes ymlaen i Lundain.

Cefnogwyd y Coleg Llafur Canolog newydd hwn gan undebau glowyr de Cymru a gwŷr y rheilffyrdd, ac ymhlith y rhai a fyddai'n astudio ynddo yr oedd Aneurin Bevan, pensaer y Gwasanaeth Iechyd Gwladol, a James Griffiths, Ysgrifennydd Gwladol cyntaf Cymru. Ni chyfyngid gwaith addysgol y Coleg Llafur Canolog o fewn i waliau'r coleg yn unig. Yr oedd gwersi nos i weithwyr y wlad yn rhan hanfodol o'r rhaglen, ac yn ystod gaeaf 1916-17 ym maes glo de Cymru, yr oedd 120 o ddosbarth-iadau'r coleg yn cael eu cynnal, lle y gallai'r Cymry flasu'r clasuron Comiwnyddol.

O Sain Ffagan i Begwn y De

Ar 16 Ionawr, arweiniodd y Cymro, Syr T.W.E. David o Sain Ffagan, y fintai gyntaf i gyrraedd Pegwn Magnetaidd y De, fel rhan o fenter Syr Ernest Shackleton o 1907 i 1909 ar y llong *Nimrod*. Hawliodd David yr ardal o gwmpas y Pegwn i'r Ymherodraeth Bry-deinig, a chodi Jac-yr-Undeb ar y safle. Roedd y parti dibrofiad wedi cymryd tri mis i gyrraedd y Pegwn o brif wersyll Shackleton, gan dynnu eu hoffer i gyd eu hunain heb gymorth cŵn, a byw ar y morloi a ddalient wrth fynd.

U.F.O. cyntaf Cymru

Bu cryn gyffro ar draws de Cymru ym mis Mai, oherwydd nifer o adroddiadau bod pethau rhyfedd i'w gweld yn yr wybren.

Ddydd Sul 16 Mai, yn Nhregirach ger Trefynwy, gwelodd Oliver L. Jones a'i deulu rywbeth tua phymtheg llath o hyd gyda phump o oleuadau arno, yn hedfan tua Chas-gwent cyn troi am Gasnewydd. Trannoeth, ar y ffordd i Aberhonddu, sylwodd rhyw Mr. Lichfield ar fath o awyren a goleuadau'n

THE MYSTERY SOLVED.

Y Canghellor yn hela trethdalwyr.

fflachio bob yn ail ar ei dwy ochr. Yn oriau mân dydd Mercher, gwelodd Robert West-lake, gweithiwr yn Nociau'r Frenhines Alecsandra, Caerdydd, rywbeth ar siâp sigâr yn mynd yn gyflym tua hanner milltir uwchben dros y dociau tua Chasnewydd, gan wneud 'sŵn chwyrlïo'. Ac ym Mhont-y-pŵl, am ddeg o'r gloch nos Fercher, gwelwyd awyren o'r un disgrifiad yn mynd tua Henffordd.

Tueddid i wawdio'r fath straeon i ddechrau, ond cafwyd cadarnhad trawiadol ddydd Iau pan gyhoeddwyd fod Mr. C. Letheridge o Gaerdydd wedi gweld awyren siâp tiwb wedi glanio ar Fynydd Caerffili wrth iddo ddychwelyd adref. Honnodd fod dau ddyn mewn cotiau ffwr wrth yr awyren, a'u bod wedi cael cryn syndod wrth ei weld yn nesáu atynt: '*When they saw me they jumped up and jabbered furiously to each other in some strange lingo - Welsh or something else; it certainly wasn't English.*' Brysiodd y dynion i gaban yr awyren, a'i chodi i'r awyr cyn hedfan tua Chaerdydd, gan adael ar eu hôl nifer o ddoriadau papur newydd, blwch tun, a label papur mewn Ffrangeg.

Nid hyn oedd diwedd y stori, gan y cafwyd adrodd-iadau ar y dydd Gwener fod yr awyren siâp sigâr wedi'i gweld uwchben Aberdau-gleddau, Pont-y-pŵl, a phen-tref Pen-tyrch rhwng Llan-trisant a Chaerffili. Honnodd chwech o weithwyr ffwrnais Dowlais iddynt weld llong awyr yn glanio ar yr un diwr-nod.

Cynigiwyd nifer o esbon-iadau ar y digwyddiadau hyn. Yr oedd teganau balŵn yn eithaf poblogaidd ar y pryd, ac awgrymodd rhai mai dyna a welwyd. Balwnau papur oedd y rhain, tua chwe troedfedd o uchder a chwe throedfedd ar draws, yn defnyddio gwirod methyl neu betrol i'w codi. Smaliodd cartwnydd y *Western Mail* mai'r Canghellor David Lloyd George yn hedfan dros y wlad i chwilio am bobl i'w trethu oedd achos y dirgelwch. Ond daeth esboniad mwy credadwy gan yr awyrenwr Charles Rolls o Drefynwy, sef fod y llongau awyr a welwyd wedi dod o Ffrainc neu'r Almaen, gan fod gan fyddin yr Almaen erbyn hynny longau awyr a fedrai deithio hyd at wyth can milltir.

23 Chwefror

Ffodd y Dalai Lama o Dibet i'r India ar ôl i filwyr o Tsieina feddiannu dinas Lhasa.

10 Mawrth

Dilewyd caethwasiaeth yn Tsieina.

27 Mawrth

Yn yr Eidal, ffrwydrodd y llosgfynydd Etna.

21 Ebrill

Bu farw'r nofelydd Americanaidd poblogaidd Mark Twain.

7 Mai

Yn Llundain daeth y brenin Siôr V i'r orsedd, ddiwrnod ar ôl i Edward VII farw o niwmonia.

20 Mai

Pasiodd Comed Haley o fewn 13 miliwn o filltiroedd i'r ddaear.

20 Awst

Bu farw'r nyrs adnabyddus Florence Nightingale yn Llundain.

27 Awst

Dangosodd y dyfeisiwr Americanaidd Thomas Edison ei beiriant newydd i recordio lluniau a sain ar yr un pryd.

7 Medi

Cafodd y gwyddonydd Marie Curie y sampl pur cyntaf o'r elfen radiwm.

4 Hydref

Ym Mhortiwgal, disodlwyd y brenin Manuel gan chwyldro gweriniaethol.

23 Tachwedd

Yn Llundain fe grogwyd Dr. Crippen am lofruddio'i wraig.

1910

Terfysg Tonypandy

Heddlu yn gorffwyso yn ystod terfysgoedd Tonypandy.

Cafwyd merthyr newydd i'r mudiad llafur pan fu farw Samuel Rays wedi i heddwas ei daro ar ei ben yn ystod y terfysg yn Nhonypandy ym mis Tachwedd. Dechreuodd anghydfod cwmni glo'r *Cambrian Combine* ym mis Medi.

Tuedd y cyfnod oedd uno cwmnïau glo yn gyfunedau mawrion. Bu D.A. Thomas, perchennog y *Cambrian* yn adeiladu ei ymerodraeth lo, gwerth dwy filiwn o bunnoedd, er 1895. Gwnâi meistri glo a chyfranddalwyr elw mawr, ond lleihau'n gyson yr oedd incwm go-iawn y glowyr er bod costau byw wedi codi'n gyflym er troad y ganrif.

Yn nglofa Elai, Pen-y-graig, Cwm Rhondda, y dechreuodd yr anghydfod, a hynny fel anghytundeb ynglŷn â thaliadau am weithio "llefydd annormal" h.y. y rhannau o'r pwll lle'r oedd y wythïen yn wael, neu lle byddai dŵr neu iselder y to yn ei gwneud yn anodd torri digon o lo i roi bywoliaeth deg. Gwrthododd 70 o ddynion y tâl a gynigiwyd iddynt am weithio un wythïen "annormal", ac ar 1 Medi

clowyd 800 o ddynion allan o'r gwaith. Ar 1 Tachwedd, ar ôl trafodaethau diffrwyth, aeth holl weithwyr y *Cambrian Combine* ar streic – ym mhyllau Elai, Llwynpïa, Cwm Clydach, a Gilfach Goch – deuddeng mil o ddynion i gyd. Dechreuodd glowyr cwmni *Powell Duffryn* yn Aberdâr hefyd ddechrau streicio ar 20 Hydref, ac erbyn dechrau mis Tachwedd yr oedd 27,609 o ddynion ar streic, chweched rhan o holl lafurlu'r maes glo.

Daeth y tyndra i'r berw yn Nhonypandy ar 7-8 Tachwedd. Dechreuodd y terfysg yng ngweithfeydd y *Cambrian* wrth i'r glowyr ymdrechu i gadw streicdorwyr rhag mynd i'r gwaith. Ymosodwyd ar bwerdai a boelerdai'r pwll, a lledodd y cynnwrf i strydoedd y dref, lle difethwyd tua thrigain o siopau. Roedd siopwyr yn arbennig o amhoblogaidd ar adeg streic neu ddiweithdra pan oedd arian yn brin, ac arswyd y llyfr cyfrifon ar lawer gwraig tŷ. Roedd rhai siopwyr hefyd yn landlordiaid a ddrwgdybid

(Drosodd)

Terfysg Tonypandy

(o'r tudalen cynt)

weithiau o wasgu teuluoedd mawr i dai bach fel y byddai ganddynt fwy o gwsmeriaid yn eu siopau. Roeddynt felly'n darged naturiol i streicwyr anniddig.

Aeth y sôn ar led fod lluoedd annhrefn wedi cipio'r dref, a beiwyd estroniaid a meddwon. Ond mewn gwirionedd, yr oedd yr ysbeilio'n ofalus ac yn systematig. Ymosodwyd yn fwriadol ar eiddo masnachwyr y dref, a gorymdeithiodd dynion, gwragedd a phlant trwy'r strydoedd yn nillad crand roeddynt wedi'u lladrata. Gweithredwyd yn ddethol, a gadawyd sawl siop heb ei chyffwrdd, yn eu plith fferyllfa'r seren rygbi Willie Llewellyn.

Yr Ysgrifennydd Cartref ar y pryd oedd Winston Churchill, a ystyrid yn gyfrifol am ddanfon y milwyr i ostegu tref Tonypandy. Mor ddiweddar ag etholiad cyffredinol 1950, mynnai Churchill iddo atal y milwyr y gofynnodd Prif Gwnstabl Morgannwg amdanynt, a danfon mintai o heddlu Llundain yn eu lle, ond y mae'n wir hefyd iddo orchymyn ar 8 Tachwedd i'r Cadfridog Syr Nevil Macready fynd â gwŷr meirch i'r ardal yn ddiymdroi, a thrannoeth, gorchmynodd ddanfon milwyr traed ychwanegol yno. Gwersyllodd y 18fed Hwsariaid ym Mhontypridd, a byddent yn patrolio'r ardal o'u safle yn y dref am fisoedd wedyn. Ar 22 Tachwedd, defnyddiodd milwyr fidogau'n erbyn torf yn taflu cerrig ym Mhen-y-graig, ac nid cyn mis Ionawr 1911 y galwyd Macready'n ôl o dde Cymru i'r Swyddfa Ryfel.

Dychwelodd glowyr *Powell Duffryn* i'r gwaith ar 2 Ionawr 1911, ond parhaodd anghydfod y *Cambrian* tan fis Hydref, pan ddychwelodd y glowyr i'r gwaith ar delerau'r cyflogwyr. Yn hyn o beth methiant oedd eu streic. Ond llwyddasant i dynnu sylw at broblemau'r diwydiant glo, ac yn enwedig at gwestiwn pwysig y "llefydd annormal". Gwelwyd mai deddfwriaeth i sicrhau lleiafswm cyflog i'r glowyr oedd yr unig ateb effeithiol i'r broblem, ac o 1910 ymlaen bu pwyso trwm ar federasiwn Glowyr Prydain Fawr i frwydro am y ddeddfwriaeth honno.

Dileu'r Dicâu

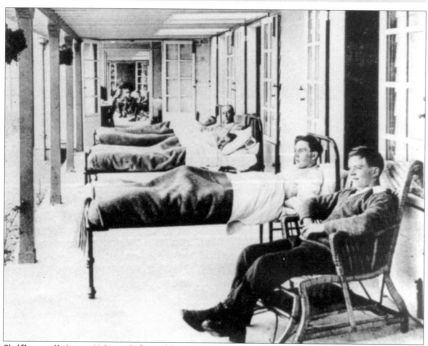

Cleifion y dicâu yn Ysbyty Cefn Mabli yn derbyn triniaeth awyr agored.

Trwy Brydain i gyd yr oedd y clefyd twbercwlosis i'w weld ar ei waethaf mewn chwe sir yng Nghymru – Môn, Caernarfon, Meirionnydd, Ceredigion, Caerfyrddin a Phenfro. Er 90au'r ganrif flaenorol, wrth i afiechydon marwol eraill gilio, daeth twbercwlosis yn brif ganolbwynt sylw ymgyrchwyr dros iechyd cyhoeddus, ac ar 30 Medi mewn cyfarfod yn Amwythig, sefydlodd y meistr glo dyngarol, David Davies, Llandinam, Gymdeithas Genedlaethol y Gofeb, gyda chyfraniad personol o £150,000, a chyda'r bwriad o ddileu'r clefyd yng Nghymru. Tynnwyd sylw'r cyhoedd at amodau byw miloedd yng nhefn gwlad – tai llaith ac oer, diffyg maeth a phrinder gwasanaethau meddygol. Prynwyd plastai fel Craig-y-nos, a'u troi'n ganolfannau i drin y clefyd, ac erbyn 1915 yr oedd gan y Gymdeithas ddeg ysbyty a 1,586 o welyau. Daeth yn enwog hefyd am ei 'charafan genhadol' gyda'i darlithoedd cyhoeddus a'i harddangosfeydd symudol.

Gwraig yn Faer

Y Cynghorydd Gwenllian Morgan, y wraig gyntaf yng Nghymru i ennill sedd cynghorydd trefol, oedd y gyntaf hefyd i ddal swydd Maer. Etholwyd hi yn Faer Aberhonddu ar 9 Tachwedd. Daliai nifer o swyddi cyhoeddus eraill yn ei hardal a chyhoeddodd gofiant i'r hanesydd a'r hynafiaethydd, Theophilus Jones. Ataliodd un o'i chydgynghorwyr, C.W. Best, ei bleidlais am na chredai fod gwragedd mewn swyddi cyhoeddus o les i'r gymuned.

Gwenllian Morgan yn ei gwisg swyddogol fel Maer Aberhonddu.

Y Cymry Hedegog

Roedd hon yn flwyddyn bwysig yn hanes datblygiad awyrennau yng Nghymru. Ar 9 Mawrth, dangosodd C.H. Parkes o Drefynwy ei awyren un-asgell newydd i'r byd. Adeiladwyd hi yn ôl ei gynlluniau ei hun, gan y saer cerbydau lleol, T. Preece.

Ar 2 Mehefin, Charles Rolls o Drefynwy, mab Arglwydd Llangatwg a'r ariannwr y tu ôl i'r peiriannydd athrylithgar, Henry Royce, oedd y cyntaf i hedfan yn ôl ac ymlaen dros y Sianel mewn un tro, a hynny mewn awyren a wnaed iddo gan y brodyr Wright enwog o America. Ac ar 12 Gorffennaf, ef oedd y Prydeiniwr cyntaf i farw mewn damwain hedfan, wrth gymryd rhan mewn arddangosfa hedfan yn Bournemouth.

William Ellis Williams wrth lyw'i awyren *Aderyn Bambŵ*.

Dinas Caerdydd, llong awyr Ernest Thompson Willows, yn cychwyn ar ei thaith i Ffrainc.

Ym mis Tachwedd, Ernest Thompson Willows o Gaerdydd oedd y cyntaf i hedfan llong awyr ar draws y Sianel o Loegr i Ffrainc – ei drydedd long awyr, *Dinas Caerdydd*. Profodd ei ddawn eisoes trwy hedfan o Cheltenham i Gaerdydd ar 11 Gorffennaf, ac ar 6 Awst, aeth â'i long awyr o Gaerdydd i Lundain, y cyntaf i groesi Môr Hafren mewn awyren fodur.

Ar gyfer ei daith i Ffrainc, cychwynodd o Wormwood Scrubs, Llundain, ar 4 Tachwedd, ac ymhlith y rhai a ddaeth i'w weld yn mynd, yr oedd y Prif Weinidog Herbert Asquith, a'r Canghellor David Lloyd George. Glaniwyd yn ddiogel ger y ffin â Gwlad Belg, ar ôl methu cyrraedd Paris yn ôl y bwriad, ond cafodd Willows dipyn o sioc pan ddywedodd swyddogion y tollau yn Ffrainc wrtho y byddai'n rhaid talu toll o ddeg punt ar hugain ar nwy yr oedd wedi ei fewnforio yn nhanciau'r llong awyr.

Yn y gogledd, yr oedd Victor Hewitt o'r Rhyl, yn hedfan un o awyrennau un-asgell y Ffrancwr Louis Bleriot, gan dderbyn y dystysgrif hedfan gyntaf yng Nghymru. Ym mis Mehefin, yn seler yr Hen Goleg ym Mangor, adeiladodd y darlithydd ffiseg Williams Ellis Williams, awyren un-asgell o bren bambŵ, a elwid yn "Aderyn Bambŵ". Symudwyd yr awyren ar ôl ei gorffen i Wernwylan, Llanddona, ond methiant fu pob ymgais i'w chodi fry yn ystod haf 1910. Bu ychydig hediadau byr yr haf dilynol, ar ôl i Williams logi injan fwy pwerus, ond ar y cyfan ni lwyddwyd i godi llawer mwy na gwrychyn y ciperiaid lleol trwy ddychryn eu ffesantod.

Ymhlith cyd-weithwyr Williams yr oedd yr Athro mathemateg George Hartley Bryan, ac yr oedd y ddau ddyn yn gyd-awduron papur go bwysig ar egwyddorion hedfan, a gyflwynwyd i'r Gymdeithas Frenhinol ym Mehefin 1903. Aeth Bryan ymlaen yn 1915 i ennill Medal Aur y Gymdeithas Frenhinol Hedfan Awyrennau am ei waith ar reolaeth a sefydlogrwydd awyrennau.

Serch hyn, yr oedd y rhain ymhell ar ôl C.H. Watkins o Gaerdydd, a gynlluniodd ac a adeiladodd yr awyren gyntaf yng Nghymru, y *Robin Goch*, yn ôl yn 1907.

Morter a'r Iaith Gymraeg

Twyll ac awydd i dwyllo. Dyna brif nodweddion y Cymry, yn ôl *The Perfidious Welshman*, cyfrol ddychanol Arthur Tyssilio Johnson a gyhoeddwyd yn 1910.

Ffuantus yw eu crefydd, meddai, a diddysg eu gweinidogion. Daeth yr iaith Gymraeg i fodolaeth wrth i un o adeiladwyr Twˆr Babel geisio siarad wedi i rywun osod llond trywel o forter yn ei geg. Cytuna'r rhan fwyaf, meddai Johnson, mai'r awr ddisgleiriaf yn hanes Lloegr oedd honno pan yrrwyd yr Hen Frythoniaid ar ffo i fynyddoedd Cymru. Ni ddylai ymwelydd â Chymru gredu gair a glyw, dylai gadw ei blant rhag cymysgu â phlant y Cymry, a dylid osgoi'r iaith Gymraeg fel pechod.

Bwriad y llyfr oedd pigo balchder y Cymry ac i wrthsefyll unrhyw alw am Ymreolaeth i'w gwlad. Dywed yr awdur iddo gael yr "anffawd" o fyw am rai blynyddoedd ymhlith y Cymry.

Dychwelyd at yr hen fam

Roedd tri chapelwr am bob un Anglicanwr yn ôl adroddiad y Comisiwn ar yr Eglwys yng Nghymru a gyhoeddwyd 1 Tachwedd. Er hyn yr oedd cefnogaeth i'r Eglwys Wladol ar gynnydd, ac i un o'i heglwysi hi yr âi un o bob tri o'r rhai a fynychai addoldy ar y Sul, o'i gymharu ag un o bob pedwar yn 1851. Roedd bellach 193,000 o gymunwyr Anglicanaidd yng Nghymru.

Gornest y Ganrif

uchod:
Jim Driscoll ar ei bengliniau yn y drydedd rownd ar ôl cael ei lorio gan ergyd nerthol Freddie Welsh.

'Vales for the Velsh'

Freddie Welsh o Bontypridd a Jim Driscoll o Gaerdydd – dau o gewri'r cylch bocsio yn cwrdd â'i gilydd am y tro cyntaf mewn gornest! Nid oes syndod i'r amgylchiad greu cyffro yn y cymoedd.

Yn 1909 roedd Welsh wedi ennill pencampwriaeth pwysau ysgafn Ewrop, ac ef hefyd oedd y bocsiwr cyntaf i ennill Gwregys Lonsdale trwy guro pencampwr Prydain Johnny Summers ychydig fisoedd wedyn. O'i ran ef, yr oedd Driscoll wedi cipio pencampwriaeth pwysau plu Prydain ar 1 Mehefin 1907 yn Llundain, ac yn 1909 bu yn America yn ymladd yn erbyn pencampwr pwysau plu'r byd, Abe Attell. Y Cymro a wnaeth orau, ond rhaid oedd llorio'r Americanwr cyn y collai ei deitl, a methodd Driscol â gwneud hynny. Serch hyn i'r awdurdodau bocsio ym Mhrydain, Driscoll oedd pencampwr y byd. Yn Chwefror 1910, enillodd yntau Wregys Lonsdale yn y dosbarth pwysau plu.

Yr oedd disgwyl mawr felly pan gamodd y ddau i'r cylch yng Nghaerdydd 20 Rhagfyr. Welsh a orfu wedi i Driscoll gamchwarae yn y ddegfed rownd trwy daro ei wrthwynebydd o dan ei ên â'i ben. Enynnodd yr ornest deimladau cryfion iawn ymhlith cefnogwyr y ddau, ac yn y diwedd bu'n rhaid galw ar yr heddlu i glirio'r neuadd.

Prin y gellid dal fod Alfred Mond yn un o gymeriadau mwyaf poblogaidd ei ddydd. Diwydiannwr, cyfalafwr, etifedd cwmniau a chyfoeth yr arloeswr diwydiannol a'r Iddew Almaenig, Ludwig Mond.

Ar 17 Ionawr, yn y cyntaf o'r ddau Etholiad Cyffredinol a ymladdwyd yn ystod y flwyddyn, etholwyd Alfred Mond yn AS Rhyddfrydol dros fwrdeisdref Abertawe, er gwaethaf ymgyrch bosteri milain gan Doriaid lleol yn gwatwar ei acen Almaenaidd wrth alw am *"Vales for the Velsh"* Cynrychiolodd Abertawe (yna Gorllewin Abertawe) hyd 1924 pan ildiodd y sedd i Lafur.

Bardd yr Haf

'Dygwch i minnau degwch y munud' – un o linellau enwocaf awdl *Yr Haf* a enillodd Gadair Eisteddfod Genedlaethol Bae Colwyn i Robert Williams Parry o Dal-y-sarn, Dyffryn Nantlle. Dathliad rhamantus o degwch y foment ydyw, yn ymhyfrydu mewn pleser er ei fwyn ei hun, a hynny mewn iaith gyfoethog a lliwgar. Swynwyd cenhedlaeth gyfan ganddi, a bu llawer o ddynwared arni. Rhoddodd y Rhyfel Byd Cyntaf derfyn ar ramantiaeth gynnar y bardd, ond ar yr un pryd ysbrydolodd rai o'i weithiau gorau, gan gynnwys englynion coffa Hedd Wyn. Cefnodd ar ei arddull gynnar, a daeth angau a meidroldeb dyn yn themâu cyson yn ei waith. Cyfrifir ef yn un o feirdd mawr Cymru.

1911

Lladd yn Llanelli

Chwech o fywydau, gan gynnwys dau ddyn ifanc a saethwyd gan filwyr – dyna oedd cost diwrnod o derfysg ar 19 Awst yn nhref Llanelli.

Deuddydd ynghynt roedd dynion Llanelli wedi ymuno â streic genedlaethol gyntaf gwŷr y rheilffyrdd, ac adroddwyd bod staff rheilffyrdd y dref yn unfryd o blaid y streic. Trefnwyd picedwyr ar gyfer y ddwy groesfan ar draws y rheilffordd, gan atal yr holl drenau ar y prif lein o Lundain i borthladd Abergwaun. Cafodd y 535 o wŷr a gyflogid ar y rheilffyrdd yn Llanelli help gan hyd at 5000 o weithwyr eraill i bicedu. Deunaw o blismyn yn unig oedd yn y dref, ond bore dydd Gwener cyrhaeddodd 120 o filwyr yno. Methodd y rhain â meddiannu'r ddwy groesfan, ond llwyddwyd i wneud hynny pan ddaeth 250 o filwyr ychwangeol o Gaerdydd ar gais ynad lleol, Thomas Jones.

Erbyn bore Sadwrn, credid bod y gwaethaf drosodd, ond yr un prynhawn ataliwyd trên rhag gadael yr orsaf am Lundain. Brysiodd milwyr i'r fan, a'u cael eu hunain yn wynebu cawod o gerrig gan y dorf. Bygythiodd yr Uwchgapten Stuart y gorchmynnai ei wŷr i saethu mewn un funud os na pheidid â thaflu cerrig. Yn sydyn clywyd chwech ergyd, a saethwyd John John, seren bêl-droed leol, a'r Llundeiniwr ifanc, Leonard Worsell, yn farw. Trawyd dyn arall yn ei wddf, ac un arall yn ei law. Ceisiodd y milwyr loches yn adeiladau'r orsaf, ac amgylchynwyd hwy gan y dorf.

Pan gyrhaeddodd y trên nesaf am 5 o'r gloch, ymosodwyd arno a thaenu'r nwyddau milwrol a oedd yno ar draws y cledrau. Aethpwyd ymlaen i ymosod ar yr iard wagenni. Difrodwyd 96 o dryciau yno, a dygwyd pob math o nwyddau oddi yno. Fel yn Nhonypandy, naw mis ynghynt, ymwisgodd pobl

Gwarchod yr adfeilion.

yn y fan a'r lle yn y dillad yr oeddynt newydd eu dwyn. Ysbeiliwyd un tryc llawn gwirodydd a dosbarthu'r cynnwys, a thrwy'r nos clywid gweiddi meddw yn y caeau gerllaw. Yn ddiweddarach lladdwyd pedwar o bobl pan ffrwydrodd tryc a roddwyd ar dân.

Yn y dref, ymosodwyd ar siopau, yn arbennig stordy Thomas Jones, a alwodd y milwyr i mewn. Anafwyd un dyn pan ddisgynnodd llond bocs o siwgr ar ei ben wrth iddo redeg o'r stordy â'i freichiau'n llawn bwyd newydd ei ddwyn. Bu cyrch hefyd ar gartref Thomas Jones. Torrwyd ffenestri siop nwyddau haearn yr ynad Henry Wilkins, a ddechreuodd ddarllen y Ddeddf Derfysg i'r dorf ychydig cyn y saethu, a gwnaed difrod i ddeg o siopau a thai eraill. Ni thawelwyd y terfysg tan 2 o'r gloch y bore, ar ôl i'r milwyr ymosod sawl gwaith â'u bidogau.

Ceisiwyd rhoi'r bai am y terfysg ar bobl o'r tu allan i Lanelli, ond roedd cryn gydymdeimlad yn y dref â'r ddau ddyn a saethwyd. Cynhaliwyd angladdau'r ddau gyda'i gilydd, a bu'n gyfle pellach i ddangos cefnogaeth i'r streicwyr. Caewyd nifer o weithfeydd gan fod y gweithwyr i gyd yn mynychu'r angladdau, a gorymdeithiodd miloedd o bobl y tu ôl i'r eirch am dros filltir.

Yn ddiweddarach, carcharwyd un milwr, y Preifat Harold Spiers, am 14 mis am iddo beidio ag ufuddhau i'r gorchymyn i saethu at y streicwyr.

Ymosod ar Iddewon dan ganu

dde: Rhy hwyr ..... plismon yn gwarchod un o siopau'r Iddewon yn Nhredegar.

Yn Nhredegar, nos Sadwrn 19 Awst, dechreuodd y cyfnod gwaethaf o drais gwrth-Iddewig yn hanes Cymru.

Ychydig cyn hanner nos, cychwynnodd criw o tua dau gant o ddynion ifanc trwy dref Tredegar yn canu emynau, a chan ymosod ar siopau Iddewon, eu difetha a dwyn eu cynnwys. Roedd yr heddlu yn ddiymadferth yn wyneb torf mor fawr, a galwodd yr ynadon lleol am filwyr, a ddaeth o Gaerdydd ddydd Llun, ond erbyn hynny yr oedd y trais yn lledu trwy Gwm Rhymni a Glyn Ebwy. Cafwyd cynnwrf ddydd Mawrth yng Nghwm a Bryn-mawr yng Nglyn Ebwy, a nos Fercher bu ymosodiadau ym Margoed yng ngwaelod Cwm Rhymni. Cyrhaeddodd y milwyr Fargoed ddydd Iau, a nos Wener a

bore Sadwrn bu ymladd yn y strydoedd rhwng milwyr a heddlu a therfysgwyr. Yn y cyfamser, rhoddwyd dwy siop Iddewig ar dân yn Senghennydd.

Nid anafwyd Iddewon yn gorfforol gan y terfysgwyr ac er na ellid anwybyddu'r ffaith mai'r bwriad oedd ymosod yn benodol ar eiddo'r Iddewon, nid oes tystiolaeth fod gwrth-Iddewiaeth yn rhemp yn ne Cymru ar y pryd. Mewn cyfnod o anghydfod diwyd-

iannol, roedd llawer un mewn dyled i siopwyr a landlordiaid a dyma, mae'n debyg, oedd wrth wraidd yr ymosodiadau.

Daeth yr ymosodiadau i ben mor sydyn ac y dechreusant ond, yn y blynyddoedd dilynol, tueddiad yr Iddewon Cymreig oedd cefnu ar drefi blaenau'r cymoedd, ac o fewn cenhedlaeth, yng Nghaerdydd yn unig y ceid cymuned Iddewig o faint sylweddol yn ne Cymru.

Damwain Hopkinstown

dde: Y difrod mawr a laddodd ddwsin o bobl yn Hopkinstown.

Dihangfa lwcus i sawl basgedaid o gwningod oedd un o ddamweiniau rheilffordd mwyaf trychinebus y ganrif ar 23 Ionawr. Roedd y creaduriaid ar eu ffordd i ornest gwrsio yng Nghaerffili, ond achubwyd hwy rhag y cŵn pan chwalwyd eu basgedi gan y trawiad pan yrrwyd trên o Dreherbert i gefn trên glo araf ar yr un lein. Rhedodd y cwningod yn rhydd o'r llanastr.

Lladdwyd 12 o bobl yn y ddamwain ar ddarn prysur o Reilffordd Cwm Taf yn Hopkinstown, rhwng Pontypridd a'r Porth, mewn man lle rhedai deuddeg set o gledrau ochr yn ochr â'i gilydd. Gwasgwyd dau

gerbyd yr ail drên i mewn i'w gilydd, gan ladd deg o bobl yno, a thebyg y byddai'r nifer wedi bod llawer yn uwch oni bai fod y trên yn hanner gwag. Chwalwyd nifer o'r cerbydau eraill yn yfflon gan yr ergyd, ond yn wyrthiol dim ond dau deithiwr a laddwyd ynddynt hwy. Dihangodd gyrrwr a dyn tân y trên teithwyr fwy neu lai'n ddi-anaf, er iddynt fod yng nghanol y gwrthdrawiad.

Collodd un wraig o Lyn Rhedynog ei gŵr a'i mab naw oed yn y ddamwian, a throwyd cwt injan yn fortiwari dros dro, lle y gallai teuluoedd ddod i roi cyfrif am y meirwon.

Daeth cannoedd o bobl leol i syllu ar yr olygfa druenus, a chymaint oedd y wasgfa ar un adeg fel y galwyd ar yr heddlu i anfon adref bawb nad oedd yn ymwneud â chynorthwyo'r cleifion neu glirio'r llanast.

uchod:
Tsieinead yn cael ei hebrwng
i'r gwaith gan ddau blismon.

Tua'r Wladfa

Hwyliodd y garfan fawr olaf o ymfudwyr, 113 i gyd, o Gymru am y Wladfa Gymreig ym Mhatagonia.

Gadawodd y garfan Lerpwl ar yr *Orita* ar 2 Tachwedd gan gyrraedd De America ddiwedd y mis. Yn ôl hanesydd 'Y Wladfa': 'Daeth nifer o fechgyn ifanc rhagorol yno gyda'r fintai hon, rhai ohonynt yn gantorion a beirdd a llenorion, gan gyfoethogi llawer ar y bywyd Cymreig yn grefyddol ac yn gymdeithasol.'

'Hen Ddewin Bangor'

J.E. Lloyd – 'Llusenwr y canrifoedd coll'.

Dyma flwyddyn cyhoeddi gwaith dwy gyfrol J.E. Lloyd, yr Athro Hanes yn Ngholeg Prifysgol Bangor, *A History of Wales from the Earliest Times to the Edwardian Conquest*. Hon oedd yr astudiaeth sylweddol gyntaf o'r cyfnod hwn o hanes Cymru i'w gyhoeddi, a bu pob un a fentrodd wedyn i faes hanes Cymru'r Oesoedd Canol yn ddyledus i gampwaith Lloyd.

Aeth ymlaen yn 1931 i gyhoeddi cyfrol bwysig ar Owain Glyndŵr, a lluniodd hefyd nifer mawr o gyfraniadau i'r *Bywgraffiadur Cymreig*. Pan fu farw yn 1947, lluniwyd marwnad iddo gan Saunders Lewis sy'n sôn amdano fel 'llusernwr y canrifoedd coll' a 'hen Ddewin Bangor'.

Y Tsieineaid a morwyr Caerdydd

Cyn-dditectif preifat a dyn oedd yn ffugio bod yn gyn-gapten llong oedd wrth y llyw pan ddechreuodd morwyr Caerdydd streicio ar 14 Mehefin, yn erbyn trefn gyflogi'r porthladd a ystyrid yn annheg.

Y Capten Edward Tupper 'V.C.', oedd prif drefnydd y streicwyr, a llafurwyr o dramor, yn enwedig Tsieineaid, oedd prif wrthrych ei ddicter. Credai sawl un fod y cyflogwyr yn cadw cyflogau mor isel â phosibl trwy gyflogi tramorwyr a oedd yn barod i weithio am daliadau pitw, tra chadwai masnachwyr llwgr brisiau bwyd yn uchel. Er gwaethaf ei deitl, nid oes dystiolaeth i Tupper erioed fod yn gapten llong, ac nid oedd erioed wedi ennill Croes Victoria. Tipyn o ddirgelwch ydoedd Tupper, a dueddai i raffu straeon celwyddog am ei orffennol. Gwelai ei hun yn rhyw fath o anturiaethwr, ac yn ystod y streic fe'i disgrifiodd ei hun fel 'Brenin Digoron Môr Hafren'.

Daeth Tupper i Gaerdydd ym Mai 1911, fel trefnydd gydag undeb y morwyr. Yn ystod y streic, byddai'n ymddangos yn rheolaidd ar falconi swyddfa undeb y morwyr ar Faes Bute i annerch y dorf. Cymaint oedd y gynulleidfa, fel y daeth Prif Gwnstabl Morgannwg i'w rybuddio ei fod yn achosi tagfeydd traffig.

Ar 20 Gorffennaf, ar ôl pum wythnos o streic, gwelwyd cyfres o ymosodiadau ar gymuned Tsieineaidd Caerdydd, pan ddifethwyd ac ysbeilio pob golchdy Tsieineaidd yn y ddinas - tua 30 ohonynt - gan roi rhai ar dân. Torrwyd ffenestri â cherrig, a difrodi offer. Bu'n rhaid i nifer o'r Tsieineaid guddio yn eu hystfalloedd cefn wrth i rai o'r terfysgwyr fynd ati i'w gyrru o'u tai i'r stryd lle yr oedd tyrfa ddig yn aros amdanynt.

Prif rinwedd y Tsieineaid yng ngolwg y cyflogwyr oedd eu bod yn weithgar ac yn rhad, ond gwelai eu cyd-weithwyr hwy yn ddof, a chyhuddwyd hwy o ostwng cyflogau. Datganodd y *Cardiff Maritime Review* ar 8 Gorffennaf, 'The Chinaman isn't worth a toss as a seaman...his only claim to indulgence is that he is cheap.' At hyn, ystyrid mai'r Tsieineaid oedd y streicdorwyr gwaethaf o blith holl weithwyr tramor y porthladd. Dywedodd y Capten Tupper yn gwbl ddiedifar wrth yr heddlu mai ef a arweiniodd y cyrch ar y Tsieineaid. Roedd wedi clywed ers tro, meddai, chwedlau am y Tsieineaid yn ysmygu opiwm a denu merched croenwyn i buteindra, a honnodd ei fod wedi derbyn miloedd o lythyrau o gefnogaeth ar ôl y terfysg.

Arwisgo Tywysog

Y Tywysog yn cael ei gyflwyno i bobl Caernarfon.

Y Canghellor David Lloyd George a fu'n gyfrifol am drefnu pasiant Arwisgo Tywysog Cymru yng Nghaernarfon ar 13 Gorffennaf, pan gyflwynwyd y Tywysog Edward (Edward VIII yn ddiweddarach) i bobl Cymru. Hwn oedd y tro cyntaf er 1616 i fab brenin Lloegr gael ei arwisgo â'r teitl Tywysog Cymru, a chafodd y Tywysog ifanc ei hyfforddi'n bersonol gan Lloyd George ynglŷn â sut i ynganu'r ychydig eiriau Cymraeg a oedd ganddo i'w dweud.

A.G. Edwards, Esgob Llanelwy, a aw-grymodd i Lloyd George y gellid cynnal yr Arwisgo, ac apeliodd y syniad yn fawr ato. Roedd yn ddull didramgwydd iddo fodloni balchder cenedlaethol y Cymry, a hefyd tawelu ofnau yn Lloegr nad oedd ganddo barch at draddodiadau a sefydliadau Prydain. Galwyd ar wasanaeth y pensaer Frank Baines i drwsio hen waliau castell Caenarfon, a rhoddwyd y gwaith o gyn-llunio'r gwisgoedd i Goscombe John. Cyrchwyd meini o chwareli lleol ar gyfer y gwaith ar y castell, ac aur o Feirionnydd ar gyfer tlysau'r tywysog. Gorchmynnodd y gŵr busnes lleol, Syr Charles Assheton-Smith, ddymchwel tri thŷ yn y dref fel y câi pobl weld y ddefod yn well.

Dim trugaredd

Am 8 o'r gloch y bore ar 13 Rhagfyr, yng ngharchar Abertawe, crogwyd Henry Phillips, gwas fferm o Fro Gŵyr, am lof-ruddio'i wraig. Gweinyddwyd y dienyddiad ar waethaf apêl gan gyfreithwyr Phillips, ac ar ôl i'r Ysgrifennydd Cartref wrthod deiseb am drugaredd wedi'i llofnodi gan saith mil o bobl.

Ar 13 Gorffennaf, roedd Mrs. Phillips wedi gadael ei gŵr oherwydd ei oryfed, ac wedi mynd â'u phedwar plentyn i dŷ ei mam yn Llan-y-tair-mair. Ar 26 Gorffennaf, daeth Henry Phillips i'r tŷ, lle y torrodd wddf ei wraig â rasel. Yr oedd ei mam yn dyst i'r llofruddiaeth. Yn y llys, ni ddadleuodd cyfreithiwr Phillips ynglŷn â ffeithiau'r achos, a seiliwyd y diffyniad yn llwyr ar yr honiad bod Phillips yn dioddef pwl o wallgofrwydd ar y pryd. Mynnai Phillips nad oedd yn cofio dim am ddiwrnod y llofruddiaeth.

Dim sinema ar y Sul

Daeth dirprwyaeth yn cynrychioli nifer o gyrff crefyddol gerbron Cyngor Dosbarth Margam ar 10 Gorffennaf, i ofyn i'r cyngor roi terfyn ar 'cinematograph entertainments' yn y dref ar ddydd Sul. Gohiriwyd pen-derfyniad ar y cais.

1912

Y Cymro gyda Scott

Edgar Evans yn yr Antarctig.

Ar 18 Chwefror, wrth odre Rhewlif Beardmore yn yr Antarctig, bu farw'r Is-Swyddog Edgar Evans o Rosili ym Mro Gŵyr, wrth ddychwelyd o Begwn y De.

Roedd Evans yn aelod o fintai'r Capten Robert Falcon Scott a gyrhaeddodd Begwn y De ar 18 Ionawr, ddiwrnod ar ôl y Norwywr Roald Amundsen. Bu'n dioddef ers tro o frath eira ar ei wyneb a'i ddwylo a chollodd ddau ewin ychydig ynghynt. Roedd hefyd wedi taro'i ben wrth gwympo, ac yn ei ddyddiaduron dywed Scott fod Evans wedi ymlâdd yn llwyr. Ar 17 Mawrth cerddodd y Capten Titus Oates i'w farwolaeth yn yr eira wedi iddo golli'r rhan fwyaf o ddefnydd ei draed a'i ddwylo trwy frath eira. Bu farw gweddill y criw, o oerfel a diffyg maeth, tua diwedd mis Mawrth, un filltir ar ddeg yn unig o'r storfa fwyd a thanwydd a allai fod wedi eu hachub. Darganfuwyd eu cyrff, ynghyd â dyddiaduron Scott yn croniclo'r daith drychinebus, wyth mis yn ddiweddarach.

O borthladd Caerdydd yr hwyliodd llong Scott, y *Terra Nova*, tua'r de ar 15 Mehefin 1910 dan faner y Ddraig Goch, a dwy genhinen wedi'u clymu wrth ei hwylbren. Bu am bum niwrnod yn Noc y Rhâth, lle bu'n atyniad mawr i filoedd o bobl Caerdydd a'r cyffiniau. Yr Is-gapten Edward Evans, yr oedd ei deulu'n hanu o Gaerdydd, a sicrhaodd i raddau helaeth mai'r ddinas honno yn hytrach na Llundain fyddai man cychwyn y daith, ac yn hyn o beth cefnogwyd ef gan olygydd y *Western Mail* W.E. Davies. Cafodd Scott a'i griw groeso mawr gan yr Arglwydd Faer mewn cinio mawreddog yn y Gwesty Brenhinol, lle y cyflwynodd iddynt faner y ddinas, gan fynegi ei obaith y caent gyfle i'w gosod wrth y Pegwn.

Menter gostus iawn oedd hon, a gwnaed apêl gyhoeddus am arian. Ariannwyd y daith yn rhannol gan bobl fusnes Caerdydd, a rhoddwyd glo, offer coginio a chôt newydd o baent i'r llong *Terra Nova* yn rhad ac am ddim. Rhoddodd Ysgol y Bont-faen sach gysgu i Edgar Evans, a thalwyd am un Capten Scott gan Ysgol Sirol Aberteifi.

Trysorydd y plant yn ymddeol

Wedi hanner can mlynedd wrth y llyw, rhoddodd Thomas Levi o Ystradgynlais y ffidil yn y to fel golygydd *Trysorfa y Plant*, un o'r cylchgronau Cymraeg mwyaf llwyddiannus erioed. Ef a ddechreuodd y cylchgrawn yn 1862, a'i athrylith ef fel golygydd ac fel lluniwr straeon difyr a sicrhaodd y llewyrch mawr a fu arno. Deallai ei ddarllenwyr i'r dim, a gwyddai'n dda pa bethau a oedd yn debyg o ennyn diddordeb plant Cymru. Un o gyhoeddiadau'r Methodistiaid Calfinaidd oedd y cylchgrawn, ond roedd ei apêl yn llawer ehanghach na'r enwad hwnnw. Pan basiwyd yr olygyddiaeth ymlaen i R.D. Rowland (Anthropos) ar ddechrau'r flwyddyn roedd *Trysorfa y Plant* yn gwerthu tua 40,000 o gopïau bob mis.

Clawr trawiadol *Trysorfa y Plant*.

Parhaodd y cylchgrawn dan ei olygydd newydd hyd 1933.

O Wdig i'r Ynys Werdd

Denys Corbett Wilson oedd y dyn cyntaf i hedfan ar draws Sianel Sant Siôr o Brydain i Iwerddon pan hedodd ei awyren o Wdig, sir Benfro, i Enniscorthy yn ne Iwerddon mewn un awr a deugain munud ar 22 Ebrill.

Siwrnai beryglus iawn oedd hon, ac ychydig ddyddiau ynghynt yr oedd Damer Leslie Allen wedi boddi ym Môr Iwerddon wrth geisio gwneud yr un daith. Hedodd Wilson trwy niwl a glaw, gyda'i fodur yn tanio'n anghyson, ond glaniodd yn eithaf diogel mewn cae, er iddo yrru ei awyren i mewn i wal yn y niwl.

'Gelyniaeth agored' yng nglofeydd y De

Dwy garfan, a'r ddwy'n honni eu bod yn sefyll dros y glowyr yn erbyn y meistri. Dyna oedd y sefyllfa ar 13 Tachwedd, yn Nhrealaw, y Rhondda, pan gynhaliwyd dadl gyhoeddus rhwng pleidwyr y ddwy ochr mewn anghydfod tanbaid yn y diwydiant glo. Ar y naill ochr, siaradodd George Barker ac Edward Gill dros roi'r pyllau glo yn nwylo'r llywodraeth; ar y llall roedd Noah Ablett a Frank Hodges yn dadlau mai'r glowyr eu hunain oedd yr unig rai cymwys i redeg y glofeydd.

Cyhuddwyd Ablett a'i gefnogwyr gan Barker o lynu wrth freuddwydion iwtopiaidd, tra haerodd Ablett y byddai'r wladwriaeth yr un mor niweidiol i'r glowyr ag yr oedd perchenogion preifat, gan ddatgan '*No Minister of Mines will lead us to our emancipation.*' Rhaid oedd i'r glowyr eu rhyddhau eu hunain. Roedd y ddadl yn deillio o'r syniad a gafwyd mewn maniffesto chwyldroadol ei naws a gyhoeddwyd yn Nhonypandy gan Noah Ablett, Noah Rees, Will Hay ac eraill yn gynharach yn y flwyddyn, sef *The Miners' Next Step*. Gwerthwyd degau o filoedd o gopïau ohono o fewn ychydig fisoedd, ac y mae'n dal yn un o'r dogfennau gwleidyddol mwyaf arwyddocaol erioed i ddeillio o'r maes glo.

Honnwyd ynddo nad oedd dim lles wedi dod i ran y glowyr trwy holl ddatblygiadau'r diwydiant glo. Galwyd am leiafswm cyflog o wyth swllt y dydd, a diwrnod gwaith o saith awr, a gwrthodwyd fel ei gilydd reolaeth breifat ar y pyllau, a pholisi'r Blaid Lafur o'u cymryd i feddiant y llywodraeth. Yn lle hyn, fe ddylai'r glowyr ennill y grym i reoli eu gwaith eu hunain trwy raglen o gyd-streicio trefnedig. Roedd angen 'cynhyrfu di-baid' i godi cyflogau a lleihau oriau hyd nes byddai'r meistri glo yn derbyn dim elw o'u pyllau. Yn lle'r hen bolisi o gymodi â chyflogwyr, dyma bolisi newydd o 'elyniaeth agored'. Dylid uno Ffederasiwn Glowyr De Cymru ag undebau eraill i ffurfio un undeb fawr i holl weithwyr diwydiannol Prydain, ac ar yr un pryd, dylai swyddogion pob undeb fod yn fwy atebol i'w haelodau. Drwgdybid arweinwyr llafur proffesiynol

bron cymaint â pherchenogion y pyllau. Mewn gair, yr oedd Ablett a'i gyfeillion am roi trefn hollol newydd ar y mudiad llafur.

Er mor ymfflamychol oedd *The Miners' Next Step* ac areithiau Noah Ablett, bach iawn oedd eu dylanwad mewn gwirionedd, yn enwedig y tu allan i Gwm Rhondda, a thueddid i ystyried y maniffesto fel testun i'w astudio, yn hytrach na chynllun realistig i'w ddilyn. Yn etholiadau haf 1912, etholodd glowyr de Cymru dri chymedrolwr i'w cynrychioli ar bwyllgor gwaith Ffederasiwn Glowyr Prydain Fawr yn lle'r ymgeiswyr mwy radicalaidd, a'r hen bleidiwr Lib-Labiaeth, William Brace, a gafodd y bleidlais fwyaf o bell ffordd.

Meistr y sol-ffa a'r sêr

Ar 6 Ebrill, bu farw'r cerddor o Bwllheli, Eleazar Roberts, y gŵr a gyflwynodd system y Tonic Sol-ffa i Gymru. Dull arloesol oedd y sol-ffa a ystyrid yn haws ei ddysgu na'r hen nodiant arferol, ac yr oedd yn gyfraniad mawr at boblogeiddio canu corawl yn y wlad. Ysgrifennodd Roberts nifer o werslyfrau Cymraeg ar y pwnc fel *Llawlyfr Caniadaeth* a *Llawlyfr y Tonic Solffa*. Byddai hefyd yn teithio trwy Gymru i sefydlu

dosbarthiadau cerddorol.

Roedd yn seryddwr amatur, a chyfieithodd i'r Gymraeg ddwy gyfrol Saesneg ar gyfundrefn yr haul. Byddai'n cyfrannu erthyglau i nifer o gylchgronau Cymraeg, ac ysgrifennodd gofiant i Henry Richard, yr Apostol Heddwch o Dregaron a fu'n Aelod Seneddol dros Ferthyr Tudful.

Er mai ym Mhwllheli y ganwyd ef, un o Gymry Lerpwl oedd Roberts mewn gwirionedd, ac yno y treuliodd y rhan helaethaf o'i oes. Bu'n ynad heddwch yn y ddinas ac yn flaenor yng Nghapel Netherfield Road. Yn 1880, ef a arweiniodd y gymanfa ganu gyntaf yn Lerpwl.

Lloyd George a Merched y Bleidlais

Blwyddyn helbulus oedd hon i David Lloyd George, wrth iddo ddod yn fwy-fwy dan lach y rhai a fynnai weld merch-ed yn ennill yr hawl i bleidleisio.

Roedd Lloyd George ei hun yn cefnogi ymestyn yr etholfraint i ferched, ond cynghorodd hwy i fod yn amyn-eddgar, agwedd yr oedd sawl un wedi blino arni ers tro. Yn ystod Etholiad Cyff-redinol Ionawr 1910, roedd merched y bleidlais wedi ym-gyrchu yn erbyn Lloyd George yn ei etholaeth, Bwrdeis-trefi Caernarfon, gyda'r slogan 'Pleid-

Heddlu Llanystumdwy yn achub dynes rhag dyrnau a ffyn meibion y pentref.

leisiwch yn Erbyn eich Anifail Anwes: Canghellor y Trysorlys', ac nid oedd cyffro 1912 felly yn syndod mawr i neb.

Ar 18 Mai, ym Mhafiliwn Caernarfon, yng nghanol ei etholaeth ei hun, torrwyd ar draws araith Lloyd George gan wraig yn gweiddi *'Votes for Women'*. Cludwyd hi'n gyflym o'r neuadd, ond digwyddodd yr un peth chwe gwaith yn olynol. Taflwyd nifer o ddynion a gwragedd o'r cyfarfod, gan gynnwys un dyn a oedd wedi codi ar ei draed yn gwbl ddiniwed i ofyn cwestiwn i'r Canghellor ynglŷn â phwnc arall. Y tu allan i'r Pafiliwn, ymosodwyd yn filain ar y gwragedd, gan rwygo eu dillad a thynnu talpiau o'u gwallt o'u pennau. Dyrnwyd hwy gan ddynion a'u curo ag ymbarelau.

Drachefn yn yr Eisteddfod Genedlaethol yn Wrecsam, tarfwyd ar araith y Canghellor. Digon treisgar oedd yr ymateb, ac o'r llwyfan soniodd Lloyd George am y cystadlaethau gwneud ffyn bagl o bren cyll mewn eistedd-fodau ers talwm, a mynegi ei siom nad oedd ganddo ffon o'r fath ar y pryd i'w defnyddio ar y protestwragedd. Adroddodd *Y Faner* fod un dyn a fu'n protestio wedi ymddangos yn nes ymlaen gyda 'llygad du prydferth a deniadol.' Mawr oedd y cwyno ym mhap-urau newydd Lloegr am y driniaeth a gafodd y swffragetiaid, ond ym mhapur enwadol *Y Goleuad*, meddai'r Parch. Evan Jones,

Caernarfon, 'Dangosodd y dorf fedrusrwydd mawr yn eu trin...os meiddiant ddyfod eto ni fyddai yn unrhyw ryfeddod i rai ohonynt golli eu bywydau.'

Pythefnos yn ddiweddarach, ar 21 Medi, daeth y gwrthdrawiad enwocaf, pan wa-hoddodd pentref Llanystumdwy ei hoff fab i agor ei neuadd newydd. Roedd y gangen leol o'r garfan gymedrol y *National Union of Women's Suffrage Societies*, wedi gofyn i'w chefnogwyr adael llonydd i Lloyd George y diwrnod hwnnw, ond cyn gynted ag y dechreuodd siarad, torrwyd ar ei draws gan y bloedd *'Votes for Women'*. Amgylchwyd y floeddwraig, a chlwyd y gri 'I'r afon â hi bois!'. Ymosododd y dorf yn ffyrnig ar y swffragetiaid, tynnwyd eu gwallt a rhwyg-wyd eu dillad a dosbarthu'r darnau ymhlith y dorf. Dadwisgwyd un fenyw nes ei bod yn

hanner noeth, ceisiwyd taflu un arall dros Bont Llanystumdwy i Afon Dwyfor, cwymp a fyddai'n debyg o fod wedi'i lladd. Saesnesau oedd y merched hyn gan mwyaf, a dat-ganodd Lloyd George na fyddent yn beiddio dangos eu hwynebau yng Nghymru eto. Gwawdiwyd y swffragetiaid am fentro aflonyddu ar ymweliad y Canghellor o Gymro â bro eu febyd, ond ar y llaw arall, yr oedd sawl un yn teimlo fod ymddygiad pobl Llanystumdwy wedi baeddu enw da'r Cymry fel cenedl heddychlon a duwiol.

Roedd nifer o bobl wedi rhagweld yr helynt, ac yr oedd gohebwyr llawer o'r papurau newydd yn y pentref ar gyfer y cyfarfod. Rhoddodd *Daily Mirror* a'r *Illustrated London News* dudalen llawn yr un i ddigwyddiadau'r diwrnod.

Cyfoeth y tlotyn

Cafodd heddgeidwad dipyn o sioc wrth chwilio cartref Richard Baines, Rhos-llannerchrugog, a fu farw yn ystod mis Mawrth. Rhai misoedd ynghynt bu Baines yn y carchar am iddo fethu â thalu'r dreth. Honnodd yn y llys nad oedd ganddo'r un ddimai goch.

Pan drawyd ef yn wael ni fynnai alw meddyg, a phan fu farw yr unig ddillad a oedd ganddo oedd y rhai a wisgai. Serch hynny, wrth archwilio ei dŷ darganfuwyd llyfr banc yn dangos bod ganddo £1,500 mewn cyfrif banc, swm sylweddol iawn yn ôl safonau'r dydd.

Bardd y Gadair a'r Goron

Yn Eisteddfod Genedlaethol Wrecsam ym mis Awst, T.H. Parry-Williams o Ryd-ddu, sir Gaernarfon, oedd y cyntaf erioed i ennill y Dwbl, sef cipio'r Gadair a'r Goron yn yr un flwyddyn. Cyflawnodd y gamp â'i awdl *Y Mynydd*, a'i bryddest *Gerallt Gymro*, ac ailadroddodd ei lwyddiant yn Eisteddfod Genedlaethol Bangor 1915.

Yn 1914, penodwyd Parry-Williams yn ddarlithydd yn Adran Gymraeg Coleg Aberystwyth, ond yn 1919, yn dilyn anghydfod yn deillio o'i heddychiaeth adeg y Rhyfel Mawr, ymddiswyddodd o'i waith ac ymunodd â dosbarth blwyddyn gyntaf mewn gwyddoniaeth. Yna yn 1920 fe'i penodwyd yn Athro Cymraeg yn Aberystwyth, swydd a ddaliodd hyd ei ymddeoliad yn 1952. Yn 1923 cyhoeddodd ei gyfrol ieithyddol, *The English Element in Welsh*, a dilynwyd hi gan gasgliad o garolau'r merthyr Catholig o Lanidloes, Richard White yn 1931, *Canu Rhydd Cynnar* yn 1932, a'i gasgliad poblogaidd *Hen Benillion* yn 1940.

Yn ei farddoniaeth poblogeiddiodd fesur y soned, ac mewn rhyddiaith ef oedd meistr cyntaf yr ysgriffer yn y Gymraeg, llawer un ohonynt yn dwyn teitl anarferol megis *Boddi Cath*, *Prynu Caneri*, ac *Appendicitis*. Yr enwocaf ohonynt o bosibl yw ei deyrnged i'w hen feic modur *KC16*. Cymysgwch o iaith fawreddog a iaith bob dydd a geir yn ei waith, ac ymhoffodd mewn mesur syml a alwai ef yn 'rhigwm'. Cyhoeddwyd ei waith creadigol fel bardd a llenor rhwng 1928 a 1966.

Nid oedd yn llenor cymdeithasol na gwleidyddol, a phrofiadau a theimladau'r unigolyn a'i dwysbigai. Er bod gafael Cymru'n dynn ynddo, fel y dywed yn ei gerdd *Hon*, nid oedd yn fardd cenedlatholgar, ac nid oedd iddo ymlyniad wrth gredo penodol. Y mae ei feddylfryd agnostig i'w weld yn glir yn ei waith.

Yn 1925 aeth ar fordaith o gwmpas y byd ac y mae nifer o'i weithiau gorau yn ymwneud â'i brofiadau ar y daith honno.

Ymddeoliad Mabon

Yng Nghynhadledd Flynyddol Ffederasiwn Glowyr De Cymru ym mis Mehefin, ymddeolodd William Abraham o Gwmafan o'r llywyddiaeth ar ôl pedair blynedd ar ddeg yn y swydd.

Ef oedd llywydd cyntaf yr undeb pan sefydlwyd ef yn 1898, a chyn hynny yr oedd wedi arwain Cymdeithas Glowyr y *Cambrian* er 1877. Bu'n un o'r prif weithredwyr yn y frwydr i greu un undeb unedig i lowyr y De, a arweiniodd yn y pen draw at greu'r *Fed*.

Ymgorfforiad o'r hen werthoedd Cymreig a Chymraeg oedd Abraham, neu 'Mabon', yr enw barddol yr adweinid ef wrtho'n gyffredin. Yr oedd yn Eisteddfodwr brwd, a chanwr emynau, enwog am ei lais tenor cryf. Byddai'n ymfalchïo ei fod yn gallu tawelu cyfarfod aflonydd trwy daro *Hen Wlad Fy Nhadau*. Dangosodd ei gefnogaeth i'r Gymraeg mewn modd trawiadol a dyfeisgar iawn ar un achlysur yn 1892 trwy fynnu ei defnyddio yn Nhŷ'r Cyffredin. Pan chwarddodd Aelodau Seneddol eraill am ei ben, dywedodd wrthynt, er mawr gywilydd idd-

William Abraham (Mabon).

ynt, mai adrodd Gweddi'r Arglwydd yr oedd.

Roedd hefyd yn ymgorfforiad o'r cyfaddawd Lib-Lab, ac o 1885 yr oedd yn Aelod Seneddol dros orllewin y Rhondda dan adain y Blaid Ryddfrydol, y glöwr cyntaf o Gymru i ennill sedd Seneddol. Ef, gyda'r meistr glo Syr William Lewis, a luniodd y Raddfa Lithrig ar gyfer pennu cyflogau o 1875 hyd 1903, a rhwng 1892 a 1898 enillodd ddiwrnod o wyliau i lowyr unwaith y mis ar y dydd Llun cyntaf, gŵyl a adweinid fel 'Diwrnod Mabon'. Credai'n gryf ei bod yn bosibl cymodi rhwng gweithwyr a meistri, ac am hyn fe ddôi dan lach y to iau o radicaliaid. Ennill consesiynau bach gan y cyflogwyr fesul tipyn oedd ei nod; 'Mae hanner torth yn well na dim torth o gwbl' oedd ei hoff ddywediad, ond nid oedd hyn wrth fodd y rhai a fynnai weld newid mwy sylfaenol yn y diwydiant.

Daeth ymddeoliad Mabon yn sgil streic y *Cambrian* a therfysg Tonypandy yn 1910, a streic lleiafswm cyflog 1912, ac yntau'n gorfod cydnabod nad oedd ei bolisi o gymodi â'r cyflogwyr yn dderbyniol bellach. Parhaodd yn Aelod Seneddol y Rhondda hyd Rhagfyr 1920 pan ymddeolodd o'i sedd. Bu farw ar 14 Mai 1922 yn y Pentre, Cwm Rhondda.

1913

27 Ionawr

Tynnwyd yn ôl fedalau Olympaidd aur yr Americanwr Jim Thorpe ar ôl iddo gyfaddef derbyn arian am chwarae pêl-fâs.

31 Ionawr

Gwrthododd Tŷ'r Arglwyddi ymreolaeth i Iwerddon.

10 Chwefror

Darganfuwyd cyrff y Capten Scott a'i gyd-anturwyr yn Antarctica.

25 Chwefror

Cyflwynwyd treth incwm genedlaethol yn yr Unol Daleithiau.

14 Ebrill

Darganfu'r Dr. Harry Plotz frechiad yn erbyn teiffws.

29 Mai

Bu cythrwfl mawr ym Mharis pan berfformiwyd y bale *avant-garde Defod y Gwanwyn* am y tro cyntaf.

4 Mehefin

Cafodd y *suffragete* Emily Davison ei hanafu'n angheuol pan daflodd ei hunan dan geffyl y Brenin yn ras fawr y Derby yn Epsom.

8 Gorffennaf

Rhoddodd senedd Tsieina annibynniaeth i Fongolia.

7 Hydref

Agorwyd llinell gynhyrchu ffatri geir Henry Ford, y gyntaf o'i math yn y byd.

10 Hydref

Agorwyd Camlas Panama o Fôr yr Iwerydd i'r Môr Tawel.

Senghennydd

Mam ifanc yn disgwyl ei gŵr – delwedd a ddaeth yn symbol o alar Senghennydd.

Yng nglofa'r *Universal*, Senghennydd, Cwm Aber, ar 14 Hydref, digwyddodd y ddamwain waethaf erioed mewn pwll glo yng ngwledydd Prydain pan laddwyd 439 o ddynion a bechgyn mewn tanchwa.

Pwll peryglus oherwydd y nwy ynddo oedd yr *Universal*, a agorwyd yn 1894. Lladdwyd 81 o ddynion yno yn 1901, ac yn 1910 bu'n rhaid cau'r pwll am bedwar diwrnod am fod gormod o nwy ynddo i neb weithio.

Daeth ffrwydrad Hydref 1913 tua 8 o'r gloch y bore, ddwy awr ar ôl i sifft y dydd ddechrau, a dilynwyd y cyntaf gan un llawer mwy ryw ddeng munud wedyn. Rhuthrodd trwy filltiroedd o dwneli, gan danio llwch glo yn yr awyr ac ar y waliau. Lladdwyd rhai yn syth gan rym y ffrwydrad, gwasgwyd eraill yn farw dan gerrig, a llosgwyd eraill wrth i'r llwch glo danio. Chwythwyd cawell llifft y pwll yn syth i fyny'r siafft ac i mewn i'r offer codi, gan dorri pen yr arolygwr pen pwll, John Moggridge. Wrth glywed sŵn y taniad, daeth tyrfa fawr i ben y pwll i wylio'r meirwon a'r clwyfedig yn cael eu dwyn i'r wyneb.

O dan y ddaear, roedd mwy na thri chant o ddynion wedi goroesi'r taniad cyntaf. Y prif berygl i'r rhain oedd y nwy carbon monocsid, neu *'after damp'*, yn deillio o'r ffrwydrad, a fyddai'n eu mygu os na chaent awyr iach yn fuan. Roedd y ffrwydrad hefyd wedi tanio'r pyst pren, a ddechreuodd losgi, gan sugno'r awyr o'r pwll. Am ddyddiau, bu'r timau achub yn gorfod brwydro'n erbyn y tân er mwyn casglu'r cyrff a dod o hyd i'r ychydig byw yr oedd yn bosibl eu cyrraedd. Cyn mentro i mewn i'r pwll ysgrifennodd saith o ddynion lythyrau at eu gwragedd, a lluniodd eraill eu hewyllysiau.

Dridiau wedi'r ddamwain cynhaliwyd yr angladd-au cyntaf, gyda gorymdeithiau hir yn mynd tua'r fynwent gyhoeddus ym Mhenyrheol, neu i hen eglwys Eglwysilan. Nid cyn yr ail wythnos o fis Tachwedd y llwyddwyd i archwilio'r pwll i gyd, a dod â'r tri chant o gyrff o adrannau Mafeking, Kimberly a Pretoria – enwau a roddwyd arnynt gan y perchennog, Syr William Lewis ar ôl trefi enwog Ymerodraeth Prydain yn Ne Affrica. Denwyd cannoedd o ymwelwyr chwilfrydig i'r pentref y

(Drosodd)

Senghennydd

(o'r tudalen cynt)
penwythnos ar ôl y ffrwydriad.

Yn y cwest o 5 Ionawr 1914 ymlaen, rhoddwyd dyfarniad o 'farwolaeth ddam-weiniol', gan ddigio'r rhai a gredai y gellid bod wedi osgoi'r drychineb pe bai'r perchen-ogion a'r rheolwyr wedi bod yn selocach i sicrhau diogelwch. Ym mis Ebrill cyhoedd-wyd adroddiad swyddogol y Swyddfa Gartref a dueddai at y farn fod y ffrwydrad wedi digwydd wedi i gwymp cerrig ryddhau poced o nwy, a daniwyd gan offer arwyddo trydanol, ond ni ddarganfuwyd i sicrwydd beth oedd y gwir achos.

Ym mis Gorffennaf, dygwyd achos llys yn erbyn Edward Shaw, rheolwr y pwll, am esgeulustod cyffredinol, a chafodd ddirwy o £24. Ni welodd yr ynadon fai ar Syr William Lewis nac ar gwmni *Lewis Merthyr Consolidated Collieries*.

Collodd cannoedd o deuluoedd eu prif gynhaliaeth trwy'r drychineb, a chodwyd

Gweithwyr achub yn diosg eu hetiau o barch wrth i'r cyrff gael eu cludo o'r pwll.

apêl gyhoeddus ar ran y rhai a oedd bellach yn wynebu tlodi. Ond nid y meirwon a'u teuluoedd yn unig a ddioddefodd. Yn sgil cau'r pwll, taflwyd wyth cant o weithwyr glofa'r *Universal* ar y clwt. Peidiodd eu cyflogau ar ddiwrnod y ffrwydrad, a gwrth-odwyd iddynt eu cyflenwad arferol o lo rhad. Cyngor y perchennog iddynt oedd y dylent fynd i byllau'r Rhondda i weithio, ac yn y diwedd ar Ffederasiwn Glowyr De Cymru y syrthiodd y baich o ofalu am y di-waith trwy gymryd swm misol o gyflogau ei aelodau.

Corwynt Cwm Taf

Effaith y corwynt ar dai yng Nghilfynydd.

Lladdwyd dau o bobl ac achoswyd difrod sylweddol i eiddo gan gorwynt a ysgubodd trwy Gwm Taf ar brynhawn 27 Hydref.

Roedd storm fawr wedi datblygu ar draws gorllewin Lloegr, o Gaerwysg yn y de mor bell â Chaer yn y gogledd, ond mewn tri lle yn unig y datblygodd yn gorwynt llawn – dau yn Lloegr a'r llall yng Nghwm Taf, lle y gadawyd dinistr dros bellter o un filltir ar ddeg .

Cyrhaeddodd y storm arfordir Cymru yn Aberddawan, rhwng y Barri a Phorth-cawl. Erbyn iddi gyrraedd Dyffryn Dowlais, roedd ei llwybr yn hanner can llath ar ei thraws a'r gwynt yn ddigon cyflym i ddifrodi teisi gwair a chytiau ieir. Yn Llanilltud Faerdre tynnwyd coed o'u gwraidd a dymchwelwyd stablau. Erbyn cyrraedd Cilfynydd, yr oedd y storm yn ddau gan llath ar ei thraws. Chwythwyd wal y capel i mewn, a chwalwyd nwyddau o'r siopau ar draws y stryd. Codwyd ymaith do haearn swyddfa a lapiwyd darn ohono mor dynn o gwmpas polyn telegraff fel na ellid ei symud oddi yno. Cafodd gŵr o'r enw Evan Prosser ei chwythu ddeg llath ar hugain i'r gamlas, a chafwyd marwolaeth gyntaf y diwrnod, pan fu farw Thomas John Harries wedi iddo gael ei daflu fwy na phedwar can llath gan y corwynt.

Erbyn cyrraedd Edwardsville, roedd y corwynt yn dri chan llath ar ei draws, ac yno y cyrhaeddodd ei anterth gyda glaw trwm a mellt. Cofnododd y prifathro lleol Mr. B.P. Evans iddo weld 'mellten las arswydus' gyda 'thonau o dân glas' ar y llawr. Gwelodd lawer o bobl fellt o gwmpas eu tai; sylwyd wedyn fod rhai gwrychoedd a thyweirch wedi'u llosgi rywfaint, ac aeth ffordd a oedd newydd ei thrin â thar ar dân.

Taflwyd cerrig beddau ym mynwent yr eglwys i lawr, a dinistriwyd capel Saesneg y pentref. Daeth yr ail farwolaeth pan laddwyd capten tîm pêl-droed Ton Pentre F.C.K. Woolford wrth iddo ddychwelyd adref o sesiwn hyfforddi, pan daflwyd ef yn erbyn wal a tharo'i ben.

O Edwardsville ymlaen gostegodd y storm rywfaint, er bod rhyw ychydig ddifrod i doeau a choed ymhellach i fyny'r cwm ym Medlinog.

Llongau Porthmadog

dde: Lawnsio'r llong *Gestiana*.

Yn y flwyddyn hon, lansiwyd y *Gestiana*, y llong olaf a adeiladwyd ym Mhorthmadog, a'r olaf o'r dosbarth o longau sgwner a adweinid fel *Western Ocean Yachts*. Hwyliodd 33 o'r rhain o borthladd Porthmadog rhwng 1891 a 1913, ac fe'u hystyrid ar y pryd ymhlith llongau hwylio bach gorau'r byd. Byddent yn cludo llechi o Ffestiniog ar draws y byd, gan ail-lwytho â nwyddau o bob math cyn dychwelyd, ac roedd morwyr Porthmadog i'w gweld ym mhob rhan o'r byd. Ym mhorthladd Gibraltar ym Mehefin 1899, cofnodwyd bod dwy ar bymtheg o longau Porthmadog wrth y cei.

Llong anffodus iawn oedd y *Gestiana* o'r cychwyn cyntaf – wrth ei lansio, methwyd â thorri'r botel, ac ar ei thaith gyntaf aeth ar y creigiau oddi ar arfordir Canada a'i dryllio'n llwyr. Ymhlith ei pherchenogion yr oedd nifer o bobl fusnes Porthmadog, a hefyd Margaret Lloyd George, gwraig Canghellor y Trysorlys, David Lloyd George.

Rhoddodd y Rhyfel Mawr a llongau tanfor yr Almaen ergyd drom i yrfa llongau sgwner Porthmadog, a suddwyd chwech ohonynt gan yr *U-boats*. Drylliwyd chwech arall yn yr un cyfnod trwy achosion eraill. Goroesodd y llong *Isallt* y ddau Ryfel Byd, ond drylliwyd hi oddi ar arfordir Iwerddon yn 1948. Yn 1950 yr oedd yr olaf o longau Porthmadog, yr *M.A. James,* yn pydru ym mhorthladd Appledore, Dyfnaint.

Peryglon y glöwr

Tîm achub Glofa Clun yn dangos y math o offer a ddefnyddid mewn damweiniau fel un Senghennydd.

Yr oedd ffrwydradau a nwy gwenwynig yn beryglon cyson i weithwyr y pyllau glo, fel y gwelwyd yn Senghennydd ym mis Hydref. Gwelir yma dîm achub Glofa'r Clun gyda'u hoffer achub yn aros am gael tynnu eu llun gan ffotograffydd anhysbys. Y math hwn o offer a fyddai wedi bod gan dimau achub Senghennydd wrth iddynt fynd i mewn i'r pwll. Gyda dynion y Clun hefyd y mae'r caneri a ddefnyddid i ganfod olion nwy.

'Eisteddfod fwyaf hanes'

Daeth pobl o bedwar ban y byd ynghyd mewn dinas yn Unol Daleithiau America ym mis Gorffennaf, ar gyfer gŵyl fawr a ddisigrifwyd gan bapur newydd *Y Drych* yn 'Eisteddfod fwyaf hanes, Eisteddfod Gydgenedlaethol Pittsburgh'.

'Ceid y Gwyddel a'r Almaenwr yn tynnu torch â'r Sais, ynghyd â'r Polak a'r Cymro,' meddai gohebydd llawen y papur, fel 'nad oedd prin barth o'r byd gwareiddiedig nad oedd yn cael ei gynrychioli yno mewn rhyw fodd neu ei gilydd'. Ar gyfer yr eisteddfod hon, sefydlwyd cangen arbennig o Orsedd y Beirdd gan yr Archdderwydd Dyfed (Evan Rees) a'r Prifardd Gwili (John Jenkins), a chyhoeddwyd Cynonfardd (Thomas Edwards) yn Archdderwydd America. Enillwyd Cadair Pittsburg gan William Roberts o Langollen, ond dau o Gymry America a rannodd y Goron, sef y Parch. D. Pughe Griffith, (Efrog), o Shippensburg, Pensylfania, a'r Parch. O. Lloyd Morris o Ypsilanti, Michigan.

Diweddwyd gweithgareddau'r wythnos â chyngerdd mawreddog gyda chôr o 750 o leisiau ar y llwyfan.

Y Brenin Glo

Yn ystod y flwyddyn, cyrhaeddodd diwydiant glo de Cymru ei anterth o ran cynhyrchedd, gyda 233,000 o lowyr mewn 620 o byllau yn torri 56.8 miliwn o dunelli o lo. O'r rhain, allforiwyd 37 miliwn o dunelli ar draws y byd. Yn ogystal â chynnyrch y De, torrwyd 3.5 miliwn o dunelli ym maes glo'r Gogledd-ddwyrain gan 15,900 o lowyr mewn 34 o byllau. Gyda'i gilydd, roedd Cymru'n gyfrifol am tua 20% o'r glo a gynhyrchwyd yng ngwledydd Prydain yn 1913. Glo Cymru oedd traean allforion glo'r byd, ac roedd dociau'r Barri a Chaerdydd yn sicr eu safle fel prif borthladdoedd allforio'r glo hwnnw.

Nid oedd y darlun yn olau i gyd, ac araf iawn oedd y meistri glo i fwrw ymlaen â'r gwaith hanfodol o fecaneiddio'r pyllau. Roedd 98.8% o lo de Cymru yn cael ei dorri â chaib a rhaw o hyd, ac yr oedd problem gwythiennau afreolaidd yn dal i lesteirio'r gwaith. Y tu ôl i'r ystadegau roedd y ffaith fod glowyr y de'n cynhyrchu llai o lo y pen nag o'r blaen — rhwng 1910 a 1914 cododd y cynnyrch 37%, ond oherwydd cynnydd o 58% yn nifer y gweithwyr y cafwyd hyn.

Safoni'r hen iaith

Cafwyd gwared ar nifer sylweddol o gamsyn-iadau ieithyddol a gramadegol yn y flwyddyn hon pan gyhoeddwyd *Welsh Grammar, Historical and Comparative.* Yr awdur, John Morris-Jones, yn anad neb, a roddodd yr iaith lenyddol fodern ar seiliau sicr.

Brodor o Fôn ydoedd, a anwyd yn Nhrefor, Llandrygarn a'i fagu yn Llanfair Pwllgwyngyll. Graddiodd mewn mathe-mateg yng Ngholeg Iesu, Rhydychen, ond ar astudiaethau llenyddol ac ieithyddol yr oedd ei fryd. Codi statws astudiaethau ym maes y Gymraeg oedd ei brif nod, a rhan o'r bwriad hwn oedd cyhoeddi ei ramadeg yn 1913, fel yn achos y llyfrau eraill a gyhoedd-odd neu y bu ganddo ran ynddynt, megis *Welsh Orthography* (1893), *Orgraff yr Iaith Gymraeg* (1928), a *Welsh Syntax* (1931). Gwelodd fod angen safoni'r iaith a chael gwared ar gystrawennau chwyddedig y ddeunawfed a'r bedwaredd ganrif ar bym-theg, a daeth yn selog iawn dros burdeb y Gymraeg.

Yn ogystal â'i waith ieithyddol, bu'n gyfrifol hefyd am safoni rywfaint ar y canu caeth. Yn *Cerdd Dafod* 1925, disgrifiodd y Pedwar Mesur ar Hugain a'r gwahanol ffurfiau ar gynghanedd, a chynnig dadan-soddiad ohonynt. Daeth ei syniadau yn y maes hwn, ac ym maes iaith, yn ddylanwadol

Yr ysgolhaig ifanc, John Morris-Jones.

iawn mewn cystadlaethau eisteddfodol, ac ni bu cwestiynu ar ei safonau ef am flynyddoedd lawer wedyn.

Lluniodd hefyd un gyfrol o'i fardd-oniaeth ei hun, *Caniadau*, sy'n cynnwys y ddwy awdl enwog *Cymru Fu: Cymru Fydd* a *Salm i Famon*, ynghyd â chasgliad o delyn-egion a nifer o gyfieithiadau medrus o waith Heine ac Omar Khayyâm.

Arloeswr radio

Ar 6 Tachwedd, yng Nghaeathro ger Caer-narfon, bu farw'r arloeswr radio Syr William Henry Preece o'r Bontnewydd. Yn 1892 llwyddodd Preece i anfon neges radio ar draws Môr Hafren o Larnog, rhwng Caerdydd a'r Barri, i Ynys Echni, dair milltir i ffwrdd. Roedd hyn ryw bum mlynedd cyn i'r Eidalwr Marconi ddanfon yr hyn a ystyrir erbyn hyn yn neges radio effeithiol gyntaf y byd ar 14 Mai 1897, ond methodd Preece yn llwyr â deall arwyddocâd yr hyn yr oedd wedi'i wneud a natur y tonnau radio a gynhyr-chodd.

Trydanwr oedd Preece wrth ei grefft, ac yn yr un flwyddyn â'i ddarllediad i Ynys Echni, penodwyd ef yn brif beiriannydd Swyddfa'r Post, a oedd yn gyrfifol ar y pryd am bob math o gyfathrebiadau, gan gynnwys y teleffon a'r telegraff diwifr a gâi ei ddatblygu ar y pryd. Tra yn y swydd hon, sicrhaodd gymorth Swyddfa'r Post i Marconi

a'i galluogodd i weithio ar dechnoleg radio, a'r Eidalwr yn hytrach na'r Cymro a gâi ei gydnabod yn y pen draw fel prif ddyfeisiwr y radio ddiwifr.

Roedd gan Preece ddiddordeb mawr ym mhosibiliadau'r teleffon, a chyhoeddodd ddwy gyfrol ar y teclyn newydd. Byddai hefyd yn darlithio ar feysydd ei ddiddordeb i arbenigwyr ac i'r cyhoedd, a daeth yn ddarlithydd poblogaidd oherwydd ei arddull syml ac ymarferol. Bu iddo ran bwysig yn natblygiad arwyddo ar y rheilffyrdd, gan wneud cyfraniadau mawr i wella diogelwch teithio ar drên.

Ar ôl ymddeol, roedd yn ffigur ad-nabyddus yn ardal Caernarfon fel ustus heddwch ac ymgyrchydd dros gael cyf-lenwad trydan i'r fro. Roedd yn berchennog car modur mewn cyfnod pan oedd hynny'n dal yn beth digon anghyffredin yn y Gymru wledig, a hefyd yn berchennog cwch ager.

Deffro'r Canghellor

Dihunwyd trigolion lleol am 6.30 y bore ar 20 Chwefror gan sŵn ffrwydrad mawr yn nhŷ newydd y Canghellor David Lloyd George, yn ymyl cwrs golff Walton Heath yng nghefn gwlad Surrey.

Achoswyd gwerth tua chwe chan punt o ddifrod gan fom amrwd o bowdwr gwn a naddion coed a osodwyd mewn cwp-wrdd mewn un o ystafelloedd y llawr cyntaf. Methodd dyfais arall o'r un math ffrwydro. Cafwyd hyd i ddarnau o bapur a naddion coed wedi'u trochi mewn olew mewn sawl ystafell, ac roedd yn amlwg fod y bomwyr wedi bwriadu i'r ffrwydrad gynnau tân.

Darganfuwyd pin het a phin gwallt gerllaw, a dechreuwyd ar unwaith ddrwg-dybio mai rhai o ferched y bleidlais a fu'n gyfrifol. Gyda'r hwyr yr un diwrnod, mewn cyfarfod cyhoeddus yn Neuadd Cory, Caerdydd, dywedodd Emmeline Pankhurst ei bod yn derbyn y cyfrifoldeb am y bomio.

Y bom!

Pan ofynnodd un o'r gynulleidfa iddi pam yr ymosodwyd ar y Canghellor yn y fath fodd, atebodd hi mai i'w ddeffro ef ac i ddeffro ei gydwybod y bomiwyd ei dŷ.

Roedd y Canghellor ei hunan yn mwynhau gwyliau moduro yn ne Ffrainc ar y pryd.

1914

18 Chwefror

Cyhoeddodd y fforiwr Campbell Besley iddo ddarganfod tair o ddinasoedd yr Inca yn Ne America.

16 Mawrth

Ym Mharis, saethwyd golygydd y papur newydd *Le Figaro* gan wraig gwleidydd y bu'r papur yn ei feirniadu.

13 Ebrill

Perfformiwyd drama boblogaidd George Bernard Shaw *Pygmalion* am y tro cyntaf.

20 Mehefin

Yn yr Almaen, lawnsiodd Kaiser yr Almaen y *Bismark*, y llong ryfel fwyaf yn y byd.

28 Mehefin

Yn Sarajevo, saethwyd yr Archddug Franz Ferdinand o Awstria-Hwngari a'i wraig, digwyddiad a arweiniodd at ddechrau'r Rhyfel Byd Cyntaf.

27 Gorffennaf

Symudodd milwyr Awstria i mewn i Serbia

10 Awst

Yn Llundain, agorwyd gwersyll carchar i Almaenwyr a oedd yn byw ym Mhrydain.

23 Awst

Ym Mrwydr Mons cyfarfu byddinoedd Prydain a'r Alamen am y tro cyntaf yn y Rhyfel Mawr.

17 Tachwedd

Cyhoeddodd y Canghellor Lloyd George y câi treth incwm ei dyblu i dalu ym Mhrydain am y rhyfel.

16 Rhagfyr

Taniodd llongau rhyfel yr Almaen ar drefi arfordir dwyrain Lloegr.

Ati, wŷr ifanc!

Dynion Caerdydd yn rhuthro i ymuno â'r fyddin.

Er gwaethaf heddychiaeth draddodiadol llawer o'r capeli, cydiodd y dwymyn ryfelgar yr un mor gryf yn y Cymry â gweddill y deyrnas.

Pan gyhoeddodd Prydain ryfel yn erbyn yr Almaen ar 4 Awst roedd disgwyl mawr i Lloyd George, fel prif arweinydd traddodiad radicalaidd Cymru, roi arweiniad cryf i'r rhai oedd am ddod â'r ymladd i ben yn fuan. Dywedodd ei hun ei fod yn dioddef ing meddwl wrth ymgodymu â'r dewis rhwng cefnogi'r Rhyfel a'i wrthwynebu, ond newidiwyd pethau pan aeth milwyr yr Almaen i mewn i Wlad Belg. Teimlai wedyn fod modd iddo gysoni ei Ryddfrydiaeth â rhyfelgarwch y wlad, am fod y Rhyfel bellach yn un i amddiffyn gwledydd bach; 'y cenhedloedd pum troedfedd pum modfedd,' yn ei eiriau ef. Mawr oedd y sôn am wroldeb gwledydd fel Gwlad Belg a Serbia, yn wyneb mileindra'r blaidd Almaenig, a brysiodd rhai i gymharu brwydrau'r gwledydd hyn ag ysbryd annibynnol y Cymry. Mewn araith yn Neuadd y Frenhines ar 19 Medi, dywedodd Lloyd George wrth Gymry Llundain ei fod yn cenfigennu wrth ddynion ifainc am y cyfle a gaent i wneud aberth ogoneddus mewn 'mudiad mawr dros ryddid'.

Unwaith yr ymrôdd i achos y Rhyfel, nid oedd neb i ragori ar Lloyd George o ran sêl ryfelgar. Ym mis Mai 1915, dyrchafwyd ef yn Weinidog Arfau, ac ym Medi'r un flwyddyn, cyhoeddwyd cyfrol o'i areithiau rhyfel o dan y teitl *Through Terror to Triumph*. Cysylltodd ei hun yn fwyfwy â Thorïaid fel Curzon a Carson yn ei gefnogaeth i orfodaeth filwrol.

Wynebodd Lloyd George wrthwynebiad chwyrn i'w gynllun i greu adran Gymreig o'r fyddin, gan yr Ysgrifennyd Rhyfel, Arglwydd Kitchener. Roedd Kitchener am wasgaru'r Cymry trwy'r catrodau i gyd a'u gwahardd rhag siarad Cymraeg â'i gilydd, a gwrthodai hefyd ganiatáu caplaniaid Anghydffurfiol ar y ffrynt. Bu raid i Lloyd George ddadlau'r pwynt gyda Kitchener yn y Cabinet cyn creu'r corfflu newydd. Y '38ain Adran (Gymreig)' oedd yr enw swyddogol arno, ond daethpwyd i'w adnabod ar lafar fel y 'Fyddin Gymreig' neu 'Fyddin Lloyd George'. Cafodd gaplaniaid Anghydffurffiol, a phenodwyd y

(Drosodd)

Ati, wŷr ifanc

(o'r tudalen cynt)

Cymro Cymraeg o Fôn, y Brigadydd Owen Thomas, i berswadio'r Cymry i ymuno â'r corff newydd. Gwnaed ymdrech fawr i Gymreigio'r ymgyrch recriwtio, ac i ddarbwyllo'r Cymry ifainc eu bod yn dilyn yn nhraddodiad anrhydeddus gwŷr y Gododdin, Llywelyn ein Llyw Olaf ac Owain Glyndŵr wrth ymuno â'r fyddin.

Un broblem na ragwelyd mohoni oedd bod llawer o'r Cymry yn rhy fyr i fod yn filwyr, yn ôl safonau swyddogol y fyddin. Bu'n rhaid gostwng gofynion taldra i bum troedfedd tair modfedd, ac i bum troedfedd yn unig yn achos rhai 'bataliynau bantam'. Er hyn, yn Eisteddfod Genedlaethol Bangor, 1915, gallai Lloyd George ymffrostio bod cyfran fwy o boblogaeth Cymru'n ymrestru'n filwyr na'r un rhan arall o'r Deyrnas, ac erbyn Medi 1915 yr oedd gan y Fyddin Gymreig 45,000 o filwyr. *[LLIW 6]*

Cabledd y sinema

Cododd ffrwgwd cyhoeddus yn Aberteifi ym mis Chwefror pan feiddiodd perchennog Sinema'r Pafiliwn ddangos y ffilm *From the Manger to the Cross* am fywyd Iesu o Nasareth. Daliai llawer o Gristnogion i wrthwynebu unrhyw ymgais i ddangos Iesu Grist ar y sgrîn fawr fel math o gabledd, a threfnodd gwneuthurwyr y ffilm i nifer o weinidogion gael ei gweld mewn dangosiad arbennig yn Llundain, gan obeithio lleddfu eu hofnau. Ffafriol iawn oedd yr ymateb, ond nid oedd gweinidogion Ceredigion mor hawdd i'w plesio â rhai Llundain. Cwynodd rhai fod Mwslemiaid wedi eu defnyddio i chwarae rhannau Cristnogion pan saethwyd y ffilm ym Mhalesteina, a chynhyrfwyd teimladau'n fwy fyth gan ddau ffactor lleol. Yn gyntaf, roedd y côr a dalwyd i ganu yn y sinema i gyd-fynd â'r ffilm yn denu aelodau o gorau lleol eraill, ac yn ail, enynnwyd gwrth-Babyddiaeth capelwyr lleol pan ddaeth deg ar hugain o fynachod Catholig o'r mynachdy Llydewig gerllaw i weld y ffilm.

Beth bynnag am farn pwysigion y sêt fawr, yr oedd dinasyddion Aberteifi wrth eu bodd â'r ffilm, ac yr oedd pob sedd yn Sinema'r Pafiliwn yn llawn ar gyfer pob dangosiad ohoni.

Byddin y Bugail Da

Mater a greodd rwyg poenus mewn llawer capel oedd y Rhyfel Mawr, ond yn fuan ar ôl iddo ddechrau, gwelwyd y Parch. John Williams, Brynsiencyn, un o hoelion wyth Ymneilltuaeth Gymraeg, yn rhoi sêl bendith arno fel rhyfel cyfiawn.

Dangosodd y Methodist o sir Fôn ymroddiad anghyffredin i'r ymdrech Ryfel, er bod traddodiad hir o heddychiaeth ymhlith yr enwadau Cymraeg, a chryf iawn oedd y gwrthwynebiad i'r Rhyfel ar y dechrau. Areithiodd John Williams mewn llu o gyfarfodydd, yn enwedig ym Môn, yn annog y Cymry ifainc i ymrestru yn y fyddin, a rhoddwyd iddo swydd Caplan er Anrhydedd yn y 'Fyddin Gymreig', gyda statws cyrnol, swydd a enillodd iddo'r llysenw 'caplan Lloyd George'. Peth atgas i rai oedd gweld dyn mewn lifrai milwrol yn esgyn i'r pulpud ond dadleuodd Williams mai dyletswydd pennaf pob Cristion oedd amddiffyn Gwlad Belg rhag yr Almaenwyr, yn union fel y byddai rhywun yn amddiffyn plentyn rhag cael ei gam-drin. Anghenfil o ddyn di-dduw oedd Kaiser yr Almaen, a fyddai'n gorfodi ieuenctid ei wlad i fynychu lladd-dai, yn ôl John Williams, iddynt gael arfer â lladd a chigyddiaeth, a pheidio â bod yn rhy galonfeddal i ryfela. Ar 9 Medi yn y

Angylion Mons

Ym mis Medi, daeth yr awdur o Gaerllion, sir Fynwy, Arthur Machen, yn gyfrifol am sbarduno un o chwedlau mwyaf grymus a mwyaf poblogaidd y Rhyfel Mawr, sef bod cwmni o angylion wedi dod i gynorthwyo milwyr Prydain ym Mrwydr Mons ym mis Awst.

Roedd Machen ar y pryd yn gweithio i'r *London Evening News*, ac ar 29 Medi cyhoeddwyd yn y papur ei stori fer *The Bowmen*, stori gwbl ddychmygol am y saethyddion o Gymru a fu gyda Harri V yn Mrwydr Agincourt yn 1415 yn dod yn ôl adeg Brwydr Mons i ymosod ar yr Almaenwyr. Yn fuan wedi i'r stori ymddangos, roedd y saethyddion wedi troi'n angylion ym meddwl y cyhoedd, a daethpwyd i gredu'r stori fel un hollol ffeithiol. Yn rhyfedd ddigon, er i Machen gyfaddef ei fod wedi dyfeisio'r cwbl, daliodd rhai milwyr i haeru eu bod wedi gweld yr angylion.

Henry Jones, Lloyd George a'r Parch. John Williams mewn coler gron a lifrai.

South Wales Daily News, cyhoeddodd Williams ac eraill eu *Maniffesto Rhyfel* yn dadlau'r achos Cristnogol o blaid y Rhyfel.

Nid oedd pob un o weinidogion Cymru mor barod i ymdaflu i'r ymdrech Ryfel, fel y gwelwyd ar 30 Medi yn *Y Tyst*, papur yr Annibynwyr, lle y cyhoeddwyd llythyr gan Thomas Rees, prifathro Coleg Bala-Bangor, yn condemnio'r Rhyfel ac agweddau rhai o'i gyd-Gymry ato.

Gwrthododd Rees y syniad poblogaidd mai rhyfel i roi terfyn ar bob rhyfel oedd hwn fel un peryglus o ffôl. Gwrthododd hefyd ddadl Lloyd George mai rhyfel dros genhedloedd bychain ydoedd: 'Dyweder yn onest fod Lloegr yn ymladd am ei masnach a'i safle a'i dylanwad ymhlith cenhedloedd y byd.' Yn anad dim, nid oedd Rees am i'r eglwysi droi'n 'asiantaeth recriwtio' i'r fyddin: 'Peidiwn â cheisio taflu cochl crefydd dros y rhyfel.'

Temtasiwn gamblo

Yn eu cyfarfod chwarterol yn Aberaman ar 28 Gorffennaf, pasiodd Methodistiaid Calfinaidd de Cymru gynnig yn condemnio'r sylw a roddid yn y papurau newydd Saesneg yng Nghymru i focsio ac i rasys ceffylau.

Honnodd y Parch. John Morgan Jones, Caerdydd, fod y papurau'n rhoi gormod o statws i focswyr, ac yn arwain pobl i ddechrau gamblo trwy gyhoeddi manylion rasys ceffylau ac awgrymiadau ynglŷn â pha geffylau a oedd debycaf o ennill. Roedd y fath adroddiadau, meddai, yn 'ffynhonnell temtasiwn i ddynion ifainc.'

Erlid Almaenwr

Cafwyd prawf amlwg yn Aberystwyth ym mis Hydref o'r teimladau ffyrnig o wrth-Almaenig a ddatblygodd yn y ddau fis ers dechrau'r Rhyfel, pan ddychwelodd un o ddarlithwyr y Coleg, yr Almaenwr Dr. Hermann Ethé i Gymru gyda'i wraig o Saesnes, ar ôl treulio eu gwyliau haf yn yr Almaen.

Cyfarfu Prifathro a Chofrestrydd y Coleg â'r pâr yng ngorsaf y dref a'u rhybuddio bod teimladau lleol yn beryglus o elyniaethus iddynt. Clywai'r cyhoedd trwy Brydain straeon am erchyllterau'r Almaenwyr yng Ngwlad Belg, ac roedd paranoia am ysbïwyr ar gynnydd.

Drannoeth ymgasglodd torf o tua dwy fil o bobl o flaen Capel Seilo, lle yr anerchwyd hwy gan bwysigion lleol a alwai am yrru estroniaid i gyd o'r dref. Galwodd rhai am saethu'r Almaenwyr, ac awgrymodd un y gwnâi rhaff a phostyn lamp y tro. Gorymdeithiwyd y tu ôl i Jac-yr-Undeb at dŷ Ethé, ond nid oedd ef gartref. Aethpwyd ymlaen i dŷ'r Athro Schott a rhoi iddo rybudd o bedair awr ar hugain i adael y dref. Er gwaethaf ei enw, Sais oedd Schott ac nid Almaenwr.

Gadawodd Ethé a'i wraig Aberystwyth yr un noson, gan aros gyda theulu Mrs. Ethé yn Reading. Cynhaliwyd cyfarfod cyhoeddus yn Aberystwyth ychydig wedyn yn mynnu bod y Coleg yn diswyddo Ethé, a bu raid iddo yn y diwedd ymddiswyddo a derbyn pensiwn bach.

Yn eironig ddigon, ffoadur o'r Almaen oedd Ethé ei hun pan ddaeth i Aberystwyth

Yr Athro Ethé.

yn 1875, gan na allai oddef llywodraeth filitaraidd Bismarck. Daeth yn ŵr poblogaidd iawn yn y Coleg, am fod ganddo bersonoliaeth hoffus yn ogystal â dysg eang. Un o ysgolheigion mwyaf disglair Coleg Aberystwyth oedd ef: byddai'n rheolaidd yn dysgu chwech o ieithoedd, ac yn nyddiau cynnar y Coleg ef oedd yr unig aelod o'r staff ac iddo enw rhyngwladol yn rhinwedd ei waith. Er gwaethaf ei ddawn amlwg i ddysgu ieithoedd, ni ddysgodd erioed Gymraeg, gan fynnu mai 'cwrw' oedd yr unig air Cymraeg roedd arno angen ei wybod.

Dysgu Cymraeg yn yr Almaen

Er iddo gael ei dderbyn i goleg yng Nghaergrawnt, penderfynodd Ifor L. Evans, Cymro ifanc 17 oed o Aberdâr, mai mwy buddiol iddo fyddai teithio'r Cyfandir i wella ei wybodaeth o'r Ffrangeg a'r Almaeneg. Daeth helynt ar ei warthaf pan ddechreuodd y Rhyfel Mawr, a chafodd ei gipio gan yr heddlu yn yr Almaen a'i gyhuddo o fod yn ysbïwr. Treuliodd dri mis yn y carchar yn Nürnberg cyn cael ei drosglwyddo i wersyll carcharorion sifil yn Ruhleben ger Berlin.

Hen gwrs rasio a stablau oedd Ruhleben ond dyma oedd cartref anghysurus y myfyriwr ifanc a channoedd o Brydeinwyr eraill drwy gydol y rhyfel. Sefydlwyd Cymdeithas Gymraeg Ruhleben dan ei chadeirydd David Evans ('Dai Deutsch' i'w gyfoedion), a ddaeth wedyn yn Athro Almaeneg ym Mhrifysgol Cymru, Aberystwyth.

Er bod ei dad yn Gymro Cymraeg, nid oedd Ifor L. Evans wedi dysgu'r iaith, ond o dan gyfarwyddyd David Evans aeth ati gyda brwdfrydedd i newid hynny. O fewn dim o dro roedd wedi ei meistroli ac wedi dod i werthfawrogi ei phwysigrwydd. Pan gafodd ei ryddhau ar ddiwedd y rhyfel, dychwelodd i Gymru ond pan ddaeth wyneb yn wyneb ag ef yng ngorsaf Aberdâr nid oedd ei dad yn ei adnabod, yn arbennig gan iddo ei gyfarch yn Gymraeg am y tro cyntaf erioed.

Pan oedd yn 37 oed penodwyd Ifor L. Evans yn Brifathro Coleg y Brifysgol, Aberystwyth, ac aeth ati i gyfieithu nifer o lyfrau o'r Ffrangeg a'r Almaeneg i'r Gymraeg, gan gynnwys *Chwedlau La Fontaine* ac *Emynau'r Almaen*.

Y Pregethwr, y Canghellor a'r theatr

Ar nos Lun 11 Mai yn y Theatr Newydd, Caerdydd, dechreuodd Wythnos Ddrama Cymru, prosiect mawr yr Arglwydd Howard de Walden, sylfaenydd mudiad Drama Genedlaethol Cymru.

Dechreuwyd yr wythnos gyda pherfformiad o *Change* J.O. Francis o Ferthyr Tudful, drama wedi'i seilio ar streic gwŷr rheilffyrdd Llanelli yn 1911, ac yn ddiweddarach yn yr wythnos cafwyd perfformiad o'i gomedi un-act boblogaidd, *The Poacher*. Llwyfannwyd hefyd ddramâu Cymraeg D.T. Davies a R.G. Berry o Lanrwst.

Cafwyd hwb mawr i'r ŵyl ddydd Mercher 13 Mai pan gyhoeddwyd y byddai'r Canghellor David Lloyd George yn dod i weld dramâu nos Wener a nos Sadwrn. Ar ôl gwylio dwy ddrama nos Wener, mynegodd y Canghellor ei obaith bod cyfnod newydd yn hanes y ddrama yng Nghymru ar wawrio, ac y dôi'r Cymry crefyddol i weld nad oedd eisiau i bopeth mewn drama gydymffurfio â chyffes ffydd eu henwad.

O holl ddigwyddiadau'r wythnos, efallai mai ymddangosiad y Parch. John Williams, Brynsiencyn, a dynnodd fwyaf o sylw. Un o Ymneilltuwyr mwyaf dylanwadol a mwyaf poblogaidd y dydd oedd ef, a gwelwyd ei bresenoldeb yn y theatr, yn eistedd wrth ochr Lloyd George ar nos Sadwrn olaf yr ŵyl, yn arwydd amlwg bod yr hen ragfarn Anghydffurfiol yn erbyn y ddrama yn dechrau cilio.

Ar ddiwedd y noson, anerchodd y Canghellor y gynulleidfa'n fyr, gan dderbyn cymeradwyaeth fawr gan bawb, ar wahân i un wraig a waeddodd, 'Pleidleisiau i Ferched!' Hebryngwyd hi'n gyflym o'r theatr. Roedd wyth swffregét wedi eu taflu allan o'r theatr Nos Wener ar ôl codi stŵr.

Cymod nid cynnen

Mewn cyfarfod ym mis Rhagfyr yng Nghaergrawnt, sefydlwyd Cymdeithas y Cymod – mudiad Cristnogol dros heddwch – gan y ddau Gymro Cymraeg, Richard Roberts o Flaenau Ffestiniog, a George M.Ll. Davies o Lerpwl, cyn-swyddog yn y Ffiwsilwyr Brenhinol Cymreig.

Ar ôl ei sefydlu bu Davies yn gweithio amser-llawn yn ddi-dâl dros Gymdeithas y Cymod, a chafodd ei garcharu sawl gwaith oherwydd ei waith diflino yn erbyn y Rhyfel Mawr, gan dreulio cyfnod yn torri cerrig ar y ffordd rhwng Llanwrda a Phumsaint. Ni chafodd ei ryddhau o'r carchar tan fis Gorffennaf 1919, wyth mis wedi i'r Rhyfel ddod i ben.

Daeth Davies yn symbol o ymroddiad yr heddychwyr, a gallai ennill parch hyd yn oed ei wrthwynebwyr pennaf, gan gynnwys swyddog tribiwnlys Caer a ychwanegodd ar ôl ei ddedfrydu i garchar, 'Duw a ŵyr fy mod yn condemnio dyn llawer gwell na mi fy hun.' Daliodd Davies yn weithgar dros

Yr heddychwr George M. Ll. Davies yn ei gell.

heddwch ar ôl y Rhyfel, gan geisio cymodi rhwng Prif Weinidog Prydain David Lloyd George ac arweinydd gwrthryfelwyr Iwerddon, Eamonn de Valera. Gweithiodd hefyd i wella sefyllfa trigolion yr Almaen yn sgil dinistr y Rhyfel.

uchod: Trolibysiau'n aros yn Stryd Clarence, Aberaman.

Trolibysiau Aberdâr

Ar 15 Ionawr, yn Aberdâr, dechreuwyd gwasanaeth trolibysiau cyntaf Cymru gydag wyth cerbyd. 'Bysiau di-drac' oedd yr enw lleol a roddwyd ar y trolibysiau newydd, am nad oedd angen gosod traciau metel ar yr heol iddynt, yn wahanol i dramiau arferol.

Bwriad y trolibysiau oedd ateb problemau tymor-byr traffig y dref, ac yr oeddynt i'w disodli'n ddiweddarach gan dramiau yn rhedeg ar gledrau. Ond parhaodd y troli-bysiau i redeg yn Aberdâr hyd fis Gorffennaf 1925. Roedd y dref ymhell ar y blaen i drefi eraill yng Nghymru wrth ddarparu gwasanaeth o'r fath. Ni ddechreuodd gwasanaeth Pontypridd tan Awst 1930, ac ym mis Mawrth 1942 y gwelwyd un tebyg yng Nghaerdydd. Cludiant cyhoeddus ffasiynol iawn oedd trolibysiau, er bod rhai'n dadlau bod y cerbydau trwm yn torri wyneb ffyrdd a oedd eisoes mewn cyflwr gwael.

The Welsh Outlook

Ar 1 Ionawr, cyhoeddwyd y rhifyn cyntaf o'r cylchgrawn *The Welsh Outlook* gan Thomas Jones, Rhymni, gyda nawdd ariannol y meistr glo dyngarol, David Davies, Llandinam.

Cylchgrawn blaengar oedd hwn i fod, yn ymwneud â phob agwedd ar gynnydd cymdeithasol yng Nghymru, ac yn llefaru ar ran diwylliant Cymru yn wyneb twf unffurfiaeth ddiwylliannol. Ymhlith y pynciau yr ymdrinid â hwy yr oedd llenyddiaeth, celf, iaith, diwydiannau Cymru, a phob math o bynciau llosg cyfoes. Roedd iddo naws cenedlaethol a rhyngwladol. Dros y blynyddoedd cafwyd cyfraniadau gan nifer o ddiwygwyr cymdeithasol amlwg y cyfnod megis Percy Watkins, Ysgrifennydd Bwrdd Iechyd Cymru, ac Edgar Chappell, sylfaenydd Cymdeithas Tai a Datblygu Cymru.

Rhoddwyd sylw eang i wahanol agweddau ar y Rhyfel, gan astudio'r sefyllfa ym mhob rhan o Ewrop. Yn rhifyn mis Medi 1914 bu ymdrech ar ran ei olygyddion i atgoffa'r Cymry am rinweddau'r Almaenwyr gyda lluniau o Bach, Beethoven a Goethe, a'r athronydd Kant, dan y pennawd '*Lest We Forget*'.

Parhaodd y cylchgrawn i ymddangos trwy'r '20au a'r '30au cynnar gan drafod pynciau newydd fel y codent, megis adroddiad Gwilym Davies yn Hydref 1933 ar dwf Natsïaeth yn yr Almaen. Trwy gydol ei fodolaeth colli arian fu hanes y *Welsh Outlook*, ac at ei gilydd methodd ag apelio at ddarllenwyr y tu allan i gylchoedd y dosbarth canol dysgedig yng Nghymru. Peidiodd David Davies â'i gefnogi'n ariannol yn 1927, a daeth i ben ar ôl ugain mlynedd gyda rhifyn arbennig yn Rhagfyr 1933.

Y Rhyfel a'r *Fed*

Er gwaethaf pryderon cynnar, ymroddodd Ffederasiwn Glowyr De Cymru a'r Blaid Lafur yn frwd i'r ymdrech ryfel.

Ar 6 Awst, derbyniodd pwyllgor gwaith y *Fed* gais gan y Morlys y dylai glowyr a dorrai lo i'r llynges wneud awr ychwanegol o waith bob wythnos, ac ar 29 Awst, datganodd y Blaid Lafur y byddai'n barod i roi cymorth i'r ymgyrch recriwtio. Fel yr undebau llafur eraill, rhoddodd Ffederasiwn Glowyr De Cymru hefyd ei chefnogaeth i'r polisi hwn, ac aeth swyddogion fel William Brace a Tom Richards ati i yrru aelodau'r undeb i rengoedd y fyddin. Erbyn diwedd y flwyddyn, yr oedd deugain mil o lowyr de Cymru wedi ymrestru yn y lluoedd.

4 Ionawr

Arestiwyd y Cardinal Marcier gan awdurdodau'r Almaen am ei lythyr bugeiliol yn condemnio'r ymosodiad ar Wlad Belg.

23 Ebrill

Defnyddiwyd nwy gwenwynig gan yr Almaenwyr am y tro cyntaf yn y Rhyfel Mawr.

8 Mai

Boddodd 1198 o bobl pan suddwyd y llong *Lusitania* gan dorpedo Almaenig.

13 Mai

Cipiodd byddin De Affrica drefedigaeth yr Almaen yn ne-ddwyrain Affrica.

22 Mai

Yn y ddamwain drenau waethaf erioed ym Mhrydain, lladdwyd 227 ger Gretna Green yn yr Alban.

23 Mai

Aeth yr Eidal i ryfel yn erbyn Awstria.

1 Gorffennaf

Cafwyd George Joseph yn euog o lofruddio ei dair gwraig trwy eu boddi yn y bàth.

12 Hydref

Dienyddiwyd y nyrs o Saesnes, Edith Cavell, am ysbïo yn erbyn yr Almaen.

20 Rhagfyr

Daeth ymgyrch Gallipoli, Twrci, i ben wedi i filoedd o filwyr Awstralia a Seland Newydd gael eu lladd.

Merched y ffatrïoedd a'r tramiau

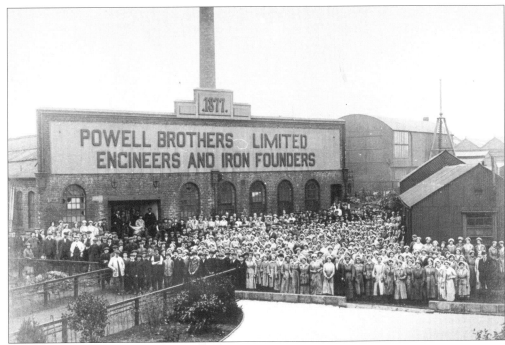

Merched a dynion ffowndri'r Brodyr Powell, Wrecsam.

Wrth i fwy a mwy o ddynion ymadael am faes y gad ar y cyfandir, dechreuwyd dibynnu'n fwyfwy ar fenywod i wneud gwaith a ystyrid gynt yn waith i ddynion yn unig. Roedd hyn yn arbennig o wir am y diwydiant arfau, a fu'n ddiwydiant prysur iawn o Awst 1914 ymlaen.

Heidiodd merched i'r ffatrïoedd arfau a agorwyd mewn lleoedd fel Blaenafon, Abertawe, a Chasnewydd yn y de; a Chaernarfon a'r Fferi Isaf yn y gogledd. Yn Wrecsam, trowyd gweithfeydd haearn y brodyr Powell yn ffatri arfau, gan gyflogi nifer mawr o ferched, ac yn y Fferi Isaf, a ddechreuodd gynhyrchu ym mis Mai, a lle cynhrychid cotwm tanio a TNT, roedd 70% o'r gweithlu yn ferched. Yng Nghasnewydd erbyn 1918 merched yn gwneud rhannau i sieliau oedd 83% o'r staff.

Gwaith peryglus dros ben oedd hwn a pherygl llosg asid a ffrwydradau'n bresennol bob amser. Ymhlith y swyddi llai peryglus a ddaeth yn agored i ferched oedd y rhai ar y gwahanol fathau o gludiant cyhoeddus, er nad oedd pawb yn barod i'w croesawu i'r gwaith.

Ym mis Ebrill, penderfynodd Corfforaeth Tramffyrdd Caerdydd ddechrau cyflogi merched fel tocynwyr ar y tramiau, ond mewn cyfarfod o undeb gweithwyr y tramiau, mynegodd y dynion wrthwynebiad pendant i gyflogi merched, yn enwedig gwragedd priod, gan honni bod digon o ddynion anghymwys i wasanaeth milwrol a allai wneud y gwaith. Rhybuddiodd y cyfarfod y Gorfforaeth ei bod yn rhoi straen ar y berthynas rhyngddi hi a'i gweithwyr, a phasiwyd cynnig yn gwrthod gweithio gyda'r merched. Ond yn ddiweddarach trawyd bargen a alluogai'r cynllun i gyflogi merched fel tocynwyr fynd yn ei flaen.

Yn 1917, dechreuwyd cyflogi merched i yrru tramiau'r ddinas, a bu llai o wrthwynebiad i hyn nag a fu i'r tocynwyr ddwy flynedd ynghynt. Y gred oedd y byddent yn gadael eu swyddi newydd cyn gynted ag y dôi'r gyrwyr gwreiddiol yn ôl o'r Rhyfel.

Ffydd yn y ffosydd

19 Hydref, cyrhaeddodd David Cynddelw Williams o Ben-y-Groes, sir Gaernarfon, ffosydd Ypres gyda 10fed Bataliwn y Ffiwsilwyr Cymreig. Nid milwr oedd Williams, eithr gweinidog Anghydffurfiol a oedd wedi penderfynu'n fuan wedi dechrau'r Rhyfel Mawr yn Awst 1914 mai gyda milwyr y ffrynt yr oedd ei le ef.

Cafodd brofiad yn fuan o natur greulon bywyd y ffosydd pan gynhaliodd angladd un o'r Ffiwsilwyr a saethwyd gan un o'i gydfilwyr a oedd wedi meddwi ar wirod methyl. Drannoeth fe ddienyddiwyd y saethwr, a chofnododd Williams yn ei ddyddiadur ei ddiolchgarwch mai i'r caplan Anglicanaidd y syrthiodd y cyfrifoldeb o gladdu hwnnw.

Mewn ymdrech seithug i ddod â rhywfaint o foesoldeb capelwyr Arfon i'r bywyd milwrol, gosododd Williams focs rhegu yn ffreutur y swyddogion, a disgwylid i bob un roi ceiniog ynddo am bob rhegfa a ddôi o'i enau. Ychydig wedyn, rhwng boddhad a siom, cofnododd Williams, 'Prynwyd Primus stove at wasanaeth y company mess gan mwyaf trwy arian y rhegu!' Yn ogystal â bod yn weinidog, bu hefyd ar un achlysur yn gôlgeidwad mewn gêm bêl-droed rhwng y swyddogion a'r milwyr cyffredin. Bu hefyd yn gyfrifol am ddosbarthu saith mil o sigarennau i'r milwyr oddi wrth roddwr yn Lloegr, gan nodi 'Buont yn wasanaethgar iawn i'w rhannu i'r bechgyn, a rhannwyd rhai ohonynt o dan amgylchiadau a wnâi i'r gwrthysmygwr mwyaf eiddgar fodloni i'r peth.'

Bu David Cynddelw Williams yn gaplan byddin hyd Medi 1919, gan fod mewn perygl difrifol nifer mawr o weithiau. Disgrifiodd ei brofiadau yn y rhyfel unwaith trwy gyfeirio at salm fwyaf adnabyddus y Beibl, 'Dyna ddarlun pur lythrennol o gerdded i lawr glyn cysgod angau.'

'Y Cloddiwr Bach'

Billy Hughes yn cael croeso mawr gan filwyr Awstralia.

Ym mis Hydref, daeth y Cymro Cymraeg William Morris Hughes yn Brif Weinidog Awstralia. Magwyd Hughes yn Llandudno, ond ymfudodd i Awstralia yn ddwy ar hugain oed yn 1884. Trwy ei aelodaeth o glwb dadlau yn Balmain, De Cymru Newydd, daeth i adnabod undebwyr llafur lleol, a daeth ei siop lyfrau yn fan cyfarfod rheolaidd iddynt. Yn 1894 etholwyd ef yn aelod Llafur i Senedd Talaith De Cymru Newydd, ac yn 1901 i Senedd Ffederal Awstralia.

Roedd Hughes yn gefnogwr brwd i ymdrech y Rhyfel Mawr, ac o 1916 hyd 1921 yr oedd yn aelod o Gabinet Rhyfel Ymerodraeth Prydain. Pwysodd yn aflwyddiannus ar uwch-swyddogion lluoedd arfog Prydain i gadw'r milwyr o Awstralia ynghyd fel un grŵp wrth ymladd. Dangosodd ei gefnogaeth i'r Rhyfel gartref trwy alw yn Rhagfyr 1915 am bymtheng mil o wirfoddolwyr bob mis i atgyfnerthu milwyr y ffrynt, er mwyn sicrhau 'buddugoliaeth gyflym a gogoneddus', ac ymgyrchodd yn gryf, er yn aflwyddiannus, dros gyflwyno gorfodaeth filwrol yn Awstralia mewn refferendwn ar y pwnc yn Nhachwedd 1916. Enillodd y llysenw *the Little Digger* gan filwyr Awstralia oherwydd ei natur ymladdgar.

Gweithiodd yn ddiwyd dros fuddiannau Awstralia yn nhrafodaethau Versailles ar ddiwedd y Rhyfel, a chafodd ei ddewis gan Lloyd George yn un o gynrychiolwyr Prydain ar y Pwyllgor Iawndaliadau i benderfynu faint y dylai'r Almaen ei dalu am ddifrod y Rhyfel. Roedd disgwyl i Hughes fargeinio'n galed, ond siomwyd Lloyd George yn ddirfawr gan ysbryd dialgar ei gyd-Gymro tuag at yr Almaenwyr. Câi ei ddigio'n fawr gan unrhyw awgrym y dylid lleihau baich cosb yr Almaenwyr, ac ar un achlysur gwylltiodd cymaint fel y gofynnodd Herbert Asquith i David Lloyd George siarad ag ef yn Gymraeg er mwyn ei dawelu.

Llongau tanfor Penfro

Y llong danfor gyntaf a adeiladwyd yn Nociau'r Llynges Frenhinol ym Mhenfro oedd y *J3* a lansiwyd ar 4 Rhagfyr. Gadawodd ei chwaer long, *J4*, y dociau ddeufis wedyn ar 2 Chwefror 1916.

Ar y pryd, ystyrid y llongau tanfor dosbarth *J* fel y gorau yn llynges Prydain, a'i swyddogion yn elît ymhlith llongwyr tanfor. Caent eu hadeiladu i fod yn llongau sgowta gyda'r gosgorddau o longau a âi ar draws Môr yr Iwerydd, a'r pwyslais ar eu cyflymdra wrth deithio ar wyneb y dŵr. Daliai llongau o'r dosbarth yma i weithio yn y '20au, ond erbyn 1930 yr oedd pob un wedi ei thynnu o wasanaeth. *J3* a *J4* oedd yr unig longau tanfor o'u dosbarth a adeiladwyd ym Mhenfro, ond yn ystod 1918 a 1919 lansiwyd *L10, H51,* a *N52*.

Pennaf casddyn y Cymry

Stories of the Peasantry of West Wales oedd is-deitl dilornus y llyfr cyntaf a'r mwyaf adnabyddus gan y llenor Eingl-Gymreig Caradoc Evans, *My People*, a gyhoeddwyd yn y flwyddyn hon.

Casgliad o bymtheg o straeon byrion oedd *My People*, am bobl yn byw bywydau o ddiflastod, chwant a llygredigaeth, heb ddim i'w ddisgwyl ond poen a marwolaeth. Elfen gref yn y sort a wna am ben ei gymeriadau yw'r cyfieithu llythrennol a geir ganddo o briod-ddulliau ac ymadroddion Cymraeg, megis 'The Large Maker' am 'Y Creawdwr Mawr'.

Cododd y llyfr wrychyn llawer un, a deimlai fod yr awdur yn gwawdio gwerthoedd traddodiadol a'r 'hen ffordd Gymraeg o fyw'. I Garadoc Evans rhagrith, anwybodaeth ac anhapusrwydd oedd prif nodweddion honno, ac yr oedd yn haeddu ei gwawdio a'i dychanu.

Wedi plentyndod anhapus yn Rhydlewis, Ceredigion, aeth Caradoc Evans yn brentis i deiliwr yng Nghaerfyrddin, a gweithio wedyn mewn siopau yn y Barri, Caerdydd a Llundain. Er iddo ysgrifennu nofel ddychanol am Gymry Llundain (*My Neighbours* 1919), am ei ymosodiadau mileinig ar fucheddau Cymry ardaloedd gwledig y gorllewin y cofir ef yn bennaf. Yn anad dim, Angyhydffurfiaeth a pharchusrwydd llethol cymdeithas y capel a

Caradoc adeg cyhoeddi *My People*.

ddôi o dan ei lach, a chofiai'n dda fel y cafodd ei fam ei thorri allan o'r capel am na fedrai hi, fel gwraig weddw dlawd, dalu digon i'r coffrau.

Apeliodd at chwaeth marchnad fawr a chwilfrydig o ddarllenwyr yn Lloegr â'i chwedlau tywyll a dirgelaidd eu naws am wladwyr cyntefig, a thrwy ei weithiau ef y cafodd sawl darllenwr o Sais ei ddarlun o Gymru a'i phobl. Ymhyfrydai Caradoc Evans yng nghasineb y Cymry tuag ato, a gwnâi ei orau glas i'w feithrin trwy'i lythyrau i'r wasg a'i ddarlithoedd cyhoeddus.

Y Cyrnol a merched Môn

Yn Llanfair Pwllgwyngyll, Ynys Môn, ffurfiwyd y gangen gyntaf ym Mhrydain o Sefydliad y Merched, a hynny trwy ysbrydoliaeth ac o dan arweiniad hen filwr wedi'i barlysu yn ei ddwy goes ar ôl cael ei daro gan fellten yn ystod Rhyfel y Swlw.

Y Cyrnol R.S.G. Stapleton-Cotton a ddaeth â Sefydliad y Merched i Gymru. Yn 1900 daeth i fyw i Blas Llwyn-onn ar ystad ei nai, pedwerydd Ardalydd Môn. Ymhlith ei fentrau eraill ym Môn yr oedd ffatri facwn, fferm flodau, a'i gwmni hynod lwyddiannus Storfa Gasglu Wyau Môn. Roedd hefyd yn aelod gweithredol o nifer o gyrff fel Cymdeithas Diwydiannau Cymru a'r Gymdeithas Drefnu Amaeth, yn ogystal â bod yn wëwr o fri lleol. Yn ei gartref y galwyd cyfarfod cyntaf y mudiad newydd ar 16 Mehefin, lle y penderfynwyd sefydlu cangen o Sefydliad y Merched, a'i chysylltu â'r Gymdeithas Drefnu Amaeth; ac ef a ddewiswyd yn Llywydd cyntaf y gangen.

Amaethyddiaeth a'r cyflenwad bwyd oedd prif bynciau'r gangen ar y dechrau. Ymhlith y testunau trafod cynnar yr oedd *Piclo Ffrwythau a Llysiau*, *Prynu Had Da*, a *Cadw Geifr am Elw*; a dangosodd y Cyrnol

Stapleton-Cotton, mewn 'modd meistrolgar', yn ôl y cofnodion, sut i wneud saladau a dresin. Ond ni chyfyngwyd sylw'r gangen i bynciau o'r fath yn unig, oherwydd trafodwyd hefyd *Y Mabinogion*, *Perygl Pryfed a Thomenni Sbwriel*, a *Bolsieficiaeth -ar ei Ffurf Symlaf*.

Ym mhen mis yr oedd canghennau hefyd yn y Cefn a Threfnant, sir Ddinbych, ac

ychydig wedyn yng Nghricieth, sir Gaernarfon. Yn 1917 daeth canghennau'r Gogledd i gyd yn rhan o Undeb Sefydliadau Merched Gogledd Cymru, ac yn yr un flwyddyn hefyd gwelwyd y gangen gyntaf yn sir Benfro, ym Mathry, a phedair blynedd yn ddiweddarach yn 1921 daeth deg cangen ynghyd i ffurffio Ffederasiwn Sefydliadau Merched Sir Benfro.

Marwolaeth Keir Hardie

Eithriad prin oedd Keir Hardie ymhlith pwysigion y Blaid Lafur yn ei wrthwynebiad diwyro i'r Rhyfel.

Ar 16 Awst 1914, yr oedd tyrfa wyllt wedi chwalu un o'i gyfarfodydd yn Aberdâr, ei etholaeth ei hun, a'i rwystro rhag siarad trwy floeddio sloganau rhyfelgar a chanu *God Save the King* a *Rule Britannia*. Yn arwain y dorf roedd y cyn-radicalwr Charles Stanton, a oedd bellach wedi cyfnewid y Faner Goch am Jac-yr-Undeb ac yn ei chwifio'n frwd. Yn 1910 yr oedd Stanton wedi bygwth y meistri glo y trefnid y glowyr yn 'frigadau ymladd' i daro'n ôl am drais yr heddlu, ond bellach yr Almaenwyr oedd targed ei ddicter. O'i ran ef, meddai Hardie wrth ei gyfaill Llew Francis, yr oedd bellach yn deall ingoedd Iesu Grist yng Ngardd Gethsemane, gan gymaint oedd casineb y

rhyfelgarwyr ato. Erbyn diwedd 1914 yr oedd wedi llwyr ddigalonni.

Bu farw ar 2 Medi: 'Yn wir, ni allaf weld beth allai Hardie fod wedi gwneud ond marw', oedd sylw George Bernard Shaw. Cynhaliwyd is-etholiad am ei sedd ym mis Tachwedd, pan safodd Charles Stanton fel Llafurwr Annibynnol yn erbyn ymgeisydd swyddogol y Blaid Lafur, James Winstone, ac ennill. Er bod Winstone yn bell o fod yn heddychwr, ymosododd Stanton yn frwd arno am ei ddiffyg gwladgarwch ac am fod yn gyfaill i heddychwyr. Ymdrech y Rhyfel oedd prif bwnc Stanton, a tharanodd yn erbyn 'bwtseriaid bwystfilaidd Berlin'. Pan glywodd ei fod wedi ennill y sedd, dywedodd y byddai'r bechgyn yn y ffosydd yn llawenhau wrth dderbyn y newyddion.

Esboniwr byd yr hen Geltiaid

Ar 17 Rhagfyr, bu farw'r ysgolhaig Celtaidd Syr John Rhŷs. Mab i was fferm o Bonterwyd, Ceredigion, oedd Rhŷs, ond er gwaethaf ei gefndir anfreintiedig aeth ymlaen i fod yn un o brif ysgolheigion ei faes, ac un yr oedd parch mawr ato gan lawer. Bu am gyfnod yn athro ysgol ym Môn cyn ennill ysgoloriaeth i Goleg Iesu, Rhydychen. Yn 1877, pan grëwyd swydd Athro Celteg yn y Coleg, John Rhŷs oedd y dewis naturiol i'w llenwi, ac yn 1895 fe'i dyrchafwyd yn Brifathro'r Coleg.

Enillodd fri mawr trwy ei waith arloesol ar wreiddiau'r ieithoedd Celtaidd, gan olrhain datblygiad seiniau'r Gymraeg o'r arysgrifau Brythoneg cynnar hyd at Gymraeg diweddar. Bu'n astudio hefyd yr iaith Fanaweg, a oedd yn dal yn fyw ar y pryd, yn ogystal ag ymddiddori mewn llên gwerin a hen grefyddau'r Celtiaid, ymysg nifer mawr

Yr Ieithydd Mawr.

o bethau eraill. Ni chyfyngodd ei waith i feysydd academaidd pur chwaith – bu hefyd yn ysgrifennydd i'r comisiynau swyddogol ar y degwm yng Nghymru, ar gau'r tafarnadai ar y Sul, ar bwnc y tir, ac ar Brifysgol Cymru.

Dangoswyd gwerthfawrogiad o'i waith yn 1907, pan urddwyd ef yn farchog, ac yn 1911, pan ddaeth yn aelod o'r Cyfrin-Gyngor.

Y rhyfel yn cyrraedd Cymru

uchod: Buan iawn y claddai llynges Prydain longau tanfor yr Almaen, yn ôl cartwnydd y *Western Mail*.

Cyrhaeddodd y Rhyfel Mawr ddyfroedd Cymru ym mis Mawrth pan suddwyd dwy long yn llawn teithwyr oddi ar arfordir y wlad. Ar 27 Mawrth ar arfordir sir Benfro, tua hanner can milltir o'r Smalls, trawyd y llong Brydeing *Aguila* gan dorpedo wrth iddi deithio o Lerpwl i Lisbon, a chollwyd 23 o deithwyr a chriw. Trannoeth yn oriau mân y bore ar 28 Mawrth, ymosodwyd ar y llong deithio *Falaba* gan long danfor Almaenig tua hanner can milltir o Benrhyn y Santes Ann. Suddodd y llong o fewn deng munud, a bu farw 110 o'r 250 o deithwyr a chriw oedd arni. Achubwyd rhai teithwyr o'r ddwy long gan griwiau cychod pysgota a oedd yn yr ardal ar y pryd, a honnodd rhai o'r rhain yn ddiweddarach fod yr Almaenwyr wedi saethu atynt ar ôl iddynt fynd i'r badau achub.

'Gwell saethu cant o lowyr na cholli'r rhyfel'

Er gwaethaf y Rhyfel aeth glowyr de Cymru ar streic o'r 15fed i'r 20fed o fis Gorffennaf.

Credai rhai glowyr bod eu parodrwydd i gynhyrchu mwy o lo adeg y Rhyfel yn cael ei ddefnyddio gan y cyflogwyr i ymelwa. Er bod pris glo wedi codi 50% ers dechrau'r Rhyfel, a bod cyfranddalwyr y cwmnïau glo yn derbyn elw enfawr o ganlyniad, gwahanol iawn oedd tynged y glowyr cyffredin a wynebai helbulon mawr wrth i brisiau bwyd godi. Pan ddaeth cytundeb cyflogau 1910 i ben yn 1915, yr oedd y glowyr yn gytûn bod angen trefn gyflogau newydd a fyddai'n sicrhau taliadau teg iddynt trwy gydol y Rhyfel ac wedi hynny. Cynhaliwyd trafodaethau rhwng pwyllgor gwaith Ffederasiwn Glowyr De Cymru a swyddogion y Bwrdd Masnach ar ran y llywodraeth, ond mewn cynhadledd o ddirprwywyr y glowyr ar 12 Gorffennaf gwrthodwyd y fargen a drawyd rhwng y ddwy ochr gan fwyafrif llethol, a thridiau'n ddiweddarach fe ddechreuodd y streic.

Gresynodd y wasg deyrngarol at y glowyr. Soniodd y *Standard* am 'Gynghreiriaid yr Almaen yng Nghymru', ac i'r *Daily Express* 'Gwarchodlu Du'r Kaiser' oedd y glowyr. Awgrymodd y *Manchester Guardian* roi'r maes glo dan warchae nes bod y glowyr yn ildio trwy newyn, ac yn ôl arweinydd y Torïaid, Bonar Law, gwell fyddai saethu cant o lowyr i roi terfyn ar eu streic na cholli'r Rhyfel trwy adael i'r streic barhau.

Ar 14 Gorffennaf, yr oedd y llywodraeth wedi ceisio atal y streic cyn iddi ddechrau trwy ddatgan y codid dirwy o bum punt y dydd ar bob glöwr a streiciai, ond ni wnaeth hynny ond cadarnhau eu penderfyniad.

Yn y diwedd, bu'n rhaid i Lloyd George a dau aelod blaenllaw arall o'r llywodraeth, Walter Runciman ac Arthur Henderson, ddod i Gaerdydd i ddatrys yr anghydfod, ac ar 20 Gorffennaf cyfarfu cynrychiolwyr y glowyr â'r perchenogion yng Ngwesty'r Parc yn y ddinas yng ngŵydd y tri. Ildiwyd y rhan fwyaf o'r pethau yr hawliai'r glowyr, gan gynnwys cyflog safonol o dri swllt tair ceiniog y dydd i weithwyr dan ddaear. Gwyddai pawb fod ar y deyrnas angen y glowyr, ac felly bargeinient o safle nerthol.

31 Ionawr

Ymosododd naw o longau awyr yr Almaen ar Ganolbarth Lloegr.

12 Mai

Yn Nulyn, saethwyd yn farw James Connolly, yr olaf i gael ei ddienyddio o'r saith dyn a lofnododd gyhoeddiad Gweriniaeth Iwerddon yn ystod Gwrthryfel y Pasg.

21 Mai

Ym Mhrydain, trowyd y clociau ymlaen am y tro cyntaf pan ddechreuodd Amser Haf Prydeing, dan yr enw "Arbed Golau Dydd."

31 Mai

Suddwyd deg o longau yn y frwydr forwrol rhwng llyngesau Prydain a'r Almaen ym môr Jutland, oddi ar arfordir Denmarc.

6 Mehefin

Bu farw'r Arglwydd Kitchener, Pencadfridog Lluoedd Arfog Prydain, pan drawodd y llong yr oedd yn teithio arni ffrwydryn môr ger Ynysoedd Orkney.

1 Gorffennaf

Bu farw ugain mil o filwyr o Brydain ar ddiwrnod cyntaf Brwydr y Somme

15 Medi

Defnyddiwyd tanciau am y tro cyntaf, mewn ymosodiad gan Brydain ym Mrwydr y Somme.

30 Rhagfyr

Yn Petrograd, Rwsia, llofruddiwyd y mynach Rasputin a fu'n ddylanwad drwg ar deulu'r Tsar Nicolas II.

O Lanystumdwy i Downing Street

Y Prif Weinidog newydd, David Lloyd George, gyda'i gabinet.

Ar 7 Rhagfyr, ar ôl wythnos gyffrous o drafod a chynllwynio, daeth David Lloyd George yn Brifweinidog, y Cymro cyntaf i ddal y swydd.

Ystyrid ei ragflaenydd, Herbert Asquith, yn arweinydd aneffeithiol, a dangosodd cyflafan y Somme ym mis Gorffennaf, pan gollodd y Cadfridog Haig drigain mil o ddynion mewn un diwrnod, fod mawr angen am well trefn. Erbyn 20 Ebrill, trwy fygwth ymddiswyddo, yr oedd Lloyd George wedi gwthio Asquith i dderbyn consgripsiwn milwrol i ddynion rhwng 18 a 45 oed, gan gynnwys gwŷr priod, ac erbyn mis Tachwedd yr oedd yn argyhoeddedig fod Pwyllgor Rhyfel y Llywodraeth yn fethiant, yn gyntaf am fod Asquith yn gwamalu'n gyson, ac yn ail am nad oedd gan y Pwyllgor ddigon o rym i weithredu'n ddi-rwystr. Roedd am sefydlu Cyngor Rhyfel o dri dyn, heb Asquith.

Ar 5 Rhagfyr ymddiswyddodd Asquith oherwydd cynllun Lloyd George ac arweinydd y Toriaid Andrew Bonar Law, i greu Pwyllgor Rhyfel i gymryd at rai o gyfrifoldebau'r Llywodraeth. Daeth Lloyd George yn Brif Weinidog ac yn arweinydd criw cymysg o Doriaid, Llafurwyr a chant o Ryddfrydwyr.

Er mor uchelgeisiol ydoedd, nid ymddengys ei fod yn hollol fodlon ar ei safle newydd. Mewn llythyr at ei frawd William diwrnod cyn ei benodi, meddai, "Anfodlonais i fynd yn Brif Weinidog", er bod Bonar Law yn pwyso arno i gymryd y swydd. A'r un noson wedi iddo ei derbyn, clywodd ei ysgrifennydd Syr Maurice Hankey'r Prif Weinidog newydd yn dweud wrtho'i hun, *"I wonder if I can do it. I wonder if I can do it."* Cofnododd Hankey, "Dywedodd wrthyf ei fod bellach yn Brif Weinidog er na faliai lawer am hynny".

Cyrhaeddodd Lloyd George y brig gyda chymorth nifer o Gymry dylanwadol, fel David Davies, Llandinam, sir Drefaldwyn, a bwysodd ar Ryddfrydwyr y meinciau cefn i gefnogi'r gŵr o Lanystumdwy. Bu Thomas Jones yntau, a ddaeth yn ddirprwy-ysgrifennydd i'r Cabinet, yn hybu achos

(Drosodd)

Cymro'n Brif-Weinidog

(o'r tudalen cynt)
Lloyd George ymhlith arweinwyr llafur. Ymhlith eraill yr oedd y gŵr busnes Joseph Davies o Gasnewydd, a Syr John T. Davies a fu'n Brif Ysgrifennydd Personol i'r Prif Weinidog.

Creodd Lloyd George chwyldro yn nulliau llywodraeth Prydain, trwy ddyrchafu statws y Prif Weinidog i rywbeth nes at fod yn arlywydd. Gan nad oedd ganddo blaid y tu ôl iddo, dibynnai ei lywodraeth i gryn raddau ar ei ddylanwad personol. Sefydlodd Gabinet Rhyfel o bump , gan gynnwys ef ei hun a Bonar Law, i reoli'r Rhyfel, ac o hwn tyfodd y "Pwyllgor X" o dri dyn yn Chwefror 1918. Sylw Arthur Henderson oedd, "L.G. oedd y Cabinet Rhyfel ac nid oedd neb arall yn cyfrif." Sefydlwyd hefyd lu o bwyllgorau i gyflawni tasgau gweinyddol, ond gyda'r Prif Weinidog yr arhosai'r grym gwleidyddol.

Yn ôl ei arfer, byddai Lloyd George yn mynd i'r gwely'n gynnar a chodi'n gynnar, ac weithiau'n mynnu cynnal ei drafodaethau polisi wrth ei fwrdd brecwast, er mawr ang-hysur i ambell aelod o'i gabinet na chodai mor gynnar ag ef. Yn 10 Stryd Downing cre-wyd cartref Cymraeg ei iaith a Chymreig ei naws, ond yr oedd ganddo hefyd ei ail gar-tref yn fflat Frances Stevenson, y wraig y bu Lloyd George yn cynnal carwriaeth â hi wedi iddi ddod yn gynorthwy-ydd personol iddo.

Dôi Lloyd George i wrthdrawiad cyson ag arweinwyr milwrol y wlad. Llwyddodd i gael gwared at y Llyngesydd Jellicoe, ond bu'n rhaid iddo oddef y Cadfridog Haig, hyd yn oed ar ôl iddo golli hanner miliwn o filwyr mewn tair wythnos yn Passchendaele yn Awst 1917.   *[LLIW 15]*

'Prifysgol Sinn Fein' ger Y Bala

Agorwyd gwersyll carchar Fron-goch ger Y Bala ar 9 Mehefin i dderbyn carcharorion Gwyddelig a gymerodd ran yng Ngwrthryfel y Pasg yn Nulyn, ac i gymryd lle'r carchar-orion rhyfel Almaenig a fu yno o'u blaen. Ar un adeg roedd 1,800 o Almaenwyr yno, a phan gyrhaeddodd y Gwyddelod roedd "enwau Almaeneg ym mhob man" yn ôl un ohonynt mewn llythyr at ei fam. Roedd ambell Almaenwr yn dal yno, yn derbyn triniaeth feddygol, a daethant yn fuan yn gyfeillgar â'r Gwyddelod, a chyfnewidiwyd newyddion am y Rhyfel a gwybodaeth fewnol am y gwersyll. Carcharwyd dros 1,700 o Wyddelod yno, gan gynnwys yr enwog Michael Collins, a ddaeth wedyn yn Gyfarwyddwr Cudd-ymchwil yr *I.R.A.* a Phen-cadfridog cyntaf byddin Gwladwriaeth Rydd Iwerddon.

O fewn y gwersyll, ceisiodd y Gwyddelod eu trefnu eu hunain ar gyfer y dyfodol, a phenodwyd 54 ohonynt i ffurfio'r Cyngor Cyffredinol neu Lywodraeth Sifil Gweriniaeth Iwerddon yn Fron-goch. Didsodlwyd y Cyngor hwn gan ddulliau mwy milwrol aelodau'r *I.R.A.* a roddodd drefn ar y carcharorion a gweinyddu disgyblaeth yn eu plith. Smyglwyd llawlyfrau milwrol i mewn i'r gwersyll, a chynhelid gwersi mewn tactegau a sgiliau ymladd, er mwyn creu cnewyllyn caled o filwyr disgybledig. Yn ôl Tim Healy, aelod o Dŷ'r Cyffredin o Iwer-ddon, Fron-goch oedd "Prifysgol Sinn Fein."

At hyn cynhelid gwersi mewn sawl pwnc academaidd yn ogystal. Penderfynodd Michael Collins ei fod am ddysgu rhywfaint o Gymraeg, a pherswadiodd fachgen lleol, Robert J. Roberts, cynorthwywr yn ffreutur y gwersyll, i gael geiriaduron, pamffledi syml a chardiau o'r wyddor iddo. Talodd Collins

Carcharorion Almaenig yng ngwersyll Fron-goch.

am y cwbl, a chafodd Roberts ddiolch hefyd gan fam y Gwyddel, a ddanfonodd bin tei ar siâp meillion iddo.

Ar 29 Gorffennaf, rhyddhawyd y rhan fwyaf o'r dynion, 1,136 i gyd, gan adael 600 o'r rhai a ystyrid fwyaf peryglus ar ôl. Rhwng 22 Rhagfyr a dydd Nadolig, rhyddhawyd gweddill carcharorion Fron-goch i ddych-welyd i Iwerddon.

Y Gymru Gatholig

Roedd penodi Archesgob Pabyddol cyntaf Caerdydd ar 8 Chwefror – James Bilsborrow, brodor o Fylde, sir Gaerhirfryn – yn gam pellach yn ymdrechion Eglwys Rufain i adennill ei safle yng Nghymru. Yr oedd esgobaeth Mynyw eisoes wedi ei chreu yn 1895 gan gydnabod statws Cymru fel uned eglwysig.

Yn 1900, trefnwyd i genhadon Pabyddol ddod draw o Lydaw i efengylu yng Nghymru, a rhoddwyd hwy ar waith i ddysgu'r iaith Gymraeg. Yn 1904 sefydlwyd y coleg Catholig yn Nhreffynnon lle y gallai offeiriaid ddysgu'r Gymraeg.

Y Cymry yn y Somme

isod: Milwyr Prydeinig ac Almaenig yn cynorthwyo'i gilydd yn ystod Brwydr y Somme.

Lladd ac anafu 4,000 o'r 38ain Adran o'r Fyddin Gymreig, a mil o'r Ffiwsilwyr Brenhinol Cymreig – dyna oedd y canlyniad wedi i'r Fyddin Gymreig, o dan y Cadfridog Syr Ivor Philipps o Gastell Picton, sir Benfro, wasanaethu ar y ffrynt am y tro cyntaf, wrth iddynt gymryd rhan yn mrwydr y Somme a llwyddo i gipio Coedwig Mametz erbyn 12 Gorffennaf. Roedd yn amlwg bod cynllun yr uwch-swyddogion o ddanfon milwyr traed ymlaen mewn rhesi wedi mynd o chwith pan gyrhaeddodd y milwyr dibrofiad yn erbyn ddrysni coedwig drwchus Mametz.

Gorchymyn arbennig gan y Cadfridog Haig oedd yr un i gipio'r goedwig. Roedd y 38ain i symud ar draws tir agored o Goedwig y Lindys a Choedwig Marlborough o'r dwyrain tua Choedwig Mametz. Yn ôl y Brigadydd Horatio Evans, tacteg wallgof oedd hon, yn sicr o roi ei filwyr mewn perygl mawr. Cofnododd y Capten Wyn Griffith yn ei lyfr *Up to Mametz* (1931) fod Evans yn melltithio'i orchmynion, ac yr oedd yn llygad ei le, fel y profwyd pan ymosodwyd ar 7 Gorffennaf. Tua thri chan llath o'r goedwig yr oedd y

Cymry ar chwâl, ac yn ymguddio ble bynnag y gallent. Daeth yr ail ymosodiad ar 10 Gorffennaf. Cyrhaeddwyd y goedwig, ond yno rhwystrwyd y milwyr gan y coed, ac anafwyd sawl un gan y darnau pren pan laniai sieliau'r Almaenwyr. Disgrifiodd Wyn Griffith fel y bu'n cyrcydu mewn twll yn y ddaear gan siarad Cymraeg yn y tywyllwch â chriw o hogiau Môn wrth iddynt i gyd lochesu rhag y sieliau.

Erbyn 12 Gorffennaf yr oedd y Cymry wedi meddiannu'r goedwig.

Trasiedi Blaenrhysglog

dde: I'r ddalfa!

Tra oedd miloedd o Gymry yn ymladd gyda'r lluoedd yn y Rhyfel Mawr, i un dyn ifanc o Gymru yr oedd yr ymladd yn realiti nes adref. Roedd David Davies o fferm Blaenrhysglog ger Pumsaint yn credu o ddifrif fod y brwydro'n digwydd o'i gwmpas yng nghefn gwlad sir Gaerfyrddin.

Bu'n ymddwyn yn rhyfedd ers tro, gan honni ei fod yn clywed lleisiau yn ei ben, a byddai i'w weld yn rhedeg dros y bryniau mewn dillad gwyn. Ei rybuddio a wnâi'r lleisiau fod gelynion ym mhob man, yn

enwedig Almaenwyr. Ym mis Gorffennaf pan drawyd ei dad, Thomas Davies, yn sâl bu'n rhaid galw am y meddyg, a phan gyrhaeddodd Dr. Rowland o Lanbedr Pont Steffan ar 11 Gorffennaf, cafodd David

Davies â gwn yn ei law yn gwarchod y ffermdy fel milwr. Ffodd ar frys wedi i Davies geisio ei saethu. Ni lwyddodd yr ail ymwelydd, Dr. Glyn Jones o Lansawel, i ddianc ar ôl cael ei alw i Flaenrhysglog ar 18 Gorffennaf. Cafwyd hyd i'w gorff wedi'i daflu i'r ydlan, ag olion ymosodiad ffyrnig arno. Yn y ffermdy, cafwyd Thomas Davies yn ei wely wedi marw o'i salwch. Roedd David Davies wedi diflannu.

Fore trannoeth, bore Sul, cychwynnodd yr heddlu gyda chŵn a chyda chymorth nifer o ffermwyr lleol i chwilio amdano. Daliwyd ef yn y diwedd ar 24 Gorffennaf, diwrnod angladd ei dad a Dr. Glyn Jones.

Yn y prawf yng Nghaerfyrddin ar 1 Tachwedd, cafwyd David Davies yn "euog ond gwallgof." Fe'i danfonwyd i Ysbyty Diogel Broadmoor, lle y bu am bron hanner can mlynedd cyn ei ryddhau.

Yr Ysbryd â'r Morthwyl yn ei law

Yn Llundain ar 14 Chwefror cipiodd Jimmy Wilde o Fynwent y Crynwyr, Tylorstown, bencampwriaeth pwysau pryf y byd trwy guro pencampwr Prydain, Joe Symonds.

Gwrthodwyd cydnabod ei deitl byd yn America tan 18 Rhagfyr, pan drechodd Wilde bencampwr America, Zulu Kid, mewn un rownd ar ddeg yn Llundain. Daliodd Wilde y teitl tan 18 Mehefin 1923, y cyfnod hwyaf erioed i bencampwr byd yn y dosbarth pwysau hwn. Collodd ei goron i Pancho Villa o'r Philipinos yn Efrog Newydd, pan loriwyd ef yn y seithfed rownd. Yr oedd Wilde yn 31 oed ar y pryd a heb focsio ers dwy flynedd.

Dyn esgyrnog, bychan o gorff, oedd Wilde, yn pwyso tua saith ston, a byddai'n aml gryn dipyn yn ysgafnach na'i wrthwynebwyr. Yn ôl un chwedl, buwyd bron â chanslo ei ornest gyntaf yn Llundain pan welodd y trefnwr mor denau oedd y Cymro, ond aeth ymlaen i ennill mewn llai na munud. Bu'n ymladd mewn ffeiriau, dros wyth cant ohonynt, ac er mai bach iawn oedd y tâl, yr oedd yn llawer mwy nag a enillai glowr ar y pryd. Mewn tua chant o gystadlaethau proffesiynol, ni chollodd ond

Jimmy Wilde, pencampwr y byd.

pedair gwaith. Disgrifiwyd ef gan ei gyf-oeswr Pedlar Palmer fel *"a ghost with a hammer in his hand"* am ei fod yn ymddangos mor fregus ond yn taro mor galed.

Gwladoli glo

Ar 29 Tachwedd, cymerodd y llywodraeth ganolog reolaeth dros y diwydiant glo yng Nghymru. Yr oedd hyn yn rhan o raglen "sosialaeth ryfel" Lloyd George, ac yn

Chwefror 1917, cymerwyd rheolaeth dros byllau gwledydd Prydain i gyd. Gwladoli dros dro oedd hwn, ar gyfer cyfnod y Rhyfel yn unig, ond cododd gwestiynau mawr ynglŷn â sut y dylid rheoli'r diwydiant glo yn y tymor hir.

Yr oedd Ffederasiwn Glowyr De Cymru wedi galw am yr hawl i archwilio llyfrau cyfrifon y cwmniau glo, cais a wrthododd y meistri glo. Ymdrech y llywodraeth i osgoi gwrthdrawiad oedd y gwladoli dros dro.

Y Deyrnas

Y cylchgrawn heddychol *Y Deyrnas*, yn ôl W.J.Gruffydd, oedd "un o'r achosion cryfaf na chollodd Cymru ei henaid ... yn nydd y gwallgofrwydd mawr". Dechreuwyd ei gyhoeddi ym mis Hydref o dan olygyddiaeth Thomas Rees, Prifathro Coleg Bala-Bangor, gŵr a gondemiodd ryfelgarwch ei gyd-Gymry yn *Y Tyst* yn 1914. "Rhyfel", meddai yn rhifyn cynta'r *Deyrnas*, " yw'r ffurf amlycaf yn awr ar elyniaeth y byd at Deyrnas Dduw". Daeth y cylchgrawn yn llwyfan i Gymdeithas y Cymod, ac wedi cynhadledd heddwch yn Llandrindod ym Medi 1917, cyhoeddwyd llythyr agored gan y golygydd a'i gynorthwy-ydd, Dr Wyre Lewis, at y Prif Weinidog, Lloyd George. Cyhoeddwyd erthyglau ynddo gan George M.Ll. Davies, a dreuliodd ran fawr o'r Rhyfel yn y carchar, ac yr oedd y modd y trinnid gwrthwynebwyr cydwybodol fel ef yn un rheswm pam y cynyddodd y gefn-ogaeth i'r *Deyrnas* wrth i'r Rhyfel fynd rhagddo. Serch hynny, dechreuodd golli arian a daeth i ben yn 1919.

Morgan Jones

Athro ysgol a mab i lowr o'r Bargoed oedd Morgan Jones, un o sylfaenwyr y *No-Conscription Fellowship*. Yn 1916 restiwyd ef am wrthod ymuno â'r fyddin. Yn wahanol i lawer o heddychwyr Cymru, ar egwyddorion sosialaidd, nid crefyddol, y seiliodd ei wrth-wynebiad, gan wrthod codi arfau'n erbyn ei gyd-weithwyr yn yr Almaen. Yn 1921, ef oedd y cyntaf a garcharwyd fel gwrth-wynebydd cydwybodol i gael ei ethol i'r Senedd, pan enillodd sedd Caerffili i Lafur mewn is-etholiad. Daliodd y sedd hyd ei farw yn 1939.

Cymraeg yn y Tŷ Gwyn?

Cymro Cymraeg yn y Tŷ Gwyn? Bu hynny bron â digwydd ym mis Tachwedd pan ddaeth Charles Evans Hughes o Efrog Newydd yn agos i gipio'r Arlywyddiaeth yn enw'r Blaid Weriniaethol. Credai nifer o olygyddion papurau newydd erbyn hwyr y dydd ar y 7fed mai Hughes a enillodd, ac ymddangosodd sawl papur yn dwyn penawdau megis "yr Arlywydd Etholedig – Charles Evans Hughes". Ond cyn y bore deallwyd fod Woodrow Wilson wedi cipio digon o daleithiau'r

Charles Evans Hughes.

gorllewin i ennill yr ornest. Yn ôl un hanes, ni ddanfonodd Hughes delegram i longyfarch Wilson tan 22 Tachwedd. *"It was a little moth-eaten when it got here,"* meddai Wilson, *"but quite legible."*

'Rwyf innau'n filwr bychan'

Pedair ar ddeg oed oedd Alfred Wookey o Dreganna, Caerdydd, ym mis Ionawr, ond yr oedd eisoes wedi treulio pedwar mis yn filwr yn Ffrainc.

Ymrestrodd yn Awst 1915 gan ddweud wrth y swyddogion ei fod yn 19 mlwydd oed, ac anfonwyd ef i'r Alban am dri mis, ac oddi yno i Ffrainc fel aelod o'r 10fed Bataliwn Ucheldirwyr Seafort. Y cyntaf a wyddai ei rieni am ei benderfyniad oedd pan gawsant bapur-au swyddogol gan y fyddin yn cadarn-hau ei ymrestriad. Wedi hysbysu'r awdurdodau am ei wir oedran saith mis yn ddiweddarach – nid yw'n glir pam na wnaed hynny'n gynt – gyrrwyd Alfred adref at ei rieni.

Y milwr ifanc.

10 Ionawr

Bu farw Buffalo Bill Cody, sylfaenydd 'Sioe'r Gorllewin Gwyllt'.

16 Mawrth

Yn Rwsia, ymddiswyddodd y Tsar Nicolas II.

6 Ebrill

Ymunodd Unol Daleithiau America â'r rhyfel yn erbyn yr Almaen.

16 Ebrill

Dychwelodd arweinydd y Bolsieficiaid, Vladimir Lenin, i groeso mawr yn Rwsia.

26 Medi

Bu farw'r arlunydd Edgar Degas yn 83 oed.

15 Hydref

Dienyddiwyd y ddawnswraig Mata Hari am ysbïo ar ran yr Almaen.

7 Tachwedd

Disodlwyd llywodraeth dros dro Rwsia gan y Bolsieficiaid.

8 Tachwedd

Datganodd Prydain gefnogaeth i greu mamwlad i'r Iddewon ym Mhalesteina.

10 Tachwedd

Daeth y frwydr waedlyd ger pentref Passchendaele, Gwlad Belg, i ben.

9 Rhagfyr

Cipiodd milwyr Prydain ddinas Jerwsalem.

10 Rhagfyr

Enillodd Pwyllgor Rhyngwladol y Groes Goch Wobr Heddwch Nobel.

1917

'Y bardd trwm dan bridd tramor'

Yn Eisteddfod Genedlaethol Penbedw ar 6 Medi, Ellis Humphrey Evans, (Hedd Wyn) o Drawsfynydd, a fu'n fuddugol yng nghystadleuaeth y Gadair, am ei awdl *Yr Arwr*. Gorchuddiwyd y Gadair â lliain du pan gyhoeddwyd bod y bardd buddugol wedi'i ladd yn Ffrainc ar 31 Gorffennaf wrth ymladd gyda 15fed Bataliwn y Ffiwsilwyr Brenhinol Cymreig ym Mrwydr Cefn Pilkem. Roedd yn un o filoedd o filwyr o Brydain a laddwyd ar ddiwrnod cyntaf y frwydr, ond daeth ei farwolaeth yn ddeg ar hugain oed yn symbol arbennig o aberth ieunctid y genedl yn y Rhyfel Mawr.

Mab fferm yr Ysgwrn, ar y ffordd o Drawsfynydd i Gwm Prysor oedd Hedd Wyn, ond o'i ddyddiau cynnar barddoniaeth oedd ei fyd. Cystadleuodd lawer. Enillodd ei gadair eisteddfodol leol gyntaf yn ddeunaw oed, a blwyddyn cyn iddo ennill ym Mhenbedw daethai'n ail yn Eisteddfod Genedlaethol Aberystwyth gyda'i awdl *Ystrad Fflur*.

Llun Kelt Edwards yn mynegi galar cenedl.

Roedd iddo hefyd enw yn ei fro am fercheta, er bod llawer o'r straeon am ei garwriaethau'n gwbl ddi-sail. Y fwyaf arbennig o blith ei gariadon oedd Jini Owen o Bant Llwyd, Llan Ffestiniog. Yn ôl un chwedl, byddai Hedd Wyn weithiau'n treulio oriau gyda hi heb ddweud gair, am ei fod yn myfyrio ar gerdd, ond ar ôl cyrraedd adref, teimlai'n euog, a cherddai'r holl ffordd yn ôl i Ffestiniog i ymddiheuro.

Ar 7 Mai 1916 daeth y Mesur Gorfodaeth Filwrol i rym, ac er i Hedd Wyn geisio dangos bod ar ei dad ei angen ar y fferm, yn y diwedd penderfynwyd y byddai'n rhaid naill ai iddo ef neu ei frawd iau Bob fynd, a dewisodd ymrestru ei hun.

Casglwyd ei weithiau barddonol ynghyd ar ôl ei farw, a'u cyhoeddi yn 1918 o dan y teitl *Cerddi'r Bugail*. Fel bugail hefyd y dewiswyd ei bortreadu yn y cerflun pres ohono a ddadorchuddiwyd yn

(Drosodd)

'Y bardd trwm dan bridd tramor'

(o'r tudalen cynt)
Nhrawsfynydd ar 11 Awst 1923, er bod ei gymdogion yn gytûn ei fod yn well bardd na

hwsmon – 'Doedd Ellis ddim yn 'nabod 'i ddefed 'i hun,' meddai Elin Jones, un o'i gyngariadon, amdano.

Milwr Prydeinig yn cynnig sigarét i Almaenwr clwyfedig yn ystod brwydr Cefn Pilkem. Tynnwyd y llun ar 31 Gorffennaf, y diwrnod y bu farw Hedd Wyn.

Y glowyr yn erbyn y rhyfel

Yn ystod y flwyddyn, cafwyd rhai o'r arwyddion cyntaf nad oedd gweithwyr Cymru mor ddisigl o blaid y Rhyfel â chynt.

Ar 3 Awst, penderfynodd cynhadledd Ffederasiwn Glowyr De Cymru y dylid cynnal trafodaeth â'r mudiad llafur yng ngweddill Prydain ac yna â'r mudiad llafur yn yr Almaen, gyda golwg ar greu barn ddosbarth gweithiol unedig yn Ewrop ar y Rhyfel. Ac ar 8 Hydref, cynhaliwyd cynhadledd yn y maes glo lle y penderfynwyd rhoi'r gorau i gynorthwyo'r ymgyrch recriwtio yn yr ardal.

Penderfynodd rhai glowyr ei bod yn well ganddynt fynd i ymladd yn Iwerddon yn erbyn lluoedd Prydain nag ymladd gyda hwy ar y cyfandir. Un o'r rhain oedd Tom Gale o Abertyleri, a aeth i'r Ynys Werdd i ymuno â Byddin Dinasyddion James Connolly. Aeth Arthur Horner o Ferthyr Tudful hefyd, gan wynebu llys milwrol a dwy flynedd a hanner yn y carchar pan ddychwelodd i Gymru.

Carchororion cydwybod

Ym mis Mai dechreuodd y bardd ifanc Gwenallt (David James Jones) o'r Allt-wen, Cwm Tawe, gyfnod o ddwy flynedd yng ngharchardai Wormwood Scrubs a Dartmoor am iddo wrthod cyflawni gwasanaeth milwrol.

Ar ôl cyfnod yn ceisio osgoi swyddogion y llywodraeth trwy aros gyda gwahanol berthnasau, bu'n rhaid iddo ymddangos o flaen tribiwnlys milwrol ym mis Mawrth i esbonio pam nad oedd am fynd i'r fyddin. Seiliodd ei dystiolaeth i'r tribiwnlys ar y gorchmynion Beiblaidd i beidio â lladd ac i garu gelynion, gan beri i un swyddog ddweud wrtho, 'Dylech chi fod yn y nefoedd, nid ar y ddaear.'

Y profiadau chwerw a gafodd Gwenallt yn y ddau garchar hyn oedd sail ei nofel *Plasau'r Brenin*, a gyhoeddwyd yn 1934. Yn honno darluniodd gaplan carchar creulon, sy'n ymgorfforiad o'r modd yr ymrôdd llawer o weinidogion yr efengyl i weithio dros y Rhyfel. 'Arglwydd Hollalluog y Saeson a Jehofa'r Ymerodraeth Brydeinig' oedd duw'r

fath bobl, yn ôl Gwenallt.

Roedd Lloyd George wedi addo mai 'llwybr caled iawn' a gâi'r absoliwtiaid a ymwrthodai â phob math o waith rhyfel, a dyna gafodd llawer un ohonynt. Yn Chwefror 1918, ysgrifennodd y Cymro G.J. Jones o garchar Dartmoor at olygydd *Y Genedl Gymreig*, yn y gobaith y gallai ddwyn i sylw'r cyhoedd Cymraeg amodau byw'r gwrthwynebwyr cydwybodol. Soniodd am farwolaeth gynamserol yr heddychwr H.M. Firth, a orfodwyd i weithio mewn chwarel, er bod ei gyfnod yn y carchar eisoes wedi torri ei iechyd.

Treuliodd Ithel Davies, o ardal Mallwyd, dair blynedd mewn gwahanol garchardai, gan gynnwys chwe mis yng ngharchar yr Wyddgrug, lle torrodd swyddog ei drwyn ac ymosod arno â chaib pan wrthododd ymgymryd â gwaith cloddio.

chwith:
Gwenallt, y gwrthodwr cydwybodol (ar y chwith) a'i gyfaill Tom Ellis, Pontardawe.

Dianc o Dwrci

Cyflawnodd Elias Henry Jones o Aberystwyth un o'r diangfeydd mwyaf beiddgar y Rhyfel Byd Cyntaf, pan dwyllodd ei ffordd allan o wersyll-carchar Yozgad yn Nhwrci.

Aelodau o'r garsiwn Brydeinig yn Kut-el-Amara oedd Jones a'r Is-gapten C.W. Hill o Awstralia, pan ildiodd y dref i'r Twrciaid. Bu'n rhaid i'r garsiwn gerdded pum can milltir i'r carchar yn Yozgad drwy diroedd mynyddog yn llawn lladron llofruddiog.

Yn Yozgad y dyfeisiodd y ddau eu cynllun mawr i ddianc. Llwyddodd Jones a Hill i berswadio eu cyd-garcharorion a'r Twrciaid eu bod yn medru cyfathrebu â byd yr ysbrydion trwy gyfrwng bwrdd *ouija*. Byddai cyfryngwr ysbrydol o'r enw 'The Spook' yn rhoi negeseuon iddynt trwy'r bwrdd mewn sesiynau *séance*. Ar un achlysur, fe ddychrynodd Jones un o'r swyddogion Twrcaidd trwy godi ei freichiau a chanu'r hen bennill *Tra bo dŵr y môr yn hallt*, gan smalio mai'r *Incantation of the Head-Hunting Waas* ydoedd. Cystal oedd eu dawn fel twyllwyr fel y darbwyllwyd prif swyddog y gwersyll y gallent ganfod trysorau cuddiedig iddo.

Yn y diwedd, penderfynodd y ddau ffugio gwallgofrwydd, gan obeithio cael eu hanfon adref, ac i'r perwyl hwn ysgrifenasant lythyr at Swltan Twrci yn honni bod y carcharorion eraill yn ceisio eu gwenwyno. Bu bron iddynt fynd yn rhy bell wrth esgus eu crogi'u hunain fel prawf pellach o'u gwallgofrwydd. Dywedodd Jones wrth y Twrciaid a dorrodd eu rhaffau a'u hachub rhag tagu eu bod am eu crogi eu hunain i ddianc rhag yr ugain o garcharorion Seisnig a oedd ar eu hôl ac am eu lladd. Cawsant eu symud i'r ysbyty i Gaergystennin fel gwallgofwyr, a'u trosglwyddo i borthladd Smyrna i'w dychwelyd i Brydain.

Er gwaethaf ei yrfa nodedig fel milwr yn y Rhyfel Mawr, cymerai Elias Jones ddiddordeb mawr yn y mudiad dros heddwch yn y '20au, ac o 1927 hyd 1933, bu'n olygydd y cylchgrawn *The Welsh Outlook*. Adroddodd hanes y dianc o Dwrci yn ei lyfr poblogaidd, *The Road to En-dor*, a gyhoeddwyd yn 1920.

Machlud *Y Wawr*

Prin bedair blynedd fer oedd hoedl cylchgrawn bywiog myfyrwyr Cymraeg Coleg Aberystwyth, *Y Wawr*.

Ymddangosodd y rhifyn cyntaf yng ngaeaf 1913, ac ymhlith y cyfranwyr yn ystod ei fodolaeth fer yr oedd y beirdd T Gwynn Jones a T.H. Parry-Williams, a'r ysgolhaig ifanc Griffith John Williams.

Gwaharddwyd y cylchgrawn yn 1917 gan bwysau o du awdurdodau'r Coleg, ar ôl cyhoeddi erthygl gan D.J. Williams yn beirniadu'r Rhyfel yn rhifyn Haf 1916, ac un arall yn rhifyn Gaeaf 1917 gan Ambrose Bebb yn lladd ar awdurdodau'r Coleg am eu diffyg Cymreictod. Gorchmynnwyd i bwyllgor y cylchgrawn ddiswyddo Bebb fel golygydd, ond dewisodd y swyddogion ymddiswyddo i gyd a dod â'r cylchgrawn i ben.

Rotariaid Cymru

Yn Llanelli a Chaerdydd, sefydlwyd y canghennau cyntaf yng Nghymru o'r Rotari Rhyngwladol, y gymdeithas ddyngarol i broffesynolion a phobl fusnes a ddechreuwyd gan yr Americanwr Paul Harris yn 1905.

Yn Llanelli ar 28 Medi, roedd y maer, D. James Davies, yn y gadair pan ymgynullodd nifer o wŷr busnes lleol a phenderfynu ffurfio Clwb Rotari ac ymuno â'r Gymdeithas Brydeinig o Glybiau Rotari. Ymfalchïodd gohebydd y *South Wales Press* fod y clwb yn amlygu bod Llanelli, er ei bod yn dref fach, yn 'ferw o brysurdeb', yn enwedig yn y diwydiannau dur ac alcam.

Tangnefeddwyr Llansawel

Dim ond ychydig bach o eglwysi a chapeli Cymru oedd yn barod i wrthwynebu'n gyhoeddus yr ymdrech ryfel, ond ymhlith y rhai a gododd lais yn erbyn yr ymladd yr oedd capel Jerwsalem, Llansawel gyda'r amlycaf.

Daeth gweithgareddau amrywiol Bedyddwyr Jerwsalem dros achos heddwch yn wrthrych sylw gohebwyr papurau lleol, a hefyd swyddogion y llywodraeth. Ar Sul cyntaf mis Mehefin, dywedodd y gweinidog, Rees Powell, wrth ei gynulleidfa fod cais arno i ddarllen 'Datganiad y Brenin' yn galw am gynildeb gan y bobl i gynorthwyo'r rhyfel. Gwrthododd, ac yn lle hynny taranodd yn erbyn gwastraff afradlon y bonedd a hyfdra'r awdurdodau yn gofyn i'r tlodion fod yn gynilgar.

Mewn oedfa arall cyhoeddodd Powell 'Broclamasiwn y Brenin', sef y Bregeth ar y Mynydd. Ym mis Awst, cynhaliwyd 'Sul Heddwch' yn Jerwsalem, ac o'r pulpud lladdodd y gweinidog ar y rhyfel a'i alw'n baganiaeth ronc. Dilynodd cyfres o gyfarfodydd heddwch, gydag areithiau gan heddychwyr mawr y dydd, a sefydlwyd 'Crwsâd Heddwch y Chwiorydd'.

Nid oedd pawb yn Llansawel yn gefnogol i safiad y capel a gwrthododd yr awdurdodau lleol roi'r Neuadd Gyhoeddus ar gyfer cyfarfodydd. Caed gwrthwynebiad hyd yn oed i'r heddychwyr hysbysebu eu cyrddau ar hysbysfyrddau swyddogol.

Arwr Penmaen-bach

dde:
Morris Williams,
arwr Penmaen-bach.

Dim ond meddwl cyflym ar ran pedwar o ddynion rheilffordd a ataliodd ddamwain yn nhwnnel Penmaen-bach ger Conwy a allai fod ymhlith y gwaethaf erioed yng Nghymru petai wedi digwydd.

Tua chanol nos ar 26 Ionawr roedd pedwar gosodwr platiau wrth eu gwaith yn y twnnel pan ddechreuodd rhan o'r to gwympo. Aeth dau ohonynt yn syth i rybuddio'r ddau drên a oedd ar ddod tua'r twnnel. Dringodd Morris Williams dros y pentwr o gerrig cwympedig a mynd tua thref Conwy, gan chwifio'i lamp fel arwydd i'r trên o Gaergybi, a oedd yn llawn milwyr ar eu gwyliau. Erbyn i'r gyrrwr weld y lamp a rhoi'r brêciau ar waith, yr oedd y trên yn bur agos i'r cwymp. Yn y cyfamser, roedd William Williams wedi cychwyn i'r cyfeiriad arall tua gorsaf Penmaen-mawr ac wedi atal trên nwyddau trwy chwifio ei lamp a gweiddi.

Canmolwyd Morris Williams gan y milwyr a achubwyd ganddo, a galwyd arno ef a'i dri chyd-weithiwr i Crewe i dderbyn diolchiadau cwmni rheilffyrdd y *London and North Western*. Cafodd Williams wobr o £5 am ei ddewrder, a rhoddwyd £3 yr un i'r lleill. Cafwyd gwybod yn ddiweddarach bod pistyll bach wedi rhewi o fewn y twnnel ac wedi hollti rhai o'r trawstiau, gan beri i 150 tunnell o gerrig a phridd gwympo ar y cledrau.

Tsar Rwsia yn anrhydeddu Cymro

Mae'n debyg mai aelod o'r Ffiwsilwyr Brenhinol Cymreig oedd y dyn olaf erioed i ennill Croes Aur Sant Siôr, Dosbarth Cyntaf, medal uchaf Ymerodraeth Rwsia am ddewrder milwrol. Derbyniodd y Corporal J. Davies ei fedal gan y Tsar Nicolas II ychydig cyn i hwnnw gael ei ddiorseddu a'i ddienyddio yn ystod Chwyldro Rwsia. Roedd Davies eisoes wedi ennill Croes Fictoria ym mis Gorffennaf 1916 wrth ymladd gyda'r Ffiwsilwyr yn Ffrainc.

Ffidlwr yn y ffosydd

Adolphus a Cornelius Wood gyda'u ffidlau o flychau siocledi.

Yn oerfel a baw ffosydd Gwlad Belg, bu farw'r ffidlwr sipsi crwydrol o ogledd Cymru, Adolphus Wood, wrth ymladd gyda byddin Prydain. Yn ôl y chwedl cafwyd hyd i'w gorff gyda'i reiffl wedi'i rewi wrth ei law.

Roedd Adolphus a'i frawd Cornelius yn enwog ar draws y gogledd am ganu eu hofferynnau cartref, gan gynnwys ffidlau wedi'u gwneud o hen focsys siocled.

Y Cymro llwfr?

Wynebu sgwad saethu'r fyddin yn Ffrainc ar ôl ei gael yn euog o lwfrdra oedd tynged y Cymro ifanc yr Is-lefftenant Edwin Dyett o'r Llynges Frenhinol ar 5 Ionawr. Roedd prif swyddog Dyett wedi cytuno y dylid trugarhau wrtho, ond mynnodd y Pen-cadfridog Syr Douglas Haig fod y Cymro'n marw.

Ymunodd Dyett â'r llynges am fod ei dad yn gapten llong, ond cafodd ei anfon gydag Adran y Llynges Frenhinol o'r fyddin i ymladd fel milwr yn y ffosydd. Bedair gwaith gofynnodd am gael ei symud i wasanaethu ar long, gan fynnu na fedrai ddioddef byw yn y ffosydd, ond bob tro fe wrthodwyd ei gais. Dywedwyd yn ei gwrt-marsial ei fod yn ddyn hollol anaddas i fod yn filwr. Ym mis Tachwedd 1916, collodd Dyett ei gymdeithion yn y niwl a dod ar draws uned arall. Cafodd orchymyn gan swyddog o'r un radd ag ef i ymuno â'r uned a mynd tua'r ffrynt. Yn lle hyn, dewisodd Dyett ddychwelyd i'r pencadlys am orchmynion newydd, ac anfonodd y swyddog neges yn dweud bod Dyett wedi anufuddhau i orchymyn.

Achos Dyett oedd un o'r rhai cyntaf i ennyn pryderon ym Mhrydain am ddulliau'r fyddin o ddelio â'r rhai a ystyrid yn llwfr, ond roedd nifer mawr o filwyr eisoes wedi'u dienyddio mewn amgylchiadau amheus ymhell cyn hyn. Dienyddiwyd 307 o filwyr yn ystod y Rhyfel Mawr, ac o leiaf 13 o Gymry yn eu plith. Credir bellach fod llawer o'r rhai a saethwyd yn dioddef problemau seicolegol difrifol ar y pryd oherwydd eu profiadau enbyd yn y ffosydd. Roedd yn rhaid i'r cyhuddiedig wynebu llysoedd milwrol heb dwrnai nac amser i baratoi amddiffyniad, a heb gyfle i apelio.

Ar ôl clywed am y penderfyniad i saethu ei fab, rhwygodd tad Dyett ei basbort Prydeinig ac ymfudodd i'r Unol Daleithiau.

Y ffliw farwol

Lladdwyd tua deng mil o Gymry yn ystod gaeaf 1918-1919 gan y ffliw a drawodd bron bob rhan o'r byd wrth i gyflafan y Rhyfel Mawr ddirwyn i ben.

Drwy'r byd i gyd bu farw mwy nag un miliwn ar hugain o bobl rhwng Hydref 1918 ac Ionawr 1919, a chredir bod mwy na hanner poblogaeth y byd, wedi eu heintio â'r feirws ffliw. Erbyn diwedd yr epidemig yr oedd y feirws a'r heintiau eraill a ddôi yn ei sgil, fel niwmonia, wedi achosi mwy o farwolaethau na'r Rhyfel ei hun.

Ar 21 Hydref 1918, adroddodd y *Western Mail* fod nifer o fusnesau bach yng Nghaerdydd ar gau gan fod cymaint o'u staff yn sâl, a bod rhai ysgolion yn ardal Trefynwy hefyd wedi cau eu drysau am fod athrawon a disgyblion fel ei gilydd yn dioddef gan y ffliw. Galwyd dynion o Adran Parciau Corfforaeth Caerdydd oddi wrth eu gwaith arferol i dorri beddau, gan nad oedd digon o weithwyr yn y mynwentydd i gwrdd â'r galw. Roedd prinder eirch yn ogystal gan gymaint y galw amdanynt, a llawer o seiri coed a fyddai'n eu gwneud wedi eu taro gan y ffliw eu hunain. Dywedodd un trefnydd angladdau ei fod yn derbyn archebion am un ar bymtheg o eirch ar gyfartaledd bob dydd yn ystod mis Hydref. Cyhoeddwyd cyfarwyddiadau manwl ynglŷn â sut i fynd i drin yr afiechyd a sut i'w osgoi, ond nid cyn diwedd mis Tachwedd y dechreuodd yr haint gilio rywfaint.

Dangosodd cofnodion swyddogol fod mwy o farwolaethau nag o enedigaethau wedi digwydd yng ngwledydd Prydain yn chwarter olaf 1918 am y tro cyntaf ers blynyddoedd lawer.

A SERIOUS ATTACK.
JOHN BULL: Are you asleep there? Help; I say—Help! Help! Help!

Anghenfil y ffliw yn drech na John Bull.

'Yr Etholiad Cwpon'

Dangoswyd yn glir yn yr Etholiad Cyffredinol ar 14 Rhagfyr cymaint y pellhaodd y Prif Weinidog, David Lloyd George, oddi wrth ei hen gyfeillion Rhyddfrydol, ac fel y nesaodd at y Ceidwadwyr.

Hwn oedd yr 'Etholiad Cwpon' a gynhaliwyd 34 diwrnod wedi diwedd y Rhyfel Mawr. Galwyd ef felly am fod Lloyd George ac Andrew Bonar Law, arweinydd y Ceidwadwyr, yn cymeradwyo rhestr o ymgeiswyr o wahanol bleidiau, a dywedid ar y pryd fod yr ymgeiswyr hyn wedi derbyn y 'Cwpon'. Yr oedd 339 o'r rhai a etholwyd yn Geidwadwyr a 136 yn Rhyddfrydwyr; dim ond 29 Rhyddfrydwr a lwyddodd i gael eu hethol heb gymeradwyaeth Lloyd George a Bonar Law. Yng Nghymru, etholwyd 25 o ymgeiswyr Lloyd George, a dim ond un Rhyddfrydwr 'di-gwpon'.

Yng Nghymru, fel yn Nhŷ'r Cyffredin yn gyffredinol, y Blaid Lafur oedd y brif wrthblaid, gyda deg o aelodau seneddol yng Nghymru, a chyfanswm o 59 yn y deyrnas i gyd. Canlyniad oedd hyn i raddau i Ddeddf Cynrychiolaeth y Bobl mis Mehefin, a chwyddodd nifer etholwyr Cymru o 430,00 i fwy na 1.7 miliwn. Rhoddwyd y bleidlais i filoedd o'r dosbarth gweithiol am y tro cyntaf, gan roi hwb mawr i'r Blaid Lafur. Dyma'r etholiad cyffredinol olaf pan welwyd ethol mwy o Ryddfrydwyr na Llafurwyr yng Nghymru.

THEN THEY RODE ON:
BUT NOT, NOT THE 1,345.

Achos dryswch mawr i sawl un oedd yr Etholiad Cwpon.

Hwn hefyd oedd yr etholiad cyntaf i ferched (y rhai dros ddeg ar hugain oed) bleidleisio ynddo. Rhoddwyd sedd i Brifysgol Cymru am y tro cyntaf, ac yn yr ymgiprys amdani fe safodd Millicent Mackenzie dros y Blaid Lafur, y wraig gyntaf i fod yn ymgeisydd Seneddol yng Nghymru. Methodd yn ei hymgais, a chipiwyd y sedd gan yr ymgeisydd 'Cwpon', Syr John Herbert Lewis.

Yn ystod yr ymgyrch etholiadol, ar 24 Tachwedd yn Wolverhampton, y traddododd Lloyd George ei araith enwog yn addo 'gwneud Prydain yn wlad deilwng i arwyr fyw ynddi,' geiriau a gâi eu troi yn ei erbyn yn nes ymlaen pan amlygwyd gwacter yr addewid.

Hunanladdiad milwr

Er gwaethaf y dwymyn ryfelgar a gydiodd yn y wlad o 1914 ymlaen, nid oedd pob Cymro yn awyddus i fynd i'r fyddin, a dangosodd un achos yn sir Gaerfyrddin ei fod yn well gan ambell un gymryd ei fywyd ei hun na wynebu marwolaeth yn y ffosydd.

Ar 3 Gorffennaf, cafwyd gwybod bod Ernest Lloyd Morris, Cofrestrydd Llys Sirol Llanelli a nai'r bardd Syr Lewis Morris o Benbryn, wedi'i saethu'i hunan yn farw. Roedd y Bwrdd Meddygol yn ddiweddar wedi ei ddyfarnu'n gymwys i wasanaethu yn y fyddin, ac roedd i fod i ymuno â'i gyd-filwyr yng Nghaerfyrddin y bore y cafwyd hyd i'w gorff. Roedd wedi mynd allan y noson gynt, a dechreuwyd chwilio amdano pan welwyd nad oedd wedi cysgu yn ei wely. Galwyd y meddyg, a daeth yntau o hyd i Morris mewn cwt a hanner ei wyneb wedi'i saethu ymaith.

'Wynebu Waliau Jerico'

Yn ystod y flwyddyn, dysgodd Elizabeth Andrews, gwraig i löwr o'r Rhondda, fod llawer i'w gyflawni o hyd yn y frwydr i ennill iawnderau i ferched Cymru.

Aeth ati yn sgil y Ddeddf Mamolaeth i ysgrifennu at gynghorau lleol Cymru, yn awgrymu y dylent sicrhau bod dwy wraig ar bob un o'r Pwyllgorau Mamolaeth a Lles Plant yr oedd disgwyl iddynt eu darparu o dan delerau'r Ddeddf. Er mor gwrtais oedd ei llythyrau hi, sarrug oedd yr ymateb gan sawl un. Fe'i cyhuddwyd o fusnesu'n afraid, ac yn ôl un prif swyddog meddygol 'wild hysterical effusion' oedd ei llythyr.

Roedd Elizabeth Andrews yn ymgyrchydd diflino dros hawliau merched y wlad, a bu'n pwyso'n daer dros gael cyfleusterau ymolchi wrth y pyllau glo, er mwyn symud baich cludo a thwymo dŵr ymolchi oddi ar ysgwyddau gwragedd y glowyr. Yn 1919 yr oedd yn un o'r tair o wragedd i lowyr, a'r unig un o Gymru, a roddodd dystiolaeth gerbron y Comisiwn ar y Diwydiant Glo.

O 1919 i 1948 bu'n drefnydd merched i'r Blaid Lafur yng Nghymru. Cymraes Gymraeg oedd hi, wedi'i magu yn nhraddodiadau'r capel a'r ysgol Sul, ac ymhlith ei chyfrifoldebau cyntaf fel trefnydd yr oedd cyfieithu rhai o bamffledi'r Blaid Lafur ar gyfer merched i'r Gymraeg. Cymerodd ran weithredol yn ymgyrchoedd cyntaf y Blaid Lafur i sicrhau troedle yng ngogledd Cymru, gwaith a ddisgrifiodd hi fel 'wynebu waliau Jericho', gan mor gryf oedd gafael y Rhyddfrydwyr ar yr ardal.

Morfydd Owen

Morfydd Llwyn Owen.

Ar 27 Medi, yng Nghraig-y-Môr, y Mwmbwls, bu farw'r gerddores a'r gyfansoddwraig o Drefforest, Morfydd Llwyn Owen, yn 27 oed. Roedd ar ei gwyliau ar y pryd ar ôl cael tynnu ei hapendics, ac y mae rhywfaint o ddirgelwch o hyd ynghylch ei marwolaeth gynamserol.

Cafodd Morfydd Owen yrfa gerddorol hynod ddisglair, gan ennill llu o wobrau ac anrhydeddau. Roedd yn blentyn i rieni cerddorol, a châi feithrin ei dawn mewn eisteddfodau lleol ac yn y capel. Yn Hydref 1909, enillodd Ysgoloriaeth Caradog i astudio yn Adran Gerdd Prifysgol Caerdydd. Graddiodd yn Faglor mewn Cerddoriaeth yng Ngorffennaf 1912, ac ym mis Awst yr un flwyddyn fe'i derbyniwyd yn aelod o Orsedd y Beirdd yn Eisteddfod Genedlaethol Wrecsam. O Fedi 1912 hyd 1917, bu'n astudio yn yr Academi Gerdd Frenhinol yn Llundain. Byddai'n serennu yng nghyngherddau'r colegau cerdd yn Llundain, a daeth yn gyntaf ym mhob cystadleuaeth ar Ddiwrnod Gwobrwyo'r Academi yng Ngorffennaf 1913. Yn yr un flwyddyn enillodd am ganu yn Eisteddfod Genedlaethol Abertawe. Dilynwyd hyn gan lwyddiannau eraill gan gynnwys ei hethol, ychydig fisoedd cyn ei marw, yn Aelod o'r Academi. Enillodd fri hefyd fel cyfansoddwraig darnau cerddorfaol, emyn-donau ac unawdau piano, llawer ohonynt wedi eu hysbrydoli gan ganeuon a llên gwerin Cymru.

Yn ystod ei chyfnod yn yr Academi Gerdd Frenhinol, cafodd groeso i dai rhai o aelodau pwysicaf a pharchusaf o blith Cymry Llundain, gan gynnwys Herbert Lewis, Aelod Seneddol sir Fflint, a'i wraig Ruth. Yn 1914 cyfrannodd dri ar ddeg o drefniadau ar alawon gwerin i gasgliad Ruth Lewis o alawon gwerin sir Fflint a Dyffryn Clwyd. Mynychai gapel Cymraeg Charing Cross lle y cyfarfu â nifer o Gymry dylanwadol y ddinas. Bu'n ymwneud hefyd â chymuned fywiog o awduron, cerddorion ac arlunwyr yn ardal Hampstead Heath, lle bu'n byw mewn fflat. Bu carwriaeth fer rhyngddi ag Alexis Chodakun un o'r alltudion o Rwsia a drigai yn yr ardal, a chyfarfu hefyd â'r Tywysog Feliks Feliksovich Yusupov a fu'n cynllwynio i ladd y mynach Rasputin yn Rhagfyr 1916.

Ar 6 Chwefror 1917 priododd Morfydd Owen y seicolegydd Ernest Jones o Dre-gŵyr, cyfaill a chofiannydd Sigmund Freud, ar ôl ei adnabod am ddeufis yn unig. Daeth y briodas dan straen yn bennaf oherwydd ei chrefydd hi a'i anffyddiaeth yntau. Credai Ernest Jones mai nam seicolegol oedd crefydd ei wraig a cheisiodd ei darbwyllo i ymadael â'r capel. Ni chafodd gefnogaeth ganddo chwaith i ddatblygu ei doniau cerddorol a mynnai ei bod yn treulio rhan fawr o'i hamser yn cyflawni dyletswyddau gwraig tŷ.

Bu ei marwolaeth gynnar yn golled fawr i gerddoriaeth yng Nghymru. Yn yr ysgrif goffa iddi yng nghylchgrawn *Y Cerddor* ym mis Hydref, dywedwyd amdani, 'Ni chafodd cerddoriaeth Gymreig ergyd drymach yn ei hanes na cholli yr eneth ddisglair annwyl hon mor ieuanc.'

Ymladd i'r pen

Y 13eg Gatrawd Gymreig yn cloddio amddiffynfeydd yn Ffrainc.

Er bod y rhyfel yn dirwyn i ben nid oedd dim gorffwys i filwyr ar faes y gad. Ar 13 Mawrth cofnododd ffotograffydd y dynion hyn o 13 Bataliwn y Gatrawd Gymreig yn Ffrainc wrthi'n cloddio amddiffynfeydd.

Fel y 10fed Bataliwn, recriwtiwyd y 13eg Bataliwn o blith glowyr Cwm Rhondda gan David Watts Morgan, aelod seneddol Llafur dros Ddwyrain y Rhondda ac wedyn Is-Gyrnol yn y fyddin. Dechreuodd Watts Morgan ar daith recriwtio trwy'r ardal yn 1914, gan annog y glowyr i ymrestru ac ymladd. Enillodd y CBE am ei ymdrechion recriwtio, a'r DSO am ei ddewrder milwrol ym Mrwydr Cambrai yn 1917, gan beri i rai roi iddo'r llysenw 'Dai Alphabet'.

Rhoddwyd y 10fed Bataliwn a'r 13eg ynghyd ar ddechrau'r Rhyfel Mawr i ffurfio'r 114fed Frigâd, a oedd yn cynnwys hefyd y 14eg Batalwin (Abertawe) a'r 15fed (sir Gaerfyrddin). O fis Awst hyd fis Tachwedd bu gan y 13eg Bataliwn a gweddill y 114fed Frigâd ran fawr i'w chwarae yn yr ymgyrchoedd olaf a sicrhaodd fuddugoliaeth dros luoedd yr Almaen yn y gorllewin, a lladdwyd ac anafwyd cannoedd o Gymry ar faes y gad yn y misoedd olaf hyn o'r brwydro.

Boddi yn ymyl y lan

Yr aelod olaf o luoedd arfog Prydain i farw yn y Rhyfel Mawr oedd y Llongwr Abl Richard Morgan o Devauden yng Ngwent. Bu farw 11 Tachwedd ar y llong *Garland*, a'i gladdu yn ei dref enedigol.

Erbyn diwedd y Rhyfel roedd mwy na deng miliwn o ddynion wedi eu lladd, gan gynnwys tua deugain mil o Gymry. Gwasanaethodd 280,000 o Gymry yn y lluoedd arfog yn ystod y Rhyfel, bron un o bob wyth o boblogaeth y wlad.

Y dychrynwr mawr

Ar 17 Ebrill, ym Mrwydr Ypres, bu farw'r awdur William Hope Hodgson o'r Borth, Ceredigion, arloeswr yr arddull ffantasi-arswyd mewn ffuglen wyddonol.

Ganwyd Hodgson yn 1877 ym mhentref Blackmore, Essex, a threuliodd ei ddyddiau cynnar ar y môr. Yn 1899 cefnodd ar fywyd y morwr a dechrau ei yrfa fel llenor. Ymgartrefodd yn y Borth, a rhwng 1907 a 1912 lluniodd bedair nofel, *The Boats of Glen Carrig*, *The House on the Borderland*, *The Ghost Pirates*, a *The Night Land*, yn ogystal â chasgliad o straeon byrion, *Carnacki*, am helyntion ditectif ysbrydion. Codi arswyd ar y darllenydd oedd ei nod, gyda chwedlau dychrynllyd am leoedd llawn pydredd ffiaidd a chreaduriaid rhyfedd ac arallfydol — fel y crancod enfawr a'r planhigion cigysol ar ynys yng nghanol môr o wymon yn *The Boats of Glen Carrig*.

O 1913 ymlaen bu'n byw am gyfnod yn ne Ffrainc, ond dychwelodd i Brydain yn 1915 i dderbyn comisiwn yn y Magnelwyr Maes Brenhinol. Er nad oedd yn frodor o'r pentref, cofnodwyd ei enw ar Gofgolofn Ryfel y Borth, lle disgrifir ef yn anghywir fel aelod o'r Corfflu Hedfan Brenhinol.

Ffatri longau awyr

Agorodd yr arloeswr llongau awyr o Gaerdydd, E.T. Willows, ffatri longau awyr ar safle'r hen *American Roller Rink* yn y ddinas. Ar un adeg, cyflogid cant a hanner o weithwyr yn y ffatri, ond fe'i caewyd yn fuan wedi diwedd y Rhyfel Mawr.

1919

2 Ionawr

Llofruddiwyd 1½ miliwn o Armeniaid yn Nhwrci

3 Ionawr

Darganfu'r gwyddonydd Ernest Rutherford sut i hollti'r atom.

12 Ionawr

Daeth gwrthryfel arfog gan Gomiwnyddion yr Almaen i ben yn aflwyddiannus.

29 Mawrth

Bygythiodd Kaiser yr Almaen y byddai'n lladd ei hun yn hytrach na sefyll ei brawf.

23 Mawrth

Sefydlodd Benito Mussolini Blaid Ffasgaidd yr Eidal.

13 Ebrill

Yn ninas sanctaidd y Sikhiaid, Amritsar, saethodd milwyr Prydeinig gannoedd o brotestwyr yn farw.

21 Mehefin

Yn Scapa Flow yn yr Alban, suddodd carcharorion Almaenig 72 o'u llongau eu hunain.

28 Mehefin

Llofnodwyd cyntundeb heddwch gan y ddwy ochr yn y Rhyfel Mawr yn Versailles, Ffrainc.

1 Rhagfyr

Cymerodd Nancy Astor ei sedd yn Nhŷ'r Cyffredin, y wraig gyntaf i wneud hynny.

Gwrthryfel Parc Cinmel

Parc Cinmel wedi'r terfysg.

Lladdwyd pump o ddynion, ac anafwyd tri ar hugain eraill, pan gododd milwyr o Ganada mewn gwrthryfel ym Mharc Cinmel ger Abergele ym mis Mawrth. Roedd y Canadiaid wedi digio am eu bod yn gorfod aros cyhyd cyn cael mynd adref.

Erbyn Tachwedd 1918 yr oedd 628,000 o filwyr o Ganada yn Ewrop, ac yr oedd trefn llywodraeth Prydain o ddadfyddino milwyr yn lletchwith ac aneffeithiol.

Roedd amodau byw ym Mharc Cinmel yn wael o safbwynt bwyd a chynhesrwydd, ac yr oedd disgwyl i'r milwyr barhau â'u hyfforddiant milwrol. Gyda'r hwyr ar 5 Mawrth ymosododd tuag ugain o ddynion ar far y ffreutur a dwyn diodydd, ac aeth torf o tua dau gant ymlaen i ddifrodi ffreutur y swyddogion. Parhaodd yr helynt drannoeth ac anfonwyd mintai o wŷr meirch i geisio adfer trefn. Dilynodd sawl awr o anhrefn, gyda gwahanol finteioedd o filwyr yn crwydro trwy'r gwersyll, a dyma'r adeg y lladdwyd pump o'r milwyr

Erbyn hanner awr wedi tri'r prynhawn roedd y cyfan drosodd, a daeth un o'r terfysgwyr ar draws y maes parêd gyda baner wen. Lladdwyd hefyd bedwar mul ac un ceffyl. Restiwyd 57 o filwyr, gan gynnwys wyth a ystyrid yn arweinwyr y gwrthryfel, a'u cludo i'r carchar yn Lerpwl. Restiwyd hefyd wyth o ddynion eraill a fanteisiodd ar yr helynt i ladrata bwyd a dillad.

(Drosodd)

Gwrthryfel Parc Cinmel

(o'r tudalen cynt)

Ofer fu ymdrech uwch-swyddogion y fyddin i gadw'r cyfan yn dawel, a'r canlyniad fu i'r wasg wneud i'r cyfan ymddangos hyd yn oed yn waeth nag yr oedd. Ar 16 Ebrill yn Lerpwl, dechreuwyd cynnal cwrt marsial ar 51 o filwyr am eu rhan yn y terfysg. Erbyn 6 Mehefin, cafwyd dau ddyn ar bymtheg yn ddi-euog. Cafodd y lleill wahanol ddedfrydau am gymryd rhan yn y terfysg neu am fethu ei atal, ond yn niffyg tystiolaeth glir ni safodd neb ei brawf am yr un o'r pum marwolaeth.

Dathlu'r fuddugoliaeth yn Nolgarrog

ochod: Y Brenin John a'r Kaiser Wilhelm yn Nolgarrog.

Mawr oedd y gorfoledd yn nhrefi a phentrefi Prydain pan ddaeth y Rhyfel Mawr i ben ar ôl mwy na phedair blynedd, ac mewn sawl man cynhaliwyd digwyddiadau cyhoeddus i nodi'r amgylchiad, fel yr orymdaith nodedig a welwyd yn Nolgarrog, sir Gaernarfon, ar 18-19 Gorffennaf.

Dechreuwyd gyda dawns wisg ffansi yn Neuaddau Cynnull y pentref ar Nos Wener 18 Gorffennaf, a bore trannoeth cychwynnodd gorymdaith o Bont Dolgarrog, yn cael ei harwain gan Mrs. MacMillan mewn gwisg Gymreig, a dyn wedi'i wisgo fel un o filwyr catrodau'r Alban ac un arall yng ngwisg John Bull. Ymddangosodd seindorf a nifer o geir carnifal, un ohonynt gan gangen Llanbedr o'r *Royal Antedeluvian Order of the Buffaloes* yn dangos y Brenin John yn llofnodi'r *Magna Carta*, ac un arall a delw o'r Kaiser mewn caets. Aeth popeth yn ei flaen yn ddidramgwydd, er i un wraig a oedd yn gyrru ei char o Fetws-y-coed, gwyno am ei bod yn gorfod oedi oherwydd y miri. Gwthiwyd conffeti i'w ffrog cyn gadael iddi yrru yn ei blaen. Ar ddiwedd y daith o Ddolgarrog i Dal-y-bont, torrwyd pen y ddelw o'r Kaiser Willhelm gan Mr. Winstanley, er mawr foddhad i'r dorf.

Dyn y straeon byrion

Yn ysbyty dicâu, Tregaron, ar 26 Gorffennaf, bu farw'r llenor a'r newyddiadurwr Richard Hughes Williams (Dic Tryfan), un o feistri cyntaf y stori fer Gymraeg. Roedd yn 41 mlwydd oed.

Roedd Williams ymhlith y cyntaf yn y Gymraeg i arfer y grefft o lunio straeon byrion cynnil a di-wastraff, gan ganiatáu i'w gymeriadau amlygu eu hunain trwy eu hymgom. Canolbwyntiai bron yn llwyr yn ei waith llenyddol ar berffeithio'r stori fer, ac mewn cystadleuaeth yn Eisteddfod Genedlaethol Bangor yn 1915, ei gyfrol ef *Tair Stori Fer* a enillodd.

Mab i chwarelwr a fu'n chwarelwr ei hun ydoedd, a thlodi a chaledi bywyd chwarelwyr y gogledd a gaiff ei sylw fynychaf yn ei storïau. Cyflwynodd i lên Gymraeg lu o gymeriadau o fath na welwyd mohonynt o'r blaen. Pobl ar ymylon y gymdeithas oeddynt, fel milwyr, meddwon, ac eraill o'r tu allan i gylch parchus y capel.

Dywedir iddo fynd i Loegr ar ôl gadael y chwarel, ac iddo gael gwaith ar un adeg yn ysgrifennu hysbysebion i ryw ffisig gwyrthiol. Pan ddaeth adref i sir Gaernarfon sylwodd cyfaill iddo ar yr olwg wael a oedd arno, a gofyn pam na fuasai wedi cymryd ei ffisig ei hun. 'Dyna ddaru mi!' oedd ei ateb.

Cafodd waith ar yr *Herald Cymraeg* yng Nghaernarfon yn 1910, y cyntaf o gyfres o swyddi ar bapurau newydd yng Nghaernarfon, Aberystwyth a Llanelli. Gwrthodwyd ef gan y fyddin ar ddechrau'r Rhyfel oherwydd cyflwr ei iechyd. Bu ef a'i wraig yn gweithio mewn ffatri arfau ym Mhenbre, ac mae'n bosib mai'r powdwr a ddefnyddid yn y sieliau a achosodd ei salwch olaf. Fel sawl un o'i gymeriadau, y ddarfodedigaeth a'i lloriodd yn y diwedd.

Bwrdd y Celtiaid

Yn y flwyddyn hon, sefydlwyd Bwrdd Gwybodau Celtaidd Prifysgol Cymru, o ganlyniad i Adroddiad y Comisiwn Brenhinol ar Addysg Prifysgol.

Bwriedid wrth greu'r Bwrdd adeiladu ar y gwaith mawr a wnaed ar yr iaith Gymraeg a'r ieithoedd Celtaidd eraill cyn 1919, a hefyd noddi ymchwil i agweddau eraill ar fywyd cenedl y Cymry trwy'r oesoedd. I wneud hyn, sefydlwyd tri phwyllgor: Iaith a Llên, Hanes a Chyfraith, ac Archaeoleg a Chelfyddyd.

I'r Bwrdd Gwybodau Celtaidd y mae'r diolch am ran fawr o'r twf yng Nghymru er y '20au mewn astudiaethau i feysydd Celtaidd. O'r flwyddyn 1921 bu'r Bwrdd yn cyhoeddi ei *Fwletin*, a chyhoeddwyd hefyd *Llên Cymru* (er 1950), *Cylchgrawn Hanes Cymru* (er 1960), a *Studia Celtica* (er 1966). *Geiriadur Prifysgol Cymru*, geiriadur safonol a chynhwysfawr o'r iaith Gymraeg, oedd y prif waith a oedd gan y Bwrdd ar y gweill hyd ddiwedd y ganrif.

Hiliaeth yn y de

Yng Nghaerdydd rhwng 11 a 13 Mehefin ymosododd torf ar drigolion croenddu lleol. Bu farw tri dyn, anafwyd nifer, a difrodwyd eiddo gwerth mwy na thair mil o bunnoedd. Bu cythrwfl tebyg yng Nghasnewydd a'r Barri hefyd.

Ymgartrefodd bobl groenddu ac o genhedloedd eraill yng Nghaerdydd ers blynyddoedd, y rhan fwyaf ohonynt yn forwyr a ddenwyd gan y fasnach lo. Cododd tyndra mawr ymhlith y boblogaeth pan ddechreuodd dynion ddychwelyd adref o'r lluoedd a chwilio am waith. Credid bod y morwyr duon wedi elwa ar y Rhyfel, er bod tua mil o forwyr croenddu Caerdydd wedi cael eu lladd yn y brwydro. Bu aflonyddwch tebyg yn Lerpwl a Glannau Tyne.

Gwelwyd y cythrwfl cyntaf yng Nghymru yng Nghasnewydd ar 6 Mehefin. Dechreuodd ffrae ar ôl i rywun honni bod dyn du wedi sarhau merch groenwyn. Torrwyd ffenestri trigolion duon, ac ymosodwyd ar olchdai Tsieineaid a lety i Roegwyr. Cludwyd y dodrefn o ddau dŷ i iard reilffordd gerllaw i'w llosgi. Galwyd yr heddlu a restiwyd ugain o ddynion duon a dau ddyn gwyn.

Yn yr achosion llys a ddilynodd, daeth yn amlwg mai bwch dihangol oedd y duon i'r rhai a oedd yn anniddig ynghylch diffyg gwaith a thai derbyniol ar ôl y Rhyfel.

Yng Nghaerdydd, ymsododd criw o gyn-filwyr croenwyn ar lond car o ddynion duon a'u gwragedd gwynion. Bu ymladd ar Rodfa'r Gamlas, ac yn Stryd Bute, a thorrwyd ffenestri a drysau. Rhoddwyd

tŷ ar dân yn Stryd Homfray. Yn Stryd Caroline lladdwyd dyn gwyn, Charles Smart, pan dorrwyd ei wddf â rasel. Y noson ganlynol, ymosodwyd ar fwyty a llety Arabaidd yn Stryd Bute, a bu farw un dyn du'n ddiweddarach.

Yn ddiweddarach, daeth deg o ddynion duon a deunaw o ddynion gwyn o flaen eu gwell yng Nghaerdydd, pan dderbyniodd rai rybuddion a dirwyon ac eraill ugain mis o garchar a llafur caled. Tueddid i roi dedfrydau llai llym i filwyr a chyn-filwyr. Yng Nghasnewydd, lle ymddangosodd dau ar hugain o dduon a naw dyn gwyn yn y llys, dygwyd cyhuddiadau o ymgynnull yn derfysgol yn erbyn y dynion croenddu, er mai hwy a ddioddefodd yn y terfysg.

Gofid gwraig y glöwr

Ar 20 Mawrth a 20 Mehefin, cyhoeddwyd Adroddiadau'r Comisiwn Brenhinol ar y Diwydiant Glo, y cyntaf ar amodau gwaith a'r ail ar bosibilrwydd gwladoli'r pyllau.

Sefydlwyd y Comisiwn gan Lloyd George i brynu amser yn wyneb bygythiad streic gan y glowyr. Ym mis Ionawr, yng nghynhadledd Ffederasiwn Glowyr Prydain, derbyniwyd cynigion glowyr Cymry ynglŷn â chodi cyflogau, lleihau oriau, a chymryd y diwydiant glo o ddwylo'r meistri preifat a'i roi o dan reolaeth y glowyr a'r wladwriaeth. Pan fygythiodd y glowyr streicio dros eu hawliau, yr oedd Lloyd George ar ei gyfyng-gyngor. Ni allai'r wlad fforddio streic lo, ond ni chredid chwaith y gellid fforddio ildio i'r glowyr. Sefydlwyd y comisiwn brenhinol, a'r glowyr yn cael dewis hanner ei aelodau. Dewiswyd y Barnwr John Sankey'n gadeirydd.

Ar ôl cyrraedd rhyw fath o gyfaddawd ynghylch amodau gwaith pleidleisiodd y glowyr ar 15 Ebrill dros atal eu bygythiad i streicio a derbyn telerau'r llywodraeth.

Methwyd â chyrraedd cytundeb ar ail adroddiaid y Comisiwn, ar bwnc gwladoli, ac yn wyneb yr anghydfod hwn, gwrthododd Lloyd George fabwysaidu gwladoli fel polisi. Digiodd hyn llawer o'r glowyr, a cheid un o'u harweinyddion cymedrol, Vernon Hartshorn, yn teimlo eu bod wedi'u twyllo. Gofynnodd ai *a huge game of bluff* oedd creu'r Comisiwn.

Un agwedd bwysig ar drafodion Comisiwn Sankey oedd y modd yr amlygodd y caledi a ddioddefai gwragedd llawer o lowyr de Cymru oherwydd natur gwaith eu gwŷr.

Roedd y Gymraes Elizabeth Andrews o'r Rhondda yn un o'r tair gwraig i lowyr a roddodd dystiolaeth gerbron y Comisiwn, gan ddadlau'n gryf dros gael lleoedd ymolchi i'r glowyr ar bennau'r pyllau i leihau'r pwysau ar eu gwragedd. Nid oedd boeleri yn nhai'r rhan fwyaf o bobl, a rhaid oedd berwi'r dŵr ar gyfer ymolchi a golchi dillad mewn bwced ar y tân. Dywedodd Andrews wrth y Comisiwn fod un fydwraig wedi dweud wrthi mai straen codi tybiau trwm yn llawn dŵr oedd yn gyfrifol am y rhan fwyaf o enedigaethau cynamserol ac afiechydon difrifol gwragedd y maes glo. Roedd perygl mawr hefyd y gallai plant gael eu llosgi gan y dŵr berwedig.

Soniodd Elizabeth Andrews am 'gaethwasanaeth' y gwragedd a oedd yn gorfod gofalu amdanynt eu hunain ac am eu gwŷr a'u meibion. Roedd y broblem yn arbennig o wael mewn tai lle oedd y dynion yn gweithio gwahanol sifftiau, gan y byddai gwraig y tŷ yn aml yn gorfod bod ar eu traed bob awr o'r dydd a'r nos i'w derbyn adref, paratoi eu bwyd a'u helpu i ymolchi, a phob dyn yn dod â llwyth arall o lwch glo i'r tŷ.

uchod: Dai Lossin yn esbonio i ohebydd papur newydd fod tîm Cwm-sgwt am chwarae eu gêm gyntaf yn erbyn clwb proffesiynol o Loegr yn y tywyllwch, rhag ofn cael eu darganfod a'u disgyblu gan awdurdodau'r gêm amatur.

Dai Lossin

Hon oedd y flwyddyn pan welwyd am y tro cyntaf greadigaeth enwocaf cartwnydd y *South Wales Football Echo*, D. Gwilym John, sef y pêl-droediwr carpiog, Dai Lossin.

Daeth Dai Lossin yn adnabyddus i ddarllenwyr y papur rhwng y ddau Ryfel Byd fel capten ar Glwb Cwm-sgwt, tîm yn cynnwys chwaraewyr megis Dai Small Coal, Ianto Full Pelt, a Billy Bara Chaws. Rhoddai Dai ei hun ddifyrrwch mawr â'i anturiaethau gwirion, a'i sylwadau wythnosol mewn llythyron yn ei *Wenglish* gorau – llythyron y byddai'n eu llofnodi bob tro 'Yewers Screwly Dai Lossin'.

Arglwyddes Craig-y-nos

Ar 27 Medi, bu farw'r gantores opera Adelina Patti, perchennog castell ac ystad Craig-y-nos, Cwm Tawe.

Ganwyd Patti ym Madrid i rieni o'r Eidal, a'i magu yn Efrog Newydd, ond yn 1878, ar gyngor Syr Hussey Vivian, Arglwydd Abertawe, prynodd Graig-y-nos i fod yn gartref iddi. Ym mis Mehefin 1886, yn eglwys y plwyf Ystradgynlais, priododd Patti ei hail ŵr, y Ffrancwr Ernest Nicolini, tenor a fu'n canu gyda hi ar lwyfannau'r byd, ac a ddenwyd i Graig-y-nos gan y nant llawn brithyllod a lifai gerllaw. Ychwanegodd Patti erddi gaeaf dando, a symudwyd wedi ei marw i Barc Fictoria, Abertawe, lle adwaenid hwy fel 'Pafiliwn Patti'. Adeiladwyd heol breifat o'r tŷ i orsaf drenau Pen-wyllt, lle daliai Patti ei thrên i Lundain, a theithio mewn cerbyd salŵn.

Erbyn yr 1870au derbyniai fil o bunnau yr un am berfformiadau yn America, ac amcangyfrifwyd iddi ennill pymtheng mil ar hugain o bunnau'r flwyddyn rhwng 1861 ac 1881. Ystyriai'r cyfansoddwr Giuseppe Verdi mai hi oedd cantores soprano orau'r byd yn ei chyfnod.

Yn yr ardal o gwmpas Craig-y-nos enillodd statws lled-frenhinol, a phoblogaidd iawn oedd ei hymweliadau ag Abertawe a Chastell-nedd i roi cyngherddau elusennol. Teithiai trwy'r trefi hyn mewn car agored, weithiau a chriw o filwyr i'w hebrwng, a dôi torfeydd mawr i'w chroesawu.

Bu farw yng Nghraig-y-nos, ond er mor hoff ydoedd o'i chastell yng Nghymru, ym Mharis y claddwyd hi. Prynwyd y tŷ wedyn gan Gymdeithas y Gofeb a'i droi'n ysbyty dicâu am gyfnod.

Glasu tiroedd Cymru a'r byd

Rhai o staff y Fridfa wrth eu gwaith.

Yn Aberystwyth, sefydlwyd Bridfa Blanhigion Cymru (Sefydliad Ymchwil Glaswelltiroedd a'r Amgylchfyd yn ddiweddarach), un o'r cyrff gwyddonol pwysicaf yng Nghymru a'r byd. Crewyd y Fridfa trwy nawdd yr Arglwydd Milford o Lyswen, Brycheiniog, a thrwy ysbrydoliaeth ei chyfarwyddwr cyntaf o 1919 tan 1942, Syr R. George Stapleton, Athro Botaneg Amaethyddol ym Mhrifysgol Cymru, Aberystwyth.

Sefydlwyd y Fridfa fel rhan o Brifysgol Cymru gyda chyfrifoldeb am ymchwil i ddulliau gwell o fagu glaswellt, meillion a cheirch. Gwelid bod modd datblygu rhywogaethau newydd i estyn y tymor pori, a rhywogaethau a allai oddef pori dwysach. O'r mathau newydd o laswellt, *S23*, a ymddangosodd yn 1933, oedd y mwyaf adnabyddus. Cafwyd llwyddiant mawr hefyd gyda cheirch a meillion, a chyflwynwyd mathau newydd o ffa, barlys a bresych, ymhlith pethau eraill.

Yn ystod yr Ail Ryfel Byd, yr oedd i'r Fridfa ran bwysig yn yr ymgyrch i gynhyrchu mwy o fwyd. Yn 1959, crewyd yr Adran Batholeg Planhigion i astudio heintiau planhigion, ac yn y '60au dechreuwd yr Uned Gasglu Planhigion i hel ynghyd ddeunydd genetig ar gyfer croesfridio. Er y '70au, bu'r Fridfa'n gweithio ar ddulliau gwella tir gwastraff, yn enwedig hen dipiau glo de Cymru.

Rhyddid a phryder i'r Eglwys yng Nghymru

Eglwyswyr yn lleisio eu gwrthwynebiad i'r Datgysylltu ar y Stryd Fawr, Aberystwyth.

Ar 31 Mawrth, wedi blynyddoedd maith o frwydro, torrwyd y cysylltiad rhwng yr Eglwys Anglicanaidd yng Nghymru a'r wladwriaeth pan grewyd yr Eglwys yng Nghymru fel rhanbarth ar wahân o'r Cymundeb Anglicanaidd, a chysegrwyd Archesgob cyntaf Cymru.

Roedd datgysylltu'r Eglwys Wladol yn un o brif amcanion radicaliaid Cymru, ac o'r 1880au ymlaen bu Ymneilltuwyr Cymru yn ymgyrchu'n frwd drosto.

Daeth cyfle mawr y Datgysylltwyr yn 1906, pan enillodd y Rhyddfrydwyr fwyafrif o 108 o seddi yn Nhŷ'r Cyffredin, ond cawsant eu siomi rywfaint pan ddewisodd y llywodraeth newydd sefydlu Comisiwn Brenhinol ar yr Eglwys yng Nghymru, yn lle bwrw ati'n syth i ddeddfu, ond ffafriol i'r datgysylltwyr oedd casgliadau'r Comisiynwyr yn y diwedd.

Bu Tŷ'r Aglwyddi'n rhwystr mawr ar ffordd Datgysylltu, ond ym mis Ebrill 1912, cyflwynwyd Mesur i Ddatgysylltu'r Eglwys yng Nghymru a chymryd deuparth o'i gwaddolion. Achosodd y bwriad i gipio cyfran o eiddo materol yr Eglwys, a'i hailddosbarthu i achosion eraill, gyffro mawr, a disgrifiwyd ef gan Andrew Bonar Law, arweinydd y Torïaid, yn 'lladrad oddi ar Dduw'. Llofnodwyd y Mesur Datgysylltu gan y Brenin ar 18 Medi 1914, ond gohiriwyd ei weithredu hyd 1920 oherwydd y Rhyfel Mawr.

Alfred Edwards, Esgob Llanelwy ac un o brif wrthwynebwyr y Datgysylltiad, a ddewiswyd fel Archesgob Cymru, a gorseddwyd ef yng Nghadeirlan Llanelwy ar 1 Mehefin 1920, yng ngŵydd cynulleidfa o fil o bobl, gan gynnwys y Prif Weinidog, David Lloyd George, a'r Tywysog Arthur, mab Brenin Lloegr.

(Drosodd)

Rhyddid a phryder i'r Eglwys yng Nghymru

(o'r tudalen cynt)

Rhywfaint o fuddugoliaeth wag oedd un y Datgysylltwyr mewn gwirionedd. Ymhell cyn iddynt sicrhau'r Datgysylltu, roedd y rhan fwyaf o'u cyd-Gymry wedi colli diddordeb yn y pwnc, a gwelent y frwydr fel un a berthynai i'r ganrif ddiwethaf ac yn amherthnasol braidd erbyn 1920. O'r safbwynt ysbrydol os nad cyfoeth materol, yr Anglicaniaid yn hytrach na'r Anghydffurfwyr a elwodd fwyaf ar y Datgysylltu. Trwy gael gwared ar yr hualau a'i rhwymai wrth Esgobaeth Caergaint a'r wladwriaeth Brydeing, enillodd yr Eglwys yng Nghymru rywfaint o fywiogrwydd newydd, ac roedd mwy o hygrededd bellach i'w hymdrechion i bwysleisio ei Chymreictod.

Billy Meredith

Y pêl-droediwr hynaf erioed i chwarae mewn gêm ryngwladol i unrhyw wlad oedd y Cymro Billy Meredith. Ac yntau dros ei bump a deugain cafodd Meredith ddiwedd nodedig i'w yrfa ryngwladol ar 15 Mawrth pan chwaraeodd ar yr asgell dde i dîm Cymru a gurodd Loegr ar faes Highbury. Hwn oedd y 48fed tro i Meredith ymddangos dros ei wlad, a dywedir iddo grio yn yr ystafell wisgo ar ôl y gêm, gan mai dyma'r tro cyntaf iddo ef faeddu'r hen elyn yn aelod o dîm Cymru.

Ganed Meredith yn y Waun, sir Ddinbych, yn 1874, ac wrth chwarae'n lleol, daeth ei ddriblo gwefreiddiol i sylw Manchester City ac ymunodd â'r clwb hwnnw'n ugain oed. Ef oedd y capten pan enillodd City Gwpan Lloegr yn 1904, ac yntau a sgoriodd unig gôl y rownd derfynol. Yn 1907, ymunodd â Manchester United ac yn ei dymor cyntaf yno enillwyd y Bencampwriaeth. Chwaraeodd ran flaenllaw hefyd pan enillodd Cymru'r Bencampwriaeth Ryngwladol am y tro cyntaf yn yr un flwyddyn. Yn 1909, yr oedd yn aelod o dîm Manchester United a gipiodd Gwpan Lloegr. Enillodd ei chwarae campus iddo'r llysenw 'Tywysog yr Asgellwyr', a byddai bob amser â phric dannedd yn ei geg wrth chwarae. Bu Meredith ar flaen y gad yn yr ymgyrch i sefydlu undeb ar gyfer pêl-

Billy Meredith yn lliwiau Manceinion.

droedwyr, a bu mewn dŵr poeth yn aml gydag awdurdodau'r gêm oherwydd hynny. Cymaint oedd ei enwogrwydd fel y galwyd ef gan un newyddiadurwr yn 'Lloyd George y gêm bêl-droed yng Nghymru.'

Brenin Aintree

Mewn storm wyllt o law yn Aintree, enillodd y joci amatur Jack Anthony o Gydweli y *Grand National* am y trydydd tro, ar y ceffyl anferth 'Troytown', gan gadarnhau ei safle fel meistr y cwrs anodd hwnnw. Enillodd yn Aintree yn 1911 ar 'Glenside', ac yn 1915 ar 'Ally Sloper'. Yn 1916 ef oedd Pencampwr y Jocis ar ôl iddo ennill 60 o rasys, a chipiodd yr un anrhydedd yn 1922 gyda 78 o fuddugoliaethau.

Yr ieuengaf o dri brawd oedd Jack Anthony, a chafodd pob un o'r tri rywfaint o lwyddiant ym myd rasio ceffylau dros y cloddiau. Roedd Ivor Anthony eisoes wedi ennill *Grand National* Cymru deirgwaith pan fu'n fuddugol yn 1937 yn Aintree ar geffyl roedd ei berchennog a'i hyfforddwr, yn ogystal â'i joci, yn Gymry. Llai enwog oedd Owen Anthony, a ddaeth yn ail yn *Grand National* 1913 fel joci, cyn mynd ymlaen i hyfforddi'r ceffyl buddugol yn 1922.

Cwffio yn y capel

Bu cyffro mawr yng Nghapel Libanus, Cwmbwrla, nos Sul 11 Ionawr pan drodd ffrae rhwng aelodau eglwysig yn ymladdfa.

Dywedodd y gweinidog, y Parch. Hermas Evans, yn ddiweddarach fod dwy garfan elyniaethus wedi tyfu o fewn y capel ers tro, a'i fod ef wedi gofyn am bresenoldeb plismon yn y gwasanaeth rhag ofn y byddai helynt. Ar ddiwedd oedfa'r Sul roedd rhai o'r diaconiaid wedi gofyn iddo a gaent wneud datganiad, ond gwrthododd eu cais. Cododd y diaconiaid ar eu traed, a gwnaeth eraill o'r gynulleidfa'r un peth. Bu ffrae fawr wedyn, ac yng ngeiriau'r gweinidog, '*blows were freely struck*'. Gofynnodd y Cwnstabl Phillips i bawb adael y capel, a phan na thyciodd hynny, diffoddodd y golau gan beri dryswch mawr a mwy o ymladd. Yn y diwedd, perswadiwyd pawb i adael.

Adroddwyd bod y Parch. Hermas Evans wedi gofyn wedyn i Brif Gwnstabl y sir am blismon i'w warchod, a mis yn ddiweddarach, ar ôl traethu pregeth ar 8 Chwefror, datganodd Evans o'r pulpud ei fod yn ymddiswyddo, a cherddodd allan o'r capel. Mynnodd wedyn mai salwch a barodd iddo roi'r ffidil yn y to ac nid y cwffio mawr a fu rhwng yr aelodau.

Rhyfel y menyn

Adroddwyd ym mis Chwefror fod cryn gyffro'n codi yn ardaloedd gwledig y gorllewin ynglŷn â chodiad pris ymenyn ar ôl i reolaeth prisiau ddod i ben ar ddiwedd y Rhyfel Mawr.

Cwyn trigolion cefn gwlad oedd fod ffermwyr yn cefnu ar yr hen arfer o gynnig ymenyn am bris llai na'r arfer i'w cymdogion, gan wneud elw mawr trwy werthu i brynwyr o Forgannwg. Cefnogwyd y ffermwyr gan Daniel Watkins, Ysgrifennydd Undeb Am-aethwyr Ceredigion, a fynnodd fod gan bob ffermwr yr hawl i gael cymaint ag y medrai am ei ymenyn. Soniodd am y gwahanol gymwynasau y byddai ffermwyr yn arfer eu gwneud â phobl cefn gwlad heb ofyn tâl amdanynt megis darparu tail i'r ardd a chludiant ar eu certydd.

Daeth gweinidog yr Annibynwyr yn Llandysul, y Parch. Ben Davies, dan ei lach yn arbennig am ei eiriau o'r pulpud yn erbyn y ffermwyr. Roedd y gweinidog wedi honni bod y ffermwyr wedi elwa'n fawr ar y Rhyfel, ond bod gwaed y milwyr dewr a fu farw ar eu helw. Dywedodd y byddai'n well ganddo fod heb ymenyn na thalu pedwar swllt chwecheiniog y pwys amdano. Ymatebodd Watkins trwy gyhoeddi na fyddai yn y dyfodol yn rhoi benthyg ei ferlyn a'i drap i gludo'r un gweinidog i'r oedfa. '*If that's the sort of stuff they talk, let them walk*,' meddai.

Peryglon tai gwael

Pur wahanol i hen dai trefi'r cymoedd oedd y gardd-bentrefi newydd fel Rhiwbeina, Caerdydd.

Ym mis Ionawr cafwyd nifer o adroddiadau a ddangosai fod tai gwael yn dal i beryglu iechyd rhai o'r Cymry.

Yn y Barri, clywyd bod 28 o achosion o ddifftheria yn yr ysbyty heintiau lleol, a phriodolodd y Prif Swyddog Meddygol y rhain i orlanw mewn tai. Daeth ambell ymateb anghyffredin i'r broblem. Yn Nhregatwg, y Barri, roedd hen gapel wedi ei droi'n 'dŷ neis iawn, yn wir,' yn ôl cadeirydd Pwyllgor Iechyd Cyhoeddus y Barri. Yn Nhredegar, penderfynodd Bwrdd Gwarcheidwaid Tlodion Bedwellte gynnig tri bwthyn mewn cartref plant amddifad lleol i Gyngor Dosbarth Tredegar i'w hychwanegu at ei stoc o dai. Yng Nghasnewydd, yr oedd y Pwyllgor Tai yn ymweld â thai newydd trefi yn Lloegr cyn bwrw ymlaen gyda chynllun i godi pedwar cant a hanner o dai yn y dref. Yn Llantrisant ym mis Chwefror, cyhoeddwyd cynllun i godi tri chant o dai newydd yn fuan, gyda'r bwriad o godi dwy fil a hanner yn y pen draw.

Daeth yr holl weithgarwch hwn yn sgil y ddwy Ddeddf Dai a basiwyd ar 31 Gorffennaf a 23 Rhagfyr 1919. Yn yr ail o'r rhain, deddfwyd ar gyfer cymryd tiroedd i adeiladu gardd-ddinasoedd. Codwyd 119 o dai yng Ngardd-bentref Rhiwbeina, a 62 yng Ngardd-faestref y Barri. At ei gilydd, cafodd rhyw bymtheng mil o deuluoedd Cymreig gartrefi newydd trwy'r ddeddfwriaeth hon.

Te Tsieina

Yn llys ynadon Ystrad Rhondda ar 1 Mawrth, gwrandawyd ar achos hynod iawn o dan y *White Slave Traffic Act*.

Yn y llys roedd y Tsieinead, Lee Wing, golchwr dillad o Donypandy a adweinid hefyd fel 'Harry', ac Edith Maud France o Gaerdydd, a ddefnyddiai'r ffugenw 'Elaine'. Ymddangosodd y ddau ar gyhuddiadau o herwgipio Edith Mary Jones, merch ddwy ar bymtheg oed, ar gyfer puteindra.

Wrth rhoi ei thystiolaeth, dywedodd Edith Jones ei bod wedi ymweld â golchdy Wing ar sawl achlysur, a'i fod yntau bob tro'n cynnig iddi ryw fath o de tywyll ac anghyffredin ei flas a fyddai'n gwneud iddi deimlo'n rhyfedd ar ôl ei yfed. Ychwanegodd fod Wing yn arfer gofyn iddi fynd i fyny'r grisiau gydag ef, ac er mai gwrthod a wnâi i ddechrau, byddai'n ildio bob tro ar ôl yfed y te hwn. Dywedodd hefyd fod Wing wedi gofyn iddi ei briodi.

Wrth gael ei holi yn y llys, dywedodd Lee Wing, yn ôl gohebydd y *Western Mail*, '*She tell me she was 18. She like me. I like her. I tell her I go to Cardiff to mally her. When she come see Lee Wing he always give cup of tea to drink.*' Gwadodd Wing gyhuddiad ei fod wedi cynnig deg punt yr owns i fferyllydd lleol am gyflenwad o opiwm i'w roi yn y te a roddai i'r ferch.

Torri pen

Pan ddychwelodd y miliwnydd Arglwydd Leverhulme bortread ohono'i hunan i'r arlunydd o Gymro Augustus John ym mis Medi, yr oedd wedi torri'r pen allan â siswrn.

Ysgrifennodd John at Leverhulme yn ei gyhuddo o roi iddo'r 'sarhad gwaethaf a dderbyniais erioed yn fy ngyrfa'. Esboniodd ei gwsmer wrth ymateb ei fod wedi cael y llun yn rhy fawr i'w hongian ac iddo benderfynu torri'r pen, 'y rhan bwysig o'r llun,' chwedl yntau, er mwyn ei storio ar wahân. Gofynnodd i John beidio â sôn am y peth, ond ar 15 Hydref yr oedd y stori i'w gweld ar dudalen blaen y *Daily Express*, a chyn hir yr oedd papurau newydd trwy Ewrop a'r Unol Daleithiau wedi cydio ynddi.

Yn 1954 cafodd y darn o gynfas yn cynnwys y pen ei wnïo'n ôl wrth weddill y darlun, ac arddangoswyd y cyfan yn Oriel Gelf Leverhulme, Port Sunlight.

Coleg y Brifysgol, Abertawe

Y ddefod fawreddog o osod y garreg sylfaen.

Ym mis Hydref, derbyniodd Coleg Prifysgol Cymru Abertawe ei fyfyrwyr cyntaf.

Creu coleg gwyddoniaeth a thechnoleg oedd y bwriad cyntaf, gan fod Abertawe, a oedd yn ganolfan bwysig i'r diwydiannau metel, yn gorfod anfon ei thechnegwyr gorau allan o'r ardal i hyfforddi ac ymchwilio. Ymwelodd Comisiwn Haldane ag Abertawe ar 23 Mehefin 1916 a dywedodd y comisinwyr y dylai pobl y dref fod yn barod i godi deugain mil o bunnoedd os oeddynt o ddifirif am gael coleg newydd. Cafwyd addewid am saith deg o filoedd gan ddiwydianwyr y dref 'i ddenu'r Athrawon gorau y gallwn ni eu cael', ac ar y cyfan, cafwyd ymateb ffafriol i gynlluniau Abertawe yn Adroddiad Haldane ar 19 Mawrth 1918. Dywedwyd serch hynny na ddylid cyfyngu'r cwricwlwm i bynciau gwyddonol yn unig, ond y dylid cynnwys y celfyddydau hefyd.

Ym mis Gorffennaf 1919 cytunodd y Cyfrin Gyngor i dderbyn Coleg Technegol Abertawe fel rhan o Brifysgol Cymru, ac agorwyd ef ar 5 Hydref 1920, gan dderbyn y garfan gyntaf o 89 o fyfyrwyr. Penodwyd y Dr. Franklin Sibley, Newcastle, yn Brifathro, a chafwyd Athrawon mewn mathemateg, cemeg a metaleg. Yr hanesydd Ernest Hughes oedd yr unig ddarlithydd yn y celfyddydau. Rhwng 1921 a 1925 gwahanwyd y Coleg Technegol a Choleg y Brifysgol, a symudodd yr ail fesul tipyn i safle Parc Singleton, rhodd Corfforaeth Abertawe.

Erbyn blwyddyn academaidd 1938-39 yr oedd 488 o fyfyrwyr, ac erbyn 1999 mwy na deng mil a hanner. Ehangwyd darpariaeth y Coleg yn raddol i gynnwys llawer mwy o bynciau ar wahân i rai technegol, ac ehangwyd hefyd ei ddalgylch i gynnwys llawer mwy o fyfyrwyr o'r tu allan i dde Cymru, gyda charfan sylweddol o fyfyrywr tramor.

Parhaodd Coleg Technegol Abertawe fel corff annibynnol, nes uno â'r Coleg Addysg a'r Coleg Celf yn 1976 i ffurfio Athrofa Addysg Uwch Gorllewin Morgannwg.

Lloyd George yn dofi'r glowyr

Ar 14 Hydref, mewn cynhadledd arbennig o Ffederasiwn Glowyr Prydain, cyhoeddwyd bod glowyr de Cymru wedi pleidleiso 141,721 i 40,047 dros wrthod cynnig y meistri glo ynglŷn â chyflogau. Mwyafrif o 88% yn erbyn y cynnig oedd hwn, o'i gymharu â'r mwyafrif o 78% yng ngweddill y deyrnas. Er gwaethaf llythyr gan y Prif Weinidog David Lloyd George i'r gynhadledd, ar 16 Hydref dechreuodd y glowyr streicio.

Roeddynt am sicrhau codiad yn eu cyflogau yn wyneb elw mawr y cwmnïau glo a chynnydd costau byw. Parhaodd y streic tan 4 Tachwedd. Ar 21 Hydref addawodd Undeb Cenedlaethol Gwŷr y Rheilffyrdd y byddent yn cefnogi'r glowyr os na cheid cytundeb erbyn diwedd y dydd ar 24 Hydref. Dychrynwyd y llywodraeth, ac ymatebodd trwy gynnig trafod gyda'r glowyr ar unwaith, a hefyd trwy wthio'r Ddeddf Galluoedd Argyfwng trwy'r Senedd.

Am bedwar diwrnod o 24 Hydref ymlaen bu dirprwywyr yn trafod yn rhif 10 Stryd Downing. Cynigiodd Lloyd George godiad o ddau swllt y sifft i'r glowyr, cynnig a roddwyd gerbron y glowyr mewn balot ar 2 Tachwedd. Ni chafwyd mwyafrif dros dderbyn y cynnig pan bleidleisiodd y glowyr, ond dewisodd eu Cynhadledd weithredu rheol yr undeb bod angen cefnogaeth dwy ran o dair i barhau â'r streic. Roedd y glowyr wedi ymrannu yn y balot, gyda 51% o blaid dal i streicio a 49% am ddychwelyd i'r gwaith, er bod dynion de Cymru wedi gwrthod cynnig Lloyd George o fwyafrif o 65%.

Ffyniant ffynhonnau'r Canolbarth

Cynhaliwyd trafodaethau ym mis Mawrth gyda golwg ar ddatblygu tref Llanwrtyd, Brycheiniog, yn un o brif drefi ffynnon Cymru.

Prynodd Mr. W.N. Jones o Rydaman Westy Dôl-y-coed, y ffynhonnau swlffwr, tir y dref i gyd i'r gogledd o Irfon, a hefyd fferm ddwy fil o erwau o eiddo Mr. Campbell Davis. Bwriedid ffurfio cwmni i brynu Gwesty Abernant, y llyn, y cwrs golff ac ystad Dôl-y-coed, ar gyfer eu datblygu ar raddfa fawr.

Ffynnon Dôl-y-coed oedd yr hynaf yn Llanwrtyd, ond yn 1908 fe agorwyd Ffynnon Victoria i'r cyhoedd, a ddaparai ddŵr a halenau lithia ynddo. Yn 1922, darganfuwyd Ffynnonau Henfron, pedair ffynnon ddŵr, un yn hallt, un yn haearnol, a'r lleill yn swlffwraidd

17 Mawrth

Yn Llundain, agorodd Marie Stopes ei chlinig atal-cenhedlu cyntaf.

5 Ebrill

Etholwyd Sun Yat-sen yn llywydd Tsieina.

8 Mai

Diddymwyd y gosb eithaf yn Sweden.

22 Mehefin

Agorwyd Senedd Gogledd Iwerddon am y tro cyntaf.

28 Mehefin

Ym Mhrydain daeth streic y glowyr i ben ar ôl tri mis o anghydfod.

14 Gorffennaf

Dedfrydwyd dau radical Eidalaidd, Sacco a Vanzetti, i'r gadair drydan ar ôl achos llys a fernir yn anghyfiawn bellach yn Massachusetts.

18 Gorffennaf

Rhoddwyd y pigiad BCG cyntaf i blant yn Ffrainc wedi i'r brechiad yn erbyn TB gael ei ddarganfod gan Calmette a Guerin.

23 Awst

Coronwyd Emir Feisal, Brenin Syria gynt, yn Frenin Irac

4 Tachwedd

Llofruddiwyd Prif Weinidog Siapan, Takashi Harakei.

11 Tachwedd

Cynhaliodd y Lleng Brydeinig ei Diwrnod Pabi cyntaf.

6 Rhagfyr

Crewyd Gwladwriaeth Rydd Iwerddon heb gynnwys chwech o naw sir Wlster.

1921

Trychineb Aber-miwl

Adfeilion cerbyd trên yn Aber-miwl.

Yn y ddamwain reilffordd waethaf yng Nghymru yn ystod y ganrif lladdwyd 17 o bobl rhwng y Drenewydd ac Aber-miwl, sir Drefaldwyn, ar 26 Ionawr. Trawodd trên cyflym o Aberystwyth i Fanceinion yn erbyn trên lleol yn llawn teithwyr o Whitchurch, sir Amwythig, a oeth yn teithio i Aberystwyth. Dylai'r ddau drên fod wedi pasio'i gilydd yng ngorsaf Aber-miwl, ond cwrdd â'i gilydd ar yr un lein yn ymyl y pentref a wnaethant.

Dringodd y trên cyflym i ben y trên arall, a gwasgwyd ei ail gerbyd fel telesgôb i mewn i'r cerbyd bwffe y tu ôl iddo. Yn y ddau gerbyd hyn y teithiai'r rhan fwyaf o'r rhai a laddwyd, tra dihangodd eraill heb ddioddef dim gwaeth na chleisiau. Cymaint oedd y llanastr a wnaed ar y ddau gerbyd blaen hyn fel y bu timau achub wrthi am hanner cant o oriau yn clirio'r olion. Ymhlith y rhai a fu farw roedd Arglwydd Herbert Vane-Tempest, un o gyfarwyddwyr Rheilffordd y *Cambrian*, perchenogion y ddau drên. Achubodd gyrrwr a dyn tân y trên o Aberystwyth eu bywydau trwy neidio o gaban eu hinjan ar y funud olaf, wedi gweld na allent atal gwrthdrawiad. Lladdwyd giârd y trên, Edward Shone, ynghyd â Bert Evans a George Jones o Lanidloes a oedd yn gyrru'r trên arall.

Rheilffordd un-llinell oedd y *Cambrian* ac roedd yn ddyletswydd ar yrwyr adael a chasglu 'tocynnau' arbennig mewn gorsafoedd cyn teithio ymlaen, i wneud yn siŵr na fyddai dau drên ar yr un cledrau. Ymddengys i ryw fath o gymysgwch ddigwydd yn Aber-miwl a'i gwnaeth yn bosib i yrrwr y trên o Amwythig barhau â'i daith heb y tocyn cywir yn lle aros yn ei unfan nes i'r trên o Aberystwyth fynd heibio.

Mwy na gobaith mul

Mewn *Grand National* gyffrous iawn yn Aintree, aeth buddugoliaeth i'r Cymro Fred Brychan Rees o sir Benfro, neu Dick Rees fel yr adweinid ef.

Cymaint oedd yr anhrefn ar y cylch cyntaf o gwmpas y cwrs fel nad oedd ond pump ar ôl erbyn yr ail gylch o'r pymtheg ceffyl ar hugain a ddechreuodd redeg, a cheffyl Dick Rees, 'Shaun Spadah', oedd yr unig un na chwympodd o leiaf unwaith yn ystod y ras.

Yn Ninbych-y-Pysgod y ganwyd Rees, yn fab i filfeddyg lleol, a bu'n marchogaeth fel amatur cyn y Rhyfel Mawr dros stablau Harrison yn y dref. Roedd wrth ei fodd gyda cheffylau ac yn farchog naturiol. Yn ôl un sylwebydd, 'perffeithrwydd urddasol' ydoedd ar gefn ceffyl, a wyddai hyd yn oed sut i gwympo'n esmwyth. Fe'i hystyrid yn un o jocis gorau'r cyfnod rhwng y ddau Ryfel Byd, pan fu'n Bencampwr y Jocis bump o weithiau – yn 1920, 1921, 1923, 1924, a 1926-7. Yn ogystal ag ennill *Grand National* 1921, bu'n fuddugol hefyd yn *Grand Steeplechase de Paris* 1925, *Cheltenham Gold Cup* 1928, a *Champion Hurdle* 1929. Yn *Grand National* 1922 cafodd y profiad cymysg o gwympo wrth glawdd ar y ceffyl y bu'n fuddugol arno flwyddyn ynghynt, 'Shaun Spadah', a gweld ei frawd hŷn, Lewis Bilby Rees, yn mynd ymlaen i ennill ar 'Music Hall'.

Daliodd Dick Rees i farchogaeth ar y gwastad hyd at ei drigain oed, ond cafodd drafferth mawr i gadw ei bwysau'n ddigon isel a bu'n rhaid iddo ymddeol yn gynnar o rasio cystadleuol.

uchod:
Cefnogwyr Ernest Evans
y tu allan i swyddfa'r ymgyrch.

Anghydfod Ceredigion

Gwaith a phersonoliaeth y Prif Weinidog David Lloyd George oedd canolbwynt y sylw yn ymgyrch is-etholiad Ceredigion ar 20 Chwefror, pan gurwyd y Rhyddfrydwr annibynnol W. Llewelyn Williams o dri chant o bleidleisiau'n unig gan Capten Ernest Evans, dewisddyn Lloyd George a Rhyddfrydwr Coalisiwn.

Aelod o ysgrifenyddiaeth bersonol Lloyd George oedd Evans, ac roedd ei gysylltiadau â'r Prif Weinidog yn rhai agos ac amlwg. Bu Margaret, gwraig Lloyd George, yn areithio fwy na thrigain o weithiau yn yr etholaeth yn ystod yr ymgyrch. Ond Williams oedd dewis y Rhyddfrydwyr lleol ac roedd yn amlwg mai cefnogaeth Torïaid Ceredigion a roddodd fuddugoliaeth i ddyn Lloyd George.

Un o hen stabl y Rhyddfrydwyr Cymreig oedd Llewelyn Williams, yn genedlaetholwr i'r carn ac yn bleidiol iawn i achosion traddodiadol fel Datgysylltu'r Eglwys yng Nghymru ac ymreolaeth i Gymru (a hefyd i wledydd bach eraill fel Fflandrys a Llydaw). Bu'n heddychwr ar ddechrau'r Rhyfel Mawr, cyn cael ei berswadio i ymroi am ychydig i'r ymdrech ryfel ar ôl i'r Almaen feddiannu Gwlad Belg, ond byrhoedlog fu hynny, a gwrthwynebodd y mesur gorfodaeth filwrol a'r driniaeth giaidd a gâi gwthwynebwyr cydwybodol. Arweiniodd hyn ef yn y pen draw i gefnu'n llwyr ar Blaid Ryddfrydol Lloyd George.

Rhwygwyd Rhyddfrydwyr Ceredigion yn ddwfn gan yr anghydfod, gyda'r Methodistiaid a threfwyr glan y môr yn tueddu i ffafrio Coalisiwn Lloyd George, a'r Bedyddwyr, Undodwyr ac Annibynwyr, a phobl yr ardaloedd gwledig yn dueddol i'w wrthwynebu. Ffurfiwyd dau glwb Rhyddfrydol ar wahân yn Aberystwyth, ac yn etholiadau 1922 a 1923 yr oedd dau ymgeisydd Rhyddfrydol yn ymgiprys am sedd y sir.

Helyntion Iwerddon yn croesi i Gymru

Daeth nifer o bobl o'r De o flaen eu gwell ym mis Hydref pan aeth yr heddlu ati i ddal y rhai a oedd yn cael eu hamau o storio arfau a ffrwydron dros derfysgwyr Gwyddelig, gyda'r bwriad o ymosod ar dargedau ym Mhrydain.

Gyda'r hwyr ar 13 Hydref, restiodd heddlu Caerdydd Joseph Patrick Connolly, trefnydd de Cymru yr *Irish Self-Determination League*. Roedd y Ditectif Brif Arolygydd Thomas Hodges a rhai o'i swyddogion wedi chwilio lletty Connolly yn y ddinas a chanfod yno 22 rifolfer, 5 pistol awtomatig, bwledi ar eu cyfer, a gwahanol fathau o ffrwydron. Roedd Connolly'n adnabyddus yn y De fel areithiwr dros achos hunan-lywodraeth i Iwerddon, a daeth yn drefnydd i'r *Self-Determination League* wedi i'w ragflaenydd yng Nghaerdydd, Sean O'Kelly, gael ei restio. Ymddangosodd Connolly yn y llys ar gyhuddiad o feddu ar arfau gan fwriadu peryglu bywydau a niweidio eiddo yn y Deyrnas Unedig a galluogi eraill i wneud yr un peth. Yng Nghastell-nedd yr un bore, bu Michael Donoghue a Thomas Tierney gerbron ynadon y dref, wedi i'r heddlu lleol gael hyd i gotwm tanio a 29 o beli gelignit, ynghyd â chynlluniau o gronfeydd dŵr,

pontydd, a storfeydd arfau yn ardal Castell-nedd yn yr ystafell wely a rannai'r ddau. Roedd y cynlluniau wedi'u cuddio mewn pâr o sanau.

Ni ddywedodd Donoghue ddim yn ystod y gwrandawiad, ond mynnodd Tierney mai llifiwr oedd ef wrth ei grefft ac mai rhaff feddal i lapio llifiau ynddi oedd y deunydd a ddisgrifiwyd gan yr heddlu fel cotwm tanio. Honnodd y Rhingyll David Evans fod y ddau ddyn wedi brolio eu bod yn aelodau o *Sinn Fein*. Cyhuddwyd y ddau'n ffurfiol o'r un troseddau â Connolly.

Mewn achos ar wahân, cymerwyd glöwr, David Humphrey Evans, a'i wraig Kate Evans i'r ddalfa ar gyhuddiad o dorri i mewn i Lofa'r Waun-wyllt, Merthyr Tudful, ar 10 Hydref a dwyn 800 o danwyr a 100 o ffyn gelignit, ac o dorri i mewn i Lofa Craig ar 12 Hydref a dwyn 500 ffiwsiau a defnyddiau eraill. Kate Evans oedd ysgrifenyddes cangen Merthyr o'r *Self-Determination League*. Restiwyd y ddau ar orsaf y dref pan oeddynt ar fin dal trên a'r ffrwydron yn eu meddiant mewn dau gâs dogfennau. Fel yn achos y Gwyddelod, cyhuddwyd hwythau hefyd o feddu ar ffrwydron gan fwriadau peryglu bywydau a niweidio eiddo yn y Deyrnas Unedig.

Cyfrifiad a lleihad y Gymraeg

Am y tro cyntaf erioed, dangosodd y Cyfrifiad a gymerwyd yn ystod y flwyddyn fod y nifer o bobl a fedrai'r Gymraeg wedi lleihau.

Roedd Cyfrifiad 1911 wedi dangos y cyfanswm uchaf erioed o Gymry Cymraeg dros dair oed – 977, 366, sef 43.5% o'r boblogaeth. Deng mlynedd yn ddiweddarach, roedd y cyfanswm wedi disgyn i 929,183 (37.2% o'r boblogaeth). Yn ystod yr un cyfnod roedd poblogaeth Cymru at ei gilydd wedi cynyddu o fwy na 200,000.

Dangosodd Cyfrifaid 1921 hefyd fod yr iaith ar ei gwannaf yn yr ardaloedd diwydiannol, ac ar ei chryfaf mewn ardaloedd gwledig fel siroedd Caerfyrddin, Ceredigion, Meirionnydd a Môn. Ar Ynys Môn, roedd 84.9% o'r trigolion yn medru'r Gymraeg. Yn y wlad at ei gilydd, roedd 156,995 na fedrai'r un iaith ond y Gymraeg, ac mewn un achos yn Llŷn, cofnodwyd bod holl drigolion plwyf Bodferin yn ddi-Saesneg.

Bwriwyd rhywfaint o amheuaeth ar werth Cyfrifiad 1921, am ei bod yn ymddangos bod nifer lled sylweddol heb gael eu cyfrif, tra ar y llaw arall cynhwyswyd llawer o ymwelwyr o Loegr ynddo gan iddo gael ei gynnal yn ystod tymor twristiaeth yr haf.

Syched sabothol sir Fynwy

isod: I rai, rhan o'r frwydr dros hawlio sir Fynwy i Gymru oedd cau tafarndai'r sir.

RESTITUTION DEMANDED.

Ddeugain mlynedd ar ôl ei phasio, estynnwyd Deddf Cau'r Tafarnau ar y Sul yng Nghymru 1881 i gynnwys sir Fynwy. Daeth yr estyniad fel rhan o'r Ddeddf Drwyddedu a basiwyd gan y Senedd ar 17 Awst, a rhoddodd y mesur newydd ddiwedd i ryw raddau ar yr hen ddadl

a ddylid trin sir Fynwy fel rhan o Gymru ai peidio. Bu cryn wrthwynebiad i'r mesur gan rai yng Nghymru, ac o fis Gorffennaf ymlaen bu areithwyr y Gymdeithas Ryddid a Diwygiad yn annerch cyfarfodydd yn sir Fynwy, lle y pasiwyd llu o benderfyniadau'n condemnio'r mesur ac yn bygwth pleidleisio'n erbyn pob ymgeisydd Seneddol a oedd yn ei gefnogi. Yn Sgwâr y Frenhines, Casnewydd, ar 31 Gorffennaf, o'r miloedd a ymgasglodd, dim ond naw ar hugain ohonynt a oedd yn barod i gefnogi cau'r tafarndai ar y Sul ym Mynwy. Er hyn, pleidleisodd aelodau Tŷ'r Cyffredin ar 2 Awst o 190 i 81 dros yr estyniad, ac ar ôl mynd trwy Dŷ'r Arglwyddi'n weddol ddidrafferth, daeth y mesur yn ddeddf.

Yn y ddadl ynglŷn â'r mesur yn Nhŷ'r Cyffredin, bu cryn sôn am statws Mynwy fel rhan o Gymru. Dadleuodd y Sais Syr Gordon Hewart dros gynnwys Mynwy yng Nghymru am nifer o resymau, ac atgoffodd y Tŷ fod Mynwy eisoes wedi ei chynnwys o dan Ddeddf Datygysylltu'r Eglwys yng Nghymru, tra rhoddodd Charles Forestier-Walker, yr Aelod dros Drefynwy, y ddadl yn erbyn.

O'r Aelodau Seneddol Cymreig, dim ond pump a bleidleisodd yn erbyn y mesur – y Llafurwr George Baker, y Llafurwr Coalisiwn Charles Stanton, a'r tri Cheidwadwr Forestier-Walker, James Gould, a'r Uwch-gapten William Cope. Cryfhaodd Deddf Drwyddedu 1921 y syniad mai gelynion yr yfwr a'r tafarnwr oedd y Rhyddfrydwyr, ac yn is-etholiad Casnewydd ar 18 Hydref 1922, gwnaeth y Ceidwadwr buddugol, Reginald Clarry, yn fawr o'i wrthwynebiad i'r mesur a gaeodd dafarndai Mynwy ar y Sul.

Clwb dosbarth cyntaf

dde: Norman Riches, un o fatwyr gorau Morgannwg.

Trechu Sussex o 23 rhediad ym Mharc yr Arfau, Caerdydd oedd canlyniad gêm griced gyntaf Morgannwg fel clwb dosbarth cyntaf ar 18 - 20 Mai.

Golygai statws dosbarth cyntaf fod Morgannwg bellach yn cael cymryd rhan ym Mhemcampwriaeth Siroedd Lloegr, yn lle Pemcampwriaeth y Siroedd Bach y buont yn cystadlu ynddo er 1897. Yn ystod eu tymor cyntaf yn y prif Bencampwriaeth trawodd eu batiwr gorau a chapten y clwb, Norman Riches o Gaerdydd, dros fil o rediadau, gan sgorio 177 heb fod allan yn erbyn swydd Gaerlŷr oddi cartef. Er hyn colli 14 o'u 19 gêm fu hanes y clwb yn ei dymor cyntaf, gyda thair gêm gyfartal, a'r un fu'r hanes y tymor dilynol yn 1922 – ennill dwy gêm, gyda thair gêm gyfartal.

Daeth y llwyddiant mawr cyntaf i'r tîm yn nhymor 1923, pan gurwyd India'r Gorllewin mewn gêm dridiau ym Mharc yr Arfau ddechrau mis Awst. Hwn oedd y tro cyntaf i Forgannwg ennill yn erbyn tîm tramor ar daith ym Mhrydain, ac roedd y fuddugoliaeth o 439 o rediadau i 396 wedi dau fatiad yn un nodedig, yn enwedig o ystyried bod India'r Gorllewin newydd guro tîm Surrey o ddeg wiced yn yr Oval.

'Dydd Gwener du'

Ar 1 Ebrill, diwrnod yn unig ar ôl i'r pyllau glo ddychwelyd i berchnogaeth breifat ar ôl bod am fwy na phedair blynedd dan reolaeth y llywodraeth, cafodd y glowyr eu cloi allan o'r gwaith.

Gan ragweld dadwladoli'r pyllau ar 31 Mawrth, bu'r meistri glo preifat wrthi ers pythefnos yn ceisio sicrhau cytundebau cyflogau lleol, yn lle'r rhai cenedlaethol yr oedd y glowyr yn eu chwennych. Prif ganlyniad y graddfeydd newydd i'r glowyr oedd torri ar eu cyflogau. Ym mhyllau de Cymru disgwylid lleihad o tua 40% i dorwyr glo profiadol, a 50% i lafurwyr cyffredinol. Ar 30 Mawrth, gwrthododd y glowyr y telerau hyn, a deuddydd wedyn fe'u clowyd allan.

Cyhoeddodd y llywodraeth stad o argyfwng, ac anfonwyd milwyr i'r meysydd glo. Ar 8 Ebrill, dywedodd Lloyd George wrth Dŷ'r Cyffredin y gelwid am wasanaeth aelodau wrth gefn y fyddin, y llynges a'r llu awyr pe codai'r angen, ac apeliwyd am wirfoddolwyr i fod yn blismyn dros dro.

Ar 13 Ebrill cytunodd gwŷr y rheilffydd a'r gweithwyr cludiant i gefnogi'r glowyr o ddydd Gwener 15 Ebrill ymlaen, ond nos Iau 14 Ebrill, mewn cyfarfod o Aelodau Seneddol yn Llundain awgrymodd Frank Hodges, Ysgrifennydd undeb y glowyr, y gellid dod i gytundeb cyflogau dros dro i roi diwedd ar y streic. Gwelodd Lloyd George bosibilrwydd rhannu'r gweithwyr yn erbyn ei gilydd a'r canlyniad fu i'r undebau eraill dynnu allan o'u cytundeb â'r glowyr, a'u gadael yn unig. Dyma'r 'Dydd Gwener Du' a ystyrid yn gymaint o frad gan y glowyr. Meddai'r bardd Idris Davies o Rymni am y diwrnod, '*This Friday goes down in history yellow, and edged in black.*'

Parhaodd y streic am dri mis arall, gan ddod i ben ar 1 Gorffennaf, ond erbyn y diwedd yr oedd hyd yn oed Noah Ablett radicalaidd yn cydnabod na fedrai'r glowyr barhau eu hymdrech.

Prif ganlyniad streic 1921 i Ffederasiwn Glowyr De Cymru oedd colli arian a cholli aelodau. Disgynnodd aelodaeth y *Fed* o 197,668 i 87,080 ar ddiwedd 1922, a soniodd Frank Hodges am 'ysbryd cyffredinol o besimistiaeth tebyg i anobaith.'

Buddugoliaeth heddychwr

Ar 25 Awst, Morgan Jones, mab i löwr o Fargoed, oedd y dyn cyntaf erioed a fu'n wrthwynebydd cydwybodol yn y Rhyfel Mawr i gael ei ethol i'r Senedd, pan enillodd sedd Caerffili dros y Blaid Lafur yn yr isetholiad a ddilynodd farwolaeth Alfred Onions. Curodd Jones ymgeiswyr y Glymblaid â mwyafrif o fwy na 4,700, a daliodd y sedd wedyn hyd ei farwolaeth yn 1939. Roedd buddugoliaeth Jones yn un arwydd bod ysbryd rhyfelgar 1914-1918 yn cilio.

Bu Morgan Jones yn aelod o'r Blaid Lafur Annibynnol er 1908, a bu'n gweithio yn erbyn rhan Prydain yn y Rhyfel Mawr o'r dechrau. Fe'i restiwyd ym Mawrth 1916 am wrthod ymuno â'r fyddin. Seiliodd ei wrthwynebiad i'r Rhyfel ar ei egwyddorion sosialaidd, gan wrthod codi arfau'n erbyn ei gyd-weithwyr yn yr Almaen.

Tynnodd is-etholiad Caerffili sylw mawr hefyd am mai hwn oedd yr etholiad cyntaf yng Nghymru lle cafwyd ymgeisydd dros y Blaid Gomiwnyddol newydd yn sefyll. Ar ôl Chwyldro Rwsia yn 1917 tyfodd y gefnogaeth i'r Comiwnyddion ar draws Ewrop, ac yn enwedig ymysg gweithwyr de Cymru. Daeth ymgeisydd y Comiwnyddion yng Nghaerffili, Robert Stewart, yn drydydd o dri, ond gyda chyfanswm digon parchus o ddwy fil a hanner o bleidleisiau.

1922

Sidebar

5 Chwefror

Cyhoeddwyd y cylchgrawn *The Reader's Digest* am y tro cyntaf.

12 Chwefror

Etholwyd Pab newydd, Pius XI.

16 Mawrth

Hawliodd y Sultan Ahmed Fuad Pasha Goron yr Aifft.

18 Mawrth

Yn yr India, carcharwyd Mahatma Gandhi am chwe blynedd gan awdurdodau Prydain am annog bradwriaeth.

16 Ebrill

Arwyddodd yr Almaen a'r Undeb Sofietaidd gytundeb yn Rapallo, yr Eidal.

21 Mehefin

Yn Llundain, llofruddiwyd y Cadfridog Syr Henry Wilson gan yr IRA.

22 Awst

Llofruddiwyd un o benseiri Gwladwriaeth Rydd Iwerddon, Michael Collins, gan grŵp hollt o'r IRA.

2 Awst

Bu farw Alexander Graham Bell, dyfeisiwr y teleffon.

30 Hydref

Penodwyd Benito Mussolini yn Brif Weinidog yr Eidal wedi i ddeugain mil o ffasgwyr orymdeithio o Napoli i Rufain.

1 Tachwedd

Dechreuwyd gwerthu trwyddedau radio ym Mhrydain.

25 Tachwedd

Yn yr Aifft, agorwyd bedd Tutankhamen.

Urdd Gobaith Cymru Fach

Ifan ab Owen Edwards yn arwain gorymdaith yr Urdd drwy Aberystwyth.

Prin y meddyliai Ifan ab Owen Edwards pan aeth ati yn ei ystafell yn y Pandy, Llannarth i lunio llythyr agored at blant Cymru, y byddai'r llythyr hwnnw yn esgor ar un o'r mudiadau pwysicaf yn hanes Cymru'r ganrif hon, sef Urdd Gobaith Cymru. Trwy'r nos yng ngolau lamp bu'n eistedd yn ysgrifennu'r llythyr a gyhoeddwyd yn rhifyn Ionawr 1922 o'r cylchgrawn *Cymru'r Plant.*

Pan fu farw O.M.Edwards ym Mai 1920, etifeddodd ei fab Ifan nid yn unig ei wladgarwch a'i frwdfrydedd dros yr iaith Gymraeg a'i thraddodiadau ond hefyd olygyddiaeth cylchgrawn arloesol ei dad, *Cymru'r Plant.* Yr un pryder dwys a oedd gan O.M. am gyflwr addysgol a diwylliannol plant y Gymru Gymraeg a arweiniodd Ifan ab Owen Edwards i lunio'i lythyr enwog. Ynddo, galwodd ar bobl ifainc y wlad i ymuno â mudiad arbennig newydd i achub y diwylliant Cymraeg, gan rybuddio, 'Mae Cymru mewn cymaint o berygl heddiw ag y bu erioed. Mae cymaint o ddieithriaid o'n cwmpas fel y mae hyd yn oed ein hiaith, eich iaith chwi a minnau, iaith eich mam a'ch tad hefyd mewn perygl o ddiflannu oddi ar fryniau ac o ddolydd ein hannwyl wlad.'

Ffurfio mudiad newydd o blant gwlatgar oedd yr ateb: 'Fe sefydlwn urdd newydd, a cheisiwn gael pob Cymro a Chymraes o dan ddeunaw oed i ymuno â hi, a galwn eu hurdd URDD GOBAITH CYMRU FACH.' (Gollyngwyd y 'Fach' o'r teitl ychydig wedyn).

Galwyd ar blant i ddanfon i mewn eu henwau ynghyd â swllt yr un, ac i addo glynu wrth reolau'r Urdd trwy siarad, darllen a chanu yn Gymraeg bob cyfle. Erbyn diwedd y flwyddyn yr oedd enwau 720 o aelodau newydd wedi ymddangos yn y cylchgrawn.

Aelodau unigol oedd y rhai cyntaf, ond cyn diwedd y flwyddyn gwelwyd ffurfio Adran gyntaf yr Urdd yn y Treuddyn, sir Fflint, ac yn 1924 yn Abercynon, crewyd Adran gyntaf de Cymru.

Yn Awst 1929 cynhaliwyd gwersyll cyntaf yr Urdd i fechgyn yn Llanuwchllyn, ond bu'n rhaid aros hyd 1929 am wersyll cyntaf y merched.

Gwenwyno yn y Gelli

Armstrong wedi i'r rheithgor ei gael yn euog.

Crogwyd Herbert Rowse Armstrong o'r Gelli Gandryll ar 31 Mai yng ngharchar Caerloyw, yr unig gyfreithiwr erioed i'w grogi ym Mhrydain am lofruddiaeth. Roedd tyrfa o fwy na mil o bobl wedi ymgasglu y tu allan i'r carchar erbyn 7 o'r gloch y bore, awr cyn y crogi. Yn ôl adroddiadau, roedd y dorf mewn hwyliau arbennig o dda, ac yn mwynhau achlysur y dienyddiad cyntaf yn y dref ers deng mlynedd. Gwahanol iawn oedd yr awyrgylch yn y Gelli yr un bore, lle roedd llenni llawer tŷ wedi'u cau, a thri phlentyn amddifad Armstrong wedi'u gadael yng ngofal morwyn y tŷ.

Nid oedd tystiolaeth bendant bod Armstrong yn llofrudd, a dibynnai'r achos yn ei erbyn ar gyfuniad o amgylchiadau. Ni soniwyd am lofruddiaeth pan fu farw Katharine Armstrong, gwraig Herbert, ar 22 Chwefror 1921. Gwraig wanllyd iawn ei hiechyd oedd Katharine Armstrong ac nid oedd ei marw'n syndod. Dechreuodd sïon ledu pan drawyd cyfreithiwr arall yn y Gelli, Oswald Martin, yn sâl wedi iddo gael te a sgôns yn nhŷ Armstrong ar 24 Hydref. Honnodd Martin wedyn i Armstrong gydio mewn un sgôn arbennig a'i hestyn iddo yn hytrach na chynnig cynnwys y plât i gyd – sef y sgôn wenwynig a oedd i fod i'w ladd yn ôl rhai. Roedd Martin a'i wraig hefyd wedi derbyn llond bocs o siocledi yn ddi-enw ar 29 Medi, ac yr oedd Dorothy Martin, chwaer yng nghyfraith Oswald, wedi bod yn sâl ar ôl bwyta un ohonynt.

Tystiodd Fred Davies, y fferyllydd lleol a thad yng nghyfraith Oswald Martin, fod Armstrong wedi prynu cryn dipyn o arsenic dros y blynyddoedd, i'w ddefnyddio, meddai ef, ar ddant-y-llew ar ei lawnt.

Restiwyd Armstrong ar 31 Rhagfyr am geisio gwenwyno Oswald Martin, ond am lofruddio ei wraig y safodd ei brawf yn y diwedd. Codwyd ei chorff o'i fedd yn Ionawr 1922, a chafwyd olion arsenic ynddo. Yn Henffordd bu'r prawf, a'r llys dan ei sang gan newyddiadurwyr ac aelodau chwilfrydig o'r cyhoedd. Roedd yr achos yn un o rai mwyaf y dydd, a daeth yn rhan o chwedloniaeth llofruddiaeth Prydain. Cymerodd y rheithgor lai nag awr i'w gael yn euog a chondemniwyd ef i farwolaeth.

Dim ymreolaeth i Gymru

Rhyw hanner cant o gynrychiolwyr yn unig a ddenwyd i'r gynhadledd genedlaethol ar ymreolaeth i Gymru a gynhaliwyd yn Amwythig ar 31 Mawrth, yr olaf o gyfres o gyfarfodydd ar y pwnc a ddechreuodd ym mis Mehefin 1919 yn Llandrindod.

Methiant truenus oedd y gynhadledd, a dewisodd cynrychiolwyr y rhan fwyaf o awdurdodau lleol Cymru beidio â dod oherwydd ofnau'r ardaloedd gwledig y caent eu boddi gan barthau diwydiannol y De. Chwalodd y trafodaethau yn y diwedd mewn anghydfod gyda checru rhwng dirprwyaethau Morgannwg a Mynwy a rhai'r cefn gwlad.

Ar 28 Ebrill, yn sgil siom y gynhadledd, cyflwynodd Syr Robert Thomas, yr Aelod Seneddol Rhyddfrydol dros Wrecsam, ei Fesur Llywodraeth i Gymru yn Nhŷ'r Cyffredin. Lladdwyd y mesur yn hawdd yn ystod ei ddarlleniad cyntaf gan y Tori Syr Frederick Banbury, yr Aelod dros Ddinas Llundain, a lwyddodd i siarad yn ddi-baid nes bod yr amser a ganiatawyd i'r mesur wedi darfod.

O 1922 ymlaen yr oedd yn glir na fyddai ymreolaeth i Gymru yn bwnc trafod cyn bwysiced ag y bu, ffaith a gadarnhawyd gan dri methiant y cenedlatholwr E.T. John mewn etholiadau yn 1922, 1923 a 1924.

Y Llenor

'Darparu a hyrwyddo'r diwylliant llenyddol uchaf a rhoddi i lenorion Cymru le lle y cyhoeddir eu gwaith ar un amod yn unig, sef teilyngdod llenyddol.' Dyna ddisgrifiad y golygydd, yr Athro W.J. Gruffydd, o nod y chwarterolyn newydd, Y Llenor, y cyhoeddwyd y rhifyn cyntaf ohono yn y Gwanwyn.

Llanwodd y cylchgrawn newydd fwlch sylweddol yn y farchnad, ac ym mywyd diwylliannol y Cymry Cymraeg, gan ddod yn un o'r prif lwyfannau ar gyfer ysgrifenwyr a beirniaid yn y Gymraeg. Rhoddodd fforwm i rai o feirdd a llenorion mwyaf y ganrif, ac ymhlith y cyfranwyr amlycaf iddo roedd Kate Roberts, Saunders Lewis, T.H. Parry-Williams, Iorwerth C. Peate ac R.T. Jenkins.

Ymhlith y rhai mwyaf nodedig yr ymddangosodd eu gwaith yn y cylchgrawn roedd y golygydd ei hun. Yn y rhifyn cyntaf un, cyhoeddwyd adolygiad ganddo ar y gyntaf o ddramâu Cymraeg Saunders Lewis, Gwaed yr Uchelwyr, lle ymosododd ar ddaliadau pendefigaidd y dramodydd, gan ei ddisgrifio yn un o 'wŷr yr adweithiad'. Daeth enw W.J. Gruffydd bron yn gyfystyr â'r Llenor, yn enwedig o 1926 ymlaen, pan ddechreuodd gyhoeddi ei nodiadau golygyddol brathog ac uniongyrchol ar nifer o bynciau cyfoes. Parhaodd W.J. Gruffydd i olygu'r Llenor hyd ei farw yn 1954, gan rannu'r gwaith â T.J. Morgan ar ôl 1946. Yr oedd rhifyn olaf y cylchgrawn yn 1955, yn rhifyn coffa i Gruffydd o dan olygyddiaeth ei gyd-olygydd.

Plant Cymru yn darlledu ewyllys da

Ar 28 Mehefin, sefydlwyd Neges Ewyllys Da Plant Cymru gan y Parch. Gwilym Davies o Fedlinog.

Yng Nghynhadledd Ieuenctid Ysgol Cymru'r Gwasanaeth Cymdeithasol yn Llandrindod y penderfynwyd lawnsio'r Neges Ewyllys Da, a pherswadiodd Davies Swyddfa'r Post i ddarlledu'r Neges gyntaf, gan ei danfon allan fel signal delegraff diwifr o orsaf Leafield ger Rhydychen heb ei chyf- eirio at neb yn benodol. Derbyniwyd y Neges gan Gyfarwyddwr Gorsaf Radio Twr Eiffel ym Mharis, a'i hailddarlledu, ond ni chlywyd yr un ymateb arall. Ni chafwyd ateb chwaith yn 1923, ond yn 1924 cafodd y Neges ei darlledu gan y BBC a chafwyd dau ateb, y naill gan Archesgob Uppsala yn Sweden, a'r llall gan Weinidog Addysg Gwlad Pŵyl. O hynny ymlaen, tyfodd y neges yn fwyfwy poblogaidd, a dechreuwyd ei hailddarlledu mewn nifer o ieithoedd. Erbyn 1930 yr oedd yr Almaen, yr Eidal a Siapan wedi ymuno â'r cynllun, ac o 1934 ymlaen cafwyd atebion yn Esperanto o'r Undeb Sofietaidd.

Ni bu'r Neges yn hir cyn ennyn didd- ordeb Ifan ab Owen Edwards, sefydlydd yr Urdd, ac yn rhifyn Mehefin 1925 o'i gylch- grawn *Cymru'r Plant*, soniodd am 'Genadwri Plant Cymru at Blant yr Holl Fyd trwy gyfrwng y Pellebr Diwifr.' O'r flwyddyn honno ymlaen tyfai'r Neges Ewyllys Da yn un o weithgareddau mwyaf nodedig yr Urdd. Erbyn y '30au, daeth yn arferiad cynnal Gwasanaeth Heddwch ar sail y Neges, ac ar 14 Mai 1933 darlledwyd y gwasanaeth gan y BBC am y tro cyntaf, o Gapel Seilo Aber- ystwyth dan arweiniad y Parch. Owen Prys.

Cymru'n cymodi

Ym mis Mai cynhaliwyd cyfarfod cyntaf Cyngor Cenedlaethol Cymru o Undeb Cynghrair y Cenhedloedd, y corff a grewyd yn sgil y Rhyfel Mawr i sicrhau cytgord rhwng gwledydd y byd.

Daeth yr adran Gymreig hon i fodolaeth trwy arweiniad David Davies, Llandinam, ac ef hefyd a ddygai'r baich o gefnogi'r mudiad yn ariannol. Addawodd Davies y talai ef yr holl gostau staffio a gweinyddu, ac o dan ei nawdd tyfodd y mudiad yn gorff bywiog iawn, ac yn fan ymgynnull i lawer o Gymry a oedd am adeiladu amgenach byd ar ôl dinistr a gelyniaeth y Rhyfel Mawr

Roedd David Davies eisoes yn enwog fel ymgyrchydd brwd dros gyd-ddealltwriaeth ryngwladol, ac yn 1919 ef a fu'n gyfrifol am greu'r Gadair Brifysgol gyntaf mewn Gwleid- yddiaeth Ryngwladol, cadair a lanwyd am y tro cyntaf gan Syr Alfred Zimmern yn Aberystwyth. Mor gynnar ag Eisteddfod Genedlaethol Castell-nedd yn Awst 1918 roedd David Davies wedi awgrymu sefydlu adran o Undeb Cynghrair y Cenhedloedd yng Nghymru, ac erbyn 1920 roedd sawl cangen eisoes wedi'i sefydlu.

Penodwyd y Parch. Gwilym Davies, sylfaenydd Neges Ewyllys Da Plant Cymru,

David Davies, Llandinam
(Yr Arglwydd Davies wedi hynny).

yn Gyfarwyddwr er Anrhydedd ar adran Gymreig y mudiad, swydd a ddaliodd hyd 1945, gan fynychu pob un o Gymanfaoedd Cyffredinol Cynghrair y Cenhedloedd yng Ngenefa rhwng 1923 a 1938. Roedd hefyd yn bropagandydd effeithiol iawn yng Nghymru dros waith y Gynghrair.

Llanw Llafur

Daeth buddugoliaeth ysgubol y Blaid Lafur yng Nghymru yn Etholiad Cyffredinol 15 Tachwedd yn sgil llwyddiant ym mhob un o'r chwech is-etholiad a gynhaliwyd mewn seddi ym maes glo'r De ar ddechrau'r '20au.

Yn is-etholiad Pontypridd ar 25 Gorff- ennaf, trodd T.I Mardy Jones fwyafrif y Rhyddfrydwyr o 3,175 yn fwyafrif i Lafur o 4,080, ac nid syndod oedd felly ym mis Tachwedd pan gipiodd y Blaid Lafur 18 o'r 36 sedd yng Nghymru, gan gynnwys pob un o'r 15 sedd yng nghymoedd glofaol y De, gan roi terfyn pendant ar gyfnod yr oruch- afiaeth Ryddfrydol yng Nghymru.

Nid oedd dylanwad Llafur wedi'i gyfyngu i'r de diwydiannol yn unig – enillwyd hefyd seddi Wrecsam, Dwyrain Abertawe, a sir Gaernarfon. Yn sir Gaernarfon, gwelwyd bod cryn nifer o'r chwarelwyr Cymraeg wedi cefnu ar eu hen Ryddfrydiaeth draddodiadol pan enillodd Robert Thomas Jones, Ysgrif- ennydd eu hundeb, y sedd dros Lafur. Daliodd y Cadfridog Syr Owen Thomas Ynys Môn fel Llafurwr Annibynnol.

Aeth 11 o'r seddi gweddill i'r Rhydd- frydwyr a chwech i'r Ceidwadwyr. Cyfyng- wyd grym y Rhyddfrydwyr i gryn raddau i'r ardaloedd gwledig – o'u seddi i gyd dim ond Gorllewin Abertawe oedd yn sedd hollol drefol ei natur. Gwthiwyd y Ceidwadwyr i seddi'r De-ddwyrain, gan ddal tair sedd Caerdydd, y Barri, Casnewydd a Threfynwy.

Roedd gwir arwyddocâd camp Llafur yn 1922 i'w weld o gymharu canlyniadau'r etholiad yng Nghymru â'r hyn a gafwyd yng ngweddill gwledydd Prydain. Safle bur ymylol a oedd gan y Torïaid yng ngwleidyddiaeth Cymru ond yr oedd mwyafrif o 77 o seddi ganddynt yn Nhŷ'r Cyffredin i gyd.

Ar ôl ychydig flynyddoedd o ymryson rhwng tair plaid, roedd gwleidyddiaeth ym Mhrydain yn dychwelyd i'r hen drefn ddwyblaid, a Llafur i gryn raddau'n cymryd lle'r Blaid Ryddfrydol fel y blaid Gymreig. Roedd yn wir bellach nad ystyrid y cwestiwn cenedlaethol Cymreig yn bwnc llosg, ond ar y llaw arall, rhaid oedd cydnabod natur neilltuol y sefyllfa wleidyddol a'r patrwm pleidleiso yng Nghymru.

Cwymp Lloyd George

uchod:
Heddwas yn ceisio gwahanu ceir canfasio'r Ceidwadwyr a'r Rhyddfrydwyr yng Nghasnewydd wedi iddynt wrthdaro.

Athronydd Llangernyw

Syr Henry Jones yn hen ŵr.

I ferched y dref y rhoddodd y Ceidwadwr Reginald Clarry y clod am ei fuddugoliaeth yn is-etholiad Casnewydd ar 18 Hydref.

Nid oedd Clarry ar ei ben ei hun wrth briodoli ei gamp i bleidleisiau'r merched dros ddeg ar hugain oed a enillodd yr etholfraint trwy Ddeddf Gynrychiolaeth y Bobl 1918. Yn wir, merched oedd 16,811 o'r 41,700 o etholwyr yng Nghasnewydd, sef 40% o'r etholaeth, a gwnaeth y tri ymgeisydd i gyd eu gorau glas i sicrhau cefnogaeth y garfan newydd hon o bleidleiswyr. Curodd y Ceidwadwr Reginald Clarry'r Llafurwr J.W. Bowen o 13,515 o bleidleisiau i 11,425, gan adael ymgeisydd y Coalisiwn, W. Lyndon Moore, yn drydydd gyda 8,841.

Sylwodd gohebydd y *South Wales Daily Post* ar y nifer mawr o geir modur oedd gan Dorïaid Casnewydd i gludo eu cefnogwyr i bleidleisio o leoedd mor bell i ffwrdd â Llanelli ac Abertawe – 140 o gymharu â'r 60 gan y Rhyddfrydwyr. Honnodd y *Western Mail* fod y Blaid Lafur yn gorfod defnyddio beiciau pedlo i gludo ei phleidleiswyr hi.

Daeth goblygiadau ehangach methiant Lyndon Moore yng Nghasnewydd i'r amlwg fore trannoeth, pan dynnodd y Ceidwadwyr allan o'r llywodraeth Glymblaid, a pheri ymddiswyddiad Lloyd George fel Prif Weinidog. Gyda'r hwyr yr un diwrnod fe alwyd ar arweinydd y Ceidwadwyr, Andrew Bonar Law, i ffurfio llywodraeth.

Ar 4 Chwefror, yn Tighnabruaich, yr Alban, bu farw Syr Henry Jones yr athronydd o Langernyw, sir Ddinbych.

Prentisiwyd ef yn grydd gan ei dad pan oedd yn ddeuddeg oed ond roedd ei fryd ar ddilyn gyrfa mewn addysg. Aeth i Goleg Normal Bangor, lle enillodd gymwysterau athro ysgol, ac yn 1875 wedi cyfnod o ddysgu ym Mrynaman aeth yn fyfyriwr i Brifysgol Glasgow.

Yn 1882 penodwyd ef yn ddarlithydd mewn athroniaeth yn Aberystwyth, ac yn 1884 yn Athro Athroniaeth Coleg y Brifysgol Bangor, cyn symud i Brifysgol St Andrews yn 1891, a Phrifysgol Glasgow 1894. Roedd bri ar ei syniadau athronyddol a bu ar deithiau darlithio yn Awstralia a'r Unol Daleithiau. Enillodd enw am ddarlithio o'r frest, ac am beidio â chynllunio'r llwybr tua diwedd ei ddarlith yn rhy fanwl.

Ffordd o fyw oedd ei athroniaeth iddo yn ogystal â bob yn bwnc academaidd, ac ymddiddorai mewn diwygiad cymdeithasol. Roedd yn Rhyddfrydwr brwd, yn adnabod rhai o wleidyddion amlycaf ei oes, fel Herbert Asquith a David Lloyd George. Yn Glasgow, sefydlodd Gymdeithas Ddinesig, a bu'n gweithio'n ddiwyd dros wella darpariaeth addysg yng Nghymru. Bu'n rhan o'r ymgyrch a sicrhaodd Ddeddf Addysg Ganolradd 1889, ac ef a ddyfeisiodd y dreth geiniog a adweinid fel 'ceinogau'r tlodion', y byddai'r cynghorau sirol yn ei chodi i dalu am addysg uwch. Yn ystod y Rhyfel Mawr, teithiodd trwy dde Cymru yn areithio mewn Cymraeg a Saesneg i ysgogi cefnogaeth i'r ymdrech Ryfel.

1923

Cymraeg ar y Radio

'Cariwch medd Dafydd fy nhelyn i mi' – dyna'r geiriau Cymraeg cyntaf i'w clywed ar y radio, pan ganodd Mostyn Thomas 'Dafydd y Garreg Wen' ar 13 Chwefror o orsaf 5WA, Caerdydd, ar achlysur dechrau darlledu radio cyhoeddus yng Nghymru.

Ym mis Mai 1922 cyhoeddodd y Postfeistr Cyffredinol F.G.Kellaway, y rhoddid trwyddedau ar gyfer wyth gorsaf radio ym Mhrydain ac yn eu plith un yng Nghaerdydd. Rhaglen Saesneg i blant oedd y gyntaf oll a ddaeth o'r orsaf newydd, ac yn ystod yr wythnos gyntaf cafwyd dros 21 o raglenni, y rhan fwyaf ohonynt yn rhaglenni cerddorol. Bu'n rhaid aros tan Ddydd Gŵyl Ddewi i glywed sgwrs Gymraeg, pan siaradwyd am ddeng munud gan Huw J. Huws, arolygydd ysgolion Caerdydd. Ond yn gynharach yr un diwrnod roedd y Parchg. Gwilym Davies mewn sgwrs am

Mostyn Thomas yn canu ar y noson gyntaf o ddarlledu radio o Gaerdydd.

Gynghrair y Cenedloedd, wedi dyfynnu dwy linell o farddoniaeth Gymraeg – y geiriau Cymraeg cyntaf i'w llefaru ar y radio. Ar 26 Mawrth, daeth yr Uwch-gapten Arthur Corbett-Smith yn Gyfarwyddwr gorsaf Caerdydd, a rhoddwyd taw ar ddarlledu Cymraeg am flwyddyn.

Agorwyd gorsaf 5SX Abertawe ar 12 Rhagfyr 1924, ac yn ei anerchiad Cymraeg, a ddarlledwyd o bob un o orsafoedd radio Prydain ar wahân i Fanceion, achubodd maer Abertawe, y Cynghorydd John Lewis, ar y cyfle i annog pobl i ddod i Eisteddfod Genedlaethol Abertawe yn 1926. Gofynnodd hefyd beth feddyliai pregethwyr mawr fel John Elias a Christmas Evans pe caent siarad â'r 'genedl gyfan mewn un oedfa'. Ar 1 Tachwedd 1935, agorwyd stiwdio Bangor i wasanaethu'r Gogledd, ac ar 8 Tachwedd darllediad gwleidyddol gan David Lloyd George oedd y rhaglen gyntaf i ddod ohoni.

Athrawesau yn y llys

"Ni bydd angen eich gwasanaeth ar ôl mis Hydref". Dyna oedd byrdwn neges Cyngor y Rhondda yn 1922 i 58 o athrawesau priod a gyflogid ganddo. Er bod galw mawr am athrawesau yn ystod y Rhyfel Mawr, credai'r rhan fwyaf o'r awdurdodau addysg mai sefyllfa dros dro oedd honno, ac y dylai'r merched encilio o'r gwaith cyn gynted ag y dychwelai'r dynion o'r rhyfel. Roedd hyn yn arbennig o wir am wragedd priod, a chredid y dylai cyflogau eu gwŷr fod yn ddigon i'w cynnal. Mewn gwirionedd, dangosai'r ystadegau ar y pryd nad oedd gan 60% o athrawon gwrywaidd unrhyw ddibynyddion, tra oedd 30% o athrawesau yn gynheiliaid teuluoedd. Er hyn aeth llawer o awdurdodau addysg cyn belled â gwahardd yn llwyr benodi gwragedd priod i swyddi dysgu, a diswyddo'r rhai a gyflogid eisoes ganddynt. Daeth athrawesau'r Rhondda ag achos yn erbyn y Cyngor, ond ar 3 Mai gwrthodwyd ef gan Mr. Ustus Eve, a ddyfarnodd holl gostau'r achos yn eu herbyn. Achos o'r pwys mwyaf oedd hwn ar y pryd am ei fod yn cydnabod yr hawl a fynnai rhai cyflogwyr i ddiswyddo gwragedd priod fel y mynnent.

Gwnaeth y barnwr yn fawr o'r ffaith fod eu gwŷr i gyd yn dal yn fyw, ac yn ddigon abl i'w cynnal. Dywedwyd yn y llys hefyd fod nifer mawr o athrawon ifainc bellach yn ddi-waith, oherwydd bod cynnyrch y colegau hyfforddi'n fwy na'r angen, a bod cynllun bwriadol felly gan Gyngor y Rhondda, fel sawl cyngor arall, i gael gwared ar wragedd priod i wneud lle i'r bobl ifainc hyn.

Bwrdwn achos yr athrawesau oedd bod Cyngor y Rhondda yn camddefnyddio'i bwerau statudol trwy roi'r angen i ddelio â diweithdra o flaen ystyriaethau am ansawdd addysg, ond yn ôl Mr. Ustus Eve, ni allent brofi hynny. Wfftiodd y ddadl bod y Cyngor yn torri Deddf Dileu Gwahaniaethu ar Sail Rhyw 1919 trwy ffafrio dynion yn fwy na merched i rai swyddi.

Yr oedd Undeb Cenedlaethol yr Athrawon wedi gwrthod cefnogi athrawesau'r Rhondda gan na chredid bod ganddynt obaith llwyddo, a bu'n rhaid iddynt ddwyn costau'r achos eu hunain.

Trenau bach Eryri

dde:

Un o drenau bach Eryri yn rhedeg trwy Fwlch Aberglaslyn.

Agorwyd Rheilffordd Ucheldir Cymru, rheilffordd gul hwyaf Prydain, yn ymestyn ar hyd 21.25 o filltioredd o gledrau, ar 1 Mehefin.

Deilliodd y rheilffordd newydd o uniad cwmnïau Rheilffyrdd Cul Gogledd Cymru a Rheilffordd Porthmadog, Beddgelert a De'r Wyddfa ym Mawrth 1922. Cysylltwyd bellach y llinell a âi o Gyffordd Dinas, ger Caernarfon i Ryd-ddu, ar odre deheuol yr Wyddfa, â Thramffordd Croesor a redai trwy Borthmadog. Ym Mhorthmadog, ymunai'r lein â Rheilffordd Gul Ffestiniog, a gellid teithio ymlaen oddi yno i Flaenau Ffestiniog.

Ni bu'r rheilffordd newydd erioed yn llwyddiant masnachol mawr. Teithwyr a llechi oedd y ddau brif beth y gobeithid eu cludo arni, ond yr oedd diwydiant llechi'r gogledd eisoes yn dihoeni, a thrigolion cefn gwlad yn tueddu fwyfwy i ddefnyddio'r llu o fysiau cefn gwlad, yn hytrach na'r trên.

Yn 1936, rhoddwyd diwedd ar y gwasanaeth i deithwyr, a'r flwyddyn ddilynol peidiwyd â chludo nwyddau'n ogystal. Gadawyd i'r rheilffordd adfeilio am flynyddoedd.

O 1 Ionawr 1925 ymlaen, bu'r cwmni am gyfnod dan reolaeth y mentrwr rheilffyrdd y Cyrnol Holman F. Stephens, cyn-filwr a ddaethai'n enwog ym myd y leins bach. Daliodd swyddi Cadeirydd a Rheolwr-Gyfarwyddwr y rheilffordd hyd ei farw ar 23 Hydref 1931. Rheolai nifer o reilffyrdd, a byddai'n cadw golwg arnynt trwy wibdeithio rhyngddynt i arolygu'r gwaith a rhoi gorchmynion, cyn dychwelyd i'w gartref yn Tonbridge, Caint. Ystyrid ef yn dipyn o deyrn, ac anwybyddid y rhan fwyaf o'i orchmynion.

Yn 1964, ffurfiwyd Cwmni Cyfyngedig Rheilffordd Ucheldir Cymru, gyda'r bwriad o ailagor y llinell. Hyn a wnaed i deithwyr ar 2 Awst 1980, a chludwyd saith mil o bobl yn ystod ei thymor cyntaf.

Boddi Dyffryn Ceiriog

Colli tri phentref, dwy ysgol, pump o gapeli, un eglwys, mynwent a 13,600 erw o dir amaethyddol. Dyna fyddai canlyniad y cynllun i foddi Dyffryn Ceiriog rhwng Llangollen a Chroesoswallt. Ac ar ben hynny yr oedd yn ardal o bwys mawr o safbwynt yr iaith Gymraeg. Darparu dŵr i ardal Warrington oedd amcan y cynllun, ac mewn pleidlais yn Nhŷ'r Cyffredin cafwyd 276 o'i blaid a 91 yn erbyn. O dan bwysau cynghorau sirol Cymru, er hynny, bu'n rhaid sefydlu Pwyllgor o Dŷ'r Cyffredin i ystyried y mater, ac ar 20 Mai cyhoeddodd Cyngor Warrington na fyddent yn bwrw ymlaen â'r cynllun am resymau ariannol.

Diwedd hen Undeb y Chwarelwyr

Dynion chwarel lechi Maenofferen ym mis Chwefror 1923, ychydig cyn i'w hen undeb ddod i ben.

Wedi 57 o flynyddoedd, diflannodd Undeb Chwarelwyr Gogledd Cymru (U.Ch.G.C) fel corff annibynnol ar Galan Mai a dod yn rhan o'r Undeb Trafnidiaeth a Gweithwyr Cyffredinol (y *T and G*).

Sefydlwyd U.Ch.G.C. ym mis Tachwedd 1865, pan ymgasglodd rhwng 1,200 a 1,500 o ddynion ar Fynydd y Cefn uwchben tref Bethesda i ffurfio Cymdeithas Undebol Chwarelwyr Cymru. Enillodd yr undeb sylw cyhoeddus eang yn 1896-97 ac 1900-03 pan ddaeth i wrthdrawiad chwerw â'r perch-ennog chwareli, yr Arglwydd Penrhyn.

Lluniwyd cytundeb rhwng y chwarelwyr â'r *T and G*. yn Awst 1922, a derbyniwyd ef drwy bleidlais gan y chwarelwyr ym mis Hydref yr un flwyddyn. Ond ni ddaeth Undeb Chwarelwyr Gogledd Cymru i ben yn ffurfiol hyd y gynhadledd flynyddol ym Methesda, Galan Mai 1923, pan gyhoeddodd y llywydd, Henry Cunnington, wrth ryw bedwar neu bum mil o chwarelwyr, eu bod yn cwrdd yno am y tro olaf fel undeb annibynnol.

Esgobaeth newydd i Gymru

Esgobaeth Abertawe ac Aberhonddu oedd y ail i'w sefydlu ar ôl Datgysylltiad yr Eglwys yng Nghymru yn 1920 – Esgobaeth Mynwy (1921) oedd y gyntaf. Crewyd hi 4 Ebrill, lleolwyd ei chadeirlan yn nhref Aberhonddu, a phenodwyd Dr Edward Latham Bevan, cyn-Archddiacon Aberhonddu yn esgob. Cododd cryn ffrae fel canlyniad am ei fod yn ddi-Gymraeg, ac yng nghynulliad Corff Llywodraethol yr Eglwys yn Llandrindod, pan gyhoeddwyd ffurfio'r esgobaeth newydd, cynigiodd y Parchg. E. Edwards o Lanbradach y dylai'r esgob newydd fedru gweinidogaethu yn y Gymraeg, ond penderfynwyd nad oedd y cynnig yn un addas i'w drafod. Dadleuodd John Owen, Esgob Tyddewi ac un o brif bleidwyr penodi Bevan i swydd Aberhonddu, nad oedd y Gymraeg er ei phwysiced yn anhepgor i un yn y fath safle.

Edward Latham Bevan yn ei holl ogoniant.

Y Chwiorydd Davies a Gregynog

Dyma'r flwyddyn a welodd gyhoeddi llyfrau cyntaf gwasg breifat Gregynog a sefydlwyd gan y ddwy chwaer Gwendoline a Margaret Davies yn eu cartref, Neuadd Gregynog, Maldwyn. Penodwyd yn gadeirydd Thomas Jones, Rhymni, cyfaill mawr i'w brawd, y meistr glo dyngarol, David Davies. Daliodd y swydd am chwarter canrif, gan gyfrannu'n fawr at lwyddiant y Wasg.

Tueddid ar y dechrau i gyhoeddi llyfrau gyda chysylltiad Cymreig amlwg, a chyfrol o waith y bardd, George Herbert, oedd y llyfr cyntaf i ddod o'r wasg newydd, a'r unig un a gyhoeddwyd (17 Rhagfyr) yn ystod 1923. Cyhoeddodd y Wasg 42 o lyfrau i gyd, saith ohonynt yn Gymraeg. Mynnai Gwendoline Davies mai dileu'r rhagfarn yn erbyn llên Gymraeg ymhlith y cyhoedd addysgedig yn Lloegr oedd y nod. Arbenigid mewn argraffiadau cain wedi'u darlunio'n gelfydd, a neilltuwyd ychydig gopïau o bob argraffiad i'w rhwymo'n arbennig mewn croen gan George Fisher. Cyhoeddwyd llyfr Cymraeg cyntaf y Wasg, *Caneuon Ceiriog*, 22 Mai 1925.

Yn 1974, adfywiwyd Gwasg Gregynog gan Wasg Prifysgol Cymru, ac ers hynny cynhyrchwyd nifer o argraffiadau arbennig o waith llenorion Cymraeg a llenorion Saesneg o Gymru.

Dyn dur Morgannwg

Dai Davies yn ymlacio wrth aros ei dro ar y maes.

Cysgu yn ei wely ar ôl gweithio sifft ddwbl yn y gwaith dur yr oedd Dai Davies, Llanelli, ar 2 Mehefin, pan ddeffrowyd ef gan ei fam a'i hysbysu bod cerbyd wrth y drws yn aros i'w gludo i Abertawe lle oedd ei angen i chwarae criced i Forgannwg yn erbyn swydd Northampton – a dyna ddechrau'i yrfa nodedig fel cricedwr. Wedi cyrraedd Sain Helen, a Morgannwg eisoes yn maesu, ychwanegwyd at ei drafferthion gan borthor y maes, na fynnai gredu mai aelod o'r tîm ydoedd. Yn y diwedd, bu'n rhaid i Davies wthio'r porthor o'i ffordd er mwyn cymryd ei le ar y maes. Aeth ymlaen i gipio wiced yn ystod ei belawd gyntaf, a chymerodd ddwy wiced arall ar ôl cinio, gan ddiweddu'r dydd â thair wiced am 39 o rediadau. Wrth fatio drannoeth sgoriodd gyfanswm o dros hanner cant o rediadau ei hun. Aeth adref ar ôl y gêm â phymtheg punt ar hugain yn ei boced, a chytundeb tair blynedd gyda'r clwb.

Bu ganddo gysylltiad â chlwb Morgannwg er yn fachgen, pan fyddai'n ennill ychydig geiniogau am osod y platiau tun a nodai'r sgôr ar y sgorfwrdd.

Yn y cyfnod cyn yr Ail Ryfel Byd, yr oedd Davies yn un o chwaraewyr pwysicaf Morgannwg, a chricedwr proffesiynol llwyddiannus cyntaf y clwb a oedd yn Gymro lleol yn hannu o ardal Morgannwg. Yn ôl un chwedl ynghylch gêm Morgannwg yn erbyn yr Awstraliaid yn Awst 1930, cystal bowliwr oedd Davies fel y dewisodd capten y clwb, Maurice Turnbull o Gaerdydd, beidio â'i roi i fowlio mwy nag un pelawd yn erbyn yr enwog Don Bradman, rhag ofn iddo gipio wiced y batiwr mawr yn rhy gyflym, ac na thalai pobl wedyn i wylio gweddill y gêm a'r prif atyniad poblogaidd wedi mynd.

Ar ôl yr Ail Ryfel Byd fe ddaeth yn ddyfarnwr criced o fri, a thrwy gyd-ddigwyddiad, ef oedd y dyfarnwr yn y gêm yn erbyn Hampshire a sicrhaodd Bencampwriaeth Siroedd Lloegr i Forgannwg am y tro cyntaf. Bu farw yn Llanelli ar 16 Gorffennaf 1976.

Gŵr Pen y Bryn

Mathew Tomos a'i deulu: un o ddarluniau swynol Illingworth o Gŵr Pen y Bryn.

"Deffroad enaid cyffredin" oedd yr is-deitl a roddodd Tegla Davies ar ei unig nofel hir, *Gŵr Pen y Bryn*, a gyhoeddwyd y flwyddyn hon.

"Stori o gyfnod y Rhyfel Degwm" ydyw yn ôl yr awdur, yn ymdrin â hynt a helynt John Williams, meistr Pen y Bryn yn ystod cyfnod cyffrous yr 1880au pan oedd llawer o ffermwyr Ymneilltuol yn dioddef cosbau creulon am wrthod talu degwm o'u henillion i Eglwys Loegr. Dyn o gymeriad digon gwan yw John Williams, ac eto'n awyddus dros ben i gael ei hoffi a'i edmygu gan ei gymdogion, ac felly'n dewis ymroi'n gyhoeddus i beidio â thalu ei ddegwm. Ond â i helbul mawr pan ddaw'n amlwg nad yw mor arwrol ag yr hoffai ef feddwl ei fod, ac arweinia hynny at argyfwng personol, a chyffesiad cyhoeddus yn y diwedd. Rhoddwyd apel ychwanegol i'r llyfr gan ddarluniau cartrefol Leslie Illingworth o Fro Morgannwg.

Gwerthodd yr argraffiad cyntaf yn arbennig o dda, ond ni chafodd yr un croeso pan ailgyhoeddwyd hi yn 1926, a siomwyd yr awdur yn arbennig gan adolygiad ohoni gan Saunders Lewis a ddadleuodd nad oedd troedigaeth yn bwnc i nofel. Ond amlygodd *Gŵr Pen y Bryn* ddawn fawr Tegla Davies fel lluniwr straeon darllenadwy am bobl cefn gwlad, ac fel disgrifiwr medrus o harddwch tirluniau bro ei gynefin. Gwelir yn y nofel hefyd ychydig o ddawn y dychanwr.

Sant y Senedd

"Heddychwr Cristnogol' oedd y disgrifiad a ddewisodd George M.Ll. Davies pan gynigiodd ei hun fel ymgeisydd seneddol dros Brifysgol Cymru yn yr Etholiad Cyffredinol ym mis Rhagfyr. Etholwyd ef â mwyafrif o ddeg. O gofio iddo dreulio'r rhan fwyaf o'r Rhyfel Mawr mewn gwahanol garchardai fel gwrthwynebydd cydwybodol, yr oedd ei fuddugoliaeth yn arwydd o'r newid naws a ddigwyddodd yn y cyfamser. Cipiodd y Blaid Lafur 20 o seddau yng Nghymru yn yr un etholiad, ac yn fuan ar ôl ei ethol ymunodd Davies â hi. Safodd fel Llafurwr yn yr Etholiad Cyffredinol nesaf, 1924, ond curwyd ef yn rhwydd gan Ernest Evans, Rhyddfrydwr a chyn-Ysgrifennydd Preifat Lloyd George. Awgrym efallai fod yn well gan etholwyr Prifysgol Cymru egwyddorion heddychol George M. Ll. Davies na'i syniadau sosialaidd.

1924

21 Ionawr

Bu farw Lenin, arweinydd cyntaf yr Undeb Sofietaidd.

1 Chwefror

Penderfynodd Prydain gydnabod llywodraeth Gomiwnyddol Rwsia am y tro cyntaf.

25 Mawrth

Pleidleisiodd Senedd Gwlad Groeg dros gael gwared ar frenin y wlad.

1 Ebrill

Carcharwyd Adolf Hitler am ei ran yn 'pwts y neuadd gwrw'.

17 Ebrill

Cafodd Ffasgwyr Mussolini fuddugoliaeth ysgubol yn etholiad cyffredinol yr Eidal.

19 Mehefin

Cyhoeddwyd bod y ddau ddringwr enwog Mallory ac Irvine wedi marw 1,000 o droedfeddi o gopa Everest.

30 Gorffennaf

Enillodd y rhedwr o'r Ffindir, Paavo Nurmi, ei bumed fedal aur yng ngemau Olympaidd Paris.

24 Hydref

Cyhoeddwyd 'Llythyr Zinoviev', llythyr ffug am gynllwyn Comiwnyddol i ddechrau chwyldro ym Mhrydain.

4 Tachwedd

Etholwyd Calvin Coolidge yn Arlywydd yr Unol Daleithiau.

3 Rhagfyr

Llofnodwyd cytundeb i sefydlogi'r ffin rhwng Gogledd Iwerddon a gwladwriaeth Rydd Iwerddon.

'Ymdrybaeddu yn y llaid'

chwith:
Prosser Rhys dan ei Goron. Ar y chwith, yr Archdderwydd Elfed, ac ar y dde, y Tywysog Edward.

Yn Eisteddfod Genedlaethol Pont-y-pŵl, achoswyd cryn gynnwrf gan bryddest fuddugol Edward Prosser Rhys yng nghystadleuaeth y Goron.

Naws rywiol ac awgrymiadau gwrywgydiol y gerdd *Atgof* a oedd wrth wraidd y cyffro, ac er gwaethaf ei gwerth llenyddol gwrthodwyd ei chydnabod gan lawer oherwydd ei phwnc. Cwynodd gohebydd *Y Dinesydd* fod Prosser Rhys 'yn aros cymaint ar y ddaear i ymdrybaeddu yn y llaid,' ac mai 'rhyw a chnawd heb adain nac enaid sydd ynddi o'r dechrau i'r diwedd.' Yn ôl gohebydd y *Daily Courier* yr oedd y bardd wedi cyflwyno'r darllenydd '*to a situation of abnormality*.' Yn *Y Brython*, gofynnodd y Parch. W.A. Lewis a oedd Prosser Rhys yn un o'r 'bod-au hynny a eilw'r Sais yn *freaks of nature*,' ac yn *Y Llan* galwodd John Owen, Esgob Tyddewi, ar Bwyllgor yr Eisteddfod yn y dyfodol i 'ofalu am ddewis testunau a ddyrchafant fywyd y genedl.' 'Rhai fel 'na yw esgobion,' oedd ymateb Prosser Rhys.

Roedd Rhys eisoes wedi cyhoeddi ei gyfrol gyntaf o gerddi yn 1923, ar y cyd â J.T. Jones (John Eilian) ac mae'n bosib mai'r drwgdeimlad a enynnodd pryddest 1924 a fu'n gyfrifol am y ffaith na chyhoeddwyd ail gyfrol o'i waith hyd 1950, pum mlynedd ar ôl ei farw. Gweithiodd am y rhan fwyaf o'i oes fel newyddiadurwr, gan ddechrau ar y *Welsh Gazette* yn Aberystwyth. Ym mis Mehefin 1923 daeth yn olygydd *Baner ac Amserau Cymru*, ac yn 1928 sefydlodd Wasg Aberystwyth. Bu'n weithgar iawn dros Glwb Llyfrau Cymraeg, gan sicrhau gwerthiant o fwy na thair mil o gopïau i rai o gyfrolau'r Clwb. Roedd yn un o aelodau cyntaf y Blaid Genedlaethol yn 1925, a bu wrthi'r flwyddyn honno'n ceisio sefydlu cangen yng Ngheredigion. Yn 1926 daeth yn aelod o Bwyllgor Gwaith y Blaid. Yn ôl un hanesyn amdano, roedd yn un o'r rhai cyntaf yng Nghymru i beintio dros arwyddion ffyrdd uniaith Saesneg. Bu farw 6 Chwefror 1945 yn Aberystwyth.

Y cynrychiolydd o Affrica

A r 31 Mai yn ysbyty dicâu Yalta, yn yr hen Undeb Sofietaidd, bu farw David Ivon Jones o Aberystwyth, ymgyrchydd selog dros iawnderau pobl groenddu De Affrica yn nyddiau'r hen drefn wleidyddol yno.

Bu Jones yn flaengar iawn yn y mudiad Comiwnyddol rhyngwladol, ac ar ôl ei farw embalmiwyd ei gorff ac anrhydeddwyd ef ag angladd swyddogol ym mynwent Myn- achdy Novo-Deyvitchi, Moscow, wrth ochr nifer o arweinwyr Comiwnyddol Rwsia.

Treuliodd ei flynyddoedd cynnar yn was siop yn Aberystwyth a Llanbedr Pont Steffan, ac yn ystod y cyfnod hwn daeth dan ddylanwad yr hynafiaethydd a'r gweinidog Undodaidd George Eyre Evans. Bu'r ddau'n gohebu â'i gilydd am flynyddoedd, a darbwyllwyd Jones yn y diwedd i ymuno â'r Undodiaid a chefnu ar Fethodistiaeth ei deulu. Cymerodd ran weithredol mewn sefydlu capel Undodaidd Aberystwyth, lle y bu Eyre Evans yn gweinidogaethu'n ddi-dâl am gyfnod maith.

Yn 1907 ymfudodd Jones i Seland Newydd i geisio gwellhad o'r dicâu, ac yn 1910 symudodd i Dde Affrica, lle roedd rhai o'i deulu eisoes yn byw. Yno y dechreuodd ei gyfnod o weithgarwch dros y mudiad llafur. Dwysaodd ei awydd i sicrhau

cyfiawnder cymdeithasol pan gafodd ei ddiswyddo o'i waith gyda Chwmni Pŵer Rhaeadrau Fictoria am iddo gymryd rhan mewn streic yn erbyn llywodraeth y wlad. Daeth yn Ysgrifennydd Cyffredinol Mudiad Gweithwyr y Mwyngloddiau, ac yn 1913 yn Ysgrifennydd Pwyllgor Gwaith Plaid Lafur De Affrica. Pan ddaeth y Rhyfel Mawr, bu'n gweithio dros achosion sosialaidd gan helpu i sefydlu'r *War on War League*. Ym mis Mai 1915 yr oedd yn un o syflaenwyr Cynghrair Sosialaidd Ryngwladol De Affrica, ac yn yr un flwyddyn safodd fel Sosialydd Rhyng- wladol yn etholiadau lleol Johannesberg. Bu'n ymgyrchu'n gyson dros hawliau duon y wlad, gan ddal na allai'r gweithwyr croenwyn fod yn rhydd mewn gwirionedd nes bod eu cyd-weithwyr duon hefyd yn rhydd.

Yn 1919, bu'n rhaid iddo ymfudo unwaith eto oherwydd ei iechyd. Daeth yn ôl i Aberystwyth, ond nid arhosodd ond am un noson cyn mynd ymlaen i Foscow. Yno, ym mis Mawrth 1919, ef oedd 'Y Cyn- rychiolydd o Affrica' yn Nhrydedd Gyngres y Comiwnyddion Rhyngwladol. Yn Rwsia daeth i adnabod llawer o'r Bolsieficiaid blaenllaw, gan gynnwys Lenin. Ceisiodd ddod â gweithiau Lenin i sylw'r byd y tu allan i Rwsia, ac ef oedd y cyntaf i gyfieithu rhai ohonynt i'r Saesneg.

chwith:
David Ivon Jones yn Johannesburg.

Cic dyngedfennol

dde: 'Anlwc greulon' yn unig a gadwodd Gaerdydd rhag cyrraedd y brig yn ôl y cartŵn hwn.

Cafwyd diwedd cyffrous dros ben i dymor pêl-droed 1923-24, gyda gobeithion clwb Caerdydd am gipio pencampwriaeth yr Adran Gyntaf yn parhau hyd at gêm olaf y tymor, ac yn y diwedd yn dibynnu ar un gic gosb.

Arhosodd bechgyn Caerdydd yn ddiguro am un gêm ar ddeg gyntaf y tymor, cyn colli i Preston North End ar 27 Hydref. Y sgoriwr cyson, Len Davies, oedd piau llawer o'r clod am y llwyddiant cynnar hwn. Creodd record unigol newydd hefyd pan sgoriodd bob un o'r pedair gôl ym muddugoliaeth Caerdydd dros West Bromwich ar 10 Tachwedd.

Ond wedi cyfnod llai llwyddiannus roedd holl obeithion Caerdydd am y bencampwriaeth yn dibynnu ar gêm ola'r tymor yn erbyn Birmingham ar 3 Mai. Ar yr un pryd roedd un arall o dimau'r ail safle, Huddersfield, yn chwarae eu gêm olaf hwy yn erbyn Nottingham. Roedd Caerdydd bwynt ar y blaen iddynt hwy, a mantais o ddwy gôl drostynt. Pe bai Caerdydd yn ennill,

byddai'r bencampwriaeth yn sicr yn eu dwylo, ond pe caent gêm gyfartal, a Huddersfield yn ennill o dair gôl i ddim, hwy a gâi'r goron.

Gyda'r sgôr yn 0-0 a dim ond ugain munud i fynd, dyfarnwyd cic gosb i Gaerdydd wedi i un o amddiffynwyr Birmingham gadw peniad Jimmy Gill allan o'r gôl â'i ddwrn. Len Davies a ddewiswyd i gymryd y gic, ond anelodd y bêl yn syth at y gôl-geidwad. Ar ddiwedd y gêm clywyd fod Huddersfield wedi ennill o dair gôl, a thrwy hynny gipio'r bencampwriaeth o drwch blewyn.

Canu mewn adfyd

Ben Jones gyda'r 137 o gantorion a swyddogion côr Pendyrus yn 1928.

Ym mis Mai, yng nghanol cyfnod o ddiweithdra a llesgni economaidd yng Nghwm Rhondda, sefydlwyd Côr Pendyrus, a ddôi yn un o'r enwocaf a'r mwyaf llwyddiannus o gorau meibion Cymru.

Deilliodd y côr o syniad a gafodd Emlyn Drew a Ben Jones y tu allan i'r capel un nos Sul ym mis Ebrill. Ar 22 Mai cynhaliwyd y profion cyntaf i ddewis cantorion, a deuddydd wedyn cafwyd y cyfarfod swyddogol cyntaf. Ben Jones oedd cyfeilydd cyntaf y côr, a phenodwyd Arthur Duggan yn arweinydd, swydd a ddaliodd hyd 1960. Côr mawr oedd hwn, gyda 137 o gantorion a swyddogion erbyn 1928 – ond heb fod â'r nifer y byddai ei angen i gynhyrchu'r 'sŵn mawr' a oedd mor nodweddiadol o ganu corau meibion y cyfnod.

Daeth y fuddugoliaeth fawr gyntaf i'r côr yn 1935 pan enillwyd prif wobr cystadleuaeth y corau meibion yn Eisteddfod Genedlaethol Caernarfon, a chyflawnwyd yr un gamp yn y Rhyl yn 1953.

Bu cantorion Pendyrus ar daith sawl gwaith i Unol Daleithiau America, a hefyd i Ganada, Rwsia a llawer man yng ngwledydd Prydain.

A.J. Cook: arweinydd y glowyr

dde: Arthur Cook yn annerch y glowyr yn ystod Streic Fawr 1926.

Ar 14 Ebrill, daeth Arthur James Cook o'r Rhondda, dewisddyn glowyr de Cymru, yn Ysgrifennydd Ffederasiwn Glowyr Prydain, swydd a ddaliodd hyd ei farw yn 1931.

Ganed Cook yng Ngwlad yr Haf, lle y bu'n pregethu gyda'r Bedyddwyr pan oedd yn ifanc. Yn 1903 ac yntau'n 19 oed, ddaeth i weithio i lofa Lewis Merthyr, Trehafod, ac yno cefnodd ar y capel, a dod yn sosialydd pybyr. Bu'n dal nifer o swyddi o fewn undeb y glowyr, ac roedd hefyd yn gynghorydd trefol yn y Rhondda, ac un o lywodraethwyr ysgol ganolradd y Porth.

Roedd Cook ymhlith prif gynhyrfwyr maes glo'r De, ac yr oedd yn un o gyd- awduron y pamffled ymfflamychol, *The Miner's Next Step*, a gyhoeddwyd yn 1912. Carcharwyd ef yn 1918 a 1922 am ei weithgareddau gwleidyddol, a bu'n flaenllaw yn Streic Gyffredinol 1926. Ef a fathodd y rhigwm a ddaeth yn slogan i lowyr trwy Brydain benbaladr: '*Not a minute on the day, not a penny off the pay.*'

Hughesovka

Y teulu Hughes yn teithio yn eira mawr gaeaf Rwsia.

Carfan ddethol iawn yw'r Cymry yr enwyd trefi ar eu hôl, ond dyna'n union a ddigwyddodd i'r peiriannydd John Hughes o Ferthyr Tudful, a roddodd ei enw i'r dref Hughesovka yn Rwsia (Yuzhovka i'r Rwsiaid). Ar ôl chwyldro'r Bolsieficiaid yn 1917 rhoddwyd gwedd Sofietaidd ar enwau lleoedd trwy'r wlad, ac yn y flwyddyn hon diflannodd Yuzhovka oddi ar y map ac aeth yn Stalino.

Aeth John Hughes i weithio i Tsar Rwsia wedi iddo ennill ei brofiad cynnar yn ngweithfeydd haearn Cyfarthfa, Glyn Ebwy a Chasnewydd. Yn 1869, ef oedd y cyntaf i sefydlu gweithfeydd haearn a dur yn Rwsia, gan ffurfio Cwmni Newydd Rwsia, a dechrau codi'r dref i'w weithwyr y rhoddwyd ei enw ef arni. Aeth cryn nifer o weithwyr haearn Merthyr Tudful, Dowlais a Rhymni gydag ef i Rwsia, ac am flynyddoedd wedyn bu disgynyddion y Cymry hyn yn byw yn y dref, y newidiwyd ei henw eto yn 1961 i Donetsk.

Cymry yn llywodraeth gyntaf Llafur

Ym mis Ionawr, daeth yr Albanwr Ramsay MacDonald, Aelod Seneddol Aberafan, yn Brif Weinidog ar y llywodraeth Lafur gyntaf erioed.

Cafodd dau Gymro seddi yn y Cabinet Llafur cyntaf - J.H. Thomas o Gasnewydd, yr Aelod dros Derby, a ddaeth yn Ysgrifennydd y Trefedigaethau, a Vernon Hartshorn, Aelod Seneddol Ogwr, a benodwyd yn Bostfeistr Cyffredinol. Roedd y rhain ymhlith yr un ar ddeg o aelodau'r dosbarth gweithiol yn y Cabinet newydd o ugain.

Ond llywodraeth leiafrifol oedd gan MacDonald, yn llwyr ddibynnol ar gefnogaeth y Rhyddfrydwyr. Yn yr Etholiad Cyffredinol a gynhaliwyd ar 29 Hydref, cafwyd buddugoliaeth i'r Ceidwadwyr, gyda mwyafrif o 211 dros yr holl bleidiau eraill ynghyd, wedi iddynt gipio mwy na chant a hanner o seddi oddi ar y Rhyddfrydwyr a Llafur, a daeth Stanley Baldwin yn Brif Weinidog.

Yng Nghymru, enillodd y Torïaid naw sedd o gymharu â phedair yn 1923, gan gipio holl seddi Caerdydd, yn ogystal â Brycheiniog a Maesyfed, sir Benfro, a sir Fflint. Disgynnodd cyfanswm seddi'r Blaid Lafur o ugain i un ar bymtheg.

Pelydr angheuol

Honnodd y dyfeisiwr H. Grindell-Matthews ym mis Mai iddo lunio teclyn dirgel i drosglwyddo trydan ar hyd tonnau radio er mwyn dinistrio awyrennau. Er gwaethaf ei frolio gwrthododd gynnig o fil o bunnoedd gan lywodraeth Prydain am iddo brofi effeithioldeb ei beiriant 'death ray'. Gwrthododd hefyd adael i archwilwyr o'r Weinyddiaeth Awyr archwilio'i ddyfais.

Ar 10 Medi cyhoeddodd y byddai'n rhaid iddo ohirio cyfres o arbrofion y bu'n bwriadu eu cynnal i brofi ei belydr angheuol ar Ynys Echni ym Môr Hafren. Dywedodd mai diffyg noddwyr a'i gorfododd i roi'r ffidil yn y to, ond ychwanegodd nad oedd eto wedi digalonni'n llwyr. Awgrymodd gohebydd y *Western Mail* wrtho y gellid ceisio nawdd gan y llywodraeth, ond atebodd nad oedd yr amser yn addas i drafod hynny.

Car cyflyma'r byd

Ar 26 Medi ar Draeth Pentywyn, Bae Caerfyrddin, creodd Malcom Campbell record byd newydd am gyflymder ar dir o 146.16 o filltiroedd yr awr, yn ei gar *Sunbeam*, 350 marchnerth, wedi'i bweru gan beiriant awyren

Ychydig fisoedd wedyn, torrodd Campbell ei record ei hun yn yr un car, gan osod targed newydd o 150.78 m.y.a., ac ar 4 Chwefror 1927, dychwelodd i Draeth Pentywyn, yn ei gar 500 marchnerth, *Bluebird*, a chreu record newydd o 174.224 m.y.a

Cenhadaeth hedd merched Cymru

Ar 2 Chwefror daeth tyrfa o Gymry Llundain i orsaf reilffordd Euston yn y ddinas i weld Mrs. Hughes Griffiths, gweddw cyn-Aelod Seneddol Meirionnydd, Tom Ellis, yn cychwyn ar ei thaith i America. Gyda hi roedd cofeb heddwch oddi wrth wragedd Cymru at wragedd yr Unol Daleithiau, sef cist dderw fawr ac ynddi bapurau yn dwyn 390,296 o lofnodion dros heddwch. Wrth ffarwelio â hi, dywedodd Goronwy Owen, Aelod Seneddol sir Gaernarfon, ei bod yn mynd â neges o heddwch ac ewyllys da o un o wledydd bach y byd i un o wledydd newydd y byd a oedd yn coleddu'r un delfrydau. Cyflwynwyd y gofeb yn swyddogol i ferched yr Unol Daleithiau yn ninas Washington.

Dinistr Dolgarrog

Archwilio'r difrod i fwthyn Porth Llwyd.

Laddwyd 16 o bobl yn Nolgarrog, Gwynedd, ar 2 Tachwedd pan ddymchwelodd ran o argae Llyn Eigiau.

Ffrydiodd 1.4 miliwn o fetrau ciwbig o ddŵr mewn un awr i lawr y dyffryn i gronfa ddŵr Coety, gan lenwi'r gronfa honno a thorri ei hargae hithau ac felly'n rhyddhau 350 o filiynau o fetrau ciwbig ychwanegol o ddŵr. Aeth y dŵr a'i lwyth o goed ac ysbwriel i lawr y dyffryn, a tharo tai ym mhentref Dolgarrog. Rhes Machno ddioddefodd waethaf, ac yno y bu farw wyth o'r un ar bymtheg. Ysgubwyd i ffwrdd yr eglwys a dwy siop a dymchwelwyd wal gefn bwthyn Porth Llwyd, a ddaeth wedyn yn atyniad i sbecianwyr gan y gellid edrych i mewn i'r tŷ trwy'r twll mawr yn ei wal. Boddodd Mrs. Sinott, Bwthyn Porth Llwyd, ond cafwyd ei chi'n holliach yn y bwthyn fore trannoeth.

Collodd Sam Roberts, Rose Cottage, ei ferch dair oed pan tynnwyd hi o'i freichiau gan y llifeiriant. Llanwyd a dŵr y ddau bwerdy, a'r gwaith alwminiwm lle oedd dau gant o ddynion ar y pryd. Ni chollodd neb ei fywyd yno, er i rai gael eu caethiwo mewn tywyllwch a'r dŵr hyd at eu gyddfau. Gwnaed difrod mawr i rai o'r offer cynhyrchu trydan, a thorrwyd y cyflenwad trydan i Brestatyn, Llandudno a'r Rhyl dros dro.

Bore trannoeth yn is i lawr y dyffryn gwelodd pobl deganau plant, llyfrau, dodrefn, gan gynnwys un piano, yn mynd gyda'r afon. Gwelwyd tas wair a symudwyd saith gan llath heb chwalu, a chafwyd gwartheg ynghrog mewn coed.

Daeth Dolgarrog yn fuan wedyn yn gyrchfan ymwelwyr chwilfrydig i'r fath raddau fel y bu'n rhaid i'r heddlu godi atalfa ar y ffordd ger Pont Dolgarrog am fod y torfeydd mawr yn rhwystro'r gwaith atgyweirio.

Yn sgil y drychineb, pasiwyd Deddf Diogelwch Cronfeydd Dŵr 1930, a fyddai'n sicrhau archwiliad rheolaidd o gronfeydd dŵr ac argaeau gan beiriannydd arolygol annibynnol. Ni thrwsiwyd argae Llyn Eigiau, ond ailgodwyd argae Coety.

'Ŵyn yn rhuo fel llewod'

Rheolwyd tref Rhydaman o 28 Gorffennaf hyd 6 Awst gan bwyllgor o lowyr y maes glo carreg, fel rhan o streic deng mil ar hugain o ddynion a barhaodd o ganol mis Gorffennaf hyd 23 Awst.

Ar 5 Awst dechreuodd 'Brwydr Rhydaman', wedi i drydanwr sleifio i mewn i un o'r pyllau i weithio. Roedd yr heddlu'n ymguddio yn adeiladau'r lofa pan gyrhaeddodd y streicwyr. Arweiniodd Dirprwy Brif Gwnstabl sir Gaerfyrddin y cyrch, a bu bron â chael ei guro i farwolaeth am ei drafferth. Aeth y glowyr ymlaen i rwystro heddlu Morgannwg ar eu taith mewn bysiau o'u llety dros dro ym mragdy Gwaun-caegurwen, a pharhaodd yr ymladdfa o hanner awr wedi deg y nos hyd dri o'r gloch y bore.

Cymry Cymraeg oedd y rhan fwyaf o lowyr ardal y glo carreg, a chredid fod eu hiaith a'u diwylliant yn eu hynysu i raddu rhag dylanwad y syniadau sosialaidd a syndicalaidd a oedd mor boblogaidd yn nwyrain y maes glo. Synnwyd llawer felly gan ysbryd gwrthryfelgar gwŷr y glo carreg yn amddiffyn eu hawliau.

Deilliodd y streic i raddau o ymdrechion y ddau gwmni mawr, *United Anthracite* ac *Amlagamated Anthracite*, i brynu pyllau'r mân-berchnogion lleol ac ad-drefnu'r diwydiant er mwyn gwneud yr elw mwyaf posibl. Daeth awydd y meistri glo i reoli'r maes glo carreg, ac awydd y glowyr i amddiffyn eu hawliau traddodiadol ben-ben â'i gilydd.

Yn bennaf oll yr oedd dynion y glo carreg am amddiffyn y Rheol Flaenoriaeth, a olygai mai'r dyn diwethaf a gyflogwyd oedd y cyntaf i gael ei ddiswyddo. Un canlyniad i hyn oedd na allai cyflogwyr gael gwared ar ddyn a ystyrid yn gynhyrfwr heb ddiswyddo pawb a gyflogwyd ar ei ôl yn gyntaf. Fel y sylwodd y glöwr Dai Dan Evans o Aber-craf, roedd hyd yn oed y dynion mwyaf dof yn chwannog i godi stŵr o dan amgylchiadau o'r fath: 'Roedd gyda chi ŵyn yn rhuo fel llewod yn y glo carreg ... Roedd rhaid iddyn nhw fod yn llewod go-iawn i ruo fel llewod ym maes y glo ager.'

Ym mis Ebrill pan ddiswyddwyd dyn yng Nglofa Rhif 1 Rhydaman am fynnu ei hawl traddodiadol i gael ei fab i gydweithio ag ef ar yr un ffas, yr oedd streic yn anorfod. Dechreuodd pum pwll lleol streicio mewn cydymdeimlad, ac erbyn 13 Gorffennaf yr oedd glowyr y glo carreg i gyd, ar wahân i rai yng Nghwm Dulais a Glyn Nedd, ar streic. Ar 14 Gorffennaf, perswadiwyd dynion Cwm Dulais i ymuno, ac wrth i'r streicwyr geisio perswadio glowyr Glyn-nedd i ymuno hefyd, gwelwyd ymladd gwaedlyd rhwng y glowyr a'r heddlu. Anafwyd un ar bymtheg o bobl, gan gynnwys un glöwr ifanc o Gwm-twrch a dreuliodd gyfnod hir yn yr ysbyty ar ôl cael ei bastynu yn ei ben. Nid anghofiwyd yr heddwas a fu'n gyfrifol, ac wrth chwarae mewn gêm rygbi'n erbyn un o dimau Cwm Tawe ychydig wedyn, dioddefodd gymaint o anafiadau i'w goesau fel na fedrai gerdded yn iawn byth wedyn. Yn y cytundeb a luniwyd ar 22-23 Awst i roi diwedd ar y streic, diogelwyd parhad y Rheol Flaenoriaeth.

Dygwyd 198 o lowyr o flaen y llysoedd wedyn, a charcharwyd 58 am gyfnodau yn amrywio o fis i ddeunaw mis. Yn ystod y profion yn llys barn Caerfyrddin, âi llond bysiau o lowyr a'u teuluoedd bron bob dydd i gefnogi'r diffynyddion, gan ganu emynau i gyfeiliant bandiau pres. Sylwyd ar y pryd iddynt gael eu dedfrydu gan reithgor yn cynnwys dau gyrnol, dau uwch-gapten, un marchog, ac un ficer. Wrth gael eu rhyddhau cafodd pob un fedal a thystysgrif gan y Gymdeithas Ryngwladol er Cymorth Carcharorion y Rhyfel Dosbarth.

Angladd tywysog y cylch bocsio

Amcangyfrifwyd bod hyd at gan mil o bobl wedi ymgynnull ar gyfer angladd fawreddog y bocsiwr a'r cyn-filwr 'Peerless' Jim Driscoll, yn Eglwys Babyddol Sant Paul, Caerdydd, ar 3 Chwefror. Bu farw Driscoll o'r dicáu yn ei gartref yn y ddinas ar 30 Ionawr.

Cyrhaeddodd blodeugedau o bob cwr o'r wlad a'r tu hwnt, ac arweiniwyd gorymdaith trwy brif strydoedd y ddinas gan Seindorf Swyddfa'r Post a'r arch ar gerbyd gwn y Magnelwyr Maes Brenhinol. Ffurfiodd milwyr y Gatrawd Gymreig osgordd er anrhydedd, ac yr oedd llu o enwogion y byd bocsio hefyd yn bresennol.

Yn 1906 daethai Driscoll yn bencampwr pwysau bantam Prydain, ac yn 1909 yn bencampwr pwysau plu'r byd. Yn Rhagfyr 1910, cyfarfu â'i gyd-wladwr Freddie Welsh o Bontypridd, mewn ymladdfa yng Nghaerdydd a ddisgrifiwyd fel 'Gornest y Ganrif,' ac aeth ymlaen ym Mehefin 1912 i gipio teitl pwysau plu Ewrop oddi ar Jean Posey, gan lorio'r Ffrancwr yn y ddeuddegfed rownd.

Yn 1914, ymunodd â Chatrawd y Magnelwyr Cymreig, a bu am gyfnod wedyn yn brif hyfforddwr corfforol yn y fyddin, gan ymddeol o fyd bocsio. Yn 1919, oherwydd prinder arian, aeth yn ôl i'r cylch bocsio yn 37 oed. Wedi llwyddiant cynnar, cyfarfu â'r Ffrancwr Charles Ledoux yn Llundain. Bu Driscoll yn dioddef poenau yn ei fynwes a'i fol cyn yr ornest, ac mae'n debyg na ddylai fod wedi ymladd o gwbl. Er iddo reoli'r

Driscoll ym mlodau ei ddyddiau.

pedair rownd ar ddeg gyntaf, ar ddechrau'r ail rownd ar bymtheg, ac am y tro cyntaf yn ei yrfa, rhoddwyd Driscoll ar wastad ei gefn. Er gwaethaf hyn, cafodd gymeradwyaeth fawr wrth adael y cylch, a safodd y gynulleidfa i guro'u dwylo. Roedd yn dal mewn bri fel bocsiwr, ac yn 1922 ef oedd y model ar gyfer y ffotograffau yn llawlyfr Norman Clark *How to Box*. Wedi iddo adael y fyddin daliai Driscoll i ddefnyddio ei dechnegau ymarfer ef wrth hyfforddi milwyr.

Y pensaer a'i bentref ffantasi

Creu pentref Eidalaidd ffantasïol ar lan y môr ym Meirionnydd oedd bwriad y pensaer Clough Williams Ellis pan brynodd hen blasty Aber Iâ ger Penrhyndeudraeth.

Cymro a aned yn Lloegr oedd Williams-Ellis, ac yn ystod y Rhyfel Mawr bu'n gwasanaethu gyda'r Gwarchodlu Cymreig, er iddo dreulio'r rhan fwyaf o'i gyfnod yn y ffosydd, yn ôl ei hunangofiant, yn tynnu lluniau dyfrlliw ac yn dysgu Cymraeg gyda chymorth hen athro ysgol a Beibl William Morgan. Roedd eisoes yn bensaer pur adnabyddus cyn iddo ymroi i greu ei bentref ar arfordir Cymru.

Dewisodd safle Aber Iâ yn benodol am ei fod mor ddiarffordd, ac am flynyddoedd wedyn aeth ati'n fwriadol i brynu'r tiroedd o'i gwmpas, gan gynnwys Castell Deudraeth, rhag ofn i unrhyw ddatblygiad anghydnaws amharu ar ei bentref. Agorwyd plasty Aber Iâ ar ei newydd wedd fel Gwesty Portmeirion adeg y Pasg 1926.

Nid oedd yr hen enw at ddant y perchennog newydd, a ystyriai 'Portmeirion' yn fwy urddasol. Yn y dyddiau cynnar hynny, yn ôl Williams-Ellis ei hun, 'roedd yr offer yn annigonol, y staff heb eu hyfforddi, y rheolwyr yn anaddas, a'r bwyd yn ofnadwy.' Serch hynny, erbyn diwedd yr haf hwnnw, teimlai'n ddigon hyderus i fwrw ymlaen â'i gynllun pensaernïol mawreddog ar gyfer y safle.

Fesul tipyn yr aeth y datblygiad rhagddo, wrth i Williams-Ellis ychwanegu tai, ffynhonnau, bwâu, a cherfluniau, a hefyd hen adeiladau adfeiliedig o rannau eraill o'r wlad. Defnyddiwyd pentref Portmeirion nifer o weithiau fel lleoliad ffilmiau, a'r enwocaf o bosib, oedd cyfres deledu Patrick McGoohan, *The Prisoner*.

chwith:
Y pensaer yn
y pentref a greodd.

Clinig arloesol Abertyleri

Yn Ysbyty Abertyleri a'r Cylch ar 15 Mehefin, agorwyd y clinig cyntaf mewn ysbyty ym Mhrydain i roi cyngor ynghylch atal cenhedlu, a hynny yn wyneb protestio mawr gan grefyddwyr y dref.

I nodi'r agoriad, prynodd sylfaenwyr y clinig hysbyseb bach yn y *South Wales Gazette*, yn cynnig 'cyngor am ddim i wragedd priod'. Nid mor wylaidd oedd y cylchgrawn *Birth Control News*, a arddangosodd y pennawd bras, 'WALES LEADS'.

Roedd atal cenhedlu a chynllunio teuluol yn bwnc llosg ar y pryd. Bu nifer o aelodau Adran Menywod y Blaid Lafur yn ymgyrchu dros ddarpariaeth gan awdurdodau lleol, ond nid oedd y llywodraeth Lafur a enillodd rym yn 1924 yn awyddus i gyffwrdd â phwnc mor ddadleuol. I lawer un yn y maes glo,

roedd yn amlwg bod angen gwneud rhywbeth i wella'r sefyllfa. Roedd nifer mawr o ferched yn marw wrth esgor, pobl yn cael mwy o blant nag y gallent ymdopi â hwy, ac roedd erthylu cartref yn arfer pur gyffredin.

Agorwyd Ysbyty Abertyleri a'r Cylch ym Medi 1922, trwy ymdrechion pobl leol, a oedd cyn hynny yn gorfod teithio cyn belled â Chasnewydd. O'r dechrau un roedd cynrychiolwyr glowyr lleol yn rhan o bwyllgor rheoli'r ysbyty, ac un o'r rhain, David Daggar o Lofa'r *Six Bells*, oedd y prif ymgyrchydd dros gael clinig cynllunio teuluol yn yr ysbyty newydd. Ysgrifennodd at Marie Stopes, un o arloeswyr maes atal cenhedlu i geisio ei chymorth.

Ond yr oedd rhaid i gefnogwyr y clinig newydd filwrio'n erbyn ofnau gwragedd lleol

fod atal cenhedlu rywsut yn gysylltiedig ag erthylu, ac yn erbyn ymosodiadau rhai capelwyr ac eglwyswyr. Yn y *Monmouth Free Press* ar 19 Mehefin, datganodd Archddiacon Mynwy fod atal cenhedlu yn beth 'drwg a dieflig oherwydd ei fod yn groes i holl ddeddfau natur a chrefydd.' Priodolodd y *South Wales Gazette* y nifer mawr o farwolaethau ymysg mamau ifanc i ysmygu, dillad tenau a dawnsio *jazz*.

Bu gohebiaeth hir ar dudalennau'r *South Wales Gazette* rhwng pleidwyr y clinig a'i wrthwynebwyr. Yn amlwg ymhlith yr ail garfan roedd y Parch. Ivor Evans ar ran Cyngor Eglwysi Abertyleri. Pan godwyd posteri yn y dref yn hysbysebu darlith gan Marie Stopes, cwynodd Evans ei bod yn ddigon 'i ddod â gwrid cywilydd i ruddiau ein mamau.'

Erbyn diwedd 1926 yr oedd Clinig Abertyleri wedi cau, yn rhannol oherwydd y gwrthwynebiad iddo, ond hefyd oherwydd caledi cyfnod y Streic Fawr, a olygai na fedrai'r ardal ei gynnal bellach.

Geni'r Blaid Bach

Rhai o arloeswyr cynnar y Blaid.

Ar 5 Awst, yng Ngwesty Maes Gwyn, Pwllheli, sefydlwyd Plaid Genedlaethol Cymru, pan ddaeth dau gorff ynghyd, sef y Mudiad Cymreig a Byddin Ymreolwyr Cymru. Sefydlwyd y cyntaf o'r rhain yng Nghaernarfon ym mis Medi 1924 gan Hugh Robert Jones, teithiwr masnachol o Ddeiniolen, sir Gaernarfon. Ffrwyth ymdrechion un o Gymry Lerpwl, John Saunders Lewis oedd y llall, a sefydlwyd ym Mhenarth yn Ionawr 1924.

Ymhlith yr aelodau cynnar hefyd yr oedd yr hanesydd Ambrose Bebb, a ddaeth yn olygydd ar fisolyn y Blaid, *Y Ddraig Goch*, a'r awdures Kate Roberts, ac yn 1926 penodwyd Saunders Lewis yn Llywydd cyntaf y Blaid Genedlaethol newydd, swydd a ddaliodd hyd 1939. Yn anad neb, Lewis a bennodd gyfeiriad y Blaid yn ei dyddiau cynnar.

Bychan iawn oedd apêl Plaid Genedlaethol Cymru ar y dechrau, a deallusion Cymraeg oedd ei chefnogwyr yn bennaf. Tueddid i anwybyddu'r ardaloedd Saesneg eu hiaith, ac yn ei chyfnod cynnar creu Cymru Gymraeg oedd nod y Blaid yn anad dim. Gwrthodid cymryd rhan mewn etholiadau Seneddol, a gobeithid sicrhau'r Gymru newydd trwy gynghorau sir Cymru. Mewn gwlad a oedd mor ddibynnol ar ei diwydiannau trymion, ychydig a oedd yn debygol o ymateb yn ffafriol i alwad Saunders Lewis am ddad-ddiwyddiannu'r De a dychwelyd at yr hen ddulliau gwledig o fyw. Roedd agweddau pendefigaidd Lewis yn amhoblogaidd, ac yn ystod y '30au dechreuodd rhai ganfod tueddiadau Ffasgaidd yn ei syniadau ef a'i gyd-genedlaetholwyr Cymreig. Enynnodd fwy fyth o ddrwgdybiaeth yn y Gymru Anghydffurfiol pan dderbyniwyd ef i'r Eglwys Babyddol yn 1932.

Nid cyn cyfnod llywyddiaeth Gwynfor Evans o 1945 ymlaen y dechreuodd Plaid Cymru, fel y daethpwyd i'w hadnabod wedyn, ddod yn ddylanwad ym mywyd gwleidyddol Cymru.

Americanwr yn Arglwydd Sain Dunwyd

Miliwnydd o farwn papurau newydd o America a ddaeth yn berchennog newydd castell Sain Dunwyd, ar arfordir Morgannwg rhwng y Barri a Phorthcawl. Gŵr busnes hynod lwyddiannus ac eithriadol o gyfoethog oedd William Randolph Hearst ar y pryd, a'i yrfa uchelgeisiol ef a ysbrydolodd ffilm enwog Orson Welles, *Citizen Kane*.

Talodd Hearst $130,000 am y castell a 111 o erwau o dir, ar ôl gweld erthygl am y lle yn *Country Life*. Esboniodd ar y pryd ei fod wedi gweld cestyll Caernarfon a Chonwy, ac wedi penderfynu, 'cael rhywbeth o'r un math, ond yn llai ei faint ac yn fwy cartrefol, fel petai.' Roedd yn gobeithio troi'r castell yn amgueddfa breifat i rai o'i drysorau celf a dodrefn.

Ar y 25 Medi 1928 y daeth Hearst o America i Gymru i weld ei gastell am y tro cyntaf. Codwyd Jac-yr-Undeb a Baner yr Unol Daleithiau ar y tyrau ar yr achlysur, ac yn ddiweddarach anfonodd Hearst 25 tudalen o gyfarwyddiadau at y pensaer Syr Charles Allom, a oedd newydd orffen adnewyddu Plas Buckingham i Siôr V.

Yn 1934, trefnodd Hearst a'r cyn-Brif Weinidog David Lloyd George gynnal pasiant canoloesol yn y castell yn ystod wythnos

Eisteddfod Genedlaethol Castell-nedd, gan wahodd aelodau o'r Orsedd i ddod yno. Bu'n rhaid i'r holl westeion ymwisgo naill ai yn eu gwisgoedd gorseddol neu mewn gwisgoedd 'canoloesol', a daeth y noson i ben gyda gorymdaith gan Gôr Cwmafon wedi'u gwisgo fel mynachod. Ymddangosodd Lloyd George yn ei wisg Orseddol fel 'Llwyd o Wynedd'.

Daeth Hearst i Sain Dunwyd am y tro olaf yn Hydref 1936, pan gafodd ymweliad annisgwyl gan griw o lowyr o'r gwersyll gwyliau i'r di-waith yn y Wig. Cerddodd y glowyr i'r castell dan ganu *Sosban Fach*, a chael cinio gan Hearst, a rhodd o $250 am eu trafferth.

Bu farw Randolph Hearst yng Nghaliffornia yn Awst 1951, ond nid hyd 1960 y llwyddwyd i ddod o hyd i rywun digon cyfoethog i brynu ei gastell ym Morgannwg. Ar 19 Medi 1962 agorwyd Coleg yr Iwerydd yng Nghastell Sain Dunwyd, ysgol breswyl ryngwladol, wedi'i seilio ar syniadau Kurt Hahn, Almaenwr a ffodd i Brydain rhag y Natsïaid.

chwith: Ennyd o dawelwch i Hearst yng nghastell Sain Dunwyd.

1926

5 Ionawr

Ym Mhrydain, talwyd y pensiynau cyntaf i wragedd gweddw.

8 Ionawr

Daeth Abdul Aziz Ibn Saud yn frenin cyntaf y wlad newydd, Sawdi Arabia.

12 Ionawr

Ym Mharis, darganfyddwyd serwm i wrthsefyll tetanus.

27 Ionawr

Dangosodd John Logie Baird y teledu cyntaf i'r byd.

4 Ebrill

Cyhoeddwyd rheolaeth filwrol yn yr India o ganlyniad i ymladd rhwng Hindwiaid a Mwslimiaid.

9 Mai

Richard E Byrd, swyddog yn llynges yr Unol Daleithiau, oedd y cyntaf i hedfan dros Begwn y Gogledd.

23 Awst

Bu farw'r seren ffilmiau Rudolf Valentino yn 31 oed.

2 Tachwedd

Honnodd y Pab fod Duw yn amddiffyn Benito Mussolini wedi'r pedwerydd ymgais aflwyddiannus i ladd arweinydd Ffasgwyr yr Eidal.

20 Tachwedd

Rhoddwyd statws dominiwn i Ganada, Newfoundland, Awstralia, Seland Newydd a De Affrica.

6 Rhagfyr

Bu farw'r arlunydd Claude Monet.

'Moscow Fach'

Cochion Maerdy gyda'u baner a llun o Lenin.

'*Red reign of terror* oedd disgrifiad gohebydd y *South Wales Daily News* ym mis Mai o'r sefyllfa ym mhentref y Maerdy ym mhen uchaf Rhondda Fach.

Sylwodd y gohebydd hefyd ar ysbryd hynod optimistaidd y Comiwnyddion ifanc a oedd yn byw yn y 'pentref coch' hwn: 'Aeth y grym a enillwyd ganddynt yn y dref i'w pennau fel gwin, ac nid oes ganddynt ddim profiad o'r un dref ond Maerdy ... Methant â sylweddoli bod pwysau barn y cyhoedd yn y wlad yn gyffredinol yn erbyn Comiwnyddiaeth.'

Gelwid pentref y Maerdy yn 'Foscow Fach' oherwydd bod cymaint o Gomiwnyddion yn byw yno. Bwriedid y llysenw fel sarhad, ond ymfalchïai sawl un o'r pentrefwyr ynddo. Daeth y pentref yn ddychryn i bleidwyr y drefn oedd ohoni, yn grefyddol ac yn wleidyddol – honnwyd bod dieithriaid yn cael eu cyhuddo o fod yn ysbïwyr, a bod pobl yn poeri ar offeiriaid Anglicanaidd yn y strydoedd. Arswydid wrth weld y plant yn gwisgo gwregysau coch mewn angladdau di-grefydd, gyda blodeugedau ar siâp y morthwyl a'r cryman.

Gwnâi Comiwnyddion y Maerdy eu gorau glas i greu cymdeithas amgen, yn groes i holl werthoedd y gymdeithas o'u cwmpas. Tynnwyd plant allan o'r Sgowtiaid a'u rhoi gyda'r Arloeswyr Ifainc; disodlwyd emynau Cymraeg gan anthemau sosialaidd fel yr *Internationale*, ac roedd hyd yn oed dîm pêl-droed Comiwnyddol i'w gael. Danfonwyd dau brentis-Gomiwnydd tair-ar-ddeg oed, y Cymrawd Bessie Baker a'r Cymrawd Wharton, i'r Undeb Sofietaidd fel rhan o Ddirprwyaeth y Plant, i gael gwybod am 'Rwsia'r gweithwyr', a chroesawyd dirprwywyr o Rwsia i'r Maerdy.

Yn ystod y Streic Gyffredinol, cyfrinfa undeb y glowyr a reolai'r Maerdy i bob pwrpas. Galwyd siopwyr y pentref gerbron aelodau'r gyfrinfa a chyhoeddwyd polisi dogni a dosbarthu bwyd. Y gyfrinfa hefyd a reolai gludiant yr ardal, gan ddewis, er enghraifft, pwy a gâi ddefnyddio'r *charabanc* - benthyciwyd ef i grŵp o alarwyr i fynd i angladd, ond gwrthodwyd cais cwmni o Fethodistiaid a oedd am fynd i gymanfa ganu. Parhaodd y rheolaeth dynn hon ar fusnes y pentref trwy gydol saith mis y streic yn y maes glo.

'Babs' ar draeth Pentywyn

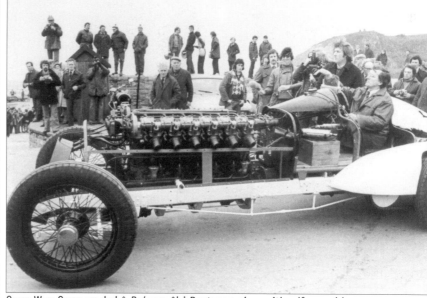

Owen Wyn-Owen yn dod â *Babs* yn ôl i Bentywyn a'r gwaith adfer ar ei hanner.

Ar 27 Ebrill, ar Draeth Pentywyn, Bae Caerfyrddin, crewyd record byd am gyflymder ar dir ddwywaith mewn un diwrnod gan J.G. Parry Thomas o Wrecsam yn ei gar enwog *Babs*. Creodd record o 169.238 o filltiroedd yr awr, gan ei thorri'n syth wedyn â record newydd o 171.09 m.y.a.

Yn ogystal â bod yn sbidiwr mawr, yr oedd Parry Thomas hefyd yn gynllunydd ceir talentog. Yn Chwefror 1917, fe'i penodwyd yn Brif Beiriannydd cwmni moduron *Leyland*, ac yn 1920 ef a gynlluniodd y *Leyland Eight*, car moethus yn llawn dyfeisiau newydd. Dangoswyd y car yn Sioe Geir Olympia yn Llundain yr un flwyddyn gan achosi cryn gyffro. Ef oedd y car drutaf o Brydain ar y farchnad ar y pryd, yn costio £3,050, a hefyd yr un mwyaf pwerus ac iddo rym o 115 marchnerth.

Yn ystod ei gyfnod gyda *Leyland* y cydiodd y dwymyn rasio yn Parry Thomas, ac yn y diwedd bu'n rhaid iddo ymddiswyddo o'i waith gyda'r cwmni yn 1923 am fod ei gyflogwyr yn anfodlon ei fod yn treulio cymaint o amser ar faes rasio Brooklands. Yn 1923, ymddangosodd y *Marlborough-Thomas*, car bach cyflym a chynnyrch cydweithio rhwng Parry Thomas a T.B. André mewn cwt ar Faes Rasio Brooklands. Bu Parry Thomas yn addasu'r car *Leyland Eight* i fod yn gar rasio 200 marchnerth, llyfn ei gorff, a adweinid fel *Leyland-Thomas*. Ymddangosodd hwn ym Mai 1924, ac ar 26 Mehefin, creodd Parry Thomas record newydd am gyflymder ar dir o 129.73 m.y.a., y tro diwethaf i record gael ei chreu ar faes rasio.

Tua diwedd 1925 prynodd gar *Higham Special* chwe chant marchnerth a fu'n eiddo i'r rasiwr Iarll Zborowski a fu farw ar 19 Hydref 1925 wrth gymryd rhan yn *Grand Prix* yr Eidal. Hwn oedd y *Babs* enwog y torrodd Parry Thomas record gyflymder y byd ynddo ddwywaith mewn diwrnod ar 27 Ebrill.

Ar 1 Mawrth 1927 daeth Parry Thomas yn ôl i Bentywyn i geisio adennill record gyflymder y byd oddi ar Malcolm Campbell, a oedd wedi ei chipio ar 4 Chwefror gyda chyflymdra o 174.883 m.ya. Wrth i'r car gyflymu gwelodd gwylwyr ef yn llithro cyn troi wyneb i waered am ychydig. Lladdwyd Parry Thomas. Yn y cwest cafwyd dyfarniad o farwolaeth ddamweiniol, a chredid bod Parry Thomas wedi marw ar unwaith pan drawyd ef yn ei ben â chadwyn yrru'r car a oedd wedi torri.

Claddwyd *Babs* yn y tywod ym Mhentywyn, gyda chôt a helm ledr Parry Thomas. Yn 1969 codwyd y car gan Owen Wyn-Owen, darlithydd peirianneg yng Ngholeg Technegol Bangor, a mynd ag ef i Gapel Curig a dechrau ei adfer. Cymerodd y gwaith hwn bymtheng mlynedd, a bu'n rhaid ceisio darnau sbâr o America a'r Almaen. Dangoswyd y car wedyn mewn nifer o sioeau ceir, a bu hefyd yn ymweld â Phentywyn.

'Mynd ar y jazz band'

isod: Joe Slade o'r *Ystrad Zulus Carnival Band*.

Wrth i ddiflastod y Dirwasgiad a'r Streic Gyffredinol gydio yn y maes glo, datblygwyd nifer o ffurfiau ar adloniant poblogaidd i ddifyrru'r di-waith. Amlwg ymhlith y rhain roedd y bandiau *jazz* neu *gazooka*, a oedd ar eu mwyaf poblogaidd yng Nghymoedd Rhondda, Cynon a Thaf.

Offeryn syml iawn fel helgorn oedd y *gazooka*, a chwaraeid trwy hwmian tôn trwyddo. Nid oedd angen am unrhyw fath o ddawn gerddorol i gael sŵn da ohono, ac yr oedd felly'n ddifyrrwch a oedd o fewn cyrraedd pawb. Ffynnodd bandiau comig gydag enwau fel y *Gelli Toreadors*, y *Cwmparc Gondoliers*, a'r *Blaenllechau Long Row Spuds Jazz Band* ym mhob cymuned lofaol bron, er mawr ddychryn i rai aelodau parchus y gymdeithas. Mynegodd un Methodist yn Aberdâr ei sioc wrth weld band *jazz* yn perfformio gyda cherdyn yn dwyn y neges 'Myfi yw bara y bywyd.'

Parhaodd traddodiad y bandiau jazz yn y De hyd ddiwedd y ganrif a'r tu hwnt yn y bandiau gorymdeithiol o *majorettes* a fyddai'n cystadlu'n rheolaidd gan ennyn teimladau cryf o falchder lleol a theuluol.

Y streic fawr

Gweithdy trwsio esgidiau yn Nantyffyllon.

Parlyswyd Prydain gan y Streic Gyffredinol a barodd am naw diwrnod ar ddechrau Mai.

Er bod yr anghydfod yn deillio o gwynion y glowyr, cafwyd cryn gefnogaeth gan weithwyr eraill yn ogystal. Caewyd ffatrïoedd, ac arhosodd y bysiau a'r trenau'n segur. Ym mhorthladd Caergybi aeth mil o weithwyr ar streic, a bu argraffwyr Bangor a Chaernarfon yn barod eu cefnogaeth. Yn y De serch hynny y gwelwyd yr anghydfod ar ei ffyrnicaf.

Anghytundeb ynglŷn â chasgliadau Comisiwn Samuel ar y diwydiant glo a oedd wrth wraidd y streic, ac ar 12 Mai, cyhoeddodd Cyngres yr Undebau Llafur yn Llundain fod y Streic Gyffredinol ar ben gan eu bod wedi derbyn gwell cynigion gan Samuel. Anghytunodd undeb y glowyr â'r telerau newydd, a pharhaodd glowyr de Cymru i streicio wedyn tan 19 Tachwedd.

Sefydlwyd Pwyllgorau Streic a Chynghorau Gweithredu yn lleol i weinyddu'r ardaloedd a oedd yn rhan o'r streic, a byddai'r rhain yn trefnu'r cyflenwad bwyd a phethau o'r fath. Daeth llawer un i ddibynnu ar y ceginau cawl, a roddai ymborth hanfodol i'r anghennus ac a oedd hefyd yn ganolfannau cymdeithasol hollbwysig. Yn ystod y streic trwsiwyd 782 o esgidiau plant, a 347 o esgidiau oedolion yn y siop drwsio esgidiau a sefydlwyd gan streicwyr yn Ynysy-bŵl. Agorwyd siopau tebyg mewn sawl man gan gyfrinfeydd undeb y glowyr, a darparent wasanaeth hanfodol i lawer un na fedrai fforddio esgidiau newydd.

Yn ogystal â diwallu anghenion y corff byddai pwyllgorau'r streicwyr hefyd yn trefnu adloniant i ladd diflastod y streic hir, gyda pherfformwyr lleol fel *Ted Lotto the Comedy Cyclist*, y *Pontypridd Frolics*, a'r *Mountain Ash Versatile Five*.

Byddai'r glowyr a'u teuluoedd yn wynebu caledi mawr. Ychydig iawn oedd â chynilion wrth gefn, ac er derbyn arian gan Ffederasiwn Glowyr De Cymru, a chan weithwyr Rwsia, nid oedd yn ddigon o bell ffordd. Roedd y baich yn arbennig o drwm ar y gwragedd, gan mai hwy a fyddai'n gorfod trin arian pitw'r teulu a gwneud iddo bara trwy'r wythnos, a thrin a thrafod y dyledion a gynyddai yn y siop leol. Adroddodd un ymwelydd iechyd mai'r gwragedd oedd y cyntaf yn y teulu i fynd heb fwyd, a dangosodd arolwg gan y *Pilgrim Trust* fod effeithiau diffyg maeth i'w gweld yn amlycach o dipyn yn y gwragedd nag yn y dynion a'r plant.

Ar 12 Awst, ymosododwyd ar streicdorrwr ar ei feic, taflu crys gwyn drosto, a mynd ag ef adref mewn berfa i gyfeiliant consertina. Ymatebodd yr awdurdodau'n chwyrn i ddigwyddiadau o'r fath. Galwyd heddweision wrth gefn i wasanaethu a daethpwyd â heddlu i mewn o dde-orllewin Lloegr. Yn ystod wyth wythnos olaf y streic digwyddodd deunaw ymladdfa ddifrifol rhwng streicwyr a'r heddlu.

Yn y diwedd bu'n rhaid i'r glowyr ildio a dychwelyd i'r gwaith ar delerau gwaeth nag a fodolai ar ddechrau'r streic. Collodd Ffederasiwn Glowyr De Cymru fwy na 70,000 o aelodau trwy'r streic, a disgynnodd cyfanswm y glowyr ym maes glo'r De o 218,000 i 194,000 erbyn 1927. Manteisiodd rhai o'r meistri glo ar y cronfa fawr o ddynion di-waith i gael gwared ar y rhai a ystyrid yn gynhyrfwyr ymhlith y glowyr. Oherwydd eu segurdod dirywiodd cyflwr rhai o'r pyllau i'r fath raddau fel na ellid eu hailagor pan ddychwelodd y dynion i'r gwaith, a thra bu pyllau de Cymru'n segur, bu glofeydd gwledydd eraill wrthi'n cynyddu eu masnach. Erbyn diwedd y streic yr oedd Prydain yn mewnforio glo o wledydd a fu gynt yng nghysgod y diwydiant yn ne Cymru.

Siarad ag Efrog Newydd

Ar 29 Rhagfyr, dechreuodd Mr. W.H. Powning, un o beirianwyr Swyddfa'r Post yn Abertawe y gwasanaeth teleffon cyhoeddus cyntaf rhwng Cymru ac America.

Ffoniodd Powning o'i gartref, gan siarad am chwarter awr â pheiriannydd teleffon yn Efrog Newydd trwy gyfrwng offer teleffon radio diweddaraf Swyddfa'r Post. Dywedodd Powning wedyn ei fod yn gallu clywed popeth a ddywedwyd yn berffaith. Mynnodd fod oes teleffonio rhyngwladol bellach wedi cyrraedd, ac mai peth cyffredin iawn cyn pen dim fyddai i unrhyw berchennog ffôn yn y wlad ffonio cyfeillion a chyd-weithwyr yn unrhyw ddinas yn America. Drannoeth yng Nghaerdydd, Mr. B. Waite, Rheolwr Rhanbarthol Swyddfa'r Post, a oedd ar y ffôn i America, yn siarad 'heb unrhyw straen ar y clyw na'r llais'.

Ond er gwaethaf yr optimistiaeth roedd pris y gwasanaeth newydd yn ei osod y tu hwnt i gyrraedd llawer un. Wrth lansio'r gwasanaeth ar 28 Rhagfyr, yr oedd y Postfeistr Cyffredinol wedi rhybuddio y byddai galwad tair munud i America yn costio pymtheg punt, a phum punt am bob munud ychwanegol, crocbris yn ôl safonau'r dydd.

uchod: Angladd Anne Jones.

Beddau ar ben mynydd

Os bu bywydau Edward Hesketh Formby ac Anne Isobel Jones o Ddyffryn Teifi yn rhai hynod, hynotach fyth oedd yr hyn a ddigwyddodd iddynt wedi iddynt farw. Mewn dau o feddau mwyaf diarffordd a mwyaf anhysbys Cymru y claddwyd eu cyrff, a hynny o'u dewis eu hunain.

Gwraig weddw William Jones, bancwr o gyfoeth mawr ac un o hoelion wyth yr ardal, oedd Anne Isobel Jones. Priododd y ddau yn 1874 pan oedd ef yn 65 oed a hithau'n ddim ond 23, a threfnodd ef i adael ei eiddo i gyd i'w wraig ifanc newydd yn ei ewyllys. Roeddynt yn byw ym mhlasty Glandenys, Dyffryn Teifi, ond erbyn canol yr 1890au roedd Anne Jones wedi dechrau carwriaeth â dyn 16 mlynedd yn iau na hi, Edward Formby, a newidiodd ei gŵr ei ewyllys a gadael ei ystad yn gyfan i'w nith. Ar ôl i William Jones farw yn 1897 llwyddodd Anne Jones i ddiddymu'r ail ewyllys mewn llys, a bu hi a'i chariad yn cyd-fyw'n ddibriod ac yn rhwysgfawr yng nghartref ei diweddar ŵr, gan fwynhau bywyd bonheddig o hela, saethu a physgota.

Roedd byw tali o'r fath yn ddigon anarferol o hyd, ac achosodd y berthynas gryn sgandal yn y fro. Mawr iawn oedd y cyffro hefyd pan fu farw Formby ar 6 Medi , a datguddiwyd ei fod wedi gorchymyn yn ei ewyllys y dylid ei gladdu yng ngardd tŷ unnos roedd wedi ei brynu ar fynydd Bryn Cysegredig. Er gwaethaf ei enw, nid tir cysegredig oedd y mynydd o gwbl, a synnodd sawl un fod Formby am gael ei gladdu yn y fath le yn hytrach nag ym mynwent yr eglwys. Mwy fyth oedd y diddordeb yn 1929 pan fu farw Anne Jones ar 25 Mawrth. Yn groes i'r disgwyl, nid ym mhridd cysegredig y llan, gyda'i gŵr cyfreithlon y dewisodd gael ei chladdu, eithr ar ben y mynydd wrth ochr ei chariad.

Roedd Formby wedi smalio ynghynt ei fod am orwedd ar Fryn Cysegredig er mwyn cadw llygad barcud ar botsieriaid Afon Teifi, ac yn ôl y sôn bydd rhai trigolion lleol yn ofn potsio ar y afon dan gysgod y bedd. Cymaint oedd brwdfrydedd Formby ei hun am saethu fel y claddwyd ef gyda'i hoff wn yn ei ymyl. Roedd sôn hefyd fod tri o'i geffylau hela wedi eu rhoi yn y bedd gydag ef, ond nid oes sicrwydd am hynny.

Glanio'n sâff yn Sealand

Ar 17 Mehefin, uwchben safle Sealand y Llu Awyr, ger y Fferi Isaf, sir Fflint, y Peilot-Swyddog Eric Pentland oedd yr aelod cyntaf erioed o'r Llu Awyr i ddianc o'i awyren â pharasiwt. Roedd yr awyrennwr anffodus wedi colli rheolaeth ar ei beiriant wrth ymarfer troelliadau. Cyn y flwyddyn hon nid oedd y Weinyddiaeth Awyr yn ystyried ei bod yn werth rhoi parasiwtiau i beilotiaid.

Brenin olaf Ynys Enlli

Yn y flwyddyn hon, bu farw 'Brenin' olaf Ynys Enlli, Penrhyn Llŷn, yr hen forwr Love Pritchard, a etholwyd i'r swydd yn 1911.

Tua diwedd y ddeunawfed ganrif y dechreuodd yr arfer o goroni 'Brenin yr Ynys' yn Enlli. Un arwydd ymysg llawer un oedd hi o arwahanrwydd a natur arbennig yr ynys a'r ynyswyr. Yn ôl rhai chwedlau, mor annibynnol y teimlai'r ynyswyr oddi wrth y tir mawr ar ddechrau'r Rhyfel Byd Cyntaf fel y cyhoeddasant mai tiriogaeth niwtral fyddai eu hynys.

Y 'Brenin' olaf yn croesawu capten llong.

Y Geiriadur Beiblaidd

Ym mis Hydref, ddwy flynedd wedi i'r gyfrol gyntaf ymddangos, cyhoeddwyd ail ran y *Geiriadur Beiblaidd* dwy gyfrol.

Y Parch. Thomas Rees, Prifathro Coleg yr Annibynwyr, oedd y prif olygydd, ac i'w ymdrechion ef roedd y rhan fwyaf o'r diolch am lwyddiant y gwaith. Bu Rees farw ar 20 Mai, cyn gweld cyhoeddi holl ffrwyth ei lafur.

Pwrpas y gwaith, yn ôl y rhagair, oedd 'cynorthwyo'r sawl a ddarlleno'r Beibl i wneuthur hynny'n ddeallgar'. Cydnabuwyd y gwaith fel carreg filltir yn hanes ysgolheictod crefyddol Cymru.

1927

21 Mai

Glaniodd yr Americanwr Charles Lindbergh yn Ffrainc, y cyntaf i hedfan ar draws Môr Iwerydd ar ben ei hunan.

24 Mai

Taflwyd diplomyddion yr Undeb Sofietaidd allan o Brydain wedi iddynt gael eu cyhuddo o ysbïo.

9 Mehefin

Yn yr Undeb Sofietaidd, saethwyd ugain ysbiwyr honedig o Brydain.

30 Mehefin

Ym mlwyddyn gyntaf y gystadleuaeth, enillodd golffwyr yr Unol Daleithiau y Cwpan Ryder.

10 Gorffennaf

Llofruddiwyd Is-Lywydd Iwerddon, Kevin O'Higgins, gan yr IRA.

19 Awst

Carcharwyd Mae West am ymddwyn yn anweddus yn ei sioe, Sex.

23 Awst

Yn yr Unol Daleithiau, dienyddiwyd y radicaliaid Sacco a Vanzetti, chwe blynedd wedi iddynt eu cael yn euog mewn achos yn Massachusetts a ystyrir yn un anghyfiawn bellach.

1 Medi

Boddwyd 200 o bobl mewn llifogydd a drawodd rannau o Galicia, Gwlad Pwyl.

29 Hydref

Yn Tsieina, darganfyddwyd bedd Genghis Khan.

Cwpan Lloegr yn dod i Gymru

Y gôl bwysicaf yn hanes Caerdydd.

Am yr unig dro yn ei hanes daeth Cwpan Cymdeithas Pêl-Droed Lloegr i Gymru pan drechodd Caerdydd Arsenal yn Stadiwm Wembley ar 23 Ebrill.

Gêm agos a dadleuol oedd hon a'r unig gôl yn deillio o gamgymeriad Dan Lewis, gôl-geidwad Arsenal, a oedd yn Gymro o'r Maerdy. Chwarter awr o ddiwedd y gêm, ergydiodd Hughie Ferguson at y gôl ac er i Lewis ei harbed, gadawodd i'r bêl lithro o'i ddwylo, ac wrth iddo geisio ei hailfeddiannu trawodd hi dros y llinell â'i benelin. Er i Arsenal bwyso am gôl i unioni'r sgôr, roedd amddiffyn Caerdydd yn gwbl gadarn gan sicrhau buddugoliaeth nodedig i'r 'Adar Gleision'.

Ar y pryd roedd rhai yn amau i'r gôl-geidwad ildio'r gôl yn fwriadol i sicrhau buddugoliaeth i'w gyd-Gymry, ond prin fod gwir yn hynny. Mae'n debycach mai presenoldeb Len Davies, blaenwr Caerdydd, yn dynn ar ei sodlau a achosodd iddo dynnu ei lygad oddi ar y bêl am eiliad. Cymaint oedd anfodlonrwydd Lewis ar ei berfformiad fel y taflodd ei fedal ymaith ar ôl y gêm.

Tra oedd miloedd o Gymry yn Wembley yn cymeradwyo capten Caerdydd, Fred Keenor, wrth iddo dderbyn y Cwpan gan y Brenin Siôr V, roedd torf enfawr o bobl yn dathlu y tu allan i Neuadd y Ddinas, Caerdydd, lle roedd offer wedi'u gosod i ddarlledu sylwebaeth ar y gêm yn fyw iddynt.

Dychwelodd y tîm i groeso mawr yng Nghaerdydd, gyda miloedd yn ymgynnull ar y strydoedd i weld y chwaraewyr yn teithio mewn car agored trwy'r ddinas i gwrdd â'r Arglwydd Faer ar risiau Neuadd y Ddinas.

[LLIW 75]

117

Y fyddin newynog

Gorymdaith y newynog.

Ar 8 Tachwedd, cychwynnodd Gor-ymdaith Newyn gyntaf Cymru o Gwm Rhondda, fel protest yn erbyn cais y Weinyddiaeth Iechyd i gwtogi ar nawdd Byrddau Gwarcheidwaid lleol i'r di-waith, ac yn erbyn y Ddeddf Ddiweithdra newydd.

Ar 18 Medi ymgasglodd deng mil o bobl ar Fynydd Pen-rhys ar gyfer yr hyn a hysbysebwyd fel 'Dydd Sul Coch yng Nghwm Rhondda', cyfarfod a drefnwyd gan amrywiol gyrff, gan gynnwys Ffederasiwn Glowyr De Cymru. Galwyd ar y posteri am ymgyrch yn erbyn y meistri glo a'r Prif Weinidog Torïaidd, Stanley Baldwin, ac addawyd y byddai bandiau'n perfformio 'caneuon dosbarth gweithiol'. Ymhlith siaradwyr y rali yr oedd Arthur Cook, Ysgrifennydd Cyffredinol Ffederasiwn Prydain, ac ef a alwodd am orymdaith fawr i Lundain i dynnu sylw at gwynion y glowyr.

Ond gwrthwynebwyd hynny gan Gyngres yr Undebau Llafur ac roedd Ffederasiwn Glowyr De Cymru'n amharod i gefnogi. Er gwaethaf hyn cafodd y ddau gant saith deg a orymdeithiodd groeso mawr gan undebwyr lleol yn yr holl drefi yr aethant trwyddynt ym mis Tachwedd. Roedd naws led-filwrol yr orymdaith yn amhoblogaidd gan rai – sonnid amdani'n aml fel 'byddin', a galwodd y trefnwyr ar y dynion i ddefnyddio'r wybodaeth filwrol a ddysgwyd ganddynt yn y Rhyfel Mawr i hyrwyddo'r orymdaith. Yn ei lythyr olaf at ei wraig soniodd John Supple, Tonyrefail, a fu farw o niwmonia ar y ffordd i Lundain, amdano'i hunan fel 'milwr ym Myddin y Gweithwyr'. Gan ofni ymosodiadau gan Ffasgwyr ac eraill, trefnwyd i garfan o gant o ddynion arfog Urdd Llafur y Cyn-filwyr gwrdd â'r gorymdeithwyr yn Chiswick a'u hebrwng i mewn i Lundain, gweithred a oedd yn sicr o godi arswyd ar barchusion y brifddinas.

'Morwyn ddewr' Penarth

Kathleen Thomas, un-ar-hugain oed o Benarth, oedd y person cyntaf erioed i nofio ar draws Môr Hafren. Cymerodd saith awr ac ugain munud ar 5 Medi iddi nofio o Benarth i Weston, Gwlad-yr-Haf. Credai sawl un ar y pryd fod y daith yn amhosibl oherwydd y llifoedd cryf wrth Ynys Echni, ac yr oedd dau ddyn eisoes wedi methu wrth geisio croesi o'r fan honno.

Yn dilyn Kathleen ar y daith mewn cwch modur roedd ei brawd a'i thad, ac ymunodd y nofiwr Albert Griffiths o Gaerdydd â hi am sbel pan arhosodd i gael pryd ysgafn o de bîff, llaeth a siocled yn y dŵr. Ar y traeth yn Weston yr oedd miloedd o bobl leol yn aros i'w chroesawu, a'r noson honno fe gafodd gymeradwyaeth fawr wrth ymddangos ar lwyfan mewn sinema leol. Torrodd y rheolwr, Mr. W. John, ar draws y ffilm i gyflwyno i'r gynulleidfa *a truly brave little maid of Harlech.*

Dim golff ar y Sul

Bu helynt mawr yn Aberdyfi ym mis Hydref ar ôl i glwb golff y dref benderfynu caniatáu chwarae golff ar ei gwrs ar y Sul, gan ennyn llid nifer o gapelwyr lleol a oedd am amddiffyn y 'Sabath Cymreig' rhag y fath oferedd.

Roedd y clwb ar y pryd mewn trafferthion ariannol, ac ystyrid ei bod yn angenrheidiol agor ar y Sul er mwyn denu mwy o chwaraewyr, yn enwedig golffwyr o ganolbarth Lloegr, a oedd yn tueddu i fynd i gyrsiau eraill, rhai ohonynt yng Ngymru, megis Harlech, lle caent chwarae bob dydd o'r wythnos. Yn y *Cambrian News* ar 9 Ebrill, cyhoeddwyd llythyr gan ohebydd di-enw yn ei ddisgrifio'i hunan fel 'Trigolyn Ers Hanner Can Mlynedd' yn cwyno bod '16 o Foneddigion Birmingham' yn mynnu bod Aberdyfi'n derbyn golff ar y Sul. Rhybuddiodd ei ddarllenwyr fod 'Aberdyfi wedi dangos yn y gorffennol ei bod yn gallu gofalu am ei hawliau, ac ni phetruswn rhag rhoi i'r boneddigion hyn ddychryn nad anghofiant.'

Ym mis Medi, wedi haf o enillion gwael penderfynodd cyfarfod brys o bwyllgor y clwb yn unfrydol fod y sefyllfa ariannol yn peri bod agor ar y Sul yn anochel. Cyhoeddwyd llythyr i hysbysu'r dref o'r penderfyniad, a daeth llythyrau i'r wasg a chyfarfod protest yn dynn ar ei sodlau. Ar 2 Hydref, camodd y cyntaf o'r golffwyr Sabothol ar gwrs Aberdyfi – saith yn unig ohonynt gan mor wael oedd y tywydd. Cynhaliodd yr arlunydd lleol Buddug Anwylini Pughe wrthdystiad unig wrth y 18fed twll, gan godi ei stand beintio a gwrthod symud. Ond bu'n rhaid i hyd yn oed y fentrus Miss Pugh ildio i'r tywydd garw ar ôl awr. Y Sul canlynol, 9 Hydref, ymgasglodd tyrfa fawr wrth y tî cyntaf i atal y chwarae, a daeth ffermwr lleol â'i hwrdd a'i glymu ar dennyn i bori ar y glas rhif 17.

Yn y cyfamser roedd Pwyllgor Amddiffyn y Comin wedi'i sefydlu, a daeth dirprwyaeth i geisio cael gan y clwb ddymchwel ei benderfyniad. Gwrthodwyd eu cais, a datganodd Cadeirydd y clwb eu bod yn barod i fynd â'r mater i'r llysoedd. Ar 28 Hydref, cyhoeddwyd gwritiau yn erbyn un ar bymtheg o'r rhai a rwystrodd y chwarae ar 9 Hydref, gan eu cyhuddo o dresbasu a hawlio iawndal a chostau ganddynt. Enillodd y clwb ei achos ar ôl i'r diffynyddion gael cyngor cyfreithiol i beidio â'i ymladd, ond parhaodd drwgdeimlad yn y dref am amser hir wedyn. Noswyl Nadolig, ymosodwyd ar dywyrch nifer o'r glasloriau, a thorrwyd y geiriau 'Merry Xmas' ar un ohonynt.

Coleg yr ail gyfle

Ben Bowen Thomas gyda'r dosbarth cyntaf o fyfyrwyr.

Ym mis Hydref derbyniwyd y chwe myfyriwr cyntaf i Goleg Harlech, y coleg preswyl i fyfyrwyr hŷn a sefydlwyd ym Meirionnydd trwy ymdrechion Thomas Jones, Rhymni. Gweithiodd Thomas Jones yn ddiwyd dros nifer o achosion cymdeithasol ac yr oedd ei waith yn sefydlu Coleg Harlech yn nodweddiadol o'i agwedd at y byd a'i broblemau. Gwelai'r coleg yn fodd i ddenu gweithwyr oddi wrth syniadau gwleidyddol eithafol, fel Bolsieficiaeth, prif fwgan llawer un ar y pryd. Gobeithid creu to newydd o arweinwyr o blith y dosbarth gweithiol a arweiniai'r ffordd yn ddeallus ac yn gymedrol at ddiwygiad cymdeithasol. Dygodd berswâd ar ei gyfaill cyfoethog George Davison i werthu'r Wern Fawr yn Harlech, a pherswadiodd nifer o bobl i gyfrannu at gostau rhedeg y Coleg, gan gynnwys Syr Alfred Mond, y meistr glo Syr David Llewellyn, a'r chwiorydd Davies, Gregynog. Rhoddwyd rhan helaetha'r arian gan Ymddiriedolaeth Carnegie.

Agorwyd Coleg Harlech yn swyddogol ar 5 Medi 1927 gan Henry Gethin Lewis, y dyn a brynodd y Wern Fawr a'i roi i'r Coleg. Er mai dim ond chwech o fyfyrwyr a oedd yno'r tymor cyntaf, daeth pedwar ar ddeg yr ail flwyddyn. Sylwodd E.H. Jones, un o diwtoriaid cyntaf y Coleg, ar awydd angerddol rhai o'r myfyrwyr i ddysgu; cymaint oedd brwfrydedd rhai ohonynt fel y teimlai'n annheilwng i'w dysgu, meddai. Amcangyfrifwyd bod dau gant ac ugain o fyfyrwyr wedi bod yn y Coleg erbyn 1937 – 209 ohonynt o Gymru, a 91 ohonynt yn lowyr.

Galwyd Coleg Harlech yn 'goleg yr ail gyfle' am fod croeso yno i fyfyrwyr hŷn na'r arfer, er mai prin y cafodd lawer ohonynt gyfle cyntaf ar addysg beth bynnag.

Brwydr Bedwellte

Wrth i galedi'r Dirwasgiad Mawr daro'n fwyfwy, dôi byrddau lleol o Warchweidwaid y Tlodion dan bwysau cynyddol, am eu bod yn derbyn llai o gyfraniadau trwy drethi lleol a hefyd yn gorfod cyfrannu mwy nag erioed o'r blaen at bobl ddi-waith a'u teuluoedd. Roedd gofyn iddynt ddelio â thwf mawr yn nifer y tlodion abl o gorff a pharod i weithio, dosbarth nad oedd ddarapariaeth effeithiol ar eu cyfer.

Dechreuodd rhai byrddau lleol fynd i helyntion mawr wrth geisio mynd i'r afael â'r broblem, yn enwedig y byrddau dan reolaeth Llafur a oedd am gynorthwyo'r diwaith yn fwy nag yr oedd y llywodraeth Geidwadol yn barod i'w ganiatáu.

Ar 5 Chwefror diddymwyd Bwrdd Gwarcheidwaid Tlodion Bedwellte, Gwent, trwy'r Ddeddf Diffyg Byrddau Gwarcheidwaid a basiwyd gan y llywodraeth ym mis Gorffennaf 1926. Roedd Bedwellte'n cynnwys chwe phlwyf – Nant-y-glo a Blaenau, Rhymni, Tredegar, y Coed Duon, Glyn Ebwy, ac Abertyleri – ac roedd yn un o'r byrddau lleol cyntaf i ddioddef yng nghrwsâd y Gweinidog Iechyd, Neville Chamberlain, yn erbyn yr hyn a ystyriai ef yn wastraff. Roedd Gwarcheidwaid Bedwellte wedi gwario ar gymorth i'r anghenus ymhell y tu hwnt i'r hyn yr oedd y llywodraeth ganolog yn barod i'w ganiatáu, ac wedi pentyrru dyledion o £976,520. Mewn llythyr swyddogol, cyhuddwyd Gwarcheidwaid Bedwellte o fod yn rhy hael o lawer ac o ddehongli'r rheolau fel ag i roi nawdd i gymaint o bobl â phosibl. Yn ôl y llythyr yr oedd eu gwariant yn 'afraid ac afradlon'. Roedd deddf 1926 yn galluogi'r llywodraeth i ddiswyddo gwarcheiwaid a rhoi comisiynwyr yn eu lle. Ym Medwellte, tociodd y comisiynwyr yn llym ar wariant – hyd at fis Mawrth 1927, rhannodd Gwarcheidwaid Bedwellte £528,777, ond yn y chwe mis hyd at fis Medi 1927 £38,322 yn unig a dalwyd i dlodion yr ardal gan y comisiynwyr.

Oherwydd helynt Bedwellte daeth Neville Chamberlain yn brif gasddyn y maes glo am gyfnod, ac edrychid arno fel y prif ddrwgweithredwr yn y frwydr yn erbyn haelioni Gwarcheidwaid Bedwellte i'r tlodion. Dywedodd Aneurin Bevan yn ddiweddarach mai'r peth gwaethaf y gallai ef ei ddweud am ddemocratiaeth oedd ei bod wedi goddef Neville Chamberlain gyhyd.

Radio Cymraeg o Iwerddon

O orsaf radio yn Nulyn ym mis Ebrill dechreuodd gwasanaeth rheolaidd yn cynnwys rhaglenni o ddiddordeb Cymreig am y tro cyntaf. Fe'i trefnwyd gan W.S. Gwynn Williams, golygydd *Y Cerddor Newydd* ac un o sylfaenwyr Eisteddfod Ryngwladol Llangollen, a darlledwyd rhaglen bob mis hyd fis Mawrth 1928

Caneuon oedd prif gynnwys y rhaglenni, a'r rheini'n cael eu canu gan rai o Gymry Dulyn a chan forwyr y llong fferi o Gaergybi. Saesneg oedd y rhan fwyaf o'r ychydig siarad a geid ar y rhaglenni. Ond er mor anaml y darllediadau, ac er mor ddi-fflach y cynnwys, enynnodd y gwasanaeth o Ddulyn ddiddordeb mawr yng Nghymru. Ystyriodd Yr Athro Ernest Hughes, Abertawe ysgrifennu at yr awdurdodau radio yn Nulyn i annog ehangu eu gwasanaeth Cymreig, ond penderfynodd beidio gan y byddai'n rhaid i'r Cymry barhau i dalu trwydded i'r BBC.

Cartref i drysorau'r genedl

isod:
Y Brenin Siôr V wedi iddo agor yr Amgueddfa Genedlaethol.

Ar 21 Ebrill yng Nghaerdydd, agorodd y Brenin Siôr V Amgueddfa Genedlaethol Cymru yn swyddogol, ugain mlynedd wedi iddi dderbyn ei siartr frenhinol.

Ef oedd wedi gosod carreg sylfaen yr Amgueddfa yn 1912, ond oherwydd y Rhyfel Mawr ni fu'n bosibl agor un rhan o'r adeilad newydd a chedwid rhan helaeth o gasgliadau'r Amgueddfa mewn arddangosfa dros dro yn Llyfrgell Rydd Caerdydd.

Ymgasglodd hyd at dri chwarter miliwn o bobl ar strydoedd Caerdydd ar gyfer y seremoni agor, a darparwyd cerddoriaeth gan Syr Walford Davies a chôr ac iddo aelodau o bob rhan o Gymru. Darlledwyd yr agoriad ar y radio – y darllediad brenhinol cyntaf o Gymru, a'r ail dro i lais teyrn Prydeinig gael ei ddarlledu. Dadorchuddiodd y Brenin dri phlac yn enwi'r gwahanol orielau ar ôl tri pherson a fu'n hael eu rhoddion i'r Amgueddfa – James Pyke Thompson, Williams James Tatem a Syr William Reardon Smith.

Roedd un o'r orielau eisoes wedi cael ei henwi ar lafar yn Oriel Wilson, gan mor bwysig i gasgliad celf yr Amgueddfa oedd gweithiau'r tirlunydd Cymreig Richard Wilson.

Perygl y BBC

Wedi dwy flynedd a mwy o ymchwil roedd yr Athro W.J. Gruffydd ac aelodau eraill pwyllgor arbennig y Bwrdd Addysg yn barod i gyflwyno eu hadroddiad ar sefyllfa'r Gymraeg yng Nghymru. Cyhoeddwyd eu casgliadau yn y gyfrol fach ond hynod gynhwysfawr ac eang ei maes *Y Gymraeg Mewn Addysg a Bywyd*. Rhoddodd sylw deallus i safle'r iaith o gyfreithiau Hywel Dda yn yr Oesoedd Canol i'r ugeinfed ganrif, gan edrych ar bob agwedd bron o fywyd y Cymry.

Ymosodwyd yn ffyrnig yn yr adroddiad ar agwedd y BBC at y Gymraeg, gan honni bod y radio'n 'cwblhau'r gwaith o seisnigeiddio bywyd deallusol y genedl'. Disgrifwyd polisi iaith y BBC fel 'mwy o berygl nag odid ddim arall i fywyd yr iaith,' a galwyd am wasanaeth radio llawn yn y Gymraeg yn lle'r ymborth pytiog o ganeuon a cherddi a geid ar y pryd. Galwyd hefyd am roi tecach lle i'r iaith ym myd addysg, o'r ysgolion elfennol i'r Brifysgol. Ymhlith yr awgrymiadau mwyaf beiddgar oedd dileu'r cymal yn Neddf Uno Harri VIII 1536 yn gwahardd y Gymraeg o'r llysoedd barn, cam nas cymerwyd yn y diwedd hyd 1993 pan basiwyd ail Ddeddf yr Iaith Gymraeg. Yn anad dim, sylweddolodd awduron yr adroddiad fod angen newid yn agwedd pobl Cymru a'u denu oddi wrth yr 'ymdeimlad fod popeth Seisnig yn uwch ac yn well na phethau Cymreig'. 'Rhaid wrth newid llwyr yn y cyfeiriad hwn, cyn y daw'r Gymraeg yn iaith gyffredin cartrefi'r wlad,' meddent.

Storïwr toreithiog Cwm Clydach

Blwyddyn doreithiog oedd hon i'r llenor Eingl-Gymreig Rhys Davies o Gwm Clydach, a welodd gyhoeddi ei dri llyfr cyntaf – ei nofel *The Withered Root*, a dau gasgliad o straeon byrion, *Aaron*, a *The Song of Songs and Other Stories*.

Mab i groser oedd Rhys Davies na ddewisodd ddilyn llwybr ei dad, ond yn ei ugeiniau cynnar a aeth i fyw i Lundain, gan ymgynnal bron yn gyfan gwbl ar ei waith llenyddol. Llenor cynhyrchiol iawn ydoedd, a gyhoeddodd nifer mawr o nofelau, ynghyd â llu o straeon byrion. Lluniodd hefyd hunangofiant, *Print of a Hares Foot*, a swrn o erthyglau.

Gyda'r arian a enillodd o gyhoeddi *The*

Withered Root aeth Davies i fyw am gyfnod i dde Ffrainc. Yno cyfarfu â D.H. Lawrence, un o lenorion mwyaf nodedig y cyfnod, a daeth y ddau'n gyfeillion. Ym mis Mawrth 1929, pan ddychwelodd Davies i Brydain, fe smyglodd i mewn gydag ef rai o gerddi gwaharddedig Lawrence, *Pansies*.

Er nad oes a wnelo rhai o'u storïau ddim â Chymru, ar fywyd ardaloedd diwydiannol a chefn gwlad Cymru y seiliwyd rhai o'i weithiau gorau. Mae'n debyg mai'r nofel, *The Black Venus* 1944, ynglŷn â'r hen arfer yng ngorllewin Cymru o garu yn y gwely, yw ei nofel fwyaf adnabyddus.

Weithiau yr agweddau llai hyfryd ar fywyd fyddai ei ddeunydd crai fel ei nofel *Count Your Blessings* 1932, am buteindy yng Nghaerdydd, a *Tomorrow Fresh Woods* 1941, s'yn adrodd hanes llofruddiaeth mewn ardal wledig yng Nghymru. Mae caledi bywyd bob dydd y glöwr a'i deulu yn thema yn rhai o'i straeon byrion.

chwith: Rhys Davies

14 Ionawr
Bu farw'r nofelydd Thomas Hardy.

19 Chwefror
Yn Florida, torrodd Malcolm Campbell record y byd am gyflymder ar dir.

1 Mai
Ar ddiwrnod olaf y tymor sgoriodd blaenwr Everton, Dixie Dean, ei 60fed gôl - record yng nghynghrair Lloegr.

7 Mai
Ym Mhrydain cafodd menywod rhwng 21 ac 30 mlwydd oed yr hawl i bleidleisio.

14 Mehefin
Bu farw'r suffragette, Emmeline Pankhurst.

1 Awst
Lansiwyd un o geir mwyaf poblogaidd y ganrif, y Morris Minor.

10 Awst
Cyhoeddwyd mai pobl y Deyrnas Unedig oedd, ar gyfartaledd, yn smocio'r nifer uchaf o sigarennau yn y byd - 3.4 pwys o dybaco y pen.

27 Awst
Arwyddodd 15 o wledydd Pact Kellog-Briand mewn ymgais i wahardd rhyfeloedd.

16 Medi
Lladdwyd 2,000 o bobl yn Florida o ganlyniad i gorwynt.

30 Medi
Darganfyddwyd penisilin gan y biolegydd Alexander Fleming.

7 Tachwedd
Etholwyd Herbert Hoover yn Arlywydd yr Unol Daleithiau.

Heresi yn Shir Gâr

Yn sasiwn Methodistiaid Calfinaidd sir Gaerfyrddin yn Nantgaredig, ar 28 Awst, diarddelwyd y Parch. Thomas Nefyn Williams (Tom Nefyn) o'r enwad am heresi.

Mewn cyfarfod llawn tyndra, gofynnodd Llywydd y sasiwn, Y Parch. Peter Hughes-Griffiths iddo nifer o weithiau a oedd yn barod naill ai i dderbyn 'safonau'r Cyfundeb' neu i ymddiswyddo. Pan na chafwyd ateb ganddo y naill ffordd na'r llall, ataliwyd ef o'r weinidogaeth 'hyd oni fyddo yn abl i gytuno â'n safonau.'

Gweinidog gyda'r Methodistiaid yn y Tymbl ger Llanelli oedd Tom Nefyn, a'i brif drosedd oedd cyhoeddi pamffled yn ymosod yn uniongyrchol ar Gyffes Ffydd Galfinaidd ei enwad. Yn hwnnw beirniadodd ei gyd-gapelwyr am eu rhagrith foesol yn condemnio meddwon a godinebwyr, tra'n anwybyddu pechodau'r ariangarwyr a'r cybyddion, gan roi lle anrhydeddus iddynt yn y sêt fawr yn aml. At hyn, gwadodd ddysgeidiaethau geni Crist o wyryf a'i atgyfodi o farw, a syniad y Drindod Sanctaidd.

Dwysawyd y sefyllfa ar 2 Hydref, pan ddiarddelwyd hefyd holl aelodau cynulleidfa Capel Ebeneser, y Tymbl y bu Tom Nefyn yn fugail arni. Yr un oedd yr amodau a osodwyd ar y praidd ag ar ei bugail, sef eu bod naill ai'n derbyn yn ddigwestiwn gredo swyddogol eu henwad, neu'n ymadael. Rhoddwyd y capel yng ngofal pump aelod o Henaduriaeth De Sir Gaerfyrddin, a hwy oedd yn gyfrifol am dderbyn yn ôl y rhai a oedd yn barod i arddel y Gyffes Ffydd. Ar yr un pryd pasiwyd cynnig yn protestio bod rhai capeli yn dal i groesawu'r heretic Tom Nefyn i bregethu yn eu pulpudau.

Daeth yr achos yn bwnc llosg ymysg deallusion Cymraeg, a dadleuodd rhai fel R.T. Jenkins a W.J. Gruffydd dros hawl Tom Nefyn i gredu fel y mynnai. Honnodd Gruffydd i'r awdurdodau wneud bwch dihangol o Tom Nefyn, a bod y Gyffes Ffydd wedi dod yn 'glawdd i'r llwfr a'r enaid taeog ymochel y tu ôl iddo.' Yn 1930 tynnodd Tom Nefyn

Y pregethwr tanbaid yn ei henaint parchus.

ei eiriau dadleuol yn ôl a derbyniwyd ef yn ôl i'r gorlan Fethodistaidd. Derbyniai bellach y Gyffes Ffydd a wadodd dair blynedd ynghynt.

Sarhau merched o Gymru

Mardy Jones yn amddiffyn enw da merched Cymru.

Go brin bod yr ynad H.A.C. Bingley wedi rhagweld cymaint fyddai'r ymateb pan feiddiodd sarhau rhai o ferched Cymru a oedd yn gweini yn nhai bonheddig Llundain. Gwnaeth ei sylwadau pan ddaeth Nancy Guard, merch dair ar hugain oed o Droed-y-rhiw ger Merthyr Tudful, ger ei fron ar gyhuddiad o ddwyn gwerth deugain punt o ddillad, deunydd gwneud ffrogiau, ac eiddo arall o dŷ ei chyflogwraig yn Hampstead. Honnodd Bingley fod cryn dipyn o fânladrata'n mynd ymlaen ymhlith '*those Welsh girls.*'

Cafwyd ymateb yn syth yn y Senedd, pan gododd Mardy Jones, Aelod Seneddol Pontypridd ar 2 Awst i dynnu sylw'r Ysgrifennydd Cartref at yr honiadau hyn a adlewyrchai'n wael ar y Cymry fel cenedl.

Bu'n rhaid i Bingley gymedroli ei honiadau, ac addefodd ei fod yn sicr bod y rhan fwyaf o'r merched a ddôi o Gymru i Lundain yn gwbl onest. Nid oedd hyn yn ddigon da i rai o selogion y Blaid Genedlaethol yn eu hysgol haf yn Llandeilo. Ar 17 Awst pasiwyd cynnig yn condemnio'r honiadau, ac yn galw ar yr Ysgrifennydd Cartref a'r Arglwydd Ganghellor i ymwrthod â sylwadau'r ynad. Dywedodd Kate Roberts wrth gyflwyno'r cynnig ei bod yn ffaith ddigon hysbys fod gan ferched Cymru enw arbennig o dda fel morynion yn y cartref, ac ychwanegodd Saunders Lewis ei fod yn credu bod cyflogwyr Llundain yn manteisio ar yr ymosodiadau diweddar gan ynadon ar Gymreigesau i leihau eu cyflogau.

Tynnodd yr helynt sylw at broblem fwy, sef fod llawer o ferched Cymru, rhai mor ifanc â phedair ar ddeg oed, yn gorfod mudo i Lundain i geisio gwaith. Dywedodd J. Wilfred Rowlands o Gymdeithas Cymorth Cyfeillgar Cymry Llundain fod y rhan fwyaf o'r rhain yn cael swyddi ac yn ymgartrefu'n foddhaol, ond bod rhai'n methu cael gwaith ac eraill yn mynd yn brin o arian wrth ddisgwyl eu pecyn cyflog cyntaf. Dywedodd fod y Gymdeithas wedi delio ag achosion tri chant o ferched yn ystod y flwyddyn, a'r rheini o'r ardaloedd glofaol yn bennaf.

O Fae Trespassey i Fae Caerfyrddin

Ar 18 Mehefin, glaniodd awyren fôr Amelia Earhart, *Friendship*, yn y môr ger Porth Tywyn, Llanelli, gyda llai nag awr o danwydd ar ôl wedi taith o 24 awr a 49 munud o Fae Trespassey, Newfoundland. Dyma ddiwedd taith y wraig gyntaf i hedfan dros Fôr Iwerydd o America i Ewrop.

Gyda'r Americanes 29 oed ar y daith roedd ei pheilot, Wilmer Stultz, a'i mecanydd, Lew Gordon, a disgwyl croeso mawr yr oedd y tri awyrennwr wrth lanio ger arfodir anhysbys iddynt. Y cyntaf a welsant oedd yr heddwas lleol a ddaeth mewn cwch i ofyn beth roeddynt yn ei wneud. Ond erbyn yr hwyr roedd tyrfa o filoedd wedi ymgasglu i'w croesawu ar ôl i'r si fynd ar led bod y tri newydd hedfan o America.

Ym mis Mai 1932, byddai Earhart yn gwneud yr un daith ar ei phen ei hun am y tro cyntaf, gan lanio yng Ngogledd Iwerddon.

Amelia Earhart wrth lyw ei hawyren bygddu.

Ymgais i achub dau rhag y rhaff

Prin iawn oedd y digwyddiadau a enynnodd gymaint o ddiddordeb cyhoeddus yng Nghymru â chrogi'r ddau ddyn Daniel Driscoll ac Edward Rowlands am eu rhan yn llofruddiaeth y chwaraewr rygbi David Lewis o Dreganna, Caerdydd.

Cafwyd y ddau'n euog yng Nghaerdydd ar 29 Tachwedd 1927 o ladd Lewis mewn ymladdfa yn y ddinas ar 29 Medi. Credid ar y pryd eu bod yn aelodau o griw a fyddai'n mynychu rasio ceffylau, a bod cynnen barhaol rhyngddynt a Lewis ynglŷn ag arian. Honnid eu bod wedi cynllunio i ymosod arno wrth ymweld â rasys Trefynwy, ac wedi rhoi eu cynllun ar waith wedi dychwelyd i Gaerdydd. Gwadodd y ddau eu bod yn perthyn i'r fath griw, a hefyd y cyhuddiad o ymosod ar Lewis.

Ar noson 29 Medi, gwelodd nifer o dystion ymladdfa'r tu allan i dafarn y *Blue Anchor* ar Heol y Santes Fair, a Lewis wedyn yn gwegian a chwympo i'r llawr a niwed i'w wddf. Restiwyd Driscoll a Rowlands yn fuan wedyn, ynghyd â John, brawd Rowlands. Wrth gael ei groesholi gan yr heddlu, dywedodd John Rowlands mai Dai Lewis a ddechreuodd yr ymladdfa ac a ddefnyddiodd y gyllell. Rhaid bod Lewis wedi cael ei anafu wrth i Rowlands geisio mynd â'r gyllell oddi arno, meddai. Roedd y ddau arall yn hollol bendant nad oedd ganddynt ran yn y sgarmes.

Dechreuodd y prawf ar 29 Tachwedd a pharhau am dridiau. Er bod y dystiolaeth yn eu herbyn yn wan a'r tystion yn gwrthddweud ei gilydd, cafwyd y tri'n euog a'u dedfrydu i grogi. Enynnodd y dyfarniad ymateb cryf ymhlith gwrthwynebwyr y gosb eithaf. Ar 23 Ionawr, mewn cyfarfod yn Neuadd Cory yn y ddinas, lluniwyd deiseb i'r Ysgrifennydd Cartref yn mynnu na ellid yn deg ddienyddio dynion ar sail tystiolaeth 'mor brin ac mor annibynadwy'. Siaradodd gwraig Edward Rowlands yn y cyfarfod, gan haeru bod ei gŵr o'r dechrau cyntaf yn mynnu ei fod yn gwbl ddieuog.

Ar 24 Ionawr cyflwynwyd i'r Ysgrifennydd Cartref ddwy ddeiseb o ardal Caerdydd yn ymbil am drugaredd i Daniel Driscoll, y naill yn dwyn 120,000 o lofnodion, a'r llall gyda 30,000, a chafwyd deisebau eraill o ardal Birmingham yn cynnwys 100,000 o enwau. Cyflwynwyd hefyd dystiolaeth feddygol newydd gan y meddygon a gynhaliodd yr ymchwiliad *post mortem* ar David Lewis, yn dweud ei fod mewn cyflwr corfforol gwael pan ddechreuodd yr ymladdfa rhyngddo ef a'r tri, ac y gallai hynny fod wedi achosi ei farwolaeth.

Er gwaethaf hyn ategwyd y dyfarniad ar Driscoll ac Edward Rowlands, ond arbedwyd bywyd John Rowlands a gorchymyn ei gadw dan glo yn Ysbyty Broadmoor. Condemniwyd y datganiad yn syth gan yr Aelod Seneddol Thomas O'Connor, a dywedodd Harold Lloyd, cyfreithiwr Edward Rowlands, ei fod wedi'i syfrdanu.

Ar 28 Ionawr, daeth tyrfa o bum mil o bobl ynghyd y tu allan i Garchar Caerdydd, ac yn eu plith nifer o Gatholigion y ddinas yn gweddïo'n daer. Am ddeng munud wedi wyth, rhoddwyd hysbysiad ar ddrws y carchar yn cyhoeddi fod y ddau ddyn wedi marw. Cynhaliwyd offeren y meirw drostynt yn Eglwys Gadeiriol Dewi Sant yr un bore.

Y meddyg o'r India a'r ferch o Gil-y-cwm

Pump ar hugain oed oedd Gwenneth Lewis o Gil-y-cwm, Llanymddyfri, pan ddaethpwyd o hyd i'w chorff mewn llety yn Stryd Gower, Llundain, ar 7 Gorffennaf. Yn y gwely hefyd yr oedd corff Manatha Nath Sanyal, meddyg o'r India. Roedd nodwydd hypodermig wrth erchwyn y gwely, a thebyg i'r ddau gytuno ar hunanladdiad trwy gymryd morffin.

Perchennog y llety a ddaeth o hyd iddynt wedi iddo dorri drws eu hystafell pan na ddaethant i lawr i frecwast. Roedd Sanyal eisoes wedi marw, ond roedd y ferch yn dal yn fyw yn ei freichiau. Aed â hi'n syth i'r ysbyty, lle bu farw.

Ymddengys i'r ddau gwrdd yn Llundain, lle roedd Gwenneth Lewis yn gweini mewn tŷ. Cafwyd nifer mawr o lythyron caru yn yr ystafell, ac yn ôl perchennog y llety byddai'r ddau yn cymryd arnynt mai gŵr a gwraig oeddynt. Yn ystod cwest y crwner ym mis Awst, dyfynnwyd o'r llythyron rhyngddynt, a ddangosai iddynt ymserchu'n ddwfn yn ei gilydd, a bod Sanyal yn ddi-waith a heb obaith cael gwaith yn fuan. Heb allu wynebu ei sefyllfa ariannol ddim pellach, penderfynodd Sanyal ei ladd ei hun yn hytrach na benthyg arian ac wedyn methu â'u talu'n ôl. Dyfynnwyd hefyd o un o lythyron olaf y Gymraes at ei chariad lle y dywedodd, 'Ni fynnaf fyw hebot ti...Os gadewi di fi yma ar fy mhen fy hun, byddi di'n fy ngadael mewn gwaeth ing na phed awn i gyda thi.' Ymddengys ei bod wedi derbyn bod Sanyal am ei ladd ei hun, a'r unig bryder a fynegodd hi oedd na fyddai'n ddigon dewr i'w lladd hithau pan ddôi'r amser. 'Hunan-laddiad dwbl tra oedd y ddau berson yn ansad eu meddyliau' oedd dyfarniad y rheithgor yn y cwest.

Pwysigion Caerdydd yng nghwmni Ffasgwyr.

Arglwydd Faer yn canmol Ffasgwyr

Bu cryn ddryswch yng Nghinio Eingl-Eidalaidd Blynyddol Caerdydd gyda'r nos ar 24 Ionawr pan ddiffoddwyd y goleuadau trydan i gyd, gan orfodi'r ciniawyr i fwyta yng ngolau canhwyllau.

Er gwaethaf y tywyllwch cafwyd noson o rialtwch mawr yng nghwmni A.J. Howell, Arglwydd Faer Caerdydd, y Dr. Francis Mostyn, Archesgob Catholig y ddinas, a nifer o Ffasgwyr Eidalaidd yn eu crysau duon. Yfodd y Ffasgwyr lwncdestunau brwdfrydig i frenhinoedd Prydain a'r Eidal, cyn gwrando ar nifer o areithiau. Bu'r Arglwydd Faer yn fawr ei glod i'r *Fascisti*, gan eu disgrifio fel 'dinasyddion ardderchog.'

Diwedd yr hen ffordd o deithio

Yn y flwyddyn hon, daeth diwedd ar y gwasanaeth tramiau ceffylau olaf yn y byd, rhwng Pwllheli a Llanbedrog. Sefydlwyd y gwasanaeth yn 1894 gan y mentrwr preifat Solomon Andrews, ar hyd y traeth i Garregydefaid, â'i estyn i Lanbedrog yn 1897. Yn 1899 agorodd Cyngor Tref Pwllheli dramffordd arall o Ben-y-cob i Draeth-y-de.

Caewyd tramffordd Cyngor y Dref yn 1920 ar ôl dirywiad hir a chyhuddiadau o gamymddwyn ariannol. Yn Hydref 1927 tanseiliwyd rhannau o'r llinell i Lanbedrog gan storm fawr, a'r flwyddyn ddilynol caewyd gweddill tramffordd Solomon Andrews, wedi i Gyngor y Dref wrthod ei phrynu.

Eisteddfodwyr o bob cwr o'r byd

Eisteddfod a gofiwyd yn hir am gyfraniad y Cymry ar wasgar oedd Eisteddfod Genedlaethol Treorci ym mis Awst.

Yng nghystadleuaeth y corau meibion, Côr Anthracite Scranton, Pensylfania dan ei arweinydd yr Athro Luther Bassett, a gipiodd y wobr, gan guro wyth côr o Gymru. Dywedodd y beirniad T. Hopkin Evans fod yr Americanwyr wedi rhoi perfformiad clodwiw a chadarn, er nad oedd safon y gystadleuaeth ar y cyfan yn un arbennig o dda. Wrth glywed am eu buddugoliaeth, rhoddodd dynion Scranton waedd enfawr a rhuthro i'r llwyfan, gan ysgwyd llaw yn frwd â phawb a chusanu pob merch yn y lle. Cafodd y côr chwarter awr o gymeradwyaeth dwymgalon gan dorf y pafiliwn.

Cafwyd cyfraniad arall gan Gymry America ar y dydd Gwener, pan fu'r Parch. T.J. Jones o Eglwys Annibynnol Gymraeg Scranton yn Llywydd y Dydd.

O Awstralia fe ddaeth dirprwyaeth o Gymry Blackstone, Queensland, yn arbennig i gyflwyno'r Gadair yn rhodd i'r Eisteddfod. Rhoddodd R.O. Morgan araith Gymraeg ar ran y ddirprwyaeth, ond yn anffodus i'r rhai a deithiodd mor bell, ofer ar un olwg fu llafur crefftwyr Cymreig Awstralia yn llunio cadair oherwydd dyfarnwyd nad oedd neb yn deilwng o eistedd ynddi. Derbyniwyd naw awdl ar y testun 'Y Sant', ond ni phlesiwyd y beirniaid gan yr un ohonynt. Hwn oedd yr ail dro yn olynol i'r Gadair gael ei hatal.

Y Gymraeg ar record

Yn eu cyfarfod blynyddol yng Nghasnewydd ar 19 Rhagfyr, pleidleisiodd aelodau Llys Prifysgol Cymru dros ddechrau prosiect i gofnodi enghreifftiau o dafodieithoedd y Gymraeg ar recordiau gramaffon.

Dywedodd y Dr. G. Arbour Stephens fod y mater bellach yn un o frys, ac y dylid mynd ati cyn gynted â phosib i recordio'r tafodieithoedd, a hefyd i gasglu deunydd a oedd eisoes yn bodoli ar lên gwerin ac enwau lleoedd y wlad. Mynegodd ei bryder y gallai'r hen dafodieithoedd ddiflannu wrth i'r iaith Gymraeg gael ei safoni'n fwyfwy.

30 Ionawr

Alltudiwyd y comiwnydd blaenllaw Leon Trotsky gan Stalin arweinydd yr Undeb Sofietaidd.

14 Chwefror

Yn Chicago, ar ddydd Sant Ffolant, saethwyd saith gangster gan giang Al Capone.

16 Mai

Cynhaliwyd y seremoni 'Oscar' cyntaf yn Hollywood.

10 Mehefin

Daeth y wraig gyntaf, Margaret Bondfield , yn aelod o Gabinet Prydain.

28 Gorffennaf

Arwyddodd 48 o wledydd Gonfensiwn Genefa, gytundeb ynglŷn â sut y dylid trin carcharorion rhyfel.

29 Awst

Cwblhaodd yr awyrlong y Graf Zeppelin ei thaith o amgylch y byd yn yr amser cyflymaf erioed.

22 Medi

Bu Comiwnyddion a Natsïaid yn brwydro ar strydoedd Berlin.

24 Hydref

Syrthiodd prisiau ym Marchnad Stoc Efrog Newydd, cwymp ariannol a effeithiodd ar economi gwledydd ar draws y byd.

31 Rhagfyr

Bu farw 69 o blant mewn tân mewn sinema yn Paisley, yr Alban.

Sêr y sgrîn yn siarad

Sinema'r Frenhines yng Nghaerdydd a gafodd y fraint ym mis Chwefror o fod y cyntaf yng Nghymru i ddangos ffilm Al Jolson, *The Singing Fool*, un o'r ffilmiau cyntaf erioed a lleisiau trwyddi i gyd. Roedd perchenogion y sinema eisoes wedi achub y blaen ar eu cystadleuwyr yn 1928 fel y cyntaf i gyflwyno ffilm rannol-lafar y Brodyr Warner, *The Jazz Singer*, eto gydag Al Jolson, ac ymgasglodd torfeydd mawr y tu allan i'r sinema ar gyfer pedwar dangosiad dyddiol *The Singing Fool*. Yn arbennig o boblogaidd gan y gynulleidfa oedd fersiwn y canwr wynepddu o'r gân *Sonny Boy*. Cymaint oedd y nifer a oedd am weld y ffilm fel y dangoswyd hi yn Sinema'r Frenhines am bedwar mis.

Roedd ffilmiau gyda sain yn fodd hefyd i ddod â digwyddiadau mawr y dydd yn nes at bobl. Cyhoeddodd rheolwr Sinema'r Regent, y Mwmbwls, ei fod wedi bwcio ffilm sain o rownd derfynol Cwpan Lloegr 'heb gyfrif y gost', fel y câi ffilmgarwyr y fro fwynhau'r gêm , a chlywed 'rhu can mil o leisiau,' yn ôl y broliant.

Mentr gostus iawn i berchenogion sinemâu oedd gosod offer dangos ffilmiau llafar. Broliodd perchnogion Sinema'r Frenhines eu bod wedi mynd i 'gost fawr' i roi'r fath offer i mewn, ac yn Neuadd

Sinema'r Frenhines, Caerdydd.

Albert, Abertawe, gwariwyd £7,000 ar system sain *Vitaphone* y Brodyr Warner. Roedd perchenogion felly'n awyddus i wneud yn fawr o'u hoffer newydd, a phwysleisiodd rheolwr y Regent yn y Mwmbwls mai ffilmiau llafar go-iawn a oedd yn sinema hwnnw, nid rhai'n cael eu dangos yn yr hen ddull gyda recordiau gramaffon i gyd-fynd â hwy.

'Steddfod yr Urdd

Merched yr Urdd yn eisteddfoda.

Yng Nghorwen ar 31 Mai ac ar 1 Mehefin, cynhaliwyd Eisteddfod Genedlaethol gyntaf Urdd Gobaith Cymru. Daeth yr ysbrydoliaeth i sefydlu'r ŵyl o ganlyniad i araith y Parch. T. Arthur Jones yng Nghyfarfod Cylch Corwen ar 13 Ebrill 1928. Daeth cant chwe deg o blant o Adrannau'r Urdd yn y gogledd i'r cyfarfod, lle awgrymodd T.A. Jones y gellid cynnal eisteddfod i blant Cymru o dan nawdd yr Urdd. Cydiwyd yn frwd yn y syniad, ac yn rhifyn Mehefin 1928 o'r cylchgrawn *Cymru'r Plant*, gwahoddodd Ifan ab Owen Edwards gyfeillion yr Urdd i gwrdd yng Ngwesty'r Central, Corwen ar 16 Mehefin i drefnu eisteddfod o'r fath ar gyfer haf 1929. Denodd y cyfarfod gynrychiolwyr o ardaloedd mor bell i ffwrdd â Betws-y-coed yn y gorllewin a Rhiwabon yn y dwyrain, ac yno fe benodwyd T. Arthur Jones yn Ysgrifennydd yr Eisteddfod. Roedd yr ŵyl i fod 'yn feithrinfa diwylliant trwyadl Gymreig.'

Apeliodd yr Ysgrifennydd newydd ar nifer o enwogion Cymru ym meysydd llên,

celf a cherdd i awgrymu testunau ar gyfer cystadlaethau'r ŵyl. Cafwyd ymateb arbennig o ffafriol, ac yn ogystal â gosod testunau, ymroddodd llawer un i weithio'n ddi-dâl fel beirniaid ar y cystadlu. Ymhlith y rhain roedd Ifor Williams, W.J. Gruffydd, Kate Roberts, Thomas Parry, R. Williams Parry, E. Tegla Davies, R.T. Jenkins, a sawl un arall.

Dechreuodd yr ŵyl gyda noson o ddramâu nos Wener 31 Mai, a buddugoliaeth i Adran Brynsiencyn. Bore trannoeth ymgynullodd yr eisteddfodwyr ifanc ar Faes Chwarae Corwen a gorymdeithio'r tu ôl i Seindorf Arian Coed-poeth i sgwâr y dref. Ar y sgwâr codwyd pyramid mor dal â'r tai o dair gorsedd flodeuog ar gyfer y tair brenhines – Awen a Chân, Purdeb, a Heddwch, a gynrychiolid gan dair o ferched yr Urdd.

Yn y Pafilwn bu dwy a deugain o adrannau'r Urdd yn cystadlu, gan gynnwys wyth

adran o Gymry Lerpwl. Cystadleuwyd am lyfrau Cymraeg, tystysgrifau a sêr i'w rhoi ar faner yr adran, oherwydd i'r trefnwyr benderfynu na fyddai gwobrau ariannol yn addas mewn gŵyl a oedd i fod 'yn dranc i bob ysbryd materol sydd, ysywaeth, yn nodwedd o Eisteddfodau'r wlad.' Argraffwyd y tystysgrifau yn arbennig gan Wasg Gregynog ar ôl i Ifan ab Owen Edwards ennill cefnogaeth y chwiorydd Margaret a Gwendoline Davies i'r ŵyl. Yn y cystadlaethau fe aeth y Gadair i Hugh John Hughes o Adran Ysgol Pen-y-groes, ac wrth ddyfarnu'r Goron i Megan Morgan o Adran Ysgol y Sir, Aberystwyth, dywedodd y beirniaid W.J. Gruffydd a Thomas Parry amdani, 'Mae ei salach wedi cael y Goron lawer tro yn yr Eisteddfod Genedlaethol fawr.' Wrth lywyddu gyda'r hwyr, dywedodd Ben Bowen Thomas, Warden cyntaf Coleg Harlech, y rhagwelai Eisteddfod yr Urdd yn dod yn sefydliad o bwys mawr ym mywyd Cymru.

Wynebau newydd yn y Tŷ

Ymhlith y dyrfa o Aelodau Seneddol newydd a etholwyd i'r Senedd ar 30 Mai roedd y glöwr deg ar hugain oed, Aneurin Bevan, o Dredegar, a'r ferch gyntaf i'w hethol dros sedd yng Nghymru, Megan Lloyd George, merch y cyn-Brif Weinidog David Lloyd George.

Enillodd Megan Lloyd George fwyafrif o 5,844 yn Ynys Môn fel ymgeisydd dros blaid ei thad, y Rhyddfrydwyr. Nid tan 1928 y cafodd merched Prydain y bleidlais ar yr un telerau â dynion, a phrin iawn oedd y merched a ddewiswyd i fod ym ymgeiswyr seneddol. Llai ffodus fu'r unig ferch arall a safodd mewn etholaeth Gymreig yn 1929; daeth y Geidwadwraig Miss M.L.G. Williams yn drydydd ym Mhontypridd, gan ddenu 10% o'r bleidlais yn unig.

Etholiad llwyddiannus iawn oedd hwn i'r teulu Lloyd George ar y cyfan. Yn ogystal â Megan Lloyd George, daliodd David Lloyd George ei sedd ym Mwrdeistrefi Caernarfon gyda mywafrif mawr, ac adenillodd ei fab Gwilym Lloyd George y sedd ym Mhenfro a gollodd yn 1924 i'r Ceidwadwr C.W.M. Price.

Yng Nglyn Ebwy, sicrhaodd Aneurin Bevan y sedd a fyddai'n eiddo iddo am weddill ei fywyd, gan guro'r Rhyddfrydwr a'r Ceidwadwr o fwyafrif mawr. Daliodd y sedd am fwy na deg ar hugain o flynyddoedd, mewn saith o Etholiadau Cyffredinol, gan ennill tua 80% o'r bleidlais yn gyson. Hyd at ei farwolaeth yn 1960 yr oedd yn un o ffigurau amlycaf y Blaid Lafur ac un o wleidyddion pwysicaf Prydain.

Yn sir Gaernarfon, mentrodd y Parch. Lewis Valentine i'r maes fel ymgeisydd Seneddol cyntaf y Blaid Genedlaethol. Derbyniodd 609 o bleidleisiau, 1.6% o'r cyfanswm a fwriwyd. Er mor bitw oedd y bleidlais, daeth y 'Chwe Chant Dewr' yn rhan o chwedloniaeth y Blaid, ac meddai golygydd *Y Ddraig Goch*, 'Hogiau sir Gaernarfon, y mae Cymru yn eich dyled'. Roedd Valentine wedi sefyll ar yr addewid, 'Os etholwch fi, y broblem gyntaf a wyneba'r llywodraeth newydd ar ôl yr etholiad cyffredinol fydd problem ymreolaeth Cymru,' ond mewn gwirionedd roedd blynyddoedd lawer eto i fynd cyn i'r pwnc hwnnw ddechrau dod yn destun trafod o bwys.

Ym Mhrydain at ei gilydd, fel yng Nghymru, etholiad Llafur oedd hwn. Cipiodd y blaid honno 288 o seddi yn Nhŷ'r

Y gwleidydd ifanc Aneurin Bevan ar ddiwrnod ei briodas â Jennie Lee.

Cyffredin, tra enillwyd 260 gan y Ceidwadwyr a 59 gan yr Rhyddfrydwyr. Dyn a goleddai gasineb personol chwerw at David Lloyd George oedd arweinydd y Torïaid, Stanley Baldwin, ac ni allai ddygymod â ffurfio cynghrair â'r Rhyddfrydwyr, a oedd er 1926 dan arweiniad ei hen elyn. Cafodd y Blaid Lafur felly ei hail gyfle i lywodraethu.

Wyth o ferthyron Cymru

Ar 15 Rhagyr, cafodd wyth o Gatholigion Cymru a laddwyd yn ystod helyntion crefyddol yr unfed ganrif ar bymtheg a'r ail ar bymtheg eu gwynfydu gan y Fatican, i'w cyfrif bellach ymhlith merthyron swyddogol Eglwys Rufain. Y rhai a gydnabuwyd oedd y bardd Richard Gwyn o Lanidloes, sir Drefaldwyn, William Gunter o Raglan, sir Fynwy, Edward Jones o Lanelidan, Dyffryn Clwyd, John Jones o Glynnog, sir Gaernarfon, Philip Evans o Drefynwy, John Lloyd o Aberhonddu, David Lewis o'r Fenni, a John Owen, nad yw man ei eni'n wybyddus.

Ar 25 Hydref 1970, dyrchafodd y Pab Pawl VI bump o'r wyth yn saint, sef Philip Evans, Richard Gwyn, John Jones, David Lewis, John Lloyd; ynghyd â John Roberts o Drawsfynydd.

Tri dyn unig

isod: Tri aelod o'r Undeb Diwydiannol ar eu ffordd i'r gwaith ym Mlaengarw.

O ganol yr '20au ymlaen bu sawl anghydfod ym Maes Glo De Cymru, rhai ohonynt yn ganlyniad i sefydlu Undeb Diwydiannol Glowyr De Cymru ym mis Tachwedd 1926. Undeb a reolwyd i raddau helaeth gan berchnogion y glofeydd oedd yr undeb hwn. Nid oedd yn ymwneud â gwleidyddiaeth a chredai mewn troi at ganolwr i ddatrys anghydfodau. I aelodau Ffederasiwn Glowyr De Cymru roedd yr undeb hwn yn *'Scab Union'* a disgrifiwyd yr aelodau fel *'the Bosses and Boozers Crowd'*. Dim ond mewn rhai ardaloedd y llwyddodd yr undeb newydd i ennill aelodau.

Dan y tonnau

Daeth enwogrwydd sydyn i griw'r llong *Mosely* pan ddrylliwyd hi ar greigiau Ynys Sgomer, sir Benfro ar 25 Tachwedd, gan fod criw ffilmio *Movietone News* wrth law i wneud y ffilm lafar gyntaf erioed o longddrylliad.

Bu farw saith o'r criw yn y trychineb. Credid ar y dechrau fod wyth wedi marw, a bu cryn gyffro pan ymddangosodd un o forwyr y llong ddeunaw awr ar ôl i weddill y criw gael eu cludo o'r llong gan fad achub. Cerddodd Pola Attard o Falta i mewn i westy yn Aberdaugleddau, wedi iddo aros ar y llong i'r tonnau dawelu fel y gallai nofio i'r lan.

Nid llongdrylliad y *Mosely* oedd yr unig ddamwain ddifrifol i daro arfodir sir Benfro yn ystod y flwyddyn: lladdwyd pedwar ar hugain o longwyr ar 9 Gorffennaf, pan suddodd llong danfor y Llynges Frenhinol *H47*. Roedd *H47* wedi dod i wrthdrawiad â llong danfor arall *L12*, tra oedd y ddwy'n cymryd rhan mewn ymarferion hyfforddi. Trawodd *L12 H47* yn ei hochr gan beri iddi suddo'n syth. Er iddi gael ei niweido, llwyddodd *L12* i gyrraedd Aberdaugleddau wedi'r ddamwain. Goroesodd tri llongwr o griw *H47* pan taflwyd hwynt oddi ar dŵr llywio'r llong gan rym y gwrthdrawiad.

Trydedd coron o'r bron

Yn Eisteddfod Genedlaethol Lerpwl, yr olaf i'w chynnal y tu allan i Gymru, enillodd Caradog Prichard o Fethesda y Goron am y trydydd tro yn olynol, am ei bryddest 'Y Gân ni Chanwyd'.

Dim ond tair ar hugain oed oedd Prichard pan enillodd ei Goron Genedlaethol gyntaf yng Nghaergybi yn 1927 am ei bryddest 'Y Briodas', a dilynwyd hyn gan ei fuddugoliaeth yn Nhreorci yn 1928 am ei bryddest 'Penyd'. Aeth ymlaen i ennill y Gadair yn Llanelli yn 1962 am yr awdl 'Llef Un yn Llefain', ond y mae'n fwy adnabyddus am ei nofel *Un Nos Ola Leuad*, 1961.

Caradog Prichard yn ymlacio yn yr haul yn Aberystwyth.

'Joy-riders' sir Benfro

Yn y flwyddyn hon cyrhaeddodd y nifer cerbydau modur yng Nghymru gyfanswm o gan mil am y tro cyntaf, a chyda thwf poblogrwydd y car cyrhaeddodd problem newydd – *joy-riding*.

Ar 23 Mai daeth dau hogyn o Arberth, Herbert Stanley Lewis a Bobbie de Winton, o flaen eu gwell ar gyhuddiad o dorri i mewn i garej Frederick Elston yn y dref a chymryd ei gar a mynd am daith ynddo heb ei ganiatâd. Roedd y ddau'n dychwelyd yn feddw o Ddinbych-y-pysgod gyda'r nos ar 20 Mai pan gawsant y syniad o gymryd y car.

Stopiwyd hwy gan blismon yn Llandysilio, ond ar ôl edrych trwydded Lewis gadawodd iddo fynd yn ei flaen. Ymddengys i'r ddau fodurwr gael rhyw fath o ddamwain ger yr Eglwys Lwyd, ac yno y gadawsant y car, ac ôl difrod mawr arno.

Wrth eu hamddiffyn, dywedodd eu cyfreithiwr fod Lewis yn dueddol o wneud pethau gwirion pan oedd yn ei ddiod, ond ei bod yn wir ddrwg ganddynt ill dau erbyn hyn am yr hyn a wnaethant. Cawsant eu dirwyo gan yr ynadon, a'u cynghori i roi'r gorau i'r ddiod gadarn.

1930

Cychod hedfan Doc Penfro

Cwch hedfan yn Noc Penfro.

Ar 1 Ionawr, ailagorwyd rhannau o ddociau'r Llynges Frenhinol ym Mhenfro fel safle cychod hedfan i'r Llu Awyr.

Sgwadron 210 oedd defnyddwyr cyntaf yr hen ddociau, gan barhau yno hyd 1943, ac am y ddeng mlynedd ar hugain nesaf byddai'r dociau'n gartref i nifer o sgwadronau gwahanol, a dôi cychod hedfan yn olygfa ddigon cyfarwydd uwchben Hafan Milffwrd.

Roedd i Ddoc Penfro ran fawr i'w chwarae yn yr Ail Ryfel Byd fel safle i awyrennau'n amddiffyn llwybrau morio Môr yr Iwerydd rhag llongau tanfor yr Almaen, a daeth y lle'n gartref i nifer mawr o awyrenwyr o Awstralia, a fyddai'n llywio cychod hedfan *Sunderland* o'r safle, a hefyd i Sgwadron 422 o Lu Awyr Brenhinol Canada.

Daeth y cychod hedfan â chyfnod o ffyniant i ardal a oedd wedi'i tharo'n drwm gan ddiweithdra a dirywiad diwydiannau. Ar 26 Ebrill 1922 gwelwyd y llong olaf yn mynd o Ddociau'r Llynges Frenhinol ym Mhenfro, y llong dancer *Oleander*, ac yn fuan wedyn, ar 24 Gorffennaf, bu tân mawr yn y dociau a ddinistriodd lawer o gofnodion gwerthfawr, a chasgliad amhrisiadwy o flaenddelwau llongau. O hynny allan roedd yn amlwg na fyddai'r dociau'n para ar agor yn hir iawn, ac ar 2 Medi 1925 daeth y newyddion gan Ysgrifennydd y Morlys fod Doc Penfro i'w gau er mwyn 'sicrhau effeithlondeb a chynildeb'. Cytunodd y Morlys bensiynu rhai gweithwyr, ail-hyfforddi rhai, a symud rhai i ddociau eraill, ond cael eu taflu ar y clwt fu tynged y rhan fwyaf ohonynt.

6 Ionawr

Yn Awstralia, torrodd y cricedwr Don Bradman record y byd drwy sgorio 452 o rediadau mewn un batiad.

18 Chwefror

Darganfyddwyd Pluto, y blaned leiaf yn y gyfundrefn heulol.

2 Mawrth

Bu farw'r nofelydd D H Lawrence.

12 Mawrth

Yn yr India, dechreuodd Gandhi ei 'orymdaith i'r môr', sef ei wrthdystiad diweddaraf yn erbyn yr Ymerodraeth Brydeinig.

6 Mehefin

Yn yr Unol Daleithiau, gwerthwyd llysiau wedi'u rhewi am y tro cyntaf.

7 Gorffennaf

Bu farw Syr Arthur Conan Doyle, creawdwr y ditectif Sherlock Holmes.

30 Gorffennaf

Ym Montevideo, enillwyd Cwpan y Byd gan Uruguay, y wlad gyntaf i gipio prif wobr y byd pêl-droed.

15 Medi

Yn yr Almaen, daeth y Natsïaid yn ail blaid y wlad drwy ennill 6.5 miliwn pleidlais mewn etholiad cyffredinol.

30 Rhagfyr

Cyhoeddodd y Pab Pius XI ei fod yn gwrthwynebu'r defnydd o ddulliau atal cenhedlu.

'Wel dyma ni'n dŵad ....'

Mari Lwyd Llanilltud Fawr.

Er mai darfod o'r tir fu hanes llawer o draddodiadau Cymreig yr hen sir Forgannwg yn ystod y ganrif, manteisiodd un ffotograffydd ar ei gyfle yn y flwyddyn hon i ddal ar ffilm bobl Llanilltud Fawr yn gorymdeithio trwy'r strydoedd a dyn wedi ei wisgo yng ngwisg draddodiadol y Fari Lwyd.

Hen ddefod waseila oedd hon, a gynhelid adeg gwyliau'r Nadolig. Gosodid penglog ceffyl ar ben polyn a byddai dyn dan gynfas wen yn symud y safn. Fel arfer, addurnid y penglog â rhubanau lliwgar, a'i gludo o dŷ i dŷ a galw ar y preswylwyr i roi mynediad iddynt trwy ganu penillion wrth y drws. Gwaith y rhai yn y tŷ fyddai dyfeisio penillion ar fyrder i wrthod mynediad i'r cwmni. Yn siroedd Morgannwg a Mynwy yr oedd y traddodiad ar ei fwyaf poblogaidd, a pharhaodd yn ddi-dor hyd ddiwedd y ganrif yn Llangynwyd a Maesteg. Bu ymdrechion diweddarach i adfywio'r hen ddefod yng Nghaerdydd, a Phen-y-cae ger Aber-craf.

Gwneud yn fawr o bechod

'Nid oes rhaid dywedyd wrth neb a ddarllenodd *Monica* ei bod fel nofel yn hollol wahanol...i bopeth a ysgrifennwyd hyd yn hyn yn Gymraeg.' Felly yr ysgrifennodd J. Hubert Morgan wrth adolygu un o nofelau byrraf a mwyaf dadleuol yr iaith Gymraeg, sef *Monica* gan Saunders Lewis.

Oeraidd iawn ar y cyfan oedd y croeso a gafodd y nofel pan gyhoeddwyd hi ym mis Rhagfyr. Ystyriai beirniaid cyfoes ar y cyfan ei fod yn llyfr anfoesol a di-chwaeth, a chynhyrfwyd teimladau rhai yn enwedig am i'r awdur gyflwyno'r gyfrol i William Williams, Pantycelyn, 'unig gychwynydd y dull hwn o sgrifennu'.

Dychrynwyd llawer un yn y Gymru gapelgar gan ddarlun Saunders Lewis o bobl ddi-wreiddiau a di-grefydd, yn cael eu harwain gan eu chwantau cnawdol ac uchelgais faterol.

Rhyw dair blynedd ynghynt yr oedd yr awdur wedi llunio llythyr at olygydd *Y Llenor* yn gresynu bod llenyddiaeth Gymraeg yn cael ei meddiannu gan awduron Anghydffurfiol a oedd yn amharod i fynd i'r afael â'r agweddau llai hyfryd ar fywyd. 'Colled i lenyddiaeth yw colli pechod', meddai, 'a ninnau ar y ddaear, dylem barchu ein hetifeddiaeth a gwneud yn fawr o bechod.' Ymgais i wneud yn iawn am y diffyg hwnnw oedd y nofel fechan, dywyll hon.

Arabiaid anfodlon y De

Cafwyd haf o anghydfod a thyndra rhwng morwyr Arabaidd a rhai croenwyn ym mhorthladdoedd Abertawe a Chaerdydd. Credai rhai morwyr croenwyn fod meistri llongau, wrth ddewis eu criw, yn rhoi blaenoriaeth i'r Arabiaid.

Ar 30 Gorffennaf galwyd yr heddlu i wahanu dau griw o forwyr a fu'n ymladd â chyllyll a cherrig y tu allan i fwyty ger y cei yn Abertawe. Gwelwyd mwy o derfysg yng Nghaerdydd yng nghanol Awst, pan fu galw am lond fan o heddlu i dawelu'r sefyllfa. Cipiodd yr heddlu nifer o gyllyll, pastynau ac arfau eraill, ac ymddangosodd nifer o Arabiaid yn llys ynadon y ddinas ar gyhuddiadau o ymosod ar eraill.

Ymddengys bod Arabiaid a Somaliaid ymhlith morwyr y ddinas wedi'u digio gan gytundeb newydd rhwng Undeb y Morwyr a'r Ffederasiwn Longau i reoli eu llafur hwy'n dynnach na neb arall. Ar 29 Awst roedd chwech Arab a dau Somaliad o flaen eu gwell ar ôl i dyrfa o ddau gant a hanner ymgynnull wrth swyddfa'r Ffederasiwn Longau ar Sgwâr Mount Stuart. Bwriad y dorf oedd atal un Somaliad a oedd wedi derbyn y cytundeb newydd ac wedi dod i'r swyddfa i'w lofnodi. Aeth pethau'n afreolus wedi i ddau ddyn ddechrau ymladd â photer, a gwasgarwyd y dyrfa gan yr heddlu â phastynau.

Llety ieuenctid crwydrol

Roedd digon o le yn y llety ar Noswyl Nadolig yn Neuadd Pennant, Dyffryn Conwy, pan agorwyd y neuadd yn Hostel Ieuenctid gyntaf Prydain gan Ranbarth Glannau Mersi o Gymdeithas yr Hostelau Ieuenctid. Sefydlwyd Cymdeithas yr Hostelau Ieuenctid ym Mhrydain ar 10 Ebrill, ar sail syniadau'r Almaenwr Richard Schirrmann, a oedd am roi i blant dinasoedd yr Almaen gyfle i fwynhau cefn gwlad.

Yn anffodus, bu'n rhaid cau Neuadd Pennant yn fuan wedi ei hagor am nad oedd y dŵr yn ddiogel i'w ddefnyddio, ond yn 1931 agorwyd hostel Bwthyn Idwal ym mhen uchaf Bwlch Nant Ffrancon, sir Gaernarfon, ac erbyn y Pasg yr un flwyddyn roedd ugain o hostelau ieuenctid i'w cael ym Mhrydain i gyd.

Y bêl-droed yn llonydd yn y De

Un arwydd o'r modd yr effeithiai'r Dir-wasgiad Mawr ar y De diwydiannol oedd y ffaith bod clybiau Merthyr Tudful ac Aberdâr wedi gorfod tynnu allan o'r Gynghrair Bêl-droed yn y flwyddyn hon.

Roedd clwb Cwm-parc wedi cau'n gyfan gwbl yn Awst 1926, a digwyddodd yr un peth i dîm Canol y Rhondda ym mis Mawrth 1928. Problem fawr clybiau'r cymoedd oedd na fedrai'r rhan fwyaf o'u cefnogwyr bellach fforddio talu i'w gwylio'n chwarae. Ym Merthyr, lle roedd rhaid talu naw ceiniog i weld gêm, byddai miloedd o bobl yn dod i wylio'n rhad ac am ddim wrth i'r tîm hyfforddi yn ystod yr wythnos, ond dim ond rhyw bum cant a dalai i weld y gêm ei hun ar ddydd Sadwrn. Pan gyhoeddodd y clwb yn 1932 y câi pobl ddi-waith, mwy na 60% o weithwyr y dref ar y pryd, ddod i mewn am ddwy geiniog yr un, fe chwyddodd maint torfeydd y terasau i bedair mil.

Yr amryddawn Maurice Turnbull

Maurice Turnbull yn dangos ei ddoniau ar y cae rygbi wrth basio'r bêl o'r sgrym.

Maurice Turnbull o Gaerdydd, a fu'n chwarae rygbi a hoci dros Gymru oedd y cricedwr cyntaf o Gymru i ennill cap dros Loegr.

Dewiswyd Turnbull i fynd ar daith gyda thîm criced Lloegr i Awstralia a Seland Newydd ym mis Ionawr, a chwaraeodd ei gêm ryngwladol gyntaf yn erbyn Seland Newydd yn Christchurch o 10 i 13 Ionawr.

Pan ddychwelodd o'r daith fe'i penod-wyd yn gapten Clwb Criced Morgannwg, swydd a ddaliodd hyd 1939. Yn 1933 dewiswyd ef yn ysgrifennydd y clwb, ac yn yr un flwyddyn enillodd ddau gap rygbi dros ei wlad i ychwanegu at y tri chap hoci rhyngwladol a dderbyniodd yn 1929.

Cymeriad cryf iawn ydoedd, a gad-awodd ei farc yn bendant ar gapteniaeth Morgannwg. Tywysodd y clwb trwy anawsterau ariannol y '30au, trwy drefnu nifer mawr o ddigwyddiadau megis dawns-feydd i godi arian i gynorthwyo'r clwb trwy flynyddoedd llwm y Dirwasgiad Mawr. Awgrymodd rhywun ar y pryd fod y milltiroedd a ddawnsiodd Turnbull dros y clwb yn fwy na chyfanswm ei rediadau hyd hynny. Rheolai'n hyderus a chyda chyffyrddiad ffroenuchel – mynnai er enghraifft bod chwaraewyr proffesiynol y clwb yn gwneud apwyntiad cyn cael ei weld ef, a byddai'n sicrhau bod y boneddigion amatur yn teithio yn y dosbarth cyntaf ar y trên rhag gorfod cymysgu â'r chwaraewyr a enillai eu bywoliaeth trwy griced.

Yn ei dymor cyntaf fel capten sgoriodd Turnbull dros fil o rediadau dros ei glwb, camp y byddai'n ei chyflawni wyth gwaith yn y deg tymor o 1930 i 1939. Yn ystod ei yrfa o 1924 ymlaen sicrhaodd fwy na 18,000 o rediadau, a chyrhaeddodd y cant 29 o weithiau. Ymddangosodd naw o weithiau dros Loegr, gan gynnwys pob un o'r pum gêm brawf yn erbyn De Affrica ar ddiwedd tymor 1930. Daeth ei yrfa i ben gyda sgôr o 156 yn ei gêm olaf, yn erbyn swydd Gaerlŷr ar 26-29 Awst 1939 – sgôr a oedd yn cynnwys dwy ergyd chwe rhediad a deunaw ergyd bedair rhediad.

Yn Awst 1944, yn rhinwedd ei swydd fel Uwch-Gapten, yr oedd Turnbull yn arwain Cwmni Rhif 2 o'r Gwarchodlu Cymreig ger Montchamp yn ystod y glaniadau yn Normandi, pan laddwyd ef.

Herio'r sensor

Rhoddodd perchennog sinema a Chyngor Dosbarth Maesteg her uniongyrchol i'r sensor ffilmiau swyddogol ym mis Gorff-ennaf pan benderfynwyd dangos y ffilm Rwsiaidd *Mother* yn Sinema'r Coliseum, Caerau. Hwn oedd y tro cyntaf i'r ffilm ddadleuol hon gael ei gweld yng Nghymru, ac unwaith yn unig yr oedd wedi ei dangos yng ngwledydd Prydain i gyd.

Fel nifer o ffilmiau eraill o Rwsia, yr oedd *Mother*, a oedd yn rhoi darlun o fywyd yn y wlad cyn chwyldro'r Bolsieficiaid yn 1917, wedi ei gwahardd gan yr awdurdodau Prydeinig oherwydd ei naws Gomiwnyddol. Dadleuwyd dros benderfyniad y Cyngor Dosbarth i ganiatáu dangos y ffilm gan y Cadeirydd, yr ynad heddwch D.C. Watkins. Dywedodd fod y cynghorwyr wedi darllen crynhoad o gynnwys y ffilm ac na allent weld dim byd o'i le arni. Ategwyd hynny gan W.G. Jones, perchennog y Coliseum, a esboniodd ei fod am roi cyfle i bobl weld y ffilm fel y caent farnu drostynt eu hunain a oedd yn deg gosod gwaharddiad arni.

Agor drysau'r *Mabinogi*

Brodor o Dre-garth, sir Gaernarfon, oedd Ifor Williams, a gyhoeddodd yn y flwyddyn hon ei olygiad diffiniol o *Pedeir Keinc y Mabinogi*, un o'r pwysicaf o'r testunau rhyddiaith Gymraeg gynnar. Yn *Y Llenor* diolchodd G.J. Williams i Ifor Williams 'am roddi inni argraffiad mor rhagorol o un o brif drysorau ein llenyddiaeth.'

Bu Ifor Williams yn fyfyriwr yng Ngholeg y Brifysgol ym Mangor, ac yn aelod o Adran y Gymraeg wedyn hyd 1947. Daeth yn bennaeth yr Adran yn 1929, gan ddilyn Syr John Morris-Jones yn y swydd honno. Sicrhaodd ei le fel ysgolhaig trwy olygu nifer o destunau'r canu cynnar, gan gynnwys *Canu Aneirin*, *Canu Taliesin*, a *Canu Llywarch Hen*, ac o 1939 hyd 1964 ef oedd golygydd *Y Traethodydd*.

Yn ogystal â bod yn ysgolhaig penigamp, roedd hefyd yn ddarlledwr radio pob-logaidd, a chasglwyd rhai o'i sgyrsiau radio ynghyd yn y cyfrolau *I Ddifyrru'r Amser* a *Meddai Syr Ifor*.

Y Ffiwsilwyr yn ymdeithio dan ganu

Yr Americanwr John Philip Sousa yn arwain y band.

Ar 25 Mehefin cyflwynwyd ymdeithgan olaf y cyfansoddwr Americanaidd John Philip Sousa, *Y Ffiwsilwyr Brenhinol Cymreig*, i'r gatrawd honno gan Gorfflu Morfilwyr yr Unol Daleithiau fel arwydd o'r berthynas agos a chyfeillgar rhwng y ddau gorff. Datblygodd y berthynas o'r adeg y bu Ail Fataliwn y Ffiwsilwyr Cymreig a Morfilwyr America yn cydymladd yn Tsieina i ddar-ostwng y Bocswyr yn 1900. Yr Is-Gomander Sousa oedd arweinydd band y Morfilwyr, ac o dan ei arweiniad ef y perfformiodd band y Ffiwsilwyr Cymreig yr ymdeithgan am y tro cyntaf yn Tidworth.

Y Cymro yn Senedd America

Cafwyd buddugoliaeth ysgubol i Gymro yn yr etholiadau i Senedd Unol Daleithiau America ym mis Tachwedd, pan etholwyd James J. Davies o Dredegar yn Seneddwr dros dalaith Pensylfania gyda mwyafrif o 840,000 o bleidleisiau.

James Davies oedd y dyn cyntaf a anwyd yng Nghymru i ddod yn aelod o Gabinet yr Unol Daleithiau, a bu'n ffigur o bwys yn llywodraeth yr Arlywydd Warren G. Harding rhwng 1920 ac 1923. Ymfudodd i America yn 1881 yn wyth oed a gweithio'n ddiwedd-arach yng ngweithfeydd haearn Pensylfania, fel y cerddor enwog o Ferthyr Tudful, Joseph Parry, o'i flaen. Dychwelodd i Dredegar sawl gwaith wedyn, ac ar un ymweliad prynodd dŷ yn y dref a'i gyflwyno i'r trigolion yno i'w ddefnyddio fel llyfrgell.

chwith:
Y Seneddwr James J. Davies.

1931

28 Chwefror

Ym Mhrydain, ffurfiodd
Syr Oswald Moseley
ei Blaid Newydd.

1 Mai

Yn Efrog Newydd, agorwyd
yr Empire State Building, yr
adeilad talaf yn y byd.

27 Mai

Esgynnodd Auguste Piccard
a Charles Kipfer 52,000
troedfedd uwchben y ddaear
mewn balŵn, y cyntaf i
gyrraedd y stratosffer.

14 Gorffennaf

Agorwyd Cortes (senedd)
gweriniaethol Sbaen ar ôl
i'r Brenin ildio'r goron.

4 Awst

Dringodd dau Almaenwr
ifanc wyneb ogleddol
mynydd y Matterhorn,
y cyntaf i gyflawni'r gamp.

15 Medi

Aeth 12,000 o forwyr y
Llynges Frenhinol ar streic
yn Invergordon, yr Alban,
mewn protest yn erbyn
toriadau yn eu cyflogau.

18 Medi

Ymosodwyd ar
Manchuria gan
fyddin Siapan.

4 Tachwedd

Cyfarfu'r arweinydd o'r
India Mahatma Gandhi â'r
Brenin George V a'r
Frenhines Mary
yn Llundain.

31 Rhagfyr

Gwaharddwyd chwarae
cerddoriaeth Rachmaninov
yn yr Undeb Sofietaidd am
ei fod, yn ôl yr honiad,
yn ddirywiedig.

Angladd Sipsi

Augustus John gyda'r ffidlwyr sipsi yn yr angladd.

Lyfrgellydd o Sais o Brifysgol Lerpwl oedd Dr. John Sampson a gafodd angladd anrhydeddus gan rai o Sipsiwn y Gogledd ar ben y Foel Goch uwchben pentref Llangwm ar 21 Tachwedd.

Ymddiddorodd Sampson yn fawr yn Sipsiwn Cymru, a chymaint oedd ei awydd i astudio eu ffordd o fyw a'u haith a'u chwedlau fel y symudodd i fyw gyda'i deulu o Lerpwl i Fetws Gwerful Goch, cartref y teulu Wood, rhai o Sipsiwn mwyaf adnabyddus y Gogledd. Sylweddolodd fod Woodiaid gogledd Cymru, yn ogystal â medru'r Gymraeg a'r Saesneg, hefyd yn siarad math pur iawn o'r hen iaith Romani a oedd ar ddarfod mewn llawer man.

Cymaint oedd parch a hoffter rhai o'r Sipsiwn at Sampson, fel y rhoddwyd iddo'r teitlau Sipsi 'tacho Phral' (gwir frawd) a 'Romani Rai' (rai= arglwydd). Byddai amrywiaeth o bobl yn ymwled â'i dŷ yno, gan gynnyws yr arlunydd a chyfaill mawr y Sipsiwn, Augustus John.

Un arall ymhlith yr ymwelwyr oedd y Sipsi Ithel Lee, y dyn y gofynnodd Sampson iddo drefnu i'w lwch gael eu gwasgar ar ben y Foel Goch wedi iddo farw. Felly ar 21 Tachwedd, deuddeg diwrnod wedi marwolaeth Sampson, gwelwyd mintai fawr yn cerdded i fyny'r Foel Goch o Langwm, yn cael ei harwain gan Ithel Lee a gariai focs bach ac ynddo lwch Sampson. Yr oedd nifer o'r teulu Wood yno, a hefyd Augustus John, Dora E. Yates, a'r bardd T. Gwynn Jones.

Augustus John a arweiniodd y ddefod, a gynhaliwyd ryw bum can troedfedd o gopa'r mynydd, a Michael Sampson, mab y diweddar Ddr. Sampson a wasgarodd y llwch. Canwyd alawon Cymreig ar y ffidil gan dri ffidlwr Sipsi o'r enw Reuben Roberts, yn cynrychioli tair cenhedlaeth o'r un teulu. Yr hynaf o'r tri Reuben a ddaeth â'r ddefod i ben trwy ganu'r gainc 'Dafydd y Garreg Wen', hoff alaw Sampson.

Dyn Mosley ym Merthyr

Er gwaethaf twf syniadau Ffasgaidd yn Ewrop yn y '30au, bychan iawn oedd eu hapêl yng ngwledydd Prydain, ac yn enwedig yng Nghymru. Achos syndod felly oedd llwyddiant mawr Sellick Davies yn etholaeth Merthyr Tudful dros Blaid Newydd Oswald Mosley yn yr Etholiad Cyffredinol ar 27 Hydref. Mewn gornest ddwyochrog â'r Blaid Lafur, derbyniodd Davies 10,834 o bleidleisiau, (30.6% o'r cyfanswm).

Yr oedd gan y Blaid Newydd un ymgeisydd arall yng Nghymru yn 1931, sef William Lowell, a gafodd gyfanswm o 466 (1.3%) o bleidleisiau ym Mhontypridd. O'r 24 o ymgeiswyr a safodd dros y blaid ym Mhrydain i gyd, roedd Sellick Davies yn un o bedwar yn unig a enillodd fwy na mil o bleidleisiau. Ni chafodd mudiad Mosley fawr o elw o'r llwyddiant hwn, ac ychydig iawn oedd y Cymry a ymunodd ag Undeb Ffasgwyr Prydain (U.Ff.P.), y blaid a gymerodd le'r Blaid Newydd yn 1932. Yn 1934, pan oedd gan U.Ff.P. tua 50,000 o aelodau ym Mhrydain i gyd, nid yw'n debyg bod mwy na 300 ohonynt yng Nghymru, ac ni safodd yr un o'i hymgeiswyr mewn etholiad seneddol yng Nghymru erioed.

Un bêl.... a ni sy pia hi!

dde:
Amddiffyn ysbrydoledig y Cymry ar Barc Hampden.

Er y diweithdra a'r tlodi, profodd y '30au yn 'Oes Aur' i dîm pêl-droed cenedlaethol Cymru, a hynny er gwaethaf cyndynrwydd traddodiadol clybiau Lloegr i ryddhau eu peldroedwyr i chwarae dros Gymru.

Ar 25 Hydref, roedd yn rhaid i Gymru deithio i chwarae'r Alban yn Glasgow gyda thîm a oedd yn cynnwys naw cap newydd. Yn eu plith yr oedd tri chwaraewr amatur a sawl un o glybiau megis Bae Colwyn, Llanelli a Chorinthiaid Caer-dydd. Yr unig beldroediwr rhyngwladol profiadol oedd y capten, Fred Keenor o Gaerdydd, a ysbrydolodd y Cymry gyda'r anogiad, 'Does dim ond 11 ohonyn nhw, ac 11 ohonon ni, does dim ond un bêl a ni sy pia hi.'

Tawelwyd y dorf anferth o Sgotiaid pan sgoriodd Tommy Bamford o Wrecsam ar ôl chwe munud ac er i'r Albanwyr unioni'r sgôr, roedd gorchest Cymru yn sicrhau gêm gyfartal yn hwb i'r galon. Gelwid y tîm gan y wasg yn '*The Great Unknowns*'.

Gyda'r chwaraewyr gorau yn dychwelyd i'r tîm, enillodd Cymru'r Bencampwriaeth Ryngwladol yn 1933, 1934 a 1937 a'i rannu yn 1939. I'r cefnogwyr, roedd gweld doniau llachar Jimmy Murphy, Bryn Jones, Dai Astley, Tommy Jones a Bob John yn y crys coch yn bleser gwefreiddiol nas profwyd ond yn ysbeidiol dros y degawdau canlynol.

[LLIW 75]

Breuddwyd Olwen

Ar 14 Medi, daeth pymtheng mil o bobl, gan gynnwys Maer a Maeres Port Talbot, i draeth Aberafan i weld Olwen Vittle, merch un ar hugain oed o Hwlffordd, yn gorffen ei thaith nofio ar draws Bae Abertawe o Drwyn y Mwmbwls. Olwen Vittle oedd y ferch gyntaf i gyflawni'r gamp hon, gan gymryd 4 awr 47 munud, er bod tri dyn lleol eisoes wedi nofio ar draws y bae. Ychydig fisoedd ynghynt yr oedd Ted Tuck wedi nofio cwrs mwy uchelgeisiol o bymtheng milltir o'r Mwmbwls i Borthcawl.

Restio alltud

Nid oedd pum mlynedd o absenoldeb yn America yn ddigon i achub William Daniel Wilde o Gilfynydd rhag y gyfraith pan ddychwelodd i Gymru. Restiwyd Wilde gan yr heddlu ar 5 Medi ar sail gwarant a gyhoeddwyd yn Rhagfyr 1926. Daeth yr alltud anffodus gerbron ynadon Pontypridd ar 9 Medi ar gyhuddiadau o gael £220 trwy dwyll tra oedd yn ysgrifennydd cangen o gymdeithas gyfeillgar yn ei hen ardal.

Llyfr Mawr y Plant

dde: Wil Cwac Cwac yn derbyn ei ffisig yn anfoddog.

Ym mis Rhagfyr, cyhoeddwyd cyfrol liwgar Jennie Thomas a J.O. Williams, *Llyfr Mawr y Plant*, un o lyfrau Cymraeg cyntaf y ganrif a luniwyd yn arbennig er difyrrwch i blant.

Yn ogystal â straeon doniol am gymeriadau hoffus fel Siôn Blewyn Coch y llwynog ac Wil Cwac Cwac yr hwyaden fach ddrwg, yr oedd y llyfr hefyd yn cynnwys cerddi a chaneuon, ambell bôs, a hyd yn oed sgript ddrama gyda chyfarwyddiadau perfformio, *Yr Hen Wraig a'r Mochyn*.

Darluniwyd y cyfan yn arbennig gan yr arlunydd Peter Fraser o Gaint, gyda llu o luniau du-a-gwyn a lliw. Sais cwbl ddi-Gymraeg oedd Fraser, ond derbyniodd gyfarwyddiadau manwl yn Saesneg gan y ddau awdur i'w alluogi i ddal yr union naws yr oedd ei hangen, heb ddeall yr un gair o'r testun. Tyfodd cyfeillgarwch mawr rhwng yr artist a'r awduron, ac ef a ddewiswyd i ddarlunio'r ail a'r drydedd gyfrol o *Lyfr Mawr y Plant*. Cafwyd cymorth hefyd o ffynhonnell annisgwyl, sef yr Athro John Glyn Davies, pennaeth Adran Geltaidd Prifysgol Lerpwl. Yr oedd ef yn adnabyddus fel academydd ac ysgolhaig, ond ymrôdd yn frwdfrydig i lunio nifer o gerddi i blant a fu'n rhan bwysig iawn o *Lyfr Mawr y Plant*.

Un o Gymry Lerpwl oedd Jennie Thomas, wedi'i geni ym Mhenbedw a'i haddysgu ym Mhrifysgol Lerpwl, cyn iddi ddod i weithio fel athrawes i Fethesda, sir Gaernarfon. Brodor o Fethesda oedd ei chyd-awdur John Owen Williams, ac yno y daeth Jennie Thomas yn gyfeillgar ag ef a'i deulu. Lluniodd J.O. Williams hefyd nifer o straeon byrion i oedolion, a'r nofel *Trysor yr Incas*.

Ymddangosodd pedair cyfrol o *Lyfr Mawr y Plant* rhwng 1931 a 1975, gan apelio at blant ac at rai hŷn fel ei gilydd. *[LLIW 49]*

Agor sinemâu ar y Sul

Gwelwyd gwrthdystiad gan ddwy fil o bobl yn Eglwys y Tabernacl, Caerdydd, ar 29 Ebrill yn erbyn cynlluniau i ganiatáu i sinemâu agor ar y Sul. Siaradodd y Dirprwy Arglwydd Faer, George J. Ferguson, yn erbyn y mesur a oedd gerbron y Senedd ar y pryd i lacio'r rheolau ynglŷn ag agor ar y Sul, a phenderfynwyd anfon dirprwyaeth i Lundain i ddadlau na ddylid cynnwys Cymru yn y mesur (yr oedd yr Alban a Gogledd Iwerddon eisoes wedi'u heithrio ohono).

Yng Nghynhadledd Esgobaeth Tyddewi ar 10 Mehefin, dadleuodd E.T. Bevan, Esgob Abertawe ac Aberhonddu, dros beidio â chynnwys Cymru yn y mesur, gan rybuddio bod y Saboth Cristnogol traddodiadol ar fin darfod amdano, a gresynai bod cymaint o bobl yn treulio'r Sul i gyd yn eu difyrru eu hunain heb feddwl mynychu addoldy. Ond nid oedd Eglwyswyr yn unfryd yn hyn o beth, ac yr oedd Ficer Abertawe, y Parch. W.T. Havard, yn lleisio barn llawer un pan ddywedodd ei fod yn credu bod digon o amser ar ddydd Sul i adloniant ac addoliad gyda'i gilydd.

Ar 3 Gorffennaf, ymosododd y Prif Dwrnai Syr William Jowitt ar yr hyn a welai

THE MAN WHO THOUGHT TO SPEND HIS HOLIDAY IN BRITAIN.

Diflastod y Sul yn gyrru rhai i gymryd gwyliau tramor.

yn rhagrith ar ran yr ymgyrchwyr a oedd am gadw sinemâu Cymru ynghau ar y Sul, ond a oedd yn barod i adael i Lundeinwyr 'ymdrybaeddu mewn pechod' trwy wylio ffilmiau ar Ddydd yr Arglwydd.

Er gwaethaf gwrthwynebiad Sabathwyr Cymru, daeth y Mesur Adloniant ar y Sul yn ddeddf ar 13 Gorffennaf 1932, gan ei gwneud yn gyfreithlon bellach dangos ffilmiau, cynnal cyngherddau a darlithoedd cyhoeddus, ac agor orielau, sŵau a gerddi botanegol ar y Sul.

Pasiant y Brifysgol

Treuliwyd blwyddyn gyfan yn paratoi at y ffair a phasiant hanesyddol a gynhaliwyd ar 24 a 25 Mehefin, ar dir Castell Caerdydd i godi arian i adeiladu estyniad i Undeb Myfyrwyr y ddinas fel cofeb i'r rhai o'r myfyrwyr a laddwyd yn y Rhyfel Mawr. Yr oedd y cyfan yn llwyddiant mawr. Denwyd deng mil ar hugain o bobl i'w wylio a chodwyd dros bedair mil o bunnoedd.

Cafwyd stondinau amrywiol o fewn y castell, gan gynnwys pabell Madame Marie, llawddewines leol. Darparwyd adloniant cerddorol a chafwyd difyrrwch cerddorol gan Gerddorfa Genedlaethol Cymru, Band Arian Gweithwyr y Parc a Dâr, a Chantorion Madrigal y Coleg. Ar gyfer y pasiant ei hun galwyd ar lu o fyfyrwyr, staff a phlant ysgol i actio pump o ddigwyddiadau o bwys yn hanes Caerdydd. Cymerodd y Prifathro J.E.

Mae'r Llychlynwyr yn dod!

Rees ran Ralph, Archddeacon Llandaf, gwisgwyd nifer o bobl eraill fel marchogion, Rhufeinwyr a thaeogion. Yr oedd llawer o'r diolch am lwyddiant y fentr yn ddyledus i wraig y Prifathro J.F. Rees, a fu wrthi'n ddyfal yn trefnu cyfarfodydd ac ymarferion ac yn cadw'r ddysgl yn wastad rhwng y gwahanol bobl a gymerai ran.

Dwbl cerddorol

Cipiodd cystadleuwyr o Ystalyfera ddwy wobr gerddorol yn Eisteddfod Genedlaethol Bangor ym mis Awst, gyda buddugoliaethau nodedig i gôr a band y dref.

Ymgasglodd torfeydd mawr yn Ystalyfera i groesawu'r côr adref am chwech o'r gloch y bore, ac ymhlith y rhai a oedd yno i dalu eu teyrnged i'r cantorion yr oedd aelodau band pres y dref, a oedd wedi cael derbyniad yr un mor dwymgalon wrth ddychwelyd adref y diwrnod cynt.

Cyflawnwyd yr un gamp yn Wrecsam yn 1933, pan ddaeth y côr yn gyntaf a dau fand pres y dref yn gyntaf ac yn ail yng nghystadleuaeth y bandiau pres. Yn 1934, yn Eisteddfod Genedlaethol Castell-nedd, enillodd y côr y sgôr ryfeddol 97-96-98 am y tri darn prawf a ganasant, gan orffen 24 pwynt ar y blaen i'r ail gôr, Llanelli.

Ffurfiwyd côr Ystfalyfera ar gyfer cystadlu yn Eisteddfod Genedlaethol Abertawe yn 1925, lle y daeth yn ail ond yn dynn ar sodlau'r côr buddugol, Canol Rhondda. Yr oedd yn amlwg i bawb yn y maes fod y côr newydd yn un na ellid ei ddiystyru, a chadarnhawyd hyn yn Eisteddfod Treorci yn 1928 pan orffennodd cantorion Ystalyfera ddau bwynt yn unig yn brin o sgôr berffaith.

Y sensor Cymraeg

Cynan yn ei gynefin – ar y Maes gydag eisteddfodwyr eraill.

Y bardd a'r gweinidog, y Parch. Albert Evans-Jones (Cynan) o Bwllheli, a benodwyd gan yr Arglwydd Siambrlen yn Ddarllenwr Dramâu Cymraeg yn y flwyddyn hon.

Ei waith oedd gwneud yn siŵr bod cynnyrch dramodwyr Cymraeg yn weddus i'w gyhoeddi a'i ddarlledu. Daliodd y swydd hyd 1968, pan roddwyd pen ar sensoriaeth swyddogol ym Mhrydain.

Ymhlith y dramâu a dderbyniodd sêl ei fendith yr oedd *Cwm Glo* Kitchener Davies, a ystyrid yn rhy anfoesol i'w pherfformio yn Eisteddfod Genedlaethol Castell-nedd yn 1934.

1932

18 Mawrth

Agorwyd y bont un bwa hiraf yn y byd yn harbwr Sydney, Awstralia.

4 Ebrill

Ynyswyd fitamin C gan wyddonwyr yn yr Unol Daleithiau.

10 Ebrill

Curwyd Adolf Hitler gan Paul von Hindenburg mewn etholiad ar gyfer Arlywyddiaeth yr Almaen.

5 Mai

Llofruddiwyd Arlywydd Ffrainc, Paul Doumer, gan anarchydd.

20 Mai

Daeth Engelbert Dollfuss yn Ganghellor Awstria.

20 Mai

Agorwyd pencadlys newydd y BBC yn Portland Place, Llundain.

5 Gorffennaf

Daeth Salazar yn arweinydd llywodraeth ffasgaidd Portiwgal.

18 Gorffennaf

Yng Ngwlad Belg, cyhoeddwyd mai Ffrangeg fyddai iaith swyddogol rhanbarthau Walŵn y wlad a Fflemeg yn Fflandrys.

30 Hydref

Bu gwrthdaro rhwng y di-waith a'r heddlu yn Llundain.

8 Tachwedd

Etholwyd Franklin D. Roosevelt yn Arlywydd yr Unol Daleithiau, gan addo 'dêl newydd i bobl America'.

16 Tachwedd

Ym Melfast, agorwyd Stormont, adeilad newydd senedd Gogledd Iwerddon.

Sefydlu Gwersyll Llangrannog

Cabanau cysgu'r merched, Llangrannog.

Yn ystod yr haf agorwyd gwersyll newydd Urdd Gobaith Cymru yn Llangrannog, ar arfordir Ceredigion rhwng Aberteifi a Cheinewydd.

Bu gwersyll cyntaf yr Urdd yn Llanuwchllyn yn Awst 1929, ac yna am dair blynedd yn Llangollen, ond teimlid bod angen safle parahaol a gwersyll sefydlog. Gyrru'n ôl i Aberystwyth o Eisteddfod Genedlaethol yr Urdd yn Abertawe yr oedd Ifan ab Owen Edwards a'i wraig ar ddiwedd Mai 1931, ac yn chwilio am le addas i gynnal gwersyll o'r fath, pan arhosodd y ddau i letya ar y ffordd ym mhlasty Rhydycolomennod, cartref D. Owen Evans ger Llangrannog. Wrth y bwrdd cinio dywedodd Evans efallai fod ganddo gae a fyddai'n ddelfrydol i'r bwriad, ac aeth â hwy i'w weld. Apeliodd y llecyn hwn ar arfordir hardd Ceredigion yn fawr atynt, a'i olygfeydd tua glannau sir Benfro yn y de a thraethau

(Drosodd)

Sefydlu Gwersyll Llangrannog

(o'r tudalen cynt)
a mynyddoedd Meirionnydd ac Eryri yn y gogledd.

Sicrhawyd prydles ar y tir, a galwyd ar wasanaethau adeiladwyr lleol i godi nifer o gabanau. Erbyn mis Awst, yr oedd y gwersyll newydd yn barod i dderbyn hanner cant o breswylwyr ar y tro. Bu mis o wersylla'r haf cyntaf hwnnw – pythefnos i'r merched a phythefnos i'r bechgyn wedyn. Ymhlith y merched yr oedd criw o ddeunaw o Almaenesau ifanc Bielfeld. Hwn oedd y tro cyntaf i'r Urdd groesawu ymwelwyr o dramor, a gweithred arwyddocaol oedd derbyn rhai o'r Almaen mewn cyfnod pan oedd llawer yn dal i gofio'r Rhyfel Mawr a rhai eisoes yn pryderu ynghylch gwrthdrawiad milwrol arall â'r Almaen.

Tyfodd gwersyll Llangrannog dros y blynyddoedd, a daeth i gymryd lle canolog yng ngweithgareddau'r Urdd. Yn 1968 prynwyd y safle cyfan gan yr Urdd am £18,000, a dechreuwyd sefydlu Llangrannog fel canolfan weithgareddau i bobl ifanc trwy gydol y flwyddyn.

Y chwiorydd gorau

Yn ystod y flwyddyn hon, sefydlwyd y canghennau cyntaf yng Nghymru o Glwb y Soroptimyddion, cymdeithas i wragedd busnes a phroffesiynol ar batrwm Clwb y Rotari.

Dechreuodd y mudiad ym Mryste yn 1920, a lluniwyd yr enw o ddau air Lladin yn golygu 'chwaer' a 'gorau', am mai cymdeithas i wragedd a oedd yn rhagori oedd hon i fod. O'r decrhau un yr oedd cysylltiad cryf rhyngddi a'r Rotariaid – nod y ddau fudiad oedd hybu safonau ymddwyn da mewn busnes a hefyd ymgymryd â gweithgareddau cymdeithasol ac elusennol.

Ar 1 Chwefror, cynhaliwyd cinio ffurfiol dan nawdd Clwb Rotari Caerdydd ar gyfer darpar-Soroptimyddion y ddinas, a chafwyd araith gan Mrs. Milani, un o Soroptimyddion Bryste. Ar 4 Hydref yng Nghaerdydd, lansiwyd y clwb cyntaf yng Nghymru, dan y teitl y Clwb Mentro, ac ar 18 Hydref etholwyd y fargyfreithwraig Mrs. Dapho Powell yn llywydd cyntaf y clwb.

Prawf gelynion y gymdeithas

Ar 18 Chwefror ddaeth 34 o drigolion pentref y Maerdy, Cwm Rhondda, gerbron llys barn yng Nghaerdydd ar gyhuddiadau'n deillio o ddigwyddiadau yn y pentref ar 10 Tachwedd 1931, pan ataliwyd beilïaid rhag cipio dodrefn Bill Price a'i wraig.

Pan gyrhaeddodd y beilïaid gartref Price yr oedd aelodau Cyngor Gweithredu Maerdy yn aros amdanynt – grŵp o bentrefwyr yn cynnwys rhychwant o weithredwyr lleol yn amrywio o'r Blaid Gomiwnyddol i Fyddin yr Iachawdwriaeth. Yn ganolog i'r digwyddiadau yr oedd Arthur Horner o Ferthyr Tudful. Yr oedd Horner yn anterth ei ddylanwad yn yr ardal, ac wedi ennill deng mil o bleidleisiau fel ymgeisydd Comiwnyddol yn sedd Dwyrain y Rhondda yn etholiad cyffredinol Hydref 1931. Gosododd ef bedwar o'i gefnogwyr wrth olwynion fan y beilïaid gyda gorchymyn i roi eu cyllyll yn y teiars os ceisid mynd â dodrefn y teulu Price i ffwrdd. Yn y diwedd rhoddodd y beilïaid y gorau i'w hymdrechion, ac erbyn i'r heddlu gyrraedd yr oeddynt eisoes ar eu ffordd adref yn waglaw.

Galwyd y prawf yng Nghaerdydd yn 'Brawf Moscow Fach', gan mor enwog oedd y Maerdy fel canolfan Gomiwnyddol, a bu'r wasg Geidwadol yn fawr ei sôn am y 'Bolsieficiaid', y 'cynllwynwyr' a 'gelynion y gymdeithas' a ddaeth o flaen eu gwell. Cafwyd naw ar hugain o'r diffynyddion yn euog o ymgynnull yn anghyfreithlon a chosbwyd hwy â gwahanol gyfnodau o lafur caled. Rhoddwyd sylw mawr yn ystod y prawf i ran Arthur Horner yn y cythrwfl, a disgrifiwyd ef fel 'unben Maerdy'. Honnwyd mai asiant cudd ydoedd, yn cael ei dalu gan y Rwsiaid i gynhyrfu'r Maerdy — pentref digon heddychol yn ôl rhai, pan nad oedd Horner yno i godi stŵr. Adlewyrchwyd drwgdeimlad yr awdurdodau at Horner yn y gosb a gafodd, sef pymtheng mis o lafur caled, er i dri mis gael eu tynnu oddi ar y ddedfryd wedi i Aelodau Seneddol lleol bwyso ar yr Ysgrifennydd Cartref.

Croeso Cymreig i Austen Chamberlain

Wrth gyrraedd Aberystwyth ar 12 Chwefror i annerch Undeb Ddadlau'r Coleg, rhoddodd y myfyrwyr yr hyn a ddisgrifiodd y *Cambrian News* yn 'groeso gwirioneddol Gymreig' i Syr Austen Chamberlin.

Yr oedd llu o fyfyrwyr yn disgwyl amdano yn yr orsaf, llawer ohonynt yn gwisgo monacl fel y gwnâi Chamberlin ei hun. Yr oedd eraill wedi'u gwisgo fel gwragedd llety glan-môr, pob un â'i brws llawr, a ffurfiwyd gwarchodlu er anrhydedd gan ysgwyddo'r brwsys fel gynnau. Yr oedd swyddogion yr Undeb Ddadlau wedi cael eu herwgipio a'u cloi mewn cwt, a hebryngwyd Syr Austen gan swyddogion ffug i dloty'r dref, lle oedd arwydd wedi'i chodi yn cyhoeddi mai *a home for broken-down old professors*' oedd yno. Ar ôl treulio ychydig funudau yng nghwmni tlodion y dref, aeth Chamberlain ymlaen i draddodi ei ddarlith.

chwith: Austen Chamberlain a'r monacl enwog a ddaeth yn destun sbort i fyfyrwyr Aberystwyth.

Rhwygo Jac-yr-Undeb

'Un ergyd anturus, athrylithlon,' oedd disgrifiad *Y Ddraig Goch*, papur Plaid Cymru, o weithred pedwar o ddynion yng Nghaernarfon ar fore Dydd Gŵyl Ddewi a ddringodd Dŵr yr Eryr yn y castell a thynnu i lawr Jac-yr-Undeb. Ond nid oedd cast y pedwar cenedlaetholwr wrth fodd pawb, a chymaint oedd anfodlonrwydd rhai fel y codwyd cwestiynau yn Nhŷ'r Cyffredin ynglŷn â'r weithred.

Mewn cyfarfod o gangen Caernarfon o Blaid Cymru ar 17 Chwefror pasiwyd cynnig i alw ar David Lloyd George, yn rhinwedd ei swydd fel Cwnstabl Castell Caernarfon, i ddwyn preswâd ar yr awdurdodau i osod y Ddraig Goch ar Dŵr yr Eryr ar Ddydd Gŵyl Ddewi. Cafodd y cenedlaetholwyr gefn-ogaeth gref gan Lloyd George, ond gwrth-odwyd y cais gan William Ormsby-Gore, Prif Gomisiynydd y Gweithiau, a ddywedodd nad oedd am beri anhrefn trwy ganiatáu codi baneri ar ddydd gŵyl pob nawddsant cenedlaethol ym Mhrydain.

Am 7.30 bore 1 Mawrth, codwyd Jac-yr-Undeb ar Dŵr yr Eryr, a'r Ddraig Goch ar Dŵr y Frenhines, un o'r tyrau llai. Tua 10 o'r gloch yr oedd y faner Gymreig i'w gweld ar y ddau dŵr, gan arwain sawl un i gredu bod yr awdurdodau wedi ildio i ddymuniadau'r cenedlaetholwyr. Ychydig cyn 10 o'r gloch, yr oedd J.E. Jones, trefnydd y Blaid yng Nghaernarfon, ynghyd â thri dyn arall wedi mynd i mewn i'r castell, dringo Tŵr yr Eryr, codi'r Ddraig Goch yn lle Jac-yr-Undeb a chanu *Hen Wlad Fy Nhadau*. Wrth weld yr hyn a oedd yn digwydd, ceisodd Rees Hughes, Ceidwad y Castell, a rhai o'i staff esgyn i'r tŵr i ailosod y faner Brydeinig, ond rhwystrwyd hwy gan y pedwar. Yn y diwedd, tynnwyd y Ddraig Goch i lawr ar ôl tua hanner awr. Cafwyd gwybod wedyn fod un o'r pedwar wedi smyglo'r faner dri deg troedfedd wrth bymtheg troedfedd i mewn i'r castell mewn ysgrepan, a chyfaddefwyd iddynt gael cryn drafferth i godi'r faner enfawr.

Ar brynhawn yr un diwrnod gwelwyd mwy o gyffro pan ddaeth rhwng deugain a hanner cant o fyfyrwyr o Fangor i Gaer-narfon a mynd tua'r castell. Aeth nifer ohonynt i mewn i'r castell a dringodd rhai Dŵr yr Eryr i dynnu Jac-yr-Undeb i lawr. Taflwyd y myfyrwyr allan gan staff y castell, ond yr oedd un ohonynt eisoes wedi cuddio'r faner dan ei gôt law. Ar sgwâr y dref gwrandawyd ar araith gan un o'r myfyrwyr, ac wedi i rai geisio tanio'r faner heb lwyddiant fe'i rhwygwyd yn rhacs a dosbarthu'r darnau ymhlith y myfyrwyr.

Yn Nhŷ'r Cyffredin wedyn, dywedodd William Ormsby-Gore ei fod wedi derbyn adroddiad ar y digwyddiadau, a'i fod yn ffyddiog y byddai'r farn gyhoeddus yng Nghymru a phob man arall yn condemnio gwaith y myfyrwyr. Cododd y Cymro Charles Rhys, mab Barwn Dinefwr a'r Aelod Senedd-ol dros Guildford yn Surrey, i ofyn i Ormsby-Gore gofio bod pobl Cymru at ei gilydd o blaid gweld Jac-yr-Undeb yn cael ei chodi yn y wlad.

Hen gynnen yn y dref oedd hon ynglŷn â ble a phryd y dylid codi'r Ddraig Goch ar Gastell Caernarfon. Bu cwynion cyhoeddus mor gynnar â 1920 nad oedd y faner genedlaethol wedi'i chodi uwchben muriau'r castell.

Darn o'r "Union Jack" dynnwyd i lawr oddi ar bolyn y faner ar Dŵr yr Eryr, Castell Caernarfon.

uchod:
Peterson yn rhoi Reggie Meen ar y cynfas yn Stadiwm Wimbledon.

Jack Peterson

Yn ystod y flwyddyn hon enillodd y bocsiwr Jack Peterson, saer coed o Gaerdydd, bencampwriaethau pwysau trwm a phwysau godrwm Prydain, a hynny yn ei flwyddyn gyntaf fel bocsiwr proffesiynol.

Ym mis Mai cipiodd y teitl pwysau godrwm ar bwyntiau oddi ar Harry Crossley o swydd Efrog, ac o fewn dau fis yr oedd wedi ennill y teitl pwysau trwm oddi ar Reggie Meen, gan ei lorio yn yr ail rownd mewn gornest yn Llundain.

Collodd Peterson ei deitl i'r Cernywiad Len Harvey yn Nhachwedd 1933, ond enillodd ef yn ôl chwe mis wedyn ynghyd â phencampwriaeth yr Ymerodraeth. Daliodd y ddau deitl hyd Awst 1939 pan gollodd ef i Ben Foord yn Nghaerlŷr ar ôl tair rownd.

Ceisio cyrraedd y di-Gymraeg

Ar 15 Ionawr cyhoeddwyd y rhifyn cyntaf o'r *Welsh Nationalist* yn chwaer-bapur Saesneg ei iaith i fisolyn Plaid Cymru, *Y Ddraig Goch*.

Daeth y papur newydd i fodolaeth trwy ymdrechion D.J. Davies yn wyneb gwth-wynebiad cryf gan rai o aelodau'r Blaid. Mewn llythyr yn *Y Faner*, cwynodd Iorwerth Peate fod Plaid Cymru yn esgeuluso ardaloedd Cymraeg er mwyn cenhadu yn y rhai Saesneg eu hiaith. 'Ar hyn o bryd fe'u newynnir gan y Blaid,' meddai.

A barnu yn ôl cynnwys y *Welsh Nationalist* yr oedd cyrraedd y llu o weithwyr di-Gymraeg milwriaethus yng nghymoedd y De yn rhan fawr o fwriad y Blaid wrth gyhoeddi'r papur. Yn y rhifynnau cynnar, honnwyd bod y glowyr wedi'u bradychu gan y llywodraeth Lafur, a cheisiodd Saunders Lewis argyhoeddi ei ddarllenwyr bod rhaglen y Blaid Genedlaethol yr un mor chwyldroadol ag eiddo'r Comiwnyddion. Cyhoeddwyd hefyd erthygl gan Jack Edwards, hen Aelod Seneddol Llafur dros Aberafan, yn esbonio pam yr oedd ef wedi dewis ochri â Phlaid Cymru.

Er hyn nid oedd y Blaid wedi cefnu ar ei hen bwyslais ar bwnc yr iaith, ac yn rhifyn 15 Ebrill, dechreuwyd cyhoeddi cyfres o wersi elfennol yn yr iaith Gymraeg gan Stephen J. Williams o Goleg y Brifysgol, Abertawe.

Blwyddyn ddinesig sych

isod:
Buddugoliaeth unig y Parch. Penry Thomas yn erbyn y bragwyr yn ôl cartŵn J.C. Walker yn y *South Wales Echo*.

"ONE MAN'S DRINK IS ANOTHER MAN'S POISON"

Blwyddyn arbennig o dda oedd hon i ddirwestwyr de Cymru. Llwyddodd y Parch. Penry Thomas yn ei ymgyrch i wahardd pob math o hysbysebion cwrw ar dramiau Caerdydd, ac etholwyd y dirwestwr C.F. Saunders yn Arglwydd Faer y ddinas. Cyhoeddodd Saunders yn syth na ddarperid diodydd meddwol o gwbl ar achlysuron swyddogol yn ystod ei gyfnod fel Arglwydd Faer, ac addawodd 'flwyddyn ddinesig sych.' Ond honnodd rhai fod Cyngor y Ddinas yn colli miloedd o bunnoedd oherwydd y gwaharddiad, am fod llawer o bobl yn dod â'u diodydd eu hunain i ddigwyddiadau yn Neuadd y Ddinas.

Postmyn Rhymni a'r bwci

Cafodd John Keen a Henry Turner, dau bostmon yn Rhymni, eu dwyn gerbron ynadon Casnewydd ar 17 Medi wedi iddynt geisio cael £6 a 10 swllt gan y bwci Harry Sherman trwy dwyll. Yr oedd y ddau wedi defnyddio offer Swyddfa'r Post i roi marc postio 2.30 p.m. ar amlen ac yna aros nes ar ôl clywed canlyniadau rasys 3.25 p.m. a 3.45 p.m. cyn postio slipiau betio am y ddwy ras yn yr amlen i Sherman. Cafodd y ddau ddyn eu diswyddo o wasanaeth Swyddfa'r Post, a gorchmynnodd y llys iddynt dalu pum punt o gostau.

Diweithdra yn ei anterth

Ym mis Awst cyhoeddwyd bod 42.8% o ddynion yswiredig Cymru yn ddi-waith, cyfanswm o 227,000. Mewn rhai mannau yr oedd y sefyllfa'n waeth fyth – ym Mrymbo, ger Wrecsam yr oedd y ganran yn nes at 90%. Yn ardal Wrecsam i gyd arhosodd y lefel ddiweithdra tua 30% hyd 1936, ac yn 1937 yr oedd 40% o ddynion ym Mhontypridd a 35% ym Maesteg yn dal yn ddi-waith.

Llais yr Urdd i'w glywed trwy Gymru a Lloegr

Am chwarter i saith yr hwyr ar 17 Rhagfyr, cynhaliwyd y cyfarfod mwyaf a fu hyd hynny o aelodau Urdd Gobaith Cymru, a hwnnw trwy gyfrwng y radio. Darlledwyd y cwrdd o orsaf y BBC yn Daventry dros Gymru a Lloegr i gyd. Canwyd *Ymdaith yr Urdd* a *Hen Wlad Fy Nhadau* gan Gôr y Gendros, a chlywyd anerchiadau gan J.M. Howell ac Ifan ab Owen Edwards. Ymunodd gwrandawyr â'r cwmni yn y stiwdio i gydadrodd Addewid yr Urdd i fod yn ffydlon i Gymru, cyd-ddyn a Christ.

1933

Gwerthu llaeth Cymru

Digwyddiad o'r pwys mwyaf i'r Gymru wledig oedd sefydlu'r Bwrdd Marchnata Llaeth ar 29 Gorffennaf, corff a weddnewidiai'r diwydiant llaeth, un o ffynonellau incwm pwysicaf yr ardaloedd cefn gwlad.

Yr oedd yn amlwg erbyn y '30au fod amaethyddiaeth mewn cyflwr gwael, ac yr oedd hyn yn arbennig o wir am Gymru, lle crafai llawer o ffermwyr yr ucheldiroedd fywoliaeth ar diroedd gwael, ac aml gynhaeaf yn cael ei beryglu gan sychder ar y naill law neu ormod o law trwm ar y llall. Roedd ad-daliadau morgais yn faich ar lawer ffermwr, ac amhosibl oedd prynu'r offer newydd yr oedd eu hangen i ddatblygu. Arweiniai hyn i gyd at gryn dlodi yn yr ardaloedd gwledig, ac yn ei dro at ddiboblogi.

Y tu ôl i greu'r Bwrdd Marchnata Llaeth yr oedd yr egwyddor y dylid sicrhau prisiau teg i gynnyrch sylfaenol ffermydd y wlad. Bydd-ai'r Bwrdd yn gwarantu 'pris pwll' i'r ffermwyr a hefyd yn cludo llaeth o'r ffermydd i'r gwerthwyr. Er bod rhai'n drwgdybio'r corff newydd fel math o ymyrraeth yng ngwaith

Llaeth o'r botel.

y farchnad rydd mewn llaeth, mewn pôl piniwn swyddogol o gynhyrchwyr llaeth ar 2 Medi pleid-leisiodd 96% dros y drefn newydd. Yn ôl rhai, y Bwrdd Marchnata Llaeth a drodd y llanw yn amaeth Cymru, a rhwng 1934 a 1939, cynyddodd y cynhyrchwyr llaeth yng Nghymru o 10,510 i 20,223.

Bu'r Bwrdd hefyd yn weithgar iawn yn ceisio perswadio mwy o bobl i yfed llaeth. O dan Ddeddf Llaeth 1934 rhoddodd y llywodraeth gymhorthdal sylweddol i alluogi gwerthu traean peint o laeth bob dydd i blant ysgol am hanner y pris aferol. Yn 1936, bu'r Bwrdd yn cydweithredu â Chomisiynwyr yr Ardaloedd Arbennig (h.y. yr ardaloedd lle yr oedd diweithdra ar ei waethaf) i roi llaeth am bris isel i famau newydd a merched beichiog yng Nghwm Rhondda.

Yn 1935 yr oedd y Bwrdd hefyd wedi dechrau gwasaneth cynghori i'r rhai a ddymunai agor un o'r bwytai llaeth newydd, y *National Milk Bars* sydd i'w gweld mewn sawl tref yng Nghymru hyd heddiw.

Trechu melltith Twickenham

dde: Y pymtheg buddugol a drechodd y Saeson ar faes Twickenham.

Bu maes Twickenham yn fynwent i obeithion tîm rygbi Cymru ers ei agor yn 1910. Yn aml, anffawd oedd yn gyfrifol am y methiant i faeddu'r Saeson ar eu tir eu hunain, ond ar 21 Ionawr cafwyd y fuddugoliaeth hirddisgwyliedig dan gapteniaeth Watcyn Thomas.

Roedd Thomas yn meddu ar brofiad helaeth o'r gêm, y sgiliau i neidio a dal y bêl yn y llinell a'r gallu i feddwl yn gyflym a newid tactegau yn ôl yr angen. Honnai'r cawr o Lanelli ei fod yn perthyn i ymladdwr mynydd o'r enw Dai Dychrynllyd, ac yn sicr gallai ddychryn ei wrthwynebwyr â'i bresenoldeb awdurdodol yn safle'r wythwr. Gweiddai gyfarwyddiadau yn Gymraeg i reng flaen Cymru yn ystod y gêm, er bod blaenasgellwr Lloegr, Vaughan Jones o Bontarddulais, yn Gymro Gymraeg ac felly'n medru cyfieithu'r negeseuon i'w gydchwaraewyr.

Nid Watcyn Thomas oedd yr unig gymeriad lliwgar yn nhîm Cymru. Ymhlith yr olwyr roedd dau gricedwr amlwg, Maurice Turnbull a'r cap ifanc, Wilfred Wooller – y ddau'n gapteniaid ac ysgrifenyddion Clwb Criced Morgannwg yn eu dydd.

Sgoriodd y maswr Ronnie Boon o'r Barri holl bwyntiau Cymru yn y fuddugoliaeth yn erbyn Lloegr yn Abertawe yn 1932 ac roedd i gyflawni'r un gamp yn Twickenham. Ei gic adlam a'i gais ef yn yr ail hanner a sicrhaodd fuddugoliaeth gyffrous o saith pwynt i dri gan ddiddymu 'melltith Twickenham' unwaith ac am byth.

Sir Fynwy a'r Siartwyr newydd

Ar 30 Awst, dilynodd pum cant o bobl ddiwaith sir Fynwy yn ôl traed yr hen Siartwyr Cymreig a orymdeithiodd i dref Casnewydd yn 1839 i fynnu nifer o iawnderau sylfaenol. Ennill gwell triniaeth i'r di-waith gan Gyngor y Sir oedd nod protestwyr 1933, a heddychlon iawn oedd eu tactegau o'u cymharu â rhai gwrthryfelwyr 1839.

Cafodd y gorymdeithwyr groeso cynnes gan drigolion yr ardal. Rhwng Crymlyn a Chwm-carn ymgasglodd 50,000 o bobl i'w hannog ymlaen, ac yng Nghasnewydd ei hun yr oedd tyrfa o 20,000 yn dangos eu cefnogaeth. Er hyn, ni chafodd y gorymdeithwyr lawer mwy o lwyddiant na'r hen Siartwyr. Gwrthododd Cyngor y Sir wneud dim ond derbyn dirprwyaeth, a chludo'r protestwyr adref am ddim.

Amy Johnson a'r Cymry anghwrtais

Ffarwél Amy Johnson.

Ar 22 Gorffennaf, hedfanodd Amy Johnson a Jim Mollison o Bentywyn, Bae Caerfyrddin, i Bridgeport Connecticut, U.D.A, yn eu hawyren bygddu, *Seafarer*. Hwy oedd y rhai cyntaf i hedfan yn ddi-stop o Brydain i America. Daeth y ddau i Bentywyn yn gynnar ym mis Gorffennaf, ond bu'n rhaid iddynt aros am dywydd da. Cawsant eu poeni trwy'r amser gan dyrfaoedd, ac yn y diwedd aethant yn ôl i Lundain, gan ddychwelyd i Bentywyn ar 22 Gorffennaf. Mewn llythyr at ei rhieni, cwynodd Johnson, '*Although the Welsh are very warm-hearted, they've no manners,*' ond gofynnodd iddynt beidio ag ailadrodd ei sylwadau wrth ei brawd-yng-nghyfraith, Trevor Jones, a oedd yn Gymro.

Cymerodd y daith 34 o oriau i gyd. Yr oeddynt wedi lleihau'r cyflenwad petrol a oedd ganddynt yn y tanciau er mwyn peidio â rhoi gormod o straen ar adeiladaeth yr awyren. Dywedodd Johnson ei bod hi am lanio yn Boston, ond yr oedd Mollison yn benderfynol o fwrw ymlaen i Efrog Newydd. Uwchben Bridgetown, Connecticut, daeth y tanwydd i ben, ac wrth geisio glanio, aeth Mollison heibio i'r llain lanio a rhoi'r awyren ar ei chefn mewn cors.

Tra oedd y ddau'n derbyn triniaeth yn yr ysbyty, daeth llu o bobl chwilfrydig i safle'r ddamwain a thynnwyd yr awyren yn rhacs ganddynt wrth geisio cael darnau ohoni i'w cadw.

Mordaith yr Urdd

Ar 12 Awst, cychwynnodd y gyntaf o fordeithiau pleser Urdd Gobaith Cymru o borthladd Lerpwl ar y llong *Orduna* am Norwy.

Yr oedd Ifan ab Owen Edwards wedi trefnu gyda'r *Pacific Steam Navigation Company* i aelodau'r Urdd gael defnydd o'r llong iddynt hwy eu hunain, a mordaith gwbl Gymraeg fyddai hon. Y Cymro Cymraeg y Capten Ellis Roberts o Borthmadog a oedd wrth y llyw, baner y Ddraig Goch a chwifiai wrth yr hwylbren, a threfnwyd pob math o weithgareddau Cymraeg ar gyfer y mordeithwyr. 'Un o anturiaethau mwyaf trawiadol Urdd Gobaith Cymru' fyddai hon yn ôl y trefnydd. Cynhaliwyd eisteddfod, cymanfaoedd canu ac oedfaon crefyddol yn ystod y daith, a chafwyd gafael ar ddwy delyn i ddifyrru'r teithwyr. Yn ogystal â bod yn llong Gymraeg, yr oedd yr *Orduna* hefyd i fod yn 'llong werinol' – 'Nid agorir bar i werthu diodydd meddwol. Ni bydd raid newid i ddillad arbennig i giniawa fin nos.'

Bu Ifan ab Owen Edwards yn frwdfrydig iawn ei anogaeth cyn y daith: 'Bydd yn golled fawr ichi os collwch y cyfle hwn ... Gadawaf i chi feddwl am y llong yn y culfor fin nos – dwy delyn yn seinio, y llong yn llawn goleuadau, y dŵr yn berffaith lonydd, y mynyddoedd uchel yn codi'n greigiau plwm o'r môr, a'r Cymry – wedi dydd o deithio ar y lan a chinio rhagorol yn salŵn y llong – yn hapus gynnal Cymanfa Ganu! Yn wir, yn wir, a ellwch aros gartref a'r llong Gymraeg yn hwylio?'

Ymwelwyd â nifer o drefi glan môr Norwy, gyda theithiau wedi'u trefnu i mewn i'r wlad o'r porthladdoedd. Un canlyniad annisgwyl i'r holl fordeithio yn yr awyr iach oedd y nifer mawr o garwriaethau a ddechreuodd ar y llong. Ymddangosodd y pennawd '*All-Welsh Cruise Keeps Cupid Busy*' yn y *Daily Express*, a derbyniodd Ifan ab Owen Edwards wahoddiad i sawl priodas wedyn.

Cynhaliwyd ail fordaith y flwyddyn ddilynol, gan gychwyn o Lerpwl ar 11 Awst 1934 am Lydaw, Sbaen, Portiwgal, gwledydd y Môr Canoldir a gogledd Affrica. Cafwyd croeso arbennig iawn yn Llydaw, lle y daeth lluoedd i groesawu'r Cymry ifanc a chynhaliwyd derbyniadau swyddogol gan feiri trefi a byrddau masnach, yn ogystal ag arddangosfeydd o ddawnsio a chanu.

Ymadawodd y drydedd fordaith o Lerpwl ar 10 Awst 1935, am Ffrainc, Gwlad Belg, yr Iseldiroedd, Norwy a Denmarc. Yng

Croeso Llydewig i blant yr Urdd.

Ngwlad Belg ymwelwyd ag ardal Ypres a gosod torch o rug a mwsogl Trawsfynydd ar fedd y bardd Hedd Wyn, a fu farw yno ar 31 Gorffennaf 1917 wrth wasanaethu gyda'r Ffiwsilwyr Cymreig.

Erbyn 1936 aethai'n fwyfwy anodd denu digon o Gymry Cymraeg i lenwi llong, a llawer o'r teithwyr posib eisoes wedi bod ar un o fordeithiau'r Urdd. Yn y diwedd cyhoeddwyd deunydd hysbysebu yn Saesneg yn ogystal â'r Gymraeg, a mordaith ddwyieithog fu'r bedwaredd.

Nid cyn 1939 y cynhaliwyd pumed a'r olaf o fordeithiau'r Urdd. Dychwelodd y teithwyr i borthladd Dover ar 27 Awst, ychydig cyn dechrau'r Ail Ryfel Byd. Yn ystod y daith peidiodd criw'r llong â chyhoeddi newyddion y dydd i'r teithwyr rhag codi ofn arnynt, ac wrth gyrraedd Monte Carlo cafwyd y lle yn wag a'r boblogaeth ar ffo. Ym Mharis yr oedd pethau'n waeth fyth a'r lle'n llawn milwyr, a da iawn fu gan y Cymry gyrraedd glannau Lloegr yn ddiogel.

Plwm Y Fflint

Cafwyd adfywiad mawr yn hen ddiwydiant plwm y Gogledd-ddwyrain yn y flwyddyn hon, gyda darganfyddiad sylweddol yn ardal Helygain, sir Fflint. Yn ystod y flwyddyn cynhyrchwyd 5,013 tunnell o fwynau plwm yn y sir, y cyfanswm mwyaf ers mwy nag ugain mlynedd, ac yn 1934 crewyd record

newydd am gloddio mwynau plwm yn y sir, sef cyfanswm o 21,689 tunnell, a gloddiwyd gan lafurlu o bum cant o ddynion. Yn 1938 codwyd 16,101 tunnell o fwynau, ac nid cyn yr Ail Ryfel Byd y disgynnodd cynhyrchedd mwyngloddiau plwm Helygain i lai na 14,900 tunnell.

Yr oedd hyn i gyd yn cymharu'n ffafriol iawn â'r rhan fwyaf o siroedd eraill Cymru, lle peidiodd cloddio am blwm yn gyfan gwbl. Yn sir Ddinbych yn unig yr oedd mwynau plwm yn dal i gael eu cloddio, a hynny'n anghyson iawn a heb gynhyrchu mwy nag ychydig dunelli'r flwyddyn.

Peiriant Pugh

dde:
Arddangos y Peiriant Torri Rhedyn.

Un o broblemau ffermwyr mynydd canol-barth Cymru yn ystod degawdau cynnar y ganrif oedd cadw rheolaeth ar dyfiant rhedyn. Cynigiwyd ateb i'r broblem gan ffermwr defaid o'r enw James Pugh, Garth-einiog, ger Aberangell, Meirionnydd, a ddyfeisiodd *Pugh's Patent Bracken Cutter*. Medrai'r peiriant dorri hyd at ddeng erw'r dydd a chan y gallai dorri rhedyn ar lethrau serth dywedwyd amdano: 'Lle medr ceffyl gerdded medr peiriant Pugh dorri.'

Yn ystod Sioe Frenhinol Cymru yn Aberystwyth 26-28 Gorffennaf, dyfarnwyd medal arian Cymdeithas Amaethyddol Cymru i gwmni John Evans a'i Feibion, Machynlleth, a fu'n cynhyrchu a dosbarthu'r peiriant.

uchod:
Cychwyn taith gyntaf awyrennau'r *GWR* o Gaerdydd.

Awyrennau'r rheilffyrdd

Dechreuodd cwmni rheilffyrdd y *Great Western* wasanaeth awyrennau ddwywaith y dydd o Faes Awyr Rhostiroedd Pengam yng Nghaerdydd i Plymouth yn Nyfnaint, ar 12 Ebrill.

Ym mis Mai 1929 yr oedd pedwar o'r cwmnïau rheilffyrdd, gan gynnwys y *Great Western*, wedi sicrhau deddf Seneddol yn caniatáu iddynt gynnig gwasanaethau awyr o fewn eu hardaloedd eu hunain. Erbyn 1938 yr oedd gan y *Great Western* wasanaeth bob awr o Gaerdydd i Weston yng Ngwlad-yr-Haf.

Llwybrau hanes Cymru

Cyflwyno stori ei llwybrau a'i heolydd oedd y ddyfais a ddewisodd R.T. Jenkins i ddysgu plant Cymru am hanes eu gwlad yn ei lyfr *Y Ffordd yng Nghymru*. Yn y gyfrol honno, a gydnabyddir bellach yn un o glasuron bach llên Cymru, olrheinir hanes y wlad trwy sylwi ar garfannau adnabyddus o deithwyr yn hanes Cymru fel y Rhufeinwyr, y pererinion Cristionogol, a'r porthmyn; a hefyd ar unigolion enwog a fu'n teithio yn y wlad, fel Gerallt Gymro a Howel Harris.

Adar a chwningod

Ar Ynys Sgogwm ger arfordir sir Benfro sefydlwyd arsyllfa adar gyntaf Prydain gan y llenor Ronald Lockley o Gaerdydd. Cododd Lockley fagl *Heligoland* ar yr ynys – math o rwyd i ddal adar heb eu hanafu er mwyn eu hastudio hwy a'u patrymau ymfudo. Cafodd ei waith ei gydnabod gan Ymddiriedolaeth Adaryddiaeth Prydain, a sefydlwyd Sgogwm fel y gyntaf mewn cadwyn o arsyllfeydd ar hyd arfordir Prydain.

Yr oedd Lockley a'i wraig wedi symud i'r ynys yn 1927, a chynhaliodd astudiaethau ar nifer o fathau o adar na wyddid rhyw lawer am eu hanes, fel y pâl, y pedryn drycin a'r aderyn drycin Manaw. Arhosodd Lockley yn warden ar yr ynys hyd fis Mai 1939, pan gafodd yr holl drigolion eu symud dros gyfnod yr Ail Ryfel Byd. Ailagorwyd yr arsyllfa yn 1946 gan gymdeithas o naturiaethwyr lleol, a rhoddwyd y safle wedyn yn nwylo Ymddiriedolaeth Bywyd Gwyllt Dyfed.

Cyhoeddodd Lockley tua deugain o lyfrau yn ymwneud â'i hoffter o fyd natur ac yn enwedig o ynysoedd, fel *Letter from Skokholm*, *Island Days*, a *Dream Island*. Sefydlodd hefyd y cylchgrawn *Nature in Wales*. Ond er mai am ei waith ar adar y daeth i'r amlwg, y mae'n debyg mai *The Private Life of the Rabbit* (1965), yw ei lyfr mwyaf adnabyddus. Dibynnodd Richard Adams yn helaeth ar y gyfrol hon wrth lunio ei lyfr *Watership Down*.

1934

23 Chwefror

Bu farw'r cerddor Edward Elgar.

23 Mai

Yn Louisiana, saethwyd yn farw gan yr heddlu y ddau ddrwgweithredwr enwog Bonnie Parker a Clyde Barrow.

10 Mehefin

Yn Rhufain, enillwyd Cwpan y Byd gan yr Eidal drwy guro Tsiecoslofacia o ddwy gôl i un yn y rownd derfynol.

30 Mehefin

Yn yr Almaen, lladdwyd dros gant o Natsïaid a wrthwynebai Hitler mewn noson a elwid yn 'noson y cyllyll hirion'.

4 Gorffennaf

Bu farw'r ffisegwraig enwog Marie Curie.

18 Gorffennaf

Agorwyd Twnel Mersey a gysylltai Lerpwl a Chilgwri.

25 Gorffennaf

Yn Awstria, llofruddiwyd y Canghellor Dollfuss gan giwed o Natsïaid.

19 Awst

Mewn refferendwm pleidleisiodd 89.9% o Almaenwyr o blaid mabwysiadu'r teitl newydd, *Führer*, ar gyfer Hitler.

5 Hydref

Yng Nghatalonia, dechreuwyd gwrthryfel mewn ymgais i ennill annibyniaeth o Sbaen.

1 Rhagfyr

Yn Leningrad, llofruddiwyd Sergei Kirov, un o brif gefnogwyr Stalin.

Bedd yn y pwll i lowyr Gresffordd

Y gwirfoddolwyr yn dychwelyd o'r pwll.

Dydd Sadwrn 22 Medi, yn Adran Dennis o Lofa Gresffordd ger Wrecsam, lladdwyd 265 o ddynion yn un o drychinebau gwaethaf y diwydiant glo yng Nghymru. Bu farw 261 o lowyr, tri aelod o'r timau achub, ac un gweithiwr wrth ben y pwll, gan adael 164 o weddwon, 242 o blant heb dadau, a 132 o ddibynyddion eraill. Gwnaed tua 1700 o ddynion yn ddi-waith gan y trychineb.

Er i dimau o wirfoddolwyr ymladd y tân yn y pwll am ddeugain awr, ni chafwyd llwyddiant, ac ar y dydd Sul gorchmynnodd Arolygyddiaeth y Mwyngloddiau selio'r pwll, a bu'n rhaid ei ail-selio wedi ffrwydrad arall ddydd Mawrth.

Bu cryn anfodlonrwydd yn lleol ynglŷn â'r penderfyniad i adael cyrff y meirwon yn y pwll. Ond yno yr arhosodd y cyrff serch hynny, ac er i dîm achub fentro i lawr i'r pwll yn 1935 i baratoi lle i ddechrau gweithio eto, nid agorwyd y sêl ar Adran Dennis. Buwyd yn gweithio fel arfer yng ngweddill Glofa Gresffordd hyd at Dachwedd 1973, ond nid anghofiodd y glowyr am dynged eu cyd-weithwyr. Dywedodd un dyn a fu'n gweithio fel glöwr yno yn ystod yr Ail Ryfel Byd, fod y dynion yn dal i sôn am y trychineb a phwyntio tuag Adran Dennis gan ddweud pethau fel 'Mae fy nau frawd i mewn fan 'na.'

Cynhaliwyd ymchwiliad i'r digwyddiad dros gyfnod o 38 diwrnod, pan glywyd tystiolaeth gan 189 o dystion. Gan na fedrai neb fynd i mewn i Adran Dennis i gasglu tystiolaeth bendant am achosion y ffrwydrad, dyfalu oedd llawer o'r dystiolaeth a glywyd. Amlygwyd un ffaith yn glir, sef nad oedd rheolwyr y pwll wedi cadw cofnodion digonol o bresenoldeb nwy a'r cyflenwad awyr, a'u bod wedyn wedi ceisio ffugio'r cofnodion coll ar ôl y ffrwydrad. Cafwyd William Bonsall, y prif reolwr, yn euog o hyn, a'i ddirwyo.

Holltwyd pentref Gresffordd gan yr ymryson

(Drosodd)

Bedd yn y pwll i lowyr Gresffordd

(o'r tudalen cynt)

ynglŷn ag achosion y trychineb. Cafodd rhai a roddodd dystiolaeth o blaid y meistri glo eu hesgymuno gan y gymuned, ac ar y llaw arall credid yn gyffredinol i'r dynion a siaradodd yn erbyn y cwmni gael eu herlid wedyn.

Agorodd Arglwydd-Faer Llundain apêl, a soniodd am dimau achub Gresffordd fel esiampl odidog o 'rinweddau Seisnig'. Yr oedd cronfa hefyd yn Wrecsam, a daeth llawer o roddion o bob rhan o'r wlad. Cyhoeddodd y *Wrexham Leader* lu o luniau o'r rhai a laddwyd, wedi'u casglu gan eu cyfeillion a'u teuluoedd.

Cadw'r sgrîn fawr yn lân

Ar 5 Ionawr cyhoeddodd y *Welsh Catholic Times* fod mwy a mwy o Gatholigion y wlad yn ystyried boicotio'r sinema. Golygfeydd rhywiol a threisgar a boenai'r Pabyddion, a chredid fod dangos pethau o'r fath ar y sgrîn fawr yn prysur danseilio moesau'r wlad. Dôi ffilmiau giangster ffasiynol y cyfnod dan y lach hefyd. Mynegwyd pryder yn ogystal bod plant iau, yn enwedig bechgyn, yn cael eu denu gan straeon am ladrata ac ati a welent yn y ffilmiau.

Ar orchymyn y Pab Pius XI, dychwelodd Archesgob Caerdydd, Francis Mostyn, o Rufain i Gymru a sefydlu'r Bwrdd Gweithredu Catholig, y mudiad cyntaf o'i fath, i fynd i'r afael â safonau'r sinema. Ymhen ychydig wythnosau yr oedd gan y Bwrdd 12,000 o aelodau, a phryderai'r cynhyrchwyr ffilmiau y gallai'r mudiad dyfu trwy Brydain a thramor. Yr oedd yr Archesgob yn awyddus i bwysleisio nad piwritaniaid cul oedd yr ymgyrchwyr, ond pobl yn gwrthwynebu ffilmiau a ddangosai ddrygioni fel rhywbeth deniadol, a hefyd *'the presentation of this triangular love business as deserving of sympathy,'* peth a âi'n groes i syniadau Cristnogol am briodas a rhyw, yn ôl yr Archesgob.

Ar yr un pryd bu ymgyrch gryfach fyth yn America yn erbyn ffilmiau anfoesol, ac yn y diwedd bu'n rhaid i'r diwydiant ffilmiau ildio a chyflwyno Côd Cynhyrchu, a luniwyd ar y cyd gan Iesuit a chyhoeddwr Catholig, ac a gâi ei weinyddu gan Babydd arall, Joseph I. Breen

Croniclo cymeriadau'r Cwm

Cyhoeddwyd *Rhondda Roundabout*, y gyntaf o nofelau Jack Jones, llenor o löwr o Ferthyr Tudful. Nofel liwgar a bywiog oedd hon, yn cyflwyno parêd o gymeriadau hynod gerbron y darllenwr, megis Uncle Shoni ac Auntie Emily Lloyd, y Capten, a Big Mog y gamblwr. Daeth y llyfr yn boblogaidd, a throwyd ef wedyn yn ddrama lwyddiannus.

Un o bymtheg o blant oedd Jack Jones, a phan nad oedd ond deuddeg oed fe ddechreuodd weithio dan ddaear. Yn ddwy ar bymtheg oed fe aeth yn filwr, a bu'n gwasanaethu gyda'r fyddin yn Ne Affrica a'r India. Ond nid oedd gwasanaeth milwrol at ei ddant ac yn Ne Affrica restiwyd ef am fod yn absennol heb ganiatâd.

Jack Jones wrth ei waith.

Fel llawer o'i gyfoedion, gwysiwyd ef i'r fyddin unwaith yn rhagor adeg y Rhyfel Mawr, ac fel llawer un arall a orfodwyd i wasanaethu gyda'r lluoedd arfog yn y Rhyfel hwnnw, cafodd ei chwerwi a'i ddadrithio gan ei brofiadau. Bu'n ffigur amlwg mewn gwleidyddiaeth asgell-chwith ar ôl y Rhyfel, er yn bur anghyson ei ddaliadau. Dechreuodd ei yrfa wleidyddol fel Comiwnydd, cyn ymuno â'r Blaid Lafur, y Blaid Ryddfrydol, a ffasgwyr Oswald Mosley yn eu tro. Yn 1941-42 bu'n teithio a darlithio ar ran llywodraeth Prydain.

Gwnaeth amrywiaeth o swyddi gwahanol, ac yn ystod un o'i gyfnodau o ddiweithdra y dechreuodd lenydda. Yn ogystal â *Rhondda Roundabout*, ymhlith ei nofelau mwyaf adnabyddus ceir *Black Parade*, 1935, *Bidden to the Feast*, 1938, a *River out of Eden*, 1951. O'r rhain, tebyg mai *Black Parade* yw'r fwyaf nodedig. Ynddi croniclodd yr awdur nifer o ddigwyddiadau mawr a fu yn ei fywyd ef ei hun ac yn hanes Merthyr Tudful a'r cylch, fel Rhyfel y Bŵr, Diwygiad Evan Roberts, 1904-05, trychineb Senghennydd yn 1913, a Streic Fawr 1926. Lluniodd hefyd hunangofiant tair cyfrol, yn cynnwys y gyfrol *Unfinished Journey*, a ystyrir yn un o'i weithiau gorau.

Neuadd newydd Abertawe

Ar 2 Awst agorwyd Neuadd y Ddinas, Abertawe, gan Dywysog Cymru, wedi iddi gael ei haddasu'n arbennig i dderbyn murluniau Syr Frank Brangwyn, sef Paneli'r Ymerodraeth. Y paneli hyn oedd gwaith mwyaf adnabyddus Brangwyn bellach, a daethant i Abertawe wedi iddynt gael eu gwrthod gan Dŷ'r Arglwyddi a'u comisiynodd yn y lle cyntaf.

Cafodd Neuadd y Ddinas dipyn o sylw cyn ei hagor oherwydd ei dodrefnu â gwerth £10,705 o ddodrefn dur a wnaed yn ne Cymru. Honnodd pensaer y prosiect, Percy Thomas o Gaerdydd, fod dodrefn dur wedi ennill ei blwyf ers tro, ond er hyn celfi mwy confensiynol o goed cnau Ffrengig a ddewiswyd ar gyfer Siambr y Cyngor.

Yn 1998, cynigiwyd Neuadd y Ddinas fel cartref i'r Cynulliad Cenedlaethol, ond penderfynwyd, er mawr siom i drigolion Abertawe, mai yn y brifddinas y dylid lleoli hwnnw.

Merched yn arwain y ffordd

dde: 'Gorymdaith Newyn' merched de Cymru.

Ym mis Chwefror arweiniodd carfan o ferched de Cymru Orymdaith Newyn i Lundain i fynnu gwaith i'r ardal ac i wrthsefyll yr ymgais i leihau taliadau i'r diwaith. Yn bennaf oll protestient yn erbyn y Mesur Yswiriant Diweithdra newydd, a lysenwyd yn 'Fesur y Caethwas', ac a oedd am ddwyn cyfrifoldeb am gynorthwyo'r diwaith oddi ar bwyllgorau lleol a'i roi yn nwylo bwrdd canolog. Teimlai llawer ei bod yn bosibl pwyso ar y pwyllgorau lleol am well telerau ond na fyddai hyn yn bosibl yn achos y bwrdd newydd. Ofnid hefyd y câi dynion di-waith eu gorfodi i weithio'n ddidâl yn rhaglenni gwaith y llywodraeth.

Trefnwyd yr orymdaith gan Fudiad Cenedlaethol y Gweithwyr Di-Waith, ynghyd â sawl grŵp arall, a chymerodd dwy ar bymtheg o garfannau rhanbarthol ran ynddi o bob rhan o Brydain. Er bod Mudiad y Gweithwyr Di-waith fwy neu lai dan adain y Blaid Gomiwnyddol, cafwyd cefnogaeth eang i'r orymdaith – ym Merthyr Tudful bu cefnogaeth gan y Blaid Lafur Annibynnol, undebau llafur, grwpiau merched, a dau gapel. Er hyn, nid aeth popeth yn gwbl esmwyth, a tharfodd nifer o ddigwyddiadau ar y trefniadau. Ym Merthyr Tudful, ceisiodd Arthur Eyles dorri ar draws cyfarfod trefnu. Ac yntau'n gyn-aelod o'r Blaid Gomiwnyddol

yr oedd Eyles newydd ymuno ag Undeb Ffasgwyr Oswald Mosley ac fel pe bai'n benderfynol o ddangos ei liwiau newydd yn gyhoeddus. Darganfuwyd hefyd fod heddlu Llundain yn cyflogi ysbïwyr ymhlith y gorymdeithwyr, a gwysiwyd dau o'r prif drefnwyr i ymddangos yn y llys ar y diwrnod pan oeddynt i fod i annerch y gorymdeithwyr yn Llundain.

Daeth y cyfan i ben gyda chynhadledd fawr yn Llundain ar 24 Chwefror ac eto ar 4 Mawrth.

Cymro'n Gapten Lloegr

dde: Cyril Frederick Walters.

Cyril Frederick Walters o Fedlinog, Morgannwg oedd y Cymro cyntaf i fod yn gapten ar dîm criced Lloegr – yn erbyn Awstralia yn Trent Bridge, yn y gêm a gynhaliwyd 8-12 Mehefin. Dyrchafwyd Walters i swydd y capten wedi i'r Sais R.E.S. Wyatt dorri ei fawd.

Hwn oedd y tro cyntaf i'r Cymro chwarae yn erbyn yr Awstraliaid, a bu'n dipyn o fedydd tân iddo. Gan agor y batio dros Loegr yn y ddau fatiad, cafodd Walters gyfanswm o 63 o rediadau, ond ni lwyddodd ei ymdrechion i achub ei dîm rhag cael crasfa gan yr ymwelwyr. Wrth ddechrau eu hail fatiad yr oedd ar y Saeson angen 388 o rediadau i ennill, ond er i Walters sgorio 46 cyn cael ei

fowlio, ni lwyddodd yr un aelod arall o'r tîm gyrraedd mwy na 24, ac i Awstralia yr aeth y fuddugoliaeth o 238 o rediadau.

Pensaer a thirfesurwr oedd Walters wrth ei alwedigaeth, ac yn aml iawn âi'r gwaith hwnnw â'i fryd yn fwy na chriced. Ymunodd â chlwb Morgannwg yn 1923, ond yn 1931 gadawodd i chwarae dros swydd Gaerwrangon, lle y cafodd sgôr orau ei yrfa, 226 yn erbyn Caint yn 1933. Bu hefyd yn chwarae rygbi dros Abertawe.

Rhoi taw ar yr hen *Darian*

Ar 25 Hydref ymddangosodd y rhifyn olaf o'r papur newydd wythnosol *Y Darian*, a ddechreuwyd yn Aberdâr yn 1875. John Mills, Francis Lynch a Caradoc Davies a lansiodd y papur gyntaf, a hynny fel wythnosolyn radicalaidd dan y teitl *Tarian y Gweithiwr*. At weithwyr y diwydiannau dur, haearn a glo yn bennaf yr oedd apêl y cymysgedd o wleidyddiaeth, newyddion tramor a llenyddiaeth, a geid yn y papur, a helpu'r werin bobl i'w haddysgu eu hunain oedd nod y cyhoeddwyr cyntaf. Dan ei olygydd newydd, J.Tywi Jones, talfyrwyd enw'r papur yn 1913 i *Y Darian*, a daeth yn fwyfwy llenyddol ei naws, gyda mwy o farddoniaeth, straeon cyfres, ac adroddiadau ar eisteddfodau lleol, a chydag erthyglau hefyd gan academyddion megis Saunders Lewis a John Morris-Jones.

Ar ei hanterth gwerthid 15,000 o gopïau o'r *Darian* bob wythnos, ond yn y diwedd bu trai'r iaith Gymraeg yn y De a thlodi llethol y Dirwasgiad Mawr yn ddigon i'w lladd.

Drama rhy anfoesol i'w pherfformio

Cwmni'r Pandy gyda Kitchener Davies (canol y rhes flaen) a Kate Roberts ar dde y rhes flaen

Yn Eisteddfod Genedlaethol Castell-nedd, dyfarnwyd *Cwm Glo* James Kitchener Davies yn fuddugol yng nghystadleuaeth y ddrama, ond mynnwyd na ddylid ei llwyfannu am fod ei chynnwys yn rhy anfoesol. Yr oedd y ddrama'n delio â rhai o effeithiau dychrynllyd y Dirwasgiad Mawr, a'r tlodi a ddaeth yn ei sgil i gymoedd y De, gan ganolbwyntio ar y rhwygiadau mewn un teulu.

Gofynnodd y beirniad, David Griffiths, Amanwy, 'A ydyw *Cwm Glo* yn ddrama y gall dyn fynd â'i wraig a'i ferch neu ei fab yno heb ofni y cyfyd camflas o'r perfformiad,' gan ychwanegu bod yma 'chwaer unfam undad' i nofelau aflednais Caradoc Evans, y llenor Eingl-Gymreig a gyhoeddodd bortreadu creulon o ddeifiol o'r Gymru wledig. Beiwyd Kitchener Davies yn arbennig am feiddio tanseilio'r hen ddarlun o'r glöwr Cymreig fel capelwr glew o gymeriad glân, trwy gyflwyno'r diogyn, Dai Dafis, dyn difoesau sy'n barod i buteinio ei ferch ei hun i oruchwyliwr y pwll, Morgan Lewis. Tybiai'r beirniaid hefyd na allai'r un dyn ganiatáu i'w chwaer gymryd rhan Marged, merch Dai Dafis, sy'n dewis yn y diwedd mynd yn butain i Gaerdydd.

Ond gwahanol oedd ymateb y cyhoedd i un y beirniaid eisteddfodol, a heidiai pobl i weld y ddrama o bob rhan o'r De. Cyhoeddwyd a pherfformiwyd hi gan Gwmni Drama Gymraeg Abertawe, wedi i'r sensor, Cynan, fwrw golwg drosti a'i chymeradwyo. Fe'i perfformiwyd hefyd gan gwmni theatr Kitchener Davies ei hun, Cwmni'r Pandy, yn Theatr yr Empire, Tonypandy, gyda'r awdur yn cymryd rhan Dai Dafis, ei chwaer yn chwarae Marged, a'r llenor Kate Roberts fel Mrs. Dafis.

Brodor o Geredigion oedd James Kitchener Davies, wedi'i fagu mewn tyddyn yn ymyl Cors Caron, ond yn 1926 symudodd i fyw i Gwm Rhondda lle y bu am weddill ei oes yn gweithio fel athro ysgol ac yn ymgyrchydd selog dros Blaid Cymru a'r iaith Gymraeg. Safodd fel ymgeisydd Plaid Cymru yn y Rhondda yn etholiadau 1945, 1950 a 1951, gan ddod yn olaf bob tro, ond daeth yn adnabyddus am ei waith canfasio diflino, ac am y beic modur swnllyd y byddai'n teithio o gwmpas yr ardal arno. Am *Cwm Glo* yr enillodd fwyaf o sylw, ond cafodd glod mawr hefyd am ei ddrama fydryddol *Meini Gwagedd*, a fu'n fuddugol yn Eisteddfod Genedlaethol Llandybïe yn 1944, ac am ei bryddest *Sŵn y Gwynt Sy'n Chwythu*, a gyfansoddwyd gan y bardd ac a ddarlledwyd gan y BBC yn 1952 tra oedd ef ar ei wely angau.

Ffatrïoedd newydd i'r Fflint

Dyma'r flwyddyn yr agorodd cwmni Courtaulds eu ffatri *rayon* newydd ym Maes-glas ger Treffynnon, sir Fflint. Gallai'r ffatri gynhyrchu hyd at ugain miliwn o bwysau o *rayon* y flwyddyn - ffeibr artiffisial sgleiniog a wneir o fwydion pren neu blicion cotwm. Cyrhaeddwyd y targed erbyn 1937 a phenderfynwyd ehangu'r safle i allu cynhyrchu hanner can miliwn o bwysau'r flwyddyn. Glannau Dyfrdwy bellach oedd y ganolfan gynhyrchu *rayon* bwysicaf ym Mhrydain i gyd, ac erbyn 1954 yr oedd y diwydiant yn cyflogi saith mil o bobl yn yr ardal. Ynghyd â'r diwydiant haearn a dur, disgrifiwyd ef fel 'un o ddwy golofn economi sir Fflint.'

Yr oedd ffeibrau artiffisial fel *rayon* yn dod yn fwyfwy poblogaidd yn y cyfnod, am y gellid eu defnyddio i weu brethynnau o fathau hollol newydd .

Yn 1908 yr oedd cwmni Glanzstoff o'r Almaen wedi dechrau cynhyrchu silc ffug yn Fflint, ac erbyn diwedd 1911 yr oedd y ffatri'n cynhyrchu saith mil o bwysau'r mis. Dewiswyd Fflint oherwydd sgiliau arbennig y gweithlu lleol, ac am ei bod yn bosibl cael gwared ar swm mawr o wastraff cemegol yn Afon Dyfrdwy, a chael digon o lo o byllau'r Parlwr Du a Wrecsam. Yn 1917 prynodd Courtaulds weithfeydd Glanzstoff yn Fflint, ac ym Mai 1922 agorodd y cwmni ffatri arall yn y dref. Maes-glas, felly, oedd eu trydydd datblygiad yn yr ardal.

Rhoi trefn ar Gerdd Dantwyr

Ar 10 Tachwedd yn y Bala, sefydlwyd Cymdeithas Cerdd Dant Cymru, dan ei Llywydd cyntaf, Ioan Dwyryd o Flaenau Ffestiniog, i hyrwyddo'r hen grefft o ganu penillion i gyfeiliant cerddorol.

Bu aelodau'r Gymdeithas yn gweithio'n ddiwyd i ennill mwy o sylw i'w crefft a hefyd i sicrhau gwell safle iddi yn rhaglen yr Eisteddfod Genedlaethol. Yn ogystal â phoblogeiddio cerdd dant, ymdrechodd y Gymdeithas hefyd i safoni'r rheolau ar gyfer canu a chystadlu.

Ar 29 Tachwedd 1947 yn y Felinheli ger Bangor, dechreuodd y Gymdeithas gynnal Gŵyl Gerdd Dant flynyddol. Cynnal dwy ŵyl, y naill yn y Gogledd a'r llall yn y De, oedd y bwriad cyntaf, ond gwelwyd yn fuan mai amhosibl fyddai hynny, a phenderfynwyd sefydlu un ŵyl genedlaethol a honno'n symud yn flynyddol trwy Gymru benbaladr.

15 Ionawr
Pleidleisiodd trigolion rhanbarth Y Saar i ailymuno â'r Almaen ar ôl cyfnod dan ofal Cynghrair y Cenhedloedd.

21 Ebrill
Lladdwyd dros ddwy fil o bobl mewn daeargryn ar ynys Formosa, Tsieina.

19 Mai
Bu farw T.E. Lawrence, 'Lawrence of Arabia', o ganlyniad i ddamwain ar feic modur.

7 Mehefin
Daeth Stanley Baldwin yn Brif Weinidog Prydain wedi ymddiswyddiad Ramsay MacDonald.

15 Awst
Daeth arwydd y swastika yn faner genedlaethol swyddogol yr Almaen.

3 Medi
Torrodd Syr Malcolm Campbell ei record byd pan yrrodd ei gar 'Bluebird' 301 filltir yr awr yn Utah.

2 Hydref
Dechreuodd ymosodiad hirddisgwyliedig lluoedd Mussolini ar Abysinia (Ethiopia).

20 Hydref
Daeth 'Ymdaith Faith' arweinydd comiwnyddion Tsieina, Mao Zedong, a'i gefnogwyr i ben.

21 Hydref
Gadawodd yr Almaen Gynghrair y Cenhedloedd yn swyddogol.

26 Tachwedd
Gorymdeithiodd milwyr Siapan drwy Beijing, prifddinas Tsieina.

1935

Aros lawr y pwll

Y streicwyr ar ôl 176 awr dan ddaear.

Ar ddydd Sadwrn 12 Hydref, yng Nglofa Nine Mile Point, Cwmfelin-fach ger y Coed Duon, Gwent, dechreuodd y gwrthdrawiad mwyaf hyd hynny rhwng Ffederasiwn Glowyr De Cymru ac Undeb Ddiwydiannol Glowyr De Cymru, pan ddefnyddiwyd math newydd o weithredu diwydiannol yn y maes glo – y streic-aros-i-lawr.

Sefydlwyd yr Undeb yn 1926, yng nglofa Taff-Merthyr ger Bedlinog, fel her uniongyrchol i awdurdod y Ffederasiwn. Yn bennaeth ar yr undeb newydd yr oedd William Gregory, a'r nod oedd herio naws 'wleidyddol' y *Fed*. Credai llawer o elynion yr undeb newydd ei bod yn derbyn nawdd gan y cwmnïau glo, a châi ei drwgdybio o fod yn undeb bradwyr a chynffonwyr. Gorllewin sir Fynwy a dwyrain Morgannwg oedd ei chadarnleoedd, a thueddai i ddenu'r glowyr a oedd wedi blino ar benboethni pobl fel Arthur Horner ac Arthur Cook.

Yn Ebrill 1934, ym Mhwll yr Emlyn, Pen-y-groes, yr oedd y *Fed* wedi ennill ei buddugoliaeth gyntaf dros yr Undeb, yn bennaf trwy ymdrechion y Comiwnydd Arthur Horner. Bu brwydr arall ym mhwll Taf-Merthyr, man geni ac un o gadarnleoedd yr undeb newydd. Yn Hydref 1934, diswyddwyd 250 o lowyr y *Fed* a chyflogi yn eu lle ddynion di-waith. Chwerw iawn oedd y glowyr a gollodd eu swyddi,

a'u gwragedd a fyddai ar flaen y gad yn aml yn sicrhau bod bywyd y 'bradwyr' mor anghyfforddus â phosibl.

Daeth yr helynt i'w uchafbwynt ym mis Hydref, ym Mhwll Nine Mile Point. Ar 12 Hydref, daeth glowyr yr Undeb Ddiwydiannol i fyny'n gyntaf fel arfer ar ddiwedd eu sifft, er mwyn osgoi gwrthdaro â dynion y *Fed* wrth adael y pwll. Ond er syndod i bawb ni ddaeth glowyr y *Fed* i fyny ar eu hôl, am eu bod wedi penderfynu aros i lawr yn y pwll, heb ddweud wrth neb am eu bwriad, hyd nes y teflid y 'bradwyr' o'u swyddi. Credid ar y dechrau fod y dynion – 78 ohonynt – am ymprydio, ond trannoeth caniataodd perchnogion y lofa i'w gwragedd a'u mamau ddod â bwyd iddynt. Ymgasglodd torf wrth ben y pwll gyda band pres, ac ar y Sul cafwyd gweddïau dros y streicwyr yn rhai o gapeli'r ardal. Aeth cefnogwyr o siop i siop i ofyn am fwyd i iddynt. Pledid trên y streic-dorwyr â cherrig, a bu angen 250 o blismyn i'w hebrwng o'r pwll. Sbardunodd streic Nine Mile Point lu o streiciau tebyg ar draws y maes glo - yn Rhisga treuliodd 170 o ddynion dridiau dan ddaear, ac ar y dydd Mawrth arhosodd 1,690 i lawr am rywfaint o'r diwrnod.

Daeth glowyr Nine Mile Point i fyny wedi 176 awr dan ddaear. Bu'n rhaid i James Griffiths, Llywydd

(Drosodd)

Aros lawr y pwll

(o'r tudalen cynt)

y *Fed*, fynd i lawr i roi gwybod iddynt am delerau'r cyflogwyr - cafwyd addewid ysgrifenedig nad erlidid yr un o'r streicwyr, ac mai'r *Fed* yn unig a gâi drafod ailagor y pwll gyda'r cwmni. Cynhaliwyd balot dan ddaear ar y cynnig, ac wedi pleidlais unfryd o'i blaid, canwyd yr emyn *Bread of Heaven* cyn gadael y pwll. Mwy cyndyn oedd glowyr pwll y Parc a Dâr. Daethant hwy i fyny ar 23 Hydref, wedi 200 awr yn y pwll, a chroesawyd hwy gan swyddogion eu hundeb, tyrfa o gefnogwyr a Chôr Meibion Glofa Dâr.

Ysbrydolwyd y streicwyr gan fil o lowyr Hwngari a oedd wedi ennill codiad cyflog yn 1934 trwy fygwth eu lladd eu hunain i gyd yn y pwll.

Trahauster y bonedd

Yn sir Fflint cafwyd prawf bod rhai o leiaf o foneddigion Cymru am ddal eu gafael ar eu hen ddylanwad traddodiadol.

Ar 6 Chwefror cyfarfu Pwyllgor Addysg Sir Fflint i drafod cwynion ynglŷn ag ymddygiad trahaus yr Arglwydd Mostyn mewn cyfarfod i benodi athrawes gynorthwyol yn Ysgol Eglwysig y Rhewl. Bu tair ymgeisydd gerbron llywodraethwyr yr ysgol, a holwyd hwy gan yr Arglwydd Mostyn, cadeirydd y llywodraethwyr am eu daliadau gwleidyddol, am eu teuluoedd a gwaith eu perthnasau. Pan brotestiodd y Cynghorydd Arthur Roberts bod cwestiynau mor bersonol yn cael eu gofyn, atebodd yr Arglwydd Mostyn na ddylai'r un Ymneilltuwr gael swydd yn un o'i ysgolion ef, ac y dylai pob athro fod yn Geidwadwr ac yn Anglicanwr. Dywedodd Roberts y byddai'n dwyn y mater i sylw'r Cyfarwyddwr Addysg, ac atebodd Mostyn y câi Roberts wneud fel y mynnai, ac y câi yntau ofyn pa gwestiynau bynnag a fynnai i ymgeiswyr .

Yng nghyfarfod y Pwyllgor Addysg cytunwyd bod gweithred Mostyn yn 'afreolaidd' a dymchwelwyd y penodiad a wnaed ganddo fel un annilys. Adroddwyd bod 80% o blant yr ysgol yn dod o deuluoedd Ymneilltuol, a'i bod felly'n addas iawn penodi athrawon o'r un daliadau crefyddol. Lluniwyd llythyr swyddogol at yr Arglwydd Mostyn yn ei geryddu am ofyn cwestiynau amherthnasol, ac am 'arfer iaith nad oedd yn gymwys mewn cyfarfod o reolwyr.'

Bechgyn ysgol yn curo'r Crysau Duon

isod: Tanner a Davies yn twyllo amddiffyn y Crysau Duon.

Ar 28 Medi, ar faes Sain Helen yn y dre, Abertawe oedd y clwb rygbi cyntaf ym Mhrydain i drechu Crysau Duon Seland Newydd. Dim ond unwaith o'r blaen y curwyd y Selandwyr ym Mhrydain, a hynny gan Gymru yn 1905. Tri phwynt i ddim oedd y sgôr derfynol yn 1905, ond yr oedd buddugoliaeth Abertawe yn 1935 yn un fwy trawiadol o dipyn, sef o 11 pwynt i 3. Haydn Tanner, 18 oed, a Willie Davies, 19 oed, y ddau o Ysgol Ramadeg Tre-gŵyr, oedd chwaraewyr disgleiriaf Abertawe ar y pryd. Yr oedd Tanner yn boendod parhaol i'w wrthwynebwyr, a Davies oedd pensaer dau o'r tri chais dros Abertawe a sgoriwyd gan Claude Davey o'r Garnant. 'Peidiwch â dweud wrthyn nhw gartref i ni gael ein curo gan fechgyn ysgol,' meddai un o'r Selandwyr wedyn.

Tri mis yn ddiweddarach, curodd tîm cenedlaethol Cymru'r Crysau Duon o 13 i 12 mewn gêm gyffrous ar Barc yr Arfau.

Mil a chant i Emrys Davies

dde: Emrys Davies (ar y dde) gyda'i gyd-agorwr Arnold Dyson.

Emrys Davies o Lanelli oedd y cyntaf o blith cricedwyr Morgannwg i sgorio mil o rediadau a chipio cant o wicedi mewn un tymor, gan gymryd ei ganfed wiced yng ngêm olaf y tymor yn erbyn swydd Gaerwrangon ar ddiwedd mis Awst. Aeth gam ymhellach yn 1937, gan gipio cant ac un o wicedi a sgorio 1,954 o rediadau.

Fel ei gyd-chwaraewr Dai Davies, un o ddynion gweithfeydd dur Llanelli oedd Emrys Davies, a chyda thîm y gweithfeydd y dechreuodd ei yrfa mewn criced. Ymunodd â chlwb Morgannwg yn 1924 ac aros yno am ddeng mlynedd ar hugain, gan chwarae mewn 612 o gemau. Sgoriodd 26,102 o rediadau a chymryd 885 o wicedi. O 1932 ymlaen bu'n agor y batio dros Forgannwg mewn partneriaeth ag Arnold Dyson o Halifax. Daeth uchafbwynt ei yrfa ar ddiwedd Mai 1939 yn y gêm yn erbyn swydd Gaerloyw yng Nghasnewydd. Sgoriodd gyfanswm o 287 gan fatio am saith awr a hanner, y sgôr orau gan unrhyw chwaraewyr o dîm Morgannwg hyd yn hyn.

Ymddeolodd yn 1954, i ddechrau cyfnod newydd fel dyfarnwr, ac wedyn fel hyfforddwr criced Coleg Llanymddyfri.

Llofruddiaeth Cymro ym Mongolia

Ar 12 Awst saethwyd yn farw y newydd-iadurwr o'r Barri, Gareth Vaughan Jones, yn Nhalaith Chahar, Tsieina, mewn amgylchiadau tra amheus. Hel straeon dros y *Manchester Guardian* yr oedd Jones, ac er i adroddiadau swyddogol o Tsieina ddatgan ei fod wedi'i lofruddio gan giang o ladron, y mae tystiolaeth iddo gael ei ladd am iddo ddarganfod gormod am gynlluniau'r Siapaneaid i ehangu eu grym yng ngogledd Tsieina.

Un o ddisgyblion disgleiriaf Ysgol y Barri oedd Gareth Vaughan Jones, ac aeth ymlaen o'r ysgol honno i Brifysgol Cymru, Aberystwyth, lle y profodd ei hun yn ieithydd penigamp. Yn ogystal ag ennill gradd ddosbarth cyntaf mewn Ffrangeg, meistrolodd Rwsieg ac Almaeneg, a threuliodd flwyddyn ym Mhrifysgol Strasbourg yn ehangu ei wybodaeth am y ddwy iaith hynny. Enillodd ysgoloriaeth i barhau â'i astudiaethau ieithyddol ym Mhrifysgol Caergrawnt, ac yno dechreuodd ystyried gyrfa yn y gwasanaeth diplomyddol, gan obeithio y byddai hynny'n rhoi cyfle iddo deithio'n eang a defnyddio ei ddawn ieithyddol.

Yn Awst 1929 daeth yn ohebydd tramor i'r *Times*, ac ym mis Hydref yr un flwyddyn derbyniodd wahoddiad gan y cyn-Brif Weinidog, Lloyd George, i ddod yn ysgrifennydd preifat iddo ef mewn materion tramor, gyda chyfrifoldeb am gadw golwg ar y sefyllfa ryngwladol a'i hysbysu am unrhyw ddatblygiadau o bwys. Yn y cyfnod hwn hefyd, comisiynwyd ef gan Lloyd George i ymweld â rhai o wleidyddion

Gareth Jones gyda dau o swyddogion llys brenhinol Mongolia.

amlycaf Ewrop ar ei ran, gan gynnwys Adolf Hitler.

Tua diwedd 1934 aeth ar daith o gwmpas y byd, ond ar 29 Gorffennaf cyhoeddwyd ei fod wedi'i ddal gan wylliaid ger tref Poachong yn Tseinia, ynghyd â'i gyd-deithiwr, yr Almaenwr Herbert Müller. Ni allai'r awdurdodau Tseieineaidd lleol ymyrryd, meddent, am fod y gwylliaid mewn rhanbarth dadfilwredig. Ymhen ychydig daeth y newyddion fod Gareth Jones wedi'i ladd. Dywedodd bugail gwartheg lleol yn fuan wedyn ei fod wedi gweld grŵp o ddynion yn ymffurfio'n gylch, a thanio tair ergyd cyn ymadael ar gefn eu ceffylau, gan adael corff 'dyn estron' ar eu hôl. Honnwyd

bod y Cymro wedi'i lofruddio gan giang o ladron a oedd yn anfodlon oherwydd methu sicrhau'r pridwerth yr oeddynt yn hawlio amdano, sef £9,000 a phum gant o bistolau, ond yn ôl adroddiadau eraill, saethwyd ef yn ei gar gan filwyr Siapaneaidd am eu bod yn credu iddo ddod ar draws milwyr Siapaneaidd ymhell o'r lleoedd lle dylent fod, a bod rhaid felly ei dawelu am byth. Honnwyd fod ei gyd-deithiwr, Herber Müller, yn asiant cudd dros lywodraeth yr Almaen, a hefyd yn gweithio i'r Siapaneaid, a bod ganddo ran yn y llofruddiaeth, yn enwedig o ystyried i'r ddau ddyn gael eu herwgipio ond Gareth Jones yn unig a laddwyd.

Gwrthod sefyll eu prawf

Ar 27 Ionawr daeth 30,000 o bobl, mwy na 60% o boblogaeth y dref, ynghyd yn Mharc Aberdâr i wrthod Deddf Diweithdra Rhagfyr 1934, a'r Prawf Moddion a oedd yn rhan annatod ohoni. Ar yr un diwrnod ym Mharc Ynysangharad, Pontypridd, ymgasglodd 20,000 o bobl i gyflwyno'r un neges.

O dan drefn y Prawf Moddion yr oedd galw ar bobl i brofi bod gwir angen cymorth arnynt, a gellid eu gorfodi i ddibynnu ar

gymorth eu teuluoedd. Rhagflas oedd hyn o'r hyn a ddigwyddodd wythnos yn ddiweddarach ar 3 Chwefror pan fu o leiaf 300,000 o drigolion de Cymru ar y strydoedd yn protestio yn erbyn y ddeddf newydd. Yn y Rhondda, cerddodd hyd at 70,000 o bobl fesul deuddeg i Barc De Winton, Tonypandy, gan atal pob trafnidiaeth. Yn Aberdâr cafwyd gorymdaith o 50,000 o bobl yn ymestyn am ddwy filltir a hanner. Ym Mhontypŵl gwrandawodd 20,000 ar araith gan Ernest Bevin, a bu gwrthdystiadau hefyd ym Merthyr Tudful, Castell-nedd, Llansawel, y Barri, a'r Coed Duon, lle y siaradodd Aneurin Bevan, Aelod Seneddol Glyn Ebwy yn erbyn pob math o Brawf Moddion.

Trannoeth ym Merthyr Tudful, daeth tyrfa o dair mil o bobl yn cynnwys mil o wragedd ynghyd y tu allan i Dŷ Iscoed,

swyddfa'r Bwrdd Cymorth Diweithdra yn y dref. Yn ôl un tyst yr oedd rhai o glercod y swyddfa wedi tynnu wynebau ar y protestwyr trwy'r ffenestri, nes peri i'r dorf ymosod ar yr adeilad. Torrwyd y ffenestri i gyd, a heidiodd pobl i mewn i'r swyddfa trwy'r fframiau gwag. Rhacsiwyd dodrefn a thynnwyd y grisiau allan. Casglwyd papurau'n bentwr a cheisio eu tanio. Yn ystod hyn i gyd yr oedd yr heddlu'n gwbl ddiymadferth, ac ni wrandawodd y protestwyr chwaith ar apelion taer y Crynwr, John Dennithorne, am weithredu'n ddi-drais.

Ar 5 Chwefror, cyhoeddodd y Gweinidog Llafur, Oliver Stanley, y gallai'r rhai di-waith a oedd yn ymgeisio am gymorth wneud hynny naill ai o dan ddeddf Rhagfyr 1934, neu o dan yr hen drefn, pa un bynnag a roddai fwyaf o arian iddynt.

Cymraeg ar y Sgrîn Fawr

Elliw Roberts a W. D. Jones yn y ffilm 'Y Chwarelwr'.

Yn ystod y flwyddyn hon, dangoswyd y ffilm lafar gyntaf erioed yn y Gymraeg. Gyda'i offer wedi'u pacio ar gefn lorri ail-law, teithiodd Ifan ab Owen Edwards, sylfaenydd Urdd Gobaith Cymru, o bentref i bentref gyda'i griw o selogion yn cyflwyno *Y Chwarelwr*, a ffilmiwyd ym Mlaenau Ffestiniog. Bwriad Edwards oedd profi i bobl ifanc Cymru nad oedd angen iddynt droi'n Saeson i gael *talkies*. Y dramodydd John Ellis Williams o Benmachno a ysgrifennodd y sgript, a phrynodd Ifan ab Owen Edwards gamera, gwerth can punt o ffilm a dau daflunydd, ag arian a roddwyd gan J.M. Howell, Aberdyfi, un o noddwyr haelionus cynnar yr Urdd. Prynodd hefyd eneradur trydan, am ei bod yn fwriad ganddo ddangos y ffilm mewn nifer mawr o neuaddau pentrefol lle na fyddai cyflenwad trydan.

Cost y ffilm oedd £2,900 – swm a ddychrynodd J. Ellis Williams – ond neges Edwards iddo oedd, 'Da chi, peidiwch â phoeni am y pres. Ymlaen â'r gwaith.' Saethwyd y ffilm mewn chwarel ym Mlaenau Ffestiniog, a'r criw'n gweithio o fore gwyn tan nos bob dydd. Recordiwyd y sain ar wahân, ar ddisgiau mewn stiwdio yn Llundain. Stori gartrefol oedd i'r ffilm, am fab ieuengaf teulu sy'n colli ei dad, ac sy'n dewis aberthu ei yrfa ei hun er mwyn cynnal ei chwaer fach fwy talentog trwy'r coleg.

Dangoswyd *Y Chwarelwr* yn helaeth yng ngogledd Cymru, tua phum gwaith yr wythnos, yn ystod y gaeaf. I lawer yn y pentrefi mwyaf diarffordd, hon oedd y ffilm lafar gyntaf iddynt ei gweld mewn unrhyw iaith, ac yn ôl un hanes cwympodd un hen wraig oddi ar ei sedd mewn llewyg wrth weld ei chefnder, J. Ellis Williams, yn ymddangos ar y sgrîn o'i blaen a siarad.

Beth sy'n bod ar dde Cymru?

Ym mis Gorffennaf, a'r ffigur diweithdra yng Nghymru wedi cyrraedd 203,150, galwodd Thomas Jones, Rhymni, am glirio'r boblogaeth i gyd o'r maes glo a'i hailsefydlu yn Dagenham neu Hounslow. Gellid wedyn gadw'r ardal yn 'adfail cenedlaethol mawreddog' ac yn amgueddfa awyr-agored i fethiant yr hen ddiwydiannau trymion. Yn yr ysgrif *What's Wrong With South Wales?* gwahoddodd Jones Gymry'r maes glo i esgyn ar y trên gan weiddi, '*First stop, Paddington!*'

Wedi ei gynhyrfu yr oedd yr awdur gan ddicter mawr ynghylch cyflwr y De diwydiannol a difaterwch y llywodraeth yn Llundain, ac nid oedd o ddifri ynghylch y mudo. Nid felly awduron un adroddiad a gyhoeddwyd yn 1939 a awgrymodd o ddifrif y dylid cau tref Merthyr Tudful yn gyfan gwbl a symud y trigolion i gyd i Ddyffryn Wysg, sir Fynwy.

Yr Hen Gorff yn dathlu

Ar ddydd Sul 5 Mai dathlodd Methodistiaid Calfinaidd Cymru ddauganmlwyddiant eu henwad. Dyma un o enwadau mwyaf dylanwadol y wlad, a hefyd un o'r rhai mwyaf Cymreig. Enillodd y llysenw 'Yr Hen Gorff' am ei fod yn rhan mor sefydlog o fywyd y genedl. Mewn cyfarfod dathlu a drefnwyd gan Henaduriaeth Dwyrain Dinbych ar 25 Ebrill yn Wrecsam, honnodd y Parch. W.M. Jones mai'r Methodistiaid Calfinaidd oedd 'yr unig gyfundrefn wir Gymreig.' Yr hyn a goffeid gan y Methodistiaid oedd daugan-mlwyddiant tröedigaeth Howel Harris. Aeth Harris drwy argyfwng ysbrydol yn ystod tymor y Pasg 1735 ar ôl ei argyhoeddi gan bregeth y Parch. Pryce Davies ar Sul y Blodau y flwyddyn honno. Ymdaflodd i rannu ei weledigaeth â'i gymdogion, ac yna â phobl ym mhob rhan o Gymru yn ystod y pymtheng mlynedd nesaf, gan ddechrau mudiad grymus newydd ym mywyd ysbrydol Cymru, mudiad a ddatblygodd yn y diwedd yn Fethodistiaeth Galfinaidd.

Cwrw o'r can

Y prif fragwr, Sidney John, yn blasu'r cwrw newydd.

Er i gwrw gael ei werthu mewn caniau yn yr Unol Daleithiau ar ddechrau'r '30au, bragdy Felin-foel ger Llanelli oedd y cyntaf yn Ewrop i roi ei gwrw mewn caniau metel i'w werthu.

Yr oedd gan y teulu John, sefydlwyr bragdy Felin-foel, gysylltiadau cryf â'r diwydiant tunplat yn ogystal, a daeth y tunplat cyntaf i wneud caniau Felin-foel o weithfeydd tun y Bynea. Ar 3 Rhagfyr, cyhoeddodd y *Llanelli and County Guardian* fod cwrw can wedi cyrraedd, a'r llwyth cyntaf o ganiau yn cael ei gynhyrchu ym mhresenoldeb Cadeirydd y bragdy, Martin John, a'r Prif Fragwr, Sidney John. Ar 19 Mawrth 1936, dechreuwyd cynhyrchu cwrw Felin-foel i'w werthu'n fasnachol mewn caniau. Ymffrostiodd Sidney John fod Felin-foel wedi dyfeisio can 'i ddal y cwrw perffaith,' er bod siâp y caniau newydd yn atgoffa rhai o duniau *Brasso*. Yr oedd y caniau rywfaint yn ddrutach na photeli, ond yr oeddynt yn ysgafnach, yn haws eu pacio a'u cludo, ac yn cadw'r cwrw rhag effeithiau goleuni.

Erbyn Hydref 1937 yr oedd 23 o fragdai Prydain yn cynhyrchu deugain o fathau gwahanol o gwrw mewn caniau, ond yr oedd yn well gan lawer yfwr o hyd gymryd ei gwrw yn y dafarn neu o botel. Yn y maes allforion y gwelwyd y ffyniant mwyaf, ac yn ystod yr Ail Ryfel Byd cwrw Felin-foel mewn caniau oedd un o'r ychydig bethau a smyglwyd trwy warchae'r Almaenwyr ar ynys Malta.

20 Ionawr

Bu farw'r brenin Sior V; olynwyd ef gan Edward VIII.

7 Mawrth

Ymdeithiodd milwyr yr Almaen i mewn i'r Rheindir, yn groes i delerau cytundebau Versailles a Locarno.

5 Mai

Cipiwyd Addis Ababa, prifddinas Abysinia, gan fyddin yr Eidal, tri diwrnod ar ôl i'r ymerawdr Haile Selassie adael y wlad.

19 Gorffennaf

Glaniodd y Cadfridog Franco yn Cadiz gan ddechrau rhyfel cartref yn Sbaen.

3 Awst

Enillodd y gwibiwr croenddu Jesse Owens y cyntaf o dair medal aur yng ngemau Olympaidd Berlin er mawr ddiflastod i Hitler a'i gefnogwyr.

25 Awst

Yn Moscow dienyddiwyd 16 o gomiwnyddion amlwg am eu bod, yn ôl llywodraeth Stalin, yn cynllwynio yn erbyn yr Undeb Sofietaidd.

5 Hydref

Dechreuodd gorymdaith y di-waith o Jarrow i Lundain.

11 Hydref

Yn nwyrain Llundain bu brwydro mawr rhwng Ffasgwyr Oswald Moseley a'u gwrthwynebwyr.

11 Rhagfyr

Cyhoeddodd y brenin Edward VIII ei fod yn ildio'i orsedd.

Tân yn Llŷn

Yn oriau mân 8 Medi, ar safle ffermdy Penyberth, ger Penrhos yn Llŷn, cynheuwyd tân y byddai iddo effeithiau pellgyrhaeddol yn hanes y mudiad cenedlaethol yng Nghymru. Yr oedd tri aelod o Blaid Genedlaethol Cymru wedi mynd ati'n fwriadol i ddinistrio rhan o eiddo'r llywodraeth Brydeinig yng Ngymru, sef safle hyfforddi peilotiaid y Llu Awyr, y daethpwyd i'w alw'n 'ysgol fomio'. Y tri oedd yr academydd a'r dramodydd Saunders Lewis, athro ysgol o Abergwaun, D.J.Williams, a'r Parch. Lewis Valentine, gweinidog gyda'r Bedyddwyr yn Llandudno. Rhoddwyd cytiau a storfa goed ar dân, ac aeth y tri wedyn yn syth i swyddfa heddlu Pwllheli i gyflwyno llythyr at y Prif Gwnstabl yn hawlio cyfrifoldeb am y llosgi. Hon oedd y weithred gyntaf o anufudd-dod sifil gan aelodau Plaid Cymru. Gyda'r tri llosgwr yr oedd hefyd bedwar cynorthwywr – O.M. Roberts, J.E. Jones, Robin Richards, a Victor Hampson Jones. Cytunwyd cyn gweithredu mai Saunders Lewis, Valentine, a D.J. Williams yn unig a ysgwyddai'r bai i gyd ac a âi at yr heddlu.

Yr oedd Penyberth yn safle o bwys yn hanes diwylliannol Cymru, am iddo fod yn gartref i Robert Gwyn, un o brif ysgogwyr y mudiad Pabyddol cudd yn ystod teyrnasiad Elisabeth I, a hefyd am ei fod yng nghanol un o gadarnleoedd yr iaith Gymraeg. Yr oedd nifer o ardaloedd yn Lloegr eisoes wedi ymgyrchu'n llwyddiannus i osgoi cael eu dewis ar gyfer yr ysgol fomio.

Ar 13 Hydref, aeth y tri ar eu prawf yn llys barn Caernarfon. Ni allai'r rheithgor o Gymry Cymraeg gytuno ar ddyfarniad, a felly symudwyd y prawf yn Ionawr 1937 i lys yr Old Bailey yn Llundain – ysgrifennodd David Lloyd George at ei ferch Megan, 'Hon yw'r Llywodraeth gyntaf i osod Cymru ar ei phrawf yn yr Old Bailey.' Diswyddwyd Saunders Lewis a oedd yn ddarlithydd ym Mhrifysgol Cymru, Abertawe, cyn ei gael yn euog gan lys barn. Carcharwyd y tri am naw mis yr un wedi iddynt wrthod rhoi tystiolaeth yn Saesneg, ac enillodd cenedlaetholdeb Cymreig ei ferthyron cyntaf .

'Safwn yn y bwlch': D.J. Williams, Lewis Valentine, a Saunders Lewis.

Yng ngharchar Wormwood Scrubs, ar 1 Mawrth 1937, gwrandawodd y tri ar ddarllediad y BBC o ail ddrama Gymraeg Saunders Lewis, *Buchedd Garmon*, lle gelwir ar y Cymry i sefyll 'gyda mi yn y bwlch.' O'r carchar hefyd y gweithredodd D.J. Williams fel beirniad yn Eisteddfod Genedlaethol Machynlleth yn 1937.

Gweddnewidiodd gweithred Penyberth agweddau sawl un at Blaid Cymru. Cynyddodd cylchrediad *Y Ddraig Goch*, misolyn y Blaid, o ddwy fil, ac ysgogwyd nifer o feirdd a llenorion i fynegi syniadau mwy cenedlaetholgar yn eu gwaith. Gosododd y weithred hefyd nod o weithredu anghyfreithlon ond di-drais ar gyfer sawl cenhedlaeth ddiweddarach o ymgyrchwyr dros achosion Cymreig.

Darogan heddwch wrth gwrdd â Hitler

Ar 4 a 5 Medi cyfarfu David Lloyd George ag Adolf Hitler yn yr Almaen, a bu'r Cymro'n uchel ei glod i bolisïau Canghellor newydd y wlad, gan honni ei fod wedi rhoi gobaith newydd i'r bobl wedi blynyddoedd o anobaith.

Cyfarfu'r ddau yn Nyth yr Eryr, tŷ haf Hitler yn Berchtesgarten, Bafaria. Rhoddodd y *Führer* ffotograff ohono'i hun i Lloyd George, wedi'i lofnodi a'i gyflwyno 'i'r dyn a enillodd y rhyfel.' Buont yn trafod sawl agwedd ar y sefyllfa yn Ewrop ar y pryd, a chytuno bod angen cydweithrediad rhwng Prydain a'r Almaen i wrthsefyll Bolsieficiaeth. Ar 6 Medi aeth mintai Lloyd George i gael te gyda Rudolph Hess, y Dirprwy *Führer*, a'r dyn a roddodd eiriau Hitler ar bapur ym *Mein Kampf*. Daliwyd y cyfan ar ffilm sine gan A.J. Sylvester, ysgrifennydd personol Lloyd George.

Gyda Lloyd George yn yr Almaen yr oedd ei gynghorydd Thomas Jones, Rhymni, dyn a fu'n pwyso ar lywodraeth Prydain ers tro i roi 'prawf teg' i Hitler. Ar 10 Medi, heb Lloyd George, mynychodd Thomas Jones un o ralïau anferth y Blaid Natsïaidd yn stadiwm Nuremberg, a'i disgrifio fel 'Wembley wedi'i dyblu neu'i threblu.'

Er 1934 bu Lloyd George yn awgrymu dod i ryw fath o gytundeb â Hitler, a hyd yn oed ar ôl i'r Ail Ryfel Byd ddechrau ym Medi 1939, daliai ei bod yn bosibl llunio telerau heddwch â'r Almaen. Ar ôl dychwelyd o'r Almaen yn 1936, lluniodd erthygl ar gyfer y *Daily Express* yn disgrifio Hitler fel 'George Washington yr Almaen,' a honni hefyd, 'Mae'r Almaenwyr wedi penderfynu'n bendant peidio â chweryla â ni eto.'

Lloyd George a Hitler yn cwrdd yn Nyth yr Eryr.

Dychryn y meistri glo

dde: Arthur Horner

Cymaint oedd pryder y meistri glo ym mis Mai pan gafodd y Comiwnydd Arthur Horner ei ethol yn Llywydd Ffederasiwn Glowyr De Cymru fel y trefnodd Iestyn Williams, Ysgrifennydd Cymdeithas Perchnogion Glo De Cymru, gyfarfod dirgel â'r Llywydd newydd yn ystafelloedd te gorsaf Abertawe, i geisio ei berswadio i beidio â chynhyrfu'r dyfroedd. Roedd Horner wedi ennill drwy fwyafrif mawr ar yr ymgeiswyr eraill, ac ef oedd y Comiwnydd cyntaf i ddal y swydd.

Yn 1920, yr oedd Horner ymhlith yr aelodau cyntaf oll pan sefydlwyd Plaid Gomiwynyddol Prydain Fawr, a safodd sawl gwaith fel ymgeisydd Comiwnyddol mewn etholiadau Seneddol yng Nghymru. Ar 28 Mawrth 1933, yn is-etholiad Dwyrain y Rhondda, cipiodd dros un fil ar ddeg o bleidleisiau, a dod o fewn llai na thair mil i'r Llafurwr buddugol W.H. Mainwaring.

Cymry trwyddedig

Ar 27 Mawrth adroddwyd gan y BBC bod 12% o bobl Cymru bellach yn dal trwyddedau radio – 264,140 o boblogaeth o 2,158,193. Pobl sir Gaernarfon oedd y gwrandawyr radio mwyaf brwd, a 20% ohonynt yn berchen ar drwyddedau. 17% oedd y ganran yn Lloegr.

Ffasgwyr ar ffo

Ar 11 Mehefin yn Nhonypandy, daeth bron dwy fil o bobl ynghyd i wrthsefyll rhai o 'Grysau Duon' Oswald Mosley ac Undeb Ffasgwyr Prydain.

Ysgogwyd y protestwyr gan Owen Jones yn canu cloch a galw ar bobl y dref i 'roi i'r Crysau Duon y croeso maen nhw'n ei haeddu.' Dim ond pymtheg o ffasgwyr a ddaeth i'r dref yn y diwedd, a'r rheini'n llochesu mewn car durblatiog a'i hebrwng gan warchodlu o blismyn. Taflwyd taflenni o'r car yn disgrifio ffasgaeth fel 'unig obaith y glowyr,' ond pan geisiodd dau ohonynt areithio yr oedd yn amhosibl clywed yr un gair gan gymaint y bloeddio a chwibanu, a sŵn canu'r *Faner Goch*. Enciliodd y ffasgwyr o'r diwedd dan gawod o gerrig ac wedi i rai fygwth rhoi crasfa iddynt.

Chwe wythnos yn ddiweddarach daeth 36 o'r protestwyr gerbron ynadon Pontypridd ar wahanol gyhuddiadau. Carcharwyd chwe dyn ac un wraig am gyfnodau'n amrywio o ddeufis i flwyddyn.

'Rhaid gwneud rhywbeth'

Ar 18 a19 Tachwedd, ac yntau yn Nowlais ar ddiwrnod cyntaf ei ymweliad â de Cymru, llefarodd y brenin Edward VIII ei eiriau enwog, 'Something must be done.' Cyffrowyd ei deimladau wrth sefyll o flaen ffwrneisiau gwag y dref a gwrando ar griw o ddynion ifanc yn canu emyn Cymraeg. Cydiwyd yn yr ymadrodd yn syth, a'i ledaenu dros y byd mewn ffilmiau newsreel a phenawdau papurau newydd. Ar ail ddiwrnod ei ymweliad addawodd i drigolion Pontypŵl y gwnâi bopeth a fedrai drostynt, a dywedodd wrth Gadeirydd Pwyllgor Dynion Di-waith Blaenafon y gwneid rhywbeth ynglŷn â diweithdra.

Daeth tyrfaoedd mawr i gwrdd â'r Brenin ym mhob man. Mynnodd yntau hefyd ymweld â thai gweithwyr, ac â chyfnewidfa lafur, lle safodd y tu ôl i'r cownter ac esgus estyn eu taliadau i weithwyr di-waith.

Er bod presenoldeb Edward VIII yn ne Cymru wedi denu sylw mawr at broblemau'r ardal, yr oedd rhai cynlluniau i wella'r sefyllfa ar y gweill ymhell cyn yr ymweliad brenhinol. Ym mis Mehefin, rhoddwyd cychwyn ar gynllun i greu ystadau masnachu yn ne Cymru, gyda sefydlu'r cwmni Ystadau Masnachu De Cymru a Sir Fynwy Cyf. gan Syr Malcolm Stewart. Yr oedd Stewart wedi ei benodi'n Gomisiynydd Arbennig dros Gymru o dan Ddeddf Ardaloedd Arbennig 1934, ac yr oedd ganddo gyfrifoldeb am adfywio economi rhannau helaeth o Went a Morgannwg, a ddynodwyd yn 'Ardal Arbennig.' Dewiswyd Trefforest fel y safle cyntaf ym mis Gorffennaf, ac agorwyd y ffatri gyntaf yno yn 1938. Erbyn Medi 1939 yr oedd 66 o gwmnïau'n gweithio o'r safle, gan gyflogi 2,500 o bobl. Yr oedd llawer o'r busnesau hyn dan berchnogion o Awstria a Tsiecoslofacia a oedd wedi ffoi rhag y Natsïaid a'u cynghreiriaid. Erbyn Medi 1939 yr oedd saith safle arall yn cael eu datblygu gan asiantiaid y Comisiynydd Arbennig – Dowlais, Cyfarthfa, Llantarnam, Ynys-wen, Treorci , y Porth, a Chwmbrân.

Brwydro yn Sbaen

dde: Rhai o'r Cymry cyn y frwydr fawr ger Afon Ebro.

Ym mis Tachwedd, glaniodd W.J. Davies, glöwr di-waith o Donypandy, yn Sbaen. Ef oedd cyntaf o'r Cymry a fyddai'n gwasanaethu yn y Brigadau Rhyngwladol yn erbyn lluoedd y Cadfridog Franco. Ym mis Gorffennaf cododd nifer o bleidiau asgell-dde Sbaen mewn gwrthryfel yn erbyn llywodraeth y wlad dan arweinyddiaeth Franco, gan arwain at ryfel cartref gwaedlyd a chwerw. Erbyn diwedd y flwyddyn yr oedd dau Gymro arall wedi cyrraedd Sbaen – D.J. Jones o'r Rhondda, a W.J. Davies arall o Rydaman. Yn ystod Rhyfel Cartef Sbaen ymunodd 177 o Gymry â'r Brigadau Rhyngwladol, a bu farw 33 ohonynt.

Tyfodd yr ymdrech dros Sbaen yn eithaf naturiol o gymdeithas y maes glo. Sefydlwyd pwyllgorau Cymorth i Sbaen mewn sawl tref i gasglu bwyd ac arian. Gwelai lawer un ddrych o frwydrau'r glowyr yn y digwyddiadau yn Sbaen, ac yr oedd presenoldeb dwy gymuned Sbaenaidd yn y De - yn Nowlais ac yn Aber-craf – hefyd yn ffactor a symbylai pobl i weithredu. Ymunodd tri o Sbaenwyr Cymru â'r Brigadau Rhyngwladol - Ramon Rodrigez o Ddowlais, a Francisco Zamora a Victoriano Esteban o Aber-craf –

a bu farw pob un ohonynt. Gweithiodd Zamora fel cyfieithydd dros y Brigadwyr Rhyngwladol yn Teruel, er iddo beri tipyn o ddryswch i rai o'i gyd-Sbaenwyr â'i acen Sbaenaidd-Gymreig. Cymerodd gwirfoddolwyr o Gymru ran mewn rhai o frwydrau pwysicaf y Rhyfel, ac arhosodd llawer ohonynt yn Sbaen hyd fisoedd olaf 1938 pan dynnwyd y Brigadau Rhyngwladol o'r wlad.

Rhai na allent ddychwelyd oedd y rhai a gymerwyd yn garcharorion gan y Ffasgwyr, fel Tom Jones, Rhosllannerchrugog, yr olaf o'r carchorion i ddod yn ôl o Sbaen, yn Ebrill 1940. Daliwyd ef ym Medi 1938, a bu am gyfnod dan ddedfryd marwolaeth. Pan safai ef ei brawf a derbyn dedfryd y gosb eithaf, yr oedd ei rieni eisoes wedi derbyn tystysgrif gan lywodraeth Sbaen yn cyhoeddi bod eu mab wedi ei ladd ym Mrwydr Ebro, ond trwy ymdrechion nifer o Aelodau Seneddol ym Mhrydain, cafwyd gwybod bod Jones yng ngharchar Burgos. Gofynnodd y Ffasgwyr am ddwy filiwn o bunnoedd gan lywodraeth Prydain am ryddhau Tom Jones. Cyrhaeddwyd cytundeb ddechrau Ebrill 1940 a rhyddhawyd ef.

Ond yr oedd un Cymro nad aeth i Sbaen i ymladd dros y weriniaeth. Ym mis Hydref 1936 daliodd Frank Thomas o Gaerdydd long o Lerpwl i Bortiwgal, lle yr ymunodd â Lleng Dramor Sbaen. Ef oedd yr unig Gymro a fu'n ymladd dros Franco, a chefnodd ar y fyddin ar ôl wyth mis a dychwelyd i Gymru ym Mai 1937.

Bendith yr Eglwys ar brotest y di-waith

Ym mis Hydref, cychwynnodd y bedwaredd a'r olaf o'r Gorymdeithiau Newyn o Gymru, wedi'i threfnu gan Gyd-Gyngor sir Fynwy a De Cymru yn Erbyn Diweithdra, ac wedi'i bendithio gan ficeriaid lleol.

Hon, y mae'n debyg, oedd yr Orymdaith Newyn yn cynnwys y rhychwant ehangaf o bobl de Cymru ohonynt i gyd. Yn ogystal â'r Comiwnyddion a fu mor ddiwyd yn trefnu gorymdeithiau eraill, yr oedd gan y Cyd-Gyngor gefnogaeth nifer o bleidiau eraill, undebau llafur, a chyrff masnachol, dinesig a chrefyddol. Yr oedd hefyd yn cynnwys ymhlith ei aelodau gynrychiolwyr o'r tu allan i'r maes glo. Am y tro cyntaf, cafwyd cefnogaeth swyddogol gan y Blaid Lafur a Ffederasiwn Glowyr De Cymru, a chyfraniad o £30 gan Gyngor Dosbarth Trefol y Rhondda. Yn Nhreherbert, cychwynnodd dau ar bymtheg o orymdeithwyr ar ôl adrodd Gweddi'r Arglwydd. Yno i ffarwelio â hwy yr oedd ficer y plwyf, a ddywedodd wrthynt fod yr Eglwys yng Nghymru yn eu cefnogi, a gofyn iddynt ymddwyn yn weddus. Yng Nghaerdydd, dywedodd y Parch. W. Jones y byddai Iesu Grist yn gorymdeithio gyda hwy pe buasai ar y ddaear y pryd hwnnw. Yng Nghwmbrân, cafwyd gweddi gan Fyddin yr Iachawdwriaeth dros y fentr, a bu oedfaon i gychwyn yr orymdaith ym Mlaenafon.

Distawrwydd Dowlais

Gweithfeyddd dur Dowlais.

Caewyd Melin Fawr gweithfeydd dur Dowlais, yr adran fawr olaf o'r safle a oedd yn dal i weithio. Bu Melin Fawr yn rhoi gwaith i 700-800 o ddynion. Hon oedd yr arwydd derfynol ei bod ar ben ar y diwydiant dur yn Nowlais, ond yr oedd yr ysgrifen ar y mur er 1930 pan gaewyd prif adrannau'r gweithfeydd, gan daflu tair mil o ddynion ar y clwt. Llusgo byw y bu Dowlais wedi hynny. Yn 1929 cynhyrchai ffwrneisiau chwyth y dref 2,300 o dunelli o ddur yr wythnos, ond o 1936 ymlaen dim ond y ffowndrïau a'r gweithdai peirianneg a ddaliai i weithio, gan gyflogi tua dau gant o weithwyr. Gan mai tref ag un cyflogwr mawr oedd Dowlais, yr oedd cau'r gweithfeydd dur yn ergyd drom iddi. Arhosodd diweithdra'n uchel iawn yn y dref tan yr adfywiad economaidd a ddaeth gyda'r Ail Ryfel Byd.

HEDDIW

"Onward Christian So-oldiers"

Un o gartwnau deifiol *Huws* a ymddangosodd yn y cylchgrawn *Heddiw*.

Ym mis Awst, dechreuwyd y cylchgrawn *Heddiw* dan olygyddiaeth Aneirin Talfan Davies o Henllan, sir Gaerfyrddin, a Dafydd Jenkins, un o Gymry Llundain. Ymddangosodd deunaw rhifyn a deugain ohono rhwng 1936 a 1942. Cyhoeddwyd y pedair cyfrol gyntaf yn Watford ger Llundain, cyn symud i Wasg Gee yn Ninbych.

Bwriad y sylfaenwyr oedd creu cylchgrawn Cymraeg a fyddai'n fforwm i drafod materion cyfoes, a hefyd llenyddiaeth o safbwynt yr asgell chwith. Yn erthygl olygyddol y rhifyn cyntaf, galwyd am Ffrynt Poblogaidd yng Nghymru i wrthsefyll y Prawf Moddion. Yn ei flynyddoedd cynnar, Rhyfel Cartref Sbaen oedd prif fwrdwn llawer o'r cyfranwyr, a'r cylchgrawn yn tueddu'n gryf i bleidio'r gweriniaethwyr. Yn rhifyn Mai 1937, cyhoeddwyd cerdd Pennar Davies, *Sbaen: i Ddewrion Madrid*. Cefnogodd y cylchgrawn losgi'r ysgol fomio ym Mhenyberth, ond yr oedd hefyd yn barod i gyhoeddi erthyglau yn ffafrio Comiwnyddiaeth nad oeddent at ddant Saunders Lewis a'i ddilynwyr. Yn ystod yr Ail Ryfel Byd yr oedd *Heddiw* yn un o lwyfannau prin yr heddychwyr.

Ymysg y cyfranwyr yr oedd R. Williams Parry, Waldo Williams a Gwenallt, yn ogystal ag ysgrifennwyr iau fel Pennar Davies a Geraint Dyfnallt Owen. Daeth y cylchgrawn yn nodedig am ei gartwnau dychanol am ddigwyddiadau cyfoes.

1937

20 Ionawr

Urddwyd Franklin Roosevelt yn Arlywydd yr Unol Daleithiau am ei ail dymor.

16 Chwefror

Rhoddwyd patent ar ffeibr artiffisial o'r enw 'nylon'.

26 Ebrill

Yn y rhyfel cartref yn Sbaen dinistriwyd tref Guernica gan fomiau a ollyngwyd gan awyrlu'r Almaen.

27 Ebrill

Agorwyd y bont grog hwyaf yn y byd yn San Francisco.

6 Mai

Lladdwyd dros 30 o bobl pan aeth y llong awyr yr Hindenburg ar dân wrth iddi lanio yn yr Unol Daleithiau.

12 Mai

Coroni'r Brenin Siôr VI yn Llundain oedd y darlllediad teledu allanol cyntaf gan y BBC.

7 Gorffennaf

Cyhoeddodd llywodraeth Prydain gynllun i rannu Palesteina rhwng yr Arabiaid a'r Iddewon.

28 Medi

Condemniwyd ymosodiad Siapan ar Tsieina gan Gynghrair y Cenhedloedd.

10 Tachwedd

Bu farw'r cyn-Brif Weinidog Ramsay MacDonald.

11 Rhagfyr

Terfynodd yr Eidal ei haelodaeth o Gynghrair y Cenhedloedd.

29 Rhagfyr

Daeth cyfansoddiad newydd Iwerddon i rym.

Dewrder y Cymro

Go brin y cafwyd erioed gymaint o gyffro yn oriau mân y bore yn y Rhondda ag a gafwyd ar 30-31 Awst pan arhosodd miloedd o bobl ar eu traed i wrando ar ddarllediad byw o'r ornest yn Efrog Newydd am bencampwriaeth focsio pwysau trwm y byd rhwng y pencampwr Joe Louis ac arwr Tonypandy, Tommy Farr.

Newidiwyd amser sifft y nos yng Nglofa'r Cambrian lle y bu Farr yn gweithio pan oedd yn fachgen, er mwyn i'r glowyr gael gwrando ar yr ornest a oedd i'w chynnal am dri o'r gloch y bore. Yng Nghlydach, gwasgodd 500 o lowyr a'u gwragedd i'r neuadd leol ac roedd 5,000 arall yn y strydoedd y tu allan, pob un yn clustfeinio ar sylwebaeth Bob Bowman dros uchelseinyddion a osodwyd yn arbennig ar gyfer yr achlysur.

Hyd hynny, blwyddyn o lwyddiant ysgubol fu hon i Farr. Enillodd bencampwriaethau Prydain a'r Gymanwlad trwy guro Ben Ford ar bwyntiau ym mis Mawrth, ac yna daeth dwy fuddugoliaeth syfrdanol yn erbyn cyn-bencampwr y byd, Max Baer, a'r Almaenwr Walter Neusel. Lloriodd y Cymro Neusel yn y drydedd rownd, er mawr siom i'r Natsïaid a'i cefnogai. Ond roedd wynebu Joe Louis, un o'r pencampwyr gorau erioed, yn y Yankee Stadiwm, Efrog Newydd, yn fater arall.

Ymhlith y dorf yn gwylio'r ornest roedd y cynbencampwyr Jack Johnson, Gene Tunney, Jack Sharkey a Jimmy Braddock, a nifer o sêr Hollywood megis George Raft, Douglas Fairbanks ac Al Jolson. Gwelsant Farr yn defnyddio'i holl brofiad a'i ddewrder i wrthsefyll ergydion mileinig y 'Brown Bomber' gan fantesio ar bob cyfle i daro'n ôl. Erbyn y rowndiau olaf roedd wyneb Farr yn waed i gyd ond fe fethodd Louis â'i lorio ac felly daeth Farr yn un o dri yn unig a lwyddodd i oroesi pymtheg rownd yn erbyn y pencampwr mawr. Er i Louis ennill ar bwyntiau, cafodd Farr gymeradwyaeth fyddarol gan y dorf a chlywodd ei gefnogwyr eu harwr blinedig yn cyhoeddi ar yr awyr *'If Louis says I'm a tough guy,*

that's because I'm a Welshman'.

Yn sicr, roedd caledi'i gefndir tlawd yn y Rhondda yn ffactor bwysig yn natblygaid Farr fel bocsiwr. Am flynyddoedd enillai ychydig sylltau mewn bythau bocsio mewn ffeiriau lleol ond rhoddodd hynny gyfle

Farr yn ymosod ar Louis yn yr ornest gyffrous yn Efrog Newydd.

iddo ddysgu ei grefft a chryfhau'n gorfforol. Roedd ei ddull o focsio wrth gyrcydu yn drysu ei wrthwynebwyr a châi ei ystyried yn ymladdwr ymenyddol a gofalus iawn.

Oherwydd problemau ariannol, dychwelodd Farr i'r cylch bocsio yn 1950 yn 36 oed gan ddod yn bencampwr Cymry trwy guro Dennis Powell, ond daeth ei yrfa i ben yn 1953 pan gollodd i Don Cockell. Hyd yn oed wedi hynny gallai ddenu newyddiadurwyr i'w gartref yn Brighton oherwydd ei ddawn dweud, a sicrhaodd ei ymdrech arwrol yn erbyn y 'Brown Bomber' ei boblogrwydd hyd at ei farwolaeth ar Ddydd Gŵyl Ddewi 1988.

Rhoi'r Rhondda ar ffilm

Yn y flwyddyn hon, dangoswyd am y tro cyntaf y ffilm ddogfen ddylanwadol *Today We Live*, yn cynnwys rhannau gan y cyfarwyddwr Ralph Bond yn croniclo bywyd rhai o'r Cymry yn ystod y Dirwasgiad Mawr. Comiwnydd o Lundain oedd Bond, yn gweithio dros un o gwmnïau ffilm Llundain, ond i Gwm Rhondda y daeth yng ngaeaf 1936 i ffilmio ei rannau ef o'r ffilm bwysig hon.

Cofnododd ymdrechion criw o lowyr di-waith yn y Pentre yn adeiladu eu canolfan hamdden eu hunain, a ffilmiodd hefyd yn Nhreherbert, Treorci, y Cymer a Tylorstown. Dychrynwyd Bond gan dlodi a diflastod bywyd y cymoedd ar y pryd, a gwnaed argraff ddofn arno gan ddycnwch a dyfalbarhad y trigolion. Sylwodd â syndod ar lyfrgelloedd Sefydliadau'r Glowyr, ac ar y llyfrau athronyddol a gwleidyddol a oedd gan rai o'r glowyr tlotaf.

Pwrpas Bond, yn ei eiriau ei hun, oedd 'dramadeiddio bywydau a brwydrau dynion cyffredin.' Defnyddiwyd dynion di-waith lleol fel actorion, ond oherwydd pris ffilm ni chaniatawyd iddynt lefaru o'r frest, ond rhoddwyd sgript iddynt i'w dysgu rhag ofn iddynt gawlio eu llinellau o flaen y camera. Rhoddwyd trac lleisiol ar y ffilm wedyn lle disgrifiwyd y caledi yn ne Cymru fel 'gwarth Prydain.'

Yn 1937 hefyd, ymddangosodd ffilm ddogfen arall, *Eastern Valley*, a ffilmiwyd yng Nghymru. Saethwyd hon yng Ngwent gan Lundeiniwr arall, Donald Alexander. Canolbwyntiodd y ffilm ar gynllun cydweithredol dynion di-waith y Fenni, Cwmafon a Brynmawr i gynhyrchu crefftau a thyfu llysiau a ffrwythau, a'u dosbarthu o hen fragdy lleol. Dangoswyd hefyd fel yr oedd y cymunedau wedi sefydlu ffatri fach i wneud dillad gwlân, ac wedi agor siop bobydd a siop gigydd i werthu cig eidion i deuluoedd na fedrai ei fforddio o'r blaen.

Bu Alexander yng Nghymru yn 1935 i wneud ei ffilm fer *Rhondda*, a ddangosai lowyr a'u teuluoedd yn crafu am lo mân ar domenni gwastraff y pyllau segur rhwng Glyn Rhedynog a Llanllwyno.

'Potato Jones'

Ar 19 Ebrill, y Capten Owen Roberts o Benarth, yn y llong stêm *Seven Seas Spray*, oedd y cyntaf i dorri trwy'r blocâd a osodwyd o gwmpas Sbaen gan luoedd y Cadfridog Franco i gadw nwyddau ac arfau rhag cyrraedd eu gwrthwynebwyr. Glaniodd Owen Roberts ei long yn llwyddiannus ym mhorthladd Bilbao a dadlwytho rhwng 4,000 a 5,000 o dunelli o nwyddau. Cymaint oedd y croeso i'r Cymro fel y gwahoddwyd ef a'i ferch, a oedd gydag ef ar y llong, i gael cinio gyda rhai o Weinidogion llywodraeth y Basgiaid. Datganodd Alfred Pope, perchennog y llong, na châi Franco gadw'r un o'i longau ef rhag gwneud ei gwaith. Ar 25 Awst, cipiwyd y *Seven Seas Spray* gan luoedd y Ffasgwyr wrth geisio cymryd ffoaduriaid i Ffrainc, ond rhyddhawyd hi a'i chriw ar 1 Tachwedd.

Yr enwocaf o'r blocâd-dorwyr o Gymru oedd y Capten David John Jones o Abertawe, capten a chyd-berchennog y llong *Marie Llewellyn*. Enillodd y llysenw '*Potato Jones*' wedi iddo geisio'n aflwyddiannus fynd trwy'r blocâd â llongaid o datws ym mis Ebrill. Yr oedd si ar y pryd fod arfau wedi'u cuddio dan y tatws. Dyn balch iawn oedd Jones, a dywedodd am y blocedwyr ar un achlysur, 'Llynges Sbaen? Chlywais i ddim amdani ers

yr Armada.' Ni roddodd y gorau i'w ymdrechion er iddo gael ei rwystro ym mis Ebrill, ac yn ddiweddarach daeth â 800 o ffoaduriaid allan o Sbaen ar ei long. Suddwyd deg o longau cargo o Gymru i gyd yn nyfroedd Sbaen yn ystod y Rhyfel Cartref, pob un wedi'i tharo gan fomiau o'r awyr.

Diwedd truenus Iarlles Aberteifi

Achoswyd cryn gyffro ar 25 Gorffennaf gan hunanladdiad un o benedigesau amlycaf Cymru, Iarlles Aberteifi. Taflodd y foneddiges 33 oed ei hun allan o ffenestr agored ar seithfed llawr Gwesty'r Savoy yn Llundain ar ôl ymwisgo mewn ffrog binc ddrudfawr. Credid i ddechrau mai damwain ydoedd, ond daeth yn glir yn ystod y cwest ddeuddydd wedyn fod yr Iarlles wedi rhoi terfyn ar ei heinioes ei hun.

Ar 22 Gorffennaf yr oedd wedi gadael ei chartref a'i gŵr a theithio i Lundain, gan logi *suite* o ystafelloedd yn y Savoy. Dechreuodd staff y gwesty bryderu pan nad archebodd fwyd am ddyddiau, a gwrthod siarad â neb ond trwy ddrws cloëdig ei hystafell. Ar y noson y bu farw, gofynnodd am gawl, tôst, a photelaid o frandi. Pan aethpwyd i'w hystafell wedyn yr oedd y brandi wedi'i yfed, ond y bwyd heb ei gyffwrdd. Yr oedd gwaed ar glustogau a chynfasau'r gwely, bron pob peth gwydr yn yr ystafell wedi'i falurio, a llond bocs o fisgedi wedi'u malu'n llwch ar y carped. Ar ôl archwilio ei chorff, adroddodd Dr. Wharton o Ysbyty Charing Cross fod Iarlles Aberteifi wedi torri eu harddyrnau, ac wedi llyncu gwydr cyn cwympo o'r ffenestr. Dyfarniad y cwest oedd 'hunan-laddiad pan nad oedd yn ei hiawn bwyll.'

Yr oedd yr Iarlles, Joan Salter gynt, wedi priodi etifedd Iarllaeth Aberteifi yn ddirgel yn 1924. Gadawodd ei gŵr a dau fab ar ei hôl.

Colli'r Archesgob cyntaf

A. G. Edwards - Archesgob cyntaf Cymru.

Ar 22 Gorffennaf bu farw Alfred George Edwards, Archesgob cyntaf Cymru. Bu A.G. Edwards, a oedd yn Esgob Llanelwy ar y pryd, yn un o wrthwynebwyr amlycaf y mesur a basiwyd gan y Senedd yn 1914 i ddatgysylltu'r Eglwys Anglicanaidd yng Nghymru oddi wrth y wladwriaeth Brydeinig. Teimlai'n gryf fod eglwyswyr Cymru wedi eu twyllo a'u bradychu gan y llywodraeth yn Llundain. Er hyn, trwy ei waith diplomyddol gofalus llwyddodd i leddfu cryn dipyn ar delerau ariannol Deddf y Datgysylltu a'i gwneud yn fwy ffafriol i'r Anglicaniaid.

Yr oedd eisoes yn 73 mlwydd oed pan etholwyd ef yn Archesgob Cymru yn 1920, ac wedi bod yn Esgob Llanelwy am ddeugain a phump o flynyddoedd. Yr oedd yn gymeriad cryf a gadawodd ei farc yn bendant iawn ar yr eglwys newydd.

Ymddeolodd o swydd Archesgob Cymru ym Mehefin 1934, yn 87 mlwydd oed, ac olynwyd ef gan Charles Alfred Howell Green, Esgob Bangor a chyn-ficer Aberdâr.

Plant y Basgiaid yng Nghymru

Ar 10 Gorffennaf, agorwyd Tŷ Cambria, Caerleon ger Casnewydd, i dderbyn ffoaduriaid o blant o Wlad y Basg, gyda chefnogaeth David Lloyd George, Archesgob Cymru, ac Arglwydd Faer Caerdydd.

Yr oedd cydymdeimlad â'r Basgiaid yn arbennig o gryf wedi 26 Ebrill pan fomiodd awyrennau Natsïaid yr Almaen bentref Guernica yng Ngwlad y Basg. Rhoddodd y meistr glo dyngarol, David Davies, Llandinam, £1,000 i gychwyn Cronfa Cymru i Blant y Basgiaid, a chyfrannodd y chwiorydd Davies, Gregynog £500 ati. Yn ogystal â'r ganolfan yng Nghaerleon, sefydlwyd cartrefi ym Mharc Sgeti, Abertawe, Brechfa, sir Gaerfyrddin, a Hen Golwyn yn y Gogledd.

Yng Nghaerleon, cafwyd athrawon ysgol gyda phrofiad o weithio yn Sbaen i ddysgu'r plant, a chafwyd cefnogaeth fawr gan gymunedau Sbaenaidd Aber-craf a Dowlais. Ar ôl ymgartrefu, dechreuodd y plant argraffu eu cylchgrawn eu hunain, *Cambria House Journal*, a'i werthu i godi arian. At hyn, ffurfiodd Basgiaid ifanc Caerleon dîm pêl-droed, a fabwysiadwyd gan Ffederasiwn Glowyr De Cymru, ac a gafodd y gair o fod bron yn anorchfygol. Soniodd y *South Wales Argus* am y 'Basg Boys' Wonder Team'. Ym Mrechfa, aeth Clwb Beicio Caerfyrddin â'r plant am daith, a chafwyd tocynnau am ddim gan berchnogion sinemâu lleol.

Cafodd y rhan fwyaf o'r plant eu hanfon yn ôl i Sbaen yn y diwedd, ond bu deg ohonynt yng nghartref Caerleon hyd at 1941, o dan nawdd undeb y glowyr. Cafodd sawl un ei fabwysiadu gan deuluoedd lleol a chael cartref parhaol yng Nghymru.

Darlledu Cymraeg o ganol rhyfel Sbaen

Ar 13 Gorffennaf, dechreuodd J. Williams Hughes, goruchwyliwr ambiwlans o Gymru gyda'r Groes Goch yn Sbaen, gyfres o ddarllediadau Cymraeg o Orsaf Radio Madrid. Yr oedd Hughes wedi'i gomisiynu gan lywodraeth Sbaen i roi adroddiadau yn Gymraeg am ddigwyddiadau yn Rhyfel Cartref Sbaen. Trefnwyd iddo ymweld â meysydd nifer o frwydrau i adrodd arnynt. Clywyd y darllediadau yng Nghymru, ac mae'n debyg, gan rai o'r Cymry yn y Brigadau Rhyngwladol yn ogystal.

Llais llenorion Saesneg Cymru

Yn haf y flwyddyn hon, ymddangosodd y rhifyn cyntaf o'r cylchgrawn llenyddol *Wales*, a sefydlwyd a'i olygu gan Keidrych Rhys o Fethlehem ger Llandeilo, a'i gyhoeddi yng Nghaerfyrddin. Bwriad y cylchgrawn oedd bod yn fforwm i'r to iau o lenorion Eingl-Gymreig, a allai honni, meddid, 'Er mai yn Saesneg yr ysgrifennwn, yng Nghymru y mae ein gwreiddiau.'

Parhaodd cyfres gyntaf y cylchgrawn hyd rifyn Gaeaf 1939-1940, gan gynnwys dau rifyn wedi'u golygu ar y cyd gan Dylan Thomas a Nigel Heseltine, bardd a storïwr o Drefaldwyn. Ymhlith y cyfranwyr cynnar yr oedd rhai o lenorion Saesneg disgleiriaf Cymru, megis Glyn Jones o Ferthyr Tudful, Idris Davies o Rymni, a Rhys Davies o'r Rhondda. Yr oedd Keidrych Rhys ei hun yn fwy adnabyddus fel ysgogydd a golygydd nac fel awdur, er iddo gyhoeddi un gyfrol o'i gerddi ei hun, *The Van Pool,* yn 1942. Gosododd ei nod ar bob rhifyn o *Wales.*

Bu ail a thrydedd cyfres o'r cylchgrawn rhwng 1943 a 1949 a 1958 a 1960, lle gwelwyd peth o weithiau cynnar R.S. Thomas a Harri Webb, ymysg llu o gyfranwyr eraill.

Un cynnig i dri Chymro

dde: Evan Williams ar gefn 'Golden Miller'.

Diwrnod Cymreig yn sicr ydoedd y ganfed *Grand National* yn Aintree, wrth i'r fuddugoliaeth fynd i *Royal Mail,* ceffyl ac iddo berchennog, hyfforddwr a joci o Gymru. Hugh Lloyd Thomas, cyn-ysgrifennydd cynorthwyol i Dywysog Cymru, oedd y perchennog, a'r hyfforddwr oedd Ivor Anthony o Gydweli. Evan Williams o'r Bont-faen, Morgannwg, oedd y joci.

'Rhowch y clod i'r ceffyl,' meddai Williams yn wylaidd wedyn pan holwyd ef am ei gamp fawr. Yn ogystal â'i lwyddiant yn y *Grand National,* enillodd Williams y Cheltenham Gold Cup yn 1936 a 1940, ond ymddeolodd yn gynnar i Iwerddon lle y daeth yn feistr helgwn.

Bu'r hyfforddwr Ivor Anthony yntau'n joci cyn y Rhyfel Mawr, nes i gwymp ddiweddu ei yrfa, a bu'n dal y record am ennill chwe ras yn olynol mewn un prynhawn ym Mhenfro. Daeth yn hyfforddwr trwyddedig yn 1929, a hyfforddodd enillwyr *Grand Nationals* Lloegr, Cymru, a'r Alban, gan fynd yn gyfrifol am dri cheffyl buddugol yn achos *Grand National* Cymru yn 1930, 1933, a 1936.

Ar fwy nag un achlysur yn ystod ei yrfa marchogwyd *Royal Mail* mewn rasys gan ei berchennog. Bwriadai Hugh Lloyd Thomas wneud hynny yn *Grand National* 1938, ond lladdwyd ef mewn damwain rasio yn Derby fis cyn y ras fawr.

Arbed clustiau'r Sais rhag sŵn y Gymraeg

Pwyso taer gan Bwyllgor Darlledu Prifysgol Cymru, a chwyno blin gan wrandawyr radio yn Lloegr a arweiniodd ar 4 Gorffennaf at ddechrau darlledu gan Ranbarth Cymreig y BBC ar ei donfedd ei hun. Hyd hynny bu Cymru'n rhan o ranbarth y Gorllewin, 'Teyrnas y Brenin Arthur' fel y cyfeirid ati, yn cynnwys de-orllewin Lloegr hefyd. Partneriaeth anghysurus oedd hon, a chafwyd cwynion cynyddol gan Saeson am ddarllediadau Cymraeg na deallent yr un gair arnynt.

Esgob Trefynwy, G.E. Joyce, a gyflawnodd ddefod agor y donfedd newydd, yng ngŵydd Arglwydd Faer Caerdydd, a'r Albanwr John Reith, Rheolwr-Gyfarwyddwr y BBC. Aeth y gwesteion ymlaen wedyn i ginio ar wahoddiad yr Arglwydd Faer. Yr oedd Reith, yn amlwg, yn teimlo'n anghyfforddus ymhlith y rhai a ystyriai ef yn gymdeithasol israddol iddo, a chofnododd yn ddiweddarach, 'Derbyniad ofnadwy wedyn yn neuadd y ddinas. Mor drist yw hi fod llywodraeth drefol yn mynd i ddwylo pobl fel masnachwyr cyffredin.'

Gwahoddwyd Reith ychydig yn ddiweddarach i gynhadledd ar ddarlledu a gynhaliwyd yng nghartref y chwiorydd Gwendoline a Margaret Davies yng Ngregynog yn Rhagfyr 1937. Cwynodd yn ei ddyddiadur am natur ddiflas y bwyd ac am ddarlith 'alaethus' y Parch. Gwilym Davies. '*I thoroughly dislike the Welsh,*' oedd ei ddyfarniad ar y penwythnos a dreuliodd ymhlith y Cymry yng Ngregynog.

Gwahardd Cymraeg yn yr orsaf

Gorchmynnodd cwmni rheilffyrdd y *Great Western* ym mis Gorffennaf i'w staff yn Rhanbarth Canolbarth Cymru i beidio â defnyddio'r Gymraeg o gwbl yn y gwaith. Pwnc llosg ers blynyddoedd maith oedd agwedd wael y cwmni at yr iaith. Daeth y gorchymyn o brif swyddfa *G.W.R.* yn Paddington, gan arwain *Y Cymro* i ddisgrifio'r cwmni fel 'Cesar yn Llundain'. 'Ynfydrwydd difrïol' oedd y gwaharddiad yn ôl y papur.

20 Chwefror

Ymddiswyddodd Anthony Eden, Gweinidog Tramor Prydain, mewn protest yn erbyn polisïau tramor y llywodraeth.

14 Mawrth

Gorymdeithiodd Hitler drwy Vienna, diwrnod ar ôl cyhoeddi uniad gwleidyddol yr Almaen ac Awstria.

3 Gorffennaf

Torrodd y locomotif o'r enw Mallard y record byd am injan stêm pan deithiodd 126 o filltiroedd yr awr.

24 Awst

Torrwyd record y byd gan Len Hutton pan sgoriodd 364 rhediad mewn un batiad yn y gêm brawf griced rhwng Lloegr ac Awstralia.

27 Medi

Lansiwyd y *Queen Elizabeth*, y llong deithio fwyaf yn y byd.

30 Medi

Arwyddwyd cytundeb rhwng yr Almaen, Prydain, Ffrainc a'r Eidal yn Munich a fyddai, yn ôl y Prif Weinidog Neville Chamberlain yn dod â heddwch i Ewrop.

9 Tachwedd

Ymosododd cefnogwyr y Natsïaid yn yr Almaen ar Iddewon y wlad ar y noson a alwyd yn *Kristallnacht*, noson y gwydr drylliedig.

Achub Sigmund Freud

Ernest Jones gydag Anna Freud.

Hon oedd y flwyddyn a welodd gynllun beiddgar, y bu gan y Cymro Ernest Jones o Dre-gŵyr ran allweddol ynddo, i ddod â'r seicolegydd o Iddew, Sigmund Freud, o Wien i Lundain, ar ôl i luoedd y Natsïaid feddiannu Awstria ym mis Mawrth.

Nid oedd awyrennau bellach yn mynd o Brydain i Awstria, a llwyddodd Jones i hedfan i Brâg, lle y llogodd awyren fach a hedfan i Wien oddi yno, a glanio ar faes awyr llawn awyrennau milwrol yr Almaenwyr. Restiwyd ef am awr gan yr *S.S.* ar ôl i rywun sylwi ar ei acen estronol, ond fe'i rhyddhawyd ac aeth yn syth i dŷ Freud i'w berswadio i adael y ddinas. Trwy ddylanwad Jones, sicrhawyd papurau mewnfudo i Freud a'i deulu a rhai o'u cyfeillion gan

y Swyddfa Gartref yn Llundain, ond er gwaethaf pwysau rhyngwladol, gwrthododd y Natsïaid ganiatáu i'r teulu Freud adael Awstria am dri mis. Cyn iddynt ymdael bu'n rhaid i Sigmund Freud lofnodi dogfen yn dweud ei fod wedi derbyn triniaeth deg gan yr Almaenwyr, yn enwedig gan y Gestapo. Gofynnodd a gâi ychwanegu ar y ddogfen frawddeg yn dweud y cymeradwyai ef wasanaeth y Gestapo i unrhyw un.

Erbyn 1900, pan ddaeth Ernest Jones yn feddyg, yr oedd ganddo eisoes ddiddordeb mewn syniadau ynglŷn â seico-ddadansoddi, a dwysaodd hyn ar ôl Ebrill 1908 pan gyfarfu â Freud am y tro cyntaf mewn cynhadledd ar y pwnc yn Wien. Cofnododd Jones wedyn ei syndod pan ofynnodd Freud iddo ar unwaith ai Cymro ydoedd, gan ei fod wedi hen arfer ag anwybodaeth gyffredinol am fodolaeth Cymru. Daeth yn ddisgybl ffyddlon i Freud, a gweithiai'n ddiwyd i ledaenu ei syniadau. Ei fywgraffiad tair cyfrol *Sigmund Freud: Life and Work*, a ymddangosodd rhwng 1953 a 1957, oedd ei brif gyfraniad yn y maes hwn.

Achosodd gryn gyffro yn 1917 pan briododd y gerddores ifanc Morfydd Owen mewn seremoni ddirgel yn Llundain. Cododd tyndra rhyngddynt ar unwaith gan fod Jones, a drodd yn anffyddiwr yn ddwy ar bymtheg oed ar ôl cyfres o argyfyngau ysbrydol, yn mynnu mai anhwylder seicolegol oedd i gyfrif bod ei wraig yn gapelwraig ffyddlon. Daeth eu priodas anhapus i ben ar ôl deunaw mis pan fu hi farw. Priododd Jones eilwaith â Katharine Jokl o Awstria y flwyddyn ddilynol.

Yn ogystal â'i ddiddordeb mewn seicoleg, yr oedd Ernest Jones hefyd yn genedlaetholwr Cymreig, ac yn ystyried ei Gymreictod yn elfen ganolog yn ei bersonoliaeth. Credai ei fod yn gallu cydymdeimlo â sefyllfa'r Iddewon, oherwydd ei fod yntau hefyd yn hannu o 'hil orthrymedig'. Byddai'n tristáu na fedrai'r Gymraeg yn rhugl, er bod ei fam yn Gymraes naturiol. Gofidiai na thrafferthodd i ddysgu rhyw-

(Drosodd)

Achub Sigmund Freud

(o'r tudalen cynt)

faint o'r iaith gan y Gymraes uniaith a gyflogai ei deulu'n forwyn pan oedd yn fachgen, a digiodd wrth awdurdodau Coleg Llanymddyfri, yr ysgol fonedd y danfonwyd ef iddi'n fachgen, am na ddysgwyd Cymraeg iddo yno chwaith. Credai mai'r Gymraeg ddylai fod yn iaith gyntaf iddo. Dywedodd hefyd ei bod yn anodd ganddo faddau i'w dad am roi iddo'r enwau Alfred Ernest ar ôl ail fab y Frenhines Victoria, ac y buasai wedi bod yn well ganddo gael yr enw a ddewisodd ei fam, sef Myrddin. Yr oedd yn un o aelodau cynnar y Blaid Genedlaethol yn y '20au.

Deisebu dros yr Iaith

Mewn cyfarfod o nifer o gyrff Cymraeg ar 3 Awst yng Nghaerdydd, penderfynwyd paratoi deiseb i'w chyflwyno i'r Senedd yn mynnu statws cyfartal â'r Saesneg i'r iaith Gymraeg yn llysoedd barn a gwsasanaethau cyhoeddus Cymru. I wneud hyn byddai'n rhaid dileu rhan o Ddeddf Uno 1536 a roddai statws is i'r Gymraeg. Y gobaith oedd fod hwn yn newid cymedrol y gallai'r Cymry i gyd gytuno arno.

Yr oedd Dafydd Jenkins, ysgrifennydd y mudiad, yn awyddus iawn i bwysleisio natur barchus a chymedrol y Ddeiseb, a gwnaeth yn fawr o'r honiad mai dros y Cymry uniaith yr oedd yr ymgyrchu, yn hytrach na'r rhai a fedrai'r Saesneg yn berffaith ond a fynnai ddefnyddio'r Gymraeg oherwydd rhyw fath o gyndynrwydd.

Ar 23 Hydref, cyhoeddodd Urdd Gobaith Cymru y byddai'n cefnogi'r Ddeiseb. Cafwyd cefnogaeth frwd hefyd gan James Griffiths, Aelod Seneddol Llanelli, a ddatganodd mai hawl na ellid ei hamau oedd hawl y Cymry i ddefnyddio'i iaith ei hun mewn llys barn. Ym Mehefin 1939 cynhaliodd rhai o Gymry Llundain gyfarfod yn y ddinas i hybu'r Ddeiseb. Er hyn i gyd, diflannu'n dawel fu ei thynged yn ystod yr Ail Ryfel Byd, ond ailgydiwyd yn y gwaith ym Mai 1941, ac anfonwyd y Ddeiseb i Lundain o'r diwedd ym mis Gorffennaf yr un flwyddyn. Ar 16 Hydref cyflwynwyd hi i'r Prif Weinidog â 450,000 o lofnodion arni.

Cymru niwtral?

Cymerwyd y tudalen blaen i gyd o rifyn mis Hydref o bapur y Blaid Genedlaethol, *Y Ddraig Goch*, i ddatgan credo arweinwyr y Blaid 'nad oes achos cyfiawn i ryfel yn Ewrop yn awr'. Ychwanegwyd na ddylai'r un cenedlaetholwr Cymreig ymuno â'r fyddin, na gweithio yn y ffatrïoedd arfau. Ac mewn cyfarfod o'r Blaid yn Wrecsam, dywedodd Saunders Lewis y dylid gwrthwynebu pob cynllun i letya yn nghefn gwlad Cymru blant o ddinasoedd Lloegr a oedd ar ffo rhag cyrchoedd bomio'r *Luftwaffe*.

Gwnaed y datganiadau hyn yn yr un mis ag yr aeth lluoedd yr Almaen i mewn i Tsieceslofacia, a chafwyd ymateb deifiol iddynt gan *Y Cymro*, a gyhoeddodd gartŵn yn dangos Cymru ym meddiant y Natsïaid oherwydd gweithredoedd y cenedlaetholwyr Cymreig. Yn ôl y papur yr oedd goresgyniad gan fyddin yr Almaen yn llawer mwy tebygol o roi terfyn ar ddiwylliant Cymru nag oedd ychydig ffoaduriaid ifanc o Loegr.

Drama atgofion glaslanc

Emlyn Williams gyda Sybil Thorndyke yn *The Corn is Green*.

Ar 24 Medi, perfformiwyd am y tro cyntaf ddrama Emlyn Williams o Ben-y-ffordd, sir Fflint, *The Corn is Green*. Hon oedd ei ddrama fwyaf llwyddiannus, lle portreadir ymdrechion Cymro Cymraeg ifanc o löwr, Morgan Evans, i ennill addysg Saesneg, yn ogystal ag anogaeth ei athrawes, y Saesnes ddysgedig, Miss Moffet. Seiliwyd ei chymeriad hi ar Sarah Grace, yr athrawes Ffrangeg a gynorthwyodd y dramodydd i ennill lle ym Mhrifysgol Rhydychen. Tebyg iawn yw llwybrau bywydau Emlyn Williams a'i gymeriad Morgan Evans, ac y mae elfen hunangofiannol gref yn y ddrama. Yn 1945 gwnaed ffilm o *The Corn is Green* a Bette Davies yn chwarae un o'r prif gymeriadau.

Daethai Emlyn Williams i'r amlwg yn 1935 gyda'r ddrama boblogaidd *Night Must Fall*, a berfformiwyd mwy na phedwar cant o weithiau yn Llundain. Yn honno, trodd Williams y ddrama dditectif arferol ar ei phen, gan ddatguddio enw'r llofrudd ar y dechrau, ac yna canolbwyntio ar y llofrudd fel cymeriad. Yr oedd ganddo ddiddordeb parhaol mewn llofruddiaeth a llofruddion, a bu'n bresennol yn y llys bob dydd yn ystod prawf Ian Brady a Myra Hindley yn 1966, gan gofnodi ei argraffiadau yn ei gyfrol *Beyond Belief*. Yr un diddordeb a welwyd yn 1987 pan gyhoeddwyd ei nofel *Dr. Crippen's Diary*.

Enillodd glod mawr am ei sioe un-dyn lle y byddai'n chwarae rhan Charles Dickens yn darllen o'i weithiau ei hun, a bu ar daith gyda'r perfformiad hwnnw yn ne Cymru ym Mai 1952. Ond ni bu sioe debyg ar sail gweithiai Dylan Thomas yn 1955 hanner mor llwyddiannus. Lluniodd tua deg ar hugain o ddramâu yn ystod ei yrfa, gan ymdrechu i borteadu bywyd pentrefol Cymru ar y llwyfan.

Ffisegydd Ceredigion

Bachgen lleol, mab i saer maen o Gwmsychbant, Llanwenog, Ceredigion oedd Evan James Williams, y gwyddonydd dawnus a benodwyd yn Athro Ffiseg Coleg Aberystwyth yn y flwyddyn hon.

Ar ôl astudio yn Abertawe, aeth E.J.Williams i Fanceinion, ac yna i Gaergrawnt, lle y bu'n fyfyriwr dan Syr Ernest Rutherfod, sylfaenydd ffiseg niwclear. Bu'n ddarlithydd o 1929 i 1938 ym mhrifysgolion Manceinion a Lerpwl, ac yn ystod y cyfnod hwn treuliodd flwyddyn yn Copenhagen yn gweithio gyda'r ffisegydd atomig bydenwog, Niels Bohr. Yn ogystal â bod yn ffisegydd theoretig penigamp, roedd Williams hefyd yn arbrofwr medrus a welai pa arbrofion yr oedd angen eu gwneud a hefyd eu cynnal yn effeithiol. Tra oedd yn Copenhagen cyhoeddodd erthygl ar brosesau gwrthdaro atomig ac electronig a gydnabyddwyd wedyn yn gampwaith yn y maes, ac yn Aberystwyth gwnaeth waith pwysig ym maes ffiseg atomig a arweiniodd at ddarganfod y gronyn elfennol, y *meson*.

Torrodd yr Ail Ryfel Byd ar draws ei yrfa yn Aberystwyth a rhoddodd ei ddoniau ar waith i gynorthwyo'r ymdrech ryfel. Daeth yn bennaeth ymchwil yn y Llu Awyr ac yn ymgynghorydd i'r Llynges ar sut i atal llongau tanfor yr Almaenwyr. Trwy ei waith gofalus ar ddulliau bomio o'r awyr gallodd wella'n sylweddol y modd y defnyddid awyrennau bomio Prydain yn y rhyfel. Roedd Williams yn un o'r meddylwyr allweddol y tu ôl i'r strategaeth wyddonol wrth-llongau tanfor a adnabyddid wrth y llysenw '*slide-rule strategy*'.

Daeth ei yrfa ddisglair i ben pan fu farw'n 42 mlwydd oed yn 1945.

Canfod peryglon cymodi

Ar 5 Awst, yn Los Angeles, Califfornia, cyfarfu'r David Davies, Llandinam, â'r miliwnydd o awyrennwr Howard Hughes, i gyflwyno ei gynllun i sefydlu heddlu awyr i blismona'r awyr uwchben Tsieina er mwyn amddiffyn y wlad rhag ymosodiadau gan fomwyr Siapan.

Daeth yr ymweliad ar ôl misoedd o gynllunio ac ymgyrchu cudd gan Davies i greu 'Llu Awyr Gwirfoddol Rhyngwladol' i wrthsefyll y Siapaneaid. Yn 1932 sefydlodd Cymdeithas y Gymanwlad Newydd, gan gefnu ar Gynghrair y Cenhedloedd am na chredai fod y Gynghrair yn gorff effeithiol heb rym milwrol i sicrhau bod gwledydd yn parchu ei phenderfyniadau. Yr oedd Davies yn un o'r ychydig o bobl a oedd yn barod i anghytuno'n gyhoeddus â pholisi llywodraeth Prydain ac America o gymodi â gwledydd fel Siapan a'r Almaen.

Recriwtio peilotiaid profiadol a pherswadio dynion fel Hughes i helpu cael awyrennau oedd bwriad Davies bellach. Yr oedd y llu awyr newydd i fod yn annibynnol ar lywodraethau gwladol, ac oherwydd hyn cryf iawn oedd eu gwrthwynebiad hwy i'r syniad. Yr oeddynt yn awyddus i beidio â phryfocio'r Siapaneiad, a daeth yn amlwg hefyd ymhen ychydig nad oedd Howard Hughes yn ystyried y cynllun yn un realistig. Aeth gwleidyddion Ewrop i drafod cwestiynau eraill, a chafodd David Davies ei daro'n wael gan glefyd y siwgr, gan olygu yn y diwedd i'r cynllun gael ei gladdu'n dawel.

John yn y *Louvre*

dde: Augustus John

Ar 7 Gorffennaf yn Llundain, agorodd yr arlunydd o sir Benfro, Augustus John, arddangosfa o weithiau celf a oedd wedi'u gwahardd yn yr Almaen gan y Natsïaid. Yr oedd John yn uchel iawn ei boblogrwydd ar y pryd ac ym mis Chwefror dewiswyd ef fel un o'r tri arlunydd i ddangos eu gwaith yn yr Arddangosfa o Gelf Prydain yn Oriel y Louvre, Paris.

Yn Ninbych-y-Pysgod y ganwyd Augustus John, ond fel ei chwaer Gwen fe dreuliodd yntau'r rhan helaethaf o'i fywyd y tu allan i wlad ei enedigaeth. Bu gyda'i chwaer yn astudio yn Ysgol Gelf Slade yn Llundain. Yn ôl ei gyfoeswyr, dyn gweithgar a swil ydoedd yn ei ddyddiau cynnar yn Ysgol Slade, ond yn ystod ei wyliau haf yn sir Benfro yn 1897, trawodd ei ben wrth blymio i mewn i'r môr, a dychwelodd i'r Slade yn berson gwahanol iawn, a'i waith yn llawn dyfeisgarwch ac ysbrydoliaeth. Enillodd sylw mawr fel arlunydd yn 1910 â'i lun *Dorelia with Three Children at Martigues* lle dangosid ei gariad Dorothy McNeill gyda chriw o blant.

Teithiodd yn eang ar y Cyfandir ac yng Nghymru, Iwerddon a'r Alban. Yn ogystal â'i ddawn darlunio, daeth yn adnabyddus iawn am ei ddull fohemaidd o fyw, a bu'n dad i sawl plentyn anghyfreithlon.

Bu ganddo ddiddordeb parhaol ym mywyd y Sipsiwn, a byddai'n ysgrifennu at Aelodau Seneddol yn gyson ar eu rhan. Yn 1936 etholwyd ef yn Llywydd y *Gypsy Lore Society*. Yn 1936 hefyd, Augustus John a gyflwynodd y bardd Dylan Thomas i Caitlin Macnamara, ei wraig yn ddiweddarach.

Hybu heddwch

Wrth i bobl Ewrop gyd-ddisgwyl yn bryderus i weld a gaent eu taflu unwaith eto i ryfel, gwelwyd dwy fentr yng Nghaerdydd a fynegai obaith cryf am heddwch.

Yn yr Eisteddfod Genedlaethol a gynhaliwyd yn y ddinas ym mis Awst, sefydlwyd Cymdeithas Heddychwyr Cymru yn fudiad Cymraeg o dan lywyddiaeth George M.Ll. Davies, a chyn diwedd y flwyddyn, cyhoeddwyd pamffledyn cyntaf y gymdeithas, *Ymwrthodwn â Rhyfel*. Ynddo sylwodd Davies, 'Ym mro dawel Morgannwg ac uwchben Llŷn, fe glywir rhu'r awyrblanau yn paratoi at ryfel.' Cyhoeddodd y gymdeithas y gyfres *Pamffledi Heddychwyr Cymru*, yn cynnwys cyfraniadau gan Iorwerth Peate, T. Gwynn Jones, a George M. Ll. Davies.

Ar 23 Tachwedd, agorwyd Teml Heddwch ac Iechyd Genedlaethol Cymru, ym Mharc Cathays. Gwnaed hynny'n ffurfiol, yng ngŵydd Arglwydd Faer Caerdydd, Archesgob Cymru a nifer o bwysigion eraill, gan Mrs. Minnie James o Ddowlais, gwraig 72 oed a oedd wedi colli ei thri mab yn y Rhyfel Mawr. I gwrdd â hi yno yr oedd gwragedd o ddeg ardal yn ynysoedd Prydain a oedd wedi colli eu meibion, a rhai hefyd o'r Unol Daleithiau, Norwy, Sweden, Gwlad Groeg a nifer o wledydd eraill.

Ffrwyth ymdrechion y meistr glo cefnog David Davies, Llandinam, oedd y Deml Heddwch, a oedd i ddarparu swyddfeydd i ddwy gymdeithas a oedd yn annwyl ganddo – Undeb Cynghrair y Cenhedloedd, a Chymdeithas Genedlaethol y Gofeb, a weithiai i ddileu'r dicâu o Gymru. Galwyd ar wasanaeth pensaer Neuadd y Ddinas, Abertawe, Percy Thomas, i lunio'r adeilad

Cerddor Cymraeg Chile

Ym mis Chwefror, yn ninas Santiago, Chile, bu farw Hugh Davies o Aberystwyth.

Yr oedd wedi symud i fyw i Dde America fwy na hanner can mlynedd cyn hynny, heb ddychwelyd unwaith i'w famwlad. Er hyn, daliai'n rhugl ei Gymraeg, ac adwaenid ef fel 'y Cymro' gan ei gymdogion. Treuliodd y rhan olaf o'i fywyd yn cyfieithu barddoniaeth Gymraeg i'r Sbaeneg. Bu'n aelod o Adran Addysg llwyodraeth Chile, a gweithiodd i gyflwyno system y Tonic Sol-ffa i holl ysgolion y wlad.

Mrs Minnie James ar ddiwrnod agor y Deml Heddwch.

mawr a chlasurol o syml.

Bu'r safle'n gartref i Gymdeithas y Gofeb hyd 1948, pan ildiodd ei le i Fwrdd Ysbytai Cymru, a ddaeth i fodolaeth gyda dechrau'r Gwasanaeth Iechyd Gwladol ar ddiwedd yr Ail Ryfel Byd.

Athletwyr Cymru'n ennill yn Awstralia

Ym mis Chwefror, enillodd Cymru fedalau aur am y tro cyntaf yn nhrydydd Gemau'r Ymerodraeth (Gemau'r Gymanwlad bellach). Cynhaliwyd y Gemau yn Sydney, Awstralia, 5-12 Chwefror.

Jim Alford o Gaerdydd a gafodd y fedal aur am redeg y filltir, a Denis Reardon, hefyd o Gaerdydd, a fu'n fuddugol yng nghystadleuaeth focsio pwysau canol. Ar faes criced Sydney, torrodd Alford record Gemau'r Ymerodraeth gan gyflawni'r filltir mewn 4 munud 11.6 eiliad a gorffen bedair llath o flaen yr ail redwr, G.I. Backhouse o Awstralia. O'r pymtheg gwlad a oedd yn cystadlu, daeth Cymru'n chweched o ran medalau aur, er bod y cyfanswm o ddwy ymhell y tu ôl i'r 24 a gafodd yr Awstraliaid, y wlad a enillodd y dydd.

Maeddu'r Saeson

Y dorf fodlon ar Barc Ninian.

Pan roddodd dim pêl-droed Lloegr gosfa o chwe gôl i dair i'r Almaen o flaen torf a oedd yn cynnwys ciwed o Natsïaid blaenllaw ym Merlin yn ystod yr haf, ychydig a gredai fod yna dîm gwell yn y byd. Ond ychydig fisoedd yn ddiweddarach, o flaen torf enfawr ym Mharc Ninian, Caerdydd, ar ddydd Sadwrn, 22 Hydref, cafodd y Saeson wers yn nhactegau'r gêm gan eu cymdogion o Gymru.

Roedd tîm Lloegr yn cynnwys sêr o Arsenal, Hapgood a Copping, y blaenwr peryglus o Everton, Tommy Lawton, a'r anfarwol Stanley Matthews ar yr asgell dde. Ond roedd gan Gymru ei sêr hefyd, ac achosodd symudiadau cyflym y blaenwyr anawsterau mawr i amddiffyn Lloegr. Yn rheoli'r cyfan yr oedd seren arall Arsenal, Bryn Jones, a fu'n bwydo'r blaenwr bywiog, Dai Astley, o ganol y maes drwy gydol y gêm.

Enillodd Cymru o bedair gôl i ddwy gyda'i holl sgorwyr, Dai Astley (dwy gôl), Idris Hopkins a Bryn Jones, i gyd yn fechgyn o ardal Merthyr.

[LLIW 69]

1939

Rhyfel unwaith eto

Yr ifaciwîs yn cyrraedd gorsaf y Drenewydd.

Ar 3 Medi cyhoeddodd y Prif Weinidog, Neville Chamberlain, fod y Deyrnas Unedig i fynd i ryfel â'r Almaen. O fewn wythnos suddwyd y llong gargo *Winkleigh* o Gaerdydd gan dorpedo yng ngogledd Môr Iwerydd – y gyntaf o 123 o longau Cymru a gâi eu colli yn ystod yr Ail Ryfel Byd.

Yn ogystal â'r miloedd o Gymru a aeth i ymladd yn y rhyfel, yr oedd ei effeithiau i'w teimlo'n nes gartref, yn enwedig ym mhresenoldeb miloedd o bobl a ffodd i'r Gymru wledig o rannau eraill o Brydain. Yn ystod dwy flynedd gyntaf y rhyfel, daeth o leiaf ddau gan mil o bobl o Loegr i Gymru. Symudwyd 50,000 o blant o Loegr i'r Rhondda yn unig.

Pur anghyson fu'r croeso i'r plant. Dôi llawer ohonynt o gefndir tlodaidd iawn, a dioddefai nifer gan anhwylderau croen a ddeilliai o dlodi a diffyg maeth, a chafodd eu halltudiaeth effaith seicolegol ar eraill a barai iddynt wlychu eu gwlâu. Pryderai rhai sylwebyddion am effaith nifer mawr o blant Saesneg ar frŷodd Cymraeg. Yn y *Llenor*, mynegodd W.J. Gruffydd ei dristwch fod 'agos gymaint o blant Saesneg ag o blant Cymraeg yn awr ym mhentrefi Arfon'. Ym mis Chwefror, wrth i swyddogion ddechrau canfasio pobl ynglŷn â phosibilrwydd derbyn plant y dinasoedd, datganodd y *Ddraig Goch*, papur y Blaid Genedlaethol, nad oedd 'eisiau i neb fod mewn brys i helpu'r Llywodraeth yn y mater hwn', ond ychydig a gytunai â safbwynt y cenedlaetholwyr.

Ni bu presenoldeb y ffoaduriaid ifanc yn gymaint
(Drosodd)

Rhyfel unwaith eto

(o'r tudalen cynt)

o ergyd i'r Gymraeg ag y disgwylid mewn llawer man, ac yn yr ardaloedd lle oedd rhai o'r plant lleol yn uniaith Gymraeg, byddai'r Saeson yn dysgu'r iaith yn gyflym ac yn cymathu'n weddol rwydd. Ar ddiwedd y rhyfel gwell gan lawer ohonynt oedd aros yn barhaol yn eu gwlad newydd na dychwelyd i'w hen gynefin. Er hyn, mewn ardaloedd eraill ofnid bod y mewnfudwyr yn cynyddu'r broses o Seisnigeiddio a oedd yno'n barod, ac ymdrech yn rhannol i wrthweithio hyn oedd sefydlu ysgol Gymraeg yn Aberystwyth gan Ifan ab Owen Edwards.

Am na welwyd am rai misoedd ar ôl dechrau'r rhyfel unrhyw ymosodiadau o'r awyr, mynnodd llawer o rieni gymryd eu plant yn ôl o Gymru bell. Ffactor arall a achosodd i eraill i ddychwelyd yn fuan oedd diflastod a phiwritaniaeth yr ardaloedd derbyn. Adroddodd y *North Wales Chronicle* fod ffoaduriaid Catholig o Lerpwl yn cwyno nad oedd 'nac eglwys na thafarn' i'w cael ar y Sul yn y Gymru gapelog.

Trychineb ar y môr

Eiliadau olaf *HMS Thetis*.

Ar 2 Mehefin, galwyd bad achub Llandudno at un o drychinebau môr gwaethaf gogledd Cymru pan suddodd y llong danfor *HMS Thetis* 14 milltir oddi ar yr arfordir ym Mae Lerpwl. O'r criw o 103 ar y *Thetis* bu farw 99, a gwaith y bad achub oedd cludo'r meddyg A. Maddock Jones i safle'r trychineb i drin y pedwar dyn a ddihangodd ac i chwilio am y lleill. Yr oedd deunaw troedfedd ôl y llong i'w gweld uwchben y dŵr a llwyddwyd i glymu rhaff ddur wrthi. Ond yr oedd y morwyr y tu mewn wedi'u gwanhau gan ddiffyg awyr ac ni ddaeth ond dau allan at y ddau a oedd eisoes wedi dianc. Torrwyd y rhaff yn y tywydd garw a chollwyd y *Thetis* nes iddi ddod i'r lan ar y Traeth Bychan ger Moelfre bum mis yn ddiweddarach. Aethpwyd â chyrff y meirw i Gaergybi i'w claddu, ond trwsiwyd y llong, ac o dan ei henw newydd *HMS Thunderbolt* suddodd saith o longau Almaenig yn ystod yr Ail Ryfel Byd.

Whitford yn llamu i'r blaen

Arthur Whitford o Abertawe oedd Pencampwr Gymnasteg Prydain am y degfed tro, wedi iddo ennill y Bencampwriaeth bob blwyddyn o 1928 i 1936.

Dechreuodd Whitford ei yrfa yng Nghlwb Hogiau Eglwys Sgeti, ac roedd yn bur ddyledus am ei lwyddiant i hyfforddwr y clwb hwnnw, Walter Standish. Cyn-athro ymarfer corff yn y fyddin oedd Standish ac roedd hefyd wedi astudio dulliau hyfforddi gymnasteg y Cyfandir.

Trwy ddilyn ei ddulliau ef daeth clybiau Abertawe i reoli gymnasteg ym Mhrydain hyd y '50au.

Gwarchod y gwartheg

dde: Ymarfer gwisgo mygydau.

Ym mis Mai, a chymylau rhyfel yn ymgasglu uwchben Ewrop, yr oedd swyddogion y llywodraeth wrthi'n dosbarthu mygydau nwy drwy'r deyrnas. I lawer un, ymosodiad â nwy gwenwynig oedd y peth mwyaf arswydus a allai ddigwydd, ac i un wraig fferm o Lanbryn-mair, yr oedd yn beth rhy ofnadwy i ddigwydd i'r anifeiliad dan ei gofal. Gwrthododd dderbyn mwgwd ei hun os na ddarperid rhai ar gyfer ei gwartheg i gyd hefyd.

Trybini merched tlws y tir

Merched o'r Trallwng, sir Drefaldwyn, yn trin y tir.

Cododd pryder mawr yn y De ynglŷn â 'gossip and goings on' rhwng merched Byddin y Tir a milwyr yn aros ar ffermydd yn yr ardal. Ar 4 Hydref cyfarfu Pwyllgor Amaethyddol Morgannwg i drafod y mater, a phenderfynu bod angen gosod cyrffyw 9 o'r gloch ar y merched bob nos er mwyn eu diogelwch. Dim ond yr Henadur David Davies a anghytunodd â phenderfyniad y Pwyllgor, gan ddatgan, 'They are good-looking English girls, with the right spirit. Good girls do not need looking after.'

Cyhoeddodd y Gweinidog Amaeth Syr Reginald Dorman-Smith ar 11 Ebrill 1940 fod 280 o fenywod Cymru bellach wedi'u hyfforddi i wneud gwaith amaethyddol fel rhan o Fyddin y Tir. O siroedd y wlad, ardaloedd poblog Morgannwg a oedd wedi darparu'r nifer mwyaf o bell ffordd, gyda 125 o wirfoddolwyr, ond yr oedd merched o bob sir wedi gwirfoddoli, gan gynnwys 34 o sir Gaernarfon a 38 o sir Ddinbych.

Erbyn Rhagfyr 1943 yr oedd 4,357 o fenywod yn rhengoedd Byddin y Tir yng Nghymru. Ymhlith y rhain yr oedd nifer o ferched o Loegr a gafodd eu gosod ar ffermydd yn y wlad, gan gynnwys un ferch a fu'n byw a gweithio ar bwys Soar-y-Mynydd, Ceredigion. Mewn llythyr at ei rhieni ar 10 Tachwedd 1943, disgrifiodd ymweliad â'r capel bach yn y mynyddoedd i glywed y pregethwr yn traethu'n helaeth 'ar y fath bechodau â dawnsfeydd, diod, theatrau a gyrfâu chwist.'

'Ysgol Ifan ap'

dde:
Dosbarth cyntaf yr Ysgol Gymraeg gyda'r athrawes gyntaf, Norah Isaac.

Ar 25 Medi, agorwyd drysau ysgol Gymraeg Urdd Gobaith Cymru yn Aberystwyth gyda saith o ddisgyblion. Yr oedd eisoes nifer mawr o ysgolion, yn enwedig yn y broydd gwledig, a oedd yn naturiol Gymraeg eu hiaith, ond hon oedd yr ysgol gyntaf yn y wlad lle'r oedd yn bolisi dysgu trwy'r Gymraeg a'r Gymraeg yn unig.

Yr oedd Ifan ab Owen Edwards, sylfaenydd yr Urdd, wedi'i ysgogi ar y pryd gan ddau brif ffactor: yn gyntaf, ei argyhoeddiad y dylai pob plentyn gael addysg yn ei iaith ei hun am ei wlad ei hun; ac yn ail, y ffaith fod eu fab ef bellach yn bump oed ac ar fin symud o ddosbarth Cymraeg y babanod i'r ysgol uwch lle defnyddid llawer mwy o Saesneg. At hyn, yr oedd rhywfaint o argyfwng addysg wedi datblygu yn Aberystwyth, am fod y dref newydd dderbyn nifer mawr o ifaciwîs o Lerpwl. Gydag ysgol y dref yn orlawn a'r plant yn gorfod dysgu mewn dwy sifft, gwelodd Ifan ab Owen Edwards ei gyfle i leihau'r baich ar yr ysgol ac i sefydlu dosbarth Cymraeg. Sicrhaodd athrawes, Norah Isaac, ac addaswyd rhai o ddodrefn Canolfan yr Urdd ar gyfer plant bach.

Erbyn diwedd 1940, yr oedd 17 o ddisgyblion yn yr ysgol Gymraeg, 32 erbyn 1942, a 71 erbyn 1945 gyda phedair o athrawesau. Rhoddwyd y llysenw 'Ysgol Ifan ap' ar yr ysgol gan rai, a'r llysenw llai caredig 'Welsh Nat School' gan eraill.

Robeson yng Nghymru

Ym mis Awst, dechreuwyd ffilmio *The Proud Valley*, cronicl o fywyd y pentref glofaol dychmygol Blaendy, gyda'r canwr croenddu Paul Robeson yn chwarae'r brif ran. Yn y ffilm y mae cymeriad Robeson, y taniwr crwydrol David Goliath, yn cyrraedd Caerdydd ar long, a chael ei fabwysiadu'n syth gan deulu'r glöwr Dick Parry. Yr oedd y ffilm yn nodedig am ei bod yn rhoi rhan arwr dosbarth gweithiol i ddyn du ei groen, a'i bod hefyd yn rhoi rhywfaint o sylw i'r rhagfarnau yn erbyn pobl groenddu ar y pryd. Pan geir un o'r glowyr eraill yn ymosod ar Parry am ddod â dyn du i lawr y pwll, fe etyb ag un o linellau mwyaf cofiadwy'r ffilm, '*Damn and blast it, man, aren't we all black down that pit?*'

Paul Robeson gyda Rachel Thomas yn *The Proud Valley*.

Y Sais Pen Tennyson, cyn-ddisgybl o ysgol Eton, oedd y cyfarwyddwr, ac er mwyn sicrhau y byddai'r ffilm yn un gredadwy, byddai'n mynd â'r sgript yn rheolaidd at y glöwr a'r llenor, Jack Jones o Ferthyr Tudful, i'w thrafod. Cafodd Jones ei hun ran fach yn y ffilm, er ei ystyried braidd yn brennaidd fel actor. Addaswyd y ffilm yn sylweddol wrth ei gwneud, i roi rhwydd hynt i ddoniau canu Robeson, lle mae'n ymuno â'r côr lleol i gystadlu yn yr Eisteddfod yn ogystal â pherfformio nifer o unawdau. Trwy ei ganu y mae cymeriad Robeson yn ennill calon ei gymdogion, ac yn y diwedd ef yw arwr yr ardal wedi iddo aberthu ei fywyd i achub eraill mewn ffrwydrad.

Er iddo wynebu cryn drafferthion a rhagfarn yn ei yrfa oherwydd lliw ei groen, daeth Robeson yn ganwr o statws rhyngwladol. Yn ystod y '30au bu'n perfformio yn Aberdâr ac Aberpennar i godi arian i weriniaethwyr Sbaen, ac yn 1957 darlledodd yn fyw i gynhadledd glowyr de Cymru ym Mhorthcawl o stiwdio ar y ffin rhwng Canada a'r Unol Daleithau.

Gwen John

Ar 18 Medi bu farw'r arlunydd Gwen John o sir Benfro. Yn Dieppe, Normandi, yr oedd ar y pryd, o bosibl wedi ffoi gyda miloedd o rai eraill rhag ofn cael ei dal yn Ffrainc pan ddôi byddin yr Almaen i mewn i'r wlad.

Ganwyd Gwen John yn Hwlffordd a threuliodd ei phlentyndod yno ac yn Ninbych-y-Pysgod, ond yn 1904, ar ôl cyfnod yn Ysgol Gelf Slade yn Llundain, symudodd i fyw i Baris. Yno bu'n gweithio i ddechrau fel model i artistiaid, gan gynnwys y cerflunydd Auguste Rodin, a bu'r ddau'n caru am gyfnod.

Tra'n byw ym Mharis, trodd yn Babydd, a chael ei derbyn i Eglwys Rufain yn 1913. Arweiniodd hyn at dynnu rhai o'i lluniau enwocaf – cyfres o bortreadau o leianod ac o sefydlydd urdd lleol ohonynt. Treuliodd weddill ei hoes yn ardal Paris, gan fynd yn fwyfwy meudwyol ei ffordd, ar wahân i deithiau achlysurol, i arfordir Llydaw er enghraifft.

Er ei bod yn arlunydd dawnus bu fyw a marw yn y cysgodion, a heb ennill yr un enwogrwydd â'i brawd Augustus John. Yn ystod ei bywyd, ni chynhaliwyd ond un arddangosfa arbennig o'i gwaith hi ar wahân, a honno yn Llundain yn 1926. Er hyn, dangoswyd ei gwaith mewn nifer mawr o orielau ochr yn ochr â gwaith arlunwyr eraill, fel yn Eisteddfod Genedlaethol Abergwaun yn 1936.

Pan fu hi farw dywedodd Augustus John na fyddai pobl yn cofio amdano ef ond fel brawd Gwen John.

Dim lle i'r Gymraeg

Ar 2 Mai, ildiodd Swyddfa'r Post yn rhannol i'r pwyso cynyddol am gael cyfarwyddiadau Cymraeg yng nghabanau ffôn y wlad. Cyhoeddodd y Prif Bostfeistr y rhoddid hysbysebion mewn dwy fil o gabanau ffôn yng Nghymru yn esbonio yn Gymraeg sut y gellid ffonio i gael cymorth wrth ddefnyddio ffôn cyhoeddus.

Bu'r anghydfod yn mudlosgi er Rhagfyr 1938, pan gwynodd Cyngor Dosbarth Gwledig Llŷn i Swyddfa'r Post ynglŷn â'r diffyg hwn. Gofynnodd y Cyngor i'r Aelodau Seneddol lleol, David Lloyd George a Goronwy Owen, godi'r mater gyda'r Postfeistr Cyffredinol, ond esboniodd ef yn ei ateb nad oedd lle yn y cabanau i gyfarwyddiadau mewn dwy iaith, felly hepgorwyd y Gymraeg.

Ar 21 Chwefror, cododd Goronwy Owen A.S. y mater yn Nhŷ'r Cyffredin eto, a derbyn yr un ateb yn union gan y Postfeistr Cyffredinol. Cefnogwyd yr ymgyrch gan Aelodau Seneddol eraill Cymru, a gwnaed yn fawr o'r ffaith fod Swyddfa'r Post yn rhoi cyfarwyddiadu mewn Ffrangeg ac Almaeneg mewn caban ffôn ar Orsaf Victoria yn Llundain tra'n mynnu nad oedd lle i'r Gymraeg.

Y Gymraeg a'r fyddin

Ar 29 Medi, cyhoeddodd yr Ysgrifennydd Rhyfel, Hore-Belisha, y câi milwyr Cymraeg eu hiaith ym myddin Prydain ysgrifennu at eu teuluoedd yn y Gymraeg – peth na chaniatwyd iddynt ei wneud yn ystod y Rhyfel Byd Cyntaf. Mewn telegram at David Lloyd George, dywedodd yr Ysgrifennydd Rhyfel y câi sensoriaid newydd eu penodi er mwyn cadw golwg ar lythyron Cymraeg.

Codwyd cwestiwn pur wahanol ynglŷn â'r Gymraeg a'r Rhyfel y mis dilynol, pan ofynnodd James Griffiths, Aelod Seneddol Llanelli, pa drefniadau a wnaed ar gyfer gwrthwynebwyr cydwybodol Cymraeg eu hiaith wrth wynebu tribiwnlysoedd. Cafwyd ateb gan y Gweinidog Llafur a Gwasanaeth Cenedlaethol, Ernest Brown, ar 26 Hydref, sef y câi pob gwrthwynebydd cydwybodol a ddymunai hynny ddefnyddio'r Gymraeg mewn tribiwnlys. Byddai aelodau Tribiwnlys Gogledd Cymru yn Gymry Cymraeg i gyd, a châi achosion Cymraeg o'r De eu trosglwyddo i Dribiwnlys y Gogledd.

9 Ebrill

Ymosodwyd ar Ddenmarc a Norwy gan luoedd yr Almaen.

10 Mai

Daeth Winston Churchill yn Brif Weinidog Prydain ar ymddiswyddiad Neville Chamberlain, wrth i fyddin yr Almaen ymosod ar Wlad Belg a'r Iseldiroedd.

27 Mai

Dechreuwyd cludo milwyr Prydain adref o Dunkirk wrth i luoedd yr Almaen ddynesu.

31 Mai

Caethiwyd Oswald Moseley a 763 o ffasgwyr Prydain.

14 Mehefin

Gorymdeithiodd byddin yr Almaen drwy Paris.

22 Mehefin

Ildiodd llywodraeth Ffrainc a dod i gytundeb â'i choncwerwyr.

3 Gorffennaf

Suddwyd llynges Ffrainc gan forlu Prydain.

21 Awst

Yn Ninas Mecsico bu farw'r arweinydd comiwnyddol Leon Trotsky wedi iddo gael ei drywanu gan lofrudd.

17 Medi

Penderfynodd Hitler beidio â cheisio goresgyn Prydain wedi i'w awyrlu golli'r dydd yn erbyn awyrennau Prydain.

1 Tachwedd

Darganfyddwyd darluniau yn dyddio o'r Oes Gerrig mewn ogofeydd yn Lascaux, Ffrainc.

5 Tachwedd

Ailetholwyd Franklin Roosevelt yn Arlywydd yr Unol Daleithiau.

Dryswch *Dad's Army*

Er bod llawer un yn awyddus i wasanaethu gyda'r lluoedd arfog, nid pawb oedd yn ddigon heini, yn ddigon iach neu'n ddigon ifanc i wneud hynny, ac ar eu cyfer hwy y crëwyd y Gwarchodlu Cartref ym mis Mai fel llu gwirfoddol wrth gefn. Yn aml iawn dynion a fu'n ymladd yn y Rhyfel Byd Cyntaf oedd yr aelodau, a thadau i'r bechgyn a frwydrai yn yr Ail Ryfel Byd, sefyllfa a enillodd y llysenw direidus '*Dad's Army*' i'r fyddin newydd.

Wrth i luoedd yr Almaen ruthro ar draws Ewrop yn eu *blitzkrieg* di-droi'n-ôl, cododd ofnau gwirioneddol bod Prydain i gyd mewn perygl o gael ei goresgyn. Y ddau brif beth a ofnai pobl oedd y gallai milwyr Almaenig barasiwtio i mewn, a bod 'Pumed Colofn' o asiantiaid cudd eisoes yn gweithio dros y gelyn yn y wlad. Di-sail neu beidio tyfodd yr ofnau hyn yn arswyd dwfn ymhlith rhai, ac arweiniodd at nifer mawr o gamrybuddion.

Noson lawn helynt fu 7 Medi i aelodau 5ed Bataliwn Gwarchodlu Cartref sir Gaernarfon, am iddynt gredu o ddifrif fod lluoedd yr Almaen wedi glanio yn Llandudno.

Cafwyd galwad ffôn ym mhencadlys lleol y Gwarchodlu Cartref oddi wrth gomander y bataliwn, a oedd yn gwrthod dweud yr un gair ond '*Cromwell*', y gair cudd i arwyddo bod y gelyn ar y ffordd. Bu cryn ddryswch cyn i rywun sylweddoli beth oedd ystyr y neges, ac aethpwyd ati i gasglu'r milwyr rhan-amser ynghyd, gan gynnwys un â'i wisg filwrol dros ei byjamas. Anfonwyd patrolau i gadw golwg ar yr holl ardal dan ofal y bataliwn, ond er i ambell un gwympo i'r môr, aeth y noson heibio'n ddi-ddigwyddiad. Nid yw'n hysbys hyd heddiw beth yn union oedd y rheswm dros yr alwad ffôn a arweiniodd at noson oer a gwlyb o ddisgwyl ofer.

Drachefn ar 11 Medi yng Nghonwy, galwyd y Gwarchodlu Cartref allan am fod rhywun yn mynnu iddo weld awyren Almaenig a thri o bobl yn parasiwtio ohoni ger Tyn-y-groes yn Nyffryn Conwy. Ni chafwyd yr un parasiwtiwr, ond erbyn i Warchodlu Cartref Conwy gael ei alw'n ôl yr oedd y newyddion wedi lledu'n eang, ac unedau o'r Gwarchodlu o Gernyw i'r Alban yn ymgynnull i atal goresgyniad.

'Dad's Army' yn gorymdeithio drwy'r Drenewydd i goffau dydd y Cadoediad.

Mwy difrifol oedd y dryswch yng Nhregatwg, ger Caerdydd, ar 22 Awst pan saethwyd gwraig o'r Barri'n farw gan aelod o'r Gwarchodlu Cartref. Trawyd Madeline Selley wrth deithio mewn car trwy un o'r *checkpoints* ar y ffyrdd i mewn i'r ddinas. Ymddengys mai camddealltwriaeth ynglŷn â sut i lwytho bwledi i reiffl oedd achos y ddamwain honno – er bod rhai o'r Gwarchodlu Cartref wedi cael cyfarwyddiadau newydd ynglyn â sut i lwytho eu gynnau, yr oedd yr hen filwr, Robert Nicholas o Dregatwg, wedi llwytho ei wn ef yn ôl y dull a ddysgodd yn y Rhyfel Byd Cyntaf, gan nad oedd neb wedi dweud yn wahanol wrtho. Taniodd y gwn yn ddamweinol gan ladd Mrs. Selley ac anafu un o'i chyd-deithwyr.

Oriel mewn ogof

Ym mis Medi daeth hen chwarel lechi Manod ger Blaenau Ffestiniog yn gartref i rai o ddarluniau Oriel Tate a'r Oriel Genedlaethol yn Llundain, a nifer o drysorau plastai'r teulu brenhinol.

Flwyddyn ynghynt, symudwyd mwy na dwy fil o luniau o Lundain i Fangor ac Aberystwyth, ond erbyn 1940 ni ystyrid hyd yn oed y ddwy dref hyn yn ddigon diogel rhag bomio'r Almaenwyr, a bu sôn am fynd â'r lluniau i Ganada. Rhwystrwyd hynny gan orchymyn arbennig y Prif Weinidog Winston Churchill, 'Cladder hwy ym mherfeddion y ddaear, ni fydd yr un llun yn gadael yr ynys hon.' A hynny a wnaed mewn ogof yn sir Feirionnydd.

Yn yr ogof enfawr, adeiladwyd pedair lloches o frics ac iddynt systemau cynhesu ac oeri soffistigedig i gadw'r darluniau rhag niwed. Chwythwyd tua phum mil o dunelli o gerrig â ffrwydron er mwyn addasu'r ogof, a dywedwyd wrth yr adeiladwyr mai paratoi llochesau rhag cyrch awyr yr oeddynt. Nid cyn diwedd y rhyfel y datguddiwyd eu gwir bwrpas. Gwaith mawr oedd cludo'r holl luniau i'r chwarel dair milltir o'r dref agosaf. Cafwyd trafferth arbennig gydag un llun mawr o'r brenin Siarl I ar gefn geffyl - bu angen gofal arbennig i fynd ag ef dan un o bontydd isel yr ardal, ac ym Manod ei hun bu'n rhaid ehangu ceg yr ogof.

Rhoddwyd y lluniau dan ofal Martin Davies o'r Oriel Genedlaethol a rheolwr y chwarel, Mr. Harrison. Am flynyddoedd y rhyfel yr oedd y ddau hyn ymhlith yr ychydig o bobl a gâi werthfawrogi rhai o luniau enwocaf y byd, yn eu horiel danddaearol. Er hyn, er mwyn lleddfu diflastod y Llundeinwyr a oedd wedi'u hamddifadu o rai o'u hoff luniau, dechreuwyd yn 1942 anfon un llun ar y tro i'r ddinas i gael ei arddangos am fis cyn ei ddychwelyd i Gymru drachefn.

Ar 12 Mai 1945, dychwelwyd y lluniau i gyd i orielau Llundain.

Gelyn yn y gegin

isod:
Archwilio adfeilion y *Junker 88*.

Prin iawn fod y ffermwr John Jones a'i deulu erioed wedi'u synnu'n fwy na phan gerddodd peilot yng ngwisg llu awyr yr Almaen i mewn i'w gegin a gwaed ar ei wyneb, i ofyn am gymorth.

Bu'n rhaid i'r awyrennwr anffodus lanio ei awyren yng nghefn gwlad sir Drefaldwyn, a bu bedair awr yn cerdded pedair milltir ar draws gwlad a rhai o'i asennau wedi'u torri. Ymddengys i'r awyren *Junker 88* gael ei herlid oddi ar ei chwrs gwreiddiol gan *Spitfire*, a gorfodwyd y peilot i lanio ar frys. Cafodd groeso cynnes iawn gan y Jonesiaid, a oedd heb sylweddoli ar unwaith mai Almaenwr ydoedd – bu'n fyfyriwr ym Mhrifysgol Caergrawnt, ac yr oedd ei Saesneg yn gwbl rugl. Tynnodd fap o'r fan lle daeth ei awyren i lawr, ac ymhen awr yr oedd tîm achub wedi cyrraedd y safle ac wedi casglu'r tri aelod arall o'r criw, a oedd wedi'u hanafu'n rhy ddrwg i allu cerdded. Aethpwyd â'r tri chlaf i'r ysbyty a hysbyswyd yr heddlu.

Gaeaf llym

Yn Rhaeadr ym Mhowys ar 21 Ionawr, cofnodwyd y tymheredd isaf erioed yng Nghymru, sef -23.3 °C (-10°F). Yr oedd Cymru ar y pryd yn dioddef un o'i gaeafau llymaf erioed, gydag eira mawr mewn llawer man.

Gwyddel Cymraeg yn Archesgob

Ar 30 Mehefin, yn Eglwys Gadeiriol Dewi Sant, gorseddwyd Michael McGrath yn Archesgob Catholig Caerdydd. Daeth miloedd o Gatholigion de Cymru i wylio'r ddefod. Yr oedd McGrath yn olynydd i Francis Edward Mostyn, a fu farw ar 25 Hydref 1939, y Cymro cyntaf i fod yn esgob Catholig yng Nghymru er y Diwygiad Protestanaidd.

Er mai Gwyddel oedd McGrath, wedi'i eni yn Kilkenny a'i addysgu yn Nulyn, yr oedd wedi dysgu Cymraeg, a daeth yn hyddysg yn hanes diwylliant a llên Cymru. Bu'n gyfaill mynwesol i'r bardd T. Gwynn Jones er pan fu'n offeiriad ifanc yn dysgu Cymraeg dano o 1929 ymlaen yn Aberystwyth. Bu'r ddau'n gohebu â'i gilydd yn gyson – T. Gwynn Jones yn cynorthwyo McGrath â Chymraeg ei Lythyrau Bugeiliol, a McGrath yn ceiso troi'r bardd oddi wrth ei anffyddiaeth. Bu McGrath yn Archesgob Caerdydd hyd 1961.

Gwrthod cais cenedlaetholwyr

Yn Nhribiwnlys Gogledd Cymru ym mis Chwefror, gwrthodwyd yn bendant gais dau aelod o'r Blaid Genedlaethol i gael eu derbyn yn swyddogol yn wrthwynebwyr cydwybodol ar sail eu cenedlaethodeb.

Daeth George Lloyd o Wrecsam a Robert J. Evans o Frymbo gerbron y Tribiwnlys ar 26 a 27 Chwefror. Yr un ddadl oedd gan y ddau, sef gwrthod ymuno â'r fyddin ar sail eu cenedlaetholdeb Cymreig yn unig. Er ei fod yn Gristion o argyhoeddiad yr oedd George Lloyd wedi dewis peidio â seilio ei achos ar ei gredoau crefyddol. Dyfarniad y llys yn y ddau achos oedd mai dadl wleidyddol a oedd ganddynt ac nid un gydwybodol, a rhoddwyd eu henwau ar restr y rhai atebol i'w galw i wasanaeth milwrol.

Cododd cenedlaetholwyr gryn stŵr mewn sesiwn o Dribiwnlys y Gogledd yn Aberystwyth ar 17 Ionawr pan siaradodd Saunders Lewis ar ran aelod o'r Blaid a oedd am gael ei gofretsru'n wrthwynebydd cydwybodol. Gorchmynnodd Syr Thomas Artemus Jones anfon nifer o bobl o'r llys ar ôl eu rhybuddio unwaith am guro dwylo i gymeradwyo araith Saunders Lewis. Yr oedd y diffynnydd, David Williams o Gaernarfon, wedi ymwrthod â gwasanaeth milwrol yn wreiddiol ar sail ei grefydd ond wedi penderfynu yn y cyfamser seilio ei wrthwynebiad ar genedlaetholdeb. Sefydlwyd y tribiwnlysoedd o dan y Ddeddf Gwasanaeth Milwrol i brofi'r rhai a fynnai fod ganddynt resymau dilys dros wrthod mynd i ryfela. Yn ystod yr Ail Ryfel Byd cofnodwyd 2,920 o wrthwynebwyr cydwybodol yng Nghymru, y rhan fwyaf ohonynt yn gwrthod ar sail eu Cristnogaeth. Ni charcharwyd yr un o'r Cristnogion hyn fel y digwyddodd i rai tebyg adeg y Rhyfel Byd Cyntaf, ond gorchmynnwyd i'r mwyafrif ohonynt gyflawni gwaith anfilwrol mewn diwydiant neu ar y tir.

Elfen newydd yn rhengoedd y gwrthwynebwyr yn 1939-1945 oedd y cenedlaetholwyr Cymreig, ac yr oedd yr awdurdodau'n benderfynol na ellid derbyn gwrthwynebiad ar sail credoau gwleidyddol. Yr un oedd yr agwedd at y rhai a wrthodai ymuno â'r fyddin am eu bod yn sosialwyr.

Piccadilly Circus, sir Frycheiniog

Cododd ffrwgwd mawr yn gynnar yn y flwyddyn pan gyhoeddwyd cynllun y Swyddfa Ryfel i feddiannu deugain mil o erwau o dir Mynydd Epynt, sir Frycheiniog, a'r saith cwm o'i gwmpas a'u troi'n faes ymarfer i'r fyddin. Yn rhifyn mis Ebrill o'r *Ddraig Goch*, datganodd y golygydd ei farn fod 'brad newydd' wedi'i gynllunio yn erbyn Cymru.

Dan nawdd Undeb Cymru Fydd, cynhaliwyd nifer o gyfarfodydd ym mhentrefi'r ardal. Y siaradwr ym mhob un oedd John Dyfnallt Owen, bardd, cenedlaetholwr ac un o hoelion wyth yr Annibynwyr Cymraeg. Ym mis Ebrill, anfonodd y Blaid Genedlaethol ei Hysgrifennydd Cyffredinol, J.E. Jones, i bob un o ffermydd Epynt i geisio cefnogaeth y trigolion i wrthsafiad.

Methiant fu pob ymdrech i wrthdroi'r cynllun, a symudwyd teuluoedd Epynt i wahanol rannau o Gymru a Lloegr. Dymchwelwyd y ffermdai, a daeth erwau eang y mynydd yn faes tanio i filwyr a oedd ar eu ffordd i faes y gad.

Epynt ar y pryd oedd y gymuned Gymraeg fwyaf dwyreiniol yn y De, a chollodd tua dau gant o Gymry Cymraeg eu cartrefi o ganlyniad i gynllun y Swyddfa Ryfel. Amcangyfrifwyd bod ffin y Gymraeg yn yr ardal wedi'i symud ryw ddeng milltir i'r gorllewin, a chwynodd rhai hefyd fod presenoldeb corff mawr o filwyr o Loegr yn prysur Seisnigeiddio'r fro. Dilewyd nifer o hen enwau Cymraeg o'r tir. Disodlwyd Ffynnon Dafydd Bifan a Thafarn y Mynydd, gan Dixie's Corner a Piccadilly Circus. Achos gofid arbennig i lawer oedd colli hen Gapel y Babell, a ddefnyddiwyd yn darged gan fagnelwyr y fyddin wrth ymarfer eu gynnau mawr.

Trowch y Tir

Yr hysbyseb a ymddangosodd yn *Y Cymro* ar 6 Ebrill.

Yn ystod yr Ail Ryfel Byd cyhoeddodd y llywodraeth nifer o hysbysebion yn yr iaith Gymraeg yn galw ar bobl i atal gwastraff, cynilo mwy, a derbyn mwy o blant y dinasoedd i'w cartrefi. Ymhlith y rhai mwyaf trawiadol oedd rhai Mawrth ac Ebrill 1940 yn annog ffermwyr i aredig mwy o dir. I gyd-fynd â'r ymgyrch lluniwyd y rhigwm Cymraeg 'Cynyddwch Gynnyrch Pob Cae Sydd Gennych.'

Dihangfa hynod

Ar ddiwedd mis Mai yr oedd y milwr o Gymru, William Frederick Bartram, gartref yng Nghaerdydd wedi un o ddiangfeydd hynotaf y rhyfel. Treuliodd Bartram a rhai o'i gymdeithion 38 awr mewn cwch bach yn teithio o Norwy i'r Alban ar draws Môr y Gogledd, a hynny ar ôl treulio pythefnos ar ffo rhag byddin yr Almaen ym mynyddoedd Norwy. Ffodd y Preifat Bartram a rhai o'i fataliwn i'r coedwigoedd rhag carfan o danciau Almaenig, ac wrth gyrraedd yr arfordir, cipiasant gwch pysgota 25 troedfedd o hyd a'i lywio'n llwyddiannus tua'r Alban heb ddim ond cwmpawd ac un map.

Coelcerth Doc Penfro

Ar 19 Awst yr oedd y ffermwr Fred Phillips a'i frawd Ronnie yn dyrnu yn y meysydd ger Doc Penfro pan fu ffrwydrad enfawr. Bwriwyd Fred Phillips oddi ar ei draed a thrwy'r awyr am ugain llath – y sifilian cyntaf yn y dref i gael ei anafu yn yr Ail Ryfel Byd.

Yr oedd tair awyren *Junker 88* wedi hedfan i fyny Hafan Milffwrd a gollwng un o'u bomiau ar danciau olew Pennar gan gynnau tân anferth. Gyrrwyd yr awyrennau Almaenig i ffwrdd yn fuan gan nifer o *Spitfires*, ond parhaodd y tân i losgi am 18 diwrnod. Gwelwyd awyren arall uwchben y dref fore trannoeth – gollyngodd nifer o fomiau ar y tanciau, gan fethu taro'r targed, ond dychwelodd wedyn i saethu at ddynion tân â gwn-peiriant.

Lladdwyd pump o ddynion tân gwirfoddol o Gaerdydd wrth geisio diffodd y goelcerth, ac anafwyd 38 o bobl eraill. Dinistriwyd 11 o'r 17 o danciau olew, a bu'n rhaid galw ar wasanaethau 22 o frigadau tân i gynorthwyo dynion tân rhan-amser Penfro. Yn wyrthiol bron ni chyffyrddwyd tref Doc Penfro ei hun gan y fflamau.

Cadw croeso Cymreig

Ar 29 Chwefror darlledwyd y gân boblogaidd *We'll Keep a Welcome* am y tro cyntaf gan y BBC. Gwaith Lyn Joshua a James Harper oedd y geiriau, a chyfansoddwyd yr alaw gan Mai Jones. Cysylltwyd y gân yn bennaf oll â'r 'Lyrian Singers' ar y gyfres radio ysgafn *Welsh Rarebit*, a ddarlledwyd o 1938 ymlaen, a thynnodd ar dannau calon llawer un a oedd yn disgwyl aelod o'r teulu adref i Gymru o faes y gad. Daeth yn enwog wedyn fel un o ganeuon y difyrrwr a'r canwr o Abertawe, Harry Secombe.

Rhuthro i achub y Ffrancod

Ar 25 Mai, tridiau ar ôl cyrraedd Ffrainc, bu'n rhaid i Ail Fataliwn y Gwarchodlu Cymreig ildio i lu Almaenig llawer cryfach yn nhref Boulogne. Yr oedd y Gwarchodlu hwn gyda'r milwyr cyntaf o Brydain a ddaeth i gynorthwyo'r Ffrancod wedi dechrau'r Rhyfel ym Medi 1939.

Ar 22 Mai glaniodd y Gwarchodlu yn Boulogne ynghyd â bataliwn o'r Gwarchodlu Gwyddelig, a chael eu croeswau gan dyrfa o Brydeinwyr, Ffrancod, Belgiaid ac Iseldirwyr. Amddiffyn y dref hyd at y dyn olaf oedd y gorchymyn i'r Cymry a'r Gwyddelod. Ar ôl dewis safleoedd ar y ffyrdd allan o'r dref, cawsant eu gwthio'n ôl tua'r harbwr. Llwyddodd rhan sylweddol o'r Ail Fataliwn i ddianc ar y llongau rhyfel Prydeinig a oedd yn dal i ddod i mewn i'r harbwr, ond gadawyd rhai ar ôl yn y dref. Tua chanol dydd ar 25 Mai, a bwyd a bwledi'n prinhau, penderfynodd yr Uwch-gapten J.C. Windsor Lewis fod y sefyllfa'n anobeithiol a bod rhaid ildio.

Yn y cyfamser yr oedd Bataliwn Cyntaf y Gwarchodlu'n ymladd tua'r gogledd, ac yn ceisio cyrraedd yr arfordir i ddianc ar ôl dal tref Arras gyda chryn ddewrder hyd 24 Mai.

Lladdwyd 72 o'r ddau Fataliwn o'r Gwarchodlu Cymreig, a chymerwyd 453 yn garcharorion yn ystod ymgyrchoedd mis Mai.

Eisteddfod Radio Bangor

Golwg ffraeth y cartwnydd Lloyd Hughes ar yr Eisteddfod Radio.

A'r wlad yng nghanol trallodion rhyfel, eisteddfod radio oedd Eisteddfod Genedlaethol Bangor yn mis Awst – eisteddfod a ddarlledwyd i wledydd Prydain i gyd ar Wasanaeth Cartref y BBC. Er mwyn ei darlledu'n iawn bu'n rhaid cynyddu'n sylweddol swm y Gymraeg ar yr awyr i dair awr mewn wythnos. T. Rowland Hughes a enillodd y Gadair â'i awdl *Pererinion*, ond ni farnwyd neb yn deilwng o'r Goron. Neilltuwyd chwarter awr i ddarlledu defod y Cadeirio, a Rhys Hopkin Morris, Cyfarwyddwr y BBC yng Nghymru, yn agor yr amlen i ddatguddio enw'r enillydd. Hwn oedd yr ail dro i'r bardd o Lanberis gipio'r Gadair. Enillodd ei Gadair Genedlaethol gyntaf ym Machynlleth yn 1937 gyda'i awdl *Y Ffin*.

13 Ionawr
Bu farw'r awdur
James Joyce.

6 Ebrill
Ymosododd lluoedd yr
Almaen ar Iwgoslafia a
Gwlad Groeg.

11 Mai
Gwelwyd un o'r
ymosodiadau mwyaf ar
Lundain gan awyrlu'r
Almaen.

27 Mai
Suddwyd y Bismark, llong
ryfel 'ansuddadwy' yr
Almaen, gan lynges Prydain.

22 Mehefin
Dechreuodd 'Cyrch
Barbarossa', sef ymgais yr
Almaen i goncro'r Undeb
Sofietaidd.

13 Tachwedd
Suddwyd y llong awyrennau,
Ark Royal, gan dorpedo a
saethwyd gan long danfor
llynges yr Eidal.

6 Rhagfyr
Methodd ymdrech yr
Almaenwyr i oresgyn
Moscow.

8 Rhagfyr
Ymosododd awyrennau
Siapan ar forlu'r Unol
Daleithiau yn Pearl Harbour,
Hawaii, gan ddechrau'r
rhyfel rhwng Siapan a'r Unol
Daleithiau yn y Dwyrain Pell.

9 Rhagfyr
Ym Mhrydain galwyd ar
wragedd sengl rhwng 20
a 30 oed i ymuno â'r
ymdrech ryfel.

10 Rhagfyr
Ymosododd Siapan
ar Malaya.

25 Rhagfyr
Cipiwyd Hong Kong
gan luoedd Siapan.

1941

'Abertawe'n fflam'

Effaith y cyrchoedd awyr ar Abertawe.

Mewn tair noson o'r 19 i 21 Chwefror fe wastatawyd 41 erw o ganol tref Abertawe gan awyrennau bomio'r *Luftwaffe*. Lladdwyd 230 o bobl ac anafwyd 409.

Fel tref fasnachol a diwydiannol o bwys ac iddi ddociau mawr, yr oedd Abertawe'n darged amlwg i fomwyr yr Almaen. Credid yn gyffredinol fod lleoedd fel Abertawe yn rhy bell o'r Almaen i fod mewn perygl, ond gyda chwymp Ffrainc i luoedd yr Almaen yn 1940, meddiannodd y *Luftwaffe* feysydd glanio yn Normandi a Llydaw, a gallent bellach yn hawdd gyrraedd trefi de Cymru. Dechreuodd yr ymosodiadau awyr ar y dref ar 27 Mehefin 1940, a pharhau hyd Chwefror 1943. Y gwaethaf o bell ffordd o'r rhain oedd ymosodiadau mis Chwefror.

Ychydig wedi 8 o'r gloch ar nos Fercher 19 Chwefror, ymddangosodd yr awyrennau cyntaf uwchben y dref a gollwng nifer mawr o fomiau tân. Wrth ddilyn golau'r tanau a gynheuwyd daeth bomwyr eraill i ollwng ffrwydron cryf a mwy o fomiau tân. Ar y noson gyntaf honno bu 61 o awyrennau'n bomio Abertawe, gan ollwng 492 o ffrwydron cryf a 15,720 o fomiau tân. Gwelwyd yr un patrwm ymosod y ddwy noson ddilynol, gyda'r ail garfan o fomwyr yn dilyn y tanau a gyneuwyd gan y rhai cyntaf.

Cymaint oedd y dinistr erbyn nos Iau fel y bu'n rhaid galw am gymorth brigadau tân ac ambiwlansys o Lanelli, Castell-nedd, a Phort Talbot.

Os llwyddodd y lluoedd argyfwng i ymdopi'n weddol ar y ddwy noson gyntaf o fomio, yr oedd yn anhrefn llwyr yn Abertawe ar nos Wener 21 Chwefror. Yr oedd ffrwydradau wedi creu tyllau mawr yn y ffyrdd ac yr oedd adfeilion adeiladau yn rhwystro teithio. At hyn yr oedd nifer o fomiau a ffiwsiau araf iddynt ymhlith yr adfeilion, a allai ffrwydro'n ddirybudd hyd at 36 awr ar ôl glanio. Un o'r bomiau hyn a laddodd dri bachgen bach, wedi iddynt lwyddo i sleifio heibio i'r heddlu i fynd i olwg tŷ lle oedd bom wedi disgyn. Nos Wener gollyngwyd mwy nag ugain mil o fomiau tân ar y dref mewn pedair awr, ac ychwanegodd y pibelli nwy toredig danwydd i'r tân. Yr oedd ffrwydradau hefyd wedi torri pibelli dŵr, a bu'n rhaid tynnu dŵr o'r dociau i geisio diffodd y tanau y gellid eu gweld o Benfro a Dyfnaint.

Yn y flwyddyn hon, lladdwyd 985 o sifiliaid yng Nghymru i gyd mewn cyrchoedd awyr. Yn ystod yr Ail Ryfel Byd dioddefodd Abertawe tua deugain o gyrchoedd awyr a bu farw 387 o bobl y dref, y nifer mwyaf yn unrhyw dref yng Nghymru, mwy hyd yn oed na Chaerdydd lle lladdwyd 355.

Ffatri fomiau Pen-y-Bont

isod: Ffotograff y Luftwaffe o ffatri arfau Pen-y-bont ar Ogwr gyda'r targedau bomio.

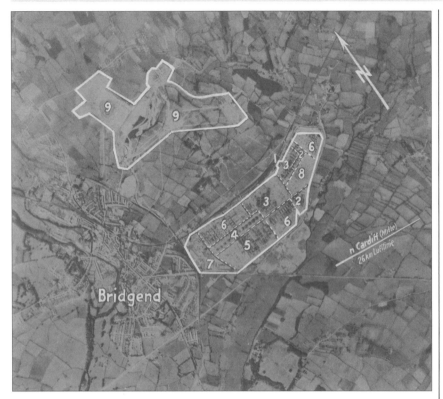

Erbyn y flwyddyn hon yr oedd ffatri arfau Pen-y-bont ar Ogwr yn cyflogi 37,000 o bobl, y rhan fwyaf ohonynt yn wragedd. Ffatri Arfau'r Goron Rhif 53, Pen-y-bont, oedd un o'r gweithfeydd arfau mwyaf ym Mhrydain ar y pryd.

Cynhyrchu arfau i'r llynges a wnâi'r ffatri'n bennaf. Gwneid hefyd fomiau mortar ar gyfer yr 8fed Fyddin yng ngogledd Affrica, ac ar un achlysur cafodd merched ffatri Pen-y-bont neges o ddiolch gan yr 8fed Fyddin am lwyddo i beidio ag unwaith anfon bom ddiffygiol atynt. Daeth staff y ffatri'n nodedig drwy'r ardal oherwydd eu dwylo a'u hwynebau melyn, sef effaith gweithio gyda phowdwr swlffwr.

Yn rhyfedd iawn, ni thrawyd y ffatri erioed o'r awyr er bod yr Almaenwyr yn gwybod yn iawn ble'r oedd, ac wedi cyhoeddi lluniau ohoni a dynnwyd o awyren. Tebyg bod y niwl a godai o'r afon gerllaw yn gwneud y safle'n un anodd i'w dargedu'n iawn. Yn ymyl y safle codwyd gwersyll Island Farm, yn gartref yn y lle cyntaf, o 1937 ymlaen, i adeiladwyr y ffatri, ac wedi hynny'n llety i rai o'r gweithwyr. Daeth yn adnabyddus yn ddiweddarach fel gwersyll carchar i rai o swyddogion pwysicaf byddin yr Almaen.

Yr oedd ffatrïoedd eraill yn y De, yn Hirwaun, Pen-bre, a Glasgoed ger Pontypŵl, ac yn y Gogledd-ddwyrain ym Marchwiail. Cynhyrchid awyrennau rhyfel hefyd ym Mrychdyn, sir Fflint. Adroddwyd ar 23 Mawrth 1942 mai gwragedd oedd mwy na hanner gweithwyr ffatrïoedd Cymru bellach. Cododd y cyfanswm o draean o'r gweithlu i fwy na hanner mewn llai na dau fis. Gweithwragedd amser-llawn oedd llawer o'r rhain, ond yr oedd nifer mawr hefyd yn manteisio ar delerau gwaith rhan-amser i wneud tipyn o waith rhyfel ar ben eu gorchwylion arferol. Tueddai cyfolgau'r gweithwragedd hyn i fod yn rhai da yn ôl safonau'r cyfnod, ac ym Mhen-y-bont telid swllt yr wythnos yn ychwanegol oherwydd natur beryglus y gwaith.

'Diogelu traddodiadau gorau Cymru'

Ar 6 Awst, sefydlwyd Undeb Cymru Fydd, pan ymunodd Undeb Cenedlaethol y Cymdeithasau Cymraeg a Phwyllgor Amddiffyn Diwylliant Cymru â'i gilydd. 'Cymdeithas o bobl sydd yn ceisio diogelu traddodiadau gorau Cymru' oedd y mudiad newydd yn ôl Thomas Iorwerth Ellis, ei Ysgrifennydd.

Daeth yr Undeb newydd yn fodd pwysig i ddwyn at ei gilydd Gymry â'u bryd ar ddiogelu'r Gymraeg a'i thraddodiadau.

Trwy'r '40au bu'r Undeb yn weithgar yn tynnu sylw'r llywodraeth at faterion o bwys i Gymru, fel addysg Gymraeg, statws swyddogol yr iaith, darlledu, a'r defnydd o diroedd y wlad at ddibenion milwrol. Byddai hefyd yn cyhoeddi nifer o gyfnodolion fel *Yr Athro*, *Cofion Cymru* – misolyn i Gymry Cymraeg yn y lluoedd arfog – a *Llythyr Ceridwen* – cylchgrawn i ferched. Yn 1950, Undeb Cymru Fydd a drefnodd y gynhadledd a arweiniodd at greu'r mudiad poblogaidd Ymgyrch Senedd i Gymru.

Yn y '60au datblygodd yr Undeb yn fudiad mwy addysgol ei naws, gan drefnu gwersi Cymraeg i oedolion, ac yn 1969 penderfynwyd dod â'r mudiad i ben i bob pwrpas, gan fod nifer o grwpiau eraill erbyn hynny yn llenwi'r bwlch y crewyd Undeb Cymru Fydd i'w lenwi. Flwyddyn yn ddiweddarach bu farw T.I. Ellis.

Osgoi'r drin

Yn ôl y Parch. H.J. Evans, Bryn-mawr, Is-Gadeirydd Pwyllgor Cymorth Cyhoeddus Sir Frycheiniog, mewn cyfarfod o'r pwyllgor ddiwedd Mawrth, roedd rhai dynion yn osgoi gwasanaeth milwrol drwy drampio'r ffyrdd. Honnai fod rhai crwydrwyr yn ceisio ymddangos yn hŷn nag yr oeddynt drwy dyfu barfau. Cwynwyd bod llawer o'r dynion hyn yn anelu am ardaloedd cefn gwlad fel sir Frycheiniog ac yn disgwyl lloches mewn hosteli ar gyfer gweithwyr ysbeidiol.

Pentref Cymreig Califfornia

Ar 28 Hydref yn Efrog Newydd dangoswyd am y tro cyntaf ffilm cwmni *20th Century Fox* o nofel lwyddiannus Richard Llewellyn, *How Green Was My Valley*.

Y nofel hon a roddodd enwogrwydd rhyngwladol i Llewellyn pan gyhoeddwyd hi ym mis Hydref 1939, a hi mae'n debyg yw'r nofel enwocaf erioed am Gymru yn yr iaith Saesneg. Profodd yn nofel hynod boblogaidd o'r dechrau, a gwerthwyd 150,000 o gopïau o fewn ychydig fisoedd i'w chyhoeddi. Troswyd hi i ugain o ieithoedd eraill gan gynnwys Twrceg, Hindi a Siapaneg, ac er i Llewellyn ysgrifennu mwy nag ugain o nofelau eraill wedyn, ni fu'r un ohonynt hanner mor boblogaidd â'i lyfr cyntaf, *How Green Was My Valley*.

Cymdeithas y maes glo yn ei ddyddiau cynnar oedd pwnc y stori, a dengys y nofel gymdeithas ddiwydiannol yn cael ei chwalu'n araf gan anghydfodau a streiciau. Ond yn wahanol i lenorion Eingl-Gymreig eraill a ddaeth yn adnabyddus am ddarlunio bywyd y glöwr, ni chafodd yr awdur ei hun rhyw lawer o brofiad personol o'r bywyd hwnnw. Brodor o Dyddewi, sir Benfro ydoedd, ac er mwyn llunio'r nofel, treuliodd rai misoedd yn gweithio yng nglofa'r Gilfach Goch, er mwyn deall y gymdeithas lofaol yn well. Er hyn, mynnodd llawer o Gymry'r cymoedd mai darlun ffug o'u byd hwy a gafwyd gan yr awdur – myth rhamantus yn hytrach na'r gwirionedd.

Os bu *How Green Was My Valley* yn llwyddiant mawr fel nofel, daeth yn fwy adnabyddus byth trwy ffilm y cyfarwyddwr o Americanwr John Ford. Er bod pennaeth y cwmni ffilmiau, Darryl F. Zanuck, yn bwriadu'n wreiddiol ffilmio'r cyfan yn y Rhondda, cafwyd nad oedd hyn yn ymarferol, ac aeth mwy na 150 o weithwyr ati am chwe mis i godi pentref Cymreig ffug, gan gynnwys adeiladau pwll glo, yn Nyffryn San Fernando, Califfornia. Yn y pentref hwn y saethwyd y ffilm i gyd ac nid ymwelwyd â Chymru o gwbl, er gwaethaf cwynion gan rai nad oedd yn cydymffurfio â thirwedd y nofel.

Americanwr o dras Wyddelig oedd Ford, a dewisodd griw o Wyddelod i chwarae'r prif rannau. Gwelwyd glowyr Cymru'n perfformio dawnsiau Gwyddelig, a chlywyd acenion anghymreig yn atseinio trwy bentref glofaol ffug Califfornia. Pan ofynnwyd iddo

Siop y pentre yn San Fernando.

pam nad oedd wedi cael actorion o Gymru, atebodd Ford, *'They're all micks, aren't they?'*

Ond er gwaethaf y feirniadaeth heidiodd y cyhoedd fesul miloedd i weld y ffilm, ac ar 26 Chwefror 1942 cipiodd *How Green Was My Valley* bum gwobr Oscar, gan guro clasur Orson Welles, *Citizen Kane*, a chipio'r wobr am y Ffilm Orau.

Bomio'r Gogledd

Y difrod i'r Queen's Head, Brymbo.

Er mai broydd diwydiannol y De a gafodd y gwaethaf o ymosodiadau'r *Luftwaffe*, ni ddihangodd trefi'r Gogledd yn gwbl ddianaf. Ym mis Mehefin trawyd pentref Brymbo ger Wrecsam gan fom. Bu difrod i'r sinema, a hefyd i dafarn y Queen's Head pan daniodd bom a oedd wedi glanio heb ffrwydro. Yn aml byddai peilotiaid Almaenig yn awyddus i gael gwared ar eu llwythau o fomiau-dros-ben cyn hedfan yn ôl, gan achub ar y cyfle i'w gollwng ar leoedd nad oeddynt yn dargedau swyddogol, megis, yn achos sir Ddinbych, Llandegla, Llansannan, Gwytherin a Nantglyn.

Helwyr morfilod Môn

Ym mis Mehefin daeth un o'r penodau hynotaf hanes morio yng Nghymru i ben pan ddociodd y llong *Southern Empress* ym Mhenbedw, gan roi terfyn ar gyfnod o bum mlynedd pan fu dynion Môn yn teithio'r byd i hela morfilod.

Blynyddoedd caled y Dirwasgiad Mawr a'u denodd – yn enwedig o Gaergybi – i ymuno â llongau'r cwmni *Unilever*, llongau ffatri â chriw o gwmpas tri chant o ddynion ar bob un, yn hela morfilod ym moroedd rhewllyd yr Antarctig. Yn 1936 aeth y capten llongau, William Williams o Forfa Nefyn, ati dros *Unilever* i recriwtio morwyr Caergybi, gan sefydlu swyddfa dros dro yn nhŷ William Owen, peilot llongau yn y dref. Yr oedd *Unilever* wedi cael trafferthion gyda'u morwyr arferol o Norwy, ac yn awyddus i gyflogi rhai o wledydd Prydain. Yn nhymor hela 1936-37 aeth deugain o ddynion a phedwar bachgen ar y trên o Gaergybi i ymuno â'r llongau yn Newcastle-upon-Tyne.

Cyhoeddwyd llythyron oddi wrth y dynion ym mhapurau lleol Môn yn disgrifio profiadau megis morio rhwng mynyddoedd iâ a chael tair awr ar hugain o olau dydd yn feunyddiol. Bu'r sôn am eu hanturiaethau, ynghyd â'r cyflogau da a'r bwyd digonol ar y

Helwyr yn eistedd yng ngheg morfil marw.

llongau yn ddigon i ysgogi mwy na chant o ddynion Môn i'w dilyn y tymor hela dilynol, a phob gaeaf bu tyrfaoedd yn heidio i Gyfnewidfa Lafur Caergybi i gael lle ar y llongau.

Yr Ail Ryfel Byd a roddodd ddiwedd ar y teithiau hela hyn. Yn 1942 defnyddiwyd y *Southern Empress* gan y llynges i gludo olew a nwyddau eraill, a suddwyd hi gan dorpedo ger arfordir Canada ar 13 Hydref. Yr un fu tynged y *Sea Princess* a drawyd ar 17 Mawrth 1942 wrth hwylio o'r Alban i America.

Pwyliaid Môn

Bu farw 14 o bobl wrth geisio achub criw o Bwyliaid oddi ar awyren a oedd wedi mynd i'r môr yn ymyl Rhosneigr, Ynys Môn, ar 28 Awst.

Daeth yr awyren i lawr tua chwarter milltir o'r lan, a chafodd cannoedd a oedd yn mwynhau gwyliau haf ar y traeth wylio'r ymdrechion ofer i achub ei chriw. Nofiodd dau o'r Pwyliaid i'r lan a boddwyd un arall, ond yr achubwyr a gafodd y gwaethaf ohoni. Aeth dau ddyn allan mewn cwch rhwyfo, ond

dymchwelwyd y cwch cyn cyrraedd yr awyren, a thaflu'r ddau i'r môr. Yr un oedd tynged y chwe milwr, un morwr a'r plismon a fentrodd allan mewn ail gwch tua'r awyren. Ceisiodd rhai ffurfio cadwyn o bobl i gyrraedd y rhai o'r cwch, ond cawsant eu gwthio'n ôl gan y tonnau. Anfonwyd trydydd cwch allan, ond dymchwelwyd hwnnw hefyd, a digwyddodd yr un peth i bedwerydd cwch a oedd wedi dod yn arbennig ar lorri o Gaergybi i gynorthwyo gyda'r gwaith achub. Fel llawer o Bwyliaid yn ystod yr Ail Ryfel Byd, roedd criw'r awyren yn gwasanaethu yn Llu Awyr Prydain. Ar 15 Chwefror ar safle'r Llu Awyr yn Mhen-bre, ger Llanelli, ffurfiwyd Sgwadron 316 o awyrenwyr alltud o Wlad Pwyl, o dan yr enw 'Dinas Warsaw'.

'Llond trên o actorion'

Ym mis Ebrill, symudodd Adran Adloniant y BBC o Fryste i Fangor, gan geisio diogelwch rhag awyrennau'r Almaen. Cludwyd holl staff yr adran o 432 o bobl ar un trên arbennig i Fangor, ynghyd â 17 o gŵn ac un parrot, ac yno y buont am 34 mis. Awgrymodd y *Liverpool Daily Post* yn ysgafn fod yr hen ddinas eglwysig 'wedi colli ei diniweidrwydd dros nos gyda llond trên o actorion.' Er bod rhai ym Mangor yn anfodlon ar rai o arferion lliwgar y performwyr, daethant yn rhan boblogaidd o fywyd y ddinas, a byddent weithiau'n cynnal sioeau i'r trigolion i godi arian i elusennau lleol.

Ymhlith yr enwogion a ddaeth i fyw am gyfnod i'r Gogledd yr oedd Tommy Handley, seren y rhaglen boblogaidd *ITMA*. Bu Handley'n aros yn Llanfairfechan, ac yn ystod ei gyfnod yno y cyflwynodd i *ITMA* ei gymeriad comedi Sam Fairfechan, wedi'i seilio ar Sam Jones, cynrychiolydd y BBC yng ngogledd Cymru.

Glendower Powys

Ar 25 Ionawr, yn Efrog Newydd, cyhoeddwyd rhamant hanesyddol John Cowper Powys, *Owen Glendower*. Hon oedd y gyntaf o nofelau'r awdur a ysgrifennwyd yng Nghymru, a hefyd yr un fwyaf Cymreig ei thema, sef gwrthryfel Owain Glyndŵr rhwng 1400 a 1416. Bu Cowper Powys wrthi'n twtio'r deipysgrif yn derfynol ym mis Ionawr 1940, tra ar yr un pryd yn cario cerrig o'r mynyddoedd y tu ôl i'w fwthyn i godi cromlech goffa i'w frawd, y llenor Llewellyn Powys, a fu farw yn Rhagfyr 1939 o'r dicâu.

Er geni John Cowper Powys yn swydd Derby, honnai ei dad ei fod o dras hen uchelwyr Cymru, a byddai Cowper Powys yn ymfalchïo'n fawr yn ei Gymreictod. Ym Mai 1935 daeth i fyw i Gorwen, Meirionnydd, ar ôl treulio ei flynyddoedd cynnar yn ne-orllewin Lloegr. Yn ogystal â'r nofel *Owen Glendower*, lluniodd ramant Gymreig arall yng Nghorwen, sef *Porius*, a'r stori wedi'i lleoli yn Nyffryn Edeirnion yn y flwyddyn 499.

1942

15 Chwefror

Goresgynnwyd Singapôr gan luoedd Siapan.

7 Mehefin

Daeth y frwydr fôr ger ynys Midway, Hawaii, i ben gyda llynges yr Unol Daleithiau'n fuddugol.

10 Mehefin

Er mwyn talu'r pwyth yn ôl am lofruddiaeth yr arweinydd Natsïaidd Heydrich, llosgwyd pentref Lidice yn Tsiecoslofacia a lladdwyd pob gwryw yno gan yr Almaenwyr.

25 Mehefin

Penodwyd Eisenhower yn bennaeth ar luoedd yr Unol Daleithiau yn Ewrop.

9 Awst

Yn yr India arestiwyd Mahatma Gandhi a 50 o'i gefnogwyr cyn iddynt ddechrau ar brotest o anufudd-dod sifil.

2 Medi

Yng Ngwlad Pwyl dechreuodd milwyr yr SS ar gyrch i glirio'r Iddewon o'u geto yn Warsaw.

4 Tachwedd

Yn yr Aifft, enillodd byddin Prydain frwydr El Alamein yn erbyn lluoedd y Cadfridog Rommel.

1 Rhagfyr

Ym Mhrydain cyhoeddwyd Adroddiad Beveridge a argymhellai sefydlu 'gwladwriaeth les' ar ôl y Rhyfel.

Rudolph Hess yn y Fenni

Rudolf Hess yn y llys yn Nuremberg.

Ar 26 Mehefin, fe ddaeth Dirprwy *Führer* yr Almaen, Rudolph Hess, yn garcharor i ysbyty meddwl y Fenni, Gwent. Gosodwyd 33 o filwyr i'w warchod wrth iddo ddechrau tair blynedd o garchariad yng Nghymru. Yr oedd Hess wedi hedfan yn ddirgel i'r Alban ym Mai 1941 gan fwriadu trafod rhyw fath o delerau heddwch.

Daeth Hess i Gymru wedi cyfnod yng ngharchar cudd "Gwersyll Z" ger Llundain, a chafodd ei roi dan ofal yr Uwch-gapten David Ellis Jones, meddyg gyda'r fyddin. Yn ôl y sôn, yr oedd Hess wrth ei fodd yng nghefn gwlad Cymru, ac fe ganiatéid iddo gerdded ar Fynydd Pen-y-Fâl uwchben y dref unwaith yr

Drosodd

Rudolph Hess yn y Fenni

(o'r tudalen cynt)

wythnos. Trwy gydol ei amser yng Nghymru, ac wedi hynny, mynnai'r Natsi blaenllaw na allai gofio dim am ei gefndir nac am fod yn Ddirprwy i Adolf Hitler.

Ar 8 Hydref 1945, gadawodd Hess y Fenni a rhoddwyd ef ar awyren ger Henffordd i fynd i Nuremberg lle y safodd ei brawf gyda'i gyd-Natsïaid am droseddau rhyfel. Fe'i carcharwyd am oes a threuliodd weddill ei fywyd yng ngharchar Spandau, Berlin. Fodd bynnag, honnodd llawfeddyg o Gymro, Hugh Thomas, nad Hess oedd y carcharor. Yn ôl Thomas, a fu'n archwilio'r carcharor yn Spandau tra'n gweithio yno fel meddyg i'r fyddin yn y '70au, nid oedd olion anaf a gafodd Hess yn y Rhyfel Byd Cyntaf i'w weld ar ei gorff a chredai nad Hess a laniodd yn yr Alban yn 1941 ond ymhonnwr. Pan grogodd y carcharor ei hun yn 1987, honnodd Thomas nad hunanladdiad ydoedd ond llofruddiaeth gan y gwasanaethau cudd a oedd yn awyddus i roi taw ar y sibrydion.

Beth bynnag oedd y gwirionedd ac er bod sawl hanesydd wedi mentro dyfalu, dirgelwch hyd heddiw yw beth yn union yr oedd Hess yn gobeithio'i ennill trwy ddod i Brydain, a phwy a'i danfonodd neu'i wahodd.

Ymarfer yn Nhregaron

isod: Paratoi am ryfel ger cofgolofn yr 'Apostol Heddwch', Henry Richard, yn Nhregaron.

Ym mis Medi fe ddaeth Tregaron, Ceredigion, yn ganolbwynt i gyffro ymarferion milwrol mawr. Daeth yr Arglwydd Louis Mountbatten a'r Is-Gadfridog E.C.A. Schreiber i'r ardal i wylio'r Môr-filwyr Brenhinol yn ymarfer yn y bryniau o gwmpas y pentref. Treuliodd y milwyr sawl noson ar y bryniau heb yr un lloches er mwyn eu caledu at y tywydd gwael.

Streiciau'r bechgyn

Gyda llawer o'r dynion canol oed wedi'u galw i'r lluoedd arfog, yr oedd pyllau glo de Cymru yn llenwi gyda'r ifanc iawn a'r hen iawn. Yr oedd llawer o'r dynion ifanc yn derbyn cyflogau isel ac wedi'u cadw yn y gwaith gan Orchymyn Gwaith Anhepgor y llywodraeth. Disgrifiodd y glöwr o lenor Bert Coombes sut y gwelodd lowyr ifanc wrth geg y pwll yn melltithio pob dim dan haul mewn iaith 'gïaidd o halogedig' (*brutally profane*).

Yr oeddynt hefyd yn anghyfarwydd â dulliau traddodiadol y glowyr o ddelio â'r meistri glo, a heb deimlo teyrngarwch mawr tuag at Ffederasiwn Glowyr De Cymru. Byddent yn gwingo yn erbyn y ddisgyblaeth a orfodid arnynt, a daeth hyn i'r amlwg mewn cyfres o streiciau answyddogol a gafodd eu galw'n 'Streiciau'r Bechgyn'. Gwelwyd streiciau mawr ym Mai, Mehefin a Hydref, pan ymunodd nifer mawr o'r dynion hŷn â'r bechgyn.

Marw ar y mynyddoedd

Diwrnod trychinebus oedd 11 Awst i awyrenwyr Llu Awyr Unol Daleithiau America yng Nghymru – daeth dwy awyren fomio 'B17 Flying Fortress' i lawr yng ngogledd Cymru ar yr un dydd, y naill ar Gadair Bronwen, gan ladd ei chriw o 11; a'r llall hefyd ar Fynyddoedd Berwyn gan ladd pob un o'r 8 ar ei bwrdd.

Daeth trasedi i ran awyrenwyr Americanaidd Cymru ddwywaith yn 1943. Bu farw 10 pan drawodd y *Sondra Kay* Riw Graidd ger Rhaeadr, Powys, ac ar 4 Awst daeth 'Flying Fortress' arall i lawr ar Arenig Fawr, Eryri, gan ladd ei chriw o 8 bob un.

Ar 8 Mehefin 1945, trawodd 'Flying Fortress' Graig Cwm Llwyd ger y Bermo, gan ladd y 19 arni. Awgrymodd rhai ar y pryd fod deunydd magnetaidd yn y creigiau wedi effeithio ar gwmpawd yr awyren, ond mae gwir achos y ddamwain yn dal yn ddirgelwch.

Yn nwylo'r gelyn

dde: Band Stalag VIII B yn ymarfer.

Ymhlith y miloedd o garcharorion rhyfel roedd tri Chymro a gafodd brofiadau amrywiol dan orthrwm y ffasgwyr sef David Elis Roberts o'r Bermo, Evan J. Davies o'r Rhiw, Penrhyn Llŷn ac R.A. Williams o Wdig, sir Benfro. Ar 13 Chwefror wrth geisio dianc rhag gwarchae'r Siapaneaid ar Singapôr, fe ddaeth y morwr David Elis Roberts a gweddill criw'r llong *Mata Hari* yn 'Westeion yr Ymerawdwr', chwedl eu carcharwyr. Yr oedd milwyr Siapan wedi ymosod ar ynys Singapôr wyth diwrnod ynghynt, a deuddydd yn ddiweddarach byddai'n ildio iddynt. Cadwyd Roberts mewn cyfres o wersylloedd, gan orffen ei dair blynedd a hanner o gaethiwed yn Palembang yn Sumatra, un o'r ardaloedd mwyaf anghysbell i'r Cynghreiriaid a'r Siapaneiaid fel ei gilydd. Am fwy na dwy flynedd ar ôl ei garcharu ni wyddai ei deulu ddim o'i hanes.

Bu'n dioddef yn ddifrifol o ddisentri a'r clefyd diffyg maeth *beri-beri*. Poenid y carcharorion yn barhaol gan heintiau trofannol, a dioeddefent hefyd driniaeth gïaidd iawn gan y rhai a oedd yn cadw golwg arnynt. Mor newynog oeddynt ar adegau fel y byddent yn dwyn crwyn bananas o fwyd moch i'w bwyta, a hefyd yn arbrofi bwyta chwyn y jyngl. Fel yr unig Gymro Cymraeg yng ngwersyll Palembang, fe fyddai'n sgwrsio ag ef ei hun rhag anghofio'r iaith.

Daeth rhyddhad yn swyddogol yn Awst 1945, pan ildiodd Siapan i luoedd y Cynghreiriaid, ond arhosodd y carcharorion o hyd yn eu gwersyll yn nwylo'r un gwarchodwyr. Bu'n rhaid aros ychydig yn hwy cyn i awyrennau Prydeinig gyrraedd i'w rhyddhau mewn gwirionedd, gan ddod â'r fath ddanteithion prin iddynt â chorn-bîff a sigarennau *Player's*. Ychydig ynghynt roedd Roberts wedi gwrando gyda chryn amheuaeth ar straeon bod yr Americanwyr wedi gollwg dau 'fom mawr' ar ddinasoedd Siapan a thrwy hynny ddiweddu'r rhyfel, gan gredu mai un o'r llu chwedlau di-sail a glywid yn y gwersyll oedd hon.

Ac ar 21 Mehefin roedd y Corporal Evan J. Davies ymhlith y 35,000 o garcharorion a gymerwyd pan syrthiodd porthladd Tobruk yng ngogledd Affrica i ddwylo'r Natsïaid. Dyna ddechrau tair blynedd o garchariad, ac yntau a'i gyd-garcharorion yn cerdded o wlad i wlad gyda'u carcharwyr. Ar 14 Awst cyrhaeddodd y carcharorion Bengazi, ar ôl cerdded o Tobruk. Yn Bengazi cafodd Davies ei groesholi gan swyddog Almaenig, a esboniodd wrth yr hogyn o Lŷn fod ei dad ef wedi bod yn garcharor rhyfel yng ngogledd Cymru yn y Rhyfel Byd Cyntaf: 'Daeth adre'n iach...' meddai, 'Gobeithio y cewch chithau ddychwelyd yn iach yn ôl i Gymru.' O Bengazi, cerddwyd i Tripoli. Câi llawer un ei boeni gan ddisentri, a byddai'r gwan yn syrthio wrth ymyl yr heol. Cludwyd y carcharorion ar long i'r Eidal, ac ym Medi 1943 eu trosglwyddo i ddwylo *SS* yr Almaen. Bu Davies mewn cyfres o wersylloedd yn yr Almaen, gan gynnys Gwersyll AKB738, lle y cyfarfu â'r enwog Lord Haw Haw, a fyddai'n darlledu propaganda Natsïaidd yn Saesneg ar y radio o'r Almaen i Brydain. Gofynnodd Haw Haw, a gâi ei grogi am fradwriaeth ar ddiwedd y rhyfel, a oedd y bachgen o'r Rhiw yn derbyn llythyrau'n iawn gan ei deulu, gan gofnodi ei enw a'i gyfeiriad cartref pan dywedodd nad oedd.

Cuddio ar fferm yn ymyl tref fach Graigberch roedd Davies a'i gyd-garcharorion pan gawsant eu rhyddhau gan ddau filwr Americaniadd a yrrodd eu tanc i mewn i fuarth y fferm.

Un o garcharion Stalag VIII B oedd R. A. Williams. Roedd wedi ymuno â Seindorf Bataliwn Cyntaf o'r Catrawd Cymreig yn 1934 ond yn 1941 cipiwyd ef gan yr Almaenwyr ar Ynys Creta a threuliodd weddill y Rhyfel yn garcharor yn yr Almaen.

Gan ei fod yn gerddor, bu'n gyfrifol am drefnu nosweithiau o ganu carolau cyn y Nadolig ac am ddathliadau Dydd Gŵyl Ddewi, pan y byddai'n chwarae'r organ. Ef oedd cyfarwyddwr cerdd y Cyngerdd Mawreddog a gynhaliwyd yn y gwersyll ar 22 Awst 1943. Ar ôl ei ryddhau yn 1945, bu'n weithgar gyda'r Lleng Brydeinig.

Y Gymraeg yn ennill tir

Ar 22 Hydref pasiwyd Deddf Llysoedd Cymru 'i ddileu amheuaeth ynglŷn â hawl personau Cymraeg eu hiaith i roi tystiolaeth yn yr iaith Gymraeg yn llysoedd barn Cymru.'

Dileod y Ddeddf ran o Ddeddfau Uno Harri VIII, a chywirodd y sefyllfa ryfedd yng Nghymru lle yr oedd pobl yn cael siarad unrhyw iaith yn y llysoedd heb orfod talu am y cyfieithydd, oni bai eu bod am siarad Cymraeg. O dan y ddeddf newydd y llys a dalai am waith y cyfieithydd. Yr oedd rhai wedi cwyno gynt fod llysoedd Cymru yn rhoi mwy o barch i ieithoedd morwyr tramor porthladdoedd y De nag i'r Gymraeg. Er mai cam bach oedd y ddeddf hon, gellir ei ystyried yn un pwysig i'r rhai hynny yr oedd yn well ganddynt siarad Cymraeg mewn llys barn.

Cynhaeaf y gwrychau

Gwaith i'r wlad i gyd oedd yr ymdrech ryfel. Tra oedd y llywodraeth yn annog ffermwyr i dyfu mwy, a gwragedd tŷ i arbrofi gyda bwydydd newydd, ym mis Hydref fe aeth y plant hyn o ardal y Trallwng, sir Drefaldwyn, i gasglu egroes i ychwanegu at eu hymborth. Ffefrid egroes am eu bod yn llawn Fitamin C.

Lluoedd Cymru ar y brig

Er na chwaraewyd yr un gêm ryngwladol swyddogol yn ystod blynyddoedd y rhyfel, yr oedd digon o foddhad i gefnogwyr rygbi Cymru yn y fuddugoliaeth a gafwyd yn Abertawe ar 7 Tachwedd mewn gêm rhwng aelodau o'r lluoedd arfog o Gymru a Lloegr. Cymru 11 Lloegr 7 oedd y sgôr derfynol, a gwyliodd 20,000 o bobl y gêm. Willie Davies oedd seren y gêm, gan greu'r ail o dri chais Cymru a sgorio'r trydydd ar ôl rhediad gwych.

Yr oedd perfformiad Cymru'n welliant sylweddol ar yr hyn a welwyd yn nwy gêm 1940. Yng Nghaerdydd ar 9 Mawrth, yng ngêm gyntaf y rhyfel rhwng y ddwy wlad, trechwyd Cymru gan yr hen elyn o 18 i 9 o flaen torf o 40,000 o Gymry siomedig. Drachefn yng Nghaerloyw ar 13 Ebrill y Saeson oedd yn fuddugol o 17 pwynt i 3.

Trolibysiau Caerdydd

Ar 1 Mawrth, dinas Caerdydd oedd y lle olaf yng Nghymru i gychwyn gwasanaeth trolibysiau. Agorodd Arglwydd Faer y ddinas y gwasanaeth dwy filltir a hanner trwy roi ceiniog mewn bocs talu-wrth-fynd-i-mewn. Arhosodd y bocsys hyn ar drolibysiau Caerdydd tan 1954, a thrwyddynt fe gâi dinasyddion Caerdydd deithio am y prisiau rh ataf ym Mhrydain.

Yn ôl yn 1911 yr oedd Cadeirydd Pwyllgor Tramffyrdd Corfforaeth Caerdydd wedi ymweld â system trolibysiau newydd Bradford, ond gohiriwyd y pwnc am flynyddoedd lawer oherwydd problemau ariannol. Yr oedd angen rhywbeth i gymryd lle rhai o dramffyrdd adfeiliedig y ddinas, a phenderfynwyd yn y diwedd y rhôi troliybysiau trydan fwy o elw i'r Gorfforaeth na bysiau petrol. Estynnwyd y rhwydwaith trwy'r blynyddoedd i gyrraedd sawl rhan o'r ddinas.

Daeth addurno trolibysiau yn rhan o rwysg dinesig Caerdydd, fel yn 1955 ar gyfer dathlu hanner canmlwyddiant statws dinas; yr Eisteddfod Genedlaethol yn 1960; a Gorymdaith Siôn Corn 1964 pan aeth y trolibws ar flaen y parêd ar dân. Parhaodd y gwasanaeth hyd Ionawr 1970, pan redodd trolibysiau Caerdydd am y tro olaf.

Glanio mewn trwbwl

Yr awyren FW 190 a syrthiodd i ddwylo'r Llu Awyr ym Mhen-bre.

Mawr iawn oedd syndod un peilot Almaenig a gredodd ei fod yn glanio ei awyren yn ddiogel yn Ffrainc pan sylweddolodd mai ym Mhen-bre ger Llanelli y daeth i lawr. Gan gredu'n sicr ei fod wedi cyrraedd adref yn ddiogel, yr oedd yr Almaenwr dryslyd wedi perfformio cyfres o driciau hedfan uwchben safle Pen-bre'r Llu Awyr Brenhinol cyn agor ei offer glanio gyda'r awyren wyneb i waered a dod allan o droelliad tynn i lanio.

Yr oedd yr *Oberleutenant* Faber wedi bod yn ymladd gydag awyrennau *Spitfire* o Gaerwysg, ac ar ei ffordd adref fe gamgymerodd Fôr Hafren am y Sianel.

Llawn cymaint â phenbleth Faber oedd llawenydd swyddogion Llu Awyr Prydain wrth gael eu dwylo ar ei awyren *FW 190*, awyren ymladd diweddaraf yr Almaen. Bu gwasanaethau cudd Prydain yn cynllwynio ers tro i ddanfon llu draw i Ffrainc i ddwyn un ohonynt, ond ni fyddai angen gwneud hynny bellach.

1943

Berlin, Burgundy a Belsen

Awyrennau'r Llu Awyr yn bomio'r Almaen.

Ar 14 Medi, clywodd gwrandawyr radio Prydain adroddiad hynod wedi'i recordio'n fyw'r noson flaenorol mewn awyren fomio Lancaster a oedd yn ymosod ar ddinas Berlin ar y pryd. Wynford Vaughan Thomas o Abertawe oedd y gohebydd. Dôi'r adroddiad yn ddiweddarach yn un a ystyrid yn glasur o'i fath, a llais y gohebydd yn un o leisiau enwocaf Cymru.

Synnwyd pobl wrth glywed Vaughan Thomas yn disgrifio sut yr hedfanodd yr awyren trwy chwil-oleuadau a thân-ynnau mawr yr Almaenwyr, a'r foment frawychus honno pan ddaliwyd y Lancaster yn un o'r goleudau nes goleuo'r caban i gyd. Llosgai dinas fawreddog Berlin, meddai wedyn, fel dyrnod o gerrig gwerthfawr, emralltau a rhuddemau wedi'u taflu ar felfed du. Soniodd hefyd am ollyngdod mawr yr awyrenwyr wedi iddynt saethu i lawr awyren Almaenig a ddaeth ar eu hôl a gweld y gelyn yn plymio i'r ddaear 'fel clwtyn olewog fflamllyd i mewn i'r llanastr islaw'.

Ar 22 Ionawr 1944, bu Vaughan Thomas yn yr Eidal gyda milwyr Prydain ac America, a glaniodd ar draethau Anzio ar gyfer eu cyrch mawr ar Rufain. Ar 14 Awst yr un flwyddyn, glaniodd gyda byddin Ffrainc yn ne'r wlad honno. Teithiodd gyda'r Ffrancod wrth iddynt ryddhau tiroedd yn cynnwys rhai o winllannau enwocaf y byd, gan oedi i flasu cynnwys rhai o seleri gwin gorau Ffrainc, profiadau a groniclwyd ganddo yn ei lyfr *How I Liberated Burgundy* dan y ffugenw

(Drosodd)

Berlin, Burgundy a Belsen

(o'r tudalen cynt)
'Vineyard' Vaughan Thomas.

Ar ddiwedd y rhyfel darlledodd o wersyll carchar Belsen am yr erchyllterau a welodd yno, ac ar 4 Mai 1945 clywyd ei ddarllediad o'r ystafell yn Hamburg y bu'r bradwr Lord Haw-Haw (William Joyce) yn ei defnyddio i ddarlledu propaganda Natsïaidd i Brydain.

Côd Cymraeg

Cafwyd prawf ymarferol iawn o werth y Gymraeg i'r fyddin ar 18 Mawrth, wrth i Fataliwn Cyntaf y Ffiwisilwyr Brenhinol Cymreig ymosod ar y Siapaneaid ger Bae Bengal yng ngogledd yr India.

Yr oedd pedwar cwmni o'r Ffiwisilwyr wedi cwrdd â helyntion mawr a gwrthsafiad dygn gan y Siapaneaid. Gyda Chwmni 'D' o'r Bataliwn mewn trafferth mawr, defnyddiodd y Cyrnol Williams gorn siarad i roi gorchmynion Cymraeg iddynt ddal eu tir nes i Gwmni 'B' gyrraedd. Defnyddid yr un dull ychydig wedyn i ofyn i ddynion Cwmni 'D' unwaith yn rhagor ddal eu safle, ac i ddweud wrth y Bataliwn pryd y byddent yn ymosod nesaf.

Daeth yn aferiad cyffredinol gan y Ffiwisilwyr wedyn i sicrhau bod o leiaf un Cymro Cymraeg ymhlith gweithredwyr radio pob cwmni ar gyfer yr achlysuron pan nad oedd amser i roi negesuon mewn côd swyddogol.

Hen arfer gan luoedd arfog Prydain oedd defnyddio ieithoedd anghyffredin o bryd i'w gilydd fel math o gôd answyddogol, ond ymddengys fod y Llu Awyr Brenhinol yn 1942-3 yn mynd ati'n fwriadol i ddewis Cymry Cymraeg yn weithredwyr radio cudd oherwydd eu hiaith. Cynhaliwyd cyfres o gyfweliadau yn Llundain â deuddeg o Gymry Cymraeg o'r Llu Awyr, deg o Wynedd, un o Glwyd, a'r llall o sir Gaerfyrddin. Ni chlywodd yr un o'r dynion ddim wedyn, ac y mae'n debyg i'r cynllun gael ei fwrw o'r neilltu. Mae'n bosibl nad oedd y Llu Awyr yn credu wedi'r cwbl fod y Gymraeg yn iaith ddigon diogel – yn nifer o brifysgolion y Cyfandir dysgid y Gymraeg fel pwnc, a digon hawdd fyddai i'r Almaenwyr gael gafael ar rywun a fedrai gyfieithu negeseuon cudd yn yr hen iaith drostynt.

Llyfr bob 'Dolig gan Lenor Llanberis

T. Rowland Hughes wrth y meic.

Ym mis Tachwedd cyhoeddwyd *O Law i Law*, y gyntaf o bum nofel flynyddol T. Rowland Hughes. Rhai poblogaidd iawn oedd y nofelau hyn, gan ymddangos ychydig cyn adeg y Nadolig bob blwyddyn hyd at 1947, a byddai llawer darllenydd yn disgwyl yn eiddgar yn ystod y blynyddoedd hyn i weld beth a ddôi nesaf o law'r llenor o Lanberis. Mor boblogaidd oedd *O Law i Law* a chymeriadau difyr pentref dychmygol Llanarfon fel y bu'n rhaid wrth ailargraffiadau yn 1944, 1945, 1946 a sawl blwyddyn wedyn.

Dilynodd T. Rowland Hughes lwyddiant *O Law i Law* â'r nofel ddigrif *William Jones* yn 1944, cyn newid y naws yn llwyr ar gyfer nofel ddwys 1945, *Yr Ogof*, sy'n adrodd hanes dyddiau olaf Iesu o Nasareth trwy lygaid Joseff o Arimaethea.

Yn 1946 aeth Hughes, a oedd yn fab i chwarelwr, i'r afael ag un o ddigwyddiadau mwyaf Cymru yn y ganrif hon yn *Chwalfa*, lle dilynir hynt a helynt un teulu adeg Streic Fawr Chwarel y Penrhyn o 1900 i 1903. *Y Cychwyn* yn Nhachwedd 1947 oedd ei fentr olaf i faes y nofel.

Achub bywydau ar fynyddoedd Eryri

Ar safle'r Llu Awyr yn Llandwrog ger Caernarfon, dechreuwyd y Gwasanaeth Achub ar y Mynyddoedd cyntaf ym Mhrydain. Cyn hyn rhyw hap-a-damwain o beth oedd achub rhai mewn trafferthion ar y mynyddoedd, ond daeth yn amlwg ym misoedd olaf 1942, gyda chyfres o ddamweiniau awyrennau yn Eryri, fod gwir angen gwell trefn.

Yr Awyr-Lefftenant George Graham, Swyddog Meddygol safle Llandwrog, oedd y brif ysbrydoliaeth y tu ôl i'r fentr. Ym mis Ionawr 1943 yr oedd wedi derbyn yr MBE am ei waith yn achub pobl ar y mynyddoedd, ond credai'n gryf fod angen gwella'r system. Mewn nifer o ddamweiniau yr oedd cleifion wedi marw'n ddiangen am nad oedd offer

digonol i'w gludo, na digon o offer radio i'r achubwyr gysylltu â'i gilydd yn effeithiol. Yn Chwefror y flwyddyn hon, cynhaliwyd y prawf cyntaf ar y gwasanaeth achub pwrpasol newydd. Yr oedd *Jeep* ac ambiwlans gyriant-pedair-olwyn wedi eu prynu, a chynhaliwyd profion ar offer radio hefyd. Yn ddiweddarach, cafwyd elor newydd ac ysgafnach i gludo pobl glwyfedig o'r mynyddoedd yn well, ac ymhen pedwar mis yr oedd popeth yn ei le ar gyfer y gwasanaeth newydd, gydag offer radio symudol, mapiau, cwmpawdau, rhaffau a dillad atalglaw.

Efelychwyd esiampl awyrenwyr Llandwrog mewn ardaloedd mynyddig eraill trwy wledydd Prydain i gyd.

Brwydr Sedd y Brifysgol

Tynnodd yr is-etholiad am sedd seneddol Prifysgol Cymru ym mis Ionawr fwy o sylw nag arfer, a hynny oherwydd enwogrwydd dau o'r ymgeiswyr – yr academydd blaenllaw W.J. Gruffydd, a Llywydd Plaid Cymru Saunders Lewis.

Saunders Lewis oedd ffigur amlycaf ei blaid, ac enillodd sylw trwy'r wlad yn 1936 am ei ran yn yr ymosodiad ar safle'r Llu Awyr ym Mhenyberth. Bu W.J. Gruffydd ar un adeg yn Ddirprwy Is-lywydd Plaid Cymru, a mawr oedd siom rhai pan ddewisodd ymladd yr is-etholiad fel Rhyddfrydwr yn erbyn arwr y cenedlaetholwyr. Cymerodd flynyddoedd lawer wedyn i leddfu'r drwgdeimlad rhwng y ddwy garfan. Er bod tri ymgeisydd annibynnol eraill yn cystadlu, cafodd Gruffydd gefnogaeth y Ceidwadwyr a'r Blaid Lafur, ac efe a orfu gyda 3,098 o bleidleisiau i'r 1,330 a gafodd Lewis. (Bu cytundeb rhwng y prif bleidiau yn ystod yr Ail Ryfel Byd i beidio ag ymladd etholiadau yn erbyn ei gilydd.)

Daliodd Gruffydd ei afael ar y sedd yn etholiad cyffredinol Gorffennaf 1945, gan guro Gwenan Jones o Blaid Cymru â mwyafrif o 3,543, a chynrychiolodd Brifysgol Cymru yn y Senedd nes diddymu seddi seneddol y prifysgolion yn 1950. Yr oedd iddo enw fel siaradwr ffraeth a difyr yn y Senedd.

Papur Bro'r Aifft

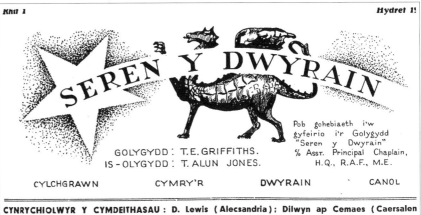

Y rhifyn cyntaf o *Seren y Dwyrain*.

Ym mis Hydref yn Cairo, prifddinas yr Aifft, dechreuwyd cyhoeddi un o bapurau bro mwyaf nodedig Cymru, *Seren y Dwyrain*, a ddosberthid am ddim ymhlith milwyr Cymraeg eu hiaith a wasanaethai gyda byddin Prydain yn y Dwyrain Canol. Ymddangosodd y papur yn gyson bob mis o Hydref 1943 hyd Hydref 1945.

O'r dechrau bu'n cynnwys adroddiadau gan gymdeithasau Cymraeg dinasoedd fel Cairo, Baghdad, Jerwsalem a Haiffa, ynghyd â newyddion o Gymru, barddoniaeth, a phethau ysgafnach fel posau a chroeseiriau.

Ymhlith y digwyddiadau cyntaf a groniclwyd ar ei dudalennau yr oedd Eisteddfod Cairo Medi 1943, pan ddaeth cannoedd o filwyr Prydeinig y ddinas at ei gilydd am noson o adloniant a chystadlu. Yn rhifyn Awst 1945, er diddordeb i'r milwyr o Gymru a oedd yn dal i fod dramor, cynhwysodd *Seren y Dwyrain* restr o ganlyniadau'r Etholiad Cyffredinol tyngedfennol ar ddiwedd y rhyfel.

Cyhoeddwyd rhifyn ychwanegol arbennig o'r papur adeg Eisteddfod Genedlaethol Llandudno yn Awst 1963, lle cafwyd aduniad o filwyr Cymraeg a fu yn y Dwyrain Canol.

Paratoadau'r Ffiwsilwyr

Aelodau o'r Ffiwsilwyr Brenhinol Cymreig yn ardal Tenderden, Caint, yn paratoi ar gyfer yr ymgais i oresgyn lluoedd Hitler. Yn eu plith roedd milwyr o Feirion a Threfaldwyn.

Trysorau Llyn Cerrig Bach

Ar 8 Gorffennaf, yn ystod gwaith cloddio mewn tir mawnog ar gyfer safle Llu Awyr y Fali ar Ynys Môn, ysgrifennodd J.A. Jones, un o beirianwyr y llywodraeth, at Amgueddfa Genedlaethol Cymru i ddisgrifio nifer o esgyrn anifeiliaid a darnau o fetel a ddaethai i'r golwg. Er na wyddai neb ar y pryd, dyna ddechreuad un o ddarganfyddiadau archeolegol pwysicaf Cymru yn y ganrif hon.

Cafwyd hyd i nifer mawr o hen bethau wedi'u claddu yng Nghors yr Ynys ger Llyn Cerrig Bach, yn ymyl pentref Cymyran, a'r cyfan yn dyddio o'r Oes Haearn, dau gan mlynedd cyn i'r Rhufeiniaid ddod i Gymru. Ymhlith y 138 o bethau a darnau o bethau a gafwyd, yr oedd cadwyni caethweision, harneisiau ceffylau, cleddyfau a gwaywffyn, darnau arian, crochenni, a bogail tarian o efydd. Yr oedd yr haearn wedi'i gadw rhag rhydu gan gyflwr di-ocsigen y gors fawn.

'Samariaid Trugarog Cymru'

Eddie Price, 21 mlynedd ar ôl sefydlu Tenovus.

Sefydlwyd yr elusen canser Gymreig Tenovus gan grŵp o wŷr busnes y De fel arwydd o'u diolchgarwch i Ysbyty Brenhinol Caerdydd am y driniaeth a roddwyd yno i un o'u cydweithwyr, Eddie Price. Ffurfiodd y dynion bwyllgor i godi arian dros yr Ysbyty Brenhinol, a setiau radio wrth bennau'r gwelyau oedd eu rhodd gyntaf. Gan fod deg aelod i'r pwyllgor, dewiswyd yr enw Tenovus (*Ten-of-us*) i'r fentr newydd. Ymhlith prosiectau dyngarol cynnar y pwyllgor yr oedd llety gorffwyso i luoedd arfog Prydain yn Byrma, cartref i fabanod dall, ac Uned *Spina Bifida* Ysbyty Brenhinol Caerdydd – anhwylder ar asgwrn y cefn a oedd yn fwy cyffredin yn ne Cymru nag yn un man arall yng ngwledydd Prydain ar y pryd.

Ar 1 Ebrill 1966 dechreuodd Sefydliad Ymchwil Canser Tenovus yn Ysbyty'r Brifysgol ar ei waith, o dan y Cyfarwyddwr Ymchwil, yr Athro Keith Griffiths. O'r cychwyn cyntaf Tenovus a fu'n gyfrifol am dalu a chynnal rhan sylweddol o staff y Sefydliad. Yn ddiweddarch agorwyd Labordai Tenovus yn Ysbyty Radiotherapi Felindre, a chanolfan ymchwil arall yn Southampton. Y mae canolfannau Caerdydd a Southampton bellach yn fyd-enwog am eu gwaith ar ganser. Cafodd yr elusen ei disgrifio unwaith fel 'Samariaid Trugarog Cymru'.

Dirgel Ddyn yn drysu'r gelyn

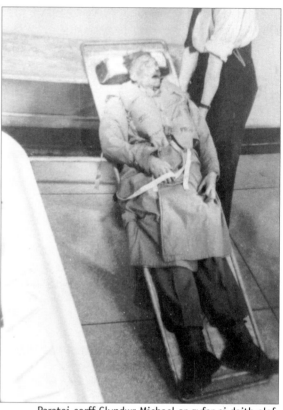

Paratoi corff Glyndwr Michael ar gyfer ei daith olaf.

Mawr oedd llawenydd asiantiaid yr Almaen ar 30 Ebrill wedi iddynt ddarganfod corff dyn digartref o Aberbargoed, Morgannwg, ar un o draethau Sbaen, a hynny am eu bod yn credu mai Uwch-Gapten pwysig ym myddin Prydain ydoedd. 'Major William Martin' oedd yr enw ar y corff, a chydag ef mewn cás dogfennau yr oedd llythyr oddi wrth yr Arglwydd Louis Mountbatten at y Cadfridog Eisenhower, yn awgrymu mai yn Sardinia y glaniai lluoedd y Cynghreiriaid i ymosod ar yr Eidal, ac nid yn Sisili fel y credid ar y pryd.

Ond twyll oedd y cyfan a ffug oedd y llythyr – rhan o gynllun cudd gan y Prydeinwyr ydoedd o'r enw '*Operation Mincemeat*.' Glyndwr Michael o Aberbargoed oedd y dyn – dyn di-waith a fu'n byw'n ddigartref yn Llundain fel trempyn. Cafodd ei wrthod fel milwr am ei fod yn dioddef salwch meddwl, ac ar 28 Ionawr lladdodd ei hun â gwenwyn llygod Ffrengig. Yr oedd ysbïwyr y llynges ar y pryd yn chwilio am gorff dyn yn ei 30au y gellid ffugio ei fod wedi boddi, ac yr oedd Michael yn taro i'r dim. Paciwyd y corff mewn rhew sych a'i ollwng o'r llong danfor *Seraph* ger Gibraltar gyda'r cás dogfennau wedi ei sicrhau â chadwyn wrth ei arddwrn. I wneud y cyfan yn fwy credadwy, rhoddwyd gyda'r corff hefyd lun o'i gariad dychmygol 'Pam' mewn gwisg nofio, llythyr oddi wrth reolwr ei fanc, derbynneb am fodrwy ddyweddïo, bonion tocynnau theatr, a bil gan ei deiliwr.

Daeth pysgotwyr Sbaenaidd o hyd i'r corff pan ddaeth i'r lan, a phasiwyd y dogfennau ymlaen i asiantiaid yr Almaen ym Madrid. Llyncwyd yr abwyd yn llwyr, a symudwyd nifer o filwyr yr Almaen o Sisili i Sardinia. Y canlyniad yn y pen draw oedd ymosodiad llwyddiannus ar Sisili ym mis Gorffennaf gan y Cynghreiriaid.

Boddi yn ymyl y lan

Mewn damwain drychinebus yn y môr ger Aberdaugleddau ar 24 Ebrill, boddwyd 78 o forwyr a môr-filwyr pan suddodd dau gwch glanio yn ystod ymarferion. Yr oedd y cychod ar ei ffordd ar hyd yr arfordir o Gaergybi pan drawyd hwy gan dywydd stormus.

Yr oedd y cychod yn agos i'r lan pan suddwyd hwy, a bu pobl leol yn eu gwylio am rai oriau yn ymladd â'r môr gwyllt. Ymhlith y meirw yr oedd pum dyn a aeth mewn cwch bach o un o longau'r llynges i geisio achub y rhai mewn trafferth. Codwyd rhai o'r môr ond yr oedd y tonnau mawr a'r arfordir creigiog yn drech na'r rhan fwyaf. Bu farw un dyn ar ôl ei dynnu o'r môr – '*Whatch'er mate*,' meddai wrth ei achubwr cyn cwympo'n farw ar y traeth.

Rhoddwyd angladd filwrol i ugain o'r milwyr ym mynwent y dref, ond ar gais eu teuluoedd anfonwyd cyrff y lleill i'w claddu yn eu hardaloedd eu hunain mewn gwahanol rannau o Loegr. Ymddengys mai dyn o Gydweli oedd yr unig filwr o Gymru ar y cychod.

1944

Glanio ar draethau Normandi

Milwyr yn glanio ar draethau Normandi.

A r 6 Mehefin dringodd Ail Fataliwn Cyffinwyr De Cymru i fyny traeth Hable de Heurtot ger Arromanches yn Normandi, yr unig fataliwn o Gymru i gymryd rhan yng nglaniadau mawr 'Diwrnod-D', y cam cyntaf yn y dasg o ryddhau Ewrop o ddwylo'r Natsïaid. Cam cyntaf hefyd ydoedd yn nhaith y Cyffinwyr o Normandi i Hamburg, trwy Ffrainc, Gwlad Belg, yr Iseldiroedd a'r Almaen. Bu farw 164 ohonynt yn ystod y daith honno, ac anafwyd 584 eraill. Enillodd yr Ail Fataliwn 46 o fedalau am ddewrder yn ystod yr ymgyrch, ac enwyd 23 mewn adroddiadau.

O Portsmouth yr aeth Cyffinwyr De Cymru i Normandi, ond bu nifer mawr o filwyr Americanaidd yn aros yn ne Cymru cyn hwylio tua Ffrainc – dynion yr Ail, 9fed a 90fed Adran Gŵyr Traed. Ar un achlysur daeth y Cadfridog Eisenhower i wersyll Island Farm, Pen-y-bont ar Ogwr, i annerch milwyr America a oedd yn ymbaratoi at 'Diwrnod-D'.

Rhoddwyd yr enw côd '*Operation Overlord*' ar yr ymgyrch gyfan, ac enwyd Glaniadau Normandi yn '*Operation Neptune*'. Dechreuodd '*Neptune*' ychydig wedi hanner nos ar 6 Mehefin pan laniodd 23,400 o *baratroopers* Americanaidd a Phrydeinig ar y traethau y bwriedid eu meddiannu. O 6.30 o'r gloch ymlaen dechreuodd fflyd o saith mil o longau a chychod ar y gwaith o ddinistrio amddiffynfeydd yr Almaenwyr ar hyd yr arfordir, a glanio prif garfan o filwyr ar bum traeth. Glaniwyd 75,215 o filwyr i gyd, o Ganada a Phrydain, a 57,500 o Americanwyr, yn ystod 'Diwrnod-D'. Daeth '*Operation Neptune*' i ben yn swyddogol ar 30 Mehefin, ac erbyn hynny roedd 850,279 o ddynion a 148,803 o gerbydau wedi cyrraedd Ffrainc. Yn dynn ar sodlau'r milwyr cyntaf hyn yr oedd Bataliynau Cyntaf ac Ail y Gwarchodlu

(Drosodd)

185

Glanio ar draethau Normandi

(o'r tudalen cynt)

Cymreig, a laniodd yn Arromanches rhwng 18 a 29 Mehefin.

Cyrhaeddodd milwyr y 53ed Adran (Gymreig) Normandi o Gaint ar 27 a 28 Mehefin ar ddechrau deng mis o ymladd di-baid bron trwy Wlad Belg a'r Iseldiroedd ac i mewn i berfeddwlad yr Almaen i ddinas Hamburg ar 4 Mai 1945. Erbyn 28 Mehefin roedd 4ydd a 5ed Fataliynau'r Gatrawd Gymreig hwythau yng ngogledd Ffrainc ar ddechrau taith a ddiweddai hefyd yn Hamburg ar 4 Mai 1945. Cafodd yr ail don hon o filwyr weld olion truenus yr ymosodiad cyntaf, golygfa a ddisgrifiwyd gan y Dirprwy Gadfridog C.E.N.Lomax, Cyrnol y Gatrawd Gymreig, mewn llyfr yn 1952. 'O'n cwmpas ar bob ochr yr oedd anialwch a dinistr – llanastr o geriach llosgedig a fu ychydig ddyddiau ynghynt yn gerbydau trwsiadus yr olwg ac effeithlon. Ar wasgar ar draws y tywod yr oedd yr eiddo personol hwnnw na fyddai ar ei berchenogion bellach mo'i angen. Ac yr oedd y Meirwon'.

Pader Cymraeg Palesteina

Yn ôl y traddodiad, ar Fynydd yr Olewydd, uwchben dinas Jerwsalem y dysgodd Iesu o Nasareth Weddi'r Arglwydd, i'w ddisgyblion, ac felly pan godwyd eglwys ar y safle flynyddoedd lawer yn ddiweddarach, yr enw a roddwyd arni oedd Eglwys *Pater Noster* (Ein Tad). Gosodwyd Gweddi'r Arglwydd ar waliau'r eglwys mewn amryw ieithoedd, ond nid oedd y Gymraeg yn eu plith. Yn ystod yr Ail Ryfel Byd bu cannoedd o filwyr o Gymru yn yr ardal, ac yn haf 1944 derbyniodd yr Urdd lythyr gan Richard Hughes, Llywydd Cymdeithas Gymraeg Jerwsalem, yn cyfeirio at absenoldeb fersiwn Cymraeg o'r weddi. Wrth ymateb, gofynnodd Ifan ab Owen Edwards i Hughes drefnu i grefftwr yn Jerwsalem gerfio'r weddi ar lechen yn Gymraeg, ac addawodd y byddai'r Urdd yn dwyn yr holl gost. Tra oedd y gwaith hwn mewn llaw roedd swyddogion yr Urdd wrthi'n apelio ar bob Adran ac Aelwyd i gyfrannu arian. Bu'r ymateb yn un brwd iawn, a derbyniwyd gan blant yr Urdd lu o chwecheiniogau a sylltau i gwrdd â'r gost.

Bardd y Dwyrain Pell

dde: Cerflun o Alun Lewis.

Ar 5 Mawrth canfuwyd y bardd a'r llenor 28 oed, Alun Lewis o Gwmaman, Aberdâr, wedi'i saethu yn ei ben â'i wn ei hun gerllaw. Gwasanaethu gyda 6ed Bataliwn Cyffinwyr De Cymru yn Byrma yr oedd ar y pryd, ac er mai fel ysbïwr y disgwylid iddo weithredu, gwnaeth gais arbennig am gael mynd gyda'r milwyr i'r ffrynt. Er bod awgrymiadau ei fod wedi'i ladd ei hun, penderfynodd llys milwrol ar 31 Mawrth mai damweiniol oedd ei farwolaeth.

Bu ganddo dueddiadau heddychwr ar ddechrau'r Ail Ryfel Byd, ond yn 1940 ymunodd â'r Peirianwyr Brenhinol, gan resymu y câi fwy o ddewis ynglŷn â sut y gwasanaethai gyda'r fyddin petai'n gwirfoddoli na phe arhosai nes cael ei orfodi i ymuno. Er ei fod eisoes wedi ennill clod am ei gerddi cyn y rhyfel, fel bardd o filwr y daeth yn fwyaf adnabyddus. Yn y fyddin yr oedd yn anfodlon iawn ar fywyd moethus, difater y swyddogion comisiynedig, a byddai'n hapusach o dipyn yn cymysgu gyda'r milwyr cyffredin. Ym mis Gorffennaf 1941 priododd ei ddyweddi, Gweno Ellis, a'r flwyddyn ddilynol cyhoeddwyd y flodeugerdd gyntaf o'i waith, *Raiders' Dawn.* Yn 1942 hefyd, ymddangosodd ei gyfrol o straeon byrion, *The Last Inspection*, yn deillio o'i brofiadau yn y fyddin

Tua diwedd 1942, aeth Lewis gyda'i gatrawd i'r India, gwlad a fu'n ysbrydoliaeth fawr iddo fel bardd, fel y tystia cerddi fel *Karanje Village* a *The Jungle*. Yr oedd eisoes yn anhapus iawn oherwydd ei wahanu oddi wrth ei gynefin a'i wraig, a dwysawyd ei anghysur pan anfonwyd ef yn Awst 1943 i gwrs ysbïo, a gorfod gadael 'bechgyn Cymreig' ei gatrawd.

Burton yn y 'West End'

Y ddrama gomedi, *The Druids Rest*, gan ei gyd-Gymro, Emlyn Williams, a roddodd i'r actor ifanc, Richard Burton o Bont-rhyd-y-fen, Morgannwg, ei gyfle cyntaf i ymddangos ar y llwyfan yn West End Llundain. Yn Theatr Sant Martin y bu hynny ac yr oedd yn 18 mlwydd oed ar y pryd. Rhan fach a gafodd Burton, yn chwarae Glan, mab y tafarnwr, ond dywedodd gohebydd y *New Statesman* amdano, '*In a wretched part Richard Burton showed exceptional ability*.' Byddai Burton yn honni wedyn fod y frawddeg honno o glod wedi'i argyhoeddi bod actio'n rhywbeth gwerth ei wneud.

Gosodwyd y ddrama ym mhentref dychmygol Tan-y-maes, sy'n ddrych o bentref genedigol Emlyn Williams, Pen-y-ffordd sir Fflint, ac y mae'r cyffro'n troi o gwmpas y dafarn fach sy'n rhoi i'r ddrama ei theitl. Seiliodd y dramodydd gymeriad y tafarnwr ar ei dad ei hun, a chreodd hefyd lu o gymeriadau lliwgar yn cynrychioli bywyd pentrefol y Gogledd-ddwyrain.

Yn ôl y sôn, byddai Burton a'i *understudy*, Stanley Baker, brodor arall o fröydd glofeydd y De, yn codi stŵr mawr yn ystod cyfnod y ddrama yn Llundain a Lerpwl. Yfed i'r eithaf a merchata, ac ymladd â'i gilydd oedd eu hanes, gan dorri ffenestri eu hystafell wisgo ar un achlysur.

Gwneud siwgr i'r Führer

Ymhlith y rhai a ddaliwyd gan yr Almaenwyr yn ystod Glaniadau Normandi yr oedd y milwr ugain oed, Haden Spicer o Gasnewydd, a gofnododd ei brofiadau wedyn yn ei lyfr, *Five Men One Loaf*. Syrthiodd Spicer i ddwylo'r gelyn wrth geisio bwyd mewn ffermdy Ffrengig. Wrth gael ei gornelu yno gan batrôl Almaenig neidiodd allan trwy ffenestr uchel, ond heb yn wybod iddo yr oedd yng nghanol un o wrthymosodiadau'r Almaenwyr.

Ar ôl ei ddal bu Spicer ar daith trwy Ewrop ynghyd â charcharorion eraill, gan dreulio sawl mis yn gweithio fel caethwas mewn ffatri siwgr ger ffin Gwlad Pwyl a'r Almaen. Gweithiai'r carcharorion ddeuddeg awr y dydd, saith diwrnod yr wythnos, yn rhofio betys siwgr berw wedi ei falu, heb ddim i'w fwyta ond un dorth o fara'r dydd rhwng pum dyn, profiad a roddodd iddo deitl ei hunangofiant. Ar gyfer y Nadolig cafodd pob dyn bumed rhan o dorth wen yn lle'r bara du arferol. Er mwyn ennill ychydig o egni, gwnâi'r dynion beli bach o'r siwgr coch i'w bwyta. Heb fod neb ond ychydig warchodwyr yn eu gwylio, gwnâi'r carcharorion eu gorau glas i amharu ar waith y ffatri, drwy daflu cerrig i'r offer, gorlwytho'r tramiau cludo nes byddent yn dod oddi ar eu ceblau, a gadael y gymysgedd fetys i sychu'n rhy hir nes mynd ar dân. Yn gosb am y troseddau hyn, gorfodid hwy i dreulio oriau ar barêd yn eu dillad bratiog yn yr eira.

Tua diwedd eu cyfnod yn y ffatri, dechreuodd y lle lenwi gan ffoaduriaid Almaenig yn ffoi rhag milwyr Rwsia. A'r Rwsiaid yn nesáu, symudwyd y carcharorion allan o'r ffatri, a gorfodwyd hwy i gerdded trwy gefn gwlad i dref Hanover, lle y treuliodd Spicer noson fwyaf ofnadwy ei fywyd, meddai, ar wely gwellt llawn chwilod bwm a thrychfilod eraill. O Hanover, anfonwyd ef ar drên i wersyll carchar anghysbell, nes ei ryddhau yn y diwedd gan yr Americanwyr. Erbyn hynny, meddai, yr oedd mor isel ei ysbryd fel na olygai'r digwyddiad fawr ddim iddo.

Ychydig ddyddiau'n ddiweddarach yr oedd ar drên arall ar ei ffordd o Lundain i Gasnewydd. Yn y cerbyd gorlawn trodd gwraig ato a gofyn o ble y daethai. O glywed iddo fod yn garcharor rhyfel, ei sylw oeddi, '*Well, you don't look too bad on it.*'

Anghofio'r rhyfel am ennyd i orseddu Archesgob

Yng nghanol erchyllterau'r rhyfel, daeth rhywfaint o ryddhad yn rhwysg gorseddu David Lewis Prosser, Esgob Tyddewi, yn drydydd Archesgob Cymru yng Nghadeirlan Tyddewi ar 7 Tachwedd. Daeth Eglwyswyr ac Anghydffurfwyr Cymru ynghyd i groesawu'r Esgob i'w swydd newydd.

Yr oedd D.L.Prosser eisoes yn hynafgwr pan ddaeth yn Archesgob. Gwanllyd oedd ei iechyd erbyn hynny a bu farw yn 1950. Yn anad dim, bywyd offeiriad plwyf oedd wrth ei fodd, a hyd yn oed ar ôl iddo ddod yn Archesgob Cymru, fel curad ifanc yn Abertawe y daliai rhai i gofio amdano.

Merch yn cneifio

Amrywiol iawn oedd gorchwylion merched Byddin y Tir. Fe drodd Gwyneth Richards o Landinam, sir Drefaldwyn, ei llaw at gneifio defaid, yr unig ferch i gymryd rhan yng nghystadlaethau cneifio Clwb y Ffermwyr Ifanc yn y flwyddyn hon.

Angau o'r awyr

Ar 27 Mawrth bu farw 12 o bobl mewn cyrch awyr gan y *Luftwaffe* ar Gaerdydd, y bobl olaf i'w lladd yng Nghymru yng nghyrchoedd llu awyr yr Almaen yn ystod yr Ail Ryfel Byd.

Gweithiai'r rhai a fu farw i gyd yn yr un ffatri, ac ymddengys mai un o sieliau gwrth-awyrennau amddiffynwyr y ddinas a'u lladdodd, yn hytrach na bomiau'r Almaenwyr. Daeth y siel trwy do'r ffatri gan ffrwydro yng nghanol y peiriannau a thasgu darnau miniog o fetel i bob cyfeiriad.

Ond er bod Cymru wedi cael gwared ar y *Luftwaffe* o'r diwedd, nid oedd Cymry Llundain mor ffodus. Ym mis Awst, adroddodd yr Athro W.J. Gruffydd, Aelod Seneddol Prifysgol Cymru, fod dau o gapeli Cymraeg Llundain wedi'u taro gan fomiau ehedog teip *V*, sef Eglwys y Tabernacl, King's Cross, ac Eglwys Walham Green. Yr oedd sawl un arall o addoldai Cymraeg y ddinas wedi'i daro ynghynt gan fomiau confensiynol yng nghyrchoedd awyr yr Almaen.

Ym mis Hydref credai un bachgen o'r Borth, Ceredigion, ei fod yn gwybod sut i fynd i'r afael â bomiau hedegog yr Almaenwyr. Er nad oedd eto yn ei arddegau, anfonodd Roy Law ei gynlluniau i'r Swyddfa Ryfel. Bu adran ymchwil y Swyddfa Ryfel yn cysylltu â'r bachgen wedyn, ond nid yw'n hysbys beth a ddaeth o'i gynlluniau.

Dydd Cymru

Ar 17 Hydref, cynhaliwyd y 'Dydd Cymreig' cyntaf yn Nhŷ'r Cyffredin. Dechreuwyd y diwrnod gydag araith gan Aelod Seneddol Môn, Megan Lloyd George, a ddywedodd mai hwn oedd yr achlysur cyntaf mewn 400 mlynedd i Aelodau Seneddol gael cyfle neilltuol i drafod materion o bwys i Gymru. Croesawodd y ffaith fod y llywodraeth wedi cydnabod Cymru trwy neilltuo diwrnod i drafod pynciau Cymreig, gan ychwanegu bod y Cymry a'r Saeson yn siarad ieithoedd gwahanol mewn mwy nag un ystyr.

Cyfeiriodd Syr Arthur Evans, yr Aelod Ceidwadol dros Dde Caerdydd, at y ffaith fod nifer o filwyr o Gymru wedi pasio trwy Rufain gyda byddin Prydain yn ddiweddar, ac achubodd ar y cyfle i atgoffa'i wrandawyr na lwyddodd Ymerodraeth Rhufain erioed goncro'r rhan fwyaf o Gymru. Onid oedd yn hen bryd felly, holodd Evans, i'r genedl fach a drechodd Rufain ddwywaith gael ei chydnabod yn deg trwy sefydlu Swyddfa Gymreig gydag Ysgrifennydd Gwladol?

Nid oedd pawb wrth ei fodd â'r 'Dydd Cymreig' cyntaf. Mynnodd Aneurin Bevan, Aelod Seneddol Glyn Ebwy, mai gwell fyddai trafod diwydiant glo Cymru ar ddiwrnod arbennig i drafod glo, a thrafod ffermydd Cymru trwy neilltuo diwrnod i drafod amaethyddiaeth, yn hytrach na rhoi'r cyfan gyda'i gilydd mewn 'Dydd Cymreig'. Nid oedd defaid Cymru, meddai ef, fymryn yn wahanol i ddefaid Lloegr a'r Alban, a ffolineb oedd siarad amdanynt fel pe baent felly.

Porter a'r glowyr

Ym mis Mawrth, er gwaethaf y rhyfel ac er gwaethaf pwysau gan swyddogion Ffederasiwn Glowyr Prydain Fawr, aeth 90,000 o lowyr de Cymru ar streic gan gau'r rhan fwyaf o byllau'r ardal.

Dechreuodd pethau ar 6 Mawrth pan streiciodd 10,000 o lowyr sir Fynwy. Ymledodd y streic tua'r gorllewin, ac erbyn 11 Mawrth yr oedd bron pob un o lofeydd de Cymru'n segur. Erbyn 16 Mawrth yr oedd glowyr yr Alban a swydd Efrog hefyd wedi ymuno â'r streic.

Ar 23 Ionawr yr oedd yr Arglwydd Porter wedi cyhoeddi ei adroddiad yn galw am godi lleiafswm cyflog y glowyr, ond yr oedd ei ffigurau ef yn is na rhai undeb y glowyr. At hyn, nid oedd cynllun Porter yn cydnabod hawliau traddodiadol y glowyr, fel taliadau dros ben am dorri glo o wythiennau anodd, a'r hawl i lo rhad. Bu swyddogion undeb y glowyr yn pwyso ar yr aelodau i dderbyn cynnig Porter fel cam ymlaen, ond cyndyn oedd y dynion i wrando arnynt. Ddydd Sul 12 Mawrth pleidleisiodd 58.5% o'r dynion dros ddychwelyd i'r gwaith, ond mewn pleidleisiau yn y gwaith ar y dydd Llun newdiodd sawl un ei feddwl. Am wythnos gyfan nid oedd yn glir pa byllau a oedd yn gweithio, ac yn ôl un o swyddogion Ffederasiwn Glowyr De Cymru yr oedd rhai dynion 'yn mynd i mewn a dod allan fel consertina.'

Rhwng Medi 1939 a Hydref y flwyddyn hon bu 514 o ataliadau yng ngwaith maes glo de Cymru, er bod y rhan fwyaf o'r rhain yn rhai byr iawn. Bu cwymp sylweddol yn y cynhyrchiad glo yn ystod y streic.

Dyheadau un Cymro

Dymchwel tri-chwarter eglwysi a chapeli Cymru neu eu defnyddio'n fwy effeithiol. Dyrchafu'r Gymraeg yn bwnc gorfodol yn ysgolion Cymru a phennu dyddiad pan y byddai'n orfodol i bob athro a bendodid i ysgol yng Nghymru fedru'r Gymraeg. Gorfodi o leiaf chwarter poblogaeth y Rhondda i symud i ardaloedd newydd. Sefydlu Plaid Sosialaidd Gymreig. Sefydlu Senedd i Gymru gyda'r Saesneg yn iaith swyddogol iddi. Dyma oedd rhai o ddyheadau Huw T. Edwards, undebwr llafur blaenllaw yng ngogledd Cymru, a ddadlenwyd mewn erthygl bryfoclyd yn dwyn y teitl 'What I Want for Wales', a gyhoeddwyd yn y cylchgrawn Wales ym mis Ionawr.

Cynhyrfu'r dyfroedd oedd ei fwriad. Ymdrechai i atgyfodi 'ysbryd tanllyd y Cymro' a'i gael i fentro popeth a pheryglu popeth er mwyn gwneud Cymru'n wlad o bobl fodlon eu byd.

Mecaneiddio amaeth

dde: Y dull newydd o fedi yn ardal y Trallwng, sir Drefaldwyn.

Gwelwyd un arwydd o'r newid mawr a fu yn amaeth Cymru yn ystod yr Ail Ryfel Byd pan dynnodd y ffotograffydd Geoff Charles lun y ffermwr W.R.Griffiths o'r Trallwng yn gyrru un o'r combeins cyntaf oll yn sir Drefaldwyn ar 1 Medi.

Cyfnod o weddnewid mawr oedd y rhyfel yn hanes amaeth y wlad, ond ym myd mecaneiddio y gwelwyd y newidiadau mwyaf. Yn 1938 yr oedd 1,932 o dractorau ar ffermydd Cymru; erbyn 1946 yr oedd 13,653 ohonynt. Yn 1939 yr oedd 215,000 o hectarau o dir Cymru dan yr aradr, yn 1944,

500,000 oedd y ffigur. Erbyn 1943 neilltuwyd 53,000 o hectaru i dyfu gwenith, cymaint dengwaith â'r ffigur yn 1939, a honnwyd bod ffermwyr sir Drefaldwyn yn tyfu digon o datws i fwydo holl boblogaeth dinas Manceinion.

Almaenwyr ar ffo

Karl Ludwig (ar y chwith), un o'r carchororion a ddaliwyd gan PC Philip Baverstock, yn cwrdd 31 mlynedd ar ôl y digwyddiad.

Yn oriau mân y bore ar 11 Mawrth dihangodd 67 o garcharorion rhyfel Almaenig o wersyll Island Farm ger Pen-y-bont ar Ogwr, y nifer mwyaf erioed o garcharorion i ddianc o un o wersylloedd carcharorion rhyfel Prydain.

Mawr iawn oedd dyfeisgarwch yr Almaenwyr, a buont wrthi am wythnosau yn paratoi i ddianc. Roeddynt wedi llwyddo i gloddio twnel 60 troedfedd ar ei hyd a 2 droedfedd ar ei draws o un o'u cytiau ac o dan y ffens wifren bigog, i gae gerllaw. Lladratwyd caniau, llwyau a chyllyll o'r ffreutur i gloddio. Cuddiwyd y pridd a gloddiwyd mewn ystafell wag ac yn y gwelyau llysiau, a cheisiwyd gwaredu peth ohono i lawr twll y tŷ bach. Lladratwyd meinciau pren a llifiwyd coesau'r gwelyau i wneud trawstiau i gynnal to'r twnel, a gwnaed peipen o hen ganiau i bwmpio awyr i'r twnelwyr. Llwyddwyd hyd yn oed i wneud cysylltiad â'r cyflenwad trydan i oleuo'r gwaith. Byddai'r cloddwyr yn gweithio'n noeth rhag baeddu eu dillad. Ffugiwyd papurau swyddogol, gan eu stampio â'r goron ar fotwm pres hen gôt milwr Prydeinig, a lluniwyd cwmpawdau trwy fagnateiddio llafnau rasel.

Ar noson y ddihangfa fawr, torrwyd i mewn i storfeydd y gwersyll, a dwyn bwyd a sigarennau tra oedd grŵp o garcharorion eraill yn perfformio sioe swnllyd i foddi sŵn y lladrad. Ond wedi'r holl gynllunio gofalus, daeth hurtrwydd un ohonynt â'r cyfan i sylw gwarchodwyr y gwersyll. Daeth â bag gwyn gydag ef, a gwelwyd ef ar unwaith yn y tywyllwch.

Daliwyd pob un o'r dihangwyr yn weddol fuan wedyn, 43 ohonynt erbyn yr hwyr ar yr un diwrnod. Daliwyd 11 ohonynt yn gyflym iawn pan glywyd hwy'n chwerthin am ben milwr Prydeinig a syrthiodd i mewn i'r twnel wrth chwilio amdanynt. Ymunodd aelodau'r Gwarchodlu Cartref yn yr helfa, yn ogystal â'r heddlu a merched Byddin y Tir, wedi'u harfogi â phicweirch, a bu'n rhaid chwilio ardal gan milltir sgwâr o gefn gwlad. Cafwyd sawl un o'r Almaenwyr yn ymguddio ar ffermydd. Llwyddodd rhai i deithio'n eithaf pell, gan gyrraedd lleoedd megis Southampton. Y mwyaf mentrus ohonynt i gyd oedd Hans Harzheim a Werner Zielasko a lwyddodd i gyrraedd maes awyr Birmingham, trwy smalio bod yn Norwywyr, cyn cael eu dal gan griw o weision fferm. Daliwyd y ddau ddihangwr olaf yng Nghwm Tawe ar 18 Mawrth.

Agorwyd Island Farm fel gwersyll carchar ym 1944. Swyddogion byddin yr Almaen a garcharwyd yno gan fwyaf am fod y gwersyll yn cael ei ystyried yn rhy gyfforddus i filwyr cyffredin. Daeth y swyddogion Almaenig cyntaf i Ben-y-bont ym mis Tachwedd 1944, gan orymdeithio trwy strydoedd y dref o'r orsaf i'r gwersyll yn canu *Deutschland Über Alles* a chaneuon cyffelyb eraill. Yn ôl un chwedl, gwrthododd yr Almaenwyr gario eu bagiau eu hunain nes iddynt gael eu gorchymyn gan y stesionfeistr – yn ei gôt hir ag aur ar ei lewys, yr oeddynt wedi ei gamgymryd am uchelswyddog milwrol.

Ar ôl y ddihangfa gwasgarwyd y carcharorion i wersylloedd eraill diogelach, ac erbyn 31 Mawrth yr oedd pob un wedi ymadael. Ailagorwyd Island Farm wedyn i dderbyn rhai o swyddogion pwysicaf lluoedd yr Almaen, Natsïaid yn aros i sefyll eu prawf yn Nuremberg am droseddau rhyfel. Yr oedd rhai o gymdeithion agosaf Adolf Hitler yn eu plith. Y Prif Gadlywydd Gerd von Rundstedt oedd yr amlycaf ohonynt – y dyn a fu'n arwain milwyr yr Almaen yn erbyn Ffrainc a Rwsia. Un o hen bendefigion ei wlad ydoedd, ac yr oedd parch mawr iddo ym Mhen-y-bont gan yr Almaenwyr a'r Prydeinwyr fel ei gilydd. Yr oedd i'w weld yn siopa gyda gwarchodwr yn nhref Pen-y-bont ambell waith, ac yn gwthio ei ffordd i flaen y ciw a mynnu cael ei serfo'n gyntaf.

'Mwy Trist Na Thristwch'

isod: Ffotograff enwog Geoff Charles o Carneddog a'i wraig ar eu diwrnod olaf yn Eryri.

Cynilo hyd y diwedd

Gyda diwedd y rhyfel ar y gor-wel, yr oedd y llywodraeth yr un mor daer ag erioed yn annog y Cymry i gyfrannu tuag at yr ymdrech i ddod â'r cyfan i ben.

" Yn cynhyrchu adnoddau i'r lluoedd arfog a throsglwyddo ein harian sbâr i'r Cynilion Rhyfel yw ein ffordd ni o ddweyd 'Diolch' am y cwbl y maent yn ei wneuthur drosom."

BOED EIN CYNILO NI CYN DDYCNED Â'U HYMLADD HWY

'Stori fwy trist na thristwch,' dyna oedd geiriau gohebydd *Y Cymro*, John Roberts Williams, yn ei erthygl dudlaen blaen yn disgrifio'i ymweliad â'r bardd Richard Griffith (Carneddog) a'i wraig Catrin yn eu cartref yn Eryri am y tro olaf. Roedd y ddau wedi mynd yn rhy hen i drin y defaid, ac wedi i'w mab gael ei ladd mewn damwain dractor, bu'n rhaid iddynt gefnu ar eu fferm lle y ganed ef, a lle bu'r ddau yn cyd-fyw trwy gydol eu bywyd priodasol, i fynd i fyw at fab arall yn Hinckley, swydd Gaerlŷr. Ar ôl trigo am fwy na phedwar ugain mlynedd yng nghanol un o fröydd Cymreiciaf Cymru, trodd y pâr eu golygon tua Lloegr, a phrynwyd eu fferm gan Sais.

Daliwyd tristwch dwys y Griffithiaid wrth iddynt syllu dros fryniau Gwynedd gan ffotograffydd *Y Cymro*, Geoff Charles, yn un o'i luniau enwocaf. Sylwodd Charles ar y pryd fod yr hen siaced a wisgai Carneddog yn wyrdd gan henaint am ei bod wedi'i chadw mor hir at achlysuron arbennig. Fel yn achos nifer mawr o straeon eraill y papur yn y cyfnod, gwaith medrus Geoff Charles gyda'i gamera wnâi'r stori'n un mor gofiadwy.

A oes Heddwch?

Am dri o'r gloch y prynhawn ar 8 Mai daeth y cyhoeddiad y bu pawb yn disgwyl yn eiddgar amdano, pan ddarlledodd y Prif Weinidog Winston Churchill o rif 10 Downing Street i gyhoeddi fod yr Ail Ryfel Byd ar ben. Hwn oedd Diwrnod Buddug-oliaeth yn Ewrop (*VE Day*), a daeth ddiwrnod wedi i'r Cadfridog Alfred Jodl lofnodi'r ddogfen ildio ddiamod dros holl luoedd yr Almaen ar dir, môr ac yn yr awyr.

Trwy gytundeb rhwng America, Rwsia a Phrydain, penderfynwyd aros un diwrnod wedi i Jodl lofnodi cyn cyhoeddi'r fuddug-oliaeth yn derfynol. Enynnodd hyn ddisgwylgarwch mawr, ac yng Nghaerdydd ymgasglodd tyrfa o filoedd y tu allan i Neuadd y Ddinas i wrando ar ddarllediad Churchill, ac i gymryd rhan mewn oedfa o ddiolchgarwch.

Bu rhagor o ddathlu ar 15 Awst pan ddaeth Diwrnod Buddugoliaeth yn Siapan (*VJ Day*), diwrnod ar ôl i luoedd Siapan ildio'n ddiamod. Cyhoeddwyd y newydd yn Llundain, Washington a Moscow ar yr un pryd, ac roedd y dathlu yng Nghymru lawn cymaint ag yn un man arall. Daeth pen-derfyniad y Siapaneaid i ildio ar ôl i arfau atomig gael eu defnyddio am y tro cyntaf erioed. Ar 6 a 9 Awst gollyngodd llu awyr America fom atomig yr un ar y ddwy ddinas boblog, Hiroshima a Nagasaki. Ym Mhrydain clywodd pobl am ddiwedd y rhyfel mewn darllediad ganol nos gan y Prif Weinidog newydd, Clement Attlee.

Taniwyd coelcerthi o Fôn i Fynwy, a gwelwyd canu a dawnsio yn y strydoedd hyd yr oriau mân. Ym Machynlleth cynhaliwyd oedfa ddiolchgarwch ar ganol nos trannoeth ger cloc y dref, ac yno fel mewn sawl man arall, canwyd clychau'r eglwys am y tro cyntaf ers blynyddoedd. Tebyg iawn oedd y golygfeydd yn Llandrindod, lle canwyd emynau a chynnau coelcerth fawr cyn cynnal gorymdaith trwy'r dref yng ngolau ffaglau. Yn Llanelli llwyddodd y dathlwyr i ddwyn hen ganon o Ryfel y Bŵr, a'i dynnu trwy'r strydoedd dan floeddio a chanu. Ni wnaed niwed i'r gwn, ond cafodd y rhai a'i dygodd ymaith eu hebrwng gan yr heddlu wrth ei ddychwelyd i'w briod le.

Mwy fyth oedd y dathlu am ei fod yn dilyn Eisteddfod Genedlaethol lwyddiannus yn Rhosllannerchrugog, lle y cadeirwyd Tom Parri Jones o Falldraeth, Môn, am ei awdl ar y testun 'Oes Aur'. Roedd arwyddocâd arbennig i'r hen gri o'r llwyfan 'A oes hedd-wch?' pan gyhoeddwyd yn y Pafiliwn ar 11 Awst fod lluoedd Siapan wedi cynnig ildio, arwydd glir fod yr ymladd bron â dod i ben.

Dau Is-Etholiad

Yn is-etholiad Castell-nedd ar 15 Mai safodd ymgeisydd Trotsgïaidd am y tro cyntaf mewn etholiad ym Mhrydain. Er iddo ddod yn drydydd o dri, cafodd Jock Haston o'r Blaid Gomiwnyddol Chwyldroadol gyfanswm o 1,781 o bleidleisiau, er bod hyn ymhell y tu ôl i'r Llafurwr buddugol, D.J. Williams, a gafodd 30,847 o bleidleisiau.

Aeth yr ail safle i Wynne Samuel, a enillodd 16% o'r bleidlais fel ymgeisydd Plaid Cymru. Gwell fu llwyddiant y Blaid yn is-etholiad 26 Ebrill ym Mwrdeistrefi Caernarfon, sedd a ddaeth yn wag pan ddyrchafwyd David Lloyd George yn Iarll Dwyfor, ar ôl ei gynrychioli er 1890. Cipiodd yr Athro J.E. Daniel 6,844 o bleidleisiau (24.8% o'r cyfanswm a fwriwyd) mewn ymgyrch rhyngddo ef a'r Rhyddfrydwyr.

Clement Davies

Rhoddodd methiant un o Ryddfrydwyr blaenllaw'r Alban yn etholiad cyffredinol mis Gorffennaf gyfle mawr i un Cymro. Pan gollodd arweinydd y Blaid Ryddfrydol, Syr Archibald Sinclair, ei sedd i'r Ceidwadwyr, Clement Davies o Lanfyllin, Aelod Seneddol sir Drefaldwyn, a ddewiswyd i'w olynu. Ef oedd yr ail Gymro i arwain y blaid.

Arweiniodd y Rhyddfrydwyr hyd 1956, ond yn wahanol i David Lloyd George, y Cymro cyntaf i arwain y Rhyddfrydwyr, cyfnod dilewyrch oedd un Davies yn yr arweinyddiaeth, ac arhosai nifer y Rhyddfrydwyr yn Nhŷ'r Cyffredin yn gyson isel. Bu Clement Davies yn bleidiol iawn i lywodraeth Winston Churchill yn ystod yr Ail Ryfel Byd, ac yr oedd sawl un o'i gyd-Ryddfrydwyr yn ddrwgdybus iawn ohono oherwydd hynny, gan ei weld yn rhy awyddus i fod yn gywely i'r Torïaid. Trwy'r '30au bu'n llefarydd dros gefn gwlad Cymru.

Yn 1938 penodwyd ef yn gadeirydd Pwyllgor Ymchwil i'r dicâu yng Nghymru, ac yr oedd adroddiad y pwyllgor ym Mawrth 1939 yn foddion i ddwyn i sylw'r byd dlodi dirfawr rhai o fröydd gwledig y wlad, a hefyd i amlygu diffygion llawer un o awdurdodau lleol Cymru wrth ddelio â'r dicâu.

Daeth awr fawr Clement Davies ym mis Mai 1940, pan oedd yn un o'r prif weithredwyr yn y gwaith o gael gwared ar y Prif Weinidog Neville Chamberlain a gosod Winston Churchill yn ei le. Ar 8 Mai, Clement Davies, gyda chymorth Megan Lloyd George, a berswadiodd David Lloyd George i sefyll yn Nhŷ'r Cyffredin a galw ar Chamberlain i ymddiswyddo. Chwaraeodd dilynwyr Davies ran allweddol yn y bleidlais a ddilynodd, a bu yntau'n gweithio'n ddiwyd ac yn llwyddiannus wedyn i sicrhau cefnogaeth y Blaid Lafur i'r Tori Churchill.

Dyn sir Drefaldwyn i'r carn oedd Clement Davies, a daliodd y sedd honno o 1929 hyd ei farw ym Mawrth 1962.

uchod: Teulu Lloyd George yn yr angladd.

Yr Hen Ddewin yn ei fedd

Ar 26 Mawrth, bu farw Cymro enwocaf y ganrif, yr hen 'Ddewin Cymreig' David Lloyd George. Yr oedd yn 82 mlwydd oed. Ychydig ynghynt, ar 1 Ionawr, yr oedd y dyn a fu unwaith yn fwgan i'w elynion, wedi derbyn ei urddo gan Siôr VI yn Iarll cyntaf Dwyfor ac Is-Iarll Gwynedd o Ddwyfor. Ond erbyn hynny yr oedd yr iarll newydd yn rhy wanllyd ei iechyd i gymryd ei sedd yn Nhŷ'r Arglwyddi, ac ni fyddai byth eto yn gadael ei gartref.

Ym mis Ionawr 1941 bu farw ei wraig Margaret, ac ym mis Hydref 1943, priododd ei ysgrifenyddes a chariad, Frances Stevenson, er gwaethaf gwrthwynebiad chwyrn ei ferch Megan. Ym mis Medi 1944, a Lloyd George bellach yn marw gwrthododd Megan weld ei thad oni ddôi i'w thŷ heb ei wraig newydd. Pan fu farw, serch hynny, yr oedd Megan yn gafael yn ei naill law a Frances Stevenson yn y llall.

Claddwyd ef ar 30 Mawrth mewn llecyn o'i ddewis ei hun ar lan Afon Dwyfor, yn ymyl lle byddai'n chwarae'n fachgen. Ni wahoddwyd Frances Stevenson i angladd ei gŵr; aeth yn ddiweddarach i osod tusw o flodau ar ei fedd, ond tynnwyd hwy oddi arno gan Megan.

Ffarwél i'r Ffed

Ar 1 Ionawr daeth Ffederasiwn Glowyr De Cymru yn 'Rhanbarth De Cymru Undeb Cenedlaethol y Glowyr', ar ôl i fwyafrif llethol o lowyr y De bleidleisio o blaid y newid.

Ni ddiflannodd yr hen drefn dros nos, serch hynny, ac roedd rhywfaint o reolaeth o hyd gan yr hen ardaloedd dros eu materion ariannol eu hunain. Mewn cinio i ddathlu'r achlysur, galwodd yr hen löwr a'r cyn-Aelod Seneddol, William Brace, ar y glowyr i ymdrechu i gryfhau'r undeb newydd ac i gymryd rhan yn y gwaith o adeiladu byd newydd ar ôl dinistr yr Ail Ryfel Byd.

Roedd Ffederasiwn Glowyr De Cymru eisoes wedi llyncu dau o undebau llai'r maes glo yn 1938, ac yn 1940 dewisodd Fforest Ddena ymuno â'r Ffederasiwn. Roedd y Rhanbarth newydd felly yn rym o bwys yn y diwydiant glo.

Un o weithredoedd cyntaf yr undeb Prydeinig newydd oedd cyhoeddi *Siartr y Glowyr*, dogfen a ysgrifennwyd gan Arthur Horner o Ferthyr Tudful, Ysgrifennydd Cyffredinol yr Undeb 1946-59.

Ffyniant Fforest-fach

Ar 15 Tachwedd daeth y Brenin Siôr VI i Abertawe i agor ystad ddiwydiannol Fforest-fach, datblygiad newydd a fu'n hwb o bwys i economi'r ardal. Yr oedd yr agoriad yn rhan o daith gan y Brenin a'r Frenhines Elisabeth trwy drefydd y De.

Ar ei ffordd i Neuadd y Ddinas, gyrrwyd car y Brenin trwy rannau o Abertawe a ddifethwyd gan fomiau'r *Luftwaffe* yn Chwefror 1941. Ar ôl cinio gyda'r Arglwydd Faer ac eraill yn Neuadd y Ddinas, teithiwyd i safle Fforest-fach, lle y torrodd y Brenin y dywarchen gyntaf.

Denwyd amrywiaeth o gwmnïau i Fforest-fach, yn cynhyrchu pob math o nwyddau o fwydydd i ddillad a theganau. Erbyn canol y '60au dyma brif ganolfan diwydiannau cynhyrchu Abertawe, ar wahân i'r diwydiannau metel, ac erbyn diwedd y degawd yr oedd cwmnïau Fforest-fach yn cyflogi mwy na 6,500 o weithwyr.

Llofrudd Porthcawl

Pan ddihangodd nifer o garcharorion Almaenig o wersyll ym Mhen-y-bont ar Ogwr, gwelodd un dyn ei gyfle i fwrw bai arnynt am ei ddrwgweithred ei hun.

Yn hwyr ar 12 Mawrth hysbyswyd yr heddlu gan ei gŵr, milwr o Ganada, fod Mrs. Lily Grossley wedi ei saethu gan Almaenwr. Fore trannoeth daeth yn amlwg nad 'Mrs. Grossley' oedd y wraig o gwbl ond Lily Griffiths. Yr oedd Mr. Grossley wedi ffoi o'r fyddin heb ganiatâd ac yn byw gyda Lily Griffiths ym Mhorthcawl er bod ganddo wraig yng Nghanada. Yr oedd yn adnabyddus fel dyn treisgar, a fyddai'n cario gwn, a darganfuwyd wedyn fod y bwledi a aeth trwy gorff y wraig yn ffitio gwn Grossley.

Yn y cyfamser yr oedd Lily Griffiths yn marw'n araf yn Ysbyty Morgannwg. Pan ddechreuwyd drwgdybio ei chariad o'i saethu, newidiodd hi ei stori am yr Almaenwr, gan honni bellach fod Grossley wedi bygwth ei saethu ei hun mewn pwl o iselder ysbryd. Wrth iddi geisio ei atal, meddai, saethwyd hi'n ddamweiniol.

Pan safodd Grossley ei brawf gwrthodwyd stori ei gariad, a dedfrydwyd ef i'w grogi. Gweithredwyd y ddedfryd arno yng Ngharchar Caerdydd ar 5 Medi.

Llwyddiant i Lafur

Y Prif Weinidog, Clement Atlee, yn ymlacio yn ei fwthyn haf yn Nefyn, sir Gaernarfon.

Cymru goch oedd hi unwaith yn rhagor yn yr etholiad cyffredinol cyntaf ar ôl y rhyfel, a'r Cymry, yn unol â gweddill gwledydd Prydain yn ethol llu o aelodau Llafur. Ym Mhrydain ei hun cynhaliwyd y bleidlais ar 5 Gorffennaf, ond bu'n rhaid aros tan 26 Gorffennaf am y canlyniadau am fod angen casglu a chyfrif holl bleidleisiau aelodau'r lluoedd arfog a oedd yn dal ar wasgar ymhob cwr o'r byd.

Pan gyhoeddwyd y canlyniadau o'r diwedd daeth yn amlwg fod newid mawr wedi digwydd ym meddyliau'r bobl yn ystod blynyddoedd y rhyfel. Etholwyd 393 o Lafurwyr ynghyd â 6 o Sosialwyr eraill, 213 o Geidwadwyr, a 12 o Ryddfrydwyr. Yng Nghymru yr oedd buddugoliaeth Llafur yn fwy pendant nag yn unman arall. Mewn 21 o'r 25 o seddi a gipiodd y Blaid Lafur yng Nghymru, yr oedd ganddi fwyafrif absoliwt dros yr holl bleidiau eraill ynghyd, ac mewn saith sedd cafodd yr ymgeisydd Llafur fwy nag 80% o'r bleidais. Mwyafrif James Griffiths yn Llanelli o 34,000 oedd y mwyaf yn y Deyrnas Unedig i gyd. Yng Ngorllewin y Rhondda ni thrafferthodd yr un ymgeisydd arall i wrthwynebu'r Llafurwr Wil John (y tro diwethaf i hynny ddigwydd mewn etholiad ym Mhrydain), ac yn Nwyrain y Rhondda y

Comiwnydd Harry Pollitt oedd yr unig fygythiad i oruchafiaeth y Blaid Lafur yn y sedd – daeth o fewn 972 o bleidleisiau i'w chipio. At ei gilydd, pleidleisodd 58.5% o etholwyr Cymry dros ymgeiswyr Llafur.

Cyfrannodd Cymry saith Aelod Seneddol at y cyfanswm o 12 Rhyddfrydwr yn Nhŷ'r Cyffredin, ac o blith y saith hynny yr oedd y 'Rhyddfrydwr Cenedlaethol', Gwilym Lloyd George, yn fwy o Dori o ran ei syniadau na dim arall. Yn rhyfedd ddigon, disodlodd yr ymgeisydd Rhyddfrydol, Rhys Hopkin Morris, yr Aelod Seneddol Llafur, Moelwyn Hughes, yng Nghaerfyrddin, un o ddwy sedd yn unig yng ngwledydd Prydain lle collodd y Blaid Lafur sedd.

Tri Cheidwadwr yn unig a sicrhaodd seddi yng Nghymru, ond ymhlith y tair sedd a gipiwyd yr oedd un wobr fawr, sef Bwrdeistrefi Caernarfon, hen sedd David Lloyd George, y tro cyntaf er 1886 i Dori ddal y sedd honno. Nid oedd gan yr ymgeisydd Rhyddfrydol, yr Athro Seaborne Davies o Lerpwl, ddim o garisma Lloyd George. Yr oedd gwahaniaeth o lai na mil rhwng cyfansymiau pleidleisiau'r tri ymgeisydd uchaf, a sleifiodd y Ceidwadwr D.A. Price-White i mewn gyda mwyafrif o 336.

Gwenan Jones oedd yr unig un o wyth ymgeisydd Plaid Cymru na chollodd ei ernes. Wrth ymgeisio am sedd Prifysgol Cymru, cafodd 1,696 o bleidleisiau, tra bwriwyd 5,239 dros yr Athro W.J. Gruffydd.

Yn y llywodraeth newydd daeth Aneurin Bevan, Aelod Seneddol Glyn Ebwy, yn Weinidog Iechyd, a James Griffiths o Lanelli'n Weinidog Yswiriant Gwladol.

Gwynfor yn Llywydd

Yn ysgol haf Plaid Cymru yn Llangollen ym mis Awst, etholwyd Gwynfor Evans o'r Barri yn ail Lywydd y Blaid, i olynu Saunders Lewis. Yr oedd yn 31 mlwydd oed ar y pryd a newydd ymladd sedd Meirionnydd yn yr etholiad cyffredinol, gan ennill 10.3% o'r bleidlais. Gyda'i benodiad ef dechreuodd cyfnod newydd yn hanes y Blaid o raddol gefnu ar syniadau pendefigaidd ei Llywydd cyntaf, a dechrau datblygu'n blaid wleidyddol gonfensiynol yn hytrach na grŵp pwyso bach. Daliodd Gwynfor Evans swydd Llywydd Plaid Cymru hyd 1981, a gosododd ei farc yn drwm ar y Blaid. Daeth yn un o ffigurau mwyaf poblogaidd y mudiad cenedlaethol, hyd yn oed ymhlith y rhai na chytunai â'i ddaliadau gwleidyddol. *[LLIW 53]*

1946

Opera i'r Cymry

Y Cwmni Opera yn perfformio 'Priodas Figaro'.

Ar 15 Ebrill, agorwyd yr wythnos gyntaf erioed o berfformiadau gan Gwmni Opera Cenedlaethol Cymru, yn Theatr Tywysog Cymru, Caerdydd. Yr operâu *Cavalleria Rusticana* ac *I Pagliacci* oedd cynyrchiadau cyntaf y cwmni. Bu'r wythnos yn llwyddiant ysgubol, a llond bysiau o drigolion y cymoedd yn tyrru i weld y perfformiadau. Mor llawn oedd y theatr fel y bu'n rhaid troi ymaith rhai nad oedd wedi llogi seddau ymlaen llaw. Rhoddwyd clod arbennig i'r canwr bariton Arthur Davies, a gymerodd rannau pwysig yn y ddau opera. Dilynwyd llwyddiant y cwmni yng Nghaerdydd gan wythnos ym Mhafiliwn Porthcawl lle canwyd yr un operâu i'r un derbyniad gwresog.

Ffrwyth ymdrechion Idloes Owen, cyn-löwr o Gwm Merthyr, oedd y cwmni opera newydd yn bennaf, a chydag Ivor John o Abertawe, ef a arweiniodd gerddorfa'r cwmni yn ei hwythnos gyntaf. Ar 2 Rhagfyr 1943 roedd Owen wedi casglu ychydig gydnabod ynghyd mewn capel yng Nghaerdydd i sefydlu'r 'Lyrian Grand Opera Company', ac yntau'n Gyfarwyddwr Cerddorol iddo. Yn y cyfarfod cyntaf hwn ailenwyd y 'Lyrian' yn 'Gwmni Opera Cenedlaethol Cymru'. Bu Idloes Owen yn Gyfarwyddwr Cerddorol hyd 1952.

Daeth ffrwd o geisiadau am gael ymuno â chorws y cwmni fel canlyniad i'w lwyddiant, llawer ohonynt

(Drosodd)

Opera i'r Cymry

(o'r tudalen cynt)

gan rai heb brofiad o gwbl o waith o'r fath. Ansawdd llais oedd unig ffon fesur Idloes Owen wrth ddethol aelodau, a dewiswyd sawl un na fedrai ddarllen nodiant cerddorol.

Yn ystod ymarferion, meddid, gellid gweld y rhai a fagwyd ar donic sol-ffa'r capeli yn prysur drosi eu cerddoriaeth o hen nodiant i sol-ffa. Profwyd y corws newydd am y tro cyntaf ar 28 Ebrill 1947 pan ddechreuodd ail dymor y cwmni gydag opera Bizet, *Carmen*.

Daeth Opera Cenedlaethol Cymru'n adnabyddus trwy'r byd am ganu grymus, ac am roi sylw i nifer o gampweithiau operatig a esgeuluswyd gan gwmnïau eraill. Yn 1951 bu'r cwmni ar daith trwy Gymru, gan ymweld â threfi Aberystwyth, Llandudno a mannau eraill, ac yn 1955 cyflwynodd bedwar opera mewn wythnos i gynulleidfaoedd Llundain yn Theatr Sadler's Wells.

Cafodd y cwmni ei gerddorfa barhaol ei hun yn 1970, sef Ffilharmonia Cymru. Sefydlwyd corws proffesiynol yn 1968, ac yn 1973 gwnaed i ffwrdd â'r hen gorws gwirfoddol o amaturiaid, a oedd yn cynnwys rhai a fu gydag Opera Cenedlaethol Cymru o'r dechrau.　　　*[LLIW 47]*

Y cyntaf yn y byd

Clarence Raybould a'r gerddorfa.

Hon oedd blwyddyn sefydlu Cerddorfa Ieuenctid Genedlaethol Cymru, y gerddorfa ieuenctid genedlaethol gyntaf yn y byd. Sylfaenydd y Gerddorfa oedd Irwyn Walters, brodor o Rydaman, a mab y canwr bâs William Walters. Disgrifiwyd ef gan un beirniad cerddorol fel, 'y dyn a ddechreuodd draddodiad newydd yng Nghymru' am iddo adfywio'r traddodiad offerynnol mewn gwlad lle roedd y pwyslais ar ganu lleisiol.

Daeth y gerddorfa ynghyd am y tro cyntaf ar 25 Gorffennaf yn Ysgol Haberdashers i Ferched, Trefynwy, lle cynhaliwyd cwrs haf i'r 75 o aelodau gwreiddiol rhwng 14 a 25 mlwydd oed. Roedd hyn yn arbennig o bwysig o ystyried na fu rhai ohonynt yn chwarae mewn cerddorfa symffoni erioed o'r blaen. Cyfyngwyd aelodaeth i'r rhai a anwyd yng Nghymru neu a oedd wedi ymgartrefu yn y wlad, er bod rhaid galw ar wasanaeth cerddorion chwythbrennau o Loegr yn y dyddiau cynnar. Amrywiai oedran yr aelodau o 14 i 25, a rhoddwyd swydd y blaenor i fachgen ysgol 16 oed, Leonard James, a oedd eisoes wedi ennill mwy nag ugain o wobrau cerdd yr Eisteddfod Genedlaethol ar wahanol adegau.

Ar ddiwedd y cwrs, rhoddodd y Gerdd-orfa ei pherfformiad cyhoeddus cyntaf yn Neuadd Rolls, Trefynwy, o dan ei harweinydd Clarence Raybould. Erbyn 1948 roedd gan y gerddorfa 85 o gerddorion, a rhoddodd gyngerdd yn yr Eisteddfod Genedlaethol am y tro cyntaf. Recordiwyd y perfformiad gan y BBC ar gyfer ei ddarlledu yn nes ymlaen. Daeth cyngherddau'r gerddorfa'n rhan sefydlog o raglen yr Eisteddfod wedi hynny, ac yn 1953 yn y Rhyl teledwyd ei pherfformiad yn y Pafiliwn am y tro cyntaf.

Yn 1956 derbyniodd Irwyn Walters OBE am ei wasanaeth i gerddoriaeth yng Nghymru, ac yn yr un flwyddyn ysgrifennodd Daniel Jones ei agorawd *Ieuenctid* yn arbennig i nodi dengmlwyddiant y gerddorfa. Yn 1956 hefyd cyhoeddwyd record gyntaf y gerddorfa, sef fersiwn o *Symffoni'r Byd Newydd* Dvorák. Yn ystod y 1950au cafwyd perfformiadau gan y gerddorfa o nifer o weithiau'r gyfansoddwraig Grace Williams o'r Barri, ac yr oedd ei gwaith *Penillion for Orchestra* yn 1955 yn gomisiwn arbennig i'r gerddorfa.

Bu farw Irwyn Walters yn 1992, prin dair blynedd cyn i'r gerddorfa a greodd ddathlu ei hanner canmlwyddiant.

Curo cleddyfau yn sychau

Gwelwyd enghreifftiau cynnar yng Nghymru o'r 'difidend heddwch' yn y flwyddyn hon, pan drowyd rhai o ffatrïoedd mawr Arfau'r Goron at ddibenion mwy heddychlon.

Ym mlynyddoedd y rhyfel bu 37,000 o weithwyr arfau yn gweithio'n ffatri arfau Pen-y-bont ar Ogwr, ond gyda dyfodiad heddwch nid oedd angen eu gwasanaeth bellach. Tebyg iawn oedd y patrwm yn Hirwaun ger Merthyr Tudful, a thrwy Forgannwg i gyd taflwyd miloedd o weithwyr rhyfel ar y clwt, y rhan fwyaf ohonynt yn wragedd.

Ym mis Mehefin 1945 dynodwyd maes glo de Cymru a rhannau o sir Benfro yn Ardaloedd Datblygu o dan y Ddeddf Dosbarthu Diwydiannau. Yn ôl amodau'r Ddeddf hon gallai'r Bwrdd Masnach greu a chynnal ystadau masnachol newydd. Erbyn canol 1947 roedd 74 o gwmnïau ar ystad fasnachu Pen-y-bont, a 25 yn Hirwaun ar safleodd hen ffatrïoedd arfau, a gyda'i gilydd cyflogai'r ddwy tua 6,100 o weithwyr. Ym mis Tachwedd 1947 ym Mhen-y-bont, agorodd George Isaac A.S. y ffatri *Remploy* gyntaf yng Nghymru, i roi gwaith i bobl anabl, gan gynnwys cyn-filwyr, a'r un flwyddyn cymerodd Cyngor Sir Morgannwg feddiant ar adeiladau gweinyddol ffatri arfau'r dref fel pencadlys newydd i heddlu'r sir.

Gwelwyd datblygiadau cyffelyb yn ffatri arfau Marchwiail, ger Wrecsam, a drowyd hefyd yn ystad fasnachu. Ymhlith y cwmnïau mawrion a ddenwyd i'r ystad newydd roedd *British Celanese* a *Firestone Tyres*, ac ar y cyfan roedd y datblygiad newydd yn gymorth mawr i ardal a fu'n ddibynnol gynt ar nifer bach o ddiwydiannau traddodiadol.

Griffiths yn yswirio'r wlad

Ar 1 Awst daeth y Mesur Yswiriant Gwladol yn ddeddf. Y Gweinidog a fu'n gyfrifol am y mesur oedd Aelod Seneddol Llanelli, James Griffiths. O dan y ddeddf hon yswiriwyd pob gweithiwr a gweithwraig yn erbyn effeithiau diweithdra, afiechyd ac ymddeoliad. Yn wahanol i Ddeddf Yswiriant Gwladol Lloyd George yn 1911, roedd hon i gynnwys pob aelod o weithlu'r wlad, gan gynnwys pobl yn gweithio ar eu liwt eu hunain, fel ffermwyr a siopwyr. Llwyddwyd i wneud hyn, ond cafwyd tipyn o drafferth yn categoreiddio rhai o weithwyr y wlad, fel gwleidyddion a gweinidogion anghydffurfiol.

Ar ddiwedd mis Awst dechreuwyd talu'r Lwfansau Teuluol cyntaf i 2.5 filiwn o deuluoedd. Disgrifiodd James Griffiths gost fawr y mesur fel 'un o'r buddsoddiadau gorau a wnaeth y wladwriaeth erioed.'

Dechreuwyd gweithredu'r Ddeddf Yswiriant Gwladol ar 5 Gorffennaf 1948, yr un diwrnod ag y cychwynnodd cynllun Aelod Seneddol arall o Gymru, sef Gwasanaeth Iechyd Gwladol Aneurin Bevan.

Cam arall ymlaen oedd Deddf Anafiadau Diwydiannol 1948. Gwyddai Griffiths yn dda o'i brofiad fel glöwr am y math o anafiadau

James Griffiths yn ei swyddfa yn y Weinyddiaeth Yswiriant Gwladol.

arswydus a allai adael gweithiwr yn anabl am weddill ei fywyd, ac wrth lunio'r ddeddfwriaeth gallai dynnu ar ei brofiad o ddelio ag achosion iawndal y glowyr. Cymerwyd y cyfrifoldeb am dalu iawndal gan y Weinyddiaeth Yswiriant Gwladol, ac ariannid y cynllun gan gyfraniadau gan weithwyr, cyflogwyr, a'r wladwriaeth.

Wyneb newydd Bill Roberts

Pan welodd John Roberts, bachgen saith mlwydd oed o'r Rhondda, ei dad am y tro cyntaf ar ôl iddo ddychwelyd o'r Rhyfel, sgrechiodd a mynd i guddio y tu ôl i'w fam. Nid oedd yn adnabod ei dad ac nid oedd ei fam chwaith yn adnabod ei gŵr, Bill Roberts, pan welodd ei wyneb wedi'i ddarnio ar ôl damwain erchyll yn yr Almaen yn haf 1945. Fodd bynnag, flwyddyn yn ddiweddarach, ar ôl misoedd o lawdriniaeth, roedd Bill Roberts yn ôl wrth ei waith mewn ffatri yn Nhreorci.

Roedd y milwr o'r Rhondda, a oedd yn gwasanaethu gyda'r fyddin yn yr Almaen, yn reidio beic modur pan daflodd rai plant Almaenig gerrig ato gan achosi damwain. Torrodd Bill Roberts ei benglog mewn dau le, chwalwyd ei ên, rhwygwyd ei drwyn i ffwrdd a maluriwyd ei dalcen. Clymwyd ei wyneb mewn silc gan feddygon a chludwyd ef i Ysbyty Rhydychen. Yno bu llawfeddygon yn rhoi llawdriniaeth iddo am oriau maith. Ailadeiladwyd ei wyneb gan impio croen ac esgyrn a sythu ei ddannedd. Yn rhyfeddol ni chafodd y ddamwain effaith ar ei ymennydd ac o fewn blwyddyn i'r ddamwain gallai Bill Roberts, gyda'i wyneb newydd, ail-gydio yn ei fywyd.

Cwffio am Goron y Byd

dde: Ronnie James yn cael ei lorio gan Ike Williams.

Ym Mharc Ninian, Caerdydd, ar 4 Medi cynhaliwyd gornest focsio ar gyfer teitl byd am y tro cyntaf yng Nghymru. Yn y cylch wynebodd Ronnie James o Bontardawe yr Americanwr Ike Williams.

Dechreuodd Ronnie James focsio'n broffesiynol ym mis Ionawr 1933 pan nad oedd ond 15 mlwydd oed. Yn yr ornest gyntaf hon, trechodd James ei wrthwynebydd mewn dwy rownd, gan gychwyn cyfres ddi-dor o 30 o fuddugoliaethau. Torrodd yr Ail Ryfel Byd ar draws ei yrfa, ond ar 12 Awst 1944, ym Marc yr Arfau, daeth yn bencampwr pwysau ysgafn Prydain trwy lorio Eric Boon o Loegr yn y ddegfed rownd o flaen tyrfa o 55,000.

Ike Williams oedd pencampwr pwysau

ysgafn y byd er 1945, pan drechodd Juan Zurita yn Ninas Mecsico ar ôl dwy rownd. Cafodd ychydig mwy o drafferth i drechu James, ond yr Americanwr a orfu yn y nawfed

rownd a llwyddo felly i ddal ei afael ar ei deitl. Bu'r Cymro'n brwydro'n ddewr am chwe rownd, ond bu'n rhaid cydnabod yn y diwedd ei fod wedi cwrdd â'i feistr.

Marw Llydawr

Yn ystod y ganrif datblygwyd cysylltiadau agos rhwng Cymru a Llydaw drwy weithgaredd unigolion fel yr ysgolhaig Celtaidd, Pol Diverres, a fu farw ar Ddydd Nadolig yn Abertawe.

Ganed Diverres yn Lorient yn 1880 yn fab i arbenigwr ar lên-gwerin Llydaw. Er iddo hyfforddi i fod yn feddyg, penderfynodd yn hytrach fyned ati i astudio'r ieithoedd Celtaidd. Yn 1911 daeth i Gymru yn un o gynrychiolwyr Gorsedd Beirdd Llydaw yn eisteddfod genedlaethol Caerfyrddin, ac arhosodd yng Nghymru am weddill ei oes. Dysgodd Gymraeg a phriododd Gymraes o Lerpwl, Elizabeth Jones, 'Telynores Gwalia'.

Ar ôl cyfnod fel athro, fe'i penodwyd yn Geidwad Adran y Llawysgrifau yn Llyfrgell Genedlaethol Cymru, Aberystwyth, ond yn 1923 ymunodd ag adran Ffrangeg y Brifysgol newydd yn Abertawe.

Y Fflam Lân

Yn y flwyddyn hon cyhoeddwyd y rhifyn cyntaf o gylchgrawn *Y Fflam*, i fod yn llwyfan i lenorion ifanc. Golygydd y cylchgrawn, gyda chymorth Pennar Davies, oedd y bardd o Dreorci, Euros Bowen.

Roedd cysylltiad agos rhwng *Y Fflam* a Chylch Cadwgan, grŵp o lenorion yn troi o gwmpas Kate Bosse-Griffiths a'i gŵr J. Gwyn Griffiths o'r Pentref, Cwm Rhondda. Rhyddhau llên Cymru o hualau Piwritaniaeth oedd nod Cylch Cadwgan a'r *Fflam* fel ei gilydd. Dewiswyd y teitl *Y Fflam*, yn ôl y cyhoeddwyr, am ei fod yn cynrychioli 'golau, gwres a glendid.'

Trwy Gylch Cadwgan y daeth Pennar Davies i sylw'r cyhoedd Cymraeg fel bardd, a cheir sawl cerdd o'i waith yn y gyfrol *Cerddi Cadwgan*, a gyhoeddwyd gan y grŵp yn 1953. Cylch Cadwgan hefyd a gyhoeddodd ei nofel, *Meibion Darogan*, yn 1968.

Golygydd newydd

John Roberts Williams

Ym mis Ionawr, cyhoeddodd *Y Cymro* benodiad John Roberts Williams yn olygydd newydd ar y papur. Yr oedd eisoes yn adnabyddus i ddarllenwyr y papur am ei golofnau dan y ffugenw 'John Aelod Jones' ac fel un a oedd â llygad da am stori afaelgar. Dan ei olygyddiaeth, poblogeiddiwyd *Y Cymro* drwy ddefnyddio rhai o ddulliau modern papurau Stryd y Fflyd.

Bu'n olygydd hyd 1962 pan benodwyd ef gan y BBC yn olygydd y rhaglen gylchgrawn newyddiadurol *Heddiw*, a daeth yn bennaeth y BBC yng ngogledd Cymru yn 1970. Yn ddiweddarach, daeth yn adnabyddus am ei sgyrsiau treiddgar a phryfoclyd yn dwyn y teitl 'Tros fy Sbectol' a ddarlledwyd yn wythnosol ar Radio Cymru.

'Dyrchafiad arall'

George Hall (pumed o'r chwith) gyda rhai o'i etholwyr yn Aberdâr.

Byr iawn oedd arhosiad dau Aelod Seneddol o Gymru ar feinciau'r llywodraeth Lafur newydd, gan iddynt symud i swyddi newydd yn fuan wedi eu hethol.

Dyrchafwyd Ted Williams, Aelod Seneddol Ogwr, yn Uchel Gomisiynydd y Goron yn Awstralia, a daeth gyrfa George Henry Hall fel Aelod dros Aberdâr i ben pan ddyrchafwyd yntau o'i swydd fel Ysgrifennydd Gwladol dros y Trefedigaethau i fod yn Brif Arglwydd y Morlys, gan fynd i Dŷ'r Arglwyddi fel yr Is-Iarll Hall o Gwm Cynon.

Yn yr is-etholiad a gynhaliwyd yn Ogwr ar 4 Mehefin daliodd yr ymgeisydd Llafur newydd, John Evans, y sedd yn hawdd, er i Trefor Morgan dros Blaid Cymru ennill 29.4% o'r bleidlais. Ar 10 Rhagfyr, yn is-etholiad Aberdâr, cafodd Wynne Samuel ganlyniad gorau Plaid Cymru hyd hynny, gan wthio'r Ceidwadwr, Lincoln Hallinan, i'r trydydd safle, er bod cyfanswm Samuel o 7,090 o bleidleisiau ymhell y tu ôl i'r Llafurwr D.E. Thomas, a gafodd 24,215.

Taith ofer wystrys Conwy

Gan nad oedd wystrys cynhenid De Affrica gystal â rhai Cymru, anfonwyd archeb yn y flwyddyn hon i Ganolfan Arbrofi'r Weinyddiaeth Amaethyddiaeth a Physgodfeydd yng Nghonwy i allforio 3,000 o'r pysgod cregyn i'r wlad honno.

Y bwriad oedd ceisio magu wystrys Cymru yn nyfroedd llonydd culfor Knysna gan obeithio y byddent yn amlhau yno. Anfonwyd dau lwyth o'r wystrys mewn awyren i Dde Africa, wedi'u lapio mewn gwymon môr, ond ofer fu'r daith. Erbyn iddynt gyrraedd Capetown roedd y cyfan wedi marw.

1947

7 Ebrill

Bu farw Henry Ford, sylfaenydd cwmni ceir Ford.

23 Mai

Cytunodd llywodraeth Prydain i rannu India gan greu gwlad newydd Foslemaidd, Pacistan.

5 Mehefin

Cyhoeddodd Ysgrifennydd Gwladol yr Unol Daleithiau, George Marshall, gynllun anfon cymorth i'r gwledydd yn Ewrop a oedd yn dioddef o dlodi yn sgil y Rhyfel.

15 Awst

Agorwyd adweithydd niwclear cyntaf Prydain yn Harwell, swydd Rhydychen.

15 Awst

Daeth India'n wlad annibynnol gyda Jawaharlal Nehru yn Brif Weinidog.

24 Awst

Yn yr Alban, cynhaliwyd Gŵyl Caeredin am y tro cyntaf.

25 Tachwedd

Gwrthodwyd yr hawl i ddeg awdur a chynhyrchydd i weithio yn Hollywood am iddynt, yn ôl yr honiad, fod yn gomiwnyddion.

29 Tachwedd

Cytunodd y Cenhedloedd Unedig ar gynllun i rannu Palesteina rhwng yr Iddewon a'r Arabiaid.

14 Rhagfyr

Bu farw'r cyn-Brif Weinidog Stanley Baldwin.

Blwyddyn newydd, trefn newydd

Glowyr Tŷ Trist, Tredegar.

Ar ddiwrnod cyntaf y flwyddyn daeth pyllau glo'r wlad i berchnogaeth gyhoeddus, gan wireddu un o brif addewidion maniffesto'r Blaid Lafur yn 1945. Ffrwyth hanner canrif o frwydro oedd y gwladoli hwn, a mawr oedd y llawenydd trwy faes glo'r De i gyd. Mewn nifer o byllau cynhaliwyd seremonïau i groesawu'r drefn newydd. Yng nglofa'r Arglwyddes Windsor yn Ynysybwl, J.E. Morgan, glöwr hynaf y pwll a gododd baner y Bwrdd Glo Cenedlaethol newydd am y tro cyntaf.

Yn nhyb llawer cafodd y meistri glo preifat eu haeddiant am yr holl flynyddoedd o gyflogau gwael, diffyg diogelwch, ac ymddygiad trahaus at eu gweithwyr, ond ar y llaw arall, derbyniodd yr hen berchnogion iawndaliadau hael iawn am eu colledion – cyfanswm o £375 miliwn trwy Brydain i gyd. Ailymddangosodd sawl un ohonynt hefyd wedi'r gwladoli ar eu newydd wedd fel rheolwyr ar ran y llywodraeth, fel Edmund, Douglas a Frank Hann o gwmni glo *Powell Duffryn* a nifer o ddynion cwmni'r *Ocean*. Mewn achos arall, yr hen filwr, y Cadfridog Syr Alfred Godwin-Austen, a ddaeth yn Gyfarwyddwr cyntaf Rhanbarth De-Orllewin y Bwrdd Glo newydd (a oedd yn cynnwys rhannau o Loegr yn ogystal â de Cymru) er nad oedd iddo unrhyw gysylltiad â diwydiant glo de Cymru. Testun grwgnach gan rai oedd hyn, a chwynodd y glowyr hefyd fod y diwydiant yn cael ei lethu gan fiwrocratiaeth swyddogol. Ond ar y cyfan roedd glowyr Cymru'n barod iawn i sicrhau llwyddiant y fentr newydd, fel y gwelwyd yn 1947 pan gefnasant yn wirfoddol ar eu hwythnos waith bum diwrnod a derbyn gweithio'r Sadwrn a'r Sul i gwrdd ag anghenion y wlad am lo.

Pur sâl oedd cyflwr diwydiant glo Cymru pan wladolwyd ef – dim ond 36% o'r glo a dorrid yn fecanyddol, ac roedd y rhan fwyaf o'r gwythiennau hawdd eu gweithio wedi'u disbyddu. Buddsoddodd y Bwrdd Glo newydd yn drwm yn ne Cymru, er mwyn mecaneiddio'r pyllau a suddo rhai newydd, ond rhan o'r cynllun hefyd oedd cau hen lofeydd – 34 ohonynt yng Nghymru rhwng 1947 a 1950.

'Byd Gwyn Fydd Byd a Gano'

Rhwng Mehefin 11 a'r 15fed cynhaliwyd Eisteddfod Gerddorol Gydwladol Llangollen am y tro cyntaf, gyda chynrychiolwyr yno o 14 o wledydd. Ymhlith y perfformwyr yn yr ŵyl gyntaf hon roedd côr o weithwyr o Hwngari, a chriw o Ffrainc a fodiodd eu ffordd ar draws y wlad gan fod gwŷr y rheilffyrdd ar streic yno. Côr merched o Bortiwgal oedd y cyntaf i

Merched o Sbaen ar faes yr Eisteddfod.

gyrraedd Llangollen o'r Cyfandir, gan yrru i lawr y stryd fawr ar ôl teithio 1,200 o filltiroedd mewn chwe diwrnod yn eu bws.

Gŵyl ganu oedd hi i ddechrau, ond daeth parti o ddawnswyr gwerin o Sbaen gan obeithio cystadlu, ac mor boblogaidd oeddynt fel yr ychwanegwyd dawnsio gwerin at raglen y flwyddyn ddilynol.

Harold Tudor o Goed-poeth, ger Wrecsam, a gafodd y syniad gyntaf, a chafodd gefnogaeth i'r fentr gan W.S. Gwynn Williams, brodor o dref Llangollen a

Threfnydd Cerdd yr Eisteddfod Genedlaethol, a chan G.H. Northing, Cadeirydd Cyngor Tref Llangollen. Daeth y syniad i Harold Tudor wrth ymweld ag Eisteddfod Genedlaethol Rhosllannerchrugog yn Awst 1945 yng nghwmni rhai o aelodau llywodraethau alltud Ewrop ym Mhrydain. Gobaith y trefnwyr cyntaf oedd y dôi'r ŵyl â phobl ynghyd drachefn ar ôl dinistr yr Ail Ryfel Byd. Gwireddwyd hyn i ryw raddau yn 1949 pan roddwyd croeso mawr i Gôr Luebeck o Orllewin yr Almaen. Cyflwynwyd y côr i'r

gynulleidfa gan Hywel Roberts, gŵr a gollodd ei frawd yn y rhyfel. Er 1952 mae plant Llangollen yn cyhoeddi Neges Ewyllys Da yr Urdd o lwyfan yr Eisteddfod Gydwladol.

Y bardd T. Gwynn Jones a luniodd arwyddair yr Ŵyl: 'Byd gwyn fydd byd a gano, / Gwaraidd fydd ei gerddi fo.'

Daeth yr Ŵyl bellach yn rhan sefydlog o galendr digwyddiadau Cymru, a denir perfformwyr ac artistiaid o fwy na 70 o wledydd. Am wythnos bob blwyddyn ym mis Gorffennaf, troir tref fach Llangollen yn ferw o ieithoedd, cerddoriaeth a gwisgoedd o bob cwr o'r byd.　　　[LLIW 12]

Y Cymodwr a'r Cynhyrfwr

Yn y flwyddyn hon, bu farw dau ddyn o anian wahanol iawn ond o'r un traddodiad. Roedd William Brace a Frank Hodges yn ddau o ddynion mwyaf dylanwadol maes glo de Cymru.

Yn Rhisga y ganwyd Williams Brace, ac yn ddeuddeg oed aeth i weithio i lofa'r dref. Yn 1906 daeth yn Aelod Seneddol 'Lib-Lab', sef un yn eistedd fel Aelod Llafur o dan adain y Blaid Ryddfrydol. Yr oedd yn Is-lywydd Ffederasiwn Glowyr De Cymru ar y pryd.

Mewn gwirionedd Rhyddfrydwr a chymodwr wrth reddf oedd Brace. Digon anfodlon ydoedd yn 1910 pan bleidleisiodd Ffederasiwn Glowyr Prydain Fawr dros ymuno â'r Blaid Lafur, a phan fu'n rhaid iddo yntau droi'n Aelod Seneddol Llafur swyddogol. Daliodd sedd De Morgannwg hyd 1919, pan adrefnwyd seddi de Cymru. Cynrychiolodd Abertyleri o 1918-20.

Os oedd William Brace yn cynrychioli'r hen ffyrdd o gymodi, lladmerydd gwrthdaro a gwrthwynebu oedd Frank Hodges, glöwr o swydd Gaerloyw a wnaeth ei gartref yng Nghwm Garw. Yn 1918, pan nad oedd ond yn 31 oed, etholwyd ef yn Ysgrifennydd Ffederasiwn Glowyr Prydain Fawr – arwydd o ddylanwad mawr glowyr de Cymru ar yr undeb Prydeinig. Ond daeth ei gwymp pan 'fradychodd' y glowyr yn ystod streic 1921. Mewn cyfarfod gydag Aelodau Seneddol, Hodges a drefnodd gytundeb dros dro i lonyddu'r sefyllfa, cytundeb a barodd i weithwyr y diwydiant dur a'r rheilffyrdd roi'r gorau i gefnogi'r glowyr, gan roi pen ar y streic i bob pwrpas. Ni faddeuwyd i Hodges am ei 'frad', a bodlon iawn oedd llawer un pan gymerwyd ei le fel Ysgrifennydd yn 1924 gan Arthur Cook.

Trychineb dwbwl

Ar noson stormus 23 Ebrill trawyd cymuned fach y Mwmbwls gan un o drasiedïau morwrol gwaethaf Cymru. Aeth y llong stêm *Samtampa* i drafferthion yn y moroedd gwyllt ger Craig y Sger ger Porthcawl, yr ochr draw i Fae Abertawe o'r Mwmbwls. Galwyd bad achub y Mwmbwls allan, ond bu'n rhaid iddo ddychwelyd i dderbyn gwybodaeth newydd am safle'r llong – fflachio lamp i anfon negeseuon Côd Morse oedd yr unig ffordd y gallai'r swyddogion ar y lan gyfathrebu â chriw'r bad. Tua 7.10 o'r gloch yr hwyr cychwynnodd y bad eto tua'r *Samtampa*.

Defnyddiai Gwylwyr y Glannau rocedi-tynnu-rhaffau i fachu'r llong, ond er saethu

tair roced ni lwyddwyd i'w chyrraedd. Ni ellid gwneud dim wedyn hyd 2 o'r gloch y bore, pan oedd y llanw ar drai. Dringodd plismon ar fwrdd y llong ond ni ddaeth o hyd i neb - roedd pob un o'r criw o 41 wedi boddi. Boddwyd hefyd bob un o'r wyth dyn a aeth allan ym mad achub y Mwmbwls. Cafwyd y bad ei hun, *Edward, Prince of Wales*, ar ei ben ger Craig y Sger fore trannoeth. Ymddengys iddo gael ei daro gan don eithriadol o fawr a'i ddymchwel yn syth. Yng nghwest y crwner ym Morthcawl, dyfarnwyd bod yr wyth wedi boddi trwy ddamwain. Rhoddwyd y bad ar dân gan Frigâd Dân Porthcawl yn y fan lle y cafwyd hyd iddo. Gadawodd criw'r bad achub saith gwraig weddw ac un ar ddeg o blant.

Yn ddiweddarach, enwyd bad achub newydd y Mwmbwls ar ôl William Gammon, y llywiwr ar noson y trychineb.

Ysgol Gymraeg i dre'r Sosban

Ar Ddydd Gŵyl Ddewi, agorodd Cyngor Sir Gaerfyrddin Ysgol Gymraeg Dewi Sant, Llanelli, yr ysgol Gymraeg gyntaf dan nawdd awdurdod lleol. Ddeuddydd yn ddiweddarach, ar 3 Mawrth, cyrhaeddodd y plant cyntaf, 34 ohonynt i gyd, a'u croesawu gan y Brifathrawes Olwen Williams, trefnydd Aelwyd yr Urdd yn y cylch. Roedd Ifan ab Owen Edwards eisoes wedi sefydlu ysgol Gymraeg yn Aberystwyth ym Medi 1939, ond mentr breifat oedd honno. Ysgol Gymraeg Llanelli oedd y gyntaf i'w chynnal yn llwyr gan gorff ac arian cyhoeddus.

Ym mis Medi 1944 pasiwyd y Ddeddf Addysg newydd sy'n sylfaen i addysg plant ym Mhrydain am weddill y ganrif. Gwelodd Dr. Matthew Williams, Arolygydd Ysgolion de Cymru, y gellid manteisio ar delerau'r Ddeddf i fynnu creu ysgolion Cymraeg, ac i'r perwyl hwn cysylltodd ag Olwen Williams yn Llanelli i drafod y syniad. Braidd yn amheus oedd rhai o athrawon a rhieini'r cylch am werth addysg Gymraeg. Ymhlith rhai rhieni Cymraeg yr ardal roedd pryder na ddysgai eu plant Saesneg yn ddigon da mewn ysgol Gymraeg.

Fel Ysgol Gymraeg Aberystwyth, a ddechreuodd yn adeilad yr Urdd, cartref dros dro a gafodd ysgol newydd Llanelli hefyd i ddechrau, sef yn festri Capel Seion. Diffygiol iawn oedd y cyfleusterau. Yn niffyg cyfarpar ac offer defnyddiwyd papur gwastraff, llyfrau ail-alw, a sbarion pren saer coed lleol, yn osgystal â chwpwrdd mawr o long i storio'r cyfan.

Nid effeithiodd yr holl anawsterau hyn ryw lawer ar berfformiad yr ysgol, a phan ddaeth y to cyntaf o ddisgyblion i sefyll arholiad yr *11-Plus* cafodd pob un le yn yr Ysgol Ramadeg. At hyn, derbyniodd Olwen Williams lythyr gan Brifathro'r Ysgol Ramadeg yn canmol cyn-ddisgyblion yr Ysgol Gymraeg, yn enwedig am eu marciau da mewn Saesneg.

Rhwng 1947 a 1951 agorwyd 12 o ysgolion Cymraeg newydd ym mhob rhan o Gymru, ac erbyn 1953 roedd 15 o ysgolion a'r Gymraeg yn gyfrwng swyddogol y dysgu. Erbyn 1970 yr oedd y ffigur yn 41.

Trwbwl ar y ffordd

Tref Merthyr Tudful a gafodd y fraint ym mis Ionawr o fwynhau noson gyntaf y sioe deithiol newydd, *Tommy Trouble on Tour*. Creadigaeth Evan Eynon Evans oedd y cymeriad radio Tommy Trouble, a ddechreuodd ei yrfa yn 1945. Daeth Tommy'n rhan anhepgor o gyfres radio'r BBC, *Welsh Rarebit*, a rhoddai ei ddiniweidrwydd a'i ffraethineb bleser mawr i lawer. Ar ôl sioe arbrofol yng Nghaerffili, cartref ei greawdwr, penderfynwyd mynd â Tommy ar daith trwy Gymru, gan ddarlledu'r sioe radio o neuaddau cyhoeddus y wlad yn hytrach nag o'r stiwdio.

Bu E. Eynon Evans yn yrrwr bysiau am flynyddoedd, ond llwyddodd i ennill cryn sylw hefyd fel dramodydd ysgafn. Yn ogystal â'i waith radio, roedd yn un o sylfaenwyr Cwmni Drama Tonyfelin, a byddai'n llunio dramâu comedi yn gyson ar gyfer y cwmni.

Eynon Evans yn perfformio ar lwyfan.

Gyda'i ddrama *Wishing Well* (1946) sicrhaodd fywoliaeth fel dramodydd proffesiynol. Trowyd y ddrama hon yn ffilm yn ddiweddarach dan y teitl *The Happines of Three Women*, gydag Eynon Evans ei hun yn cymryd un o'r prif rannau.

Plaid Lafur i Gymru

Ar 26 Ebrill cynhaliwyd cyfarfod cyntaf Cyngor Llafur Rhanbarthol Cymru, cam mawr ar y ffordd tuag at greu Plaid Lafur Cymru.

Yn Eisteddfod Genedlaethol Caerfyrddin yn 1911 roedd David Thomas o Gaernarfon wedi ceisio cynnal cyfarfod gyda'r bwriad o greu Plaid Lafur i Gymru ar wahân. Methodd y fentr yn wyneb gwrthwynebiad cryf ar ran arweinwyr Prydeinig y Blaid Lafur, gan gynnwys Keir Hardie, Aelod Seneddol Merthyr Tudful. Aeth Thomas ati ar ei liwt ei hun yn y Gogledd i greu ffederasiwn yno o undebau llafur a changhennau o'r Blaid Lafur, ac am ddeng mlynedd o 1915 ymlaen bu'n cydweithio â Walter Harris o Ffederasiwn Glowyr De Cymru ym Mynwy i sefydlu Plaid Lafur Cymru.

Y Cyngor Llafur, gyda Cliff Prothero, Elizabeth Andrews, Goronwy Roberts, George Thomas, Douglas Hughes a Huw T. Edwards yn flaenllaw.

Nid cyn y '30au y perswadiwyd Pwyllgor Gwaith y Blaid Lafur Brydeinig bod angen corff sefydlog i drefnu gweithgareddau'r blaid yng Nghymru. Gwelid erbyn hynny fod angen trefniant effeithiol os oedd y Blaid Lafur i ymladd â'r Comiwnyddion am rym ym maes glo'r De, ac yn Ebrill 1937 crewyd Cyngor Llafur Rhanbarthol De Cymru. Teimlai Cliff Prothero, Ysgrifennydd y Cyngor, ei fod yn cael ei lyffetheirio gan na fedrai siarad dros Gymru i gyd yn ei waith, a phwyswyd yn llwyddiannus ar Bwyllgor Gwaith y Blaid Lafur i ganiatáu uno Cyngor y De â'r pwyllgor o ganghennau Llafur a sefydlwyd yn y gogledd yn 1938.

Cyrchu bara trwy'r eira mawr i bentref Llanwddyn, sir Drefaldwyn.

Eira marwol

Am saith wythnos o ganol mis Ionawr, profodd Cymru a gweddill gwledydd Prydain un o aeafau llymaf y ganrif. Lladdodd yr oerni hanner y defaid yng Nghymru, ac mewn rhai mannau roedd y ffigur yn nes at 70%. Bu'r rhew a'r eira'n rhwystr mawr i fywyd bob dydd mewn llawer man.

Ym mis Chwefror cafodd pwysigion yr Eisteddfod Genedlaethol a chynghorwyr tref Bae Colwyn drafferth mawr i gynnal seremoni torri'r dywarchen gyntaf ar safle Pafiliwn Eisteddfod 1947 – roedd y pridd wedi rhewi mor galed. Yn yr un mis cafwyd stori ryfeddaf y gaeaf, am fachgen o'r Drenewydd a fynnai flasu'r rhew ar bont y dref dros Afon Hafren. Mor isel oedd y tymheredd fel y rhewodd wrth haearn y bont gerfydd ei dafod, a bu'n rhaid tywallt dŵr cynnes dros ei dafod i'w ryddhau.

Ym mis Mawrth bu'n rhaid galw ar y Llu Awyr i fynd â bara i Ben Tywyn, sir Gaerfyrddin, a chludodd badau achub 400 o dorthau i drefwyr Dinbych-y-Pysgod. Difethwyd porfeydd, ac yn sir Drefaldwyn bu awyrennau Llu Awyr America wrthi'n gollwng tunelli o wair o'r awyr i'r defaid.

Ond roedd yr oerni a oedd yn drychineb i rai yn ddifyrrwch mawr i eraill, ac ym Meirionnydd, manteisiodd rhai modurwyr ar y tywydd garw i yrru eu ceir ar draws Llyn Tegid, a oedd wedi ei orchuddio â rhew trwchus.

Billy Butlin yn dod i Bwllheli

Ar 27 Mawrth, agorodd Billy Butlin ei wersyll gwyliau ym Mhenychain, Pwllheli. Adeiladodd Butlin wersyll Pwllheli yn wreiddiol ar gyfer y llynges. Codwyd y gwersyll, a gafodd yr enw *HMS Glendower*, ar yr amod y câi Butlin brynu'r safle'n ôl gan y llynges am 60% o'r costau adeiladu.

Holltwyd y gymuned leol ynglŷn â'r cynllun i droi'r safle'n ganolfan wyliau, ac mor gynnar â 1944 roedd rhai yn ymgyrchu'n erbyn y datblygiad. Ofnai'r gwrthwynebwyr y byddai 'Butlineiddio' yn dinistrio un o fröydd harddaf Cymru ac yn niweidiol i sefyllfa'r iaith Gymraeg. Mewn cais i dawelu'r ofnau, addawodd Butlin y byddai'r gwersyll newydd yn prynu cyflenwadau sylweddol o gynnyrch ffermydd yr ardal ac yn rhoi gwaith i nifer mawr o bobl leol. Wedi Ymchwiliad Cyhoeddus yn 1946, derbyniodd Butlin sêl bendith y Weinyddiaeth Gynllunio ar ei fentr yn Llŷn.

Erbyn y '60au cynnar roedd tua 8,000 o bobl ar y tro yn cymryd eu gwyliau yno. Agorwyd canolfan adloniant newydd ar y safle am £1,750,000, mwy na chost y gwersyll gwreiddiol. Ymhlith yr ymwelwyr cyntaf â'r ganolfan newydd oedd y Frenhines a Dug Caeredin, a ddaeth i Bwllheli yn 1963. Bu'r Dug, pan oedd yn isgapten ifanc yn y llynges yn ystod y rhyfel, yn aros yng ngwersyll *HMS Glendower*. Yn ôl Billy Butlin, gwrthododd y Dug ddweud

Butlins: cyrchfan boblogaidd i ymwelwyr.

wrtho ym mha ystafell y cysgai rhag ofn y byddai'n codi tâl ychwanegol ar wersyllwyr am gael aros ynddi.

Yn 1990, ar ôl gwerth £25 miliwn o waith adfer a thrwsio, ailagorwyd y gwersyll gan Ysgrifennydd Gwladol Cymru, David Hunt, fel *Starcoast World*. Fodd bynnag, ym mis Medi 1998, cyhoeddwyd bod angen gwario £15 miliwn ar adnewyddu'r gwersyll a fyddai'n cael ei alw bellach yn *Haven All Action Park*.

Iechyd Da!

Aneurin Bevan yn areithio yng Nghorwen.

Ar 5 Gorffennaf, sefydlwyd y Gwasanaeth Iechyd Gwladol, yn bennaf trwy ymdrechion ei bensaer Aneurin Bevan, Aelod Seneddol Glyn Ebwy, a'r Gweinidog Iechyd er 1945. Gofal iechyd rhad i bawb 'o'r crud i'r bedd' oedd nod y gwasanaeth newydd. Roedd meddygon, deintyddion, optegwyr a fferyllwyr i gyd i'w cynnwys yn y cyllun i roi triniaeth feddygol am ddim i'r bobl. Gwladolwyd ysbytai yng Nghymru a Lloegr dan 14 o fyrddau rhanbarthol, a chaed trefn debyg yn yr Alban. Gwasanaeth iechyd Aneurin Bevan fyddai prif gonglfaen y wladwriaeth les yr oedd y llywodraeth Lafur yn ei hadeiladu, ac fe erys yn gofeb i'w waith.

Cyflwynodd Bevan ei fesur i greu'r Gwasanaeth Iechyd newydd yn Ionawr 1946, a daeth yn ddeddf yn Nhachwedd y flwyddyn honno, ond cymerodd flwyddyn a hanner arall i wireddu ei weledigaeth. Wynebodd wrthwynebiad cryf yn y Senedd gan y Blaid Geidwadol, a'r tu allan i'r Senedd gan feddygon dylanwadol Cymdeithas Feddygol Prydain. Yng nghylchgrawn y Gymdeithas Feddygol, cyhuddwyd Bevan gan Dr. Alfred Cox o gymryd cam tuag at Natsïaeth, ac o fynnu ei ddyrchafu'i hun yn 'Führer Meddygol'. Yn Nhŷ'r Arglwyddi, galwodd yr Arglwydd Horder ar y meddygon i 'atal gorymdaith wallgof totalitariaeth'. Y prif gŵyn oedd bod y ddeddfwriaeth am droi meddygon yn weision sifil. Cymedrolodd Bevan ei syniadau gryn dipyn er mwyn lleddfu pryderon y meddygon – y goddefiad amlycaf oedd derbyn y byddai'r Gwasanaeth Iechyd newydd yn byw ochr yn ochr â system o feddygaeth breifat, gyda gwelyau preifat mewn ysbytai cyhoeddus.

Honnodd Bevan iddo gael ei ysbrydoli wrth lunio'r Gwasanaeth Iechyd gan ei brofiad o Gymdeithas Gymorth Meddygol Tredegar. Byddai'r gymdeithas honno'n rhoi cymorth meddygol di-dâl i'w haelodau yn ôl yr angen, ac yr oedd yntau am estyn yr un egwyddor i gynnwys holl drigolion gwledydd Prydain.

O fewn dau fis i'w sefydlu roedd 39.5 miliwn o bobl, 93% o'r boblogaeth, wedi cofrestru gyda meddygon o dan delerau'r gwasanaeth newydd. Roedd y fentr yn arbennig o boblogaidd yng Nghymru, hyd yn oed ymysg y meddygon eu hunain. Sylwodd y *Lancet* yn 1947 fod cyfran uwch o feddygon Cymru nag o rai Lloegr wedi cytuno i ymuno â'r gwasanaeth heb aros am ganiatâd y Gymdeithas Feddygol. Ymatebodd dosbarth gweithiol Cymru'n frwd i'r holl wasanaethau a oedd ar gael iddynt am y tro cyntaf, ac roedd y galw am sbectolau a dannedd gosod yn enfawr.

Tynnwyd rhwyfaint o sylw oddi wrth waith mawr Bevan gan y cythrwfl a ddilynodd araith a draddod-

(Drosodd)

Iechyd Da!

(o'r tudalen cynt)
odd ym Manceinion ar 4 Gorffennaf lle disgrifiodd Dŷ'r Arglwyddi fel *'the old battered corpse'* a'r Torïaid yn *'lower than vermin'*. Derbyniodd gerydd gan y Prif Weinidog, Clement Attlee, a phroffwydodd Harold Laski y rhoddai'r gair *'vermin'* ddwy filiwn o bleidleisiau i'r Ceidwadwyr. I'r wasg Geidwadol roedd yr araith yn brawf o'u hofnau ynghylch y sosialydd hwn o'r cymoedd.   *[LLIW 16]*

Cadw creiriau'r werin

dde: D.J. Davies, y basgedwr o Gaeo, sir Gaerfyrddin, yn arddangos ei grefft yn Sain Ffagan.

Ar 1 Gorffennaf, agorwyd Amgueddfa Werin Cymru, yr amgueddfa awyr agored gyntaf yn Ewrop.

Ym mis Mawrth 1947, roedd Iarll Plymouth wedi rhoi'r maenordy Tuduraidd Castell Sain Ffagan, ger Caerdydd, i Amgueddfa Genedlaethol Cymru, ynghyd â 90 o erwau a mwy o erddi a thiroedd eraill o gwmpas y tŷ. Penodwyd Iorwerth C. Peate, Ceidwad Bywyd Gwerin Amgueddfa Genedlaethol Cymru, yn Guradur cyntaf y sefydliad, a daliodd y swydd hyd 1971. Breuddwyd Peate ers tro oedd gweld sefydlu amgueddfa werin yng Nghymru tebyg i rai gwledydd Llychlyn. Trwy gydol ei oes bu'n bleidiol iawn i'r traddodiad gwerinol, Anghydffurfiol a Chymraeg y magwyd ef ynddo, a gwelir hyn yn glir yn ei weithiau llenyddol ac ysgolheigaidd. Byddai'n llym ei feirniadaeth ar ddiwylliant anwadal a Saesneg ei iaith y Gymru fodern, gan ei gymharu'n anffafriol â diwylliant sefydlog ac uniaith Gymraeg ei blentyndod, ac mewn Cymru uniaith yn unig y gwelai ddyfodol i'r Gymraeg. Yn Gymraeg y cyhoeddodd y rhan fwyaf o'i waith, ond enillodd gryn glod hefyd â'i gyfrol Saesneg ar hen dai Cymru, *The Welsh House*.

Yn 1951 dechreuodd yr Amgueddfa ailadeiladu enghreifftiau o adeiladau traddodiadol Cymru, ar ôl eu datgymalu fesul maen a'u symud o'u cynefin i dir Sain Ffagan. Daeth y gwaith hynod hwn yn un o weith-

gareddau mwyaf adnabyddus yr Amgueddfa. Ailgodwyd ar y safle dai yn amrywio o gartrefi crand y boneddigion i fythynnod distadl y werin, a hefyd adeiladau nodweddiadol o wahanol fathau, fel hen dollty Penparcau ger Aberystwyth, melin wlân o ardal Llanwrtyd, cwt mochyn crwn o Bontypridd, a thalwrn ymladd ceiliogod o Ddinbych.

Yn ogystal â thai o bob math, casglwyd ynghyd yn yr Amgueddfa wisgoedd, dodrefn, cerbydau amaeth, ac offer gwaith o bob rhan o'r wlad

Croeso i Gymru

Ar 27 Hydref yn Amwythig cynhaliwyd cyfarfod cyntaf Bwrdd Croeso Cymru, fel rhan o'r ymdrech trwy wledydd Prydain ar ôl yr Ail Ryfel Byd i hyrwyddo Prydain fel lle i dreulio gwyliau. Roedd Llywydd y Bwrdd Masnach, Harold Wilson, eisoes wedi sefydlu Bwrdd Teithio a Gwyliau Prydain, ond D.R. Grenfell, Aelod Seneddol Gŵyr, a sicrhaodd fod gan Gymru ei Bwrdd neilltuol ei hun, ac ef oedd Cadeirydd cyntaf y Bwrdd hwnnw. Un o'r pethau cyntaf a wnaeth fel Cadeirydd oedd cyhoeddi ar ei liwt ei hun lawlyfr i ymwelwyr, *An Introduction to Wales*, ac anfon y bil at y Bwrdd Prydeinig canolog. Roedd yn weithred nodweddiadol ohono, ond nid heb gryn ddadlau y llwyddodd i gael yr arian gan Fwrdd Teithio a Gwyliau Prydain.

Bathwyd y slogan 'Gwelwch Gymru'n Gyntaf' i geisio denu pobl, a oedd yn barod i grwydro'r Cyfandir, i dreulio'u gwyliau yng Nghymru, a phrofi'r harddwch naturiol ar garreg eu drws. O Loegr y gobeithiai'r Bwrdd ddenu'r rhan fwyaf o'r ymwelwyr newydd, ond bu ymgyrchoedd hefyd i ddenu Gwyddelod ac Albanwyr, a rhwng 1950 a 1965 tywysodd cynrychiolwyr y Bwrdd tua 160 o bartïon o dramor trwy wahanol rannau o Gymru. Ymhlith y rhain roedd gŵr o Seland Newydd a fynnodd godi o faes Parc yr Arfau y llathen sgwâr o dywarch y sgoriwyd arno gais Cymru a fu'n fodd i guro'r Crysau Duon yn 1905.

Cyhoeddwyd rhestri o leoedd aros yng Nghymru, ac ymdrechwyd i safoni'r gwasanaeth mewn gwestai, ond roedd un rhwystr mawr na allai'r Bwrdd ei oresgyn, sef anniddigrwydd twristiaid oherwydd sychder tafarnau a bwytai Cymru ar y Sul.

Bad newydd Ceinewydd

Yng Ngheinewydd, Ceredigion, daeth bywyd gweithiol y bad achub hwylio olaf ym Mhrydain i ben. Bu'r *William Cantrell Ashley* mewn gwasanaeth er 1907, ac yn ystod ei 18 lawnsiad achubodd 10 o fywydau. Ar 12 Rhagfyr, cyrhaeddodd y bad modur newydd, *St. Albans*, a enwyd ar ôl y gangen o Sefydliad y Badau Achub a dalodd amdano. Lawnsiwyd yr hen fad am y tro olaf i gwrdd â'i olynydd yn y môr. Ar 26 Chwefror 1949 cyflwynwyd y *William Cantrell Ashley* i Ysgol Gweithgareddau Awyr-Agored Aberdyfi, ac ar 25 Mehefin yr un flwyddyn bendithiwyd y *St. Albans* gan Archesgob Cymru fel bad achub newydd y Cei.

Elgar, Vaughan Williams ac Abertawe

Agorwyd Gŵyl Gerdd Abertawe ar 26 Hydref, y gyntaf o wyliau cerdd lleol Cymru. Cynhaliwyd cyfres o gyngherddau gyda'r hwyr, a mynegwyd y gobaith y tyfai'r ŵyl ymhen y rhawg i gynnwys perfformiadau yn ystod y dydd hefyd. Ymhlith y gwesteion arbennig yn yr ŵyl gyntaf roedd Duges Caint, a'r cyfansoddwr Vaughan Williams, a ddaeth i arwain perfformiad o'i waith ei hun, *Symffoni Llundain*. Yno hefyd roedd Mrs. Elgar Blake, a ddaeth i wrando ar berfformiad o waith ei diweddar dad, Edward Elgar. Llongyfarchodd dref Abertawe ar 'y fath ddechreuad godidog' i'r ŵyl.

Y ddadl fawr

Cymaint oedd y diddordeb yn Shotton, sir Fflint, yng nghynlluniau'r llywodraeth Lafur i wladoli'r diwydiant dur fel y daeth 1,500 o bobl ynghyd ar nos Sul 12 Rhagfyr i wrando ar ddadl ar y pwnc. Gwasgwyd mil o bobl i sinema'r Alhambra, ac roedd 500 arall yn sinema'r Ritz yn clywed darllediad o'r ddadl.

Bu galw mawr yn yr ardal am y tocynnau swllt i fynychu'r ddadl gan fod cymaint o weithwyr lleol yn dibynnu ar y gweithfeydd dur am eu bywoliaeth. Yn dadlau o blaid gwladoli roedd dau undebwr, Huw T. Edwards ac A.E. Vincent, tra'n gwrthwynebu roedd Geoffrey Summers, perchennog cwmni dur John Summers a'i Fab, a Nigel Birch, Aelod Seneddol Ceidwadol sir Fflint.

Beirniadodd Edwards y diwydiant dur am ei fod yn fonopoli preifat, a chwynodd fod cyfalafiaeth fodern wedi datblygu'n beth di-enaid. Ofnai Summers y byddai gwladoli'r diwydiant yn arwain at y llwybr llithrig tuag at wladwriaeth dotalitaraidd fel Rwsia. Er na chafwyd pleidlais, mae'n amlwg fod record teg cwmni John Summers wrth drin gweithwyr dur wedi creu amheuon ymhlith llawer ynglŷn â'r angen i newid y drefn.

Hanes o wladoli a dadwladoli yn ôl lliw'r llywodraeth fu tynged y diwydiant dur am yr ugain mlynedd nesaf, ond anaml y rhoddwyd cymaint o sylw i'r mater ag a welwyd yn Shotton ar y nos Sul honno ganol Rhagfyr.

Rhedwr Rhisga

Yn y Gemau Olympaidd a gynhaliwyd yn Llundain, Tom Richards o Risga oedd y Cymro cyntaf i ennill medal unigol yn holl hanes y Gemau. Y rhain oedd y Gemau Olympaidd cyntaf i'w cynnal er gemau Berlin yn 1936, lle cafwyd arddangosfa o rym y Natsïaid, ac yn Llundain ni chaniatawyd timau o'r Almaen na Siapan.

Cipiodd Richards y fedal arian yng nghystadleuaeth y Marathon, gan orffen 16 eiliad yn unig ar ôl yr enillydd, Delfo Cabrera o'r Ariannin. Enillodd Cymry eraill fedalau Olympaidd o'i flaen fel rhan o dimau, ond Richards oedd y cyntaf i ennill fel unigolyn.

Daeth sawl buddugoliaeth i ran Richards yn ystod ei yrfa, ac yn y '50au cafodd gryn lwyddiant fel feteran, gan ennill pencampwriaeth rhedeg traws gwlad Cymru yn 1951 pan oedd yn 41 oed, a chystadlaethau Marathon Cymru yn 1950, 1952-3 a 1955-6. Rhedodd dros Gymru ddeg o weithiau yn y Bencampwriaeth Draws Gwlad Ryngwladol rhwng 1934 ac 1953.

Hoover yn dod i Ferthyr

Y ffatri newydd ym Merthyr.

Ar 12 Hydref, wedi pwyso mawr gan Aelod Seneddol y dref, S.O. Davies, agorwyd ffatri Hoover ym Mhentre-bach, Merthyr Tudful. Cyflawnwyd y ddefod agor gan un o'r gweithwyr anabl a gâi fywoliaeth yno, sef y cyn-löwr Daniel Bowen, a ddioddefai gan glefyd y llwch, ac a oedd yn un o'r 7% o weithlu'r ffatri newydd a oedd yn gyn-lowyr anabl.

Codwyd ffatri Hoover ar 90,000 o droedfeddi sgŵar o dir, a phan agorwyd hi'n swyddogol, roedd eisoes yn cyflogi 95 o bobl leol ac yn cynhyrchu 1,000 o beiriannau golchi'r wythnos. Daeth y ffatri'n un o'r arwyddion pwysicaf fod economi'r hen faes glo yn dechrau ehangu ac amrywio wrth i'r pyllau raddol gau. Sylwodd y Gweinidog Llafur, George Isaac, fod pobl Merthyr yn cael 'jam heddiw' yn lle gorfod aros tan yfory amdano.

Y trên olaf

uchod: Y rheolwr rhanbarthol, T.C. Sellars, yn ysgwyd llaw â giard trên olaf y G.W.R. o Groesoswallt i Aberystwyth.

Fel rhan o raglen wladoli'r llywodraeth Lafur, daeth y llu o gwmniau rheilffyrdd preifat yn rhanbarthau o'r Rheilffyrdd Prydeinig. Tristwch i rai oedd gweld hen enwau mawreddog fel y *Great Western Railway* yn darfod o'r tir, er bod rhai eraill yn llawn gobaith y gwelid gwelliannau mawr yn safon y gwasanaeth dan y drefn newydd. Ar 7 Ionawr, gadawodd trên olaf y *GWR* orsaf Croesoswallt ar ei daith ar draws canolbarth Cymru i Aberystwyth. Un o drenau'r cwmni gwladol newydd fyddai ef wrth deithio'n ôl.

Pedwaredd cadair y bardd afradlon

Pan gipiodd David Emrys James (Dewi Emrys) y gadair yn Eisteddfod Genedlaethol Pen-y-bont ar Ogwr ym mis Awst, hwn oedd y pumed tro iddo dderbyn un o brif wobrau'r Eisteddfod. Ef a enillodd y Gadair yn 1929,1930 a 1943, a'r Goron yn 1926. O ganlyniad uniongyrchol i gampau'r bardd o Geredigion, newdiwyd rheolau cystadlu'r Eisteddfod Genedlaethol fel na châi neb ennill y Goron na'r Gadair fwy na dwywaith.

Bywyd crwydrol iawn oedd eiddo Dewi Emrys. Bu am gyfnod yn fugail ar nifer o eglwysi, ond heb aros yn hir iawn yn yr un ohonynt. Yn 1917 cefnodd ar y weinidogaeth i fynd i'r fyddin, ac o ddiwedd y Rhyfel Byd Cyntaf ymlaen bu'n crafu bywoliaeth fel newyddiadurwr yn Llundain. Dygwyd ef o

Bardd y Gadair: Dewi Emrys.

flaen ei well sawl gwaith am wrthod cyfrannu at gostau byw ei deulu, a threuliodd fwy nag un noson yn cysgu yn yr awyr agored ar lan Afon Tafwys. Synnai parch-

usion Cymraeg y ddinas o weld cynbregethwr yn canu am gardod gyda'i het yn ei law y tu allan i'w capeli wrth iddynt fynd i'r oedfa. Yng nghanol y trallodion hyn y daeth llwyddiant mawr cyntaf y bardd, sef coron Eisteddfod Genedlaethol Abertawe 1926. Bu'n cynnal llys o edmygwyr mewn gwesty moethus yn y dref am wythnos, ond oherwydd yr holl gyhoeddusrwydd daeth ei wraig i wybod ble roedd, ac aeth arian ei wobr i gwrdd â'i ddyledion i'w deulu. Mae'n bosibl hefyd iddo roi'r Goron yn siop y pôn i gael mwy o bres.

Yr un mor helbulus oedd ei ymweliad â Llanelli i dderbyn y Gadair yn 1930. Gan fod enw'r enillydd wedi ei ddatguddio'n rhy aml yn y gorffennol, yr oedd swyddogion Llanelli wedi cadw enw'r buddugol rhag pawb, gan gynnwys y bardd buddugol ei hun. Digiodd Dewi Emrys oherwydd hyn a bygwth gwrthod derbyn y Gadair o gwbl. Dim ond wedi i rywun esgus fod David Lloyd George ei hun wedi mynegi awydd i'w weld yn cael ei Gadeirio y cytunodd i fynd i'r Pafiliwn, ac fe'i hebryngwyd yno gan ddau blismon.

Morgannwg yn bencampwyr

Wilf Wooller, capten Morgannwg, gyda'i dîm yn dathlu ennill y bencampwriaeth ar falconi'r pafiliwn.

Am y tro cyntaf yn ei hanes, enillodd Clwb Criced Morgannwg Bencampwriaeth Siroedd Lloegr, o dan gapteniaeth ysbrydoledig Wilfred Wooller.

Cafwyd dechrau da trwy guro Essex ym Marc yr Arfau o 137 o rediadau, ac ym mis Mehefin cynorthwyodd y batiwr llaw-chwith Willie Jones o Gaerfyrddin yr achos trwy sgorio 207 yn erbyn Caint a 212 yn erbyn Essex. Ni bu mis Gorffennaf mor llewyrchus a dechreuodd gafael y Cymry ar y bencampwriaeth lacio. Hyd at gemau olaf y tymor roedd Morgannwg, Surrey a swydd Efrog i gyd yn ymgiprys am y goron, ac ni sicrhaodd y Cymry eu buddugolaieth hyd eu gêm olaf oll, oddi cartref yn erbyn Hampshire ar 21-24 Awst.

Dechreuodd y gêm honno'n siomedig iawn, heb ddim ond deng munud o chwarae oherwydd y glaw. Er hyn, cafodd Morgannwg fuddugoliaeth gampus o un batiad a

115 o rediadau, gan gael gwared ar Hampshire am 116 ar y diwrnod olaf. Syrthiodd y wiced olaf, Charlie Knott, i fowlio Johnnie Clay. Pan drawodd y bêl Knott ar y pad, apeliodd maeswyr Morgannwg yn daer ar y dyfarnwr am goes o flaen wiced. 'That's out and we've won the Championship,' oedd ateb llai nag amhleidiol y dyfarnwr Dai Davies o Lanelli, un o gyn-chwaraewyr Morgannwg.

Canodd cefnogwyr y Cymry *Hen Wlad Fy Nhadau* a *Sosban Fach* pan ymddangosodd y buddugwyr ar falconi'r pafiliwn. I nodi'r achlysur, cyhoeddwyd yn *Wisden*, gyfarchiad Cymraeg, sef 'Morgannwg, y concwerwyr cricket newydd', ac mewn erthygl arbennig, canodd J.H. Morgan glod y Cymry am eu camp yn mynd â'r bencampwriaeth allan o 'grud y gêm' am y tro cyntaf. *[LLIW 65]*

1949

9 Chwefror

Yn Los Angeles, carcharwyd yr actor Robert Mitchum am ysmygu mariwana.

25 Mawrth

Enillodd Syr Laurence Olivier 'Oscar' am ei ffilm *Hamlet*.

4 Ebrill

Sefydlwyd *NATO* (*North Atlantic Treaty Organisation*) i warchod gwledydd y gorllewin.

18 Ebrill

Sefydlwyd Gweriniaeth yr Iwerddon.

12 Mai

Daeth blocâd Berlin gan yr Undeb Sofietaidd i ben.

8 Mehefin

Cyhoeddwyd *1984*, nofel enwog George Orwell.

27 Gorffennaf

Yn Hatfield, swydd Hertford, hedfanodd y *Comet*, yr awyren jet gyntaf i deithwyr yn y byd.

13 Awst

Etholwyd Konrad Adenauer yn Ganghellor Gorllewin yr Almaen.

21 Medi

Taniwyd bom niwclear arbrofol gan yr Undeb Sofietaidd.

1 Hydref

Daeth Tsieina yn wlad gomiwnyddol dan arweiniad Mao Zedong.

16 Hydref

Daeth y rhyfel cartref yng Ngwlad Groeg i ben pan orchfygwyd y gwrthryfelwyr comiwnyddol.

Tref Newydd

Yr hen a'r newydd yng Nghwmbrân.

Ym mis Tachwedd cyhoeddwyd y câi 3,100 o erwau o ddyffryndir rhwng Pontypŵl a Chasnewydd eu datblygu fel safle tref newydd, yr unig ddatblygiad tebyg yng Nghymru o dan Ddeddf y Trefi Newydd 1946.

Ar y pryd yr oedd y rhan fwyaf o'r 12,000 a drigai yn y cwm yn byw yn nhref fach Cwmbrân, a dyna'r enw a ddewisiwyd ar gyfer y datblygiad newydd. Ym mhen pymtheng mlynedd byddai ynddi fwy na 35,000 o drigolion. Erbyn canol yr '80au roedd mwy na hanner can milltir o ffyrdd newydd a thua deng mil o dai wedi'u codi.

Codi cymaint o dai â phosibl cyn gynted â phosibl oedd y nod i'w gyrraedd, ond roedd rhaid hefyd adeiladu siopau, addoldai, ysgolion, a chanolfannau cymunedol i'r trigolion newydd. O'r adeiladau newydd, mae'n debyg mai Tŷ Mynwy, gyda'i waliau o goncrît cerfiedig, oedd y mwyaf nodedig, a daeth yn symbol o dref newydd Cwmbrân.

Cafwyd rhywfaint o drafferth wrth enwi strydoedd, gyda chynghorwyr lleol yn gwrthwynebu cynigion Corfforaeth Ddatblygu Cwmbrân i roi enwau Cymraeg ar rai heolydd. Ym Mawrth 1953 awgrymodd y cynghorwyr y dylid cyfyngu'r defnydd o enwau Cymraeg i'r rhai hawdd eu hynganu. Roedd 'Tŷ Newydd' felly'n dderbyniol, ond ni ellid derbyn 'Pontnewydd' a 'Croesyceiliog' am eu bod yn rhy hir ac anodd.

Twmpath!

dde: Dawnswyr Bryn-mawr yn 1952.

Mewn cyfarfod yn Amwythig, sefydlwyd Cymdeithas Ddawns Werin Cymru gan Lois Blake. Gyda hi, yn gyd-sylfaenwyr, roedd Enid Daniels Jones, W.S. Gwynn Williams, ac Emrys Cleaver. Y rhain oedd swyddogion cyntaf y gymdeithas newydd.

Saesnes a ymgartrefodd yn Llangwm, Uwchaled, yn y '30au oedd Lois Blake. Tristwch iddi oedd gweld bod Cymru, i bob golwg, yn wlad wedi'i hamddifadu o lawer o'i dawnsiau traddodiadol, ac aeth ati ar ei liwt ei hun i archwilio i hanes y dawnsiau coll. Cyfarfu â W.S. Gwynn Williams, cerddor o Langollen, a oedd hefyd wrthi'n ceisio gwybodaeth am hen ddawnsiau a cherddoriaeth Cymru. Roedd ef eisoes wedi cyhoeddi llyfr ar y pwnc yn 1932, ac ar y cyd cyhoeddodd y ddau rhwng 1936 a 1972 saith gyfrol ar ddawnsio gwerin Cymreig a'r gerddoriaeth a'r gwisgoedd a berthynai iddynt.

Yn ogystal â sicrhau bod yr hen ddawnsiau wedi'u cofnodi ar bapur, sefydlodd Lois Blake grŵp Dawnswyr Corwen ar ddechrau'r '40au i'w hymarfer.

O'r dechrau gwelai hi y gallai Urdd Gobaith Cymru fod yn gyfrwng delfrydol i ledaenu ei brwdfrydedd dros ddawnsio gwerin, ac adeg y Nadolig 1948 trefnodd gwrs hyfforddi mewn dawnsio gwerin ar gyfer rhai o swyddogion y mudiad. Dolen hanfodol yn y cysylltiad rhwng y Gymdeithas a'r Urdd oedd Gwennant Davies, a hi a ddaeth â dawnsio gwerin i ganol gweithgareddau ieuenctid yr Urdd o'r '50au ymlaen. Atgyfodwyd yr hen enw 'twmpath dawns' i ddisgrifio math o noson a ddôi'n fwyfwy poblogaidd trwy'r blynyddoedd.

Cyflawnodd y Gymdeithas Ddawns Werin waith mawr wrth adfywio diddordeb yn nawnsiau traddodiadol Cymru, trwy gynnal cyrsiau, sefydlu grwpiau lleol, a thrwy gyhoeddi llyfrau a chystadlu mewn eisteddfodau a sioeau. Daeth dawnsio gwerin Cymreig yn rhan sefydlog o raglen cystadlaethau'r Eisteddfod Genedlaethol a llu o wyliau lleol, gan ychwanegu elfen liwgar a bywiog yn aml.

Teledu i'r Cymry

Gydag agor trosglwyddydd teledu'r BBC yn Sutton Coldfield ar 17 Rhagfyr, câi rhai o leiaf o drigolion Cymru weld rhaglenni teledu am y tro cyntaf. Darlledid rhaglenni'r BBC cyn hynny o drosglwyddydd Alexander Palace, ger Llundain, a oedd yn rhy bell i neb dderbyn ei signal yng Nghymru. Gorsaf canolbarth Lloegr oedd Sutton Coldfield, ond gwelwyd y gellid derbyn ei darllediadau'n bur dda yn siroedd y ffin o sir Fynwy i sir Fflint, a hefyd mewn rhannau o Forgannwg ac arfordir sir Gaernarfon. Erbyn Mai 1950 roedd mwy na mil o bobl yng Nghymru wedi prynu trwyddedau teledu, er eu bod yn gorfod teithio i Loegr i wneud hynny gan nad oeddynt ar werth yng Nghymru. Yn sir Ddinbych yn unig roedd 520 o drwyddedau, a 144 yn sir Fflint.

Gwellodd y sefyllfa'n sylweddol i wylwyr teledu Cymru ar 12 Hydref 1951, pan agorwyd trosglwyddydd Holme Moss i wasanaethu gogledd Lloegr. Gallai signal Holme Moss gyrraedd cyn belled ag Ynys Môn, ac erbyn Mai 1952 roedd 10,048 o drwyddedau teledu yng Nghymru. Roedd y signal yn gliriach o dipyn yn y Gogledd na'r De, ac er bod 3,497 o bobl sir Ddinbych wedi prynu trwyddedau, ni wnaed hynny ym Morgannwg ond gan 725.

Er bod llawer o bobl yn amlwg awyddus i dderbyn y gwasanaeth teledu newydd, roedd pryderon hefyd ei fod yn gyfan gwbl Saesneg ei iaith a Seisnigaidd ei gynnwys. Gwelai Saunders Lewis 'berygl moesol' yn y teclyn newydd, ac mewn erthygl yn *Y Llenor*, mynnodd John Tudor Jones y dylai'r Cymry 'wrthwynebu datblygiad y telefisiwn neu weithio dros ei ohirio.'

Nid tan 15 Awst 1952 yr agorwyd y trosglwyddydd cyntaf ar dir Cymru, yng Ngwenfô, Morgannwg, i ddarlledu i Gymru a de-orllewin Lloegr. Er bod pobl de Cymru bellach yn gallu mwynhau gwasanaeth teledu, roedd Cymru a rhan o Loegr yn rhannu gorsaf deledu, a chodai'r anhawster o ddarlledu'n Gymraeg heb ddiflasu'r gynulleidfa Seisnig. Rhaid oedd i'r ddwy wlad gael gwasanaethau ar wahân, mynnodd Megan Lloyd George ar ddiwrnod cyntaf y trosglwyddydd newydd, a chytunodd y *Western Mail* fod rhaid i'r briodas anghyfforddus rhwng Cymru a de-orllewin Lloegr ddod i ben.

Addysgu'r genedl

Ar 1 Ebrill, cymerodd Cyd-Bwyllgor Addysg Cymru le'r hen Fwrdd Canolog Cymru, fel y corff swyddogol a reolai addysg Cymru. Ar 10 Hydref 1948 daeth mwy na chant o gynrychiolwyr ysgolion a cholegau Cymru ynghyd yng Nghaerdydd ar gyfer cyfarfod cyntaf y Cyd-Bwyllgor newydd, a ddynodai gyfnod newydd yn hanes addysg y wlad. Trwy'r Cyd-Bwyllgor unwyd gwaith addysgol 13 o siroedd a 4 bwrdeistref sirol, a chroesawodd llawer un y ffaith ei fod yn cynnwys sir Fynwy, er bod statws y sir fel rhan o Gymru'n dal i fod yn aneglur.

Modur y plant

isod: Oliver Davies o Fargoed a Tom Rees o'r Gelli-gaer yn adeiladu'r ceir bach.

Ym Mhontllan-fraith, dechreuodd ffatri geir *Austin* gynhyrchu car padlo ar gyfer plant o'r enw *J40* ar batrwm yr *Austin A40*. Rhoi gwaith i lowyr yn dioddef gan glefyd y llwch oedd prif fwriad y gwaith. Gwerthwyd 32,000 o'r ceir bach, a daethant wedyn i'w cyfrif yn werthfawr gan gasglwyr.

Llywodraethwr y tlodion

Cymro Cymraeg a chyn-löwr oedd y dyn a fu wrth y llyw ar 31 Mawrth wrth i drefedigaeth Brydeinig Newfoundland ddod yn 10fed talaith Canada. Syr Gordon MacDonald o Waunysgor, sir Fflint oedd Llywodraethwr Prydeinig olaf Newfoundland fel gwlad ar wahân, a bu'n dal y swydd er 1946.

Gwlad weddol dlawd oedd Newfoundland ar y pryd, yn ddibynnol iawn ar ei physgodfeydd. Enillodd MacDonald gryn glod am ei waith ymhlith y pysgotwyr a chyda'r ffermwyr a'r glowyr yn ogystal. Roedd ef ei hun wedi gadael yr ysgol yn 13 oed i fynd i weithio i'r pwll glo, a dod yn lladmerydd i'w gyd-lowyr ym Mhrydain. Pan adawodd ei swydd yn Newfoundland roedd wedi ennill y llysenw hoffus 'Llywodraethwr y Tlodion' gan y rhai y bu'n weithgar o'u plaid. Wedi dychwelyd i Brydain urddwyd ef yn Farwn cyntaf Gwaunysgor. Cyhoeddwyd ei atgofion yr un flwyddyn yn ei lyfr *Newfoundland at the Crossroads*.

Creu etifeddiaeth

Yn Eisteddfod Genedlaethol Dolgellau ym mis Awst, dangoswyd un o'r ffilmiau Cymraeg cyntaf ac un o'r pwysicaf, sef *Yr Etifeddiaeth*.

Gwaith y newyddiadurwr John Roberts Williams a'r ffotograffydd Geoff Charles oedd y ffilm 50 munud, a saethwyd yn Llŷn ac Eifionydd ar gost o £100. Ffilmiwyd y cyfan yn ddi-sain gan ychwanegu trac sain yn ddiweddarach, a llais y bardd a'r Archdderwydd Cynan i'w glywed ar y fersiwn Cymraeg.

Freddie Grant, bachgen croenddu a anfonwyd o Lerpwl i bentref genedigol John Roberts Williams yn Llŷn, oedd prif actor y ffilm. Mynychodd Grant yr un ysgol gynradd ag y bu yntau'n ei mynychu, a dysgu Cymraeg am nad oedd y plant lleol yn medru Saesneg.

Profiadau Freddie Grant yw thema'r ffilm, ond prin fod y gwneuthurwyr yn sylweddoli ar y pryd eu bod hefyd yn cofnodi nifer mawr o bethau a fyddai'n darfod o dir Cymru cyn hir. Oherwydd hyn, yn ogystal â bod yn ffilm ddiddorol, mae *Yr Etifeddiaeth* yn ddogfen bwysig am bennod yn hanes Cymru. Daliwyd am byth olygfeydd

Freddie Grant gyda'r bardd Cybi.

megis plant yr Urdd yn cystadlu mewn gŵyl, a'r pregethwr dadleuol Tom Nefyn yn traethu pregeth ar y stryd. Cadwyd hefyd lu o ddelweddau o fywyd bro, fel ffair gyflogi Pwllheli, cneifio defaid, a gwaith chwarel ithfaen yr Eifl yn Nhrefor. Diwedda'r ffilm â golygfa'n awgrymu natur y dyfodol – gwersyll newydd Billy Butlin ym Mhwllheli. Ar ôl

ei dangos yn yr Eisteddfod, aeth y ffilm ar daith trwy'r Gogledd, a dangoswyd hi ym mhrif sinema Pwllheli a hefyd mewn nifer mawr o neuaddau pentrefi a festrïoedd capeli.

Dychwelodd Freddie Grant i fyw i Lerpwl wedyn, ond arhosodd ei chwaer Eva, merch rugl ei Chymraeg, yn ardal Llŷn a gwneud ei chartref yno.

Cymru'n Weriniaeth

Ar 24-25 Medi yng Nghastell-nedd, sefydlwyd Mudiad Gweriniaethol Cymru yn sgil ffrwgwd yng nghynhadledd flynyddol Plaid Cymru yn Nyffryn Ardudwy ym mis Awst. Yn y gynhadledd honno roedd criw o gangen Saesneg Plaid Cymru yng Nghaerdydd wedi rhoi cynnig gerbron i newid polisi'r Blaid o sicrhau 'Statws Dominiwn o fewn y Gymanwlad Brydeinig' i bleidio 'Gweriniaeth Annibynnol'. Trechwyd y cynnig yn hawdd, gyda 9 o bob 10 o'r cynadleddwyr yn pleidleisio yn ei erbyn, ond bu'r dadlau'n arbennig o gecrus ar y ddwy ochr, a holltwyd y blaid. Gyda Trefor Morgan yn Gadeirydd galwodd y gweriniaethwyr eu cynhadledd eu hunain y mis canlynol yng Nghastell-nedd, a chefnasant ar y Blaid.

Gadawodd tua hanner cant o aelodau'r Blaid i greu'r mudiad newydd. Yn lle syniadau bonheddig gwledig Saunders Lewis, caed sosialaeth drefol, a'r Saesneg nid y Gymraeg oedd cyfrwng y trafod. Aelodau cangen Saesneg Plaid Cymru yng Nghaerdydd oedd cnewyllyn y mudiad, a gwelir dechreuadau'r mudiad mewm pamffled, *The Welsh Republic*, a gyhoeddwyd gan Cliff Bere yn Hydref 1947.

O'r dechrau un roedd James Griffiths, A.S. Llanelli, ac aelod amlwg o'r llywodraeth Lafur, ymysg prif dargedau'r gweriniaethwyr. Ar 24 Tachwedd cafodd Joyce Williams o Abertawe a Haydn Jones o Bontardawe eu hebrwng o Oriel Ymwelwyr Tŷ'r Cyffredin am weiddi tra oedd Griffiths yn siarad, a'i alw'n "Quisling". Taflodd y protestwyr gopïau o faniffesto eu plaid newydd ar bennau'r Aelod Seneddol islaw, y rhan fwyaf yn glanio ar feinciau'r Torïaid. O'i ran ef, byddai Griffiths yn aml yn cyhuddo'r gweriniaethwyr o fod yn Ffasgwyr.

Erbyn Rhagfyr, roedd y gweriniaethwyr wedi dechrau ymgyrchu i ennill yn ôl i Gymru'r tiroedd ar ochr Lloegr i Glawdd Offa y credent eu bod yn rhan o Gymru. Achosasant gryn gyffro sawl gwaith wedyn yn 1950 trwy losgi Jac-yr-Undeb yn gyhoeddus – ar un achlysur dringodd Cliff Bere a Gwyndaf Evans un o dyrau Castell Caerffili tra oedd yr Eisteddfod Genedlaethol yn y dref, a rhoi'r faner Brydeinig ar dân wrth ei pholyn.

Yn ystod wythnos yr un Eisteddfod hefyd y dechreuwyd cyhoeddi'r cylchgrawn *The Welsh Republican*. Ymddangosodd 41 rhifyn ohono rhwng Ionawr 1950 ac Ebrill 1957, gan werthu hyd at 2,000 o gopïau'r rhifyn yn ei dair blynedd gyntaf, er i'r cylchrediad ddirywio wedyn.

Taflen Ithel Davies.

Bu aelodau'r Mudiad Gweriniaethol yn gyfrifol am nifer o weithredoedd anghyfreithlon, gan gynnwys peintio graffiti yn ymwrthod â Gwasanaeth Cenedlaethol yn y fyddin. Ar 13 Mawrth 1953, yn llys barn Caerdydd, pleidiodd Gwyndaf Evans yn euog i gyhuddiadau o feddu ar ffrwydron gan fwriadu ymosod ar bibellau'n cludo dŵr i Birmingham o Gymru, a thrannoeth yng Nghaernarfon, dedfrydwyd Pedr Lewis o Fangor i 18 mis yn y carchar ar ôl ei gael yn euog ar gyhuddiadau tebyg.

Ymladdodd y Mudiad Gweriniaethol un etholiad Seneddol – yn sedd Bro Ogwr pan enillodd Ithel Davies 613 o bleidleisiau (1.3% o'r bleidlais) yn Chwefror 1950.

Gyda diwedd papur *The Welsh Republican* yn 1957 ddaeth Mudiad Gweriniaethol Cymru i ben i bob pwrpas, ac o blith ei aelodau gweithredol dychwelodd y rhan fwyaf i gorlan Plaid Cymru.

Siop siarad arall?

Ar 20 Mai cyfarfu Cyngor Cymru a Mynwy am y tro cyntaf. Corff enwebedig o 27 o aelodau ydoedd, yn cynnwys cynrychiolwyr diwydiannau, amaeth, awdurdodau lleol a'r llywodraeth ganolog. Cynghori'r llywodraeth yn Llundain ynglŷn â materion Cymreig oedd gwaith y Cyngor, ond ni roddwyd iddo unrhyw bwerau pendol ac anodd iawn oedd ennyn diddordeb y cyhoedd yn ei weithgareddau. Mewn gwlad a oedd eisoes yn orlawn o bwyllgorau, credai llawer fod Cymru wedi ei beichio â siop siarad ddibwrpas arall. Cwynodd Aelodau Seneddol Cymru na chawsant hwy, cynrychiolwyr etholedig y bobl, eu gwahodd i ymuno â'r corff. Huw T. Edwards, undebwr llafur adnabyddus, oedd cadeirydd cyntaf y Cyngor ac ef, yn anad neb, oedd yn gyfrifol am lwyddiant y Cyngor hyd ei ymddiswyddiad ym 1958.

Wele'r sêr yn syrthio

Yn sir Gaernarfon, ym mis Medi glaniodd y maen mellt (*meteorite*) mwyaf erioed yng Nghymru. Pwysai 5 pwys, a gorffennodd ei daith hir trwy rwygo trwy do Gwesty'r Tywysog Llywelyn, Beddgelert, a'i gladdu'i hun yn y llawr. Yn ffodus, glaniodd yn yr unig un o ddeuddeg ystafell llawr uchaf y gwesty a oedd yn wag ar y pryd. Cysgodd y gwesteion ym mhob un o'r ystafelloedd eraill trwy'r cyfan, ac er i berchenogion y gwesty, Mr. a Mrs. Tillotson, gael eu deffro gan sŵn yn y nos, ni ddaeth yn amlwg beth a ddigwyddodd nes i un o'r morynion ddweud wrthynt yn y bore. Credid ar y dechrau mai oddi ar un o'r mynyddoedd o gwmpas y disgynnodd y garreg, ond gofynnwyd am farn arbennig a chael mai gweddillion seren wib ydoedd.

Y Coleg Cerdd a Drama

Ym mis Medi, agorwyd Coleg Cerdd a Drama Cymru fel ysgol gerdd ran-amser yng Nghastell Caerdydd, dan arweiniad ei Brifathro cyntaf, Dr. Harold Hind. Coleg Cerdd Caerdydd oedd enw gwreiddiol yr egin-sefydliad hwn a ddôi'n ddiweddarach i'w alw ei hun yn '*conservatoire* cenedlaethol Cymru'.

Yn raddol daeth staff rhan-amser y Coleg yn rhai amser-llawn, a chyda hynny dechreuwyd darparu cyrsiau amser-llawn i fyfyrwyr. Yn 1977 agorodd y Frenhines adeilad pwrpasol newydd y Coleg ym Mharc Cathays, yn cynnwys Theatr Bute, a enwyd ar ôl teulu enwocaf y ddinas a chyn-berchennog y castell a fu'n gartref cyntaf i'r Coleg. Ar yr un pryd newidiwyd enw'r sefydliad i'w enw presennol, gan bwysleisio ei gymeriad fel coleg cenedlaethol Cymreig. Gyda'r adeilad newydd bu modd ehangu meysydd llafur y Coleg, ac erbyn 1996 roedd ganddo tua 480 o fyfyrwyr yn ei wahanol adrannau, yn dilyn amrywiaeth eang o gyrsiau mewn cerddoriaeth a drama o bob math.

1950

Llawenydd a dagrau

Yr olygfa ger faes awyr Llandŵ wedi'r ddamwain.

Cymharol fychan oedd y sylw a roddwyd i gamp tîm rygbi Cymru yn cipio'r Goron Driphlyg am y tro cyntaf er 1911 ar 11 Mawrth, a hynny oherwydd y trychineb a ddaeth i ran 80 o gefnogwyr y tîm yn fuan wedyn.

Tua 3 o'r gloch y prynhawn ar 12 Mawrth, roedd tyrfa o berthnasau wedi ymgynnull ar faes awyr Llandŵ, ger Pen-y-bont ar Ogwr, i groesawu pobl o bob rhan o dde Cymru adref o wylio buddugoliaeth gampus y Cymry dros y Gwyddelod yn Belffast. Mawr oedd y disgwyl a'r llawenydd ar ôl y gêm dynged-fennol a sicrhaodd y Goron Driphlyg i Gymru wedi 39 mlynedd o ddisgwyl.

Gwelodd llygad-dystion yr awyren *Avro Tudor V* yn dod i mewn i lanio'n iawn i ddechrau, cyn dringo'n serth, troi ar ei chefn a phlymio i'r ddaear mewn cae gerllaw. Lladdwyd 80 o bobl – y criw i gyd a phob un ond tri o'r teithwyr.

Roedd golygfa frawychus yn aros y timau achub a ruthrodd i safle'r ddamwain, gyda chyrff y meirw wedi'u taflu ar ben ei gilydd i ran flaen yr awyren, a oedd wedi hollti'n ddau ddarn wrth daro'r ddaear. Sylwodd sawl un ar y distawrydd llethol a oedd fel pe bai wedi disgyn ar y lle. Tynnwyd deg o bobl yn fyw o'r adfeilion, ond bu farw'r rhan fwyaf yn fuan wedyn. Defnyddiwyd 60 ambiwlans i gludo'r cyrff i safle'r Llu Awyr yn Sain Tathan gerllaw. O'r tri a oroesodd y ddamwain, mae'n debyg – yn achos dau o Lanelli – mai'r ffaith mai hwy oedd yr olaf i fynd ar yr awyren a'u hachubodd. Bu'r ddau'n teithio yng nghynffon yr awyren, a dihangasant gyda mân anaf-iadau'n unig.

Ymhlith y rhai a fu farw roedd tri aelod o'r un clwb rygbi, a thri mab i'r un fam weddw. Gwnaed un wraig o'r Blaenau'n wraig weddw am yr ail dro pan gollodd ei gŵr yn y ddamwain, a lladdwyd hefyd ddau bâr o frodyr o Gwm Tawe, a gŵr a gwraig o Drefforest, Pontypridd.

Cynhaliwyd oedfa goffa i'r meirw ar 28 Mawrth yn Eglwys Sant Ioan, Caerdydd. Ar y pryd, hon oedd y ddamwain awyren waethaf yn y byd.

Chwech yn marw ar Drên y Post

Canlyniad y dryswch yn y caban signalau.

Cysgu'n dawel yn eu gwelyau yr oedd pump o'r chwech a fu farw ar 27 Awst, pan drawodd trên yn llawn o bobl yn dychwelyd o'u gwyliau yn Iwerddon, yn erbyn trên arall wrth deithio ar gyflymder o 70 milltir yr awr ger Penmaen-mawr yn sir Gaernarfon. Oherwydd dryswch yn y caban signalau roedd injan fach yn gwneud ei ffordd tua Llandudno pan oedd trên cyflym yr *Irish Mail* yn teithio i'r un cyfeiriad ar yr un lein. Dyn tân yr injan fach a glywodd yr *Irish Mail* yn dod, ac arwyddo i'r caban signalau â'i lamp fod gwrthdrawiad ar fin digwydd. Newidiwyd y signal o wyrdd i goch ond roedd yn rhy hwyr. Turiodd y trên mawr i mewn i wagen lo'r injan fach a gwthio'r cyfan ymlaen am 240 o lathenni gan rwygo'r cledrau wrth fynd rhagddo. Chwalwyd cerbyd cysgu'r *Irish Mail* yn yfflon gan rym y gwrthdrawiad, a lladdwyd pump o bobl ynddo, a thaflwyd cerbydau eraill oddi ar y cledrau.

Ar y lein 'tuag i fyny' digwyddodd y ddamwain, ond gyda darnau ar wasgar dros y lle i gyd, anfonwyd dyn tân yr *Irish Mail* i osod dyfeisiadau tanio wrth y lein 'i waered' i rybuddio gyrrwr y trên nwyddau a deithiai o Landudno ar y pryd. Breciodd hwnnw ryw gan llath o bumed a chweched cerbyd yr *Irish Mail*, a oedd wedi troi yn eu hyd ar draws y ddwy lein, a thyngedfennol oedd hynny o ystyried bod y trên o Landudno'n cario llwyth o ffrwydron. Anafwyd dyn tân yr *Irish Mail* yn ddrwg yn y ddamwain, a chafwyd hyd iddo wedyn wrth ochr y cledrau gyda'i focs o ddyfeisiadau tanio.

Agorwyd caban signalau newydd ym Mhenmaen-mawr yn 1953, gyda threfn signalu newydd i sicrhau na allai'r fath ddamwain ddigwydd drachefn

Hofran dros Gymru

Ar 1 Mehefin, dechreuodd cwmni *British-European Airways* y gwasanaeth hofrenydd rheolaidd cyntaf yn y byd, a hynny rhwng Caerdydd a Lerpwl. Glaniodd yr hofrenydd cyntaf yng Nghaerdydd am 11.45 y bore gyda'r Gweinidog Hedfan Sifil, yr Arglwydd Pakenham, ar ei fwrdd. Mawr oedd y sôn am 'fysiau hedfan' Cymru, a chyhoeddwyd ar ddiwrnod cyntaf y gwasanaeth fod mwy na chant o bobl eisoes wedi llogi seddi, ond pwysleisiodd yr Arglwydd Douglas, pennaeth cwmni *British-European*, mai arbrawf oedd hwn ac nad oedd y cwmni'n disgwyl gwneud elw ohono.

Ehangwyd y gwasanaeth ar 1 Gorffennaf i gynnwys Wrecsam, ond erbyn mis Tachwedd roedd sôn ar led y dôi'r fentr i ben ymhen ychydig. Ar 21 Rhagfyr cadarnhaodd *British-European* y rhoddid terfyn ar y gwasanaeth ar 31 Mawrth 1951, er gwaethaf protestiadau yng Nghymru Dywedodd y cwmni eu bod wedi gwneud colled o £30 y daith er dechrau'r gwasanaeth.

Cymreigio'r Brifwyl

Y delynores ifanc Ann Griffiths.

Yn Eisteddfod Genedlaethol Caerffili ym mis Awst sefydlwyd y Rheol Gymraeg – diwygiad y bu disgwyl hir amdano. Mewn erthygl yn *Y Llenor* ar ôl Eisteddfod Llanelli yn 1930, roedd yr Athro W.J. Gruffydd wedi dweud bod angen i'r Eisteddfod Genedlaethol ymddiwygio neu wynebu ei thranc. Daeth y newid mawr gyda chyfnod Albert Evans-Jones, (Cynan), fel Archdderwydd. Bu'r elfen Saesneg yn amlwg iawn yng ngweithgareddau'r Eisteddfod hyd at y '50au, ond sicrhaodd y Rheol Gymraeg ddyfodol y Brifwyl fel dathliad o'r diwylliant Cymraeg. Er i rai awdurdodau lleol mewn ardaloedd Seisnig wrthod cyfrannu'n ariannol at yr Eisteddfod Genedlaethol oherwydd y Rheol Gymraeg, daeth y rheol i gael ei derbyn yn gyffredinol fel egwyddor.

Yn ystod yr Ŵyl, derbyniwyd y delynores bymtheg oed Ann Griffiths o Faesteg fel yr aelod ieuengaf o Orsedd y Beirdd, i'w hadnabod fel 'Telynores y Llwyni'.

Llyfr anhepgor

Cyhoeddwyd *A History of Modern Wales* gan David Williams, y llyfr cyntaf i fwrw golwg ysgolheigaidd dros hanes Cymru o ddiwedd yr Oesoedd Canol. Daeth yn llyfr anhepgor i sawl to o fyfyrwyr hanes y wlad.

Bu David Williams yn fyfyriwr ym mhrifysgolion Cymru, Columbia, Paris a Berlin, ac o 1945 hyd 1967 bu'n dal Cadair Syr John Williams mewn Hanes Cymru yng Ngholeg y Brifysgol, Aberystwyth.

Cyhoeddwyd y gyfrol a gydnabyddir fel ei gampwaith, sef astudiaeth gynhwysfawr o Derfysgoedd Beca yn 1955, ac ysgrifennodd hefyd ar destunau megis perthynas Cymru ag America, ac am bersonoliaethau fel John Frost y Siartwr o Gasnewydd, ac am ferthyr cyntaf Piwritaniaeth Cymru, John Penry.

uchod:
Freddie Williams, Pencampwr y Byd.

Etifeddiaeth Sarah

Y Gymraes gyfoethog,
Sarah Ann Ethelston Peel.

Pan fu farw'r Uwch-gapten Hugh Edmund Ethelston Peel ar 28 Mehefin, gadawodd ei ystad gwerth £355,620 i gyd i'w or-wyres Sarah Ann, Cymraes saith mlwydd oed o Wrecsam, i'w meddiannu ganddi wedi iddi droi'n 21 oed. Ymhlith eiddo a adawyd iddi roedd tri phortread o 'Poethlyn', ceffyl rasio'r Uwch-gapten, a enillodd y Grand National yn 1919. Mynegodd Peel yn ei ewyllys ei obaith y daliai ei or-wyres i rasio ei filgwn pan ddôi i oed.

Tri brawd y trac lludw

Yn Stadiwm Wembley o flaen tyrfa o 93,000 ar 21 Medi, daeth Freddie Williams o Bort Talbot yn Bencampwr *Speedway*'r Byd. Ymhlith y rhai a'i gwelodd yn cipio'r teitl yr oedd llond bws o'i deulu a ddaeth i lawr o dde Cymru i Lundain yn arbennig. Yn ei ras gyntaf, gosododd Williams record newydd ar gyfer y trac cyn mynd ymlaen i orffen ar y brig, un pwynt ar y blaen i'r Sais Wally Green, a hyn i gyd cyn ei fod wedi pasio ei brawf i reidio beic modur ar y ffordd fawr.

Yn 1952, daeth Williams yn ail i'r Awstraliad Jack Young, a enillodd y flwyddyn honno, ond yn 1953 llwyddodd y Cymro i adennill ei goron, yr unig Brydeiniwr ar y pryd i ennill y Bencampwriaeth ddwywaith.

Prentis yn nociau Port Talbot oedd Freddie Williams pan atebodd hysbyseb am reidwyr newydd a chael contract gan dîm cryf Wembley yn 1946, mewn cyfnod pan oedd y clwb hwnnw yng nghanol ei oes aur, gan ennill y Gynghrair Genedlaethol bob blwyddyn ond un rhwng 1946 a 1953. Arhosodd Williams gyda chlwb Wembley trwy gydol ei yrfa ar y trac lludw. Ymddeolodd yn 1955, ond yn y 1970au cynnar dychwelodd i'w hen glwb fel rheolwr.

Roedd dau frawd iau Freddie Williams hefyd yn aelodau o dîm Wembley, ac fel eu brawd enwocach cymerodd y ddau ran yn rowndiau terfynol Pencampwriaeth y Byd – Eric yn 1951 a 1955, ac Ian yn 1957 – er na fuont mor llwyddiannus â Freddie. Ian Williams hefyd oedd capten tîm Swindon pan enillodd y tîm hwnnw'r Gynghrair Genedlaethol yn 1957.

Addysgydd Affrica ac America

Ym mis Ionawr yn Efrog Newydd, bu farw Thomas Jesse Jones, brodor o Ynys Môn a gweithiwr nodedig dros addysg i bobl groenddu Affrica a'r Unol Daleithiau.

Ganwyd Jones yn 1873 yn Llanfachreth, ond yn 11 oed ymfudodd gyda'i deulu o Gymru i America, ac ymgartrefu yn nhalaith Ohio. Ar ddechrau ei yrfa treuliodd saith mlynedd yn Sefydliad Hampton, un o golegau cyntaf yr Unol Daleithiau i bobl groenddu, a bu'n gweithio wedyn i Swyddfa Cyfrifiad yr Unol Daleithiau, gan roi sylw arbennig i sefyllfa'r duon. Cyhoeddodd adroddiad yn 1925 ar gyflwr addysg i drigolion brodorol trefedigaethau Prydain yn nwyrain Affrica, adroddiad a arweiniodd at sefydlu Adran Addysg y Trefedigaethau. Yn 1937 bu'n bennaeth ar gomisiwn a fu'n astudio sefyllfa brodorion Americanaidd Navajo, ac yn 1945 yr oedd yn un o sylfaenwyr y Comisiwn Cyd-weithrediad Hiliol.

Senedd i Gymru

Megan Lloyd George yn cyflwyno deiseb Senedd i Gymru
i Goronwy Roberts AS yn Nolgellau yn 1956.

Mewn cyfarfod yn Llandrindod ar 1 Gorffennaf, lawnsiwyd deiseb dros ymreolaeth i Gymru mewn materion cartref. Dyma fan cychwyn yr Ymgyrch Senedd i Gymru.

Undeb Cymru Fydd a noddodd y gynhadledd, a Rhyddfrydwyr ac aelodau Plaid Cymru oedd y rhan fwyaf o'r dirprwywyr. Gwawdiodd Cliff Prothero o Gyngor Llafur Cymru'r cyfan, gan honni mai carfan fechan oedd y rhai a fynnai ymreolaeth, ac roedd nifer o Aelodau Seneddol Llafur, fel Aneurin Bevan a George Thomas, yn gwbl bendant eu gwrthwynebiad i unrhyw gynllun o'r fath. Er hyn, wrth ochr Gwynfor Evans o Blaid Cymru a'r Rhyddfrydwraig Megan Lloyd George ar lwyfan y gynhadledd roedd un Llafurwr, S.O. Davies, Aelod Seneddol Merthyr Tudful.

Dechreuwyd y ddeiseb yn swyddogol yn Eisteddfod Genedlaethol Llanrwst yn Awst 1951. Ar ôl cyfnod llesg trwy 1952, penodwyd Elwyn Roberts o Blaid Cymru yn 1953 yn drefnydd cenedlaethol, gyda'r bwriad o adfywio'r Ymgyrch. Cynhaliwyd rali fawr yng Ngerddi Sophia, Caerdydd, gyda gorymdaith trwy strydoedd y ddinas at safle'r Senedd arfaethedig ym Mharc Cathays.

Dioddefodd yr Ymgyrch ergyd galed ym Mai 1954 pan bleidleisiodd glowyr de Cymru ac wedyn Cyngor Llafur Cymru yn erbyn ei chefnogi. Torrwyd ar draws y gwaith ymgyrchu gan benderfyniad S.O. Davies i gyflwyno ei fesur preifat ei hun dros Senedd i Gymru i Dŷ'r Cyffredin. Nid oedd gan y mesur unrhyw obaith gwirioneddol o lwyddo, a dangosodd yn glir wrthwynebiad y rhan fwyaf o aelodau Plaid Lafur Cymru i ddibenion yr Ymgyrch. Er yn wladgarwr Cymreig, gweld y mesur yn dryllio undod economaidd Prydain a wnâi James Griffiths, Llanelli, a dywedodd George Thomas fod rhaid galw ar Aelodau Seneddol Lloegr i rwystro'r mesur, 'i achub y Cymry rhagddynnhw eu hunain'.

Ar 24 Ebrill 1956, cyflwynodd Goronwy Roberts, A.S. Caernarfon, ddeiseb ac arni 240,652 o lofnodion i Dŷ'r Cyffredin. A hynny wedi'i wneud, daeth yr Ymgyrch i ben yn dawel fach, a nododd Elwyn Roberts fod ei phapurau yn pydru mewn bocsys cardbord oherwydd tamprwydd.

Ond er i'r ddeiseb ddiflannu o'r golwg, mae'n debyg i'r Ymgyrch Senedd i Gymru ysgogi rywfaint o drafodaeth yn y Blaid Lafur a arweiniodd yn y pen draw at greu'r Swyddfa Gymreig a swydd Ysgrifennydd Gwladol Cymru.

Brwydr y Llwch Glo

Roedd rhywfaint o ryddhad eleni i rai cyn-lowyr a ddioddefai o effaith llwch y glo y buont yn ei dorri i ennill eu bara. Bywyd o ddiflastod parhaol oedd rhan llawer un o'r dynion hyn, a phroblem fawr yn y maes glo oedd cael swyddi newydd mewn ardal a fu'n dibynnu ers cyhyd ar un diwydiant. Ymhlith y gweithfeydd newydd a roddai waith i gleifion y llwch roedd ffatri newydd cwmni *Pullman*, a gyflogai 86 o gyn-lowyr i wneud sbringiau i fatresi seddi.

Yn 1948 cofnodwyd 2,794 o achosion clefyd y llwch (silicosis) yng Nghymru, o gyfanswm o 3,782 yng ngwledydd Prydain i gyd. Glowyr Cymru a ddioddefodd waethaf o'r clefyd, a hwythau hefyd a fu ar flaen y gad yn y frwydr i'w drechu. Brwydr hir oedd honno, yn wyneb gwrthwynebiad mawr gan y cwmnïau glo weithiau. Cafwyd buddugoliaeth fach yn 1934 pan gyhoeddodd y llywodraeth Orchmynion Clefyd y Llwch, yn darparu iawndal i unrhyw un a oedd yn dioddef o'r clefyd, os bu'n gweithio dan ddaear am dair blynedd neu ragor. Er hyn ni wellodd pethau ryw lawer i'r glowyr a ddaliai i weithio: yn 1952 cynhaliodd uned sgrinio o Landochau archwiliadau pelydr-X ar 89% o oedolion Cwm Rhondda, a chanfod

Syd Taylor a W.J. Jones – dau hen lôwr
wrth eu gwaith newydd gyda Pullman yn Rhydaman.

bod tua hanner y glowyr mewn gwaith yn dioddef gan glefyd y llwch. O'r rhain roedd un ym mhob pump yn dioddef o ffurf waethaf a mwyaf peryglus yr afiechyd.

1951

11 Ebrill

Diswyddwyd y Cadfridog MacArthur, arweinydd lluoedd y Cenhedloedd Unedig yng Nghorea, gan yr Arlywydd Truman, am iddo fygwth dechrau rhyfel â Tsieina.

14 Ebrill

Bu farw Ernest Bevin, arweinydd undebau llafur a chyn-Weinidog Tramor Prydain.

19 Ebrill

Yn Llundain, cynhaliwyd y gystadleuaeth 'Miss World' am y tro cyntaf, gyda 'Miss Sweden' yn fuddugol.

29 Ebrill

Bu farw yr athronydd Ludwig Wittgenstein.

1 Mai

Lladdwyd 18 mewn protest yn erbyn y drefn hiliol *apartheid* yn Johannesburg, De Affrica.

4 Mai

Agorwyd y 'Festival of Britain' yn Llundain.

25 Mai

Dihangodd dau ysbïwr Prydeinig, Guy Burgess a Donald Maclean, i'r Undeb Sofietaidd.

26 Hydref

Ym Mhrydain daeth Winston Churchill yn Brif Weinidog unwaith eto wrth i'r Ceidwadwyr ennill Etholiad Cyffredinol.

28 Tachwedd

Cyhoeddwyd cadoediad ffurfiol yn Rhyfel Corea.

Dal tir yn erbyn y fyddin

'Eich enw syr?'

Gwelwyd yn y flwyddyn hon rai o'r gwrthdystiadau mwyaf yn erbyn cynlluniau'r Swyddfa Ryfel i feddiannu tiroedd yng Nghymru a'u troi at ddibenion milwrol.

Bu protestiadau yn 1946 a 1947 ynglŷn â chynlluniau cyffelyb ar gyfer rhannau o Fynydd Preseli ac ardal Tregaron, ond Trawsfynydd oedd canolbwynt sylw'r protestwyr, gyda Llywydd Plaid Cymru, Gwynfor Evans, yn amlwg yn eu plith. Ar 30 Awst, ataliodd 70 o aelodau Plaid Cymru yr holl draffig ar y ddwy ffordd yn arwain i wersyll milwrol Trawsfynydd, a chyflwynodd Gwynfor Evans lythyr mewn Cymraeg a Saesneg i brif swyddog y gwersyll, yr Is-Gyrnol J. Cudmore, yn esbonio'r rhesymau am y gwrthdystiad. Honnwyd yn y llythyr fod y Swyddfa Ryfel yn 'treisio treftadaeth y genedl Gymreig' trwy feddiannu pum mil o erwau o dir Meirionnydd yn ychwanegol at y tir yr oedd y gwersyll eisoes yn ei gynnwys. Meddiannwyd y tir gan y Swyddfa Ryfel ar ôl cyfarfod cyhoeddus tymhestlog yn Nolgellau pan leisiodd nifer mawr o bobl a chyrff lleol eu gwrthwynebiad i'r cynllun.

Yn ogystal â Gwynfor Evans cymerwyd rhan yn y protestiadau gan nifer o bobl amlwg eraill gan gynnwys Lewis Valentine, D.J.Williams, Waldo Williams, Robert Lloyd (Llwyd o'r Bryn), Kitchener Davies, J.E.Jones ac Islwyn Ffowc Elis. Llwyddwyd i rwystro pob lorri a char rhag mynd i mewn i'r gwersyll, ond gofynnodd un milwr am ganiatâd arbennig i fynd â llond lorri o fwyd i mewn. Aeth y milwr, yn ôl yr hanes, at yr Is-Gyrnol Cudmore a'i

(Drosodd)

Dal tir yn erbyn y fyddin

(o'r tudalen cynt)
cyfeiriodd at y Prif Gwnstabl W. Jones-Williams, a ddywedodd yn ei dro mai at Gwynfor Evans y dylid mynd â'r cais. Wedi sicrhau nad oedd dim ond bwyd yn y lorri, ysgrifennodd yntau nodyn o ganiatâd yn Gymraeg a'i roi i'r milwr. *'Cor blimey, bloody Russian!'* oedd ymateb hwnnw.

Yr oedd y cenedlaetholwyr yn ôl ym mis Medi yn rhwystro cerbydau'r fyddin am ddeuddydd, ond nid oedd pawb wrth ei fodd gyda'u protestiadau. Mynegwyd cryn anfodlonrwydd yn yr ardal fod rhai yn tarfu ar y gwersyll a roddai waith i nifer sylweddol o bobl leol.

Cododd gweithredu uniongyrchol o'r fath nifer o gwestiynau ymhlith aelodau Plaid Cymru, a chredai rhai y dylai'r Blaid lynu wrth ddulliau cyfreithlon a chyfansoddiadol. Yn fuan ar ôl protestiadau Trawsfynydd, penderfynodd Plaid Cymru gefnu ar ymgyrchoedd tor-cyfraith, a chanolbwyntio ar ymladd etholiadau a phwyso am newidiadau trwy'r dulliau arferol.

Diwedd y gân

Ar 6 Mawrth bu farw'r cyfansoddwr, yr actor a'r dramodydd o Gaerdydd, Ivor Novello. Trawyd ef yn sydyn gan thrombosis wrth actio mewn perfformiad o'i sioe gerdd ei hun, *King's Rhapsody.*

Ganed Novello yn David Ifor Davies yn 1893, ond newidiodd ei enw'n swyddogol i Ivor Novello yn 1927, gan gymryd ail enw ei fam, Clara Novello Davies, a dyna'r enw y glynodd wrtho weddill ei oes. O'i fachgendod dotiai at y theatr, a byddai'n aros wrth ddrysau cefn theatrau i gasglu llofnodion actorion enwog.

Cyfansoddodd ei gân gyntaf pan oedd yn bymtheg oed, a mwynhaodd lwyddiant mawr fel cerddor a pherfformiwr o'r '20au diweddar a thrwy'r '30au a'r '40au. Daeth i sylw eang yn 21 oed pan luniodd y dôn i'r gân wladgarol *Keep the Home Fires Burning*, a fu'n boblogaidd iawn yn ystod y Rhyfel Byd Cyntaf. Gwnaeth y gân elw mawr iddo, a'i wneud yn seren dros nos. Daeth ei yrfa fel aelod o'r Lluoedd Arfog i ben wedi iddo gael dwy ddamwain hedfan, a symudwyd ef o Adran Awyr y Llynges i waith swyddfa.

Yn 1919 dechreuodd ar eu yrfa fel un o sêr oes y ffilmiau di-sain, pan gafodd gynnig rhan yn *The Call of the Blood*, a hynny ar sail ei wyneb golygus yn unig. Yn 1924 llwyddodd yn ei brif uchelgais i ddod yn actor-gyfarwyddwr, gan ysgrifennu a llwyfannu ei ddrama *The Rat* yn Llundain. Yn 1925 trowyd y ddrama'n ffilm a Novello ei hun

Ivor Novello.

yn chwarae'r brif ran.

Dramâu cerdd comedïol oedd ei weithiau mwyaf poblogaidd. Cafodd lwyddiant mawr ym mlynyddoedd yr Ail Ryfel Byd â'i ddwy sioe gerdd, *The Dancing Years* a *Perchance to Dream*. Yn ogystal ag ysgrifennu'r rhain bu hefyd yn actio ynddynt, er iddo orfod gadael ei ran yn y cyntaf ohonynt am ychydig yn 1944 pan garcharwyd ef am fis am brynu petrol ar y farchnad ddu.

Erbyn ei farw roedd wedi sefydlu'i hun yn un o ffigurau mwyaf theatr ei gyfnod, ac arwydd o hyn oedd y degau o filoedd o bobl a ddaeth i dalu'r deyrnged olaf i un o feistri'r llwyfan boblogaidd.

Safiad Nye Bevan

Gwell gan Aelod Seneddol Glyn Ebwy, Aneurin Bevan, oedd ymddiswyddo o'r llywodraeth na chefnogi'r cynllun newydd i orfodi pobl i dalu hanner cost eu sbectol a'u dannedd gosod. Bevan oedd prif bensaer y Gwasanaeth Iechyd Gwladol a grëwyd yn 1948, ac iddo ef egwyddor hollol hanfodol ydoedd fod pethau o'r fath ar gael yn rhad ac am ddim i bawb trwy'r Gwasanaeth hwnnw. Mor gynnar â 1949 roedd wedi bygwth y byddai'n ymddiswyddo pe codid taliadau ar y cyhoedd am ddefnyddio'r Gwasanaeth Iechyd. Ar 22 Ebrill bu cystal â'i air pan soniodd mewn araith hir yn Nhŷ'r Cyffredin am 'berygl cyfaddawdu' ar egwyddor gofal iechyd di-dâl i bawb.

Tymhestlog oedd perthynas Bevan â'i blaid yn aml, ac ym Mawrth 1955 bu ymgais aflwyddiannus i dynnu chwip Seneddol y Blaid Lafur oddi arno am beidio â chefnogi'r polisi swyddogol ar arfau niwclear.

Plas y Brifysgol

Pan fu farw Gwendoline Elizabeth Davies, Llandinam, ar 3 Gorffennaf, daeth i ben un o bartneriaethau mwyaf cynhyrchiol a mwyaf diddorol llenyddiaeth a'r celfyddydau yng Nghymru. Bu hi a'i chwaer Margaret yn cyd-fyw a chyd-weithio ym mhlasty Gregynog ger y Drenewydd er 1924, gan groesawu yno lu o ysgolheigion, llenorion, crefftwyr ac arlunwyr. Sefydlodd y ddwy ei gwasg argraffu breifat, Gwasg Gregynog, i gynhyrchu cyfrolau llenyddol mewn rhwymiadau cain.

Wedi marwolaeth ei chwaer, arbrofodd Margaret Davies yn aflwyddiannus gyda nifer o ysgolheigion ac ysgrifenwyr preswyl yn y plasty, cyn penderfynu yn 1960 ei bod am roi ei chartref i Brifysgol Cymru. Daliodd i fyw yn y tŷ am dair blynedd wedyn fel tenant i'r Brifysgol, hyd ei marwolaeth ar 13 Mawrth 1963. Y flwyddyn ganlynol dechreuodd plas Gregynog ar ei yrfa newydd fel canolfan gynadledda ac astudio i bobl o Gymru a phedwar ban y byd.

Patrwm gwleidyddol yn newid

Er i'r Ceidwadwyr ennill yr Etholiad Cyffredinol a gynhaliwyd ar 25 Hydref, cadarnhawyd drachefn afael y Blaid Lafur ar Gymru, a thanlinellwyd dirywiad y Blaid Ryddfrydol

Cipiodd y Blaid Lafur 27 o'r 36 sedd yng Nghymru, ac o'r pump sedd y llwyddodd y Rhyddfrydwyr i'w cadw yn 1950, collasant ddwy y tro hwn, Meirionnydd a Môn, i Lafur. Yn Ynys Môn, disodlwyd Megan Lloyd George gan Cledwyn Hughes ar ôl iddi ddal y sedd am fwy nag ugain mlynedd. Bu'r ddwy sedd yn rhai diogel i'r Blaid Lafur am flynyddoedd lawer i ddod, arwydd glir fod y Gymru wledig yn cefnu'n fwyfwy ar ei hen deyrngarwch i'r Blaid Ryddfrydol. Collodd Llafur seddi Conwy a'r Barri i'r Ceidwadwyr, hwythau'n cipio chwech o seddi yng Nghymru.

Safodd saith o ymgeiswyr dros Blaid Cymru, a chollodd pob un ei ernes. Yn sedd Ogwr cafodd cenedlaetholwr o fath gwahanol, T. David o Blaid yr Ymerodraeth Brydeinig, rywfaint o lwyddiant pan sicrhaodd 1,643 o bleidleisiau.

Adennill y mynydd-diroedd

Adfer ffermdy Prys-mawr.

Ym myd amaeth y gwnaed prif gyfraniad Cymru at Ŵyl Prydain, gyda phrosiect i adennill 60 milltir sgwâr o dir mynyddig Dolhendre, ger Llyn Tegid. Rhan o Ystad Glan-llyn oedd y tiroedd hyn, ac wedi dod i feddiant y llywodraeth yn 1946 fel tollau marwolaeth y diweddar berchennog, Syr Watkin Williams Wynn, a fu farw'r flwyddyn flaenorol. Nid oedd un rhan o'r tiroedd yn is na 500 troedfedd uwchlaw lefel y môr, a cheid rhai mannau cyfuwch â 3,000 o droedfeddi. Cynhwysai 138 o ffermydd, y rhan fwyaf ohonynt yn ddaliadau teuluol.

Dioddefodd y fro ddiboblogi enbyd ers can mlynedd, a phenderfynwyd mynd ati'n fwriadol i wrthdroi'r proses trwy wella cyflwr y tir, trwsio hen adeiladau fferm, a chodi rhai newydd. Diogelu bywoliaeth amaethwyr sefydlog yr ardal oedd y nod, a hefyd darparu cyfleoedd i bobl ifanc aros yn y fro yn lle gorfod symud i ffwrdd i geisio gwaith. Aed i ofal mawr i sicrhau bod yr adeiladau newydd yn cydweddu â'r hen rai, a rhoddwyd rhaglen goedwigo helaeth ar waith, i ail-sefydlu coetiroedd ar gannoedd o erwau'r ardal.

Prosiect ar y cyd ydoedd rhwng Pwyllgor Cymreig Gŵyl Prydain, Is-Bwyllgor Tir Amaeth Cymru, y Weinyddiaeth Amaeth, a'r Comisiwn Coedwigaeth.

Ar 9 Mehefin, cynhaliwyd oedfa Gymraeg arbennig ar y safle i'w agor i'r cyhoedd, a chyflwyno'r tair fferm gyntaf a adferwyd – Dolhendre Isaf, Wern, a Deildre Isaf.

Y Ffilm David

Yng Ngŵyl Prydain dangoswyd ffilm Paul Dickson, David, am y tro cyntaf, fel cyfraniad ffilm Cymru at yr Ŵyl fawr i ddathlu adfywiad Prydain ar ôl yr Ail Ryfel Byd.

Brodor o Gaerdydd oedd Dickson, wedi'i hyfforddi fel dyn camera gydag Undeb Ffilm y Fyddin. Yn David, dewisodd bortreadu bywyd gofalwr ysgol o Rydaman, Dafydd Rhys, yn cael ei chwarae gan D.R. Griffiths (Amanwy), brawd James Griffiths, Aelod Seneddol Llanelli. Wedi bywyd helbulus mae cymeriad Dafydd Rhys yn penderfynu rhoi ei deimladau mewn cerdd am ei fab a fu farw – cerdd sy'n dod yn ail orau yn yr Eisteddfod Genedlaethol. Ffilm hunan-gofiannol oedd hi i gryn raddau, gydag Amanwy yn actio'i fywyd ei hun yn ysgol ramadeg Rhydaman, a chyn hynny fel glöwr. Bu'n torri glo carreg yng nglofa'r Betws am 33 blynedd, ac roedd yn dal i weithio yn yr ysgol yn Rhydaman pan ryddhawyd y ffilm. Ymddangosodd yr hanesydd, y Parch. Gomer Roberts o Landybie ynddi hefyd fel ef ei hun. Cyn-löwr oedd yntau a gafodd help gan ei gyd-lowyr, Amanwy yn eu plith, i fynd i astudio ar gyfer y weinidogaeth.

I gyd-fynd â'r ffilm cyfansoddwyd cerddoriaeth arbennig gan Grace Williams o'r Barri.

Parc y Genedl

Wedi hir drafod, crewyd Parc Cenedlaethol Eryri, y cyntaf o barciau cenedlaethol Cymru, yn cynnwys 840 o erwau o dir – bron y cyfan o hen dywysogaeth Gwynedd. Yn 1949 pasiwyd Deddf y Parciau Cenedlaethol, gan sefydlu awdurdodau i gynllunio a rheoli'r defnydd o'r tir yn y mannau a ddynodwyd yn Barciau Cenedlaethol. Cadw harddwch y dirwedd a'i gwneud yn hwylus i'r cyhoedd ei mwynhau oedd y ddwy nod i'w cyrraedd, yn ogystal â chaniatáu i drigolion y parciau fyw eu bywydau a dilyn eu busnes fel arfer.

Ffiniau Parc Cenedlaethol Eryri yn y de a'r gorllewin oedd Afon Dyfi a Bae Ceredigion, ac yn y dwyrain Afon Conwy. Diogelu harddwch naturiol cefn gwlad gogledd-orllewin Cymru oedd nod y cynllunwyr cyntaf, ac felly ni ddewiswyd cynnwys yn y Parc drefi Arfon na hen drefi chwarelyddol Bethesda, Llanberis a Blaenau Ffestiniog.

Dur yr Abaty

isod:
Rhesi o dai yng nghysgod
y gweithfeydd anferth.

Ar 11 Gorffennaf, agorwyd gweithfeydd dur yr Abaty ym Margam. Codwyd hwy ar safle o 550 erw, ac ar y pryd hwy oedd y gweithfeydd dur mwyaf ym Mhrydain oll. Ynddynt roedd yr holl offer angenrheidiol i gynhyrchu dur mewn un proses parhaol, gyda phedair ffwrnais chwyth ac un ar hugain o ffwrneisiau aelwyd-agored yn bwydo deunydd i felin stribedi wyth-deg-modfedd. Dôi mwynau haearn i mewn trwy Bort Talbot i gael eu prosesu'n stribedi o ddur yn ffwrneisiau a melinau Margam. Erbyn 1963 câi mwy na 17,000 o ddynion eu cyflogi yno.

Sefydlwyd gweithfeydd Margam gan Gwmni Dur Cymru, corff a grewyd yn 1947 drwy uno nifer o gwmnïau metel mwyaf yr ardal.

Cymru ar werth

Cymaint oedd brys mewnfudwyr o Saeson i gael gafael ar dai yng nghefn gwlad Arfon a Môn fel yr honnodd un hysbysiad ym mis Awst y gellid cwlbhau holl drefniadau'r gwerthu mewn deuddydd. Dywedodd James A. Saunders, arwerthwr o Fangor, fod y galw'n arbennig o frwd am dyddynnod Môn, yn enwedig yn ardaloedd Porthaethwy a Niwbwrch, gan ychwanegu ei fod newydd werthu naw tyddyn ar yr ynys mewn wythnos.

Pobl fusnes o Birmingham oedd y prif brynwyr yn ôl Y Cymro, a ffermydd rhwng deg a hanner can erw eu maint a fynnent, gan fwriadu eu trosglwyddo wedyn i'w plant. Yn ogystal â ffermydd gweithiol, roedd ysfa hefyd am bob math o dai i'w troi'n gartrefi. Dywedodd Saunders y byddai'n cael hyd at drigain o atebion i un hysbyseb am fwthyn bach, ac roedd rhai hyd yn oed yn barod i brynu cyn gweld y tŷ.

Gresynodd Y Cymro fod 'Cymry'n gwerthu eu hetifeddiaeth' a chynigiodd y papur dri rheswm am y sefyllfa: bod tyddynwyr yn dechrau mynd yn rhy hen i weithio; ei bod yn anodd gwneud elw trwy ffermio rhai o'r tyddynnod heb gyflawni llawer o waith moderneiddio arnynt; a bod y prynwyr o Loegr yn cynnig prisiau eithriadol o dda.

Nofio'r Sianel

Croeso cynnes iawn a gafodd y nofwraig Jenny James ar 21 Awst wrth ddod adref i Bontypridd wedi iddi nofio ar draws y Sianel o Ffrainc i Loegr. Daeth miloedd o bobl y dref i'w gweld yn mynd mewn car i dderbyniad dinesig yn neuadd y dref, a'i hebrwng yno gan un o geir yr heddlu a nifer o feicwyr Clwb Beiciau Modur a Cheir Pontypridd. Bu ar y blaen yn ras y merched am y rhan fwyaf o'r croesiad o Ffrainc, cyn cael ei dal gan drai'r llanw ger Dover a cholli'r safle'r cyntaf i'r Saesnes, Eileen Fenton.

Draw, draw yn Corea

Bu milwyr o Gymru'n ymladd am y tro cyntaf er yr Ail Ryfel Byd pan anfonwyd Bataliwn Gyntaf y Gatrawd Gymreig i Ryfel Corea fel rhan o lu'r Cenhedloedd Unedig yno. Gadawodd 488 o'r Bataliwn borthladd Southampton ar 10 Hydref, a chyrraedd Corea fis yn ddiweddarach. Gyda hwy ar eu taith hir i'r Dwyrain Pell roedd gafr y gatrawd, 'Taffy VII'. Wedi glanio yn Pusan, symudodd y milwyr i Yodong, lle bu'n rhaid iddynt ddioddef pedwar mis o aeaf caled, gyda rhew a llifogydd yn ogystal ag ymosodiadau gan y gelyn.

Arhosodd y Gatrawd Gymreig yn Corea hyd fis Tachwedd 1952, pan adawodd am Hong Kong.

'Dai Bananas'

David Maxwell Fyfe yn annerch Ceidwadwyr sir Fflint.

Ar 24 Hydref, crewyd swydd Gweinidog Materion Cymreig am y tro cyntaf, fel atodiad i swydd yr Ysgrifennydd Cartref. Ei ddeiliad cyntaf oedd yr Albanwr Syr David Maxwell Fyfe, Aelod Seneddol Ceidwadol dros un o etholaethau Lerpwl. Ar yr un pryd, penodwyd David Llewellyn, Aelod Seneddol Gogledd Caerdydd, yn Is-Ysgrifennydd Materion Cymreig yn y Swyddfa Gartref. Roedd Fyfe eisoes yn ŵr o fri a dylanwad pan ddaeth i'r swydd, ond yng Nghymru cafodd y llysenw 'Dai Bananas' am ei fod yn rhannu cyfenw â'r cwmni ffrwythau adnabyddus Fyfe's. Arhosodd Fyfe yn Weinidog Materion Cymreig ac Ysgrifennydd Cartref hyd 1954, pan ddyrchafwyd Gwilym Lloyd George i'r ddwy swydd.

6 Chwefror

Bu farw'r Brenin Siôr VI. Fe'i olynwyd gan ei ferch a ddaeth yn Frenhines Elizabeth II.

21 Mawrth

Yn Affrica, daeth Kwame Nkrumah yn Brif Weinidog cyntaf Y Traeth Aur (Ghana).

15 Mehefin

Cyhoeddwyd dyddiadur enwog Anne Frank, y ferch a fu'n cuddio rhag y Natsïaid yn Amsterdam yn ystod y Rhyfel.

26 Gorffennaf

Yn yr Ariannin, bu farw Eva Peron, 'Evita', gwraig yr Arlywydd ac arwres i rai o'i chyd-wladwyr.

4 Awst

Enillodd Emil Zatopek y gyntaf o dair medal aur yng Ngemau Olympaidd Helsinki.

3 Hydref

Cyhoeddwyd i Brydain danio bom atomig arbrofol ar ynys ger Awstralia.

8 Hydref

Yn namwain reilffordd waethaf Prydain, lladdwyd 112 ac anafwyd 200 yn Harrow, Middlesex.

21 Hydref

Cyhoeddwyd stad o argyfwng yn Cenia wrth i'r gwrthryfelwyr a elwid yn 'Mau Mau' barhau gyda'u hymosodiadau ar ffermwyr croenwyn.

4 Tachwedd

Etholwyd Dwight D. Eisenhower yn Arlywydd yr Unol Daleithiau.

1952

Dieuog ddwywaith

Bywyd trallodus ddigon a gafodd Alicia Roberts o Gaergybi. Collodd ei thad, ei dyweddi cyntaf, a'i dau ŵr, un ar ôl y llall. Gwrthrych tosturi ydoedd i lawer, nes i rai ddechrau amau mai hi ei hun a fu'n gyfrifol am farwolaeth ei dau ŵr.

Daeth Alicia i fyw o Iwerddon i Gaergybi gyda'i mam yn ddwyflwydd oed, wedi i'w thad adael y teulu. Ymserchodd mewn milwr lleol, Emrys Williams, ond lladdwyd ef yn Awst 1918, ddeng diwrnod cyn dyddiad eu priodas. Yn 1923 priododd filwr arall, John Hughes, yng Nghaergybi. Dyn gwanllyd ei iechyd oedd Hughes, a phan fu farw ym mis Mehefin 1949 nodwyd afiechyd ar ei ysgyfaint fel yr achos. Daeth Alicia Hughes yn Alicia Roberts ar 3 Mawrth 1951, wedi iddi gwrdd â gŵr gweddw, Jack Roberts, trwy hysbyseb papur newydd, a symudodd i fyw i'w gartref yn Nhalsarnau, sir Feirionnydd. Priodas anhapus oedd hon, ac Alicia yn cael ei llethu gan faich trwm o waith golchi a glanhau. Torrodd yr anghydfod yn ffrwgwd pan fynnodd merch hynaf ei gŵr, Doreen Roberts, ddychwelyd adref i fyw. Ac yntau'n methu penderfynu a ddylai ochri â'i wraig ynteu'i ferch, bygythiodd Jack Roberts ei ladd ei hun.

Pan fu farw ar 5 Mawrth 1952, gwrthododd y meddyg lleol roi tystysgrif marwolaeth, a mynnodd hysbysu'r crwner. Roedd awgrym o wenwyno ar symptomau Roberts, a danfonwyd rhai o'i organau i labordy pathologol Preston. Adroddodd y labordy mai gwenwyno arsenic difrifol oedd achos ei farwolaeth. Erbyn 11 Mawrth roedd yr heddlu'n holi Mrs. Roberts. Gofynnodd ar un achlysur a gâi hi fynd i'r tŷ bach, ac yno y cafwyd hi ychydig wedyn, wedi torri ei gwddf a'i harddyrnau â rasel. Wrth ymchwilio'n ddyfnach, cafwyd bod Alicia Roberts wedi prynu dau dun o wenwyn lladd chwyn yn cynnwys arsenic, o fferyllfa ym Mhorthmadog, gan ddefnyddio enw ffug, ac ar 3 Ebrill cyhuddwyd hi'n swyddogol o lofruddio'i gŵr ac o geisio cyflawni hunan-laddiad.

Alicia Roberts yn cofleidio'i mab ar ôl iddi gael ei dyfarnu'n ddieuog.

Safodd ei phrawf yn Abertawe ym mis Gorffennaf, ond er bod y dystiolaeth yn ei herbyn yn gryf, roedd y rheithgor yn barod i dderbyn ei honiad iddi brynu'r arsenic i drin chwyn o gwmpas y tŷ. Dangosodd profion gwyddonol ar y pridd fod arsenic wedi ei roi arno. Er i'r llys ei chael yn ddieuog, nid oedd helbul Alicia Roberts ar ben o bell ffordd. Yn y cyfamser roedd corff ei gŵr cyntaf, John Hughes, wedi ei ddatgladdu, a chafwyd olion arsenic yn hwnnw hefyd. Cynhaliwyd cwest yng Nghaergybi, ac yr oedd posibilrwydd y byddai ail brawf am lofruddiaeth yn wynebu Alicia Roberts. Tystiolaeth arbenigol y patholegydd Francis Camps a'i hachubodd rhag hynny. Dangosodd ef nad oedd modd profi mai arsenic a laddodd John Hughes, a rhoddodd rheithgor y cwest ddyfarniad agored ar sail hynny. Wrth adael y cwest datganodd Roberts yn uchel, 'Mae fy nghalon a 'nghydwybod yn lân'.

Campweithiau Ffrainc yng Nghaerdydd

Daeth Duges Caint i Gaerdydd ar 27 Mai i agor yn swyddogol arddangosfa o rai o ddarluniau a cherfluniau enwocaf y byd o gasgliad Gwendoline Davies, Gregynog. Roedd y ddiweddar Miss Davies wedi gadael y lluniau hyn i'r Amgueddfa Genedlaethol yn ei hewyllys pan fu farw yn 1951. Ymhlith ei rhoddion yr oedd tirluniau gan Constable a Gainsborough, a lluniau enwog gan El Greco o Grist yn mynd i'w groeshoelio, a chan Botticelli o'r Forwyn Fair a'r Iesu ifanc. Cynhwysai'r casgliad hefyd nifer sylweddol o weithiau argraffiadwyr Ffrengig y 19eg ganrif, a thrwy rodd Gwendoline Davies, daeth Amgueddfa Genedlaethol Cymru yn ganolfan o bwys i astudiaethau o'r ysgol honno o ddarlunio.

Trethu amynedd casglwyr trethi

Yn y flwyddyn hon, dechreuodd brwydr hirfaith Eileen a Trefor Beasley i gael papur treth yn y Gymraeg gan Gyngor Dosbarth Gwledig Llanelli. Tynnodd yr ymryson sylw llawer trwy Gymru i gyd, a daeth y pâr yn ffigurau adnabyddus.

Derbyniwyd papur treth uniaith Saesneg ganddynt wedi iddynt symud i fyw i Langennech, ger Llanelli, un o ardaloedd Cymreiciaf y wlad. Anfonodd Eileen Beasley'r papur yn ôl gan fynnu un Cymraeg, a phan wrthodwyd ei chais gwrthododd hithau dalu'r dreth. Bu hi a'i phriod o flaen yr ynadon lleol ddeuddeg o weithiau am beidio â thalu eu trethi lleol, ac ar dri achlysur daeth beilïaid i'w tŷ i gymryd ymaith peth o'u heiddo i glirio'r ddyled.

Parhaodd yr anghydfod hyd 1960 pan fu teulu'r Beasley'n fuddugol, a phan dderbyniwyd papur treth dwyieithog ganddynt. Bu eu dyfalbarhad yn destun trafod eang, ac yn ysbrydoliaeth i nifer mawr o gefnogwyr yr iaith Gymraeg.

Parc Bach Penfro

Ar 29 Chwefror, agorwyd Parc Cenedlaethol Arfordir Penfro, y lleiaf ei faint ymhlith parciau cenedlaethol Prydain. Cynhwysai rannau helaeth o lannau môr y sir o Amroth yn y de i Ben Cemais yn y gogledd, gyda rhai o draethau, aberoedd a chlogwyni harddaf Cymru yn eu plith, a nifer o fannau bydenwog am eu hamrywiaeth o flodau, anifeiliaid ac adar môr.

Ym mis Gorffennaf 1953, penderfynwyd creu llwybr cerdded ar hyd arfordir y sir, ond bu cryn oedi cyn gweithredu'r cynllun, oherwydd gwrthwynebiad nifer o dirfeddianwyr. O'r diwedd, serch hynny, agorwyd Llwybr Arfodir Sir Benfro'n swyddogol ar 16 Mai 1970 gan Wynford Vaughan Thomas, fel rhan o Wythnos Genedlaethol y Llwybrau Cerdded. Hwn oedd y trydydd llwybr cerdded pellter hir ym Mhrydain, a'r cyntaf yng Nghymru.

uchod:
Gwragedd wrth eu gwaith
yn y diwydiant alcam.

Agor Gwaith Trostre

Ar 7 Hydref, agorwyd yn swyddogol weithfeydd alcam mawr Trostre ger Llanelli, yng ngŵydd 1,200 o westeion. Dynododd hyn gyfnod newydd yn hanes y diwydiant alcam a fu'n un o golofnau economi de-orllewin Cymru am flynyddoedd lawer.

Yn ystod y degawd dilynol caewyd bron pob un o'r mân weithfeydd tun a oedd i'w cael yn yr ardal, wrth i'r gwaith gael ei sianelu'n fwyfwy i leoedd fel Trostre a gweithfeydd Felindre, ger Abertawe, a agorwyd yn 1956. Mor gynnar â mis Ionawr 1953, roedd gweithwyr mewn 10 o felinau alcam o'r hen fath wedi derbyn rhybuddion na fyddai gwaith iddynt yn fuan. Byddai Trostre'n derbyn 7,000 o dunelli o ddur i'w prosesu bob wythnos o weithfeydd dur newydd Margam – roedd y ddau safle'n eiddo i'r cyd-gwmni enfawr newydd, Cwmni Dur Cymru Cyf., a grewyd yn 1947. Defnyddiai Trostre a Felindre fel ei gilydd brosesau electrolytig newydd i wneud alcam, prosesau a gyflymai'r gwaith a'i wneud yn llai llafurus.

Taith fer i'r Ynys Werdd

Byddai'r un mor gyflym i drigolion Caerdydd a'r cylch gyrraedd Iwerddon â chyrraedd Abertawe. Dyna honiad rhai pan ddechreuodd y cwmni Gwyddelig *Aer Lingus* y gwasanaeth awyr cyntaf o Gymru i fan y tu allan i'r Deyrnas Unedig. Dechreuodd y gwasanaeth ar 11 Mehefin, gydag awyrennau'n hedfan o safle'r Llu Awyr yn y Rhŵs i Ddulyn mewn llai na dwyawr. Taith o Iwerddon i Gymru oedd yr hediad cyntaf: glaniodd Arglwydd Faer Dulyn, A.S. Clarkin, a 17 o deithwyr eraill ar faes awyr y Rhŵs a chael eu croesawu i Gymru gan Gadeirydd Cyngor Sir Morgannwg, Thomas Evans. Mewn cinio wedyn, mynegodd pawb obeithion mawr am ddyfodol y gwasanaeth newydd, a chynigiodd Arglwydd Faer Dulyn lwncdestun i'r 'Ddwy Ddinas – Dulyn a Chaerdydd'.

2,000 milltir yr awr yn Aber-porth

Daeth rhai o bwysigion y llywodraeth i dde Ceredigion ar 26 Gorffennaf i weld un o ddyfeisiadau hynotaf y lluoedd arfog yn cael ei roi ar waith. Honnodd y Gweinidog Cyflenwadau, Duncan Sandys, fod y rocedi newydd a brofwyd yn Aber-porth yn medru teithio hyd at 2,000 o filltiroedd yr awr, a dringo'n llawer uwch i'r awyr na'r un awyren fomio. Dywedodd hefyd y gellid llywio'r rocedi, neu gallent eu llywio eu hunain, â chywirdeb manwl iawn. Gallent droi a throelli yn yr awyr ryw bum gwaith yn fwy hyblyg nag awyren ymladd, meddai'r Gweinidog. Mor swnllyd oedd un o'r rocedi wrth daro ei tharged fel y gellid ei chlywed yn Aberteifi chwe milltir i ffwrdd. *'It's terrific'* oedd barn y Cadfridog Syr Frederick Pile, arbenigwr yn y maes, wrth wylio'r teclyn yn mynd trwy'i bethau, gan haeru'n ffyddiog mai dyfeisiadau'r dyfodol oedd y rocedi hyn.

Ffermio ffwr ar y Mynydd Du

Y bwystfilod dan glo!

Llygoden fawr yn pwyso tri phwys ar hugain, gyda'i chynffon wedi mynd bum gwaith yn dewach nag y dylai fod ... a gyda dau ddant fflamgoch yn nhop ei cheg a dau gyffelyb yn y gwaelod'. Dyna ddisgrifiad gohebydd *Y Cymro* ym mis Medi o un o'r 26 o goipwod a drigai yn afonydd y Mynydd Du ger Gwynfe.

Anifail o Dde America o deulu'r porciwpin yw'r coipw, ac fe'i cyflwynwyd i Brydain yn y '30au er mwyn eu ffermio am ei ffwr.

Ffotograffydd o Lundain a fu'n gyfrifol am sefydlu'r fferm ar y Mynydd Du, gan fanteisio ar y tir cymharol rad yng Nghymru i ddechrau ei fusnes. Anifeiliaid gwydn a chryf yw'r coipwod ac epiliant ddwywaith y flwyddyn, gan fagu teulu o tua phump a hyd at ddwsin ar y tro. Dihangodd sawl un o'u ffermydd ac achosi problem anodd mewn ambell ardal. Yn 1962 gwaharddodd y llywodraeth fewnforio a chadw coipwod heb drwydded, a daeth yn ofynnol dan y gyfraith i hysbysu'r Weinyddiaeth Amaeth os gwelid un ohonynt yn rhydd yn y wlad.

Marchog Mynwy

dde:
Harry Llewellyn ar gefn 'Foxhunter'.

Yng Ngemau Olympaidd Helsinki, sicrhaodd Harry Llewellyn o Drefynwy fedal aur i dîm Prydain yn y cystadlaethau marchogaeth. Yn y gystadleuaeth neidio ar ddiwrnod olaf y Gemau, aeth Llewellyn a'i geffyl, *Foxhunter*, dros y cloddiau i gyd yn llwyddiannus, gan roi ei dîm ar y blaen a chipio medal efydd iddo'i hun fel unigolyn. Medal aur y tîm marchogaeth oedd yr unig un a enillodd Prydain yn Helsinki.

Roedd Harry Llewellyn eisoes yn adnabyddus fel reidiwr cyn Gemau Olympaidd Helsinki, ac wedi bod yn joci amatur llwyddiannus cyn yr Ail Ryfel Byd. Daeth yn ail yn y Grand National yn 1936. Ar ôl y rhyfel enillodd Gwpan Aur Siôr V yn 1948, 1950, a 1953, i gyd ar y ceffyl *Foxhunter*. Fel yr awgryma enw'r ceffyl, roedd Llewellyn yn heliwr brwd, a bu'n Feistr Helgwn Sir Fynwy am flynyddoedd lawer.

Wedi ymddeol o fyd chwaraeon, aeth i fyd busnes, ac o 1971 i 1981 ef oedd Cadeirydd Cyngor Chwaraeon Cymru. Urddwyd ef yn farchog yn 1977.

Sensro Dafydd

Bu croeso cynnes gan ysgolheigion pan gyhoeddwyd casgliad Thomas Parry o waith Dafydd ap Gwilym, y mwyaf erioed o feirdd Cymru yn nhyb llawer. Hon oedd yr astudiaeth ddiffiniol ar waith y bardd, ond roedd hefyd wedi'i sensro rywfaint yn ôl safonau cyfnod y golygydd. Ymhlith y cerddi y dewisodd y golygydd eu hepgor roedd y gerdd fasweddus *Cywydd y Gal*, a grybwyllwyd gan Thomas Parry mewn pennod ar gerddi amheus ac annilys. Yno meddai'r golygydd amdani, 'Ymysg yr *erotica* Cymraeg y mae hon yn un o'r gorau ei chrefft', ond er hyn yr oedd yn well ganddo beidio â'i chyflwyno i'r genedl gyda gweddill gwaith y bardd.

Ymddangosodd y cywydd dan sylw mewn mwy nag un cyhoeddiad arall yn ddiweddarach.

Crogi Pedwar

Tra oedd pwysau dros ddileu'r gosb eithaf oddi ar y llyfr statud yn cynyddu, wynebodd pedwar o Gymry eu diwedd ar y grocbren yn y flwyddyn hon.

Ar 26 Chwefror yng ngharchar Strangeways, Manceinion, crogwyd Herbert Roy Harries o'r Fflint, er gwaethaf ple am drugaredd gan y rheithgor yn yr Wyddgrug a'i cafodd yn euog. Ym mis Rhagfyr 1951 roedd Harries wedi curo ei wraig i farwolaeth â charreg, cyn dianc ar drên i Lundain, lle'r restiwyd ef.

Ar 7 Mai, tro Ajit Singh, Sikh 27 oed o Ben-y-bont ar Ogwr, oedd hi i wynebu'r rhaff, yng ngharchar Caerdydd. Cafwyd Singh yn euog o lofruddio Joan Marion Thomas, hefyd o Ben-y-bont. Enynnodd y dienyddiad gryn ddiddordeb am i gorff Singh, yn unol ag arferion crefyddol y Sikhiaid, gael ei losgi wedi'r crogi, yn hytrach na'i gladdu. Gwnaed hyn ar orchymyn yr Ysgrifennydd Cartref, wedi iddo dderbyn cyngor gan Sikhiaid, a chladdwyd y lludw wedyn yn nhir y carchar.

Yng ngharchar Amwythig ar 8 Gorffennaf, dienyddiwyd Harry Huxley o ardal Wrecsam, wedi i'w apêl olaf at yr Ysgrifennydd Cartref fethu. Cafwyd Huxley'n euog ar 20 Mai o saethu'n farw ei gariad, y wraig briod Ada Royce o'r Holt. Ymddengys i'r ddau gweryla am fod Royce yn gwrthod gadael ei gŵr i ddod at Huxley i fyw, ac iddo yntau benderfynu ei lladd hi ac yna ei saethu ei hun. Er iddo danio ergyd i'w gorff ei hun ni fu farw Huxley, a safodd ei brawf yn Rhuthun ym Mai.

Rhoddwyd crocbren carchar Caerdydd ar waith am y tro olaf ar 3 Medi, pan grogwyd Mahmood Hussein Mattan, Somaliad o Gaerdydd, am ladd siopwraig Iddewig yn ardal Butetown o'r ddinas. Cafwyd Mattan yn euog ar 24 Gorffennaf o dorri gwddf Lily Volpert a'i gadael i farw yn ei siop. Yn ei brawf, dangosodd cyfreithiwr Mattan, T.E. Rhys-Roberts, ragfarnau hiliol y cyfnod am bobl groenddu pan ddisgrifiodd ei gleiant ei hun fel '*this half child of nature, a semi-civilised savage*'.

Ar 24 Chwefror 1998 enillodd teulu Mattan bardwn llawn iddo pan benderfynodd tri barnwr yn y Llys Apêl yn Llundain fod y dystiolaeth wreiddiol yn ei erbyn y ddiffygiol.

Mae'n debyg i un o'r tystion ddweud wrth yr heddlu ar y pryd bod Somaliad arall o'r enw Tahir Gass yn y cyffiniau pan lofruddiwyd Lily Volpert a bod gan y llofrudd ddant aur. Nid oedd gan Mattan ddant aur

Mahmood Hussein Mattan

ond roedd un gan Gass. Ni ddatgelwyd y dystiolaeth hon yn yr achos yn erbyn Mattan. Yn ddiweddarach, cafwyd Gass yn euog o lofruddio person arall gyda chyllell ac fe'i anfonwyd i Broadmoor gan y credid iddo fod yn wallgof.

Roedd gweddw Mattan, Laura, a fu'n brwydro am flynyddoedd i glirio enw'i gŵr, yn y Llys Apêl i glywed y dyfarniad. Wedi'r penderfyniad, disgrifiodd yr Aelod Seneddol lleol, Rhodri Morgan, achos Mattan fel '*legalised lynching*'.

Dwy ddamwain awyr

Lladdwyd pob un o'r 23 teithiwr a chriw pan drawodd un o awyrennau *Dakota* cwmni *Aer Lingus* y ddaear ar Foel Siabod yn Eryri ar 10 Ionawr, wrth hedfan o Northolt i Ddulyn.

Am 7.10 y bore, ffoniwyd heddlu Caernarfon gan ddau berson o ymyl Llyn Gwynant, rhwng Beddgelert a Chapel Curig, i ddweud iddynt glywed sŵn mawr, a gweld goleuni yn yr awyr ymhlith y mynyddoedd. Dywedodd postmon yng Nghapel Curig yn ddiweddarach fod y pentrefwyr yno wedi gweld yr awyren yn dod i lawr mewn fflamiau.

Rhuthrodd wyth ambiwlans a phedair injan dân i safle'r ddamwain, a chyfarwyddwyd yr ymdrech i achub y rhai ar yr awyren o Borthmadog. Rhwystrwyd yr achubwyr gan dywydd garw, a'r cawodydd o law ac eirlaw yn gwneud y tir corsiog o gwmpas adfeilion yr awyren yn waeth.

Y Frenhines a'r bom

Ar 23 Hydref agorwyd Argae Claerwen gan y Frenhines, bedwar diwrnod wedi i'r safle fod y darged i fom a osodwyd gan weriniaethwyr Cymreig.

Agor Argae Claerwen oedd y cam olaf yn y cynllun a ddechreuwyd yn 1892 i grynhoi dyfroedd afonydd Elan a Chlaerwen i gyflenwi dinas Birmingham. Gyda'r argae olaf yn ei le, gallai'r cronfeydd storio hyd at 21,800 o filiynau o alwyni o ddŵr. Roedd y cyfan yn gampwaith peirianyddol, ond hefyd i rai yn esiampl o'r modd y câi cefn gwlad Cymru ei ecsbloitio i gwrdd ag anghenion trefi Lloegr.

Ar 19 Hydref ymosodwyd â bom, bymtheng milltir o'r argae newydd, ar ran o Draphont Ddŵr y Fron a gludai ddŵr o'r cronfeydd i Birmingham. Bu helfa fawr ar ran yr heddlu am y bomwyr, a rhoddwyd nifer o aelodau o Fudiad Gweriniaethol Cymru ar eu prawf wedyn am feddu ar ffrwydron a dyfeisiau tanio. Yn sgil y ffrwydrad, gwelwyd gweithgarwch mawr ar ran y lluoedd diogelwch i amddiffyn y Frenhines, gyda 500 o blismyn a 200 o filwyr yn cadw llygad barcud ar bethau.

Cafwyd cryn drafferth i gasglu rhai o'r cyrff, ac roedd rhai rhannau o'r awyren wedi'u claddu'n sownd yn y llaid. Gwasgarwyd rhai darnau o'r awyren dros ardal eang pan ffrwydrodd ei thanciau petrol. Disgrifiodd un plismon yr olygfa fel maes y gad.

Agorwyd cwest i farwolaethau'r 23 ar 14 Ionawr yng Nghaernarfon, tra chwiliai achubwyr am rai o'r cyrff o hyd. Dywedodd y patholegydd, Dr. Edward Evans, ei fod o'r farn i bob un o'r meirw drengu'n syth. Claddwyd 11 ar safle'r ddamwain, mewn tir a gysegrwyd yn arbennig, a phlannwyd nifer o goed pîn yn gofeb iddynt.

Mewn damwain arall ar 14 Gorffennaf, daeth dwy awyren jet *Vampire* i wrthdrawiad â'i gilydd uwchben Caerdydd. Parasiwtiodd y ddau beilot yn ddiogel, ond lladdwyd un wraig, Georgina Evans, pan drawodd un o'r awyrennau dŷ yn Llandaf wrth ddod i lawr. Daeth y llall i lawr mewn fflamau yng Nghaeau Pontcanna, lle y galwyd y Frigâd Dân i ddiffodd y goelcerth. Chwalwyd darnau o'r ddwy awyren dros naw milltir sgwâr o'r ddinas, a chafwyd un aden yn Nociau'r Rhâth.

1953

Camp a rhemp Dylan Thomas

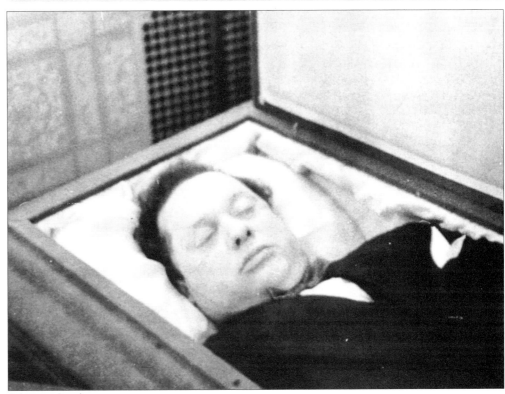

Dylan yn ei arch.

Daeth llwyddiant a thrychineb i ran bardd Saesneg mwyaf nodedig Cymru. Ar 14 Mai yn Efrog Newydd, perfformiwyd am y tro cyntaf *Under Milk Wood*, 'drama i leisiau' a ystyrir yn bennaf campwaith y bardd Dylan Thomas o Abertawe. Ym mhentref glan-y-môr dychmygol "Llareggub" y lleolir y ddrama, gyda'i pharêd o fwy na thrigain o gymeriadau lliwgar, sydd gyda'r mwyaf cofiadwy yn llên Cymru i gyd. Yn y rhain, creodd Thomas rychwant o gymeriadau, o'r annwyl a'r ecsentrig i'r niwrotig a'r ffiaidd, a hynny o'r olygfa gyntaf lle mae'r hen forwr dall Captain Cat yn cael ei blagio gan hen gyfeillion iddo a foddwyd, hyd at eiriau olaf y ddrama o gân y ferch benchwiban a llac ei moesau, Polly Garter. Tebyg mai hwn yw'r darn unigol enwocaf o lenyddiaeth Saesneg gan Gymro, ac fe'i cyfrifir bellach yn un o weithiau mawr llenyddiaeth Saesneg y byd.

Derbyniodd y ddrama groeso brwd gan feirniaid a chynulleidfaoedd o'r dechrau cyntaf. Gwerthwyd degau o filoedd o gopïau ohoni ymhen ychydig fisoedd pan gyhoeddwyd hi fel llyfr yn 1954, ond erbyn hynny roedd y bardd yn ei fedd. Ar 9 Tachwedd yn Ysbyty Sant Vincent, Efrog Newydd, bu farw Dylan Thomas, flwyddyn namyn diwrnod wedi cyhoeddi ei *Collected Poems 1932-1952*, wedi'i drechu o'r diwedd gan ei awydd i fyw bywyd i'r eithaf. Cofnododd y patholegydd iddo farw o niwmonia ar ben effeithiau goryfed. Bu'n gaeth i alcohol am beth amser, a dioddefodd sawl anhwylder fel canlyniad. Felly daeth i ben yrfa fer a hynod ddisglair Dylan Thomas, bardd a oedd yr un mor adnabyddus bron am ei fywyd personol tymhestlog ag am ei

(Drosodd)

Camp a rhemp Dylan Thomas

(o'r tudalen cynt)
farddoniaeth.

Wedi cyfnod fel newyddiadurwr yn ne Cymru, daeth i sylw'r cyhoedd â'i gerdd 'And Death Shall Have No Dominion', a gyhoeddwyd yn y *New English Weekly* ym Mawrth 1933. Cyhoeddwyd casgliadau o'i gerddi yn 1934 a 1936, ac ym Mai 1938 symudodd gyda'i wraig newydd, Caitlin Macnamara, i fyw i Dalacharn, sir Gaerfyrddin, am y tro cyntaf. O 1949 ymlaen, y pentref hwn oedd eu cartref parhaol, a'r tŷ cychod yn Nhalacharn, lle yr ysgrifennodd Thomas rai o'i weithiau mwyaf, yw'r adeilad a ddaeth yn bennaf gysylltiedig â'i enw. Ar ôl ei farw trowyd y lle'n amgueddfa i'w goffáu ef a'i waith. I fynwent Talacharn y dychwelwyd ei gorff o America i'w gladdu ar 24 Tachwedd.

Gair newydd: Teledu

Ar Ddydd Gŵyl Ddewi, darlledodd y BBC nifer o raglenni teledu arbennig o Gymru, gan gynnwys y rhaglen deledu gyntaf i fod yn gyfan gwbl Gymraeg ei hiaith, sef oedfa o Gapel y Bedyddwyr, Tabernacl, Caerdydd. Ychydig ddyddiau wedyn ar 6 Mawrth cafwyd rhaglen Gymraeg arall, y tro yma am y casglwr llyfrau adnabyddus, Bob Owen, Croesor, wedi'i ffilmio'n arbennig yn Amgueddfa Genedlaethol Cymru.

Fel arwydd o'r drwgdeimlad a oedd i amlygu ei hun yn ddiweddarach, derbyniwyd nifer o gwynion gan wylwyr yn Lloegr am yr ail raglen hon, a ddarlledwyd o ddau drosglwyddydd yr ochr draw i Glawdd Offa yn ogystal ag o orsaf Gwenfô yng Nghymru. Mewn gwirionedd, ni ddisodlwyd dim gan y rhaglen am Bob Owen ond y cerdyn prawf, ond daeth yn glir fod angen rhyw fath o wasanaeth darlledu neilltuol ar Gymru os oedd rhaglenni Cymraeg i barhau.

Ym mis Mai, cynhaliwyd cystadleuaeth i ddewis enw ar gyfer y teclyn newydd hwn a elwid yn Saesneg yn *television*. Bathwyd termau megis 'llunledu', 'anweledu', a 'radlunio', ond pan ddewiswyd y bardd T.H. Parry-Williams yn brif feirniad ar gystadleuaeth genedlaethol i gael enw Cymraeg addas, y gair 'teledu' a gafodd y wobr. Er nad oedd at ddant pawb, ymgartrefodd yn gymharol rwydd fel gair hawdd ei ynganu a hawdd llunio geiriau eraill ohono.

I ben y byd

Cymerwyd rhannau allweddol gan ddau Gymro yn y cyrch llwyddiannus cyntaf ar Fynydd Everest, mynydd uchaf y byd, yn y flwyddyn hon, pan gyrhaeddodd Tensing Norgay o Nepal a Syr Edmund Hilary o Seland Newydd gopa Everest ar 29 Mai.

Richard Charles Evans oedd dirprwy-arweinydd y cyrch. Yn 1955 ef a arweiniodd y fintai gyntaf i ddringo i gopa Kang-chenjungai, y mynydd uchaf ond dau yn y byd. Er bod hwnnw'n llai ei uchder nag Everest, ystyrid ef yn fwy o her, ac enillodd Charles Evans gryn glod am ei orchfygu. Gŵr a oedd yn arweinydd wrth reddf oedd Evans. Bu'n Llywydd Clwb yr Alpau 1967-70, a Phrifathro Coleg Prifysgol Gogledd Cymru, Bangor 1958-84.

Griffith Pugh oedd ffisiolegydd y parti, a chynhaliodd ef y profion a alluogodd y dringwyr i addasu i hinsawdd ac awyr denau Mynyddoedd Himalaia. Codwyd caban 19,100 troedfedd uwchben lefel y môr iddo ei ddefnyddio fel labordy i gynnal ei brofion ffisiolegol.

Merch y Goron

uchod:
Yr Archdderwydd Cynan yn coroni Dilys Cadwaladr.

Yn y Rhyl enillodd Dilys Cadwaladr Goron yr Eisteddfod Genedlaethol â'i phryddest *Y Llen* – y wraig gyntaf i wneud hynny. Dywedodd J.M. Edwards yn ei feirniadaeth fod ei cherdd wedi gafael ynddo o'r cychwyn: 'Yr oedd darllen ei pharagraff agoriadol yn ddigon i'm perswadio bod yma artist medrusach a mwy synhwyrus ei gyneddfau barddol'.

Roedd wedi cystadlu am y Goron o'r blaen, ac yn 1945 yn Rhosllanerchrugog, ei phryddest hi, *Bara*, a ddyfarnwyd yn orau gan un o'r beirniaid, Iorwerth Peate. Bu'n fuddugol yn Eisteddfod Genedlaethol Dinbych 1939 yng nghystadleuaeth y delyneg, ac yn Llanrwst yn 1951 â'i nofel *Y Celwrn*. Byddai hefyd yn llunio straeon byrion, a chyhoeddwyd nifer ohonynt yng nghylchgrawn *Y Llenor*.

Hiraeth am y rhyddid a fu

'Nid potsiers oedd neb o'r parthau hyn, ond dynion na chollasant eu rhyddid erioed ... Anfri ar ddyn rhydd fyddai codi lesens dryll neu lesens bysgota; ac ni feddyliai neb byth am wneud hynny.' Felly yr ysgrifennodd y llenor a'r cenedlaetholwr D.J. Williams yn ei gyfrol o hunangofiant, *Hen Dŷ Ffarm*, a gyhoeddwyd ym mis Hydref. Disgrifio bywyd syml a rhydd bro ei febyd yn Rhydcymerau, sir Gaerfyrddin a wnaeth, a daeth y llyfr i gael ei ystyried yn glasur o'i fath, ac yn gronicl pwysig o fywyd gwledig Cymru ym mlynyddoedd olaf y ganrif ddiwethaf. Rhoddodd *Hen Dŷ Ffarm* ddarlun o'r hyn roedd llawer un yn ei weld fel 'yr hen ffordd Gymreig o fyw'.

Lladd oddi cartref

Mawr iawn oedd y diddordeb yn y fro pan ddiflannodd yr hen filwr Pwylaidd Stanislaw Sykut o'i gartref yn sir Gaerfyrddin, a mwy fyth oedd y diddordeb trwy Brydain i gyd pan gafwyd ei gyd-filwr a'i gyd-wladwr, Michal Onufrejzyk, yn euog o'i lofruddio. Achos llofruddiaeth hynod oedd hwn, gan na chafwyd erioed gorff nac unrhyw dystiolaeth bod y dioddefydd wedi marw. Ni chafwyd chwaith gyfaddefiad gan y llofrudd tybiedig.

Ar ôl dod i Brydain yn Ebrill 1949, ymgartrefodd Onufrejzyk yng Nghwm-du, ger Llandeilo, gan brynu fferm Cefnhendre. Yr oedd yn ddyn cryf o ran cymeriad a chorff, yn llawn urddas cyn-swyddog milwrol, ac yn un adnabyddus am ei dymer wyllt. Ym mis Ebrill, cymerodd Onufrejzyk bartner newydd ar y fferm, Stanislaw Sykut, dyn gwanllyd ei iechyd a oedd yn araf wella o'r dicâu. Anaddas hollol i ffermio ydoedd, ac yntau'n methu ymdopi â llafur caled, ac â diffyg cysur y ffermdy. Buddsoddodd £700 yn y fferm am chwe mis, ond o fewn y mis cyntaf aeth at gyfreithiwr i geisio terfynu ei gytundeb ag Onufrejzyk. Ymatebodd Onufrejzyk trwy ymosod yn gorfforol ac mor filain ar ei bartner, nes i hwnnw orfod cwyno wrth yr heddlu. Hen freuddwyd gan Onufrejzyk oedd bod yn berchen ar ei fferm ei hun, ac roedd ar ei gyfyng-gyngor pan glywodd fod ei bartneriaeth â Sykut i'w therfynu ar 14 Tachwedd. Roedd yn benderfynol rywsut neu'i gilydd o gael ei ddwylo ar gyfran Sykut o'r fferm, tra oedd Sykut yr un mor benderfynol o roi'r lle ar ocsiwn i gael ei arian yn ôl. Dywedodd nifer o'r cymydogion wedyn fod Onufrejzyk ar yr adeg arbennig hon wedi bygwth y gadawai ef Sykut 'i bydru yn y gwrychoedd'.

Er ei fod yn awyddus iawn i ymadael, roedd Sykut yn dal ar y fferm ym mis Rhagfyr. Ddydd Sul 13 Rhagfyr, trefnodd oed i fynd gyda Phwyliad arall i weld ei gyfreithiwr ar y dydd Mercher canlynol. Pan na chadwodd mo'i oed, dechreuwyd holi yn ei gylch. Honnodd Onufrejzyk fod tri asiant o lywodraeth Gwlad Pwyl wedi dod i Gefnhendre ac wedi cipio Sykut, dan fygythiad o farwolaeth, i fynd ag ef yn ôl i Wlad Pŵyl. Cyn mynd roedd Sykut, meddai, wedi cytuno i werthu ei ran ef o'r fferm i'w bartner. Ond roedd y Pwyliad yn anghyson ei stori, ac eisoes wedi cynnig rhesymau eraill am ddiflaniad Sykut.

Cafwyd smotiau gwaed ar wal cegin Cefnhendre, ond ni ellid profi y naill ffordd na'r llall ai gwaed Sykut ydoedd. Galwyd y Ditectif Brif Arolygydd John Jamieson o Scotland Yard i mewn, gan mor ddyrys oedd yr achos. Chwiliodd 70 o blismyn a 40 o ffermwyr a phobl leol eraill bob modfedd o Gefnhendre, ynghyd â deugain milltir sgwâr o dir o'i chwmpas heb ddarganfod dim.

Onufrejzyk ar ei fferm ger Llandeilo.

Credid efallai fod y corff wedi ei losgi, ond er bod olion coelcerth yn un o'r caeau, ni chafwyd gweddillion dynol ynddynt. Aeth y stori ar led fod Onufrejzyk wedi bwydo corff Sykut i'r moch, ond nid oedd yr un mochyn yng Nghefnhendre. Teithiodd Jamieson trwy Brydain a'r Cyfandir i chwilio am dystiolaeth, a chymerwyd mwy na dwy fil o ddataganiadau gan dystion posibl.

O fis Mawrth hyd fis Awst 1954, bu'r Cyfarwyddwr Erlyniadau Cyhoeddus wrthi'n ceisio penderfynu a ellid dwyn achos yn erbyn Onufrejzyk, ond ar 16 Tachwedd daeth y Pwyliad gerbron Ynadon Llandeilio ar gyhuddiad o lofruddiaeth, a thraddodwyd ef yno i sefyll ei brawf mewn llys barn uwch.

Gwnaed yn fawr yn y llys o'r cwestiwn a oedd yn bosibl cael dyn yn euog o lofruddiaeth yn niffyg corff neu unrhyw ran o'r corff. Er hyn, yr oedd yn hysbys yn y fro fod Onufrejzyk yn cam-drin Sykut, ac yn y diwedd cafwyd ef yn euog.

Dedfrydwyd Onufrejzyk i gael ei grogi yng ngharchar Abertawe, a phennwyd 26 Ionawr 1955 ar gyfer hynny. Methodd ei apêl yn y Llys Apêl yn Rhagfyr 1954, ond deuddydd cyn iddo fynd i'r crocbren, cyhoeddwyd bod yr Ysgrifennydd Cartref, Gwilym Lloyd George, wedi newid y ddedfryd i garchar am oes. Rhyddhawyd Onufrejzyk o'r carchar ym mis Mai 1966, ond ychydig fisoedd wedyn trawyd ef i lawr gan gar yn Bradford a'i ladd.

Rhoi'r mawrion rhwng dau glawr

Gwelwyd cyhoeddi'r flwyddyn hon Y Bywgraffiadur Cymreig, y casgliad mwyaf cynhwysfawr o gofiannau Cymry enwog y gorffennol hyd at 1940. Roedd y gyfrol o 1110 o dudalennau'n cynnwys 3,394 o ysgrifau, 3,223 ar unigolion a 171 ar hanes teuluoedd. Ynddi ceid bywgraffiadau rhychwant o Gymry nodedig o ddiwedd cyfnod y Rhufeiniaid i'r ugeinfed ganrif.

Gwaith yr hanesydd yr Athro Syr John Edward Lloyd oedd golygu'r testun, a chyfrannodd ef hefyd nifer mawr o ysgrifau bywgraffiadol iddo. Bu farw Syr John yn 1947, a chymerwyd yr awenau gan R.T. Jenkins. a fu'n gyd-olygydd y gwaith er 1943. Cyfrannodd yntau eu hun fwy na chwe chant o ysgrifau i'r Bywgraffiadur. Cyflawnwyd y gwaith dan nawdd Anrhydeddus Gymdeithas y Cymmrodorion.

Hoff nofel y Cymry

dde: Islwyn Ffowc Elis.

Ym mis Rhagfyr, cyhoeddwyd *Cysgod y Cryman*, nofel fwyaf poblogaidd Islwyn Ffowc Elis, ac un a ddaeth yn ffefryn gan lawer o ddarllenwyr Cymru. Nofel gyntaf yr awdur ydoedd hon, yn portreadu'r anghydfod rhwng dwy genhedlaeth, Edward a Harri Vaughan, ynglyn â sut i redeg fferm y teulu, Lleifior.

Mab fferm wedi'i fagu yn Nyffryn Ceiriog oedd yr awdur, er ei eni yn nhref Wrecsam, ac mae'r nofel yn llawn disgrifiadau synhwyrus o gefn gwlad a'r bywyd gwledig. Roedd yr awdur eisoes wedi ennill Medal Ryddiaith yr Eisteddfod Genedlaethol yn Llanrwst yn 1951 am ei gyfrol o ysgrifau *Cyn Oeri'r Gwaed*, ac adeiladodd ar lwyddiant *Cysgod y Cryman* â nofel arall yn 1956, *Yn ôl*

i Leifior, sy'n dilyn helyntion yr un teulu ymhellach. O blith ei lyfrau eraill tebyg mai *Wythnos yng Nghymru Fydd*, a gyhoeddwyd yn 1957 gan Blaid Cymru, yw'r mwyaf adnabyddus.

'Miss Wales'

Mewn cynhadledd i'r wasg ar 23 Ionawr yng Nghaerdydd, ceisiodd Bwrdd Croeso Cymru roi taw ar awgrymiadau mai peth anweddus a di-chwaeth oedd y cynllun i ddewis merch yn 'Miss Wales' i hysbysebu Cymru. Gwadodd y Bwrdd ei fod yn efelychu cystadlaethau harddwch trefi glan-y-môr wrth chwilio am ferch o'r fath. Byddai'n rhaid i'r un a ddewisid fod yn ddeallus gyda llais swynol, a'r gallu i siarad yn gyhoeddus, yn ogystal â bod yn ddeniadol. Ymhlith ei dyletswyddau byddai croesawu ymwelwyr o dramor i'r Eisteddfod Genedlaethol, ac ymddangos yn y Wisg Gymreig. Roedd panel o gynllunwyr wedi'u penodi i ystyried 'fersiynau mwy deniadol' o'r wisg draddodiadol iddi eu gwisgo.

Dywedodd cynrychiolwyr y Bwrdd eu bod eisoes wedi derbyn cannoedd o ffotograffau oddi wrth ymgeiswyr gobeithiol ar ôl cyhoeddi'r fentr bythefnos ynghynt.

Billy Boston – yr asgellwr chwim

Ar 31 Hydref dechreuodd un o chwaraewyr ifanc mwyaf addawol rygbi Cymru ei yrfa fel un o allforion amlycaf ei wlad i gêm broffesiynol gogledd Lloegr. Dros glwb Wigan y chwaraeodd Billy Boston o Gaerdydd ei gêm rygbi tri-ar-ddeg gyntaf, a gadwodd ei ôl ar y gêm trwy sgorio cais, gan fynd yn ei flaen i sgorio dau gais yn ei ail gêm, tri yn ei drydedd, a phedwar yn ei bedwaredd. Ar sail safon ei chwarae yn ei hanner dwsin cyntaf o gemau rygbi'r gynghrair, dewiswyd ef gan ddetholwyr carfan Prydain Fawr i fynd ar daith gyda'r tîm i Awstralia a Seland Newydd. Profodd Boston ddoethineb y detholwyr trwy sgorio 36 o geisiau mewn 18 gêm yn ystod y daith.

Brodor croenddu o Butetown oedd Billy Boston, ac yn ei ddyddiau cynnar bu'n chwarae dros sawl tîm lleol, yn ogystal â thîm Ieuenctid Cymru. Ar ôl ychydig gemau dros glwb Castell-nedd, galwyd ef i'r fyddin, lle yr amlygodd ei ddoniau ar y cae wrth chwarae dros ei gatrawd, y Signalwyr Brenhinol. Sgoriodd 37 o bwyntiau yn ei gêm gyntaf dros y Signalwyr, ac yng Nghwpan y Fyddin 1953, sgoriodd chwe chais yn erbyn tîm y Gwarchodlu Cymreig i sicrhau buddugoliaeth i'w ochr ef. Nid syn felly oedd i glwb Wigan fynnu ei brynu ar ddiwedd ei gyfnod yn y fyddin.

Angen dau i lorio Billy Boston.

Yn ystod ei yrfa o ddwy flynedd ar bymtheg, sgoriodd Boston gyfanswm o 571 o geisiau. Cyrhaeddodd ei anterth yn nhymor 1958-59, pan chwaraeodd mewn 45 o gemau a sgorio 54 o geisiau. Cofir ef yn bennaf efallai am un cais arbennig yn erbyn Leeds yng Nghwpan Sialens tymor 1956-7. Roedd eisoes wedi sgorio unwaith yn y gêm, ond am ei ail gais bu'n rhaid iddo redeg bron naw deg llath ar ôl dal y bêl yn ymyl ei linell gôl ei hun, cyn ei daearu'n llwyddiannus yng nghornel y cae.

Chwaraeodd ei gêm olaf dros Wigan cyn ymddeol ar 27 Ebrill 1968, er iddo ymddangos yn achlysurol yn ddiweddarach dros glwb Blackpool Borough.

CANRIF AMRYLIW

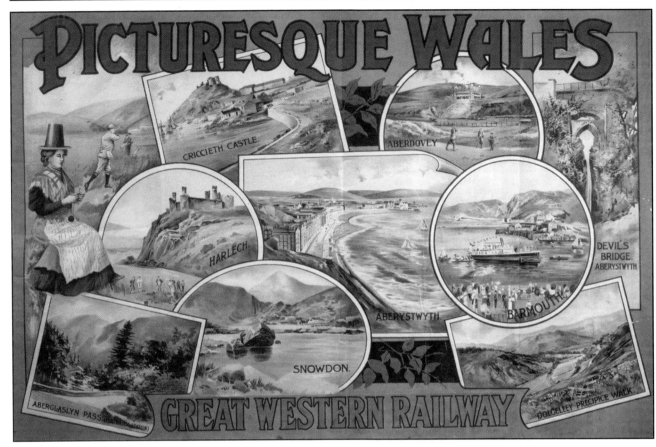

1 Ym mlynyddoedd cynnar y ganrif denwyd miloedd o ymwelwyr i Gymru gan bosteri lliwgar a bwysleisiai harddwch môr a mynydd.
2 Erbyn diwedd y ganrif, roedd angen denu twristiaid drwy sefydlu atyniadau arbennig. Yng Ngardd Fotanegol Genedlaethol Cymru ger Llanarthne, sir Gaerfyrddin, codwyd tŷ gwydr un-rhychwant mwyaf y byd.

Y GLÖWR

3 'Glowyr yn dychwelyd o'r gwaith', darlun olew gan yr arlunydd Archie Rhys Griffiths, 1931.

4 Golwg ddigri ar y glowyr ar gerdyn post.

5 Portread Cathy DeWitt o löwr o lofa'r Twr, Hirwaun. [gw.t 417]

6 Yr alwad. [gw.t 65]

RHYFEL

6

GWYLIAU

8

7

9

10

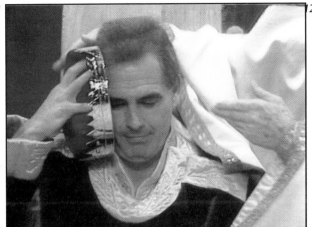

7   Hysbysebu'r Eisteddfod Genedlaethol, 1906.
8   Perfformwyr yn y Cnapan, yr ŵyl werin
    boblogaidd a sefydlwyd yn Ffostrasol,
    Ceredigion.
9   Hysbyseb ar gyfer y Pasiant Cenedlaethol a
    gynhaliwyd yn 1909. [gw.t 45]
10 Yr Archdderwydd, Dafydd Rolant a Chofiadur
    Gorsedd y Beirdd, James Nicholas, ar y maen
    llog ar ddiwrnod cyhoeddi'r Eisteddfod
    Genedlaethol, 1997.
11 Y Goron yn llithro oddi ar ben y bardd
    buddugol, Cyril Jones, yn Eisteddfod
    Genedlaethol Ceredigion, Aberystwyth, 1992.
12 Ymwelwyr tramor lliwgar yn Eisteddfod
    Ryngwladol Llangollen yn ystod y '50au.
    [gw.t 198]
13 Dawnsio gwerin yn Eisteddfod yr Urdd.
14 Y Ddawns Flodau yn ystod un o seremonïau'r
    Eisteddfod Genedlaethol.

GWLEIDYDDIAETH ¹⁵

15 Portread o Lloyd George gan Augustus John. [gw.t 73]
16 Portread Andrew Vicari o Aneurin Bevan. [gw.t 201]
17 Saunders Lewis gan y cartwnydd Tegwyn Jones. [gw.t 289]
18 Pum Ysgrifennydd Gwladol cyntaf Cymru, Peter Thomas, George Thomas, Cledwyn Hughes, John Morris a James Griffiths.

19

20

21

19 Un o brotestiadau Cymdeithas yr
    Iaith Gymraeg yn Llundain.
20-21 Eric Sunderland yn cyhoeddi'r
    canlyniad terfynol yn y
    Refferendwm ar ddatganoli, Medi
    1997... a'r dathlu wedi'r
    cyhoeddiad. [gw.t 429]

Y Sgrîn Fawr

22 Siân Phillips yn chwarae rhan Mrs Ogmore-Pritchard yn y ffilm *Under Milk Wood*, 1972. [gw.t 426]

23 Yr actor ifanc, Rhys Ifans, seren sawl ffilm yn y '90au. [gw.t 438]

24 Anthony Hopkins a Catherine Zeta Jones yn y ffilm boblogaidd *The Mask of Zorro*, 1998. [gw.t 406 a 438]

25 Morfudd Hughes, prif gymeriad y ffilm *Branwen*.

26 Huw Garmon yn chwarae rhan y bardd o Drawsfynydd yn y ffilm *Hedd Wyn* a enwebwyd am 'Oscar' yn 1994. [gw.t 418]

24

25

26

RECORDIAU

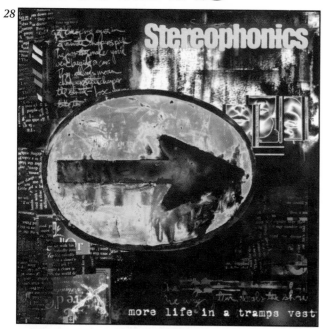

27- 31 Cloriau recordiau poblogaidd o'r '60au i'r '90au.
32 Ar gefn ei geffyl… Dai Jones, cyflwynydd y gyfres deledu boblogaidd *Cefn Gwlad*.
33 'Delyth', un o'r cymeriadau doniol a grëwyd gan Caryl Parry-Jones.
34 Casi (Sue Roderick) a Jean (Iola Gregory) yn mwynhau jin a ffag yn y Deri Arms, man cyfarfod cymeriadau'r opera sebon *Pobol y Cwm*. [gw.t 338]

32

Y Sgrîn Fach

33

34

DIDDANWYR

35 Tony ac Aloma.
36 Y canwr a'r digrifwr, Harry
   Secombe, a Ruth Madoc.
37 Shirley Bassey.
38 Tom Jones.

37

38

39

40

41

39 Meic Stevens, y canwr o Solfach, sir Benfro.
40 Aled Jones, y bachgen o Fôn â'r llais soniarus, gyda'r tenor adnabyddus, Stuart Burrows.
41 Y bardd, y canwr a'r bysgiwr, Twm Morys.
42 Dafydd Iwan. [gw.t 363]
43 Cerys Matthews, seren y grŵp Catatonia. [gw.t 435]

42

43

Ar Lwyfan

44 Cwmni Theatr Bara Caws yn perfformio
   Bargen, 1998. [gw.t 350]
45 Yr actor amryddawn, John Ogwen.
46 Dau ganwr poblogaidd, Gwyn Hughes-Jones
   a Bryn Terfel. [gw.t 397]
47 Perfformiad y Cwmni Opera Cenedlaethol
   o'r opera *Carmen*. [gw.t 193]

46

47

PLANT

48 Miloedd o blant yn mwynhau Jambori'r
Urdd yng Nghaerdydd, Mehefin 1997.
49 Un o'r darluniau yn *Llyfr Mawr y Plant* a
gyhoeddwyd yn 1931. [gw.t 135]
50 Sali Mali, y cymeriad a grëwyd gan Mary
Vaughan Jones ac a ddaeth yn
boblogaidd mewn rhaglen deledu i blant.
51 'Jeifin Jenkins' (Iestyn Garlick), un o'r
cymeriadau mwyaf dyfeisgar i
ymddangos ar raglenni teledu i blant.
52 Superted a'i gyfaill Smotyn. [gw.t 392]
53 Gwynfor Evans. [gw.t 361]
54 Yr Arglwydd Roberts o Gonwy. [gw.t 404]
55 Ffotograff Bernard Mitchell o Syr Kyffin
Williams yn ei stiwdio. [gw.t 438]

53

HYNAFGWYR

54

55

FFASIWN

56 Model yn arddangos gwisg a gynlluniwyd gan y cynllunydd ffasiwn o Ferthyr, Julien Macdonald.
57 Mary Quant, un o gynllunwyr ffasiwn mwyaf dyfeisgar y '60au, yn gwisgo sgert fini.
58 Laura Ashley, a ddaeth â thraddodiadau'r oes o'r blaen i'r byd ffasiwn modern. [gw.t 382]
59 David Emmanuel gyda'i syniadau ef am wisg genedlaethol newydd. [gw.t 368]

59

AR WIB

60

61

62

63

60 Dros y clwydi – Colin Jackson. [gw.t 414]
61 Y ddau Gymro chwim, Jamie Baulch ac Iwan
     Thomas. [gw.t 434]
62 Y pencampwr raľïo, Gwyndaf Evans, wrth y
     llyw. [gw.t 428]
63 Jonathon Jones o Landudoch, pencampwr
     rasio cychod gwib y byd.

BYD Y BÊL

64

64 Matthew Maynard, capten Clwb Criced Morgannwg, gyda chwpan Pencampwriaeth y Siroedd, 1997. [gw.t 430]

65

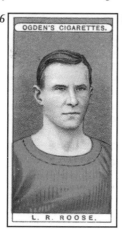

66

67

68

69

65 Wilf Wooller, y chwaraewr rygbi rhyngwladol a chapten Clwb Criced Morgannwg gynt. [gw.t 204]

66 L R Roose, y golwr rhyngwladol a gollodd ei fywyd yn y Rhyfel Byd Cyntaf.

67 Jonathan Davies, a enillodd gapiau yn y gêm rygbi broffesiynol ac amatur. [gw.t 399]

68 Ian Woosnam, a enillodd Bencampwriaeth y Meistri yn Augusta, yr Unol Daleithiau, yn 1991. [gw.t 408]

69 Bryn Jones, Merthyr, Wolves, Arsenal a Chymru, peldroediwr drutaf ei ddydd. [gw.t 164]

70 Tîm Cymru'n dathlu buddugoliaeth yn erbyn De Affrica yn Stadiwm y Mileniwm, Mehefin 1999.
[gw.t 440]

71 Scott Gibbs yn sgorio'r cais tyngedfennol yn erbyn Lloegr, Ebrill 1999. [gw.t 440]

72 Jim Sullivan gyda Chwpan Rygbi'r Gynghrair. Ar ôl gadael Cymru yn 1921, sgoriodd 6,192 o bwyntiau mewn gyrfa ddisglair gyda Wigan.

70

71

72

J. SULLIVAN

73

74

75
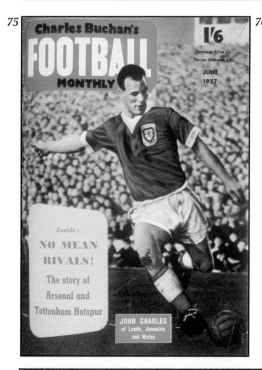

76

77

78

79

73 'Y Brenin', Barry John, yn chwarae i'r Llewod. [gw.t 328]

74 Yr asgellwr chwim, Gerald Davies.

75 John Charles ar glawr un o gylchgronau poblogaidd y '50au. [gw.t 271]

76 Fred Keenor (mewn glas) cyn y gêm fawr pan enillodd Caerdydd Gwpan Lloegr yn 1927. [gw.t 217 a 134]

77 Ivor Allchurch, seren Abertawe, Newcastle United, Caerdydd a Chymru.

78 Carfan Cymru a fu bron ag ennill lle yn rowndiau terfynol Cwpan y Byd, 1994. Yn y garfan yr oedd rhai o brif sêr y cyfnod, Ryan Giggs, Mark Hughes, Ian Rush, Neville Southall a Dean Saunders. [gw.t 416]

79 Ryan Giggs (ar y dde) yn gwisgo lliwiau Cymru. [gw.t 407]

80 Pont Hafren, y cysylltiad newydd â Lloegr a agorwyd yn 1996. [gw.t 427]

CROESI I LOEGR

80

YMWELWYR

81 Yr Ymerawdwr Akihito o Siapan ar
    ymweliad â Chaerdydd yn 1998.
    [gw.t 436]
82 Y tenor enwog, Luciano Pavarotti, yn
    canu mewn cyngerdd yng Nghymru
    yn 1997. [gw.t 262]
83 Diana, Tywysoges Cymru, yn cael ei
    chyflwyno i dîm rygbi Cymru yn
    1991. [gw.t 430]
84 Nelson Mandela, gyda ffrind o
    Gymru, ar ei ymweliad â Chaerdydd
    yn 1998. [gw.t 436]

84

CYMERIADAU

85 'Brenin y Gelli', y llyfrwerthwr, Richard Booth.
86 Y Parchedig Bill Parry, neu 'Dian', gyda'i wraig, Anita. [gw.t 319]
87 'Ia!' – yr actor o Fôn, Charles Williams.

88

89

90

88 'Ble mae defaid William Morgan?' – Hogiau Llandegai.
[gw.t 272]
89 *El Bandito* – y reslwr, Orig Williams.
90 'Hyfryd iawn!' – y digrifwr, Eirwyn Pontshân. [gw.t 435]

Y Dyfodol

91 Y cynllun ar gyfer y Cynulliad Cenedlaethol newydd. [gw.t 435]

1954

9 Ebrill

Ataliwyd y defnydd o'r awyren jet *Comet* ar ôl y diweddaraf mewn cyfres o ddamweiniau.

12 Ebrill

Cyhoeddwyd y record '*We're Gonna Rock Around the Clock*' gan Bill Haley a'r Comets gan agor tudalen newydd yn hanes canu poblogaidd.

26 Ebrill

Yn yr Unol Daleithiau, defnyddiwyd brechiad yn erbyn polio am y tro cyntaf.

6 Mai

Yn Rhydychen, rhedodd yr athletwr Roger Bannister filltir mewn llai na phedair munud, y cyntaf i gyflawni'r gamp.

8 Mai

Syrthiodd dinas Diem Bien Phu yn Indotsieina i ddwylo'r Comiwnyddion, arwydd o ddiwedd ymerodraeth Ffrainc yn y Dwyrain Pell.

17 Mai

Yn yr Unol Daleithiau, gwaharddwyd arwahaniad ar sail hil mewn ysgolion cyhoeddus.

3 Gorffennaf

Daeth dogni i ben ym Mhrydain a llosgodd rhai eu llyfrau dogni yn gyhoeddus.

19 Hydref

Arwyddwyd cytundeb rhwng Prydain a'r Aifft a oedd yn datgan mai eiddo'r Aifft oedd Camlas Suez.

Melltith y cwningod yn fendith i ffermwyr

Cwningen wedi'i tharo gan ddallineb mycsomatosis.

Ym mis Mai cafwyd adroddiadau bod yr arwyddion cyntaf yng Nghymru o'r haint cwningod mycsomatosis wedi'u canfod yn sir Faesyfed. Erbyn mis Awst, roedd yr haint wedi lledu i sir Drefaldwyn, gydag achosion yn Llanbrynmair, Aberhosan, a Phen-y-bont. Mewn un man, dywedwyd bod cannoedd o gwningod sâl neu farw dros y ffordd i gyd. Erbyn diwedd y flwyddyn roedd wedi cyrraedd siroedd y gorllewin, gan gynnwys y cyfan o siroedd Penfro, Caerfyrddin, a Cheredigion, a rhai rhannau o Lŷn. O wledydd Prydain i gyd roedd y boblogaeth gwningod yn arbennig o uchel yng Nghymru, yn enwedig yn y gorllewin, a lledodd yr haint yn eang iawn trwy'r ardaloedd hyn.

Cyrhaeddodd y feirws mycsomatosis Loegr o Ffrainc yn Awst 1953, ar ôl lladd miliynau o gwningod yno. Byddai'n taro'r llygaid yn bennaf oll, gan achosi dallineb llwyr, er bod chwyddiadau poenus i'w cael hefyd ar rannau eraill o'r corff. Er cased clefyd oedd mycsomatosis, roedd hefyd yn fendith i lawer ffermwr a welsai cwningod yn difa ei gnydau yn y gorffennol. Anogwyd ffermwyr yr ardal gan W.E. Evans, un o swyddogion amaeth Cyngor Sir Drefaldwyn, i fynd ati i ladd y cwningod a oroesodd y pla, a mynegodd ei bryder y byddai rhai ohonynt yn datblygu'r gallu i wrthsefyll yr haint ac felly dechrau epilio fel cynt.

Dinistriodd yr haint 99% o gwningod gwyllt y wlad, ac adroddwyd bod rhai ardaloedd, fel Morgannnwg, Ceredigion a Llŷn, fwy neu lai'n gwbl glir ohonynt. Yn *Y Cymro* ar 27 Hydref meddai'r gohebydd amaeth R.F. Watkins, 'Gellir tybio bod ffermwyr sir Fôn yn gyfoethocach eleni o filoedd o bunnoedd oherwydd darfod o'r cwningod yno'.

Datgladdu'r Bere

Adfer muriau Castell y Bere.

Ym mis Mai dangoswyd i'r byd beth o ffrwyth llafur William Davies, Caradog Jones a John Edwards, y tri dyn a oedd yn ymdrechu i ddadorchuddio un o gestyll hen dywysogion Cymru ym Meirionnydd.

Sefydlwyd Castell y Bere gan Lywelyn ab Iorwerth yn 1221, ar ben craig uchel wrth odre Cadair Idris. Bu'n un o gaerau ei ŵyr Llywelyn ap Gruffudd, y Llyw Olaf, ac yn 1283, wedi cwymp Llywelyn, ac o dan arweiniad Dafydd ei frawd, bu'n un o gadarnleoedd olaf y Cymry yn erbyn brenin Lloegr, Edward I.

Yn 1951 ymgymrodd swyddogion y llywodraeth â'r gwaith o ddatgladdu'r hen gastell Cymreig ac adfer rywfaint ar ei furiau. Dair blynedd yn ddiweddarach roedd canlyniadau'r gwaith cloddio i'w gweld. Ymhlith y pethau diddorol a ddaeth i'r amlwg yr oedd gweddillion anifeiliaid a oedd wedi hen ddarfod o dir Cymru, gan gynnwys dannedd baedd gwyllt ac asgwrn gên arth. Cafwyd hefyd hen lestri a sandalau, darnau arian, a phedolau'r mulod a fu'n cludo'r cerrig i addurno'r castell, o gychod a laniodd yn ymyl Graig y Deryn.

Y gêm olaf

Er mawr siom i gefnogwyr rygbi yng ngorllewin Cymru, daeth 70 mlynedd o hanes i ben wrth i dîm Cymru chwarae eu gêm ryngwladol olaf ar faes Sain Helen, Abertawe.

Roedd y penderfyniad i chwarae'r holl gemau rhyngwladol yng Nghaerdydd o hyn allan yn ganlyniad i gwynion parhaus am ddiffygion Sain Helen, ac am y drafferth a gâi cefnogwyr, cyn dyddiau traffordd yr M4, i gyrraedd Abertawe o'r dwyrain. Ar ben hyn, haerwyd bod saith mil o docynnau ffug wedi chwyddo'r dorf gan achosi anhrefn yn y gêm yn erbyn Ffrainc yn Abertawe yn 1947.

O leiaf enillwyd y gêm olaf yn Abertawe ar 10 Ebrill yn erbyn yr Alban, gyda'r maswr o Drebanog, Cliff Morgan, yn sgorio un o'r pedwar cais a sgoriwyd gan Gymru.

Tydi a roddaist

Yn Ystradgynlais ar ddechrau mis Awst, am y tro cyntaf erioed yn hanes yr Eisteddfod Genedlaethol, perfformiwyd opera yn ei gyfanrwydd ar ei llwyfan. Yr opera oedd *Menna* gan Arwel Hughes, a pherfformiwyd ef gan Aelodau o'r Cwmni Opera Cenedlaethol, yn cynnwys Edgar Evans ac Elsie Morison. Roedd chwe mil o bobl yn y pafiliwn yn gwylio a gwrando, ac er i'r glaw trwm a ddisgynnai ar y to amharu ychydig ar y perfformiad, rhoddwyd canmoliaeth uchel iddo gan feirniaid y wasg.

Roedd yn arwyddocaol mai gwaith Arwel Hughes a berfformiwyd, gan ei fod ymhlith y ffigurau amlycaf a mwyaf dylanwadol ym myd cerdd yng Nghymru yn ystod y ganrif. Yr olaf o ddeg o blant mewn teulu o lowyr o Rosllannerchrugog, cafodd yrfa ddisglair gyda'r BBC, a dod yn bennaeth cerdd y gorfforaeth rhwng 1965 a 1972. Cyfansoddodd nifer o emyn-donau poblogaidd gan gynnwys *Tydi a Roddaist*, hoff ddewis llawer o gorau cymysg a chorau meibion Cymru.

Datgelu gorffennol Rhufeinig Gwent

Ym mis Mehefin, dechreuodd prosiect ugain mlynedd i gloddio ar safle hen drigfannau'r sifiliaid, y *vicus*, yn ymyl caer Rufeinig Caerllion ar Wysg, Gwent. Cafwyd olion tref Rufeinig gyfan rhwng pentref modern Caerllion ac Afon Wysg. Byddai'r dref hon wedi bod yn gartref i deuluoedd milwyr Rhufeinig y gwersyll gerllaw, a hefyd i lu amrywiol o fasnachwyr a chrefftwyr a oedd yn gwasanaethu byddin Rhufain yn ne-ddwyrain Cymru. Cyn diwedd y flwyddyn roedd archeolegwyr wedi canfod olion chwe siop, ac yn 1955 datguddiwyd adeilad mawr hirsgwar 90 troedfedd wrth 100 troedfedd o'r ail ganrif O.C.

Roedd adeilad mwyaf nodedig Caerllion, yr amffitheatr hirgrwn, wedi ei ddatgladdu yn 1926-27 gan Mortimer Wheeler o dan nawdd y *Daily Mail*. Cyfrifwyd y gallai hyd at 6,000 o bobl fod wedi eistedd yn yr amffitheatr, i wylio gornestau gwaedlyd rhwng gladiatoriaid ac anifeiliaid rheibus. Rhwng 1927 a 1929 darganfu Dr. V.E. Nash-Williams bedwar o dai barics y llengfilwyr yng Nghae'r Prysg, ynghyd â'u poptai, a'u tai bach. Bu Nash-Williams yn gyfarwyddwr ar y gwaith cloddio yng Nghaerllion hyd 1955.

Pwy sydd am fod ar y teledu?

Bu cyffro mawr yn nhref Cas-gwent am dridiau ym mis Mawrth, a hynny oherwydd gŵr yn ei alw ei hun yn 'Alan Davis', a honnai ei fod yn gyfarwyddwr teledu gyda'r *BBC*.

Llwyddodd 'Davis' i argyhoeddi nifer mawr o bobl ei fod ar fin dechrau ffilmio rhaglen arbennig ar Gas-gwent fel rhan o gyfres deledu newydd o'r enw *Historic Places of Britain*. Aeth trwy'r dref yn ymweld â lleoedd o ddiddordeb hanesyddol a threfnu i gyfweld gwahanol bobl. Ymhlith y rhai a gytunodd i ymddangos o flaen y camerâu roedd ficer y dref, clerc yr ynadon lleol, dau ŵr busnes, milfeddyg a hanesydd.

Dechreuodd perchennog garej leol ei ddrwgdybio pan ddaliodd 'Davis' yn esgus defnyddio'r teleffon er nad oedd neb ar ben arall y lein. Galwyd ef i swyddfa'r heddlu i gael ei holi a gadawodd Gas-gwent yn fuan wedyn, gan adael nifer o drefwyr siomedig yn ei sgil wedi iddynt sylweddoli mai twyll oedd y cynnig i ymddangos ar y sgrîn fach.

Gŵyl Ddrama Genedlaethol

Dros dridiau ar ddiwedd mis Medi cynhaliwyd Gŵyl Ddrama Genedlaethol gyntaf Cymru yn Neuadd y Dref, Llangefni, Ynys Môn. Methodd cannoedd o bobl â chael tocynnau, cymaint oedd y diddordeb yn yr Ŵyl ymhlith trigolion yr ynys. Gwelodd y deunaw cant ffodus a lwyddodd i gael seddi wledd o ddramâu gan Gwmni'r Gogledd, Cwmni Môn a Chwaraeyddion Cyngor Celfyddydau De Cymru. Ymhlith yr actorion roedd Siân Phillips, Glanffrwd James, Ieuan Rhys Williams a Nesta Harris.

Galwodd William Jones, Clerc Cyngor Sir Fôn, a lywyddai'r Ŵyl, ar y sir i sefydlu canolfan sefydlog i'r ddrama Gymraeg, gan ofyn y cwestiwn, 'Pam na allwn godi adeilad yn Môn a fyddai'n fagwrfa i feithrin a chodi actorion i'r ddrama Gymraeg?'

Dros y gaeaf canlynol, gyda chefnogaeth Cyngor Celfyddydau Prydain Fawr, aed ati i addasu hen stablau Plas Pencraig, ac yn 1959 agorwyd Theatr Fach Llangefni am y tro cyntaf. Yr un a oedd bennaf gyfrifol am y datblygiad oedd George Fisher, athro mathemateg yn Ysgol Ramadeg Llangefni, a fu'n gefn i'r Theatr Fach hyd at ei farwolaeth yn 1970.

Y Sul Cymreig

Ar 3 Hydref dechreuwyd cyhoeddi'r *Empire News*, y papur Sul cyntaf i'w gyhoeddi a'i argraffu yng Nghymru.

Cyflwynwyd y papur i'r genedl fel un 'Wedi'i Argaffu yng Nghymru ar Gyfer Cymru', gyda nifer o gyfranwyr adnabyddus fel Jack Jones, Saunders Lewis, James Griffiths, Megan Lloyd George, a Gwynfor Evans. Daeth yn nodedig hefyd am ansawdd ei erthyglau ar ffilm a theledu, a chafodd gryn sylw drwy Brydain i gyd yn 1956-7 pan gyhoeddwyd ynddo rannau o hunangofiant y pêl-droediwr Trevor Ford, a gynhwysai honiadau difrifol am lygredigaeth yn y gêm. Parhaodd yr *Empire News* hyd 1959, pan brynwyd ef a'i gau gan y *News of the World*. Bu rhywfaint o wrthwynebiad i gael papur Sul Cymreig gan Sabothwyr y wlad, ond yn y diwedd problemau costau yn hytrach na gwrthwynebiad y capeli a laddodd yr *Empire News*.

Y Tenor o Drelogan

Eilun i werin y wlad: David Lloyd.

Daeth anffawd greulon i ran y tenor enwog David Lloyd ym mis Mehefin pan syrthiodd a thorri asgwrn ei gefn mewn tri lle wrth ymarfer ar gyfer rhaglen deledu i'r BBC yn y Rhyl. Am chwe blynedd wedyn methodd â pherfformio ar lwyfan, a methiant hefyd fu ei gais am iawndal gan y BBC. Yn 1961, trefnwyd cyngerdd deyrnged a chyflwynwyd tysteb anrhydeddus iddo, ond er iddo ddychwelyd i'r llwyfan yn ddiweddarach, bu farw'n 56 mlwydd oed yn 1969.

Mab i lôwr o Drelogan, sir Fflint, oedd David Lloyd. Prentisiwyd ef yn saer coed wedi iddo adael yr ysgol yn 14 oed, ond yn 1933 enillodd ysgoloriaeth i Ysgol Gerdd y Guildhall yn Llundain, ac erbyn diwedd y '30au perfformiai ar lwyfan opera rhyngwladol Glyndebourne. Gwahoddwyd ef i ganu ar lwyfannau opera enwocaf y byd, gan gynnwys La Scala, Milan a Thŷ Opera'r Metropolitan, Efrog Newydd, ond torrwyd ar draws ei yrfa operatig gan yr Ail Ryfel Byd.

Tra'n gwasanaethu gyda'r Gwarchodlu Cymreig, manteisiodd ar bob cyfle i ganu ar lwyfannau Cymru, ac o hynny allan daeth ei lais swynol yn gyfarwydd i wrandawyr radio a chynulleidfaoedd hyd a lled y wlad a thu draw i Glawdd Offa. Daeth yn eilun i werin y wlad a phrynwyd ei recordiau o emyndonau a chaneuon traddodiadol fesul miloedd.

Cornelu'r Cadno

Ronnie Cadno

Roedd tyrfa o ddau gant o bobl wrth byrth carchar Abertawe ar 28 Ebrill, ac ar y rheilffordd gerllaw oedodd injan drên i'r criw gael sbecian ar yr olygfa, wrth i un o lofruddion enwocaf Cymru gamu ar y crocbren. Crogwyd Ronnie Harries, mab Fferm Cadno, a'i gladdu o fewn muriau'r carchar, wedi i'r Brawdlys ei gael yn euog o ladd dau aelod o'i deulu ei hun.

Brawychwyd de-orllewin Cymru ym mis Hydref 1953 gan ddiflaniad gŵr a gwraig fferm ddi-nod o Langynnin, ger Pentywyn, sir Gaerfyrddin, a chan y darganfyddiad a ddaeth yn ei sgil – darganfyddiad a roddodd Bentywyn ar dudalen blaen y *News of the World*.

Pan ddiflannodd John a Phoebe Harries ar 16 Hydref, un dyn a ddrwgdybiwyd ar unwaith oedd eu nai, Ronnie Harries, ond ni ellid profi dim yn ei erbyn. Honnodd ei fod wedi hebrwng ei ewythr a'i fodryb i orsaf Caerfyrddin i ddal y trên i Lundain. Pur amheus yr oedd llawer o'r datganiad hwn, gan nad oedd y pâr erioed wedi teithio ymhell o'u milltir sgwâr, heb sôn am gymryd gwyliau yn Llundain. Mwy amheus fyth ydoedd yr heddlu pan gafwyd darn o gig parod i'w goginio yn ffwrn cartref y ddau, arwydd glir nad oeddynt yn bwriadu mynd i ffwrdd o gwbl, ond yn paratoi i fwrw'r Sul gartref.

Bu chwilio mawr am y pâr, a dangoswyd posteri led-led y wlad yn holi am unrhyw wybodaeth amdanynt gan y cyhoedd. Arweiniwyd yr ymchwiliad i'w diflaniad gan y Ditectif Uwch-Arolygydd John Capstick, un o dditectifs enwocaf Scotland Yard. Chwiliodd plismyn erwau lawer o dir gyda chymorth llu o bobl leol, a phwmpiwyd y dŵr o dair hen chwarel rhag ofn bod y ddau wedi boddi yno. Fis wedi i'r ddau ddiflannu cafwyd eu cyrff o'r diwedd mewn cae ar Fferm Cadno, cartref Ronnie Harries. Er mai'r Llundeiniwr Capstick a gafodd y clod, heddwas lleol a fu'n wir gyfrifol am gael hyd iddynt. Roedd y Rhingyll Phillips o Landeilo wedi clywed sôn fod Ronnie Harries yn cloddio ffynnon noson y diflaniad, ac wrth ymweld â Fferm Cadno sylwodd ar ran o lain fresych lle roedd y tyfiant yn fwy llipa na'r planhigion o gwmpas. Pan gloddiwyd y tir, gwelwyd bod y bresych wedi'u tynnu a'u hailosod yn y pridd – pridd a guddiai gyrff marw John a Phoebe Harries. Tystiodd patholegydd eu bod wedi'u lladd gan ergydion i gefn eu pennau ag erfyn llyfn.

Restiwyd Harries yn syth a'i ddwyn i garchar Abertawe, lle cadwyd ef tan 8 Mawrth, pan ddaeth i sefyll ei brawf ym Mrawdlys Caerfyrddin. Cymaint oedd y diddordeb yn yr achos nes i dyrfa o ddwy fil o bobl ymgasglu yn sgwâr y dref, gan obeithio cael cip ar y dyn cyhuddieig.

Ymhlith y dystiolaeth ddamniol yn ei erbyn roedd siec y ceisiodd Ronnie Harries godi ar gownt Phoebe a John Harries wythnos wedi iddynt ddiflannu. Siec gan John Harries am £9 ydoedd, ond roedd y ffigur wedi ei newid i £909. Gofynnodd Harries i'r banc roi £400 yn ei gownt ef a £509 yng nghownt ei rieni, ond canfuwyd y twyll yn syth. Er iddo geisio achub ei groen trwy fwrw amheuaeth ar eraill, cafodd y rheithgor ef yn euog ac fe'i dedfrydwyd i farw.

Fflint ar y brig

dde: Trevor Ford o Gaerdydd yn ceisio mynd heibio amddiffynwyr Fflint.

Am yr unig dro yn ei holl hanes, enillodd clwb pêl droed Tref y Fflint Gwpan Cymru, dan arweiniad y capten, Billy Hughes, o Gaerfyrddin, cyn-aelod o dîm rhyngwladol Cymru.

Wedi trechu Croesoswallt, wynebodd Fflint ddeiliaid y Cwpan, sef y Rhyl. Yng nghanol gaeaf y chwaraewyd y gêm, a bu'n rhaid i gefnogwyr y tîm cartref glirio'r eira oddi ar y maes cyn gellid dechrau ar y chwarae. Curodd hogiau'r Fflint eu cyd-ogleddwyr o ddwy gôl a sgoriwyd gan y gweithiwr dur, Billy Davies. Gôl gan Davies hefyd a ddaeth â'r Fflint yn gyfartal yn eu gêm nesaf yn rownd yr wyth olaf yn erbyn Llanelli, cyn i Paddy Whelan sicrhau'r fuddugoliaeth. Caerdydd oedd eu gwrthwynebwyr yn y rownd gyn-derfynol, gyda thîm yn cynnwys tri chwaraewr rhyngwladol yn erbyn amaturiaid Fflint. Gyda Billy Hughes yn amddiffyn yn gampus, cafwyd buddugoliaeth i'r gogleddwyr o ddwy gôl i un, gan gynnwys un gan Billy Davies. Yr un oedd y sgôr ar y Cae Ras, yn y rownd derfynol ar Ddydd Gŵyl Ddewi, pan gipiodd Fflint y Cwpan drwy guro Caer.

1955

Gwrthryfel y ffermwyr bychain

5 Ebrill

Ym Mhrydain, daeth Anthony Eden yn Brif Weinidog pan ymddiswyddodd Winston Churchill oherwydd afiechyd.

18 Ebrill

Bu farw'r gwyddonydd arloesol Albert Einstein.

14 Mai

Arwyddwyd Cytundeb Warsaw gan wledydd comiwnyddol dwyrain Ewrop er mwyn dangos undod yn erbyn gwledydd y Gorllewin.

11 Mehefin

Yn Ffrainc, lladdwyd 86 o bobl mewn damwain yn ystod ras 24-awr Le Mans.

13 Gorffennaf

Dienyddiwyd Ruth Ellis, y wraig olaf i'w chrogi ym Mhrydain.

18 Gorffennaf

Agorwyd y *Disneyland* cyntaf yng Nghaliffornia.

22 Medi

Ym Mhrydain darlledwyd rhaglenni cyntaf ITV, y gwasanaeth teledu annibynnol.

30 Medi

Lladdwyd yr actor 24 mlwydd oed James Dean mewn damwain car yn Los Angeles.

28 Tachwedd

Cyhoeddwyd stad o argyfwng yng Nghyprus wrth i derfysgwyr EOKA, a ymgyrchai o blaid uno'r ynys â Gwlad Groeg, barhau i ladd milwyr Prydeinig.

14 Rhagfyr

Ym Mhrydain etholwyd Hugh Gaitskell yn arweinydd y Blaid Lafur.

Aelodau Undeb Amaethwyr Cymru yn cwrdd yn Aberaeron.

'Dewis troedio llwybr gwag', dyna oedd disgrifiad J.D Evans, Llywydd Undeb Cenedlaethol yr Amaethwyr (NFU) o'r rhai a oedd wedi ymuno â'r mudiad newydd, Undeb Amaethwyr Cymru (UAC). Mewn cyfarfod yng Nghaerfyrddin ar 3 Rhagfyr, sefydlwyd Undeb Amaethwyr Cymru gan griw bach o ffermwyr gorllewin Cymru, am nad oeddynt yn teimlo bod ffermydd bychain yn cael chwarae teg gan yr NFU. Bu anfodlonrwydd ymhlith sawl un ers tro nad oedd gan bencadlys yr NFU ddigon o ddiddordeb ym materion Cymru, ac na châi cynrychiolwyr y wlad ddigon o lais ym musnes yr undeb.

Roedd Pwyllgor Gwaith Sirol Caerfyrddin yr NFU wedi ymgynnull am un o'i gyfarfodydd rheolaidd pan gyhoeddodd y Cadeirydd Ivor T. Davies ei fod am ymddiswyddo, a gwahodd yr aelodau i aros ar ddiwedd y cyfarfod i ffurfio undeb newydd i ffermwyr Cymru. Deuddeg yn unig a arhosodd.

Penodwyd J.B. Evans yn Ysgrifennydd Cyffredinol y mudiad newydd, ac ar ei ysgwyddau ef y rhoddwyd llawer o'r cyfrifoldeb am sicrhau dyfodol i'r undeb bach. Go lugoer ar y gorau oedd ymateb siroedd eraill Cymru i'r penderfyniad yn sir Gaerfyrddin. Lleisiodd nifer o Gadeiryddion sirol yr NFU eu barn mai camgymeriad oedd y weithred, a chyhuddwyd yr undeb newydd o frad gan Gadeirydd NFU Ceredigion, Bryn Richards. Cafodd y ffermwyr a ymneilltuodd y llysenw '*Mau Mau* Cymru' gan rai, ar ôl y mudiad treisgar a oedd yn peri anhrefn yn Kenya ar y pryd. '*We'll smash you in three months*' oedd sylw E. Verley Merchant, Ysgrifennydd Cymreig yr NFU, wrth aelodau'r undeb newydd. Mynegodd y *Carmarthen Journal* amheuon sawl un na allai corff bach fel Undeb Amaethwyr Cymru gyflawni dim na allai cyrff mwy eu maint ei wneud yn well – 'Gorau po gyntaf y gall yr NFU gau bylchau yn ei rhengoedd

(Drosodd)

Gwrthryfel y ffermwyr bychain

(o'r tudalen cynt)

er lles y diwydiant a'r genedl,' oedd sylw'r papur.

Wrth i bethau fynd rhagddynt, gwelwyd y sefyllfa'n chwerwi dipyn, gyda chymunedau a theuluoedd yn cael eu rhwygo gan wahaniaeth barn ynghylch pa un o'r ddau undeb oedd y gorau i amaethwyr Cymru. Dros y blynyddoedd cododd nifer o anghydfodau rhwng y ddau gorff ynglŷn â'r ffordd orau i weithio dros fuddiannau ffermwyr, ac er bod pwyso wedi bod i uno'r ddau undeb i ddarparu un llais cryf dros ffermwyr y wlad, methiant fu pob ymgais i ddod â'r ddwy ochr ynghyd.

Daeth yr hwb mwyaf i Undeb Amaethwyr Cymru ar 23 Mawrth 1978 pan gyhoeddodd y Gweinidog Amaeth ar y pryd, John Silkin, y byddai'r llywodraeth bellach yn cydnabod UAC yn swyddogol fel un o'r cyrff a gynrychiolai ffermwyr Cymru, ac y byddai Ysgrifennydd Gwladol Cymru yn ymgynghori ag UAC ynglŷn ag amaeth y wlad ac 'ar bob mater perthnasol arall y dymuna'r Undeb dynnu ei sylw ato.' Y penderfyniad hwn yn anad dim a sefydlodd UAC yn rhan o drefn amaeth fel corff na ellid fforddio ei anwybyddu, a chafodd groeso mawr gan y rhai a greodd yr undeb un ar hugain o flynyddoedd ynghynt.

Dim croeso i'r croenddu

Cafwyd cwyn gan rai o fyfyrwyr Coleg y Brifysgol, Caerdydd, ym mis Chwefror fod landlordiaid y ddinas yn gwrthod cynnig llety i fyfyrwyr croenddu. Roedd tua 70 o fyfyrwyr o'r fath yng Nghaerdydd ar y pryd, y rhan fwyaf o wledydd gorllewin Affrica. Cyflwynodd dau aelod o Gymdeithas Sosialaidd y Coleg, Brian Watkins a J. Hywel Jones, gynnig gerbron Undeb y Myfyrwyr ar 3 Chwefror, yn galw ar awdurdodau'r Coleg i ddileu oddi ar y rhestr o lety cymeradwy unrhyw un a oedd wedi gwrthod tenantiaid ar sail lliw eu croen.

Ar 13 Chwefror, y tu allan i neuadd ddawnsio yn y ddinas gyda'r nos, cynhaliodd 150 o fyfyrwyr y Coleg brotest ar ran tri aelod croenddu o Lu Awyr America a gafodd eu troi ymaith o'r neuadd y noson cynt. Dywedodd perchennog y neuadd ei fod wedi gwrthod mynediad i'r tri am nad oedd yn arfer ganddo ganiatáu i bobl groenddu ddod i mewn heb eu partneriaid.

Pavarotti'r Eisteddfotwr

Y Pavarotti ifanc (ar law dde'r arweinydd).

Un go arwyddocaol oedd ymweliad cyntaf y canwr opera Luciano Pavarotti â Chymru, pan ddaeth i Eisteddfod Gydwladol Llangollen ym mis Gorffennaf. Heb ennill eto'r enwogrwydd byd-eang a ddôi i'w ran yn ddiweddarach, daeth yr Eidalwr i'r ŵyl fel aelod o gôr, ac yng nghwmni ei dad, Fernanando Pavarotti. Criw o weithwyr ffatri geir, clercod a myfyrwyr oedd Cymdeithas Gorawl T.G. Rossini, o Modena yng ngogledd yr Eidal, ac ni synnodd neb yn fwy na hwy eu hunain pan ddyfarnwyd hwy'n gyntaf yng nghystadleuaeth y corau meibion yn Llangollen. Llewygodd yr arweinydd, Livio Borri, a bu aelodau'r côr yn wylo ac yn cusanu ei gilydd, gan gymaint oedd eu gorfoledd. Gyda thri aelod arall o'r côr, bu Pavarotti yn aros dros wythnos yr ŵyl gyda theulu lleol. Disgrifiodd wedyn ei benbleth yr wythnos honno, ac yntau wedi bod yn ymarfer ei Saesneg ar y daith o'r Eidal, pan sylweddolodd mai gyda theulu o Gymry Cymraeg yr oedd yn lletya. '*I understand not a word*,' meddai'n ddryslyd.   *[LLIW 81]*

Dathlu a siom wrth ddewis prifddinas

Ar 20 Rhagfyr, cadarnhaodd yr Ysgrifennydd Cartref, Gwilym Lloyd George, mai Caerdydd a ddewiswyd yn brifddinas Cymru. Ym mis Mai 1954 roedd 134 o 161 o awdurdodau lleol Cymru wedi pleidleisio dros Gaerdydd mewn balot i ddewis y brifddinas. Cododd yr Arglwydd-Faer Frank Chapman o'i wely cystudd i arwain y dathliadau dinesig, a darllenwyd telegramau o bob rhan o Gymru a'r tu hwnt yn llongyfarch Caerdydd a'i phobl.

Er bod dathlu mawr yng Nghaerdydd, roedd y penderfyniad yn gryn siom i drefi Abertawe, Aberystwyth, a Chaernarfon. Bu'r tair tref hyn yn cystadlu'n frwd am deitl prifddinas Cymru, ond ni fu'n debygol o gwbl mewn gwirionedd na ddewisid Caerdydd. Dywedodd Maer Aberystwyth, W.G. Rowlands, fod y dref honno wedi seilio ei hawl i statws prifddinas ar ei safle daearyddol yng nghanol y wlad, a mynnodd Goronwy Roberts, Aelod Seneddol Caernarfon, mai tref y Cofis fyddai prifddinas seremonïol Cymru o hyd. Mae'n debyg bod awdurdodau Caerdydd ac Abertawe wedi cyrraedd rhyw fath o gytundeb, sef i Abertawe gefnogi cais Caerdydd i fod yn brifddinas os ceid cefnogaeth Caerdydd i roi statws dinas i Abertawe yn nes ymlaen. Mynegodd Maer Abertawe, Percy Morris A.S., ei obaith y gallai sefyllfa'r ddwy dref fod yn debyg i un Washington D.C ac Efrog Newydd yn Unol Daleithiau America, lle roedd y naill yn ganolbwynt llywodraeth y wlad a'r llall yn ganolbwynt i ddiwydiannau a phoblogaeth.

Trysorfa Cenedl

isod: Y Frenhines gyda swyddogion y Llyfrgell Genedlaethol ar risiau'r Llyfrgell.

Ym mis Awst agorwyd yn swyddogol adeilad gorffenedig Llyfrgell Genedlaethol Cymru gan y Frenhines Elisabeth II, dros ddeugain mlynedd wedi i'r Brenin Siôr V a'r Frenhines Mari osod meini sylfaen yr adeilad yn 1911.

Sidney Kyffin Greenslade oedd pensaer yr adeilad neo-glasurol trawiadol o garreg Portland a gwenithfaen Cernywaidd a godwyd ar lethrau Penglais, uwchlaw tref Aberystwyth. Rhwng 1911 a 1916 adeiladwyd yr ystafelloedd darllen a'r neuadd arddangos (Oriel Gregynog) ac wedi hynny y stac lyfrau gyntaf a'r bloc gweinyddol. Cwblhawyd y cynllun ym mlynyddoedd cynnar y '50au.

Erbyn yr agoriad, roedd y Llyfrgell eisoes wedi'i sefydlu fel prif ganolfan ymchwil i ffynonellau ar hanes, llenyddiaeth a bywyd Cymru. Yn ogystal â'r llif o gyhoeddiadau cyfredol a ddôi drwy'r Ddeddf Hawlfraint, casglwyd hefyd lyfrau o ddiddordeb Celtaidd a rhai o wledydd tramor. Daeth hefyd yn gartref i'r casgliad cenedlaethol o lawysgrifau Cymraeg a Chymreig, gan gynnwys Llyfr Du Caerfyrddin a Llyfr Gwyn Rhydderch,

archifau cyrff megis yr Hen Gorff a'r Eglwys yng Nghymru, a phapurau unigolion blaenllaw. Casglwyd hefyd fapiau, printiau, portreadau, tirluniau a ffotograffau ac, yn ddiweddarach, deunydd clyweledol.

Tyrrodd miloedd i Aberystwyth i weld y Frenhines a oedd ar ei hymweliad cyntaf â gorllewin Cymru ar ôl ei choroni yn 1953.

Gwarchodfa Cwm Idwal

Yng Nghwm Idwal, Eryri, agorwyd gwarchodfa natur gyntaf Cymru. Dyffryn wedi'i gerfio gan afonydd iâ ddeng mil o flynyddoedd yn ôl oedd Cwm Idwal, yng nghysgod mynyddoedd y Glyder Fawr a'r Garn. Roedd y lle'n gartref i nifer o flodau gwyllt prin, fel Lili'r Wyddfa, a hefyd i amrywiaeth o adar, a geifr gwylltion.

Gwnewch bopeth yn Gymraeg

Codi to newydd o wyddonwyr, meddygon, cyfreithwyr ac economegwyr Cymraeg eu hiaith, dyna oedd nod pwyllgor arbennig Llys Prifysgol Cymru, a gyhoeddodd ei adroddiad ym mis Rhagfyr.

Crëwyd y pwyllgor bedair blynedd ynghynt i drafod posibilrwydd sefydlu coleg hollol Gymraeg ei iaith. Gwrthodwyd y cais am greu 'Coleg Cymraeg' ar wahân, ond galwodd y pwyllgor am gymryd camau pendant iawn i wella safle'r iaith. Yn ôl yr adroddiad, dylai colegau'r Brifysgol benodi darlithwyr dwyieithog ble bynnag roedd hynny'n bosibl, a dylid hefyd benodi athrawon arbennig i'r adrannau addysg i baratoi mwy o ddarpar-athrawon i ddysgu eu pynciau trwy'r Gymraeg. Galwyd hefyd ar y Brifysgol i gyd-weithio â Chyd-Bwyllgor Addysg Cymru i sicrhau bod gwerslyfrau Cymraeg ar gyfer pob pwnc ar gael yn yr ysgolion gramadeg. Roedd angen hybu'r Gymraeg fel cyfrwng trafod pob pwnc dan haul, fel y gallai'r Cymry Cymraeg ragori yn eu hiaith eu hunain mewn meysydd ar wahân i rai traddodiadol yr eisteddfodau a'r capeli.

Gwobrwyo R.S. Thomas

R.S. Thomas – y bardd aflonydd.

Daeth y bardd a'r clerigwr R. S. Thomas o Gaerdydd i amlygrwydd yng Nghymru a Lloegr fel ei gilydd pan enillodd Wobr Heinman y Gymdeithas Lenyddol Frenhinol am ei flodeugerdd *Song at the Year's Turning*,

casgliad o'i dair cyfrol gyntaf o gerddi. Lluniodd Thomas bron bob un o'r cerddi ym Manafon, sir Drefaldwyn, lle bu'n rheithor er 1942. Yn y cerddi cynnar hyn, gwelir yn glir ddiddordeb byw'r bardd yn hanes, tirwedd, ac iaith y Cymry a'u gwlad.

Ganwyd R. S. Thomas i deulu di-Gymraeg, ond yn ystod ei amser ym mywoliaeth Manafon, ymrodd o ddifrif i ddysgu'r iaith. Daeth yn fedrus iawn ynddi, ond er iddo gyhoeddi nifer o ysgrifau ac erthyglau Cymraeg, ni theimlodd erioed y medrai farddoni yn ei ail iaith. Yn 1954 symudodd o Fanafon i Eglwys-fach, Ceredigion, gan obeithio cael byw mewn awyrgylch Cymreiciach. Cafodd ei siomi gan natur Seisnigedig ei blwyf newydd serch hynny, a dechreuodd fagu ymdeimlad o genedlaetholdeb Cymreig pur ymosodol. Ar ôl symud i blwyf Aberdaron, Llŷn, yn 1967, roedd fel petai wedi dod adref i gymuned a oedd yn Gymraeg ei hiaith i bob pwrpas. Daliodd wedyn i fod yn un o bleidwyr selocaf yr iaith Gymraeg a welai fel y brif ffactor a ddiffiniai'r Cymry a'u Cymreictod.

Ymgeisydd dan glo

Chris Rees wedi'i ryddhau o garchar Abertawe.

Prin oedd y gwaith canfasio personol a wnaeth un ymgeisydd yn yr Etholiad Cyffredinol a gynhaliwyd ar 26 Mai, a hynny am ei fod ar y pryd yn ei gell yng ngharchar Abertawe.

Roedd Chris Rees o Abertawe wedi ei ddedfrydu i flwyddyn yn y carchar am iddo wrthod gwneud Gwasanaeth Cenedlaethol yn y fyddin, gan ddadlau nad oedd rhaid iddo fel Cymro wasanaethu ym 'myddin Lloegr'. Derbyniodd 4,101 o bleidleisiau yn sedd Gŵyr. Cafodd ei ryddhau o'r carchar ar 29 Awst, wedi i'w ddedfryd gael ei haneru o 12 mis i 6.

Nid aeth yr etholiad yn ei flaen yn gwbl ddi-helynt mewn llefydd eraill chwaith. Bu dryswch ac anniddigrwydd yn etholaeth Llanelli ar 16 Mai, lle cyflwynodd y Parch. Eirwyn Morgan, ymgeisydd Plaid Cymru, ei bapurau enwebu gyda thri gair o Gymraeg arnynt. Roedd Morgan wedi'i ddisgrifio'i hun ar y papurau fel 'Gweinidog yr Efengyl/ Minister of the Gospel', ond bu'n rhaid iddo ail-wneud y cyfan yn uniaith Saesneg cyn cael ei dderbyn fel ymgeisydd swyddogol. Yng Nghastell-nedd ar yr un diwrnod, tynnodd yr ymgeisydd Ceidwadol, Jack Hope, dipyn o sylw trwy fynnu talu ei ernes o £150 i gyd â swp o 30 o bapurau pum punt.

Yn yr Etholiad Cyffredinol ei hun, ni fu dim newid yn safle'r pleidiau yng Nghymru, gyda phob un yn ennill yr un seddi ag yn 1951. Pleidleisiodd 96,000 llai o bobl nag yn 1951, a disgynnodd cyfanswm pleidleisiau pob plaid ar wahân i Blaid Cymru, a gynyddodd yn sylweddol o 10,920 i 45,119.

Y Cymrawd Cyntaf

Etholwyd y Canon Maurice Jones o Drawsfynydd yn Gymrawd cyntaf yr Eisteddfod Genedlaethol. Bu ef yn offeiriad yn yr Eglwys yng Nghymru er 1886, ac yn Ganon Tyddewi er 1923. Yn ystod ei yrfa eglwysig bu'n gaplan gyda'r fyddin o 1890 i 1915, gan wasanaethu yn Rhyfel y Bŵr, lle yr enillodd Fedal y Frenhines. O 1923 hyd 1938, ef oedd Prifathro Coleg Dewi Sant, Llanbedr Pont Steffan. Cyhoeddodd sawl cyfrol yn Saesneg ar bynciau crefyddol, a bu'n cyfrannu'n helaeth i gyfnodolion Cymraeg. Yr oedd yn eisteddfodwr brwd ac yn aelod o Orsedd y Beirdd wrth yr enw Meurig Prysor. Bu'n drysorydd yr Orsedd am flynyddoedd, ac er nad oedd yn brifardd daeth yn agos iawn i gael ei ethol yn Archdderwydd yn ogystal â'i godi'n Gymrawd y flwyddyn hon. Bu farw yn Rhagfyr 1957.

Methiant yr I.R.A.

Methiant llwyr fu ymosodiad gan aelodau o'r *IRA* ar wersyll y fyddin ym Mharc Cinmel, ger y Rhyl, yn oriau mân 15 Awst. Heriodd y pump dyn arfog a mygydog un o warchodwyr y safle, Albert Medcalf, â'u gynnau, a mynnu ganddo ddangos storfa arfau'r gwersyll iddynt. Yn anffodus i'r terfysgwyr, newydd ei recriwtio i'r fyddin oedd Medcalf ddeunaw oed, ac nid oedd ganddo syniad ynglŷn â lleoliad yr arfau. Gadawyd ef â'i ddwylo ynghlwm, ac aeth y Gwyddelod ymlaen at brif fynedfa'r gwersyll, lle roedd dau filwr arall. Ffodd y terfysgwyr pan wrthododd y ddau ddatgelu lleoliad y storfa iddynt, a phan chwythodd un ohonynt ei chwiban i dynnu sylw'r gwarchodwyr eraill.

Credid bod yr *IRA* am gael gafael ar arfau i'w defnyddio mewn ymgyrch ar hyd ffin Gogledd Iwerddon a'r Weriniaeth, yn hytrach nag ar dir mawr Prydain, a gosodwyd nifer o blismyn i gadw golwg ar y ffyrdd tua Chaergybi yn sgil yr ymosodiad, ac yn enwedig ar Bont y Borth, yr unig ffordd ar gyfer ceir o'r tir mawr i Ynys Môn. Daeth y cyrch ar Barc Cinmel ar ôl un llwyddiannus ar wersyll milwrol yn ne Lloegr, pan ddygwyd 68 o ynnau ac 80,000 o fwledi.

Mentrodd un aelod o heddlu Gwynedd awgrymu nad Gwyddelod oedd yr ymosodwyr ym Mharc Cinmel o gwbl, eithr 'Cenedlaetholwyr Cymreig yn ceisio creu trwbl'. Gwadodd J.E. Jones o Blaid Cymru'r honiad yn ffyrnig, gan ddatgan bod unrhyw un a ddywedai'r fath beth 'naill ai yn ffŵl neu'n gnaf'.

Colli Ambrose Bebb

Ar 27 Ebrill bu farw'r awdur a'r cenedlaetholwr Ambrose Bebb, un o feibion disgleiriaf Ceredigion.

Ar ôl graddio yng Ngholeg y Brifysgol, Aberystwyth yn 1918, bu am bedair blynedd yn astudio a darlithio ym Mharis, gan ddod yn drwm dan ddylanwad syniadau'r gwladgarwr o Ffrancwr, Charles Maurras. Yr oedd Llydaw o ddiddordeb arbennig iddo, a chyhoeddodd dri llyfr yn cofnodi ei brofiadau yn y wlad honno. Yn 1924, gyda'r Ffrainc-garwr arall Saunders Lewis, bu'n un o sefydlwyr y Mudiad Cymreig, a ddaeth flwyddyn yn ddiweddarach yn rhan o'r Blaid Genedlaethol. Erthygl gan Bebb oedd ar dudalen cyntaf y rhifyn cyntaf o'r *Ddraig Goch*, papur y blaid newydd ym Mehefin 1926. Trwy gydol yr Ail Ryfel Byd, a'r Blaid yn glynu wrth safbwynt niwtralaidd amhoblogaidd, arhosodd yn ffyddlon iddi. Er hyn, daeth yn llai gwleidyddol ei feddylfryd yn y '50au, gan roi ei fryd ar faterion ysbrydol.

O 1925 roedd Ambrose Bebb yn aelod o Adran Hanes Coleg Normal Bangor, a bu'n bur gynhyrchiol fel awdur llyfrau ar hanes Cymru, gan gyhoeddi cyfres o bum cyfrol rhwng 1932 a 1950.

9 Mawrth

Alltudiwyd Archesgob Makarios, arweinydd y Groegiaid yng Nghyprus.

30 Mawrth

Cynhaliwyd yr orymdaith gyntaf gan brotestwyr gwrth-niwclear i Ganolfan Ymchwil Aldermaston.

19 Ebrill

Priodwyd yr actores ffilmiau Grace Kelly a'r Tywysog Rainier o Monaco.

23 Mehefin

Etholwyd Gamal Abdel Nasser yn Arlywydd yr Aifft.

26 Gorffennaf

Cyhoeddodd yr Arlywydd Nasser ei fwriad i wladoli Cwmni Camlas Suez.

27 Gorffennaf

Ym Manceinion, torrodd y troellwr Jim Laker record y byd drwy gipio 19 wiced mewn gêm brawf griced yn erbyn Awstralia.

14 Awst

Bu farw'r awdur a'r dramodydd Almaenig, Bertolt Brecht.

5 Tachwedd

Chwalwyd yr ymgais i ddemocrateiddio Hwngari wrth i fyddin yr Undeb Sofietaidd ymyrryd ac ail-sefydlu'r drefn Gomiwnyddol.

6 Tachwedd

Glaniodd milwyr Prydain a Ffrainc yn yr Aifft er mwyn ceisio diogelu Camlas Suez.

8 Tachwedd

Daeth Rhyfel Suez i ben gyda'r Cenhedloedd Unedig yn derbyn y cyfrifoldeb am reoli'r sefyllfa.

Tryweryn

Gwynfor Evans yn arwain y brotest ar strydoedd Lerpwl.

Clywyd gofid Cymru ar strydoedd Lerpwl ar 21 Tachwedd wrth i'r ymgyrch ddechrau o ddifrif i atal cynllun tra dadleuol i godi argae yng Nghwm Tryweryn er mwyn darparu dŵr i'r ddinas, cynllun a olygai ddinistrio pentref Capel Celyn a nifer o ffermdai a thyddynnod eraill. 70 o bentrefwyr Capel Celyn a ddaeth i Lerpwl, gyda'r Cynghorydd Gwynfor Evans, Llywydd Plaid Cymru yn eu harwain. Roedd Gwynfor Evans a dau gydymaith eisoes wedi teithio i Lerpwl yn ddiwahoddiad ym mis Hydref i geisio annerch Cyngor y Ddinas, a chael eu hebrwng gan swyddogion o'r siambr. Gyda chaniatâd y Cyngor y cododd Gwynfor Evans ar ei draed ar 21 Tachwedd i gyflwyno'r achos dros arbed Cwm Tryweryn i gynghorwyr Lerpwl. Er i'w araith fedrus dderbyn cymeradwyaeth wresog gan ei gynulleidfa, pleidleisiodd y cynghorwyr wedyn o 94 i 1 dros barhau â'r cynllun boddi.

Datblygodd ffrae gyhoeddus a hir lle gwelwyd gwrthdrawiad rhwng angen dinas Lerpwl am ddŵr, â hawl cymuned Gymraeg i gael byw heb neb yn aflonyddu arni. Daeth yr achos yn un eithriadol o nodedig, ac i lawer un roedd y frwydr dros Gwm Tryweryn a phentref Capel Celyn yn symbol o'r frwydr dros gydnabod Cymru'n genedl. Er bod rhai yn Lerpwl yn cydymdeimlo gryn dipyn â'r protestwyr o Gymru, roedd eraill yn gwbl benderfynol mai hawliau eu dinas hwy a ddylai ddod yn gyntaf. Ar 17 Rhagfyr cynhaliwyd cyfarfod cyhoeddus yn y ddinas yn cymeradwyo'r cynllun i foddi Cwm Tryweryn. Cwm Dolanog oedd dewis-safle gwreiddiol Lerpwl ar gyfer ei chronfa ddŵr newydd, ond yn wyneb protestiadau mawr trodd y ddinas ei golygon tua Thryweryn, heb ragweld mai ffyrnicach fyth fyddai'r gwrthdystio yno. Erbyn 23 Mawrth roedd Pwyllgor Amddiffyn Capel Celyn wedi'i ffurfio. Danfonwyd ffrwd o lythyrau i'r wasg ac at Gorfforaeth Lerpwl. Ar 29 Medi ymgasglodd pedair mil o bobl yn ymyl Afon Tryweryn i fynegi eu protest.

(Drosodd)

Tryweryn

(o'r tudalen cynt)

Er gwaethaf hyn i gyd, ar 31 Gorffennaf 1957, pasiodd y Senedd Ddeddf Corfforaeth Lerpwl yn caniatáu boddi'r dyffryn o 175 o bleidleisiau i 79. Gwrthwynebwyd y mesur gan fwyafrif llethol Aelodau Seneddol Cymru o bob plaid, gan gynnwys pobl fel Ness Edwards, Aelod Caerffili, nad oedd ganddo fymryn o gydymdeimlad â chenedlaeth-oldeb Cymreig. Enynnodd y Gweinidog Materion Cymreig newydd, Henry Brooke, gryn ddicter drwy bleidleisio dros y mesur,

a chyflwynodd naw o Aelodau Llafur gynnig o gerydd arno yn Nhŷ'r Cyffredin am iddo weithredu '*in flagrant disregard of the view of the Welsh people*'. Ym mysg ymgyrchwyr dros atal cynllun Lerpwl, 'bradwr Tryweryn' oedd Brooke o hynny allan. Ar 1 Awst derbyniodd y mesur gydsyniad y Frenhines, er gwaethaf deiseb olaf ati hi'n bersonol gan Bwyllgor Amddiffyn Capel Celyn. Ym mis Hydref, cynhaliodd Arglwydd Faer Caerdydd gynhadledd genedlaethol i ystyried pa gynlluniau amgen y gellid eu cyflwyno i Gorfforaeth Lerpwl er mwyn achub Tryweryn ond ni thyciodd dim: roedd pleidwyr yr argae yn benderfynol o fwrw ymlaen.

'Y dyn nad enillodd mo'r National'

isod:
Dick Francis a Devon Loch yn cael eu harwain o'r cwrs.

Gorfoledd gyda siomedigaeth yn dynn ar ei sodlau a ddaeth i ran y joci Dick Francis o Ddinbych-y-Pysgod mewn un o rasys *Grand National* hynotaf y ganrif.

Ac yntau hanner canllath o'r postyn ac ugain hyd ceffyl ar y blaen i'r lleill baglodd ei farch *Devon Loch* a chwympo a'i goesau ar led. Rhuthrodd Dave Dick ar *E.S.B.* heibio i ennill y ras. Ceffyl y Fam Frenhines oedd *Devon Loch*, ac roedd gobaith mawr ymhlith llawer yn y dyrfa am y fuddugoliaeth gyntaf yn y *National* i'r teulu brenhinol er 1900.

Honnodd Francis wedyn mai bloeddio mawr y dorf oedd wedi anesmwytho *Devon Loch* a pheri iddo wingo a chwympo. Roedd eraill am fwrw'r bai ar gwlwm gwythi, neu'r ceffyl yn camgymryd cysgod am glawdd i neidio drosto.

Joci rhagorol dros y cloddiau oedd Dick Francis, gan ddod yn Bencampwr Joci yn nhymor rasio 1953-54. Wedi ymddeol o fyd rasio, daeth yn fyd-enwog fel nofelydd hynod o boblogaidd, ond i lawer câi ei gofio fel 'Y dyn nad enillodd mo'r *National*.'

Marw Hopkin Morris

Syr Rhys Hopkin Morris yn ddyn ifanc.

Ar 22 Tachwedd bu farw Syr Rhys Hopkin Morris, un o'r ffigurau amlycaf ym mywyd cyhoeddus Cymru, ac Aelod Seneddol sir Gaerfyrddin.

Aeth i San Steffan am y tro cyntaf yn 1923, wedi buddugoliaeth yn etholaeth Ceredigion dros ei gyd-Ryddfrydwr, y Capten Ernest Evans. Un o gefnogwyr Lloyd George oedd Evans, tra arhosai Hopkin Morris yn deyrngar i'r hen arweinydd, Herbert Asquith. Roedd yr hollt rhwng y ddwy garfan o Ryddfrydwyr wedi'i uno ym mhob sedd yng Nghymru ac eithrio Ceredigion, ac roedd Hopkin Morris yn awyddus iawn i bwys-leisio'r pellter rhyngddo ef a Lloyd George. Daliodd y sedd hyd 1932.

Daeth yn Gyfarwyddwr Rhanbarthol BBC Cymru ym Mehefin 1936, er ei fod wedi beirniadu'r BBC yn hallt fel AS dros Geredig-ion am ei Seisnigrwydd. Achosodd gythrwfl mawr yn y papurau newydd Saesneg eu hiaith â'i ddarllediad cyntaf fel Cyfarwyddwr ar 19 Hydref: poenai sawl un mai argoel o newid polisi oedd ei benderfyniad i siarad yn Gymraeg yn unig yn ystod y darllediad. Ddydd Gŵyl Ddewi 1937, rhoddodd gefn-ogaeth lawn i'r cynllun dadleuol i ddarlledu drama Saunders Lewis, *Buchedd Garmon* tra oedd awdur y gwaith yng ngharchar Worm-wood Scrubs am ei ran yn llosgi 'Ysgol Fomio' Penyberth.

Ymddiswyddodd Hopkin Morris o'r BBC er mwyn ymladd sedd Caerfyrddin yn Etholiad Cyffredinol 15 Mehefin 1945. Cipiodd y sedd i'r Rhyddfrydwyr oddi ar Moelwyn Hughes o'r Blaid Lafur, un o ddwy sedd yn unig trwy Brydain i gyd y collodd Llafur eu gafael arnynt yn yr etholiad hwnnw.

Dur Cymru ar y brig

Yn ystod y flwyddyn hon, cododd Cymru i safle prif ardal gynhyrchu dur Prydain, gyda chynhyrchedd dur amrwd a dalennau dur ym melinau'r wlad yn uwch nag erioed o'r blaen.

Ar 9 Ionawr, cyhoeddwyd bod melin stribedi Margam wedi torri pob record am gynhyrchedd, gan gynhyrchu 37,184 tunnell o stribedi dur mewn wythnos. Dywedodd Julian Pode, Cyfarwyddwr-Reolwr Cwmni Dur Cymru, ei fod yn gobeithio gweld Margam yn cynhyrchu 2 filiwn o dunelli o ddur y flwyddyn cyn hir. Ddeuddydd wedyn ar 11 Ionawr, rhoddodd Cadeirydd y cwmni, Harold Peake, y ffwrnais chwyth fwyaf yn Ewrop ar waith. Cymerwyd dwy flynedd i godi'r ffwrnais newydd, ar gost o £5½ miliwn, a gallai gynhyrchu hyd at 10,000 tunnell o ddur yr wythnos. Ym mis Mai cyhoeddwyd bod datblygiad newydd gwerth £48 miliwn ar y gweill ar gyfer gweithfeydd dur yr Abaty, Margam, eisoes y rhai mwyaf yng Nghymru. Ar 7 Gorffennaf dechreuodd Cwmni Dur Cymru godi ffowndri newydd sbon ar safle gweithfeydd Dowlais i wneud moldiau ingotiau haearn, ar gost o tua £3 miliwn. Daeth y mold cyntaf o'r ffowndri ar 1 Tachwedd 1958.

Roedd llewyrch mawr hefyd ar y diwydiant alcam. Estynnwyd gweithfeydd Trostre, Felindre, Glyn Ebwy, Port Talbot a Shotton, a chymaint oedd y galw am alcam fel y daethpwyd â gweithwyr ychwanegol o'r Eidal i weithio mewn rhai o'r melinau.

Yng ngweithfeydd Shotton, sir Fflint, dechreuwyd codi pedair ffwrnais chwyth i wneud cyfanswm o ddeuddeg. Gweithdy toddi Shotton bellach oedd y mwyaf o'i fath yn Ewrop, yn cynhyrchu miliwn o dunelli'r flwyddyn erbyn 1957.

Harddwch Gŵyr a Llŷn

Ar 9 Mai, 73 milltir sgwâr o Benrhyn Gŵyr oedd y lle cyntaf ym Mhrydain i gael ei nodi'n swyddogol yn Ardal o Harddwch Naturiol Eithriadol. Roedd Gŵyr yn un o ychydig rannau o'r De nad oedd wedi dioddef effeithiau'r diwydiannau trymion, a chynhwysai amrywiaeth o gynefinoedd naturiol, o dwyni i hen goedwigoedd a rhostiroedd. Yn yr un flwyddyn rhoddwyd yr un statws i 59 milltir sgwâr o Benrhyn Llŷn.

Penfro'n elwa ar argyfwng yr Aifft

O fis Gorffennaf ymlaen pur fanteisiol oedd effaith argyfwng Camlas Suez ar un rhan o Gymru. Roedd yr Arlywydd Nasser yn yr Aifft wedi herio'r pwerau mawr trwy feddiannu'r gamlas rhwng Môr y Canoldir a'r Môr Coch er mwyn ei gwladoli, a thrwy hynny beryglu cyflenwad olew'r Gorllewin. At sir Benfro y trodd rhai eu golygon wrth chwilio am borthladd diogel, a bu sôn am greu harbwr mawr yn Aberdaugleddau a fyddai'n digon mawr i dderbyn llongau tancer mwya'r byd – y math o longau a allai deithio'r holl ffordd o amgylch Affrica o feysydd olew Arabia pe bai Camlas Suez yn para ar gau. Ym mis Hydref cyhoeddwyd bod y cwmni olew Esso wedi prynu 1,000 o erwau o dir yn ardal Aberdaugleddau gan fwriadu codi purfa olew newydd ar gost o £20 miliwn. Yn yr un mis cyhoeddodd cwmni B.P. ei fod yn bwriadu gosod piben rhwng glanfa newydd yn Aberdaugleddau a phurfeydd Llandarsi ger Abertawe i gludo 5 miliwn o dunelli o olew amrwd y flwyddyn.

Agorwyd purfa Esso yn Hydref 1960, fel y burfa fwyaf ym Mhrydain ar y pryd, yn puro 4.5 miliwn o dunelli o olew'r flwyddyn. Bu BP wrthi o 1958 hyd 1960 yn codi eu gweithfeydd hwy yn Popton Point. 95 cilomedr o hyd oedd y biben dan ddaear newydd i Landarsi, a groesai ddeuddeg o briffyrdd a 37 o afonydd. Prif gamp peirianwyr y biben oedd croesi Afon Tywi a hithau'n 450 metr ar ei thraws ar benllanw.

Cofio'r Llyw Olaf

Cofio'r tywysog olaf yng Nghilmeri.

Yng Nghilmeri ger Llanfair-ym-Muallt codwyd cofeb o garreg ithfaen ar 23 Mehefin i gofio Llywelyn ap Gruffudd, yr olaf o dywysogion Gwynedd, ac un a ystyrir gan lawer yn ddeiliad dilys olaf y teitl 'Tywysog Cymru'. Yr Archdderwydd J. Dyfnallt Owen oedd Llywydd y seremoni, a'r Dirprwy Gadfridog G.T. Raikes, Arglwydd Raglaw Sir Frycheiniog, a ddadorchuddiodd y gofeb a oedd yn rhodd gan Gyngor Sir Gaernarfon. Wedi'u hysgrifennu ar lechi yn ymyl y gofeb, mewn Cymraeg a Saesneg, roedd y geiriau 'Ger y fan hon y lladdwyd Llywelyn Ein Llyw Olaf, 1282'. Cynhelid seremoni cofio ger y gofeb yn flynyddol wedi hynny.

Bu farw Llywelyn ap Gruffudd ar 11 Rhagfyr 1282 ger Pont Irfon, yn ymyl Llanfair-ym-Muallt, tra oedd yng nghanol rhyfel yn erbyn Edward I, brenin Lloegr, am oruchafiaeth yng Nghymru. Mae'n debyg na wyddai'r milwr a'i lladdodd pwy ydoedd, a dim ond yn ddiweddarach y sylweddolwyd bod y brenin Edward wedi cael gwared ar un o'i elynion pennaf.

'Unben sir y Fflint'

isod:
Plant o dde Cymru a anfonwyd i'r ysgol uwchradd Gymraeg gyntaf.

Gwireddwyd breuddwyd Dr. Haydn Williams ym mis Medi pan agorodd Pwyllgor Addysg Sir Fflint Ysgol Gyfun Glan Clwyd yn y Rhyl, yr ysgol uwchradd gyntaf lle roedd y Gymraeg yn gyfrwng dysgu.

Cyfarwyddwr Addysg y sir oedd Haydn Williams, ac i'w benderfyniad di-droi'n-ôl ef y mae llawer o'r diolch bod Ysgol Glan Clwyd wedi'i sefydlu o gwbl. Roedd eisoes nifer o ysgolion cynradd Cymraeg yn y gogledd-ddwyrain, ac i Haydn Williams ac eraill tebyg iddo, creu ysgol uwchradd Gymraeg oedd y cam naturiol nesaf er mwyn sicrhau y câi'r plant barhau eu haddysg trwy gyfrwng yr iaith. Nid felly y gwelai eraill bethau, gan gynnwys rhai o rieni plant yr ysgolion cynradd Cymraeg. 'Unben' a 'Hitler sir Fflint' oedd dau o'r llysenwau a roddwyd ar Williams oherwydd ei agwedd benderfynol. Peidio ag 'aros i inersia pobl godi' oedd ei esgus ef dros fwrw ymlaen. Soniodd yr Aelod Seneddol lleol, Nigel Birch, am y 'gwastraff adnoddau dychrynllyd' a oedd ymhlyg mewn cael ysgol Gymraeg, ond cafwyd cefnogaeth annisgwyl oddi wrth rai eraill, fel y Brigadydd Hugh Mainwaring, Arglwydd Raglaw'r Sir, ac roedd digon o gefnogaeth gan rieni'r 94 o blant a ddanfonwyd i'r ysgol newydd ar ei diwrnod cyntaf. O'r plant hynny roedd 40% wedi'u magu ar aelwydydd lle na siaredid yr un gair o Gymraeg.

Bu helfa fawr am ddesgiau a dodrefn eraill, ond y brif broblem oedd diffyg gwerslyfrau Cymraeg ar gyfer pynciau ar wahân i'r Gymraeg ei hun. Aethpwyd ati i fathu termau newydd ac adfer hen eiriau mewn sawl maes fel gwaith coed, daear-yddiaeth, ac ymarfer corff. Daliwyd i ddysgu nifer o bynciau trwy'r Saesneg, ac roedd llwyddiannau'r ysgol Gymraeg newydd yn arbennig o nodedig ym maes dysgu'r Saesneg ei hun. Tynnwyd athrawon o sawl man yng Nghymru i ddysgu, ac ymysg cwynion rhai o'r rhieni cyntaf oedd fod eu plant yn dysgu Cymraeg y 'Sowth'.

Yn 1969, symudwyd yr ysgol o'r Rhyl i'w safle parhaol yn Llanelwy, wrth i ddisgyblion Ysgol Ramadeg Llanelwy gael eu symud i Brestatyn fel rhan o bolisi'r llywodraeth o uno ysgolion gramadeg ac ysgolion modern i greu ysgolion cyfun.

Yn Llanelwy yn fuan wedyn yr agorwyd y dosbarth cyntaf i ddysgwyr y Gymraeg – plant o ysgolion Saesneg eu hiaith a gâi eu trwytho yn y Gymraeg am flwyddyn neu ddwy nes medru ymuno â phrif-ffrwd yr ysgol.

Erskine yn cipio'r goron

Ar 27 Awst cipiodd y bocsiwr Joe Erskine o Gaerdydd bencampwriaeth pwysau trwm Prydain yn ei ddinas enedigol, gan drechu Johnny Williams o'r Bermo ar bwyntiau. Atyniad mawr i ddilynwyr bocsio'r wlad oedd gweld Cymro'n cwffio am y goron Brydeinig ym Mhrifddinas Cymru, a pharhaodd y dyrfa i weiddi tan y gloch olaf, gan anwybyddu'r cawodydd glaw trwm yn rowndiau olaf yr ornest. Agos iawn oedd penderfyniad y dyfarnwyr ar y diwedd ond Erskine a orfu. Mor ffyrnig fu'r ymladd fel y bu'n rhaid i'r pencampwr newydd roi'r ffidil yn y to am chwe mis wedyn i roi cyfle i'w glwyfau wella'n iawn.

Roedd Erskine wedi ei annog i focsio er pan oedd yn ifanc iawn gan ei dad a'i fam-gu, a chamodd i'r cylch cwffio am y tro cyntaf yn 11 oed. Cafodd gryn lwyddiant fel amatur ifanc, gan ddod yn bencampwr pwysau trwm Cymru yn 1952 a phencampwr Prydain y flwyddyn ddilynol.

Yn dilyn ei gamp yng Nghaerdydd, aeth Erskine ymlaen i gipio Pencampwriaeth yr

Joe Erskine yn paratoi ar gyfer gornest.

Ymerodraeth ar 25 Tachwedd 1957, a daliodd deitlau Prydain a'r Ymerodraeth hyd 3 Mehefin 1958 pan gollodd y ddau deitl i'r Sais Brian London. Methiant fu pob ymgais ganddo wedyn i adennill ei deitl Prydeinig yn wyneb gafael dynn y Sais Henry Cooper ar y teitl o 1959 i 1969.

9 Ionawr

Ym Mhrydain ymddiswyddodd Anthony Eden a daeth Harold Macmillan yn Brif Weinidog yn ei le.

14 Ionawr

Bu farw'r actor Humphrey Bogart.

6 Mawrth

Yn Affrica, daeth Ghana yn wlad annibynnol.

25 Mawrth

Sefydlwyd y Farchnad Gyffredin yn Ewrop pan arwyddwyd Cytundeb Rhufain gan Ffrainc, Gorllewin yr Almaen, yr Eidal, Gwlad Belg, yr Iseldiroedd a Luxembourg.

26 Mehefin

Ym Mhrydain cyhoeddwyd adroddiad gan y Cyngor Ymchwil Meddygol yn dangos bod cysylltiad rhwng ysmygu a chancr.

6 Gorffennaf

Am y tro cyntaf enillwyd pencampwriaeth tennis Wimbledon gan wraig groenddu – Althea Gibson.

30 Awst

Daeth Malaya yn wlad annibynnol.

31 Awst

Enillodd y gyrrwr ceir rasio Juan Fangio bencampwriaeth y byd am y pumed tro.

4 Hydref

Anfonwyd y lloeren cyntaf – y *Sputnik* – i'r gofod gan yr Undeb Sofietaidd.

3 Tachwedd

Ci o'r enw Laika oedd yr anifail cyntaf i hedfan i'r gofod wrth i'r Undeb Sofietaidd anfon *Sputnik* arall i'r gofod.

Y Prifathro a'r Ysbïwr

Pan ymddiswyddodd Goronwy Rees o Brifathrawiaeth Coleg y Brifysgol, Aberystwyth, ar 25 Chwefror, i lawer roedd yn ferthyr ond i eraill yn fradwr. Gellid dadlau bod ei ymadawiad wedi bod yn fanteisiol i'r Coleg ac yn gyfle i gau pennod anffodus a ddechreuodd yn 1953 gyda phenodiad un nad oedd o bosibl wedi'i fwriadu i ymgymryd â swydd o'r fath.

Goronwy Rees.

Nid oedd ffaeleddau Goronwy Rees mor amlwg pan benodwyd ef. Wedi cyfnod disglair yn Rhydychen ac fel swyddog gyda'r Ffiwsilwyr Cymreig yn ystod y Rhyfel, amlygodd ei hun yn awdur talentog. Dyn golygus a charismataidd oedd y Prifathro newydd, a daeth yn boblogaidd iawn ymhlith llawer o fyfyrwyr

a staff iau'r coleg. Ond er iddo gael ei eni yn Aberystwyth, yn fab i weinidog adnabyddus, yr oedd wedi cefnu ar yr iaith Gymraeg i bob pwrpas, a dirmygai genedlaetholdeb Cymreig. Enynnodd yr agweddau hyn gryn ddrwgdeimlad ymhlith staff Cymraeg y Coleg a thrigolion lleol.

Cyfres o erthyglau dienw gan Rees ym mhapur newydd *The People* ym mis Mawrth 1956 a roddodd ddiwedd ar ei yrfa fel Prifathro. Yn Rhydychen yn y '30au daeth Rees yn gyfaill agos i Guy Burgess a ddiflannodd i Moscow yn 1951, gyda'i gyfaill Donald MacLean, gan fod y ddau ar fin cael eu datgelu'n ysbïwyr dros yr Undeb Sofietaidd. Wedi hynny ofnai Rees y byddai yntau'n cael ei gysylltu â chylch o sbïwyr a oedd hefyd yn cynnwys Syr Anthony Blunt, Ceidwad Darluniau'r Frenhines. Nid oes sicrwydd beth oedd cymhelliad Rees wrth gyhoeddi'r erthyglau yn 1956 ond buont yn achos sgandal fawr gan fod enw i Burgess fel meddwyn a gwryw-gydiwr, yn ogystal ag fel ysbïwr. Ni bu'n hir cyn i enw awdur yr erthyglau gael ei ddatgelu gan y *Daily Telegraph,* a chafwyd ymchwiliad i'r achos gan y Brifysgol. Cafodd Rees gefnogaeth frwd gan rai o fyfyrwyr y Coleg a phasiwyd cynnig o gefnogaeth iddo gan Undeb y Myfyrwyr o 369 o bleidleisiau i 8. Llai cefnogol i'r Prifathro oedd Cyngor a Senedd y Coleg a oedd wedi colli amynedd â'i ymddygiad anwadal a manteisiwyd ar y cyfle i gael gwared arno.

Wedi'i ymddiswyddiad, cyhoeddodd Rees gyfrol hunangofiannol, *A Chapter of Accidents*, gan ymosod ar awdurdodau'r Coleg a thrig-olion Aberystwyth, ond oherwydd ei ym-ddygiad yr oedd yn anodd cydymdeimlo â'i safbwynt. Bu cryn ddyfalu hefyd dros y blynyddoedd ynglŷn â'r posibilrwydd fod Rees ei hun yn ysbïwr. Yn ôl rhai, fe'i recriwtiwyd gan y KGB yn 1938 a rhoddwyd y ffugenw 'Gross' ac wedyn 'Flit' iddo, ond iddo droi ei gefn ar y Sofietiaid wedi i Stalin ddod i gytundeb â Hitler yn 1939.

Cystal â'i thad

Arwydd glir o gwymp y Rhyddfrydwyr a welwyd ar 28 Chwefror pan gipiodd merch David Lloyd George sedd Seneddol Caerfyrddin. Ymgeisydd dros y Blaid Lafur y dewisodd Megan Lloyd George fod, ac nid dros y Blaid Ryddfrydol y bu ei thad yn gonglfaen iddi, ac y bu hithau'n ei chynrychioli am flynyddoedd yn etholaeth Môn.

Marwolaeth yr Aelod Seneddol Rhyddfrydol Syr Rhys Hopkin Morris yn 1956 a adawodd sedd Caerfyrddin yn wag. Roedd yr isetholiad lliwgar a ddilynodd yn llawn o ddadlau ynglŷn â phenderfyniad y Prif Weinidog Ceidwadol Anthony Eden i anfon milwyr o Brydain i feddiannu Camlas Suez yn yr Aifft. Ffermwr pur geidwadol ei syniadau oedd John Morgan Davies, dewisddyn y Rhyddfrydwyr, ac roedd yn amlwg eu bod yn gobeithio denu pleidleiswyr Torïaidd i gefnogi eu hymgeisydd hwy. Bum diwrnod wedi i Davies gael ei ddewis, cyhoeddodd Ceidwadwyr Caerfyrddin na roddent ymgeisydd yn ei erbyn. Ffaith allweddol oedd fod Davies o blaid anfon milwyr i'r Aifft, a Megan Lloyd George yn erbyn. Ffactor arall na allai neb ei hanwybyddu oedd ymgeisydd poblogaidd Plaid Cymru, Jennie Eirian Davies.

Enillodd Megan Lloyd George y sedd gyda 23,679 o bleidleisiau, mwyafrif o 3,069 dros J. Morgan Davies. 5,741 o bleidleisiau a gafodd Jennie Eirian Davies, ond amhosibl oedd dweud at ba un o'r ddwy blaid fawr y buasai'r rhain wedi mynd. Am ddeuddydd wedyn bu Megan Lloyd George ar daith fuddugol trwy ei hetholaeth. 'Ych chi gystal â'ch tad,' gwaeddodd un pentrefwr arni. 'Os ydw i hanner cystal gwnaiff hynny'r tro,' oedd ei hateb.

Roedd Megan Lloyd George wedi ymuno â'r Blaid Lafur yn Ebrill 1955. Erbyn iddi hi droi at sosialaeth oddi wrth ryddfrydiaeth ei thad, roedd ei brawd Gwilym, a fu hefyd yn aelod seneddol Rhyddfrydol, wedi ei benodi'n Ysgrifennydd Cartref yn y llywodraeth Dorïaidd. Daliodd Megan Lloyd George sedd Caerfyrddin hyd ei marwolaeth yn 1966.

uchod:
Dai Dower yn ymarfer yn Buenos Aires cyn yr ornest fawr.

Methiant dewr Dai Dower

Cafodd Dai Dower o Abercynon ei hun ar y canfas yn rownd gyntaf ei ymgais i gipio teitl bocsio pwysau pryf y byd ar 30 Mawrth, a hynny wedi iddo gael ei ryddhau o'r fyddin yn arbennig i fynd i ymladd. Ym mhrifddinas yr Ariannin, Buenos Aires, y cynhaliwyd y ffeit fawr, a'r pencampwr Pascual Perez yn cystadlu o flaen tyrfa o 85,000 o'i gydwladwyr yn Stadiwm San Lorenzo. Er i Dower lanio ychydig ergydion cynnar ar yr Archentwr, roedd un ergyd ar ei ên yn ddigon i roi'r Cymro ar ei gefn. Mae'n debyg, am ei fod yn gwneud ei Wasanaeth Cenedlaethol yn y fyddin ar y pryd, nad oedd Dower wedi cael digon o gyfle i baratoi at yr ornest, ac roedd ei gyflymder a'i finiogrwydd arferol wedi pylu rywfaint.

Dechreuodd Dower focsio'n broffesiynol yn 1953 wedi colli dim ond pedair gornest mewn gyrfa amatur hynod lwyddiannus. Bu'n bencampwr amatur Cymru a Phrydain yn 1952 ac yn yr un flwyddyn bocsiodd dros Brydain yn y Gemau Olympaidd. Ar 19 Hydref 1954 trechodd yr Affricanwr Jake Tuli i ennill teitl proffesiynol yr Ymerodraeth. Daeth yn bencampwr pwysau pryf proffesiynol Prydain yn 1955 pan gurodd Eric Marsden yn Llundain ar 8 Chwefror, a mis yn ddiweddarach cipiodd deitl Ewrop trwy drechu'r Eidalwr Nazzareno Gianelli.

£1,000 i gyhoeddi'n Gymraeg

Mewn cam arloesol a phwysig, cyhoeddwyd ar 22 Mehefin fod y llywodraeth ganolog yn Llundain wedi cytuno i ganiatáu cymhorthdal o £1,000 gan Gyngor Sir Ceredigion ar gyfer cyhoeddi llyfrau Cymraeg. Alun R. Edwards, Ysgrifennydd Undeb y Cymdeithasau Llyfrau Cymraeg, a ddywedodd wrth gyfarfod o lengarwyr yn Nolgellau fod y Gweinidog Tai a Llywodraeth Leol wedi cymeradwyo'r grant gan y cyngor i Gymdeithas Lyfrau Ceredigion. Mynegodd ei obaith y byddai awdurdodau lleol eraill yng Nghymru yn dilyn esiampl dda Ceredigion i hybu darparu llyfrau Cymraeg.

Roedd Alun R. Edwards yn un o'r llyfrgellwyr mwyaf dyfeisgar ei ddydd. Penodwyd ef yn Llyfrgellydd Sir Aberteifi yn 1950 a datblygodd wasanaeth benthyg lle y byddai faniau llawn llyfrau yn teithio ar hyd a lled y sir, hyd yn oed i'r ffermydd mwyaf anghysbell, er mwyn i bob Cardi gael cyfle i fenthyca llyfrau. Roedd hefyd yn flaenllaw yn y broses o sefydlu'r Cyngor Llyfrau Cymraeg (Cyngor Llyfrau Cymru bellach) yn 1960 a Choleg Llyfrgellwyr Cymru yn 1964.

Diogelu'r uchel fannau

Ym mis Ebrill, agorwyd 519 milltir sgwâr o dir y De-ddwyrain yn swyddogol fel Parc Cenedlaethol Bannau Brycheiniog.

Hwn oedd yr olaf o dri Pharc Cenedlaethol Cymru, a'r olaf ond un o un-ar-ddeg i gael eu nodi yng Nghymru a Lloegr i gyd.

Tir mynyddig oedd y Parc yn bennaf, gan gynnwys Pen y Fan, y mynydd uchaf yn ne Cymru, 2907 troedfedd, a nifer o fannau bron cyfuwch. Roedd yn ymestyn dros ran helaeth o sir Frycheiniog, a hefyd yn cynnwys darnau o siroedd Caerfyrddin a Morgannwg, ac yn cyrraedd y ffin â Lloegr a chydredeg â Chlawdd Offa rhwng Llanddewi Nant Hodni a'r Gelli Gandryll. Roedd yn gynefin i amrywiaeth fawr o anifeiliaid a phlanhigion gwyllt, a hefyd merlod dof a redai'n rhydd ar y rhostiroedd a mynydd-diroedd.

Rees yn cipio Cwpan Ryder

Dai Rees o'r Barri oedd capten tîm Prydain ac Iwerddon a enillodd Gwpan Ryder yn erbyn Unol Daleithiau America am y tro cyntaf mewn 24 blynedd. Un o golofnau tîm Cwpan Ryder Prydain ac Iwerddon oedd Rees, a chwaraeodd yn y gystadleuaeth naw gwaith rhwng 1937 a 1961, a chapteinio'r tîm dair gwaith. Yn gydnabyddiaeth am ei gamp yn y flwyddyn hon, cafodd Rees ei ddewis yn Bersonoliaeth Chwaraeon y Flwyddyn y BBC, a derbyniodd hefyd Dlws yr Ysgrifenwyr Golff.

Ac eithrio Ian Woosnam, mae'n debyg mai Dai Rees oedd golffiwr gorau'r ganrif yng Nghymru. Bu'n Bencampwr *Match-Play* Prydain bedair gwaith yn ogystal ag ennill lu o gystadlaethau llai, a chwaraeodd dros Gymru yng Nghwpan Golff y Byd bron bob blwyddyn o 1954 hyd 1964. Er gwaethaf yr

holl lwyddiannau hyn, roedd un tlws a chwenychai'n fawr iawn ond na lwyddodd i'w ennill, sef Pencampwriaeth Golff Agored Prydain, er iddo ddod yn ail deirgwaith yn y gystadleuaeth – i Ben Hogan yn 1953, i Peter Thomson yn 1954, ac i Arnold Palmer yn 1961.

Trevor Ford yn herio'r drefn

Cyfnod llawn helbul oedd hwn i'r pêl-droediwr Trevor Ford o Abertawe. Yn ystod y flwyddyn, chwaraeodd ei gêm olaf dros ei wlad, tynnodd yr awdurdodau pêl-droed yn ei ben â'i hunangofiant dadleuol, a gadawodd Brydain am yr Iseldiroedd.

Pan gamodd Trevor Ford ar y maes yn erbyn yr Alban ar gyfer ei gêm olaf dros Gymru, roedd yn diweddu gyrfa ryngwladol hynod lwyddiannus a ddechreuodd ddeng mlynedd ynghynt. Ynghyd ag Ivor Allchurch, daliodd Ford y record am flynyddoedd lawer fel sgoriwr gorau tîm Cymru, gan roi'r bêl yng nghefn y rhwyd 23 o weithiau dros ei wlad mewn 38 o gemau rhwng 1947 a 1957. (Sgoriodd Allchurch yr un cyfanswm o goliau ond mewn 68 o gemau.) Safodd y record hon hyd y '90au pan dorrwyd hi gan Ian Rush.

Gwysiwyd Ford gerbron pwysigion y Gymdeithas Bêl-Droed yn sgil cyhoeddi ei hunangofiant yn datguddio taliadau dirgel i chwaraewyr. Rhoddwyd rhybudd iddo ar 6 Ionawr i roi ffeithiau i gefnogi ei honiadau neu'u tynnu'n ôl. Gwrthododd Ford wneud y naill beth na'r llall, a chafodd ei wahardd rhag chwarae gan awdurdodau'r gêm. Er iddo fynd yn ôl i chwarae wedyn cafodd ei wahardd drachefn ym mis Gorffennaf pan ddeallwyd ei fod wedi derbyn tâl anghyf-

Trevor Ford yn lliwiau Caerdydd.

reithlon o £100 gan glwb Sunderland. Mynd i'r Cyfandir oedd ymateb Ford, i ymuno â chlwb PSV Eindhoven yn yr Iseldiroedd, lle cafodd dair blynedd lwyddiannus iawn. Yn anffodus i Gymru, oherwydd y gwaharddiad ar Ford, collodd y tîm cenedlaethol un o'i chwaraewyr gorau ar yr union adeg pan oedd ei angen yn rowndiau terfynol Cwpan y Byd yn 1958.

'Y Cawr Addfwyn'

Ym mis Awst ymunodd John Charles, un o'r pêl-droedwyr gorau a welodd Cymru erioed, ag un o glybiau enwocaf yr Eidal, Juventus. Peth anghyffredin iawn cyn y '60au oedd i bêl-droedwyr o Brydain chwarae dros glwb tramor, ac roedd y swm a dalwyd am Charles, £65,000, yn record ar y pryd. Roedd cyflog Charles o tua £100 yr wythnos hefyd yn uwch o lawer na'r £15 a gawsai gan ei glwb yn Lloegr, Leeds United.

Profodd Charles ei fod yn werth yr holl *lira* a dalwyd amdano gan sgorio 28 gôl yn ei dymor cyntaf a chynorthwyo Juventus i ennill pencampwriaeth yr Eidal. Enillwyd y bencampwriaeth drachefn yn 1959-60 a 1960-61 cyn i Charles ddychwelyd i'w hen glwb yn Lloegr.

Chwaraeodd John Charles 38 o weithiau dros Gymru fel blaenwr ac amddiffynnwr gan sgorio 15 gôl. Pan gurwyd Lloegr yng Nghaerdydd yn 1955, ef oedd yn gyfrifol am gadw blaenwr peryglus y Saeson, Nat Lofthouse, yn dawel. Chwaraewr amryddawn ydoedd, a llawn mor gyffrous i'w wylio yng nghanol yr amddiffyn ag wrth arwain y llinell flaen.

Yr oedd yn gawr o ddyn ond gan ei fod yn chwaraewr glân a boneddigaidd gelwid ef gan yr Eidalwyr yn *'il buon gigante'* – y cawr addfwyn.   *[LLIW 75]*

Yr Archesgob dadleuol

Yr Archesgob Alfred Morris (yn y canol) gyda'i gyd-esgobion.

Prin y gellid fod wedi cael dau ddyn mwy gwahanol i'w gilydd yn ben ar yr Eglwys yng Nghymru na John Morgan o Landudno, a fu farw ar 26 Mehefin, a'r Sais a'i dilynodd fel Archesgob Cymru ar 19 Rhagfyr, Alfred Edwin Morris, Esgob Mynwy.

Bu John Morgan yn offeiriad plwyf am bedair blynedd ar ddeg yn ardal Gymreig Llanbeblig a Chaernarfon cyn cael ei ddyrchafu'n Esgob Abertawe ac Aberhonddu yn 1934. Treuliodd weddill ei yrfa eglwysig yn y De gan ddod yn Archesgob Cymru yn 1949.

A.E. Morris oedd y Sais cyntaf i fod yn Archesgob Cymru er pan grëwyd y swydd yn 1922. Sylwodd ef ei hun wedyn, 'Fi oedd y Sais cyntaf i ddod yn Archesgob Cymru, a fi fydd yr olaf mwya'r tebyg'. Roedd wedi dechrau dysgu Cymraeg tra yng Ngholeg Dewi Sant, Llanbedr Pont Steffan yn y '20au, ond wedi rhoi'r ffidil yn y to'n fuan wedyn. Yn ôl y sôn roedd wedi ei frifo gan honiadau ei fod yn dysgu'r iaith er mwyn dod yn esgob yng Nghymru, ac roedd yn benderfynol o roi taw ar bob ensyniad o'r fath trwy adael llonydd i'r Gymraeg yn llwyr. Cafodd ei feirniadu'n llym gan ei olynydd fel Archesgob Cymru, Glyn Simon, a oedd yn ei weld yn Sais rhonc ac un amharod i gydnabod hawliau'r Gymraeg. Trwy gydol ei dymor fel Archesgob arhosodd yn Esgob Mynwy, ac roedd yn well ganddo aros yn awyrgylch Seisnigaidd Casnewydd na symud i Landaf.

Yn ogystal â digio pleidwyr y Gymraeg, nid oedd chwaith at ddant rhai o gapelwyr y wlad. Achosodd ffrwgwd fawr yn 1953 trwy alw am ddileu'r gair 'Protestannaidd' o'r llw y byddai'r Frenhines yn ei thyngu yn oedfa'r Coroni, gan ennyn protestiadau mawr gan selogion Anghydffurfiol, a ffrwd o lythyron yn y *Times*. Enynnodd lid rhai capelwyr eto yn 1961 pan gyhoeddodd erthygl ar ddiod feddwol fel bendith oddi wrth Dduw, *The Christian Use of Alcoholic Beverages*. Lladdodd Morris ar ragrith y rhai a oedd am wahardd yfed ar y Sul a'i ganiatáu weddill yr wythnos, er ei fod ef yn credu bod pedair awr o amser agor ar y Saboth yn hen ddigon i dafarnwyr ac yfwyr Cymru.

Hogiau'r Sgiffl

Am gyfnod byr rhwng 1956 a 1958 cyfareddwyd ieuenctid Prydain gan gerddoriaeth ysgafn newydd o'r enw sgiffl, sef canu i gyfeiliant gitâr, bwrdd golchi ac offeryn a wnaed o hen gist te, coes brwsh a llinyn, a wnâi sŵn fel bâs dwbwl. Mewn gwirionedd dyma oedd cychwyn cerddoriaeth bop fodern ym Mhrydain, gyda Lonnie Donegan yn arwain y gân. Sefydlwyd grwpiau yng Nghymru hefyd ac yn eu plith grŵp a ddaeth yn enwog ledled y wlad ac a oedd yn parhau i berfformio ddeugain mlynedd yn ddiwedd-arach, sef Hogia Llandegai.

Criw Sgiffl Llandegai oedd enw'r grŵp a fu'n diddanu cynulleidfa yn Neuadd Hen Ysgol Tŷ'n Tir, Bethesda, ar 10 Ebrill, gan ennill treuliau o 12 swllt. Cafodd eu cymysgedd o ganu Cymraeg a Saesneg yn ogystal â sgetsys doniol dderbyniad brwd, ac wedi iddynt ganu ar y radio am y tro cyntaf ym mis Hydref, fe'u gwahoddwyd i berfformio mewn neuaddau ledled y Gogledd. Daeth eu caneuon fel 'Trên Bach yr Wyddfa, 'Mynd i'r Fan a'r Fan' a 'Defaid William Morgan', yn hynod boblogaidd, yn arbennig ar ôl iddynt eu canu ar raglenni teledu fel 'Hob y Deri Dando' yn ystod y '60au.

Bu Hogia Landegai yn diddanu cynulleidfaoedd am flynyddoedd lawer, ac yr oedd tri o'r grŵp gwreiddiol, y gitarydd Neville, y canwr Ron a'r digrifwr Now, yn parhau i berfformio yn negawd olaf y ganrif. *[LLIW 88]*

1958

1 Chwefror

Anfonwyd lloeren i'r gofod gan yr Unol Daleithiau.

6 Chwefror

Lladdwyd wyth o chwaraewyr pêl-droed Manchester United mewn damwain awyren yn Munich.

17 Chwefror

Sefydlwyd *CND*, yr Ymgyrch Diarfogi Niwclear.

24 Mawrth

Yn yr Unol Daleithiau galwyd y canwr pop Elvis Presley i'r fyddin.

29 Mehefin

Yn Sweden enillodd Brazil Gwpan y Byd gan guro Sweden 5-2.

26 Awst

Bu farw'r cerddor Ralph Vaughan Williams.

9 Medi

Yn Notting Hill, Llundain, gwelwyd terfysgoedd hiliol.

9 Hydref

Bu farw Pab Pius XII.

25 Hydref

Etholwyd Angelo Roncalli yn Bab gan gymryd yr enw John XXIII.

5 Rhagfyr

Agorwyd y draffordd gyntaf ym Mhrydain yn Sir Gaerhirfryn.

21 Rhagfyr

Etholwyd Charles de Gaulle yn Arlywydd Ffrainc.

Gŵyl Cymru

Yr orymdaith drwy Caerdydd.

A r 3 Mai cafwyd agoriad mawreddog yng Nghaerdydd i Ŵyl Cymru, gŵyl gened-laethol yn cynnwys gweithgareddau trwy Gymru i gyd. Heidiodd miloedd o bobl i'r brifddinas i weld Dug Caerloyw yn rhoi dechrau swyddogol i'r dathlu. Gyda'r Dug yr oedd cynulliad mawr o hoelion wyth y siroedd a'r trefi – pob un o'r Arglwyddi Rhaglaw a'r Uchel Siryddion, Cadeirydd pob Cyngor Sir a 36 o Feiri. Gwelwyd gorymdaith hyd at ddwy filltir o 67 o geir sioe, yn cael ei harwain gan ddraig goch a fesurai ddwy droedfedd ar hugain. Yn y parêd hefyd roedd cynrychiolwyr yr eglwysi, mudiadau ieuenctid, y lluoedd arfog, a phobl o sawl gwlad dramor.

Daeth digwyddiadau sefydledig fel Eisteddfod Gydwladol Llangollen a Gŵyl Gerdd Abertawe yn rhan o'r Ŵyl, ac yn ogystal â'r rhain cynhaliwyd rhai arbennig fel perfformiad yn Nhalacharn o ddrama Dylan Thomas, *Under Milk Wood*, a Phasiant Penfro gyda mwy na 500 o actorion. Bu'n fwriad i gynnal y Pasiant hwn yn 1957 i nodi pum canmlwyddiant geni Harri Tudur yng nghastell y dref, ond gohiriwyd ef am flwyddyn er mwyn iddo gydredeg â Gŵyl Cymru. Bu pasiantau hanesyddol tebyg mewn nifer o gestyll Cymru, o Gaerffili i Gonwy. Cynhaliodd Cymry Llundain eu pasiant eu hunain ar Afon Tafwys, a gŵyl gerdd yn Neuadd Frenhinol Albert. Gwelwyd hefyd lu o ffeiriau a sioeau lleol a phob math o chwaraeon, cystadlaethau, arddangosfeydd a nosweithiau llawen.

Fel mesur o lwyddiant yr Ŵyl, cofnodwyd bod chwarter miliwn o ymwelwyr tramor wedi dod i Gymru yn ystod y flwyddyn, record newydd i'r wlad.

Cymru a Chwpan y Byd

'Mae'r Cymry wedi ennill llawer o ffrindiau ym Mrasil â'r perfformiad yma,' meddai'r seren bêl-droed Didi, wedi i dîm cenedlaethol Cymru roi gêm annisgwyl o galed i ddarpar-bencampwyr y byd. Digon annisgwyl ydoedd hefyd fod peldroedwyr Cymru yn wynebu Brasil ar y maes chwarae o gwbl. Roedd y Cymry wedi cyrraedd rownd yr wyth olaf yng Nghwpan y Byd yn groes i ddarogan pawb ond y mwyaf ffafriol o blith sylwebyddion.

Dyma oedd yr unig dro yn y ganrif i dîm Cymru gyrraedd rowndiau terfynol y gystadleuaeth, ac yr oedd i law ffawd ran yn y gamp honno. Roedd y Cymry wedi gorffen yn ail yn eu grŵp rhagbrawf, ond daeth ail siawns i'w rhan pan wrthododd un o'r gwledydd Arabaidd chwarae ei gêm yn erbyn Israel. Cymru a ddewiswyd o'r het i chwarae'r Israeliaid yn ei lle, a chydag un fuddugoliaeth yn Tel Aviv ac un arall yng Nghaerdydd roedd y crysau cochion ar eu ffordd i Sweden i'r rowndiau terfynol.

Hollol annigonol at y gwaith o'u blaen oedd y Cymry yn ôl eu beirniaid, ac edrychai sawl un ymlaen at eu gweld yn cael eu sathru gan dimau eraill eu grŵp: Sweden, Hwngari, a Mecsico. Dave Bowen o Nantyffyllon, un o sêr clwb Arsenal, oedd capten y tîm, a oedd hefyd yn cynnwys y dawnus John Charles. Cyfres o gemau cyfartal a gafodd Cymru i ddechrau, a'r chwarae at ei gilydd yn amddiffynnol a gweddol ddi-fflach. Gyda Sweden yn mynd ymlaen i'r rownd nesaf, bu'n rhaid i'r Cymry ail-chwarae Hwngari i weld pa un o'r ddau a gâi ymuno â'r Swediaid yn yr wyth olaf. Gôl yr un gan Ivor Allchurch a Terry Medwin a sicrhaodd mai Cymru a fyddai'n cwrdd â Brasil yn y gêm nesaf yn Gothenberg.

Roedd y Brasiliaid eisoes wedi trechu Lloegr, Rwsia, ac Awstria, a smaliodd rhai yn Sweden y byddai'n rhaid rhoi pum gôl rad i'r Cymry ar y dechrau i wneud y gêm yn un deg, yn enwedig o gofio bod chwaraewr gorau'r tîm, John Charles, yn methu chwarae oherwydd anaf. O fewn ychydig roedd y gwatwarwyr wedi newid eu cân wrth i'r Cymry amddiffyn yn dda ac ymosod yn galed, ac ugain munud i mewn i'r gêm bu bron i Colin Webster eu rhoi ar y blaen pan fethodd gyfle i roi'r bêl yn rhwyd y Brasiliaid. Anhap greulon ugain munud o'r diwedd a roddodd y fuddugoliaeth i Frasil, gydag ergyd chwithig Pele, dim ond 17 oed ar y pryd, yn anfon y bêl oddi ar droed un o'r amddiffynwyr ac yn boenus o araf dros y llinell gôl. 1 – 0 oedd y sgôr ar y chwiban olaf. Bu dyfalu mawr wedyn a allai Cymru fod wedi ennill pe bai John Charles wedi bod yn holliach. Credai Charles ei hun y byddai wedi manteisio ar groesiadau Cliff Jones a phenio gôl neu ddwy ond nid oedd modd gwadu camp y Cymry beth bynnag.

Aeth Brasil ymlaen i ennill y Cwpan gan guro Sweden yn y rownd derfynol o bum gôl i ddwy a datblygodd Pele, sgoriwr y gôl dyngedfennol yn erbyn Cymru, i fod yn un o'r chwaraewyr disgleiriaf erioed. *[LLIW 77]*

Gemau cyntaf Cymru, a rhai olaf De Affrica

Ar 18-26 Gorffennaf cynhaliwyd Gemau'r Gymanwlad yng Nghaerdydd, y tro cyntaf i'r Gemau ddod i Gymru.

Gwaith anferth oedd cynnal y Gemau, a dechreuodd y gwaith cynllunio ar eu cyfer yn 1953. Defnyddiwyd maes rygbi Parc yr Arfau fel y prif stadiwm, er bod rhaid adeiladu ystafelloedd gwisgo ychwanegol, sgorfwrdd addas a phont dros dro ar draws Afon Taf ar gyfer y cystadleuwyr a'r swyddogion. Yn goron ar y gwaith adeiladu roedd Pwll yr Ymerodraeth, a orffennwyd dri mis cyn y Gemau ar gyfer y campau nofio. Wedi'r Gemau, daeth y pwll yn rhan bwysig o fywyd hamdden Caerdydd hyd nes iddo gael ei gau yn 1998 er tristwch i nifer o drigolion y ddinas.

Nid yng Nghaerdydd yn unig y cynhaliwyd y Gemau: yn y Barri y digwyddodd y cystadlaethau codi pwysau, ac ar Lyn Padarn, wrth odre'r Wyddfa y cynhaliwyd y cystadlaethau rhwyfo. Yno, bu'n rhaid galw ar Beirianwyr Brenhinol y fyddin i osod yr holl offer oedd eu hangen, gan gynnwys eisteddle i'r beirniaid a'r gwylwyr ar lannau'r llyn.

Daeth un fedal aur, tair medal arian, a saith medal efydd i ran Cymru yn y Gemau, cyfanswm o un fedal ar ddeg i gyd, y nifer orau hyd hynny. Y bocsiwr pwysau bantam Howard Winstone o Ferthyr Tudful a gafodd fedal aur gyntaf Cymru yng Ngemau'r Gymanwlad er 1938. Aeth Winstone ymlaen i fod yn bencampwr pwysau plu Prydain yn 1961, a phencampwr y byd yn 1967. Y rhedwr John Merriman a gasglodd un o dair medal arian Cymru pan ddaeth yn ail yn y ras chwe milltir, a'r bocswyr A.R. Higgins (pwysau godrwm) a M. Collins (pwysau plu) a enillodd y ddwy arall.

Gemau Caerdydd oedd y rhai olaf hyd at y '90au i athletwyr o Dde Affrica gael eu gwadd iddynt, wrth i ddicter byd-eang dyfu yn erbyn system wahanu hiliol y wlad. Mor gynnar â mis Ionawr roedd yr ymgyrchydd Gladys Griffiths o Benarth yn anfon cannoedd o lythyrau at Aelodau Seneddol a phobl amlwg ym myd chwaraeon yn gofyn am eu cefnogaeth i gadw De Affrica allan o'r Gemau. Gwelwyd protestiadau yng Nghaerdydd a Llundain yn ystod y Gemau yn erbyn presenoldeb y De Affricanwyr.

Teledu Masnachol i Gymru

Daeth teledu masnachol i Gymru pan ddechreuodd *Television Wales and the West* (*TWW*) ddarlledu ar 14 Ionawr gyda 7½ awr o raglenni o drosglwyddydd Saint Hilari ym Mro Morgannwg. O'i stiwdios ym Mhontcanna, Caerdydd, darlledai *TWW* arlwy amrywiol o raglenni i dde Cymru a de-orllewin Lloegr. Gallai rhai cartrefi yn y gogledd-ddwyrain hefyd dderbyn rhaglenni *Granada* o Fanceinion.

Rhywfaint o ieuo anghymarus oedd priodas Cymru a de-orllewin Lloegr at ddibenion teledu, gyda dwy gynulleidfa wahanol yn mynnu mathau gwahanol o raglenni. Roedd hyn yn arbennig o wir am fater darlledu Cymraeg. Ar y naill law, roedd agor ail sianel deledu arall yn golygu bod modd darlledu'n Gymraeg ar un, tra oedd rhaglen Saesneg ar y llall; ond ar y llaw arall anodd oedd cyfiawnhau darlledu rhaglenni Cymraeg i ardaloedd Cernyw a Dyfnaint, lle nad oedd prin neb yn eu deall.

Ar 19 Gorffennaf cyhoeddwyd llythyr yn y *Western Mail* oddi wrth 16 o Gymry blaenllaw yn galw am greu sianel deledu ar wahân i wasanaethu Cymru. Cwynodd awduron y llythyr nad oedd yr un rhaglen Gymraeg yn cael ei dangos wedi 2 o'r gloch y prynhawn, a bod y rhan fwyaf o'r amser i chwaraeon yn cael ei neilltuo i ddangos rhai o Loegr. Ymhlith y llofnodwyr roedd Iorwerth Peate o Amgueddfa Werin Cymru, y bardd Cynan, Gwynfor Evans, Llywydd Plaid Cymru, a'r Aelod Seneddol, Clement Davies.

Tra oedd gweddill Cymru'n mwynhau teledu masnachol am y tro cyntaf, roedd pâr o deledwyr amatur yn Llandudno a Phrestatyn wrthi'n darlledu eu deunydd eu hunain. Ar 17 Ebrill, llwyddodd Derek Whitehead i anfon signal deledu o ben mynydd y Gogarth at John Lawrence, sefydlydd Cymdeithas Radio Sir Fflint, ym Mhrestatyn. Atebodd Lawrence trwy anfon cartwnau a'r cyfarchiad '*Welcome to pretty Prestatyn*'. Rhai Whitehead a Lawrence oedd yr unig ddwy orsaf deledu amatur yng Nghymru ar y pryd, a hwn oedd y darllediad ddwyffordd amatur cyntaf yn y wlad.

Ymddiswyddiad dramatig Huw T.

Huw T. Edwards yn derbyn rhodd gan Gyngor Cymru gyda'r Gweinidog Materion Cymreig, Henry Brooke, ar y dde.

Y dyn mwyaf lwcus yng Ngheinewydd

Cafodd rhai o bentrefwyr Ceinewydd, Ceredigion, ychydig o fraw ar 31 Mawrth pan laniodd rhywbeth oddi uchod tua chan llath o'u cartrefi. Ar y safle profi rocedi yn Aberporth 12 milltir i ffwrdd yr oedd y bai, wrth i un o'r rocedi dan brawf wyro o'i chwrs priodol. Daeth i lawr o fewn 150 llath i nifer o dai a 100 llath o glwstwr o fyngalos, gan lanio ar dir fferm William Albert Lewis. O blith holl drigolion Ceinewydd, mae'n debyg mai Tom Lewis, mab y fferm, a gafodd y ddihangfa fwyaf ffodus. Roedd ef yn gyrru ei dractor trwy'r caeau pan ffrwydrodd y roced ryw hanner canllath i ffwrdd. Nid oedd wedi ei chlywed yn dod oherwydd sŵn injan y tractor.

Mewn cynhadledd ddramatig i'r wasg ar 25 Hydref, cyhoeddodd Huw T. Edwards y byddai'n ymddiswyddo o gadeiryddiaeth Cyngor Cymru – corff y bu'n gadeirydd arno er 1949.

Er iddo gael ei feirniadu'n gyson, llwyddodd y Cyngor, o dan arweinyddiaeth Edwards, i baratoi adroddiadau pwysig ar faterion Cymreig, ac roedd adroddiad y Cyngor ar weinyddiaeth y llywodraeth yng Nghymru, a gyhoeddwyd yn 1957, yn ddogfen bwysig. Argymhelliad y Cyngor oedd y dylid trosglwyddo'r cyfrifoldeb am weinyddu nifer helaeth o ddyletswyddau i ddwylo Ysgrifennydd Gwladol dros Gymru, ond gwrthodwyd y syniad gan y Prif Weinidog, Harold Macmillan.

Rhwystredigaeth yn ei anallu i ddylanwadu ar y llywodraeth oedd yn gyfrifol am benderfyniad Huw T. Edwards i ymddiswyddo. Yn ei farn ef nid oedd 'llygedyn o obaith i Whitehalliaeth byth ddeall dyheadau'r Cymry'. Gobeithiai y byddai ei weithred yn ysgwyd y llywodraeth ac yn ysbrydoli eraill yng Nghymru i weithredu, ond mewn gwirionedd yr oedd yr awdurdodau yn Llundain yn falch o gael gwared arno, a buan y tawelwyd y dyfroedd gwleidyddol yng Nghymru wedyn. Pan gyhoeddodd y Prif Weinidog y penodai'r Gweinidog Materion Cymreig, Henry Brooke, yn Gadeirydd dros dro yn lle Huw T. Edwards, ymddiswyddodd pedwar aelod arall o'r Cyngor mewn protest.

Yn 1959, cefnodd Edwards ar y Blaid Lafur – plaid y bu'n aelod ffyddlon ohoni ers deugain mlynedd – ac ymuno â Phlaid Cymru.

Y Crogi olaf

Prin y byddai wedi bod o gysur i Vivian Frederick Teed, pan gamodd ar grocbren carchar Abertawe ar 6 Mai, pe gwyddai mai ef fyddai'r dyn olaf i gael ei grogi yng Nghymru. Cafwyd Teed yn euog ar 18 Mawrth o lofruddio postfeistr Fforest-fach, William Williams, wrth geisio lladrata o'i swyddfa bost. Ni wadodd Teed ladd Williams, ond dadleuodd ei dwrnai ei fod yn dioddef rhyw nam meddyliol a achosai iddo ymddwyn yn dreisgar – roedd William Williams wedi ei bwnio i farwolaeth. Galwyd ar y seiciatrydd Dr. Eurfyl Jones, a dystiodd fod gan Teed 'bersonoliaeth seicotig'. Er gwaethaf y dystiolaeth feddygol hon, wedi hir drafod penderfynodd y rheithgor fod Teed yn euog o lofruddiaeth, a dedfrydwyd ef i ddioddef y gosb eithaf gan y barnwr, Mr. Ustus Salmon. Apeliodd Teed yn aflwyddiannus yn erbyn ei ddedfryd, a gwrthododd yr Ysgrifennydd Cartref ddeiseb am drugaredd gyda mil o enwau arni. Yn unol â rheol newydd, ni roddwyd hysbysiad ar ddrws y carchar i gyhoeddi bod y ddedfryd wedi'i chyflawni, a bach iawn oedd y dorf a ymgasglodd wrth y pyrth am 9 o'r gloch y bore, awr y dienyddio.

Tsieina, sir Gaernarfon

Ingrid Bergman yn paratoi ar gyfer golygfa arall.

Gweddnewidiwyd rhannau o sir Gaernarfon i ymddangos fel cefn gwlad Tsieina yn y '30au, pan ffilmiwyd *The Inn of the Sixth Happiness* yn Eryri yn ystod y flwyddyn. Nid oedd awdurdodau Comiwnyddol Tsieina yn barod i ganiatáu i'r cyfarwyddwr Mark Robson a'i griw ddod i mewn i'r wlad i ffilmio ac felly daethant i Gymru. Codwyd tai traddodiadol ym Meddgelert a daethpwyd â llu o actorion o dras Tseineaidd i'r ardal ar gyfer y ffilm.

Cafwyd teitl y ffilm o enw'r llety a gedwid gan genhadwr Cristnogol ym mynyddoedd gogledd Tsieina ar gyfer teithwyr blinedig. Seren ryngwladol y sgrîn fawr, Ingrid Bergman, a chwaraeodd ran y genhades Gristnogol Gladys Aylward, a aeth ar ei liwt ei hun i chwilio am y llety a gweithio yno. Pan ddaw byddin rymus Siapan i feddiannu'r wlad, mae'r genhades yn mentro popeth i fynd â chriw o blant Tsieineaidd i ddiogelwch, cyn dychwelyd i beryglon y brwydro i chwilio am ei chariad o filwr Tsieineaidd heb wybod a fydd yn llwyddo i ddod o hyd iddo.

Daeth tristwch o ddifrif yn dynn ar sodlau trasiedi ffuglennol y ffilm pan fu farw un o'r prif actorion, Robert Donat, o asthma yn fuan wedyn. Yn y ffilm, cymerodd Donat ran mandarin lleol a drodd yn Gristion trwy ddylanwad Gladys Aylward, a geiriau olaf ei gymeriad wrth gymeriad Bergman yn y ffilm oedd '*We shall never see each other again, I think. Farewell.*'

'Awyrgylch cadeirlan'

dde: Oedfa yn yr Eglwys Gadeiriol o dan gampwaith Epstein.

Ar 22 Mehefin ailagorwyd un o drysorau pensaernïol pennaf yr Eglwys yng Nghymru, Eglwys Gadeiriol Llandaf, ar ôl gorffen y gwaith o drwsio'r niwed a wnaed iddi yn ystod cyrchoedd awyr y *Luftwaffe* adeg y rhyfel. Dioddefodd y gadeirlan ddifrod sylweddol pan ollyngwyd ffrwydryn tir yn ei hymyl ar 22 Ionawr 1941. Dinistriwyd llawer o weithiau celf a chrefft bwysig, er i rai o'r pwysicaf gael eu hachub am eu bod eisoes wedi'u symud i storfa ddiogel. Gwaith y pensaer, George Pace o Gaerefrog, oedd adfer yr adeilad. Ef a greodd Gapel Dewi Sant – Capel Coffa'r Gatrawd Gymreig

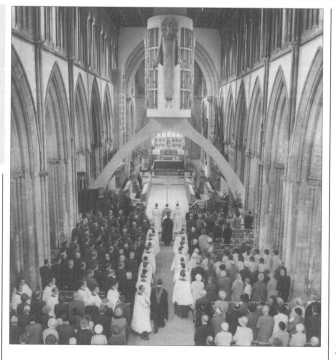

– ond mae'n debyg mai am y bwa concrit mawr a osodwyd rhwng y gangell a chorff yr eglwys y cofir ef yn bennaf oll. Ar ben hwnnw rhoddwyd cerflun alwminiwm Syr Jacob Epstein, y *Majestas*, o esgyniad yr Iesu.

Derbyniodd Pace gryn dipyn o glod am roi i'r eglwys fwy o'r hyn a alwyd yn 'awyrgylch cadeirlan'. Cynhaliwyd Oedfa Ddiolchgarwch ar 6 Awst 1960 i nodi cwblhau'r gwaith adfer, yng ngŵydd y Frenhines a'i gŵr.

Dwy bont yng Nghonwy

Casglwyd y doll olaf ar bont grog Thomas Telford yng Nghonwy ar 30 Tachwedd, a phythefnos yn ddiweddarach caewyd hi'n gyfan gwbl. Agorwyd pont newydd yn ei lle ar 13 Rhagfyr gan Henry Brooke, y Gweinidog Materion Cymreig. Pont o un bwa dur 310 troedfedd oedd hon, wedi'i chynllunio gan y pensaer H.W. FitzSimons, a fu farw cyn cael gweld ei waith yn orffenedig. Bu'n rhan o'r bwriad gwreiddiol i'w gwneud yn ddigon llydan ar ei thraws i gynnwys pedair lôn o draffig, ond buasai hynny wedi gorfodi dymchwel pont Thomas Telford ac roedd gwrthwynebiad mawr gan rai i'r syniad hwnnw. Prynwyd yr hen bont a'i hadfer gan yr Ymddiriedolaeth Genedlaethol yn 1965-66, a gadawyd hi a'r bont newydd i sefyll ochr yn ochr yn ymyl pont reilffordd Robert Stephenson.

1959

Anrhydeddau i arwyr Môn

Ar 27 Hydref, gyda chriw o bedwar yn cynnwys un dyn na fu erioed ar fad achub o'r blaen, cychwynnodd Richard Evans i ganol storm wyllt i achub morwyr y llong 500 tunnell *Hindlea*. Roedd Evans, Llywiwr bad achub Moelfre ym Môn, wedi derbyn neges ffôn gan Wylwyr y Glannau yng Nghaergybi yn dweud bod yr *Hindlea* wedi dechrau llusgo ei hangor. Gwyddai ar unwaith fod y llong mewn perygl mawr, ac nid arhosodd hyd yn oed i gasglu criw llawn cyn lawnsio'r bad achub. Gydag ef yn mentro i'r moroedd garw roedd ei beiriannydd Evan Owen a thri dyn arall, gan gynnwys y dyn cwbl ddibrofiad, Hugh Jones. I wneud pethau'n waeth fyth, roedd bad achub arferol Moelfre wrthi'n cael ei drwsio ar y pryd, ac nid oedd gan yr un o'r criw brofiad o ddefnyddio'r bad dros dro oedd ganddynt. Chwythai'r gwyntoedd hyd at 104 milltir yr awr, codai'r tonnau gymaint â 25 troedfedd, a bu bron i griw'r bad achub i gyd gael eu boddi ynghyd â chriw'r llong. Llywiodd Evans ei fad wrth ochr yr *Hindlea* ddeg o weithiau'n olynol, gan lwyddo i gasglu wyth aelod o griw'r llong. Yn fuan wedyn, cafodd yr *Hindlea* ei hyrddio'n erbyn clogwyni a'i thorri'n ddau.

Yr *Hindlea* wedi'i chwalu ar greigiau arfordir Môn.

Derbyniodd y Llywiwr Richard Evans Fedal Aur Sefydliad y Badau Achub am ei ddewrder, a rhoddwyd Medal Arian i Evan Owen, a rhai Efydd i weddill y criw. Daeth llongddrylliad yr *Hindlea* lai na phedair awr ar hugain wedi oedfa arbennig yn eglwys Llanallgo i gofio'r 444 a fu farw pan suddodd y llong *Royal Charter* gan mlynedd yn union cyn hynny ar 26 Hydref 1859.

Nofelydd enillgar

Nofelydd a dramodydd a gyhoeddai yn Gymraeg a Saesneg oedd enillydd un o wobrau pwysicaf y byd llenyddol, Gwobr Hawthornden, y flwyddyn hon. Cyflwynwyd y wobr a siec o £150 i Emyr Humphreys gan ei gyd-wladwr, Aneurin Bevan, mewn seremoni ym mhencadlys Cyngor y Celfyddydau yn Llundain ar 3 Mehefin. Yn ôl y beirniaid, *A Toy Epic*, sef cyfieithiad Emyr Humphreys o'i nofel Gymraeg *Y Tri Llais*, oedd y gwaith creadigol mwyaf nodedig y flwyddyn.

Ar y pryd yr oedd Emyr Humphreys yn gynhyrchydd drama gyda'r BBC, ond yr oedd eisoes wedi cyhoeddi nifer o nofelau ac wedi ennill gwobr glodfawr arall yn 1954, sef Gwobr Somerset Maugham, am ei nofel *Hear and Forgive*. Dros gyfnod o hanner canrif o lenydda cyhoeddwyd llu o'i nofelau gan gynnwys cyfres yn dwyn y teitl *The Land of the Living* a oedd yn olrhain hanes cymeriad cymhleth o'r enw Amy Parry yng Nghymru'r ugeinfed ganrif.

Ar ôl dyfodiad Sianel Pedwar Cymru yn 1984, dangoswyd nifer o'i ddramâu teledu beiddgar a dyrys a gynhyrchwyd gan amlaf gan ei fab, Siôn Humphreys.

Y Ceiliog yn canu

Y Ceiliog ar waith ond pwy yw'r darlledwyr?

Cafwyd cwyno mawr gan aelodau Plaid Cymru yn ystod y flwyddyn eu bod wedi'u hamddifadu o'r amser a oedd yn ddyledus iddynt ar y radio a'r teledu, a bu cythrwfl mawr o fis Ebrill ymlaen pan ddechreuodd y Blaid ddarlledu ei phropaganda'n anghyfreithlon trwy offer radio symudol dan yr enw 'Radio Cymru'. Rhoddwyd yr enw 'Y Ceiliog' ar y trosglwyddydd, a deffro pleidleiswyr Cymru i wrando ar eu hachos hwy oedd amcan y cenedlaetholwyr.

Fodd bynnag, ychydig o'r 77,571 o bobl a bleidleisiodd dros y Blaid yn yr Etholiad Cyffredinol ar 8 Hydref a fyddai wedi clywed y 'Ceiliog'. Dangosodd y cyfanswm parchus hwn fod cynnydd sylweddol wedi bod yng nghefnogaeth Plaid Cymru, er bod hwnnw i'w briodoli i gryn raddau i'r ffaith ei bod wedi cyflwyno ugain o ymgeiswyr, llawer mwy nag arfer. Yng Nghymru at ei gilydd ni welwyd llawer o newid ar y map gwleidyddol. Dim ond un sedd yn y wlad a newidiodd ddwylo: yng Ngorllewin Abertawe cipiodd J.E.H. Rees y sedd i'r Ceidwadwyr oddi ar Percy Morris o'r Blaid Lafur.

Adlewyrchu'r ffordd Gymreig o fyw

Drych ynteu un o ddisgiau Qualiton?

Ymhlith y recordiau a gynhyrchwyd ar gyfer marchnad y Nadolig oedd un gan Gôr Meibion Treorci ac un gan Gôr Madrigal Aberystwyth. Cwmni Qualiton o Bontardawe oedd yn gyfrifol am y recordiau hyn ac am lawer o recordiau Cymraeg a Chymreig eraill y cyfnod.

John Edwards, cerddor o'r Garnant, a Douglas Rosser, peiriannydd sŵn o Gastell-nedd, oedd sylfaenwyr y cwmni. Dechreuasant yn 1954 drwy gynhyrchu recordiau o stiwdios yn Lloegr, ond ar ôl prynu offer yn Sgandinafia sefydlwyd ffatri newydd ym Mhontardawe. Erbyn y flwyddyn hon roedd gan y cwmni gatalog o dros 150 o recordiau gan gynnwys dwy bregeth, pedair Cymanfa Ganu, anerchiadau gan yr actor Emlyn Williams, corau a sylwebaeth rygbi gan Cliff Morgan.

Credai John Edwards y dylai'r cwmni 'adlewyrchu'n gywir y ffordd Gymreig o fyw'. 'Y nod yw rhoddi i Gymru bob hapusrwydd a fedrwn a lledaenu diddordeb mewn cerddoriaeth Gymreig drwy'r byd' meddai.

Y Ddraig Goch ddyry cychwyn

Ar 23 Chwefror cyhoeddwyd gorchymyn y Frenhines fod baner y Ddraig Goch i'w chydnabod yn faner swyddogol Cymru. Y Ddraig Goch ar gefndir gwyn a gwyrdd fyddai'r faner i'w chodi uwchben adeiladau'r llywodraeth yng Nghymru, gan ddisodli'r bathodyn brenhinol a'r ddraig o dan goron, a ymdebygai yn ôl rhai i 'label pot jam'. Aed ati'n syth i sicrhau mai'r faner swyddogol newydd a gâi ei chodi ar gyfer Dydd Gŵyl Ddewi.

Bu croeso mawr yng Nghymru i'r newid, ond i ddau arbenigwr ar faneri a herodraeth, twyll oedd y cyfan. 'Yn fy marn i, er mor amhoblogaidd yw hi, does dim baner genedlaethol Gymreig,' meddai Syr George Bellew o Goleg yr Arfau, swyddfa herodraeth y Deyrnas Unedig. Cafodd gefnogaeth yn hyn o beth gan Syr Austin Strutt yn y Swyddfa Gartref, a ddywedodd na allai Cymru byth gael baner genedlaethol am na fu erioed yn deyrnas ar wahân.

Peryglon ymbelydredd

Achosodd cyhoeddiad gan y Prif Weinidog, Harold Macmillan, yn yr haf bod rhwng pedair a phum gwaith mwy o Strontium 90 ar yr Wyddfa nag mewn rhannau eraill o Brydain, gryn bryder yng Nghymru. Llwch ymbelydrol oedd Strontium 90 a allai achosi cancr ac yn arbennig lewcaemia mewn plant. Ofnwyd hefyd bod llaeth wedi'i lygru gan yr ymbelydredd.

Er y byddai Rwsia, yr Unol Daleithiau, Ffrainc a Phrydain yn arbrofi'u bomiau niwcliar drwy ei ffrwydro mewn safleoedd anghysbell, cariwyd llwch ymbelydrol Strontium 90 gan y gwynt a'i ollwng ar diroedd mynyddig glawog fel Eryri.

Ymbelydredd a feiwyd hefyd gan ffermwr o Lanfyllin, Maurice Thomas, am fod pymtheg o'i warthe g pedigri yn colli blew oddi ar eu cefnau. Credai mai ymbelydredd yn y glaw a achosai hyn a bygythiai fynd â'r llywodraeth i gyfraith a mynnu iawndal.

Yn ystod y flwyddyn hon cyhoeddwyd adroddiad gan Bwyllgor Cymru o Gyngor y Celfyddydau yn pwysleisio'r angen am sefydlu Theatr Genedlaethol ar gyfer Cymru. Nid oedd yr awgrym yn un newydd oher-

Distewi dwsin o byllau'r De

Glowyr yn casglu'u cyflogau olaf.

Yn ystod y flwyddyn caewyd deuddeg o lofeydd y De, y nifer mwyaf erioed mewn un flwyddyn. Ymhlith y rhain roedd Tŷ Trist yng Ngwent, a weithiwyd am 125 o flynyddoedd, record i faes glo'r De. Caewyd chwech o'r deuddeg mewn un mis – mis Chwefror – gan daflu miloedd o ddynion ar y clwt. Y maes glo carreg a gafodd y gwaethaf o'r newid gyda 1,400 o ddynion yn colli eu gwaith mewn lleoedd megis Cefn Coed a Chwmllynfell. Yn 1958 yr oedd 99,000 o weithwyr ym maes glo'r De, ond erbyn 1960 roedd y cyfanswm wedi disgyn i 84,000.

Breuddwyd Clifford Evans

chwith:
Clifford Evans yn chwarae rhan y Brenin yn Hamlet.

wydd bu'r Arglwydd Howard de Walden yn rhoi mynegiant i'r syniad cyn y Rhyfel Byd Cyntaf. Dyma hefyd oedd breuddwyd actor blaenllaw o Gymru, Clifford Evans, ac ef oedd yn bennaf gyfrifol am sefydlu Ymddiriedolaeth Theatr Dewi Sant, a gyfarfu am y tro cyntaf ym mis Rhagfyr, er mwyn hyrwyddo'r syniad.

Ymhlith yr ymddiriedolwyr oedd Saunders Lewis, Cennydd Traherne ac Arglwydd Aberdâr, a chafwyd cefnogaeth actorion a dramodwyr amlwg, gan gynnwys Stanley Baker, Richard Burton, Gwen Ffrangcon-Davies, John Gwilym Jones, Alun Owen, Rachel Roberts ac Emlyn Williams. Diben yr ymddiriedolaeth oedd hybu talentau ym myd y ddrama yng Nghymru, hyrwyddo dramâu Cymreig, sefydlu cwmni parhaol o actorion, awduron, cerddorion a chynllunwyr, a rhoi cyfle i artistiaid Cymreig i serennu yn eu gwlad eu hunain.

Erbyn 1961 yr oedd cynllun uchelgeisiol i adeiladu Theatr Genedlaethol gerllaw Castell Caerdydd ar gost o £300,000 wedi ei baratoi ond ni ddaeth dim o'r fenter. Yn ddiweddarach, yn 1973, drafftiwyd cynllun ar gyfer Canolfan Gelfyddydol Gymreig ond, fel o'r blaen llugoer oedd ymateb y llywodraeth. Pan fu Clifford Evans farw yn 1985, roedd ei freuddwyd yn parhau heb ei gwireddu.

Roedd Clifford Evans yn un o actorion amlycaf y byd theatr, ffilm a theledu ei ddydd. Ganed ef yn Senghennydd yn 1912 ond fe'i addysgwyd yn Ysgol Ramadeg Llanelli. Enillodd ysgoloriaeth i RADA ac yn ystod y '30au bu'n actio ar lwyfannau Llundain ac ar Broadway, Efrog Newydd. Cymerodd ran hefyd yn y dramâu awyr agored a berfformiwyd yn Regent's Park, Llundain, yn 1934. Ymddangosodd mewn nifer o ffilmiau, gan gynnwys *Love on the Dole*, *The Silver Darlings*, *While I Live* a *The Foreman went to France*, ond gwrthododd bob cais i'w ddenu i Hollywood. Yn 1950 penodwyd ef yn gyfarwyddwr Theatr y Grand, Abertawe, a chwaraeodd rannau lu mewn dramâu teledu o'r '50au ymlaen. Y cymeriad enwocaf a chwaraewyd ganddo yn y cyfnod hwn oedd y dyn busnes Caswell Bligh yn y gyfres deledu boblogaidd *The Power Game*.

uchod:
Cais arall i Dewi Bebb
yn erbyn Lloegr.

Y gogleddwr chwim

Gêm de Cymru fu rygbi erioed, ond ambell dro cafodd Cymro o'r Gogledd y fraint o wisgo crys coch ei wlad. Un o'r enwocaf a mwyaf llwyddiannus ohonynt oedd Dewi Bebb. Magwyd Dewi Bebb yng Ngwynedd, yn fab i'r llenor a'r cenedlaetholwr blaenllaw Ambrose Bebb, ond tra oedd yn fyfyriwr yng Ngholeg y Drindod, Caerfyrddin, cafodd gyfle i chwarae dros Abertawe gan sgorio cais cofiadwy yn erbyn Llanelli.

Dim ond tair gêm yn ddiweddarach fe'i dewiswyd i gynrychioli Cymru yn erbyn yr hen elyn, Lloegr.

Ar y pryd roedd tîm cryf gan y Saeson ond roedd maes mwdlyd a Dewi Bebb yn eu disgwyl yng Nghaerdydd ar 17 Ionawr. Ychydig o chwarae creadigol oedd yn bosibl ar faes a ddisgrifiwyd fel Môr Sargasso, ond roedd rhediad gan Bebb a chais yn y gornel yn ddigon i ennill y gêm i'r Cymry. Hwn oedd y cais cyntaf gan y Cymry yn erbyn y Saeson yng Nghaerdydd ers deng mlynedd, a chariwyd y sgoriwr o'r maes ar ddiwedd y gêm ar ysgwyddau'r dorf orfoleddus. Gwibiwr chwim a dyfeisgar oedd Bebb ac efallai fod ei gefndir cenedlatholgar yn gyfrifol am ei allu i sgorio ceisiadau allweddol yn erbyn Lloegr. Croesodd y llinell bum gwaith mewn wyth gêm yn erbyn y Saeson rhwng 1959 ac 1967.

Y dwsin dethol

Mewn cyfarfod yn Aberystwyth ar 3 Ebrill, penderfynodd deuddeg o wahoddedigion fod angen 'ffurfio cymdeithas ddethol o bedwar ar hugain o lenorion' er mwyn 'hyrwyddo a noddi llenyddiaeth Gymraeg'. Yr Academi Gymreig oedd yr enw a ddewiswyd ar y gymdeithas, a daeth i fod yn bennaf trwy symbyliad Bobi Jones a Waldo Williams. Bu cryn feirniadaeth ar y sefydlwyr yn y papurau Cymraeg a Saesneg fel ei gilydd, yn bennaf am fod yr aelodau dethol wedi'u dethol eu hunain, a pharodd hyn i rai o'r aelodau cyntaf gefnu ar yr Academi. Er hyn, ar 22 a 23 Ebrill 1960 yng Nghaerdydd, cynhaliwyd cyfarfod swyddogol cyntaf yr Academi, ac etholwyd yr Athro Emeritws Griffith John Williams yn Llywydd a'r Dr. Iorwerth Peate yn Gadeirydd.

Dewiswyd yr enw 'Cymreig' yn hytrach na 'Cymraeg' er mwyn caniatáu i awduron Saesneg yng Nghymru ymuno yn nes ymlaen, ac yn 1968 ffurfiwyd Adran Saesneg yr Academi trwy ymdrechion y bardd Meic Stephens, ffigwr amlwg ym myd llenyddiaeth Eingl-Gymreig. Adran Saesneg yr Academi a gomisiynodd y llyfr cyfeiriadol safonol, *Cydymaith i Lenyddiaeth Cymru*.

Ymhlith cyhoeddiadau eraill yr Academi ceir y cylchgrawn *Taliesin*, y gyfres o adargraffiadau llenyddol, *Clasuron yr Academi*, a *Geiriadur yr Academi*, y geiriadur Saesneg-Cymraeg mwyaf cynhwysfawr erioed.

Y Car Cymreig

Y car gyda'i gynllunwyr.

Mewn pwt o weithdy bach yn Llanilltyd Faerdref, ger Pontypridd, y dechreuwyd cynhyrchu car cyflym, y *Gilbern Mark 1 Grand Turismo*. 'Y Car Cymreig' oedd y *Gilbern* i lawer un, a bathodyn y Ddraig Goch a ddewiswyd gan ei wneuthurwyr i'w osod ar ei flaen. Er hyn, gwaith dau o'r tu allan i'r wlad oedd y car: y Sais Giles Smith o Gaint, a'r Almaenwr Bernard Friese a ddaethai i Gymru'n garcharor rhyfel. Roedd gan Smith ddiddordeb mewn llunio car ac iddo gorff o ffibr gwydr pan gwrddodd â Friese a oedd eisoes wedi adeiladu ei gar ei hun. Aeth y ddau ati i wireddu syniad Smith am gar ysgafn ond cryf o ffibr gwydr. Erbyn mis Mehefin 1960 roedd y partneriaid yn cynhyrchu un car bob deng niwrnod ac yn derbyn archebion o bob rhan o Brydain ac o'r Cyfandir. Roedd ceir *Gilbern* ar gael naill ai yn eu ffurf orffenedig, neu fel cit ar gyfer y prynwyr a deimlai'n ddigon hyderus i osod yr holl ddarnau at ei gilydd. Tua £700 oedd cost pob cit, gan arbed £450 i'r prynwr o gymharu â phris y car gorffenedig.

Ymddiswyddo

Ym mis Ebrill ymddiswyddodd wyth aelod o Bwyllgor Gwaith Eisteddfod Genedlaethol, Caerdydd, am eu bod yn gwrthwynebu'r penderfyniad i wahodd y Frenhines i'r Eisteddfod a oedd i'w chynnal yno yn 1960. Yn ôl yr wyth, a oedd yn cynnwys curadur Sain Ffagan, Iorwerth Peate, yr Athro Griffith John Williams, A.O.H. Jarman ac Aneirin Lewis, roedd y penderfyniad yn anwybyddu'n llwyr brif amcan yr Eisteddfod, sef hyrwyddo'r diwylliant Cymreig a diogelu'r iaith Gymraeg. Credent bod gwir fygythiad i'r rheol Gymraeg pe bai'r Frenhines yn ymweld â'r Eisteddfod, gan y byddai Palas Buckingham yn disgwyl iddi gael y cyfle i siarad o lwyfan y brifwyl. Ni chafodd y brotest fawr o effaith, ac fe ddaeth y Frenhines a'i theulu i'r Eisteddfod ym mis Awst 1960 a chrwydro'r maes yn ddidramgwydd. Ni siaradodd o'r llwyfan ond cafodd y fraint o eistedd yng Nghadair yr Eisteddfod – cadair a ataliwyd y flwyddyn honno am na chafwyd teilyngdod.

1960

Y Dilyw

Defnyddiwyd cwch i achub trigolion a chath o'r Gelli rhag y llifogydd.

Yn sgil y mis Tachwedd gwlypaf ers mwy na chanrif, gwelwyd y llifogydd gwaethaf yng Nghymru er 1929, gyda difrod mawr yn ne Cymru a'r canolbarth o 4 Rhagfyr ymlaen.

Yng Nghaerdydd a dwyrain Morgannwg y cafwyd y problemau mwyaf difrifol. Gwthiwyd dŵr i fyny dyffrynnoedd Hafren a Gwy gan lanw uchel ym Môr Hafren. Boddwyd bachgen wyth oed, Robert Avery, yng Nghwm-bach, Aberdâr. Ar stad ddiwydiannol Trefforest bu 62 o ffatrïoedd dan ddŵr ar gost o filoedd o bunnoedd, a gwnaed 11,000 o weithwyr yn segur fel canlyniad. Yng Nghaerdydd bu difrod i 6,000 o gartrefi, bu maes chware Parc yr Arfau dan bedair troedfedd o ddŵr, a symudwyd prif storfa barseli Swyddfa'r Post o'r brifddinas i Gasnewydd rhag niweidio'r post gan y dŵr. Yn y Rhondda symudwyd 1,000 o bobl o'u cartrefi, ac yn y Drenewydd ynyswyd 3,000 o bobl gan y dyfroedd.

Mewn nifer o drefi bu'n rhaid defnyddio cychod i achub pobl o loriau uchaf eu tai. Dychrynwyd trigolion Dyffryn Wysg gan ffrydiau o ddŵr a foddodd ddefaid a gwartheg yn y wlad ac a ysgubodd trwy Stryd Fawr tref Brynbuga gan chwalu ffenestri'r siopau. Cofnodwyd pedair troedfedd o ddŵr ar bob ffordd i mewn i'r Fenni. Ym Morth Tywyn, sir Gaerfyrddin, collodd un teulu eu cartref pan aeth eu tŷ ar dân ynghanol y llifogydd wedi i ddŵr dreiddio i'r system drydan.

Ym Mhonterwyd, Ceredigion, ysgubwyd i ffwrdd argae newydd a oedd yn cael ei hadeiladu ar y pryd wrth i ddyfroedd Afon Rheidol godi bedair troedfedd mewn ugain munud. Parhaodd y sefyllfa'n wael am rai dyddiau wedyn: ar 5 Rhagfyr gwelwyd llifogydd newydd yn Nhrefynwy, lle roedd Gwy a Mynwy wedi gorlifo, ac ar 6 Rhagfyr cyhoeddwyd bod 128,000 erw o dir amaeth Cymru o dan ddŵr o hyd.

Trychineb yng Ngwent

dde: Hir pob aros – y teuluoedd ger y lofa'n disgwyl yn bryderus.

Lladdwyd 45 o lowyr mewn ffrwydrad yng Nglofa'r *Six Bells*, Aber-big, ar 28 Mehefin. Hon oedd y ddamwain waethaf ym mhyllau glo Cymru yn y cyfnod ar ôl yr Ail Ryfel Byd ac un o rai gwaethaf y ganrif. Ymhlith y meirwon roedd tri thad a'u tri mab a fu farw gyda'i gilydd. Lladdwyd tad a mab o'r teulu Partridge o Flaenau, dim ond diwrnod wedi iddynt ddod i weithio i'r *Six Bells*.

Digwyddodd y ffrwydrad marwol yn Ardan 'W' o'r pwll, 1¼ milltir o siafft y pwll, a lladdwyd glowyr ar hyd darn hanner milltir o dwnnel. Fel arfer ar y fath adeg, ymgasglodd nifer mawr o bobl leol ar ben y pwll wrth i'r newyddion am y ffrwydrad ymledu, gan ddisgwyl yn bryderus wrth i dimau achub gwirfoddol fentro i mewn i'r pwll.

Yn gynnar yn y bore y digwyddodd y danchwa, a bu rhai'n disgwyl trwy'r dydd a'r nos am newyddion ynghylch eu hanwyliaid. Bu 11 o dimau achub o bob rhan o sir Fynwy yn cloddio trwy dunelli o gerrig am oriau maith, mewn ymgais i gyrraedd y glowyr dan ddaear, ond ni ddaethpwyd o hyd i neb yn fyw. Daeth miloedd o lowyr a thrigolion eraill y De i Abertyleri ar gyfer angladdau 26 o'r rhai a fu farw, ac agorwyd cronfa genedlaethol gan Arglwydd Faer Caerdydd i gynorthwyo teuluoedd y rhai a gollwyd.

Dim croeso i Rachel

Dadlau chwerw, drwgdeimlad dwfn a chondemnio cyffredinol, dyna oedd canlyniad penodi Rachel Jones yn Gadeirydd Cyngor Cymreig y *BBC*, yn ôl Aelod Seneddol Llanelli, James Griffiths. Roedd Griffiths yn agor dadl ar y pwnc yn Nhŷ'r Cyffredin ar 19 Gorffennaf. Er i Rachel Jones gael ei geni yn Aberhonddu, yn Awstralia a lleoedd eraill y tu allan i Gymru y bu'n byw er ei harddegau. Nid oedd yn adnabyddus y tu allan i Aberhonddu, a chwynwyd hefyd ei bod fwy neu lai'n ddi-Gymraeg. Cafodd ei beirniadu'n hallt am ei diffyg Cymraeg gan ei rhagflaenydd yn y swydd, yr Arglwydd Macdonald, a gynigiodd aros yn y swydd nes y gellid cael rhywun cymhwysach i'w olynu. Mor gryf oedd teimladau Gwynfor Evans a Huw Morris-Jones ynglŷn â'r mater fel y bu iddynt ymddiswyddo o'r Cyngor yn hytrach na gwasanaethu o dani.

Amddiffynnwyd penodi Rachel Jones yn y Senedd gan Henry Brooke, y Gweinidog Materion Cymreig, a methodd cynnig James Griffiths o 240 o bleidleisiau i 171. Arhosodd yn ei swydd newydd am y pum mlynedd nesaf, a'i derbyn gan bron pawb yn y diwedd. Pan adawodd ym Mehefin 1965 cafodd ei llongyfarch gan y Cyngor am ei 'thymor llwyddiannus iawn yn y swydd'.

Seren Gymreig y cwrt tennis

Mike Davies o Abertawe oedd y chwaraewr tennis cyntaf o Gymru i ennill Pencampwriaeth Cyrtiau Caled Prydain, pan fu'n fuddugol yng nghystadlaethau'r unigolion a'r parau yn yr un flwyddyn. Bu hefyd mewn hanner partneriaeth gyda'r Llundeiniwr Bobby Wilson a ddaeth yn ail yng nghystadleuaeth parau Pencampwriaethau Wimbledon.

Yn 1958 enillodd Davies Bencampwriaeth Cyrtiau Dan Do Prydain, fel unigolyn, fel un o bâr o ddynion, ac fel hanner pâr cymysg. Ar ddiwedd y '50au bu'n chwarae'n gyson dros Brydain yng Nghwpan Davis, gan chwarae 37 o weithiau fel unigolyn ac fel un o bâr. Davies oedd un o ychydig iawn o chwaraewyr tennis dosbarth cyntaf a hanodd o Gymru, ac yr oedd yn un o chwaraewyr cryfaf Prydain yn y cyfnod ar ôl yr Ail Ryfel Byd.

Claddu'r cawr

Ar 6 Gorffennaf bu farw un o gewri gwleidyddiaeth Cymru a'r byd, Aneurin Bevan, o ganser. Yn unol â'i ddymuniadau, cludwyd ei gorff drennydd i Gymru i'w amlosgi ger tref ei febyd, Tredegar.

Cynhaliwyd oedfa goffa iddo yn Nhredegar, ac un arall yn Abaty Westminster, yng nghysgod y Senedd a fu'n llwyfan iddo, ac yn ngŵydd rhai o'i wrthwynebwyr mwyaf chwyrn. Dros nos, daeth dyn a fu ar un adeg yn bennaf bwgan yr asgell dde yn arwr cenedlaethol. Bu ffrwd o deyrngedau i'w athrylith wleidyddol, ei ffraethineb miniog a'i ddawn areithio, gan rai a fyddai gynt yn lladd arno'n hallt am ei eithafiaeth a'i benboethni.

O Hydref 1951, pan gipiodd y Ceidwadwyr rym, ac am weddill ei yrfa, bu Bevan yn eistedd ar feinciau'r wrthblaid, ac yn ystod y cyfnod hwn, cyhoeddwyd ei unig lyfr, *In Place of Fear*. Yn hwnnw amlinellodd ei syniad ef ei hun am sosialaeth ddemocrataidd fel modd i ryddhau pob unigolyn o dlodi a phoen diangen. Daeth y gyfrol fach yn llawlyfr i lawer o'i edmygwyr, ac ymhlith y rhai a honnodd iddynt gael eu hysbrydoli ganddi roedd un arall o feibion Tredegar ac o hoelion wyth y Blaid Lafur, Neil Kinnock.

Yn Rhagfyr 1955, safodd Bevan am arwein-yddiaeth y Blaid Lafur, gan golli i'r cymedrolwr Hugh Gaitskell, ac yn gynnar yn 1956, cynigiodd ei hun eto i'w blaid fel dirprwy arweinydd, ond trechwyd ef gan ei gyd-Gymro, James Griffiths o Lanelli.

Cymerwyd lle Bevan fel Aelod Seneddol Glyn Ebwy gan ei gofiannydd Michael Foot wedi isetholiad ar 18 Tachwedd. Bu Bevan yn dal y sedd am flynyddoedd lawer gyda mwyafrif o tuag ugain mil. Ni fentrodd neb ond ambell Geidwadwr dewr herio ei oruchafiaeth yng Nglyn Ebwy, a hynny ar egwyddor yn hytrach nag mewn gobaith o'i drechu. Wynebodd Michael Foot ymgeiswyr y Ceidwadwyr, Rhyddfrydwyr, a Phlaid Cymru, ond daliodd y sedd gyda mwyafrif o 16,729, a'r ymgeiswyr eraill yn derbyn rhwng 3,800 a 2,000 o bleidleisiau yr un.   *[LLIW ???]*

Trên olaf Tryweryn

Ar 2 Ionawr rhedodd y trên olaf i deithwyr, a'r trên stêm olaf oll, ar y rheilffordd o Flaenau Ffestiniog i'r Bala. A chynllun Corfforaeth Lerpwl i foddi Cwm Tryweryn wedi derbyn sêl bendith y Senedd, o dan ddŵr fyddai'r lein fach hon ymhen ychydig flynyddoedd. Yn hytrach nag ymgymryd â gwaith ail-gyfeirio costus, dewisodd perchenogion y rheilffordd ei chau'n gyfan gwbl. Peidiwyd â chludo nwyddau ar y lein ar 27 Ionawr 1961.

Agorwyd y lein yn 1882 i fynd ar hyd cymoedd Tryweryn a Phrysor o'r Bala trwy Fron-goch, Arenig, Trawsfynydd, a Maentwrog i Flaenau Ffestiniog. Cludo llechi oedd prif bwrpas ei bodolaeth, ac roedd nifer y teithwyr bob amser yn fach. Serch hyn, daeth y gwasanaeth yn un pwysig dros ben i gymunedau gwasgaredig y fro, gan gynnwys pentrefwyr Capel Celyn, lle codwyd gorsaf fach yn 1925.

Corff yn y cwpwrdd

Golygfa erchyll oedd yn aros Leslie Harvey wrth iddo ef a'i wraig fynd ati i lanhau cartref ei fam, Sarah Jane Harvey, yn y Rhyl tra oedd hithau yn yr ysbyty. Gwneud cymwynas â hi heb yn wybod iddi oedd y bwriad, a pheri iddi gael syndod pleserus o weld y tŷ wedi ei lanhau'n lân pan ddôi adref. O ystyried beth a guddiwyd yno, prin y byddai hi wedi rhoi ei chaniatâd i'w mab a'i merch yng nghyfraith fynd ar gyfyl y lle pe bai'n gwybod am eu cynlluniau.

Enynnwyd chwilfrydedd Leslie Harvey gan gwpwrdd mawr o bren pîn ar ben y grisiau, a chymerodd sgriwdreifar i agor y drws. Brawychwyd ef pan welodd rywbeth tebyg i droed dynol dan lanastr o we pry cop a phapurau lladd pryfed. Galwodd ar ei wraig ac aeth y ddau'n syth i nôl yr heddlu. Daeth dau o batholegwyr arbenigol yr heddlu i'r tŷ, a chafwyd corff yno a oedd, oherwydd awyrgylch cynnes a sych y cwpwrdd wedi sychu a'u fymieiddio i raddau helaeth. Wrth gael ei holi gan yr heddlu, cofiodd Leslie Harvey am Frances Knight, hen wraig gloff a fu'n lletya gynt gyda'i fam. Daliai Sarah Harvey i gasglu arian pensiwn Mrs. Knight o'r Swyddfa Bost leol, ond ar y dechrau gwadodd yn llwyr ei bod yn adna-bod y wraig. Yn y diwedd cyfaddefodd fod Frances Knight wedi byw yn ei thŷ, a'i bod wedi marw ar ôl cwympo yn yr ystafell ym-olchi. Roedd hithau, meddai, wedi ei chan-fod yn farw ar y llawr, ac wedi llusgo'i chorff i'r cwpwrdd mewn panic. Dwysaodd y sefyllfa pan ddangosodd archwiliad y path-olegydd fod hosan wedi'i chlymu am wddf Knight, ac a awgrymai ei bod wedi ei thagu. Gyrrwyd Sarah Harvey i sefyll ei phrawf am lofruddiaeth yn llys barn Rhuthun.

Dywedodd patholegydd yr heddlu wrth y llys y gallai Frances Knight fod wedi marw tua 1940. Prin oedd y dystiolaeth glir fod Sarah Harvey wedi lladd yr hen wraig, ac yn y diwedd bodlonodd yr erlyniad ar gy-huddiad o ennill arian trwy dwyll, gan fod Sarah Harvey wedi casglu tua £2,000 o bensiwn Frances Knight yn yr ugain mlynedd ar ôl ei marwolaeth.

Cwmni petrol dan y lach

Mor ddig oedd rhai o fod-urwyr canolbarth Cymru oherwydd sylwadau ang-haredig am yr ardal yn y *Shell Guide to Mid-Wales* nes iddynt ddechrau boi-cotio petrol y cwmni. Mewn cyfarfod o Fwrdd Croeso Cymru yng Nghonwy ar 13 Rhagfyr clywyd bod sawl un bell-ach yn dewis prynu ei betrol gan werthwyr er-aill, gan gynnwys un di-wydiannwr mawr yn y canolbarth a oedd wedi newid cyflenwyr petrol ei fusnes i gyd. Cwynodd aelodau'r Bwrdd Croeso fod y llawlyfr yn tanbrisio trefi ffynnon y canolbarth yn annheg, a phenderfyn-wyd ysgrifennu'n swydd-ogol at gwmni *Shell* i feirniadu'r llyfr.

'Oscar' i actor o Fôn

Hugh Griffith

Yn Hollywood ar 4 Ebrill, derbyniodd Hugh Griffith o Fôn wobr 'Oscar' fel Actor Cyn-orthwyol Gorau am ei ran yn yr epig dair-awr-a-hanner, *Ben Hur*. Roedd Griffith wedi cymryd rhan gomedïol Sheik Ilderim yn y ffilm hanesyddol hon gan y cyfarwyddwr William Wyler, a enillodd ddeuddeg o wobrau 'Oscar' i gyd, y cyfanswm mwyaf erioed i un ffilm hyd at 1998.

Yn ogystal â Hugh Griffith, roedd gwobrau i Wyler fel y Cyfarwyddwr Gorau, i Charlton Heston fel yr Actor Gorau ac i'r gwaith cyfan fel y Ffilm Orau.

Arbenigai Hugh Griff-ith mewn actio cymer-iadau tymhestlog a di-hirod direidus fel y Sheik twyllodrus, a chafodd gryn glod yn 1963 pan gymerodd ran y bon-heddwr hynod, Squire Western, yn ffilm Tony Richardson, *Tom Jones*.

Trên olaf y Mwmbwls

Ar 5 Ionawr caewyd yn derfynol Reilffordd Abertawe a'r Mwmbwls, yr unig reilffordd drydan yng Nghymru a'r gwasanaeth trenau hynaf i deithwyr yn y byd ar y pryd. Codwyd deiseb yn lleol, a 14,000 o enwau arni, yn erbyn cau'r rheilffordd, a ffurfiwyd grŵp ymgyrchu i bwyso am ei chadw ar agor gyda thramiau unllawr ysgafn fel y ceid mewn rhai o wledydd y Cyfandir. Ond roedd y ddeddf cau eisoes wedi'i phasio gan y Senedd ym mis Gorffennaf 1959 a thueddai'r rhan fwyaf o bobl weld tranc y rheilffordd yn dynged anochel yn wyneb cystadleuaeth gref gan y bysiau.

Llinell Abertawe a'r Mwmbwls oedd y rheilffordd gyntaf ym Mhrydain i ddarparu gwasanaeth cyhoeddus i deithwyr, gan ddechrau gweithio ar 25 Mawrth 1807 o Abertawe i Ystumllwynarth. Agorwyd estyniad yn cyrraedd Pier y Mwmbwls ar 10 Mai 1898, ac un o

Ystumllwynarth i Ddulais ar 26 Awst 1900. Ym mis Mawrth 1929 disodlwyd yr hen dramiau stêm a fu'n rhedeg er Awst 1877 gan dramiau trydan deulawr.

uchod:
Hen drenau'r Mwmbwls.

1961

Panzers sir Benfro

Milwyr o'r Almaen yn sir Benfro.

Un mlynedd ar bymtheg ar ôl diwedd yr Ail Ryfel Byd, roedd tanciau *Panzer* yr Almaen i'w gweld yn rowlio trwy gefn gwlad sir Benfro, a hynny trwy wahoddiad llywodraeth Prydain. Cyrhaeddodd y 84ain Adran *Panzer* Cymru ar 25 Awst, ac ymsefydlu yn ardal Castellmartin.

Cododd helynt mawr yn yr ardal o fis Ionawr ymlaen, pan gyhoeddwyd gyntaf y bwriad i ganiatáu i'r milwyr ddod i Gymru. Amharod iawn oedd rhai i weld yr Almaenwyr yn dod, er bod Prydain a Gorllewin yr Almaen ill dwy bellach yn gyd-aelodau o *NATO*. Ar 24 Ionawr galwodd yr Aelodau Seneddol Llafur George Thomas, Gorllewin Caerdydd, a Leo Abse, Pont-y-pŵl, ar y llywodraeth i ailystyried. Sarhad i'r rhai a fu farw yn ymladd yn erbyn lluoedd yr Almaen o 1939 i 1945 fyddai dod â'r *Panzers* i Gymru, meddent, ac yn hyn o beth cawsant gefnogaeth gref gan Gangen Gorllewin Morgannwg o'r Lleng Brydeinig. Derbyniodd cynghorwyr lleol lythyrau personol gan swyddogion Comiwnyddol yn Nwyrain yr Almaen yn eu hannog i wrthwynebu'r cynllun, a bu Comiwnyddion lleol wrthi'n brysur yn dosbarthu taflenni yn nhrefi Penfro a Doc Penfro yn lladd ar y cynllun. Pan gyrhaeddodd yr Almaenwyr eu gwersyll roedd protestwyr wedi gadael baneri yn galw ar bobl i gofio cyrchoedd awyr dinistriol y *Luftwaffe* ar Abertawe yn 1941. Roedd rhai'n barotach i arfer tactegau mwy anarferol i leisio eu protest: ar 9 Hydref yn Sesiwn Chwarter Sir Benfro, cafodd Eric Nowell o Fanceinion ddedfryd o naw mis o garchar wedi iddo gael ei arestio ger gwersyll yr Almaenwyr yng Nghastellmartin ar 10 Medi gyda bom cartref yn ei feddiant.

Rhywfaint yn gynhesach oedd croeso rhai eraill, ac ar 7 Medi daeth mil o bobl i weld tîm o filwyr Panzer yn colli 4-3 mewn gêm bêl-droed gyfeillgar yn erbyn tîm lleol. Mae'n debyg bod tafarnwyr a pherchenogion siopau lleol wrth eu bodd yn cael milwyr cymharol gefnog yn gwsmeriaid mewn un o ardaloedd tlotaf Cymru, a mynegodd rhai eu gobaith y gwelid presenoldeb Almaenig parhaol yng Nghastellmartin.

Un dros dro oedd yr arhosiad cyntaf, a gadawodd yr Almaenwyr Gymru ym mis Hydref. Byddai gwahanol garfanau o filwyr yr Almaen yn ymarfer yn sir Benfro hyd fis Hydref 1996.

Bywyd neu farwolaeth

Y brotest ger castell Aberystwyth.

Daeth dros ddwy fil o bobl i Aberystwyth ar ddydd Sadwrn y Sulgwyn ar gyfer y rali genedlaethol gyntaf a drefnwyd yng Nghymru gan yr Ymgyrch Ddiarfogi Niwclear (CND). Cynhaliwyd y brotest gyntaf ym Mhrydain yn erbyn arfau niwclear yn 1958, a sefydlwyd canghennau CND yng Nghymru yn fuan wedi hynny. Wedi hynny ffurfiwyd Cyngor Cenedlaethol Cymreig CND, a'r corff hwnnw a drefnodd y rali yn Aberystwyth.

Dosbarthwyd taflenni gyda'r neges : 'Cofiwch nid oes amddiffyn yn erbyn arfau niwclear; pe ymosodid ar Brydain â bomiau-H nid yn unig byddai miliynau yn marw ar amrantiad ond byddai'n hollol amhosibl i neb fyw yma oherwydd y cawodydd llwch ('fall out') angheuol. Felly diwedd ar ein cenedl ni, ein gwlad a'n iaith fydd cadw arfau niwclear. Mynegwch eich ewyllys i Gymry fyw'.

Gan gario ugeiniau o faneri, gorymdeithiodd y protestwyr, a thri Aelod Seneddol Llafur yn eu plith, ar hyd strydoedd y dref cyn ymgynnull ar dir y castell. Darllenodd llywydd y cyfarfod, E D Jones, y Llyfrgellydd Cenedlaethol, negeseuon gan yr athronydd Bertrand Russell, un o sylfaenwyr CND, a Maer Hiroshima, Siapan. Cafwyd anerchiadau gan y gwyddonydd, Glyn O Phillips, Mervyn Jones, mab Ernest Jones, cofiannydd Freud, Elaine Morgan, yr awdures, a phrifathro Coleg Bala-Bangor, Gwilym Bowyer. Honnai'r Prifathro 'nad oedd yn bod heddiw ond un o ddau ddewis – bywyd neu farwolaeth'.

Wedi i'r Unol Daleithiau a'r Undeb Sofietaidd arwyddo cytundeb yn 1963 yn gwahardd yn rhannol arbrofi gydag arfau niwclear, syrthiodd rhif aelodaeth CND. Er hynny, gwelid bathodyn trawiadol y mudiad o hyd, a phan ddaeth arfau Cruise a Trident i Brydain yn yr '80au, adfywiodd y mudiad, gyda CND Cymru yn flaenllaw mewn sawl ymgyrch.

Deugain mlynedd yn hwyr

Nid oedd ond un anhawster pan gymerodd rheithgor cwest y cam anarferol o enwi George Shotton o Gaerdydd fel llofrudd ei wraig, sef fod y dyn euog ei hun yn ei fedd ers dwy flynedd.

Roedd gweddillion corff Mamie Shotton wedi'u darganfod ym mis Tachwedd gan dri ogofäwr mewn hen bwll glo yn Brandy Cove, mwy na deugain mlynedd wedi iddi ddiflannu. Roedd y corff wedi ei dorri'n dri darn a'i roi mewn sach – ffaith a ddangosai'n glir nad cwympo i'r pwll trwy ddamwain fu hanes y wraig. Trwy osod ffotograff o'i phen ar ben llun o'r benglog, daeth gwyddonwyr yr heddlu i'r casgliad mai ei chorff hi oedd ganddynt, a dyfarniad y cwest oedd ei bod wedi'i lladd gan ei gŵr yn Nhachwedd neu Ragfyr 1919. Aed yn syth i'w arestio, ond roedd George Shotton wedi marw ar 30 Ebrill 1958 mewn ysbyty ym Mryste. Nid hwn oedd y tro cyntaf i Heddlu De Cymru fynd ar ôl George Shotton. Pan ddiflannodd ei wraig yn 1919, dechreuwyd ar un o ymchwiliadau llofruddiaeth mwyaf nodedig yr ardal. Yng Ngwesty'r Grosvenor, Abertawe, cafwyd cist gloëdig yn cynnwys hen ddillad Mamie Shotton wedi'u rhwygo'n rhacs, a sgrapyn o bapur gyda chyfeiriad ei rhieni arno. Yn eu tŷ yn y Mwmbwls cafwyd ei bag llaw gydag arian a'i cherdyn dogni bwyd, pethau na fyddai wedi mynd i ffwrdd hebddynt.

Yn rhyfedd ddigon, cafwyd ei gŵr yn byw mewn tŷ gerllaw, yn briod â gwraig arall. Yn niffyg corff neu unrhyw dystiolaeth bendant arall, cyhuddiad o briodi dwy wraig oedd yr unig un y gellid ei ddwyn yn ei erbyn, a charcharwyd ef am ddeunaw mis wedi ei gael yn euog o hynny.

'Weli di byth mwy'

Yn ystod oriau mân y bore ar 2 Awst roedd dau heddwas yn atal ceir ar y bont ar draws afon Dyfi ger Machynlleth er mwyn hel gwybodaeth am gyfres o achosion lladrata yn yr ardal. Pan welsant ddyn ar gefn beic penderfynasant ei ddilyn. Aeth un o'r plismyn i gyfeiriad Corris ond llwyddodd y llall, yr Heddwas Arthur Rowlands, i gornelu'r dyn wrth gefn tŷ ym Mhont-ar-Ddyfi. Ond roedd gan y dyn wn-dwy-faril a gwaeddodd ar yr heddwas *'You shouldn't have come..I'm going to kill you'*.

Arthur Rowlands gyda'i deulu a'i gi tywys.

Safodd yr heddwas ei dir ac fe'i saethwyd yn ei wyneb. Diflannodd y dyn a dechreuwyd helfa fawr ar hyd a lled gogledd Cymru i geisio'i ddal. Bu dros gant o blismyn o bob rhan o'r wlad yn chwilio amdano mewn ardal a oedd wedi'i brawychu gan erchylltra'r digwyddiad. Er iddo saethu eto at blismyn eraill, yn y diwedd daliwyd y dyn, Robert Boynton, ger Aberllefenni ar 7 Awst. Yn y cyfamser roedd Arthur Rowlands wedi'i ruthro i'r ysbyty, ac ar ôl derbyn llawdriniaeth fe'i hysbyswyd gan feddyg ei fod wedi colli'i olwg; 'Weli di byth mwy' oedd ei eiriau.

Yn ddiweddarach carcharwyd Boynton yn Ysbyty Meddwl Broadmoor a dyfarnwyd Medal George i Arthur Rowlands a thri phlismon arall am eu gwrhydri. Er ei fod yn ddall, gyda chymorth ei deulu a'i gi tywys, Ooloo, llwyddodd Arthur Rowlands i ailgydio'n ei fywyd a dod yn ffigwr adnabyddus a phoblogaidd yng Nghymru.

Brith gofion bore oes

Cyhoeddwyd *Un Nos Ola Leuad*, nofel gan Caradog Prichard, a ddaeth i'w chydnabod yn un o glasuron modern yr iaith Gymraeg. Ynddi cafwyd portread trawiadol iawn o brofiadau bachgen pan aed â'i fam i'r seilam. Roedd Prichard ei hun wedi mynd trwy brofiad o'r fath ac mae elfen o hunangofiant yn y nofel – 'brith gofion bore oes' oedd y sail i rannau ohoni yn ôl yr awdur. Ysgrifennwyd y gwaith yn y person cyntaf yn nhafodiaith Bethesda, sir Gaernarfon, bro mebyd Prichard, ac roedd diniweidrwydd iaith plant yn un o'i brif nodweddion.

Hon ar y pryd oedd unig nofel y llenor o Fethesda, a oedd yn fwy adnabyddus fel bardd. Cyhoeddwyd sawl cyfrol o'i gerddi, ond am ei gamp yn ennill Coron yr Eisteddfod Genedlaethol dair gwaith yn olynol o 1927 i 1929 y cofir ef yn bennaf. Lluniodd hefyd hunangofiant dan y teitl *Afal Drwg Adda*, a gyhoeddwyd yn 1973.

Sul sych yn y gorllewin

Yn y referendwm a gynhaliwyd ar 8 Tachwedd, cafwyd pleidlais o blaid agor y tafarnau ar y Sul mewn pump o siroedd Cymru, a phob un o'r bwrdeistrefi sirol. Hon oedd y gyntaf o gyfres o refferenda a gâi eu cynnal ar y pwnc, ac o fewn wythnos iddi fod, roedd rhai o frōydd y wlad yn mwynhau eu Sul 'gwlyb' cyntaf er 1881, pan basiwyd y Ddeddf Cau'r Tafarnau ar y Sul yng Nghymru.

Fel y rhagwelodd llawer, yr ardaloedd mwyaf gwledig a mwyaf Cymraeg eu hiaith oedd y selocaf dros gadw'r 'Sul Cymreig'. Siroedd Môn, Caernarfon, Meirionnydd, Ceredigion, Caerfyrddin, Dinbych, Trefaldwyn, a Phenfro a ddewisodd gadw'r Saboth yn ddi-gwrw, tra caniateid yfed ar y Sul bellach yn siroedd Brycheiniog, Fflint, Morgannwg, Mynwy, a Maesyfed, ac yn y trefi mawrion, Caerdydd, Abertawe, Merthyr Tudful, a Chasnewydd. O ran arwynebedd tir, roedd y rhan fwyaf o Gymru'n dal yn sych ar y Sul, ond roedd 72% o boblogaeth y wlad bellach yn byw yn y rhanbarthau gwlyb. Cyfanswm y pleidleisiau trwy'r wlad i gyd oedd 453,711 o blaid agor ar y Sul, a 391,123 yn erbyn.

Cododd anghydfod ym Môn yn sgîl y referendwm wrth i rai honni mai pleidleisiau aelodau clybiau yfed y sir oedd wedi ei chadw'n 'sych'. Yn ôl G.W. Bants, Cadeirydd Cymdeithas Tafarnwyr Môn, yfwyr y clybiau oedd deng mil o'r 15,446 a bleidleisiodd dros gau ar y Sul, a hynny am eu bod hwy eisoes yn mwynhau diota Sul, gŵyl a gwaith yn eu clybiau preifat eu hunain. Galwyd cyfarfod o Gymdeithas y Tafarnwyr ar yr ynys i ystyried gweithredu yn erbyn y clybiau. 'Os yw Môn eisiau'r Sul yn sych, yna y mae'n rhaid iddynt ei gadw'n gyfan gwbl sych,' meddai Bants.

Cyngor Llyfrau i Gymru

Sicrhau bod llyfrau Cymraeg o bob math ar gael ar gyfer darllenwyr Cymru a'r tu hwnt, dyna oedd nod y Cyngor Llyfrau Cymraeg a ddaeth i fodolaeth ym mis Tachwedd. Gwelwyd bod problem ddybryd yn y ffaith bod plant yn cael digon o anogaeth i ddysgu Cymraeg yn yr ysgolion ond bod diffyg llyfrau cyfoes ar eu cyfer ar ôl iddynt ddod i oed. Aeth y Cyngor Llyfrau newydd ati'n syth i ddiwallu'r galw am y fath lyfrau – cynigiwyd grantiau i awduron, crëwyd cynllun tocynnau llyfrau Cymraeg, a gwellwyd ar y drefn ddosbarthu llyfrau. Datblygodd y Cyngor yn y diwedd i ymdrin â phob agwedd ar gyhoeddi yng Nghymru, gan gynnwys comisiynu, golygu, dylunio, a marchnata a gwerthu.

Trwy ymdrechion dyfal Alun R. Edwards, sefydlwyd y Cyngor Llyfrau gyda chefnogaeth Undeb y Cymdeithasau Llyfrau Cymraeg. Llyfrgellydd Sirol Ceredigion oedd Alun Edwards, yn gweithio o Aberystwyth, a phwysau ganddo ef a sicrhaodd mai yn Aberystwyth y byddai pencadlys y Cyngor.

Awdurdodau lleol oedd prif ffynhonnell incwm y Cyngor Llyfrau yn ei ddyddiau cynnar, a'r unig siom wrth gychwyn y corff newydd oedd bod Pwyllgor Addysg Sir Fynwy wedi gwrthod cyfrannu at y fenter. Dadl y Pwyllgor oedd nad oedd digon o siaradwyr Cymraeg yn y De-ddwyrain i gyfiawnhau gwario mwy ar lyfrau Cymraeg.

Ar ei gefn

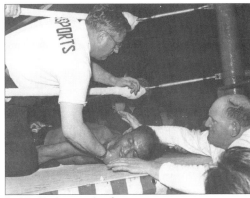

Darkie Hughes ar ei gefn.

Pan gyfarfu David 'Darkie' Hughes, bocsiwr croenddu o Gaerdydd, â Dave Charnley am bencampwriaeth pwysau ysgafn Prydain a'r Gymanwlad yn Nottingham ar 20 Tachwedd, roedd yr ornest i fod i bara pymtheg rownd. Ond byddai hwyrddyfodiaid wedi colli'r cyfan oherwydd lloriwyd Hughes ddwywaith o fewn deugain eiliad o'r gloch gyntaf, a methodd â chodi o'r canfas yr eildro cyn i'r dyfarnwr gyfrif deg. Ar y pryd dyma oedd yr ornest fyrraf yn holl hanes pencampwriaethau bocsio Prydain.

Wedi'r ornest, sylw sych-ddigri Benny Jacobs, rheolwr Hughes, oedd, '*We was ahead on points at the time*'.

Mynd i gyfraith am wrthod y Gymraeg

Yn sgîl etholiadau lleol mis Ebrill gwelwyd helynt yn Rhydaman ynglŷn â dilysrwydd papurau enwebu a lenwyd yn Gymraeg.

Roedd Gwynfor S. Evans o Fetws, Rhydaman, wedi ei enwebu'n ymgeisydd ar gyfer Cyngor Sir Gaerfyrddin, ond gwrthodwyd ei bapurau enwebu gan y swyddog etholiadol, W. S. Thomas, am eu bod yn uniaith Gymraeg. (Uniaith Saesneg oedd papurau enwebu swyddogol sir Gaerfyrddin, ond roedd aelodau o Blaid Cymru wedi'u trosi i'r Gymraeg eu hunain.) Penderfynodd Plaid Cymru fynd â'r mater i'r llys, ac aed ag ef yr holl ffordd i'r Uchel Lys yn Llundain, gyda chymorth y bargyfreithiwr Dewi Watcyn Powell, a weithredodd yn ddi-dâl. Y Blaid a enillodd, a gwrthododd yr Uchel Lys ganiatâd i Gyngor Sir Gaerfyrddin apelio'n erbyn y dyfarniad. O hyn allan byddai holl ddogfennau a phosteri etholiadol y sir yn ddwyieithog. Cododd yr achos gwestiynau sylfaenol ynghylch statws y Gymraeg, ac roedd yn un o'r ffactorau a arweiniodd at sefydlu Pwyllgor Hughes Parry yn 1963 i ymchwilio i statws cyfreithiol yr iaith.

Pencadlys newydd i'r *Western Mail*

dde: Yr Arglwydd Thomson o flaen ei ymerodraeth.

Ar 20 Mehefin agorwyd pencadlys newydd Cwmni Papurau Newydd Thomson yng Nghaerdydd gan Syr Roy Thomson, perchennog y *Western Mail* a'r *South Wales Echo*, a'i enwi ar ei ôl ef ei hun yn Thomson House. Roedd 300 o westeion yn bresennol i wylio'r seremoni ac i glywed Syr Roy yn datgan bod y *Western Mail* a'r *South Wales Echo* yn perthyn i bobl Cymru. Nid oedd, meddai ef, yn defnyddio'i bapurau fel cyfrwng iddo ef yn bersonol nac i adlewyrchu'n gaeth safbwyntiau unrhyw blaid wleidyddol. Honnodd na fyddai'r newyddion yn cael eu cymhwyso i ffitio polisi unrhyw un.

Roedd Syr Roy (y Barwn Thomson o Fleet o 1964 ymlaen) yn un o berchenogion papurau newydd mwyaf llwyddiannus ei ddydd. Brodor o Ganada ydoedd, ac eisoes yn berchennog nifer o bapurau a gorsafoedd radio yn y wlad honno pan ddaeth i Brydain ar ddechrau'r '50au a phrynu'r *Scotsman*. Ym mis Gorffennaf 1959 gwerthodd Arglwydd Kemsley (James Gomer Berry o Ferthyr Tudful) ei ymerodraeth bapurau anferth i gyd i Roy Thomson a symud i fyw i Monte Carlo.

Ar y pryd, Grŵp Papurau Newydd Kemsley oedd prif gwmni papurau newydd Prydain, a'i ddaliadau'n cynnwys y *Sunday Times* yn Llundain a'r *Western Mail* a'r *South Wales Echo* yng Nghaerdydd ymhlith llu o deitlau eraill. Yn 1967 ychwanegodd Thomson y *Times* at y casgliad.

Roy Thomson, yn y '50au, a fathodd yr ymadrodd '*A licence to print money*' sef disgrifiad o'r elw mawr y disgwyliai ei wneud wedi iddo ennill y cytundeb i ddarlledu teledu masnachol i'r Alban. Hyd at ei farwolaeth yn 1976 parhaodd i ehangu a mentro mewn meysydd mor amrywiol â theithio, drilio am olew, a'r cyfarwyddiaduron *Yellow Pages* ymysg nifer o bethau eraill

Y gwasanaeth olaf

Ar 7 Mehefin, nid nepell o gopa mynydd Pumlumon, daeth rhai cannoedd ynghyd ar brynhawn glawog ar gyfer y gwasanaeth olaf i'w gynnal yng nghapel bach Nant-y-moch. Nid y ffaith mai rhyw hanner dwsin o ffyddloniaid yn unig a ddôi bellach i'r hen gapel, a godwyd ger fferm Nant-y-moch yn 1865, oedd achos cau'r capel, ond yn hytrach am ei fod ar fin cael ei foddi o dan 5,700 miliwn o alwyni o ddŵr. Hanner milltir o'r capel roedd gweithwyr wrthi'n adeiladu argae anferth 170 troedfedd o uchder fel rhan o gynllun trydan dŵr Cwm Rheidol a ddechreuwyd yn 1954. Byddai'r cyfan yn barod, ar gost o filiynau o bunnoedd, cyn diwedd y flwyddyn.

Dau frawd oedd yn ffermio Nant-y-moch, Jim James, 69 mlwydd oed, a John James, 80 mlwydd oed, a bu eu teulu'n denantiaid yn Nant-y-moch am dros ganrif. Mewn anerchiad emosiynol yn y capel, honnodd John James mai dyma'r 'capel uchaf yn Sir Aberteifi' ac mae yno y 'gwelwyd llawer o stormydd ond ar ôl iddyn-nhw gilio fe ddôi tywydd teg wedyn. Ond yr oedd boddi'r capel yn golygu bod hoelen arall yn cael ei rhoi yn arch cefn gwlad.'

Ar ddechrau Hydref gadawodd y ddau frawd eu cartref am y tro olaf gan symud i fyw i fwthyn o'r enw Grove Cottage ym mhentref bach Capel Dewi ger Aberystwyth.

Clwy'r traed a'r genau

Effeithiwyd yn arw ar ffermwyr gogledd Cymru yn ystod misoedd cynnar y flwyddyn wrth i glwy'r traed a'r genau ymledu ymhlith anifeiliaid sawl fferm. Nid oedd modd symud anifeiliaid, a gwaharddwyd marchnadoedd gwartheg, gan gynnwys arwerthiant blynyddol y Da Duon Cymreig a oedd i'w gynnal ym Mhorthaethwy ar 3 Mawrth. Collodd un ffarmwr, Charles Clutton, Tyddyn Daniel, Marchwiail, ger Wrecsam, dros 800 o anifeiliaid i gyd. Bu'n rhaid difa 77 o wartheg, 62 o ddefaid a 274 o foch ar diroedd Tyddyn Daniel, a 14 o wartheg a 420 o ddefaid ar fferm arall o'i eiddo ger Gresffordd. Ymledodd y clefyd i sir Drefaldwyn erbyn diwedd mis Chwefror lle collodd David Evans, Arddol, Pen-y-bont-fawr, saith buwch a 133 o ddefaid.

Gan mai clefyd feirol heintus sy'n gallu distrywio gyrroedd o wartheg yw clwy'r traed a'r genau, rhaid oedd cadw anifeiliaid mewn cwarantîn nes i'r clwy gilio.

Tad y Pethe

dde: Llwyd o'r Bryn (ar y dde) gyda'i hen gyfaill Bob Owen.

Storïwr ffraeth, eisteddfodwr brwd, a ffermwr arloesol oedd yr amryddawn Robert Lloyd (Llwyd o'r Bryn), a fu farw ar 28 Rhagfyr. Llwyd o'r Bryn a fathodd y term 'Y Pethe' pan roddodd ef yn deitl ar ei hunangofiant yn 1955. Daeth 'Y Pethe' wedyn yn ddisgrifiad ar y gwerthoedd a diddordebau a oedd i lawer o bobl yn ganolog i'r bywyd Cymraeg. Y diddordebau hyn a âi â'i fryd yntau bob amser, a bu'n hynod selog ei weithgarwch dros sawl agwedd ar ddiwylliant Cymru.

Cymerodd ran allweddol mewn sefydlu Eisteddfod Genedlaethol Urdd Gobaith Cymru yng Nghorwen yn 1929, a rhwng 1938 a 1950 bu'n arweinydd ar y parti canu gwerin Parti Tai'r Felin, a oedd yn cynnwys

ymhlith eraill, y baledwr Bob Tai'r Felin. Fel ffermwr roedd yn un o'r rhai cyntaf yng Nghymru i arbrofi gydag imiwneiddio gwartheg rhag haint marwol y dicáu.

1962

4 Ebrill

Ym Mhrydain, crogwyd James Hanratty am 'lofruddiaeth yr A6', er bod amheuaeth ynglŷn â'i euogrwydd.

21 Mai

Yn Israel dienyddiwyd Adolph Eichmann a gyhuddwyd o lofruddio miloedd o Iddewon yn yr Ail Ryfel Byd.

1 Goffennaf

Pleidleisiodd fwyafrif llethol pobl Algeria o blaid annibyniaeth o reolaeth Ffrainc.

10 Gorffennaf

Lansiwyd *Telstar*, y lloeren telegyfathrebu masnachol cyntaf, i'r gofod.

5 Awst

Darganfyddwyd corff y seren ffilmiau Marilyn Monroe yn ei chartref yn Hollywood. Credwyd iddi ladd ei hun.

22 Awst

Yn Ffrainc, methodd ymgais gan derfysgwyr i ladd yr Arlywydd de Gaulle.

1 Hydref

Mynychodd y myfyriwr du cyntaf ddarlithoedd ym Mhrifysgol Mississippi.

28 Hydref

Wedi wythnosau o densiwn rhyngwladol, penderfynodd yr Undeb Sofietaidd dynnu ei arfau niwclear o Ciwba gan osgoi gwrthdaro â'r Unol Daleithiau.

15 Rhagfyr

Bu farw'r actor a'r cyfarwyddwr ffilmiau Charles Laughton.

'Fe ellir achub y Gymraeg'

'Fe ellir achub y Gymraeg'. Dyna oedd neges herfeiddiol Saunders Lewis yn ei ddarlith radio *Tynged yr Iaith* ar 13 Chwefror. Archeoleg, diwinyddiaeth a barddoniaeth oedd y math o bynciau arferol a geid yn narlith flynyddol y *BBC* yng Nghymru, ond her a galwad i faes y gad oedd gan Saunders Lewis pan gafodd ei ddewis i draddodi eleni. Gwneud gwaith y llywodraeth ganolog a'r awdurdodau lleol yn gwbl amhosibl heb y Gymraeg oedd y nod i anelu ato, a gwneud hynny trwy ymgyrch barhaol o dor-cyfraith drefnedig. Rhaid oedd gwrthod llenwi ffurflenni a thalu trethi a thrwyddedau oni ellid gwneud hynny yn Gymraeg, hyd yn oed os byddai hynny'n arwain at ddirwyon a charchar i rai. 'Nid dim llai na chwyldro yw adfer yr iaith Gymraeg yng Nghymru. Trwy ddulliau chwyldro yn unig y mae llwyddo,' meddai.

Un canlyniad amlwg a buan i'r ddarlith oedd sefydlu Cymdeithas yr Iaith Gymraeg ar 4 Awst yn ystod ysgol haf Plaid Cymru ym Mhontarddulais. Aelodau o Blaid Cymru oedd sylfaenwyr y mudiad newydd,

Saunders Lewis

a hwythau wedi diflasu ar dactegau Seneddol y Blaid ac am fynd ati'n fwy uniongyrchol i frwydro dros yr iaith Gymraeg. Roedd hyn yn arbennig o wir ar ôl i'r holl bwyso dyfal, llythyru, a phrotestio heddychlon fethu â chadw pentref Capel Celyn rhag cael ei foddi er mwyn darparu dŵr i Lerpwl. Roedd aelodau'r Gymdeithas newydd yn barod i dorri'r gyfraith er mwyn yr achos, agwedd a achosodd gryn benbleth i nifer o aelodau selog Plaid Cymru a fu'n glynu'n ffyddlon wrth ddulliau cyfreithlon. Yng nghynhadledd flynyddol y Blaid, pleidleisiodd mwyafrif mawr yn erbyn mabwysiadu polisi o weithredu uniongyrchol, a phwysleisiwyd mai gweithredu fel unigolyn, heb sêl bendith y Blaid, y byddai unrhyw un a âi ati i dorri'r gyfraith.

Bu cryn ddadlau ynglŷn â pha enw y dylid ei roi ar y mudiad newydd a ddisgrifiwyd gan y *Welsh Nation*, papur Saesneg Plaid Cymru, fel '*a band of determined militants*'. Nid oedd y teitl parchus 'Cymdeithas' at ddant pawb a ffafriai rai'r enw 'Cyfamodwyr'. Ond Cymdeithas yr Iaith Gymraeg oedd hi yn y diwedd, enw a dalfyrrwyd ar lafar wedyn i 'y Gymdeithas' wrth i'r grŵp a'i weithredoedd ddod yn fwyfwy adnabyddus.

Fel y dywedodd Saunders Lewis yn ei ddarlith, yr oedd yn traethu cyn cael cyfle i weld canlyniadau Cyfrifiad 1961, ond gwir y rhagdybiodd ef y byddai'r canlyniadau hynny 'yn sioc a siom i'r rheini ohonom sy'n ystyried nad Cymru fydd Cymru heb Gymraeg'. Dangosodd yr ystadegau pan gyhoeddwyd hwy fod nifer y siaradwyr Cymraeg wedi disgyn yn sylweddol o 715,000 yn 1951 i 656,000 yn 1961. *[LLIW 17]*

Sioc i'r Eidalwyr

dde:
Amddiffyn Bangor yn gwrth
sefyll ymosodiad gan yr Eidalwyr.

Noson fythgofiadwy i gefnogwyr clwb pêl-droed Bangor oedd 5 Medi. Gwelodd dros wyth mil ohonynt, wedi'u cywasgu'n dynn i faes bychan Ffordd Farrar, un o brif dimau'r Eidal, AC Napoli, yn colli o 2-0 i griw o chwaraewyr rhan-amser Bangor yng Nghys-tadleuaeth Cwpan Enillwyr Cwpanau Ewrop.

Roedd Bangor wedi cyrraedd y gystad-leuaeth drwy guro Wrecsam o 3-1 yn rownd derfynol Cwpan Cymru ym mis Mai, a mawr oedd y disgwyl am gael gweld peldroedwyr proffesiynol talentog o'r Eidal yn dangos eu doniau yng ngogledd Cymru. Ond roedd rheolwr Bangor, Tommy Jones, cyn-chwar-aewr Everton a Chymru, yn argyhoeddedig y gallai ei dîm ennill, ac wedi paratoi'n drylwyr ar gyfer y gêm.

Gyda Len Davies yn ysbrydoledig yn y gôl, yr amddiffyn yn gadarn, a'r capten Ken Birch yn rheoli canol y cae, ychydig a welwyd o sgiliau'r Eidalwyr. Pan sgoriodd yr asgellwyr 19 mlwydd oed, Roy Matthews, ar ôl 42 munud rhuthrodd cannoedd o gefnogwyr gorfoleddus ar y maes i ddathlu. Roedd mwy o ddathlu ar ôl 82 munud pan sgoriodd Ken Birch gyda chic o'r smotyn a thrachefn ar ddiwedd y gêm.

Syfrdanwyd y byd pêl-droed gan y fudd-ugoliaeth annisgwyl, ac yr oedd y wasg yn llawn o straeon am gamp Bangor – '*Naples see Bangor and Dai*' oedd pennawd y *Daily Post*.

Pythefnos yn ddiweddarach collodd Bangor yr ail gymal yn yr Eidal o dair gôl i un. Pan sgoriodd Jimmy McAllister yn yr ail hanner roedd gobeithion Bangor yn uchel ond sgoriodd Napoli bum munud o'r diwedd i unioni'r sgôr ar gyfartaledd goliau. Yn y dyddiau hynny nid oedd y rheol 'goliau oddi cartref' wedi'i fabwysiadu, neu byddai Bangor wedi cyrraedd y rownd nesaf. Y rheol y pryd hwnnw oedd ail-chwarae ac ar 10 Hydref teithiodd miloedd o Fangor i Highbury, cartref Arsenal, i wylio'u harwyr yn wynebu AC Napoli unwaith yn rhagor. Y tro hwn, er i McAllister sgorio i Fangor, roedd dwy gôl gan yr Archentwr Humberto Rosa yn ddigon i ddod â breuddwyd Bangor i ben.

Y chwilotwr mawr

'Lloffion Bob Owen' oedd y teitl a roddwyd ar golofn boblogaidd Bob Owen, Croesor, yn y *Genedl Gymreig*, a theitl addas iawn oedd hwnnw ar gyfer erthyglau un o chwilotwyr a lloffwyr selocaf y wlad, a fu farw ar 30 Ebrill. Roedd gan Bob Owen ddiddordeb di-ben-draw mewn hel achau'r Cymry, a bu am oriau bwy gilydd yn copïo cofnodion plwyfi mewn eglwysi a llyfrgelloedd. O ganlyniad byddai Cymry America yn aml yn ceisio ei gymorth i olrhain llinach eu hynafiaid. Byddai galw mawr hefyd am ei wasanaeth fel darlithydd yng Nghymru ac mewn cymdeithasau Cymraeg y tu hwnt i Glawdd Offa, er bod rhai yn sylwi ar ei duedd i godi sgwarnogod a'u hela wrth ddarlithio.

Gadawodd Bob Owen yr ysgol yn 13 oed i fynd yn was fferm ac wedyn am 30 mlynedd bu'n glerc mewn chwarel. Dyn hunan-ddysgedig ydoedd i raddau helaeth, a chasglodd at ei gilydd lyfrgell sylweddol iawn yn ei gartref. Llyfrbryf a chasglwr llyfrau o fri ydoedd ac yn 1979 sefydlwyd Cymdeithas Bob Owen, er cof amdano ac er mwyn hybu diddordeb mewn llyfrau ail-law.

chwith: Bob Owen, Croesor

Y frech farwol

Roedd helfa fawr ar droed am fil o bobl yn ne Cymru o 16 Ionawr ymlaen pan drawyd dyn o Bacistán yn sâl gan y frech wen yng Nghaerdydd. Roedd wedi teithio i Gaerdydd o Birmingham ar drên a arhosodd ar ei daith mewn nifer o drefi o Gasnewydd i Abertawe, a chredid bod hyd at fil o bobl wedi cyd-deithio ag ef. Rhoddwyd porthladdoedd de Cymru i gyd ar eu gwyliadwriaeth ar 14 Ionawr rhag ofn i deithwyr ddod â'r haint i mewn i'r wlad, wedi i nifer fawr o achosion gael eu cofnodi ym Mhacistán ac ymhlith Pacistaniaid Lloegr. Daeth y panic ar adeg pan oedd staff a meddygon eisoes yn cael trafferth i ymdopi â nifer mawr o achosion o ffliw, a chafodd ysbytai a chlinigau eu boddi gan filoedd o bobl yn rhuthro i gael eu brechu rhag y frech, yn enwedig yn nhrefi poblog y De. Wrth i'r cyflenwad o'r moddion brechu ddechrau gwagio, bu'n rhaid cyfyngu triniaeth i'r rhai a fu yn nghwmni rhai'n cario'r haint, er bod rhai'n dal i fynnu cael eu brechu doed a ddelo. Nid cyn diwedd y mis y cyhoeddodd yr awdurdodau fod y brifddinas bellach yn ddiogel rhag y frech.

Gwelwyd 6 marwolaeth a 23 o achosion yn y Rhondda ym misoedd Chwefror a Mawrth a rhoddwyd cynllun ar waith i imwneiddio holl boblogaeth yr ardal. Dechreuodd nifer o bobl osgoi'r Rhondda, a chwynodd yr Aelod Seneddol lleol, Iorwerth R. Thomas, fod pobl y Rhondda'n cael eu trin fel pe bai'r gwahanglwyf arnynt. Ar 4 Mawrth, Patricia Pugh o'r Rhondda oedd y Gymraes gyntaf i gael ei lladd gan yr epidemig.

Pen-y-bont ar Ogwr a gafodd y gwaethaf o'r frech wen yng Nghymru, a hynny ym mis Ebrill. Nid cyn 21 Mai y cyhoeddwyd bod y dref yn glir, ac erbyn hynny roedd 12 o gleifion oedrannus yn Ysbyty Glan-rhyd wedi marw.

Lladdwyd 17 i gyd yng Nghymru gan y frech wen yn ystod y flwyddyn. Gwnaeth gryn niwed i fusnes twristiaeth y wlad. Cyhoeddwyd hefyd y câi cystadleuwyr o Forgannwg eu gwahardd rhag cymryd rhan yn Eisteddfod Genedlaethol yr Urdd yn Rhuthun ym mis Mehefin.

Cyfrifiadur y dur

£120 miliwn oedd buddsoddiad cwmni Richard Thomas a Baldwin yn eu gweithfeydd dur enfawr yn Llanwern, a agorwyd yn swyddogol gan y Frenhines ar 26 Hydref. Wedi iddynt ddechrau gweithio'n llawn byddai gweithfeydd Llanwern yn cynhyrchu dwy filiwn o dunelli o ddur y flwyddyn. Yn ogystal â chynnwys y felin stribed boeth hwyaf yn y byd, Llanwern oedd y ffatri ddur gyntaf yn Ewrop i gael ei rheoli gan gyfrifiadur. Prynwyd cyfrifiadur pwerus newydd gan gwmni *General Electric* yn Efrog Newydd i reoli gwaith y ffwrneisiau a'r melinau, a hefyd i gadw golwg ar archebion cwsmeriaid. Technoleg newydd arall y manteisiwyd arni yn Llanwern oedd system i adennill gwres a gâi ei golli fel arfer a'i sianelu yn ôl i mewn i'r ffwrneisiau.

Ym mis Tachwedd 1958 y penderfynwyd mai yn Llanwern y lleolid y gweithfeydd newydd, a mawr iawn fu'r disgwyl amdanynt wedyn. Rhoddodd y fenter swydd barhaol i saith mil o weithwyr, yn ogystal â'r cannoedd a fu'n llafurio o fis Awst 1959 i godi'r adeiladau. Daeth gweithfeydd Llanwern yn un o'r prif ffactorau a gynhaliai economi de sir Fynwy.

uchod:
Henry Spencer yn tanio'r ffwrnais chwyth gyntaf yn Llanwern.

Teledu'r Cymry

Rhaglenni teledu gan Gymry i Gymru oedd nod selogion cwmni Teledu Cymru pan ddechreuodd ddarlledu yn y Gogledd a'r Gorllewin o drosglwyddydd Mynydd Preseli ar 14 Medi. Darlledid un awr ar ddeg o raglenni Cymraeg ac o ddiddordeb Cymreig i'r wlad bob wythnos.

Roedd yr Awdurdod Teledu Annibynnol wedi gwahodd cwmnïau yn Ebrill 1961 i gynnig am gontract i ddarlledu yng ngogledd a gorllewin Cymru o dri throsglwyddydd: un ar y Preseli, un ym Mhen Llŷn, a'r trydydd rywle yn y Gogledd-ddwyrain. Roedd yr ardal ddarlledu i gynnwys bron miliwn o bobl. Cynigiodd pedwar cwmni, a rhoddwyd y contract i garfan a arweinid gan Haydn Williams, Cyfarwyddwr Addysg Sir Fflint, a Cennydd Traherne, Arglwydd Raglaw Morgannwg. Roedd Haydn Williams yn adnabyddus am ei waith dyfal dros addysg Gymraeg yn ei sir, ac ymhlith aelodau eraill y cwmni roedd ymgyrchydd enwog arall dros yr iaith, Gwynfor Evans, Llywydd Plaid Cymru.

Wales TV oedd yr enw Saesneg cyntaf a ddewiswyd ar y cwmni ond bu'n rhaid ei newid i'r enw llai cyfleus *Television Wales West and North* (TWWN) wedi cwyno mawr fod yr enw'n awgrymu bod y cwmni'n gwasanaethu Cymru i gyd. Er hyn, Teledu Cymru fyddai enw Cymraeg y cwmni o hyd, ar waethaf anfodlonrwydd y cwmni annibynnol arall yn y maes, *Television Wales and the West* (TWW).

Ehangwyd y gwasanaeth ym mis Tachwedd pan agorwyd trosglwyddydd Penrhyn Llŷn, ac yn Ionawr 1963 gydag agor un arall ym Moel-y-Parc i wasanaethu'r Gogledd-ddwyrain, ond erbyn mis Medi roedd yn glir fod Teledu Cymru wedi'i lethu gan ddyledion. Roedd yn ddigon hysbys o'r dechrau cyntaf nad oedd llawer o arian i'w ennill trwy ddarlledu i barthau gwledig Cymru, a gadawodd dau ŵr busnes amlwg fwrdd y cwmni'n gynnar wedi gweld nad oedd lle i'w doniau hwy yno. Er gwaethaf cymhorthdal enfawr gan yr Awdurdod Darlledu Annibynnol a'r ffaith fod TWW a chyrff eraill yn cyfrannu rhaglenni'n rhad ac am ddim, roedd y colledion ariannol yn sylweddol. Prynwyd y cwmni gan TWW, a chafodd darllediadau TWWN a TWW eu huno â'i gilydd ar 1 Ionawr 1964.

Elis neu Elvis?

Bu cryn ddiddordeb yn y wlad yn isetholiad Seneddol sir Drefaldwyn ar 16 Mai, sedd a ddaeth yn wag pan fu farw Clement Davies, cyn-arweinydd y Blaid Ryddfrydol, ar 23 Mawrth. Emlyn Hooson oedd dewisddyn y Rhyddfrydwyr, bargyfreithiwr o Gymro Cymraeg ac un a addysgwyd ym Mhrifysgol Cymru, Aberystwyth. Llwyddodd ef i gynyddu mwyafrif y Rhyddfrydwyr yn y sedd o 2,794 i 7,549, a gwelwyd cyfanswm pleidleisiau'r Torïaid yn disgyn yn sylweddol.

Cysur bach oedd y fuddugoliaeth serch hynny yn wyneb cwymp y blaid yng Nghymru at ei gilydd. Gwelsai Rhyddfrydwyr Cymru eu nifer o seddi'n disgyn o saith yn 1945 i ddwy erbyn 1959, ac roedd ergyd fawr i ddod yn 1966 pan gollwyd un o'r rheini, Ceredigion, i'r Blaid Lafur.

Ni wnaeth Plaid Cymru yn arbennig o dda yn yr isetholiad, ond roedd un o gefnogwyr y Blaid yn benderfynol o anfarwoli enw ei hymgeisydd, Islwyn Ffowc Elis, trwy beintio'r gair 'Elis' ar garreg fawr ar odre Pumlumon ar ymyl y ffordd rhwng Aberystwyth a Llangurig. Yn anffodus i'r artist graffiti cenedlatholgar, ychwanegwyd y llythyren 'v' at ei waith yn fuan gan rywun oedd am greu teyrnged i'r canwr pop, Elvis Presley, a daeth Elis yn Elvis.

Coleg mewn castell

Hyfforddi achubwyr yng Ngholeg yr Iwerydd.

Gweledigaeth yr Almaenwr Kurt Hahn a drodd un o hen blastai'r De yn goleg arloesol ar gyfer myfyrwyr o bob rhan o'r byd. Roedd Hahn wedi ffoi i Brydain yn y '30au yn dilyn erledigaeth gan y Natsïaid, ac aeth ati'n syth i sefydlu nifer o brosiectau ar gyfer pobl ifanc ei wlad newydd. Trwy ei brofiadau o anghydfod a dinistr Ewrop yn y ddau Ryfel Byd, tyfodd ynddo awydd i ddod â phobl ifanc holl wledydd Môr yr Iwerydd ynghyd i gyd-fyw a chyd-ddysgu.

Ar 19 Medi yng Nghastell Sain Dunwyd, Morgannwg, agorwyd Coleg yr Iwerydd gyda myfyrwyr o bymtheg o wledydd wedi ymrestru ynddo. Ymhlith y cyfleusterau y câi'r myfyrwyr eu mwynhau roedd y labordy iaith cyntaf mewn ysgol ym Mhrydain, a'r pwll nofio moethus a osodwyd yno gan y barwn papurau newydd William Randolph Hearst, cyn-berchennog Sain Dunwyd.

Yn ogystal â gwaith academaidd, anogai'r Prifathro cyntaf, Desmond Hoare, ei fyfyrwyr i gymryd rhan mewn pob math o weithgareddau eraill. Yn nodedig ymhlith y rhain roedd rhai ar lannau Môr Hafren. Roedd Hoare yn arloeswr cychod rwber chwythadwy, a thrwy ei waith ef a disgyblion y Coleg y datblygwyd y bad achub *Atlantic Class*, a fabwysiadwyd gan Sefydliadau'r Badau Achub ac a enwyd ar ôl Coleg yr Iwerydd.

Morio uwchben y dyfroedd

Ar 20 Gorffennaf cychwynnodd y gwasanaeth hofrenfad cyntaf erioed i deithwyr ar daith 17 milltir o'r Rhyl i Wallasey, ar draws aber Afon Dyfrdwy. Ar fwrdd y cwch hynod roedd 24 o deithwyr ynghyd â 8,000 o lythyrau a chardiau, a'r cyfan yn mynd hyd at 56 milltir yr awr dro wyneb y dŵr.

Daeth cannoedd o ymwelwyr, pobl leol, a ffotograffwyr i weld y cwch yn gadael y Rhyl, a dywedodd ei berchenogion, cwmni British United Airways, fod chwe mil o bobl eisoes wedi llogi seddi ar yr hofrenfad, a bod galwadau yn holi yn ei gylch yn dod i mewn fesul dau neu dri chant bod dydd.

Cawsai'r hofrenfad ei ddyfeisio yn 1953 gan Christopher Cockerell fel cerbyd i deithio ar ddŵr, tir corsiog, a phob math o dir gweddol wastad. Urddwyd Cockerell yn farchog am ei waith.

Pa bris undod?

Helynt a barhaodd trwy gydol y flwyddyn a'r tu hwnt oedd yr un a gododd pan gynigiodd y miliwnydd Syr David James symiau sylweddol o arian i eglwysi Cristnogol Cymru ym mis Ionawr, ar yr amod eu bod yn ymdrechu'n daerach dros undod â'i gilydd. Gwnaethai Syr David ei ffortiwn ym musnes llaeth ei deulu yn Llundain, a thrwy adeiladu a rhedeg rhai o sinemâu mwyaf a gorau'r ddinas. Bu'n frwd iawn ei gefnogaeth i nifer o achosion crefyddol, addysgol a dyngarol yng Nghymru, a sefydlodd sawl ymddiriedolaeth i gynnal y fath fentrau.

Datguddiwyd ar 7 Ionawr fod Syr David wedi cynnig £204,000 i'r Eglwys yng Nghymru, cynnig a dderbyniwyd yn frwd ar 25 Ebrill gan Gorff Llywodraethol yr Eglwys. Llai llwyddiannus oedd y cynnig ar 19 Ionawr i eglwysi Anghydffurfiol y wlad o £250,000 os oeddynt yn barod i uno. Cyfarfu cynrychiolwyr yr Annibynwyr Cymraeg, y Bedyddwyr, y Presbyteriaid a'r Wesleyaid ym mis Chwefror i drafod y cynnig. Ym mis Rhagfyr cyhoeddodd Undeb Bedyddwyr Cymru i 86% o gapeli Bedyddwyr y wlad wrthod arian Syr David.

Yn Ionawr 1963 datganodd Syr David ei fod am fynd ymlaen gyda'i gynllun heb y Bedyddwyr, a'i fod yn barod i estyn cyfnod yr uno o bum mlynedd i saith. Erbyn mis Mehefin, serch hynny, nid oedd ond yr Annibynwyr a'r Presbyteriaid yn y cynllun, a dirwynodd y cyfan i ben yn raddol wedi hynny.

1963

14 Chwefror

Daeth Harold Wilson yn arweinydd y Blaid Lafur wedi marwolaeth Hugh Gaitskell.

5 Mehefin

Ym Mhrydain, ymddiswyddodd John Profumo o'r llywodraeth ar ôl i'r wasg ddatgelu ei berthynas â phutain o'r enw Christine Keeler.

16 Mehefin

Teithiodd y wraig gyntaf, Valentina Tereshkova o'r Undeb Sofietaidd, i'r gofod.

8 Awst

Dygwyd £2.5 miliwn gan ladron oddi ar drên yn sir Buckingham - achos a ddaeth yn adnabyddus fel *The Great Train Robbery.*

29 Awst

Yn Washington, o flaen hanner miliwn o bobl, rhoddodd Dr Martin Luther King araith ar y thema 'Mae gen i freuddwyd'.

11 Hydref

Yn Ffrainc, bu farw'r gantores boblogaidd Edith Piaf.

18 Hydref

Ym Mhrydain, daeth yr Arglwydd Home yn Brif Weinidog wedi ymddiswyddiad Harold Macmillan.

22 Tachwedd

Llofruddiwyd yr Arlywydd John F. Kennedy yn Dallas, Texas. Fe'i olynwyd gan Lyndon B. Johnson.

24 Tachwedd

Saethwyd yn farw Lee Harvey Oswald, y gŵr a gyhuddwyd o lofruddio'r Arlywydd Kennedy.

Bwyell Beeching

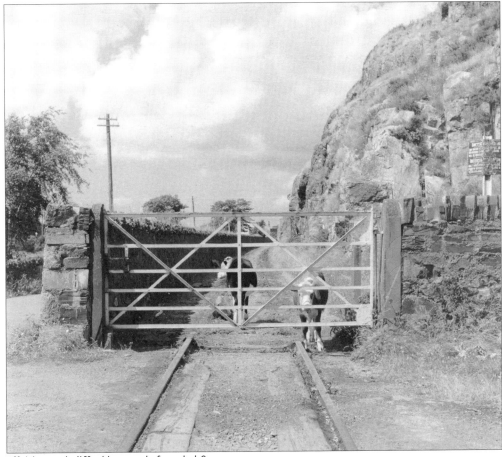

Effaith cau rheilffyrdd yng nghefn gwlad Cymru.

Er gwaethaf gwrthwynebiad ffyrnig mewn sawl ardal, rhoddodd adroddiad yr Arglwydd Beeching ym mis Mawrth gychwyn ar y gwaith o ddinistrio cyfundrefn reilffyrdd Cymru. Roedd cyfanswm milltiroedd y rheilffyrdd i'w leihau o 637 i 363, ac ar eu heithaf byddai cynlluniau Beeching yn golygu cau pob rheilffordd wledig yng Nghymru ar wahân i'r cysylltiadau â'r porthladdoedd Abergwaun a Chaergybi.

Ni weithredwyd y cynlluniau i gyd, ond roedd eu heffeithiau serch hynny yn ddigon pellgyrhaeddol. Roedd 538 o orsafoedd yng Nghymru ar ddechrau'r '60au, ond llai na dau gant a oroesodd fwyell Beeching. Caewyd nifer mawr o ganghennau rheilffyrdd y De, a gadawyd rhai trefi, fel Aberdâr, Abertyleri, a Dowlais heb gyswllt rheilffordd o fath yn y byd. Yng ngweddill y wlad gwelwyd cau'r

llinellau o Aberystwyth i Gaerfyrddin, o'r Bermo i Riwabon ar hyd dyffrynnoedd Mawddach a Dyfrdwy, ac ar draws Penrhyn Llŷn o Fangor i Bwllheli. Roedd y newidiadau'n ergyd drom i'r Gymru wledig ac i'r ymdrechion i ddod â diwydiannau newydd i'r cefn gwlad.

Trwy bwyso dyfal llwyddwyd i achub y cyswllt o Fachynlleth i Bwllheli ar hyd arfordir Gwynedd, a hynny'n bennaf am fod y llinell yn cludo teithwyr o Loegr i wersyll gwyliau Billy Butlin ym Mhwllheli. Llinell arall a achubwyd oedd yr un o Amwythig trwy Landrindod a Llanwrtyd i Abertawe. Yn ôl y sôn, arbedwyd honno pan ddywedodd George Thomas, Ysgrifennydd Gwladol Cymru ar y pryd, wrth y Prif Weinidog Harold Wilson, ei bod yn mynd trwy chwech o etholaethau lle roedd mwyafrif yr Aelod Seneddol Llafur yn beryglus o isel.

Coch Bach y Bala

Daliai un o droseddwyr hynotaf ei fro i achosi cynnwrf yn y fro honno yn ystod y flwyddyn hon, a hynny hanner can mlynedd ar ôl ei farw.

Ym mis Hydref, gosodwyd carreg fedd ysgrifenedig am y tro cyntaf ar fedd John Jones, Llanfor, ym mynwent Llanelidan. Arwydd o'r hoffter mawr at yr hen droseddwr oedd y cyfraniadau a ddaeth oddi wrth bobl ym mhob un o siroedd Cymru at gost y gofeb. Er hyn i rai, gwarth o'r mwyaf oedd gwario arian i gofio dyn a fu'n byw ar ladrad.

Daeth John Jones yn enwog trwy'r wlad oherwydd iddo gael ei ddal yn lladrata gymaint o weithiau, a hefyd am iddo lwyddo mor aml i ddianc o'r carchar wedyn. Enillodd ei gampau nifer o lysenwau iddo, gan gynnwys 'The Little Welsh Terror' a 'Coch Bach y Bala'. Mor adnabyddus ydoedd fel y byddai rhieni yn defnyddio'i enw fel bygythiad wrth geisio perswadio'u plant i ddod i'r tŷ o'u chwarae ar ddiwedd y dydd. Trwy gydol ei oes achosodd y Coch raniad ymhlith pobl ei fro – rhai o'i blaid ac eraill yn wrthwynebwyr iddo, a'r un oedd yr hanes hanner canrif ar ôl ei gladdu.

Dechreuodd ar ei yrfa droseddol yn gynnar iawn. Cyfaddefodd fod arno ysfa i ddwyn, ac mae'n debyg mai'r lladrata ei hun oedd ei brif bleser gan fod yr hyn a ddygai ymaith yn aml yn bethau digon diwerth. Yn 1872 carcharwyd ef am bedwar mis wedi iddo dorri i mewn i dŷ a dwyn pwrs gwag a chyllell fach, ac o hynny allan byddai'n treulio'r rhan fwyaf o'i oes yng ngharchardai Cymru a Lloegr.

Cafodd ei saethu'n farw yn 1913 gan sgweier lleol wedi iddo ddianc o garchar Rhuthun, trwy gloddio twll yn wal ei gell. Claddwyd ef ar 9 Hydref, ond nid cyn i'r ffotograffydd lleol Lewis Edwards dynnu llun ei gorff a'i arch. Gwerthwyd cannoedd o gopïau o'r lluniau i rai a ddymunai gofio am un o gymeriadau mwyaf lliwgar y gogledd.

Mandy

Ym mis Mehefin bu'n rhaid i John Profumo, yr Ysgrifennydd Rhyfel, ymddiswyddo pan brofwyd iddo ddweud celwydd mewn datganiad i Dŷ'r Cyffredin ynglŷn â'i berthynas â phutain o'r enw Christine Keeler.

Tanseiliwyd hygrededd simsan y llywodraeth gan 'Sgandal Profumo' a daeth y Prif Weinidog, Harold Macmillan, a'r Torïaid yn destun gwawd gan y wasg a chan y criw o ddychanwyr ifanc ar y rhaglen deledu boblogaidd, *That Was The Week That Was*. Haerwyd hefyd fod diogelwch y wlad wedi'i beryglu gan fod cysylltiad rhwng Christine Keeler ac ysbïwr honedig dros yr Undeb Sofietaidd, a datgelwyd bod Profumo ac enwogion eraill wedi mynychu partïon nwydwyllt.

Rhoddwyd cryn sylw i un o gyfeillion Keeler, y Gymraes benfelen o ardal Llanelli, Mandy Rice-Davies. Tra'n rhoi tystiolaeth mewn achos llys yn gysylltiedig â'r sgandal, ynganodd frawddeg a oedd i ddod yn ymadrodd poblogaidd yn yr iaith Saesneg, ac a gynhwysir bellach mewn cyfeirlyfrau megis *The Oxford Book of Quotations*. Roedd yr Arglwydd Astor wedi gwadu iddo erioed gael perthynas â hi, ond pan ofynnwyd am ei hymateb i hynny, meddai'r Gymraes, '*Well, he would say that, wouldn't he?*'

Seneddwr yn y llys?

Posibilrwydd achos llys am enllibio un o'i etholwyr, dyna a wynebai un o Aelodau Seneddol Cymru ar ddechrau mis Awst, yn sgil ei honiadau difrifol am landlordiaid gwael y brifddinas. Roedd Muhammed Anwar Shekh, landlord o Gaerdydd, yn bygwth cael gwrit llys yn erbyn George Thomas, yr Aelod Llafur dros orllewin y ddinas, oni fyddai Thomas yn tynnu'n ôl y sylwadau a wnaeth yn ddiweddar yn Nhŷ'r Cyffredin am ansawdd wael y tai yr oedd Shekh yn eu rhentu.

Cyhuddwyd Shekh gan George Thomas o weithredu'n Rachmanaidd, cyfeiriad at un o landlordiaid mwyaf drwgenwog slymiau Llundain. Gwrthododd ymddiheuro, gan honni bod rhai pobl yn awyddus iawn i dawelu Aelodau Seneddol a ddôi â phynciau dadleuol i'r amlwg. Am iddo wneud ei honiadau yn siambr Tŷ'r Cyffredin, diogelid ef gan Fraint y Tŷ, a gwrthododd eu hailadrodd y tu allan i'r Tŷ, lle gweithredai cyfreithiau enllib y wlad.

Daeth yr helynt â sylw eang i gyflwr gwael iawn a phroblem gorlenwi nifer o dai rhent Caerdydd, ond er gwaethaf honiadau Thomas ni ddangosodd ymchwiliadau fod yr hyn a ddywedodd am eiddo Muhammed Shekh yn wir.

Rhoi'r bardd ar y sgrîn

Ddeng mlynedd wedi i'r bardd tymhestlog o Abertawe, Dylan Thomas, farw yn Efrog Newydd enillodd Jack Howells o Abertyswg wobr Oscar am y Ffilm Ddogfen Fer Orau am ei ffilm *Dylan*. Rhoddodd y ffilm deledu hon un o'i ychydig iawn o rannau Cymreig i Richard Burton, fel y bardd yn adrodd ei stori'i hun. Roedd eisoes ar i fyny ym myd ffilmiau America a rhoddodd berfformiad grymus gan ddal naws felancolig Thomas. Casglodd Howells ei dlws ar 8 Ebrill yn Hollywood.

Daethai'n adnabyddus fel lluniwr ffilmiau dogfen a newyddiadurol, yn gyntaf dros y cwmni *newsreel*, *Pathé*, ac wedyn gyda'i gwmni annibynnol ei hun. Yn ystod y '70au cynhyrchodd nifer o ffilmiau am fywyd Cymru, fel *Penclawdd Wedding*, a *Return to Rhymney*, a hefyd y cofiant ffilm am Aneurin Bevan *Nye!* dros gwmni teledu *TWW*.

Cartref i'r Sioe Fawr

dde:
Y Parêd yn Sioe gyntaf Llanelwedd.

Costau uchel cludo anifeiliaid, a ffermwyr yn manteisio ar y tywydd braf i dorri gwair, dyna a gafodd y bai am y torfeydd cymharol fychan a ddaeth i ddiwrnod cyntaf Sioe Amaethyddol Frenhinol Cymru ar ei safle parhaol newydd yn Llanelwedd ar 23 Gorffennaf. 13,791 o bobl a ddaeth yno o gymharu â 8,718 pan gynhaliwyd hi yn Llanelwedd ddiwethaf yn 1951.

Roedd y 'Sioe Fawr', fel y'i gelwid, eisoes wedi ennill ei phlwyf fel rhan annatod o galendr y Cymry, a theimlid bod angen cartref pwrpasol a pharhaol iddi. Prynwyd y safle 173 erw yn Llanelwedd, sir Faesyfed, yn 1961 am £23,000, a gwariwyd £73,000 yn ychwanegol ar bethau fel adeiladau, tynnu gwrychoedd, cymynu coed, gwastatáu'r tir a gwella'r heolydd.

Sefydlwyd Cymdeithas Amaethyddol Cymru yn 1904 a chynhaliwyd ei sioe gyntaf yn Aberystwyth ar 3 a 4 Awst yr un flwyddyn.

Daeth y Gymdeithas yn un 'Frenhinol' yn 1922. Ym mlynyddoedd cynnar y Gymdeithas credid bod angen i'r sioe deithio o le i le trwy Gymru bob blwyddyn er mwyn tynnu mwy o sylw, ond erbyn y '60au roedd yn amlwg fod y Gymdeithas a'r 'Sioe Fawr' yn ddigon adnabyddus drwy'r wlad bellach ac mai gwell fyddai cael hyd i gartref sefydlog iddi a gweithio i ddatblygu hwnnw. Yn 1990, dechreuwyd Ffair Aeaf flynyddol ar yr un safle am un diwrnod ar ddiwedd mis Tachwedd (ar ddechrau mis Rhagfyr o 1992 ymlaen). Er ei bod cryn dipyn yn llai na'r brif sioe ym mis Gorffennaf, profodd yr un mor llwyddiannus gan ddod yn rhan bwysig o'r flwyddyn amaeth.

Methu pryfocio'r plismyn

chwith: Bechgyn lleol yn herio protestwyr ar Bont Trefechan.

Yn eira mis Chwefror yn Aberystwyth cynhaliwyd protestiadau cyntaf yr egin-fudiad, Cymdeithas yr Iaith Gymraeg, gan tua 70 o bobl yn Swyddfa'r Post a swyddfeydd Cyngor y Dref a'r Heddlu. Myfyrwyr colegau Aberystwyth a Bangor oedd y rhan fwyaf, a dewiswyd tref Aberystwyth yn darged am fod ynadon y dref wedi gwrthod yn ddiweddar roi gwysion llys i Gymry Cymraeg a ddôi o flaen eu gwell. Plastrwyd y tu allan i Swyddfa'r Post â phosteri yn galw am statws swyddogol i'r Gymraeg, a rhoddwyd posteri tebyg ar gabanau ffôn wrth orsaf reilffordd y dref. Wrth siarad ar ran y Gymdeithas, dywedodd Edward Millward, darlithydd yng Ngholeg Aberystwyth, fod y protestwyr am aros i weld a fyddai'r ynadon yn ildio. Os na cheid gwysion Cymraeg câi tref arall ei tharo gan brotestiadau o'r un math.

Gobaith rhai o'r protestwyr oedd y caent eu harestio, ond er iddynt eistedd ar stepen drws swyddfa'r heddlu a glynu posteri wrth y drysau, ni thynnwyd yr un ohonynt i'r ddalfa. Siomedig oedd rhai o'r herwydd, ac wedi cyfarfod mewn caffi lleol aeth tua hanner y protestwyr ymlaen i atal traffig Pont Trefechan am ugain

munud, gan ennyn dicter mawr gyrwyr a nifer o fechgyn lleol.

Bu newyddion am y brotest ar sgriniau teledu'r wlad a thudalennau blaen papurau newydd trannoeth, ac roedd yn glir i rai fod oes newydd o brotestio wedi gwawrio yng Nghymru.

Rhamant ar y set

dde:
Richard Burton ac Elizabeth Taylor ar Orsaf Caerdydd.

Rhamant go-iawn yn adlewyrchu rhamant ar y sgrîn fawr, dyna oedd hanes yr actor o Bont-rhyd-y-fen, Richard Burton, wrth ffilmio *Cleopatra* – y ffilm ddrutaf erioed ar y pryd – gyda'r actores Elizabeth Taylor.

Er eu bod ill dau'n briod, dechreuodd carwriaeth rhyngddynt wrth saethu'r ffilm yn Rhufain. Burton a chwaraeai ran y milwr Mark Anthony a Taylor brenhines yr Aifft, ac fel yr ymserchai Anthony a Cleopatra yn ei gilydd ar y sgrîn, felly Burton a Taylor oddi arni, a hynny yng ngŵydd newyddiadurwyr y byd i gyd. Erbyn y diwedd roedd carwriaeth ei phrif actorion yn tynnu mwy o sylw'r na'r ffilm ei hun, er i honno fod yn llwyddiant mawr yn y sinemâu.

Priodasant am y tro cyntaf (o ddau) yn 1964. Yr oedd Taylor yn un o bedair o wragedd a fu gan Burton yn ystod ei yrfa, ac yn ôl un hanesyn, yn Gymraeg y datganodd gyntaf ei fod yn bwriadu ei chymryd yn wraig drwy gyhoeddi wrth ei gymdeithion, 'Dwi am briodi'r ferch 'ma'. Daeth y ddau'n adnabyddus trwy'r byd am actio ar y sgrîn fawr gyda'i gilydd mewn ffilmiau megis *Who's Afraid of Virginia Woolf?* yn 1966, a hefyd am eu perthynas dymhestlog.

Y Cyngor a'r Iaith

Ar 20 Tachwedd, cyflwynodd Cyngor Cymru ei awgrymiadau ar gyfer gwella statws yr iaith Gymraeg, yn y Papur Gwyn swyddogol *Yr Iaith Gymraeg Heddiw*. Prif argymhelliad y Cyngor oedd creu corff statudol parhaol i ofalu am hawliau'r iaith a'i siaradwyr. Roedd angen statws swyddogol i'r Gymraeg mewn dogfennau swyddogol, llysoedd barn, cynghorau lleol, arwyddion a hysbysiadau, papurau trethi, a phapurau enwebu ymgeiswyr i gynghorau a'r Senedd. Galwyd hefyd am fwy o raglenni teledu Cymraeg i blant, ac am fwy o gymorth gan y llywodraeth i gyhoeddi llyfrau Cymraeg. Croesawyd y Papur Gwyn yn frwd gan wleidyddion o bob plaid yng Nghymru.

Ar 30 Gorffennaf roedd y Gweinidog Materion Cymreig, Syr Keith Joseph, wedi cyhoeddi sefydlu pwyllgor o dri dan Syr David Hughes Parry i edrych sefyllfa'r iaith. Nod y pwyllgor, yn ôl Syr Keith, fyddai canfod union statws cyfreithiol yr iaith Gymraeg ac awgrymu pa newidiadau yn y gyfraith y dylid eu gwneud i roi lle teg iddi. Wrth ateb y Gweinidog yn Nhŷ'r Cyffredin, galwodd James Griffiths, Aelod Seneddol Llanelli, am roi sylw arbennig i gwestiwn papurau enwebu Cymraeg i ymgeiswyr Seneddol, mater a fu'n asgwrn cynnen yn y gorffennol. Croesawyd y pwyllgor gan Huw T. Edwards, Llywydd Cymdeithas yr Iaith Gymraeg, fel cam mawr ymlaen yn y frwydr dros statws cyfartal â'r Saesneg i'r Gymraeg yng Nghymru.

Ffrwydrad yn Nhryweryn

Niweidiwyd offer trydan mewn ffrwydrad bom ar safle adeiladu dadleuol Argae Tryweryn yn oriau mân 10 Chwefror. Clywodd gwarchodwyr y safle sŵn ffrwydrad mawr tua 3.15 y bore ac wedi iddi wawrio gwelwyd bod trawsnewidydd trydanol yn gollwng olew. Ar ôl archwilio'r difrod gan arbenigwyr yr heddlu, cyhoeddwyd mai gwaith rhywun gyda chryn wybodaeth o beirianneg drydanol oedd yr ymosodiad, a bod yr heddlu'n chwilio am grŵp o ddif-

Emyr Llew

rodwyr medrus a threfnus. Roedd olion traed yn yr eira yn dangos fod tri o bobl wedi bod wrthi. Cafwyd gwybod wedyn mai tri aelod o Fudiad Amddiffyn Cymru oedd wedi gosod y bom pum pwys o gelignit mewn hen dun bisgedi, ond dim ond un a ddaliwyd.

Ar 29 Mawrth cafwyd y myfyriwr Emyr Llewelyn Jones yn euog o osod y ffrwydron a'i garcharu am flwyddyn, ond gwrthododd enwi ei ddau gydymaith. Rhyddhawyd ef ym mis Rhagfyr, a datganodd ei fod wedi cefnu ar ddulliau treisgar am ei fod yn ystyried ymprydio yn dacteg mwy effeithiol. Bu'n ymprydio am bum diwrnod tra yng ngharchar Amwythig fel protest yn erbyn y cynllun i foddi Cwm Tryweryn, gan ddwyn ei ympryd i ben pan fygythiodd awdurdodau'r carchar ei fwydo'n orfodol. Flynyddoedd wedyn y datguddiwyd y rhan yn yr ymosodiad a chwaraewyd gan ddau gydfomiwr Emyr Llewelyn Jones – Owain Williams a John Albert Jones. Cawsant hwy eu carcharu'n fuan wedyn am geisio ffrwydro peilon trydan fel protest yn erbyn dedfryd Emyr Llewelyn Jones.

1964

Yr Ysgrifennydd Gwladol cyntaf

Y tîm newydd yn y Swyddfa Gymreig: Goronwy Roberts, Tudor Watkins, James Griffiths a Harold Finch.

Yn sgil buddugoliaeth y Blaid Lafur yn yr Etholiad Cyffredinol a gynhaliwyd ar 15 Hydref, penodwyd James Griffiths, Aelod Seneddol Llanelli, yn Ysgrifennydd Gwladol cyntaf Cymru.

Er bod Griffiths yn 74 blwydd oed, ac er nad oedd wedi cefnogi Harold Wilson yn ei gais am arweinyddiaeth y blaid yn dilyn marwolaeth ddisymwth Hugh Gaitskell, mynnodd y Prif Weinidog newydd mai ef oedd y dyn delfrydol ar gyfer y swydd.

Dôi James Griffiths o hen draddodiad o lowyr diwylliedig. Etholwyd ef yn Aelod Seneddol yn 1936, a bu'n Weinidog Yswiriant Gwladol rhwng 1945 ac 1950, ac yn Ddirprwy Arweinydd y Blaid Lafur rhwng 1956 ac 1959. Ef oedd yn bennaf gyfrifol am berswadio ei blaid i fabwysiadu'r polisi o sefydlu Swyddfa Gymreig, gydag Ysgrifennydd Gwladol â sedd yn y Cabinet yn ben arni.

Ar 19 Tachwedd cyhoeddodd y Prif Weinidog y byddai'r Ysgrifennydd Gwladol newydd yn cymryd cyfrifoldeb am dai, llywodraeth leol a phriffyrdd yng Nghymru. Yn groes i'r hyn a addawyd, ni fyddai'n gyfrifol am addysg, iechyd ac amaethyddiaeth. Lleolid y Swyddfa Gymreig yng Nghaerdydd, gyda swyddfa fechan yn Llundain.

Mis yn ddiweddarach cyhoeddodd yr Ysgrifennydd Gwladol y byddai'n sefydlu bwrdd cynllunio economaidd i Gymru, a gobeithiai y gellid sefydlu tref newydd yn y canolbarth i wrthsefyll diboblogi gwledig.

Yn ogystal â James Griffiths, penodwyd saith Aelod Seneddol arall o Gymru i swyddi allweddol yn y llywodraeth: James Callaghan (Canghellor y Trysorlys), Syr Frank Soskice (Ysgrifennydd Cartref), Cledwyn Hughes (Gweinidog Cysylltiadau'r Gymanwlad), Walter Padley (Gweinidog yn y Swyddfa Dramor), Goronwy Roberts (Gweinidog Materion Cymreig), George Thomas (Is-Ysgrifennydd Seneddol yn y Swyddfa Gartref), ac Eirene White (Ysgrifennydd Seneddol yn Swyddfa'r Trefedigaethau). Eirene White oedd y wraig gyntaf o Gymru i'w phenodi'n un o weinidogion y Goron.

Er mai o drwch blewyn yr enillwyd yr Etholiad gan Lafur, yng Nghymru llwyddodd y blaid i ennill 58% o'r bleidlais, gan gipio 28 o'r 36 o seddi. Adenillodd Llafur hefyd sedd Gorllewin Abertawe gyda mwyafrif mawr, yr unig sedd Gymreig a gollwyd ganddi yn yr Etholiad blaenorol yn 1959. *[LLIW 18]*

Mynd am yr aur

uchod:
Ar y brig! Lynn Davies
ar ôl derbyn ei fedal aur.

Yn y Gemau Olympaidd a gynhaliwyd yn Tokyo ym mis Hydref enillodd Lynn Davies o Nant-y-moel gystadleuaeth y naid hir. Davies oedd yr athletwr cyntaf o Gymro i ennill medal aur Olympaidd fel unigolyn, er bod pump o Gymry eraill wedi eu hennill fel aelodau o dimau. Neidiodd Davies 26 troedfedd a 5¾ modfedd (8.07 metr), gan guro ei brif wrthwynebydd a'r pencampwr Olympaidd ar y pryd, yr Americanwr Ralph Boston.

Aeth ymlaen yn 1966 i ychwanegu teitlau Gemau'r Gymanwlad a Gemau Ewrop at ei fedal Olympaidd – y cyntaf erioed i fod yn bencampwr y tair cystadleuaeth ar yr un pryd. Cipiodd deitl y Gymanwlad drachefn yn 1970. O 1962 ymlaen, bu'n cystadlu 43 o weithiau dros Brydain, gan ennill y llysenw hoffus 'Lynn the Leap' am ei gampau neidio.

Coleg y llyfrbryfed

Ar ddechrau Hydref, agorwyd Coleg Llyfrgellwyr Cymru ym mhentref Llanbadarn Fawr, ger Aberystwyth. Er mai dim ond 12 o fyfyrwyr a fu'n ei fynychu yn ystod y tymor cyntaf, tyfodd y coleg i fod yn un o'r prif golegau o'i fath yn y byd. Yn 1989, daeth Coleg y Llyfrgellwyr yn rhan o Brifysgol Cymru, Aberystwyth, gan arddel teitl newydd, Adran Astudiaethau Gwybodaeth a Llyfrgellyddiaeth.

Gormod o Gymraeg

Lansiwyd gwasanaeth teledu BBC Cymru ar 9 Chwefror, gan achosi dadlau brwd ymhlith gwylwyr ledled y wlad. Y brif gŵyn oedd bod gwylwyr Cymru'n colli ambell raglen boblogaidd a oedd bellach i'w gweld yn Lloegr yn unig. Ar noson gyntaf y darlledu, yn hytrach na'r *Dick Emery Show*, cafwyd y bennod gyntaf o ddrama gyfres newydd gan Islwyn Ffowc Elis, *Gwanwyn Diweddar*. Ymhlith yr actorion roedd Lisabeth Miles, J.O. Roberts, Charles Williams, Huw Tudor, a Dic Hughes. Hefyd ar yr un noson darlledwyd dwy raglen Saesneg o Gymru, ar y cerddor Ivor Novello a'r awdur Jack Jones.

Am y tro cyntaf roedd rhaglenni teledu Cymraeg i'w gweld yn ystod oriau brig, gyda'r newyddion Cymraeg a'r rhaglen gylchgrawn, *Heddiw*, yn llenwi'r slot o 6.35 i 7.00 yr hwyr. Bu cyfarfodydd yn Llandrindod a Llanfair-ym-Muallt yn galw am ddarlledu gwasanaeth Seisnig y *BBC* o drosglwyddydd Llandrindod, a chlywyd galwadau cyffelyb o Hwlffordd ac Aberdaugleddau pan ddechreuwyd darlledu o Benfro yn Ionawr 1965. Er nad oedd ond saith awr yr wythnos o ddarlledu Cymraeg i'w gael ar y *BBC*, a phump awr gan *TWW*, codwyd deiseb yn Aberystwyth i brotestio bod gormod o Gymraeg ar y teledu. Ar y llaw arall roedd cwyno mawr gan rai yng ngorllewin Morgannwg a sir Gaerfyrddin, a bröydd y gogledd-ddwyrain eu bod yn methu derbyn rhaglenni *BBC* Cymru; a hefyd gan Gymry'n byw yn Lloegr yn achwyn bod y drefn newydd o gyfyngu darlledu Cymraeg i Gymru'n unig wedi'u hamddifadu hwy o'u hoff raglenni Cymraeg.

Cricedwr yn erbyn Callaghan

Dewis go annisgwyl oedd gan Dorïaid etholaeth De-Ddwyrain Caerdydd i wynebu'r Aelod Seneddol Llafur, James Callaghan yn yr Etholiad Cyffredinol ar 15 Hydref, sef Ted Dexter, capten tîm criced Lloegr. Er mor fedrus ydoedd ar y maes chwarae, methodd Dexter â bowlio Callaghan allan o'i sedd, a dychwelodd y Llafurwr i'r Senedd gyda mwyafrif o 7,800.

Siôn a Siân

Ar 22 Ebrill darlledwyd ar sianel *TWW* y rhaglen gyntaf yn y gyfres boblogaidd *Siôn a Siân*, y gyfres gwis hwyaf erioed yn y Gymraeg. Dewi Richards oedd y cyflwynydd, gyda Meriel Griffiths, a ddaeth yn wraig i'r athletwr Lynn Davies, yn gynorthwy-ydd iddo. Yn ogystal â bod yn berfformiwr radio a theledu roedd Dewi Richards yn gigydd wrth ei waith, gan ennill y llysenw 'Dai Bwtsiwr'. Mr. a Mrs. D.T. Lloyd o Langybi, Ceredigion, a gafodd y fraint o fod yn gystadleuwyr cyntaf y rhaglen.

Dros y blynyddoedd dilynol darlledwyd dros chwe chant o raglenni yn y pymtheg cyfres rhwng 1964 ac 1986, ac ni newidiwyd fawr ddim ar y patrwm syml o ddarganfod faint yr oedd gŵyr a gwragedd yn ei wybod am ei gilydd. Atebodd mwy na 1,700 o barau dros 10,500 o gwestiynau am arferion ei gilydd gan wahanol gyflwynwyr, a daeth fersiwn Saesneg o'r rhaglen yn dwyn y teitl *Mr and Mrs* yr un mor boblogaidd.

Atgyfodwyd y gyfres yn yr un fformat bron yn 1997 gyda Ieuan Rhys a Gillian Elisa yn cyflwyno. Fel adlewyrchiad o'r newid ym moesau'r oes, hon oedd y gyfres gyntaf lle nad oedd raid i'r parau fod yn briod er mwyn cystadlu.

Gwrthod gradd

Yn seremoni raddio Coleg Prifysgol Gogledd Cymru, Bangor, ar 20 Gorffennaf, gwthododd un myfyriwr, Robert Paul Griffiths, dderbyn ei radd fel protest yn erbyn methiant yr awdurdodau i roi statws i'r iaith Gymraeg yng ngweithgareddau'r coleg. Syfrdanwyd yr ymgynulliad graddio pan gyhoeddodd Griffiths o'r llwyfan nad oedd am dderbyn ei radd 'tra pery'r Brifysgol mor elyniaethus i'r Gymraeg.' Yn ddiweddarach, dan yr enw Robat Gruffudd, daeth y myfyriwr di-radd yn enwog fel perchennog Gwasg y Lolfa.

Campau'r Swans

isod: Chwaraewyr Abertawe yn cofleidio'i gilydd ar ôl i McLaughlin sgorio yn y rownd gynderfynol.

Pur ddyledus i bâr o Wyddelod oedd clwb pêl-droed Abertawe pan ddaeth o fewn trwch blewyn i ennill lle am y tro cyntaf erioed yn rownd derfynol Cwpan Lloegr yn Wembley. Collwyd 2-1 yn y rownd gyn-derfynol ar 14 Mawrth yn erbyn tîm arall o'r Ail Adran, Preston North End, ar ôl i Jimmy McLaughlin roi Abertawe ar y blaen. Roedd y Gwyddel McLaughlin newydd ei brynu o glwb Amwythig am ffi o £16,000, ac roedd wrthi'n profi ei fod yn werth pob ceiniog. Ar gae mwdlyd Parc Villa, McLaughlin dros y *Swans* a gafodd unig gôl yr hanner cyntaf, ond yn yr ail hanner bu cic gosb ddadleuol ac ergyd ddeugain llath gan Singleton yn ddigon i sicrhau buddugoliaeth i Preston.

Roedd Abertawe wedi trechu clybiau o'r Adran Gyntaf yn y rowndiau blaenorol, a'r gamp fwyaf oedd curo Lerpwl 2-1 o flaen torf o 47,000 yn Anfield yn rownd yr wyth olaf ar 29 Chwefror. Roedd Abertawe wedi chwarae yn Lerpwl wyth gwaith o'r blaen heb ennill yr un gêm, ond roedd hynny i gyd ar fin newid. Sgoriwyd gôl yr un gan McLaughlin ac Eddie Thomas, ond y golwr Noel Dwyer oedd arwr y gêm. Llwyddodd y Gwyddel lliwgar i arbed holl ergydion y crysau cochion ac eithrio un gan Peter Thompson. Honnodd rheolwr Lerpwl, Bill Shankly, wedyn y dylai ei dîm ef fod wedi rhoi 14 o goliau yng nghefn y rhwyd, ond rhyngddynt hwy a'u targed roedd dwylo diogel Dwyer.

uchod:
Pa le, pa fodd .....?

Arwyddion o newid

Tynnodd papur newydd *Y Cymro* sylw ym mis Mai at arwyddbost rhwng Pentrefoelas a Betws-y-Coed, ar gyrion Eryri, a oedd yn achos dryswch i rai, a dicter mawr i eraill gan nad oedd yr un enw mewn Cymraeg cywir. Cynyddodd galwadau trwy'r '60au am gael yr enw Cymraeg priodol ar y fath arwyddion, yn lle ffurfiau hynafol Seisnigaidd, gyda sawl un yn eu gweld yn sarhad ar y Cymry a'u hiaith.

Ysgogwyd rhai gan eu dicter i fandaleiddio arwyddion, ac wedi methu â pherswadio Cyngor Sir Benfro mai Trefîn ac nid Trevine oedd y sillafiad cywir ar enw'r pentref bach a anfarwolwyd yng ngherdd enwog William Crwys Williams, *Melin Trefîn*, aeth rhai o aelodau Cymdeithas yr Iaith Gymraeg ati i dynnu'r arwyddion Saesneg i lawr a gosod rhai Cymraeg yn eu lle. Arddangoswyd yr hen arwyddion ar Faes yr Eisteddfod Genedlaethol yn Abertawe, lle daeth un o swyddogion yr heddlu i'w casglu.

Drwy'r '60au a'r '70au cynnar difethwyd neu beintiwyd arwyddion uniaith Saesneg ledled Cymru gan gefnogwyr Cymdeithas yr Iaith Gymraeg, -ymgyrch a arweiniodd at sefydlu'r egwyddor o arwyddion dwyieithog yng Nghymru.

Gormod o ryw i ddyn y Dryw

Ym mis Medi ymddiswyddodd Emlyn Evans, rheolwr cwmni Llyfrau'r Dryw, Llandybïe, oherwydd ei fod yn gwrthwynebu penderfyniad y cwmni i gyhoeddi nofel ddadleuol John Rowlands, *Ieuenctid yw 'Mhechod*.

Thema'r nofel, a ddyfarnwyd yn ail orau yng nghystadleuaeth y Fedal Ryddiaith yn Eisteddfod Genedlaethol Abertawe, oedd gweinidog mewn helbul rywiol, a cheir disgrifiad manwl ohono'n godinebu. Yn ôl beirniadaeth Caradog Prichard yn yr Eisteddfod, 'Ni chafwyd, cyn belled ag y gwn i, erioed yn y Gymraeg ddisgrifiad tebyg, nac yn sicr mo'i ragorach, o'r act rywiol.'

Dros y blynyddoedd canlynol, enillodd John Rowlands enw iddo'i hun nid yn unig fel awdur cyfres o nofelau beiddgar, ond hefyd fel meithrinwr to o lenorion ifanc anturus.

Trechu Awstralia

Ar Faes Sain Helen ar ddechrau mis Awst, llwyddodd cricedwyr Morgannwg i drechu Awstralia am y tro cyntaf erioed. Y ddau droellwr digymar o ardal Abertawe, Jim Pressdee o'r Mwmbwls a Don Shepherd o Borth Eynon, oedd arwyr Morgannwg, gyda Pressdee yn cipio deg wiced a Shepherd yn ei dro yn cymryd naw.

Cyfanswm cymedrol o 197 a gafodd Morgannwg yn eu batiad cyntaf, ond wedi i gawod o law wlychu'r maes yn y prynhawn roedd y troellwyr Cymreig wrth eu bodd, a chwympodd chwe wiced gyntaf yr Awstraliaid am 39 o rediadau, cyn iddynt ailafael ychydig yn y gêm i orffen gyda chyfanswm o 101. Er bod y tîm cartref ar y blaen trwy gydol tridiau'r gêm, parhaodd y tyndra hyd y diwrnod olaf, pan orchfygwyd yr Awstraliaid o'r diwedd o 36 o rediadau. Ymhlith y dorf enfawr a welodd gampau 'Pres' a 'Shep' yn y fuddugoliaeth hanesyddol roedd llawer o eisteddfodwyr, wedi tyrru yno o Faes y Brifwyl gerllaw.

uchod:
Capten Awstralia, Bobby Simpson, yn gadael y llain ar ôl iddo gael ei fowlio gan Pressdee.

ZULU!

dde: Stanley Baker a Michael Caine yn y ffilm *Zulu*.

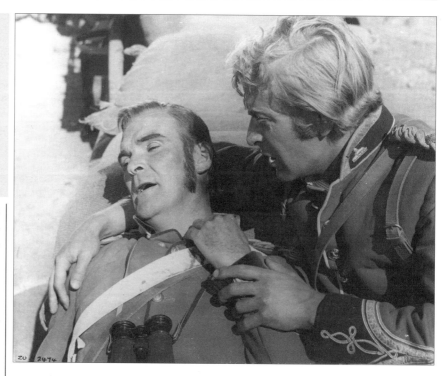

Ffilm fwyaf poblogaidd y flwyddyn yn sinemâu Cymru oedd *Zulu*, a gynhyrchwyd gan yr actor o Lyn Rhedynog, Cwm Rhondda, Stanley Baker.

Gwrhydri cant a phump o gatrawd Cyffinwyr De Cymru oedd testun y ffilm, a ddramateiddiodd fuddugoliaeth wag braidd y milwyr i wrthsefyll ymosodiadau gan fwy na 4,000 o lwyth y Zwlw yn Rorke's Drifft, De Affrica, yn 1879.

Cymerodd Stanley Baker ran yr Is-gapten John Chard, un o'r 11 o filwyr a enillodd Groes Victoria am eu dewrder, gan roi un o berfformiadau gorau ei yrfa. Clywyd ambell bwt o hiwmor y Cymry wrth i un milwr o Feirionnydd gwyno nad oedd tiroedd sychedig Affrica hanner cystal â gwlypder ardal y Bala, a sylwodd un arall fod rhai baswyr da ymhlith y Zwlw ond eu bod yn methu cyrraedd y nodau uchaf wrth lafarganu. Fel uchafbwynt i'r ffilm, oedodd y milwyr yng nghanol berw'r frwydr i ganu *Men of Harlech*, dan arweiniad Ivor Emmanuel, un o ganwyr poblogaidd y dydd, er i un beirniad ofyn wedyn pam na chanwyd mo'r gân yn Gymraeg.

Gwnaed dwy flynedd o ymchwil cyn saethu'r ffilm ar gost o tua miliwn a hanner o ddoleri. Erbyn 1976 roedd *Zulu* wedi dod ag elw o $12 miliwn o'i dangos ledled y byd. Ymhlith y rhai na chafodd weld y ffilm roedd y cannoedd o ddynion Zwlw a gymerodd rannau ynddi. O dan y cyfreithiau a fodolai yn Ne Affrica ar y pryd, roedd *Zulu* yn ffilm 'anaddas i Affricaniaid duon ei gweld'.

1965

24 Ionawr

Bu farw Winston Churchill, arweinydd Prydain yn yr Ail Ryfel Byd.

11 Chwefror

Dechreuodd awyrlu'r Unol Daleithiau gyrchoedd bomio yng Ngogledd Fietnam.

21 Chwefror

Llofruddwyd yr arweinydd croenddu Malcolm X yn Efrog Newydd.

8 Mawrth

Anfonwyd y milwyr cyntaf o'r Unol Daleithiau i Fietnam er mwyn cynorthwyo byddin De Fietnam i wrthsefyll ymosodiadau gan wrthryfelwyr comiwnyddol.

18 Mawrth

Am y tro cyntaf erioed cerddodd dyn yn y gofod, pan adawodd y gofotwr, Alexei Leonov, ei longofod.

14 Gorffennaf

Agorwyd twnel Mont Blanc, yn cysylltu Ffrainc a'r Eidal.

27 Awst

Bu farw'r pensaer arloesol Le Corbusier.

26 Hydref

Cyflwynwyd medal yr MBE i aelodau'r grŵp pop The Beatles mewn seremoni ym Mhalas Buckingham.

11 Tachwedd

Cyhoeddodd Ian Smith, Prif Weinidog Rhodesia, annibyniaeth y wlad o reolaeth Prydain.

Can mlynedd ar y Paith

Dathlu canmlwyddiant y Wladfa yn Lerpwl.

Bu dathliadau mawr mewn sawl man yng Nghymru i nodi canmlwyddiant y Wladfa Gymreig ym Mhatagonia yn yr Ariannin. Gwelwyd pobl o Gymru a Chymry'r Ariannin yn ymweld â gwledydd ei gilydd a threfnwyd rhaglen helaeth o weithgareddau i nodi'r achlysur mawr.

Yn Lerpwl y gwelwyd y dathlu ar ei fwyaf uchelgeisiol, ac yno ar 30 Mai cymerodd 1,500 o bobl ran mewn digwyddiad i goffáu dechrau taith y fintai gyntaf o 153 o wladychwyr i lawr Afon Mersi tua'u cartref newydd yn ne America, ar y llong fach, *Mimosa,* union gan mlynedd ynghynt ar 31 Mai 1865. Teithiodd y 1,500 i lawr yr afon ar y llong bleser *Royal Daffodil II* o dan faner y Ddraig Goch, gyda rhai ohonynt yng ngwisgoedd cyfnod y daith gyntaf. Taflodd Valmai Jones, Cadeirydd Cymdeithas Cymry Ariannin, dorch o flodau ar y dyfroedd yn 'arwydd o gariad a pharch i goffadwriaeth y Cymry cyntaf a adawodd y porthladd hwn gan mlynedd yn ôl a'u hwynebau ar wlad bell ddieithr.' Arweiniwyd oedfa weddi i'r dathlwyr gan y Parch. Nefyn Hughes Cadfan, gŵr y bu ei daid a'i dad ymhlith y Cymry cyntaf i ymsefydlu ym Mhatagonia.

Ar yr un diwrnod, dadorchuddiwyd plac y tu allan i Gapel Engedi, Caernarfon, yn nodi'r ystafell lle y trafodwyd am y tro cyntaf y posibilrwydd o sefydlu'r Wladfa. Ar 25 Hydref cychwynnodd criw o tua 70 o bobl o bob rhan o Gymru ar 'Bererindod i Batagonia' a noddwyd gan Gymdeithas Cymry Ariannin.

Ymhlith digwyddiadau eraill y flwyddyn yr oedd y '*Wales-Patagonia Centenary Ball*' a gynhaliwyd ar 16 Hydref yn y London Hilton, Park Lane. Codi arian ar gyfer cynllun i sefydlu Theatr Genedlaethol i Gymru oedd diben yr achlysur. Ganol nos, cafwyd sioe ffasiynau pan arddangoswyd dillad a gynlluniwyd gan

(Drosodd)

Can mlynedd ar y Paith

(o'r tudalen cynt)

Mary Quant, ymhlith eraill, y Gymraes a wnaeth enw mawr iddi'i hun yn y 'Swinging Sixties'.

Bu'r canmlwyddiant yn gyfle i adfer y cysylltiad traddodiadol rhwng Cymru a'r Ariannin a dorrwyd ar ddechrau'r Ail Ryfel Byd, ac i fynd ati i adfywio diwylliant Cymraeg y Wladfa, a oedd yn gwegian rywfaint erbyn hynny. Er bod yn anodd iawn amcangyfrif faint o Gymry'r Wladfa a siaradai'r Gymraeg ym mlynyddoedd diweddar y ganrif, mae'n wir fod yr awydd i ddysgu'r iaith wedi cynyddu'n sylweddol ymhlith nifer o Batagoniaid a fagwyd hebddi, yn enwedig ymysg pobl ifanc.

Y Blaid ar y Sgrîn

Pedair munud a deugain eiliad a gafodd Llywydd Plaid Cymru, Gwynfor Evans, i ddweud ei ddweud yn narllediad teledu cyntaf erioed ei blaid am 9.30 yr hwyr ar 29 Medi. Daeth y darllediad hanesyddol wedi deng mlynedd o bwyso yn erbyn gwaharddiad ar y Blaid gan y *BBC* a *TWW*.

Manteisiodd Gwynfor Evans ar y cyfle i bwysleisio ei gred nad plaid wrth-Seisnig oedd Plaid Cymru, a bod y pleidiau gwleidyddol Prydeinig yn amddifadu Cymru o'r cyfle i gyfrannu at fywyd rhyngwladol. Ddwy awr ynghynt yr un noson, roedd Chris Rees, Is-Lywydd y Blaid, wedi cyflwyno darllediad radio cyntaf y cenedlaetholwyr – y darllediad gwleidyddol cyntaf erioed yn y Gymraeg.

Cau Ffatri Arfau

Ym mis Mawrth caewyd Ffatri Arfau'r Goron, Pen-bre, sir Gaerfyrddin, a fu ar un adeg yn un o arfdai pwysicaf Prydain. Bu'r ffatri'n cyflogi 3,000 o weithwyr yn ei hanterth yn nyddiau tywyll 1942 yng nghanol yr Ail Ryfel Byd, gan gynhyrchu 700 o dunelli o *T.N.T*, a 1,000 o dunelli o'r deunydd ffrwydrol amoniwm nitrad. Wedi'r rhyfel bu lleihad mawr yn y galw am gynnyrch Pen-bre, ar wahân i gyfnod yn y '50au pan gynhyrchai'r ffatri arfau ar gyfer Rhyfel Corea. Datgymalu hen arfau bomiau, a llosgi hen *T.N.T.*, oedd y prif waith yn y '50au diweddar. Nid oedd ond 400 o staff erbyn 1961, ac yn Ebrill 1962 cyhoeddwyd yn Nhŷ'r Cyffredin fod y gwaith i ddod i ben ymhen dwy flynedd.

Prynu'r tir fesul tamaid

Tactegau go wreiddiol a dyfeisgar oedd gan Blaid Cymru ar ddechrau'r flwyddyn i rwystro cynllun gan grŵp o 13 o awdurdodau lleol Lloegr i godi cronfa ddŵr yn Nyffryn Clywedog, ger Llanidloes. Cafwyd gwybod bod y gyfraith yn rhoi'r hawl i bob un oedd yn berchen ar dir ar safle'r gronfa arfaethedig i leisio ei farn ar y cynllun mewn ymchwiliad cyhoeddus. Gan weld eu cyfle, dechreuodd y Blaid apêl am arian, gan gasglu digon i brynu tair erw o dir yng nghanol y safle. Ail-werthwyd y tir wedyn yn ddarnau bach i 250 o gefnogwyr am £3 y tro. Prynwyd un darn gan 30 o ddisgyblion Ysgol Uwchradd Brynrefail, ger Llanberis, wedi iddynt gynilo eu ceiniogau ynghyd, ond roedd rhai prynwyr yn byw mor bell i ffwrdd â Chanada, yr Almaen, a Nigeria.

Y gobaith oedd mai amhosibl fyddai i'r awdurdodau gysylltu â'r rhain i gyd er mwyn prynu eu tir, ond ofer oedd yr ymdrech yn y diwedd gan i fwriad y Blaid gael ei ganfod, a newidiwyd y gyfraith i ganiatáu cymryd y tir heb gydsyniad ei lu o berchnogion.

uchod:
Cludo'r cyrff o'r lofa.

Cyflafan y Cambrian

Lladdwyd 31 o ddynion ac anafwyd 13 arall mewn ffrwydrad yng nglofa'r *Cambrian*, Cwm Clydach, dim ond awr cyn i'r glowyr orffen ei sifft. Hon oedd y ddamwain waethaf ym mhyllau glo Cymru er trychineb y *Six Bells* ar 28 Mehefin 1960. Mor nerthol oedd y danchwa fel y teimlwyd ei heffaith ddwy filltir i ffwrdd gan ddyn yn mynd â'i gi am dro yn y bryniau uwchben y pwll.

Digwyddodd y ffrwydrad 300 troedfedd dan ddaear, a bu'n rhaid i achubwyr gludo'r cyrff trwy ddwy filltir o dwnel at waelod y siafft. Tynnwyd y cyrff fesul un ar hyd y ffaslo, nad oedd mewn mannau ond 2 droedfedd 8 modfedd o uchder. Brysiodd timau achub i'r *Cambrian* o nifer o byllau yn yr ardal, ac ar un adeg bu 100-150 o ddynion wrthi'n ceisio dod â'r clwyfedigion a'r meirw o'r pwll. Trowyd cwt saer coed gerllaw yn fortiwari dros dro i deuluoedd y meirw gael dod i adnabod eu hanwyliaid. Rhoddwyd clod mawr i rai o'r glowyr a gafodd eu taro gan y ffrwydrad ond a arhosodd yn y pwll am hyd at awr wedyn i gynorthwyo eu cydweithwyr. Roedd Emrys Picton o Donypandy tua 70 llath o ganol y ffrwydrad, a chwythwyd ei het galed oddi ar ei ben gan ei rym, ond aeth ati'n syth wedyn gyda'i focs cymorth cyntaf i drin rhai gwaeth eu cyflwr nag ef. Rhuthrodd Ysgrifennydd Gwladol Cymru, James Griffiths, i safle'r drychineb fore trannoeth, ac yn Nhŷ'r Cyffredin cyhoeddodd y Gweinidog Pŵer, Fred Lee, y sefydlid ymchwiliad cyhoeddus i'r ddamwain a'i hachosion.

Bu distawrwydd dros dref Tonypandy am chwe awr ar 21 Mai, wrth i bobl leol a miloedd o rai eraill dalu eu teyrnged i 13 o'r 31 a fu farw. Trawyd pwll y *Cambrian* gan drasiedi o'r blaen, ar 10 Mawrth 1905, pan laddwyd 33 o lowyr.

'Welsh Not' Meirionnydd

dde: Protestwyr
yn amgylchynu car Brewer-Spinks.

Honnodd *Y Cymro* ar 17 Mehefin fod gwarth y '*Welsh Not*' wedi dychwelyd i Feirionnydd, a hynny yn un o ffatrïoedd y sir. Penderfyniad gan y cyflogwr o Sais, W. Brewer-Spinks, oedd asgwrn y gynnen, sef penderfyniad i ddiswyddo dau o weithwyr ei ffatri yn Nhanygrisiau am iddynt wrthod roi'r gorau i siarad Cymraeg yn y gwaith.

Roedd Brewer-Spinks wedi gofyn i wyth o'i weithwyr lofnodi dogfen yn addo siarad Saesneg trwy'r amser yn y gwaith. Dim ond dau a wrthododd, Tom Elmer Jones o Flaenau Ffestiniog a Neville Jones o Fanod, a hwythau wedyn yn colli eu swyddi o'r herwydd. Dywedodd Tom Jones ei fod yn gwbl barod i ddefnyddio'r Saesneg wrth ei waith, ond cwynodd fod ei gyflogwr am ei wahardd rhag siarad Cymraeg hyd yn oed yn ystod ei egwyl de. O'i ran ef, dywedodd Brewer-Spinks ei bod yn 'wirioneddol ddrwg' ganddo na fedrai'r Gymraeg a'i fod am ddysgu'r iaith yn fuan, ond yn y cyfamser, Saesneg yn unig a oedd i'w siarad yn ei ffatri ef. Er mwyn i'r ffatri weithio'n effeithlon roedd yn ofynnol i bawb ddisgyblu ei hunain i feddwl yn Saesneg bob amser.

Rhybuddiodd Tom Jones o Shotton, Ysgrifennydd Gogledd Cymru o Undeb y *T.G.W.U.*, fod yr undeb yn ystyried mynd i gyfraith ar ran y ddau ddyn a ddiswyddwyd, gan ddweud am Brewer-Spinks, 'Mae'r dyn yn chwarae â dynameit.' Derbyniodd y ddau ddwsinau o lythyron o gefnogaeth, ac ar yr un pryd clywyd fod y chwe dyn a lofnododd yn dal i siarad Cymraeg yn y gwaith er gwaethaf gorchymyn eu cyflogwr.

Gyda'r bore ar 29 Mehefin, daeth dau gant o bobl yr ardal ynghyd y tu allan i'r ffatri gyda baneri a phosteri i roi croeso swnllyd i Brewer-Spinks wrth iddo ddod i'r gwaith. Ni ddaeth yr helynt i ben tan 6 Gorffennaf pan gyfarfu Brewer Spinks i drafod y mater â'r Aelod Seneddol lleol, T.W. Jones, a'r Ysgrifennydd Gwladol, James Griffiths. Cytunodd y Sais i ddileu'r gorchymyn i beidio â siarad Cymraeg, ond er hyn gwrthododd Tom Elmer Jones a Neville Jones fynd yn ôl i'r gwaith. Hefyd yn gwrthod mynd yn ôl roedd Alan Butterworth, a lofnododd y ddogfen yn wreiddiol, ond a edifarhaodd yn ddiweddarach gan ymddiswyddo ar 7 Gorffennaf.

Lol i gyd ar y Maes

'Ymgais i gael stwff darllen Cymraeg i ieuenctid Cymru' oedd disgrifiad y golygydd Penri Jones o'r cylchgrawn dychanol *Lol*, a gyhoeddwyd am y tro cyntaf yn Eisteddfod Genedlaethol y Drenewydd ym mis Awst mewn storm o drafod a phrotest. Am swllt y tro câi eisteddfodwyr fwynhau sylwadau miniog ar rai o bwysigion y gymdeithas Gymraeg, ynghyd â dogn go fawr o genedlaetholdeb Cymreig a hiwmor y tŷ bach, ac am y tro cyntaf mewn cyhoeddiad Cymraeg, lluniau o ferched noeth. Soniodd rhai am geisio gwahardd y cylchgrawn o'r Maes am ei fod yn anfoesol, ond yn ôl Penri Jones, 'y moesoldeb uchaf yw fod pobl yn ddiragrith', a thanseilio rhagrith y Cymry oedd ei nod ef, meddai.

Dros y blynyddoedd profodd cymysgedd *Lol* o faswedd, dychan a Chymreictod yn boblogaidd iawn gan rai, a byddai sawl un yn edrych ymlaen yn fawr at bob Eisteddfod Genedlaethol i weld a ddôi dan lach y Lolwyr. Er hyn, daeth y cylchgrawn ei hun dan lach sawl un, gan gynnwys ymgyrchwyr ffeministaidd a rhai'n teimlo eu bod wedi'u sarhau'n annheg gan *Lol*.

Esgob yr anialwch

Mewn seremoni yn Eglwys y Groes Sanctaidd, Geraldton, daeth y Cymro Howell Witt o Gasnewydd yn Esgob Anglicanaidd talaith eglwysig anferth Gogledd-Orllewin Awstralia.

Ar ôl ei ordeinio'n offeiriad gan Esgob Mynwy yn 1944, ymfudodd Witt i Awstralia yn 1949 i fod yn gaplan Anglicanaidd i filwyr Maes Profi Rocedi Woomera. Cafodd ei ddyrchafu'n esgob bymtheng mlynedd yn ddiweddarach trwy enwebiad rheithor tref Carnarvon, Gorllewin Awstralia. Roedd tiriogaeth yr esgob newydd yn un o dair esgobaeth fwyaf y byd, yn cynnwys tua chwarter tir Awstralia. Byddai Witt yn gorfod teithio am saith mis o'r flwyddyn er mwyn bugeilio ei braidd, gan ennill y llysenw

Yr Esgob Witt gyda'r darlledwr Alan Whicker.

'yr Esgob Hedegog' am ei fod yn treulio cymaint o'i amser yn mynd o le i le mewn awyrennau. Llysenw arall a gafodd oedd y '*Bush Bishop*' am ei fod yn esgob ar ardal eang o anialdir canolbarth Awstralia, a defnyddiodd yntau'r enw hwn yn deitl ar ei hunangofiant ffraeth a gyhoeddwyd yn 1979. Bu farw'r esgob yn 1998.

Dim croeso ym mryniau Meirion

Gwrthdaro rhwng yr heddlu a'r protestwyr.

Trodd rhwysg dinesig yn ffars swnllyd wrth i bwysigion dinas Lerpwl ymgynnull ar safle Argae Tryweryn i agor yn swyddogol un o brosiectau adeiladu mwyaf dadleuol y ganrif.

Roedd sawl un wedi pwyso ar Gorfforaeth Lerpwl i agor yr argae yn ddiseremoni, ac roedd archesgobion Catholig a Phrotestannaidd Lerpwl a dau o esgobion Cymru wedi gwrthod eu gwahoddiadau i'r ddefod, fel y gwnaeth aelodau Cyngor Dosbarth Penllyn. Un arall a wrthododd yn bendant iawn y gwahoddiad swyddogol a ddanfonwyd ato oedd David Roberts, Cadeirydd Pwyllgor Amddiffyn Tryweryn. Roedd anniddigrwydd mawr ynglŷn â'r rhai oedd wedi derbyn gwahoddiadau, gan gynnwys yr Aelod Seneddol lleol, T.W. Jones.

Daeth tua phum cant o bobl i ddangos eu gwrthwynebiad parhaol i foddi Cwm Tryweryn, ac yng nghanol y dyrfa, yn ymddangos yn gyhoeddus am y tro cyntaf, roedd tri aelod o'r mudiad para-filwrol, Byddin Rhyddid Cymru, wedi'u gwisgo yn eu lifrai o wneuthuriad cartref. Tri o Geredigion oedd y darpar-derfysgwyr: Julian Cayo Evans ac Owen Wyn Jones, y ddau o Lanbedr Pont Steffan, a Dafydd Elwyn Williams o Aberystwyth. Tynnodd y tri gryn dipyn o sylw'r newyddiadurwyr Saesneg niferus oedd yno, er i'w cynllun i wneud sioe o losgi Jac-yr-Undeb gael ei ddifetha pan gipiwyd y faner oddi arnynt gan yr heddlu.

Wrth i geir y pedwar cant o westeion swyddogol nesáu, rhuthrodd nifer mawr o bobl i lawr llethrau serth y cwm i rwystro'r ffordd. Gorweddodd rhai o flaen y ceir tra oedd eraill yn curo'u toeau a glynu posteri wrth eu ffenestri.

Roedd pabell fawr wedi'i chodi i'r gwesteion glywed araith gan David Cowley, Arglwydd Faer Lerpwl, ond bron na ellid clywed gair a ddywedai gan gymaint oedd twrw byddarol y protestwyr yn bloeddio a chanu. Torrwyd gwifrau'r system sain, gan dawelu'r Arglwydd Faer yn derfynol, a rhoddwyd terfyn ar y cwbl pan aeth rhai ati i dorri rhaffau cynnal rhan o'r babell, gan ddod â hi i lawr am bennau'r rhai y tu mewn. O'r llwyfan soniodd Frank Cain, Cadeirydd Pwyllgor Dŵr y ddinas am y croeso mawr a gawsai unwaith ym Mhorthcawl pan ganwyd 'We'll Keep a Welcome in the Hillside'. 'Ni ddisgwyliais gael croeso fel hyn yma,' meddai.

Hughes-Parry yn digio Gwent

Wedi dwy flynedd a hanner o ymchwilio, cyhoeddwyd ar 25 Hydref adroddiad pwyllgor Syr David Hughes-Parry, sef *Statws Cyfreithiol yr Iaith Gymraeg*, a argymhellai pasio deddf yn ymwneud â'r iaith Gymraeg, a dileu deg o hen ddeddfau oddi ar y Llyfr Stadud. Cefnogodd yr adroddiad yr egwyddor fod gan bob dim a wneid neu a ysgrifennid yng Nghymru yn Gymraeg yr un grym â phe bai wedi ei wneud yn Saesneg, a chyhoeddodd Ysgrifennydd Gwladol Cymru, James Griffiths, ym mis Tachwedd fod y llywodraeth yn derbyn yr egwyddor hon.

Croesawyd yr adroddiad gan nifer o Aelodau Seneddol Cymru, ond roedd gwrthwynebiad pendant iawn gan Aelod Seneddol Llafur Pontypŵl, Leo Abse. Gwrthododd ef y syniad yn yr adroddiad y dylai penaethiaid y gwasanaeth sifil yng Nghymru fedru'r Gymraeg, gan honni y byddai'r swyddi uchaf yn gaeëdig i'r rhan fwyaf o bobl Gwent. Dywedodd llefarwyr dros gynghorau sir Fynwy a thref Casnewydd fod y sefyllfa oedd ohoni mewn perthynas â'r Gymraeg yn hollol foddhaol ac nad oedd dim angen newid pethau.

Cipio'r Goron Driphlyg o'r diwedd

Pan drechwyd y Gwyddelod yng Nghaerdydd ar 13 Mawrth, cipiodd tîm rygbi Cymru'r Goron Driphlyg am y degfed tro erioed, a'r tro cyntaf er 1952. Daeth 58,000 o bobl i Barc yr Arfau i weld gêm y Goron Driphlyg, ac ysbrydolwyd Cymru gan ei chapten, y mewnwr o Gwm-twrch, Clive Rowlands. Ac yntau'n feistr ar dactegau, gallai Rowlands reoli gêm o fôn y sgrym a throi'r amddiffyn â'i gicio twyllodrus. Ar ôl i David Watkins a Dewi Bebb sgorio ceisiau a Terry Price gicio gôl adlam, coronwyd y fuddugoliaeth o 14 pwynt i 8 gan Rowlands ei hun. Ffugiodd ei fod yn codi'r bêl o'r sgrym ond roedd yn waglaw pan loriwyd ef gan flaenwr Iwerddon. Dyfarnwyd cic gosb i Gymru a thawelwyd nerfau'r dorf wrth i Terry Price gicio'r bêl rhwng y pyst.

Roedd y tymor wedi dechrau'n dda i Gymru wrth chwarae gartref yn erbyn Lloegr ar 16 Ionawr mewn storm wyllt o wynt a glaw. Danfonwyd yr hen elyn adref gyda'i gynffon rhwng ei goesau, wedi cael crasfa o 14 i 3. Bu'n rhaid i'r Saeson fodloni ar un gic gosb fel eu hunig sgôr, wrth i Stuart Watkins a Haydn Morgan sgorio tri chais dros Gymru. Yn 1963 roedd y Saeson wedi curo Cymru yng Nghaerdydd, ond byddai'n rhaid aros 28 mlynedd tan 1991 cyn mwynhau eu buddugoliaeth nesaf ar dyweirch sanctaidd cartref rygbi Cymru.

Cael a chael oedd hi yn erbyn yr Alban ym Murrayfield wrth i'r ddau dîm fod ar y blaen ddwywaith, cyn i gais Norman Gale sichrau buddugoliaeth i Gymru am yr ail dro mewn cymaint o flynyddoedd oddi cartref yn erbyn yr Alban.

1966

Aber-fan

G o brin fod llawer o bobl y tu allan i Gymru, a hyd yn oed o fewn y wlad, wedi clywed am bentref Aber-fan, wrth odre Mynydd Merthyr, cyn y flwyddyn hon, ond ar 21 Hydref taflwyd y pentref di-nod hwn a'i drigolion i ganol sylw'r byd wrth iddynt gael eu taro gan un o drychinebau mwyaf dirdynnol hanes Cymru. Ymledodd ton o dristwch a braw trwy'r wlad a'r byd i gyd wrth i'r newyddion ledaenu fod 144 o bobl, gan gynnwys 116 o blant, wedi'u lladd yn Ysgol Gynradd Pant-glas pan foddwyd adeiladau'r ysgol gan filoedd o dunelli o wastraff glo gwlyb.

Yr oedd nifer o domenni gwastraff Aber-fan wedi'u codi ar ffynhonnau dŵr, gan gynnwys Tomen 7 a lithrodd ar 21 Hydref. Yr oedd cyfuniad o wastraff mân y ffynhonnau hyn a dŵr glaw yn creu cymysgfa drom, ludiog a hylifol iawn. Tua 9.15 y bore dechreuodd y domen lithro, gan redeg yn llif amhosibl ei hatal dros fythynnod a phraidd o ddefaid, i mewn i'r hen gamlas ac ymlaen. Claddwyd yr ysgol a hefyd deunaw o dai.

Lladdwyd y dirprwy-brifathro Dai Beynon, a bu farw pob plentyn yn ei ddosbarth o dri deg pedwar. Cafwyd ei gorff marw ef yn dal i gofleidio cyrff pump ohonynt lle y bu'n ceisio eu diogelu rhag y llif. Lladdwyd y brifathrawes, Miss Jennings, yn ei stydi, ac yn yr ystafell nesaf bu farw'r athrawes Mrs. Bates a'i dosbarth o dri deg tri i gyd. Cafwyd y clerc Nansi Williams yn farw hefyd a'i chorff wedi amddiffyn pump o blant y bu hi'n casglu eu harian cinio. Tebyg oedd yr hanes mewn dosbarthiadau eraill – bu farw Mrs. Rees gyda phedwar ar bymtheg o'r ugain o blant yn ei gofal, a Mike Davies gyda phymtheg o'r tri deg pedwar a oedd gydag ef ar y pryd. Rhuthrodd cannoedd o ddynion i gloddio â rhofiau ac â'u dwylo i ryddhau'r rhai a gladdwyd. Ymhlith y cloddwyr yr oedd nifer o lowyr newydd ddod o byllau lleol wedi

(Drosodd)

Aber-fan

(o'r tudalen cynt)

gadael gwaith gyda'u hwynebau'n dal yn ddu a'u lampau'n dal ar eu pennau gan gymaint eu brys. Erbyn 11 o'r gloch y bore yr oedd y plant byw olaf wedi eu tynnu o'r adfeilion.

Am 4 o'r gloch y prynhawn cyrhaeddodd Ysgrifennydd Gwladol Cymru, Cledwyn Hughes, ac erbyn yr hwyr yr oedd y Prif Weinidog, Harold Wilson, hefyd yno, arwydd glir fod pobl trwy wledydd Prydain i gyd yn dechrau sylweddoli maintioli'r drasiedi yn ne Cymru. Mewn llythyr yn y *Western Mail* drannoeth, rhoddodd Glyn Simon, Esgob Llandaf – esgobaeth a oedd yn cynnwys Aber-fan — lais i deimladau llawer o bobl pan fynnodd fod angen mynd ati'n ddi-oed i glirio'r hen domenni glo, a oedd yn 'llawn perygl posibl ac angheuol'.

Ar 27 Hydref, cynhaliwyd angladd fawr ar gyfer 82 o'r rhai a fu farw, gan roi cyfle i fynegi'r galar cyhoeddus. Agorwyd Tribiwnlys i'r ddamwain ym Merthyr Tudful ar 29 Tachwedd o dan yr Arglwydd Ustus Edmund Davies, ac am 76 o ddiwrnodau gwrandawyd ar dystiolaeth llu o dystion. Yn Adroddiad y Tribiwnlys yn Awst 1967 rhoddwyd y bai am y drychineb ar y Bwrdd Glo Gwladol, a beiwyd naw o swyddogion yn neilltuol. Yr oedd teimlad eisoes yn y pentref mai'r Bwrdd Glo a oedd ar fai, ac yn y cwest cyntaf, deuddydd wedi'r drychineb, yr oedd un tad wedi mynnu mai 'Wedi'i gladdu'n fyw gan y Bwrdd Glo Gwladol' y dylid ei nodi fel achos marwolaeth ei blentyn.

Cwynodd y Tribiwnlys nad oedd gan beirianwyr mwyngloddio'r Bwrdd yr un clem am domenni ar wyneb y ddaear, er cystal eu gwybodaeth am bethau tan ddaear. Yr oedd tomenni hyd at gant o droedfeddi o uchder wedi eu codi yn Aber-fan er ei bod yn bolisi gan y Bwrdd Glo i beidio â gadael i'r rhai uwchlaw cartrefi dyfu'n uwch nag ugain troedfedd. Yr oedd dynion anghymwys mewn swyddi anaddas, yr oedd arweinyddiaeth oddi uchod yn ddiffygiol, ac anwybyddwyd rhybuddion clir. Ar y cyfan, gwelai'r Tribiwnlys 'a terrifying tale of bungling ineptitude', a beirniadwyd yr Arglwydd Robens, Cadeirydd y Bwrdd Glo, yn arbennig am anghysondeb ei atebion.

Hanner cant o bunnoedd y teulu oedd cynnig cyntaf y Bwrdd Glo fel iawndal i'r rhai a gollodd eu plant, a thalwyd y swm hwnnw i'r teuluoedd adeg y Nadolig. Er i'r swm gael ei godi wedyn i bum can punt, ystyrid yr iawndal o hyd yn sarhaus o bitw gan sawl un, a chwynodd un rhiant fod y Bwrdd Glo yn ceisio setlo'r mater cyn rhated â phosibl.

Bomio Clywedog

Achoswyd gwerth £36,000 o ddifrod a bwriwyd amserlen y gwaith yn ôl chwe wythnos gan ffrwydrad bom ar safle Argae Clywedog, ger Llanidloes, ar 6 Mawrth.

Hanner awr wedi hanner nos, ffoniodd rhywun heddlu Caernarfon i ddweud y ffrwydrai bom ymhen chwarter awr yng Nghlywedog. Cysylltodd heddlu Caernarfon â heddlu'r canolbarth yn syth, ond yr oedd y rhybudd yn rhy fyr iddynt allu gwneud dim i ddod o hyd i'r bom a'i gwneud yn ddiogel.

Ffrwydrodd am 12.45 o'r gloch gan ddifrodi mast 80 troedfedd ac offer eraill.

Daeth yr ymosodiad ar drothwy'r Etholiad Cyffredinol, a chafodd ei gondemnio gan bob un o'r prif bleidiau. Mewn datganiad gan y Blaid Geidwadol dywedwyd na allai Gwynfor Evans a Phlaid Cymru osgoi rhywfaint o'r bai am y ffrwydrad, ond o'i ran ef atebodd Gwynfor Evans fod y Ceidwadwyr a Llafur yn rhannol gyfrifol bod pobl yn troi at y fath ddulliau treisgar am fod y ddwy blaid wedi anwybyddu'r holl bwyso cyfreithlon o du'r Cymry yn erbyn prosiect adeiladau Clywedog.

Man cychwyn oedd yr ymosodiad ar Argae Clywedog i bum mlynedd o fomio gan derfysgwyr yn dwyn yr enw Mudiad Amddiffyn Cymru. Ymhlith yr ymosodiadau eraill yr oedd dau ar dargedau yn Lloegr – ym Mehefin a Rhagfyr 1968 ffrwydrodd bomiau wrth beipiau yn cludo dŵr o Gymru i Loegr, yn Hapsford a Stourbridge.

Drama ddryslyd

Y Saer Doliau – David Lyn yn dweud y drefn.

Dryswyd sawl un gan y ddrama newydd – *Saer Doliau* – a berfformiwyd am y tro cyntaf yn y flwyddyn hon, ac a fu ar daith trwy'r wlad yn y Gwanwyn gyda Chwmni Theatr Cymru.

Drama hir gyntaf Gwenlyn Parry o Ddeiniolen, sir Gaernarfon, oedd hon, ac enillodd iddo enw fel un o ddramodwyr 'Theatr yr Abswrd', a hynny am ei bod yn waith mor amwys heb stori amlwg i'w chanfod ynddi. Ysgogodd y ddrama drafod mawr ymhlith mynychwyr y theatr yng

Nghymru, yn bennaf oll oherwydd ei golygfa olaf od lle canai'r ffôn ar y llwyfan wag. 'Ni fu erioed y fath drafod ar ddrama', ysgrifennodd Aneirin Talfan Davies wedyn, a ddisgrifiodd y tro cyntaf y gwelodd ef *Saer Doliau* fel 'noson wefreiddiol'.

Roedd Gwenlyn Parry wedi dechrau ymddiddori mewn drama tra gweithiai yn Llundain, ac wedi dychwelyd i fyw i Gymru cafodd swydd gyda'r BBC a dod wedyn yn Brif Olygydd Sgriptiau. Ymhlith ei ddramâu hir diweddarach yr oedd *Y Ffin* a'r *Tŵr*.

Gwynfor yn cipio Caerfyrddin

dde:
Gwynfor Evans ar ei ffordd i Lundain.

Noson o orfoledd ydoedd i gefnogwyr y garddwr masnachol o Langadog, Gwynfor Evans, pan gyhoeddwyd canlyniadau isetholiad Caerfyrddin, a gynhaliwyd ar 14 Gorffennaf. Llanwodd tyrfaoedd o genedlaetholwyr llawen sgwâr y dref o flaen Neuadd y Sir i glywed ei fod wedi'i ethol yn Aelod Seneddol cyntaf Plaid Cymru gyda mwyafrif o 2,436 dros Gwilym Prys Davies o'r Blaid Lafur.

Daeth yr etholiad yn sgil marwolaeth Megan Lloyd George ar 14 Mai. Daliodd hi'r sedd dros y Blaid Lafur er 1957, ac yr oedd wedi ei hailethol ym mis Mawrth gyda mwyafrif o 9,233 pan gafodd Gwynfor Evans 7,416 o bleidleisiau dros Blaid Cymru.

Dibynnai Plaid Cymru i gryn raddau am ei llwyddiant ym mis Gorffennaf ar ansawdd ei hymgeisydd carismatig a hawddgar. Ef oedd Llywydd ei blaid ar y pryd, ac yn aelod parchus o Gyngor Sir Gaerfyrddin.

Arweiniodd ei fuddugoliaeth at dwf mawr yn aelodaeth Plaid Cymru yn y misoedd wedyn, a chroesawyd hi gan selogion Plaid Cymru fel arwydd fod y rhod yn troi yng ngwleidyddiaeth Cymru. Ond i lawer un y tu allan i'r Blaid, cyfuniad o amgylchiadau ffodus oedd wrth wraidd y llwyddiant annisgwyl. Yr oedd yr ymgeisydd a drechwyd gan Gwynfor Evans, Gwilym Prys Davies, yn adnabyddus ei hun fel cenedlgarwr Cymreig, ond yr oedd syrthni'r economi, argyfwng y bunt, a chau glofeydd yng Nghymoedd Aman a Gwendraeth wedi troi nifer mawr o bobl yn erbyn Llafur. Yr oedd agwedd y grŵp Llafur a reolai Gyngor y Sir at ysgolion gwledig yn ffactor arall.

Wrth gymryd ei sedd yn y Senedd ar 21 Gorffennaf mynnodd Gwynfor Evans dyngu ei lw o deyrngarwch i'r Frenhines yn Gymraeg yn ogystal ag yn Saesneg, ac yr oedd wedi paratoi cyfieithiad Cymraeg o'r llw at yr achlysur. Ond gwrthodwyd caniatáu hyn gan Lefarydd Tŷ'r Cyffredin, a esboniodd yn fanwl y rhesymau na cheid siarad ond Saesneg yn Nhŷ'r Cyffredin. Dilynwyd hyn gan ddadl rhwng Aelodau Seneddol ar y cwestiwn, a chafodd yr aelod newydd gefnogaeth yn ei gais gan amrywiaeth o Aelodau eraill, gan gynnwys yr Albanwr Gaeleg ei iaith Alasdair Mackenzie, a'r Sais Eric Heffer o Lerpwl.

Yn ei araith danbaid gyntaf yn y Tŷ ar 26 Gorffennaf, ymosododd ar y 'drefn Seisnig' am fethu â gwasanaethu buddiannau pedair gwlad y Deyrnas Unedig, a chroesodd gleddyfau ar 4 Awst â'r Prif Weinidog, Harold Wilson, pan ofynnodd iddo a fwriadai gyflwyno mesur i roi senedd annibynnol i Gymru. 'No sir' oedd ateb cwta Wilson.

Bu camp Plaid Cymru yn sedd Caerfyrddin yn gryn hwb i'r Blaid a hefyd i hyder nifer o grwpiau a mudiadau a fyddai'n ymwneud â gweithgareddau Cymraeg a Chymreig. Yn anad dim, fe sefydlodd enw Plaid Cymru yng ngwleidyddiaeth y wlad fel un na ellid ei anwybyddu mwyach.

Pardwn brenhinol i Evans

Ar 18 Hydref, cyhoeddodd yr Ysgrifennydd Cartref, Roy Jenkins o Abersychan, bardwn brenhinol llawn i Timothy Evans o Ynysowen ger Merthyr Tudful, a grogwyd ar 9 Mawrth 1950 am ladd ei wraig, Beryl Evans, a'i ferch 13 mis oed, Geraldine.

Dechreuodd helyntion Evans yn 1948 pan symudodd ef a'i wraig i fyw i 10 Rillington Place, Llundain, gan rannu'r tŷ â John Christie. Mae'n debyg fod Christie wedi lladd Beryl Evans ar 8 Tachwedd 1949 wedi iddo gynnig erthylu'r plentyn di-eisiau yn ei chroth. Ar 30 Tachwedd, wedi teithio o Lundain i weld ei deulu, cerddodd Timothy Evans i mewn i swyddfa'r heddlu yn Ynysowen a honni ei fod wedi lladd ei wraig. Chwiliodd plismyn y tŷ yn Llundain a chael corff Beryl dan lawr y golchdy gyda chorff Geraldine, ond pan glywodd fod ei ferch hefyd yn farw, newidodd Evans ei stori'n llwyr a bwrw'r bai ar Christie am ladd y ddwy.

Evans oedd gelyn gwaethaf ef ei hun wrth wynebu'r heddlu ac yn y llys, a hynny oherwydd ei duedd ddireolaeth er pan oedd yn blentyn i raffu celwyddau a chreu straeon ffantasïol. John Christie oedd y prif dyst yn erbyn Evans yn ei brawf yn 1950, ac wrth gymharu Christie, y cyn-blismon parchus a deallus, ag Evans anllythrennog a phlentynnaidd, ni chymerodd y rheithgor ond deugain munud i gael y Cymro'n euog o lofruddiaeth.

Dechreuodd amheuon mawr ynghylch euogrwydd Evans yn 1953 pan gafwyd cyrff chwech o ferched eraill yn y tŷ y bu Beryl a Geraldine farw ynddo. Pan gyfaddefodd Christie mai ef a laddodd y chwech dechreuodd rhai ddrwgdybio mai ef a lofruddiodd Beryl a Geraldine Evans hefyd. Cododd ymgyrch fawr i ennill pardwn i Evans, gan gynnwys nifer o bobl ddylanwadol fel yr Arglwydd Chuter Ede, yr Ysgrifennydd Cartref a lofnododd warant ddienyddio Evans yn 1950. Er na ellir byth fod yn sicr beth yn union a ddigwyddodd yn 10 Rillington Place, roedd yn glir na fyddai'r un rheithgor a wyddai am droseddau Christie wedi cael Evans yn euog, ac roedd hyn yn ddigon i sicrhau pardwn llawn iddo.

Agor y ffordd i Gymru

Gwelwyd gwelliant mawr mewn cysylltiadau trefi de Cymru â'i gilydd ac â threfi Lloegr yn y flwyddyn hon gyda gorffen rhai o brosiectau adeiladu pwysicaf y ganrif.

Ymgasglodd tyrfaoedd o filoedd o bobl y De ar 22 Gorffennaf i weld Ysgrifennydd Gwladol Cymru, Cledwyn Hughes, yn agor ffordd osgoi Port Talbot fel rhan o'r M4, y darn cyntaf o draffordd drefol ym Mhrydain. Torrodd Hughes ruban ar draws y ffordd ym Margam ac ymhen awr yr oedd y gyrwyr cyntaf yn mwynhau teithio'n hwyliog ar hyd y pedair milltir a hanner o ffordd newydd, heb y tagfeydd traffig mawr a oedd wedi dod yn nodweddiadol o dref Port Talbot.

Gwellwyd cysylltiadau â de-orllewin a chanolbarth Lloegr yn fwy fyth ar 8 Medi, pan agorodd y Frenhines Elisabeth Bont Hafren ar draws aber Afon Hafren o Aust i Beachly. Yn dilyn y ddefod agor, rhuthrodd cannoedd o bobl am y cyntaf i gerdded ar hyd y bont o Loegr i Gymru. Ar 8 Medi hefyd, ymddeolodd Enoch Williams, perchennog a pheilot cychod fferi Afon Hafren ers deugain mlynedd, gyda £90,000 o iawndal am golli ei fywoliaeth i'r bont newydd.

Un o bontydd crog mwyaf uchelgeisiol y byd oedd Pont Hafren, a gallai dynnu hyd at hanner can milltir oddi ar deithiau rhwng

Bill Davies o'r Barri yn tynhau nyten ar Bont Hafren.

de Cymru a de-orllewin Lloegr. Costiodd £8 miliwn i'w chodi a chynhwysai dair rhan ynghrog wrth bâr o dyrau dur 445 o droedfeddi o uchder. Yr oedd y bont gyfan yn 5,240 o droedfeddi ar ei hyd ac i ddal y cyfan ynghyd yr oedd 4,600 tunnell o geblau dur.

Agorwyd y bont i draffig am 7 o'r gloch y bore ar 9 Medi, ac erbyn diwedd y dydd yr oedd tuag ugain mil o gerbydau wedi croesi'r naill ffordd neu'r llall. Tyfodd tagfa o geir dair milltir ar ei hyd yn ôl i Gasnewydd yn ystod y prynhawn. Barry Chesire o Riwbina, Caerdydd, oedd y gyrrwr preifat cyntaf i groesi o Gymru i Loegr, wedi iddo aros gyda'i gar yn ymyl y bont am dridiau er mwyn y fraint.

'Mewn amrantiad'

Boddwyd pymtheg o bobl ar 22 Gorffennaf pan suddodd y cwch pleser *Prince of Wales* yn aber Afon Mawddach, ger Llyn Penmaen, Meirionnydd, yn un o ddamweiniau gwaethaf y ganrif ar afonydd Cymru.

Aeth y cwch i lawr ymhen ychydig eiliadau, yn ôl un llygad-dyst, wedi iddo daro'n erbyn tollbont bren ar draws yr afon. Tystiodd nofiwr tanddwr wedyn iddo weld twll tair troedfedd wrth ddwy droedfedd a hanner yn ochr y cwch wrth iddo orwedd ar wely'r afon. 'Digwyddodd y cyfan mewn amrantiad', meddai ceidwad y dollbont, Idris Roberts. Roberts a'r tafarnwr lleol, John Hall, oedd y cyntaf i gyrraedd ar ôl y ddamwain ac aethant allan yn ddi-oed mewn cwch modur bach at y rhai yn y dŵr. Tynnodd y ddau naw o bobl o'r dŵr ond rhwystrwyd hwy rhag achub rhagor gan gryfder y ffrwd.

Ac eithrio perchennog a pheilot y cwch, Llewellyn Jones o'r Bermo, ymwelwyr o'r ochr draw i Glawdd Offa yn mwynhau gwyliau yng Nghymru oedd pob un o'r 41 ar y cwch. Disgrifiodd un dyn o sir Gaerhirfryn fel yr oedd wedi colli ei wraig, ei fab a'i nith yn y drychineb wrth iddynt gael eu hysgubo i ffwrdd gan lif gref yr afon. 'Dw i byth am weld y môr eto,' meddai William Fowler o Blackburn ar ôl ceisio heb lwyddiant adfywio ei wraig wedi iddo ei thynnu i fyny o'r afon.

O Drefforest i'r brig

dde:
Tom Jones ar ei ffordd i ganu ar *Top of the Pops.*

Ym mis Rhagfyr, cadarnhawyd safle Tom Jones o Drefforest fel un o gantorion pop mawr y '60au, pan gyrhaeddodd frig y siartiau gyda chân sentimental Jerry Lee Lewis, *The Green, Green Grass of Home.* Arhosodd y gân yn safle rhif 1 y siartiau Prydeinig am saith wythnos, ac aeth 21 o wythnosau heibio cyn iddi ddisgyn allan ohonynt. Yn ôl un hanes, enillodd y faled hiraethus un edmygwr dylanwadol iawn i'r canwr o Gymro, sef Elvis Presley, a ddotiodd gymaint ati wrth ei chlywed ar y radio nes i un o'i griw ffonio'r orsaf radio leol i ofyn iddynt ei chwarae eilwaith. Ymhlith digwyddiadau mawr eraill yn hanes Tom Jones yn ystod y flwyddyn yr oedd taith gyda'i fand trwy Awstralia, er iddo fynd i drafferth gyda'r heddlu yno am dynnu ei grys yn ystod un sioe. 'Roedd hi'n rhy boeth', oedd ei esgus pan ofynnwyd iddo pam yr oedd wedi dechrau dadwisgo ar ý llwyfan. *Green, Green Grass of Home* oedd y bedwaredd sengl ar ddeg gan Jones er 1964, a'i chweched yn ystod y flwyddyn hon. Cân a ryddhawyd yn Ionawr 1965, *It's Not Unusual*, a ddaethai ag ef i amlygrwydd byd-eang ac a'i galluogodd i brynu ei gar cyntaf erioed a thŷ mawr crand yn Surrey.

Ganed Tom Jones yn Thomas John Woodward mewn tŷ teras yn Nhrefforest, yn fab i löwr. Wedi gadael yr ysgol yn bymtheg oed bu'n gweithio mewn ffatri fenyg am gyfnod, a threuliodd ei yrfa gynnar yn canu gyda bandiau lleol yn nhafarnau a chlybiau de Cymru. Daeth ei gyfle mawr pan symudodd i fyw i Lundain dan gyfarwyddiad ei reolwr newydd, Gordon Mills o Drealaw, a'i gwelsai yn canu dan yr enw 'Tommy Scott' mewn clwb yng Nghwmtyleri. Mills a roddodd i Tommy Scott yr enw Tom Jones – enw a lynodd wrtho byth wedyn.

[LLIW 38]

27 Ionawr

Yn yr Unol Daleithiau lladdwyd tri gofotwr pan aeth eu llongofod ar dân wrth ymarfer.

19 Mawrth

Trawodd y tancer olew *Torrey Canyon* greigiau ger Land's End, Lloegr, gan ollwng olew i'r môr ac achosi difrod sylweddol i draethau'r ardal.

21 Ebrill

Yng Ngwlad Groeg llwyddodd *coup d'etat* gan uwchswyddogion y fyddin.

28 Mai

Yn Plymouth, Lloegr, cwblhaodd yr iotiwr Francis Chichester daith hwylio unigol o gwmpas y byd.

10 Mehefin

Daeth y 'Rhyfel Chwe Diwrnod' i ben gydag Israel yn fuddugol dros y gwledydd Arabaidd.

27 Gorffennaf

Ym Mhrydain cyfreithlonwyd cyfathrach rywiol gydsyniol rhwng dynion dros 21 mlwydd oed.

9 Hydref

Saethwyd yn farw'r gwrthryfelwr Che Guevera yn Bolifia, De America.

21 Hydref

Yn Washington, ymunodd miloedd â phrotest yn erbyn Rhyfel Fietnam.

4 Rhagfyr

Cyflawnwyd y llawdriniaeth drawsblannu calon gyntaf gan Dr Christiaan Barnard yn Ne Affrica.

Toriad y Wawr

Coroni Eluned Phillips.

Blwyddyn fawr oedd hon i wragedd Cymru yn Eisteddfod Genedlaethol y Bala ym mis Awst. Ar y Maes yr oedd stondin newydd i'w weld, a hwnnw'n cynnal ymgyrch recriwtio dros fudiad o'r enw Merched y Wawr a oedd newydd dorri ymaith oddi wrth y *Women's Institute* Prydeinig (*W.I.*). Deilliodd Merched y Wawr o anghydfod rhwng cangen pentref y Parc, Meirionnydd, a phencadlys canolog y *W.I.* Cangen uniaith Gymraeg oedd un y Parc a bu'r aelodau'n pwyso ers tro ar y *W.I.* i ddarparu deunydd iddynt yn y Gymraeg, ac er nad oedd y merched yn bwriadu ar y cychwyn sefydlu mudiad ar wahân, hwnnw oedd y canlyniad pan na chafwyd dim symud o du'r *W.I.* Ym mis Rhagfyr 1966, tros-glwyddodd yr Ysgrifennydd, Zonia Bowen, bapurau cangen y Parc i swyddogion sir Feirionnydd y *W.I.* ac aeth yr aelodau ati i godi arian ar gyfer creu mudiad newydd Cymraeg ei iaith i ferched. 'Cymdeithas Merched Cymru' oedd enw cyntaf yr egin fudiad, nes i ŵr Zonia Bowen, y bardd Geraint Bowen, awgrymu'r teitl mwy trawiadol 'Merched y Wawr'.

Cafwyd ail gangen yn y Ganllwyd, ger Dolgellau, a'r ddwy gangen hyn a gynhaliodd Babell Merched y Wawr ar Faes yr Eisteddfod Genedlaethol yn y Bala. Erbyn Awst 1968 yr oedd gan y mudiad hanner cant o ganghennau a naw o bwyllgorau sirol, a chyhoeddwyd y rhifyn cyntaf o'i gylchgrawn chwarterol *Y Wawr*.

(Drosodd)

Toriad y Wawr

(o'r tudalen cynt)

A thra oedd Merched y Wawr yn prysur recriwtio ar y Maes, yn y Pafiliwn, Eluned Phillips o Genarth, Ceredigion, oedd yr ail wraig erioed i ennill Coron yr Eisteddfod pan ddaeth yn gyntaf ac yn ail yn y gystadleuaeth ar y testun *Corlannau*.

Rhanedig oedd y beirniaid, gyda John Gwilym Jones yn erbyn dyfarnu'r goron i Eluned Phillips, ac Alun Llywelyn-Williams a'r Parch. G.J. Roberts o blaid. Yr oedd John Gwilym Jones am atal y wobr am fod pryddest Eluned Phillips yn ei farn ef yn orlawn o gyfeiriadau at weithiau llenyddol eraill, ac mai'r cyfeiriadau hyn a roddai i'r gerdd ei chryfder yn hytrach na dawn y bardd.

Ar y llwyfan yn annerch y bardd budd-ugol yr oedd Dilys Cadwaladr o Ros-lan, y wraig gyntaf i ennill y Goron, yn y Rhyl yn 1953. Cipiodd Eluned Phillips y Goron eilwaith yn 1983 yn Llangefni.

Sioc i Lafur yn y Rhondda

Yn isetholiad Gorllewin y Rhondda ar 9 Mawrth, gwelwyd pleidlais nodedig o uchel i Blaid Cymru, a hynny mewn un o gadarn-leoedd traddodiadol sicraf y Blaid Lafur. Cafodd ymgeisydd y Blaid, Victor Davies, 40% o'r bleidlais, 1% yn fwy nag a gawsai Gwynfor Evans pan etholwyd ef dros Blaid Cymru yn sedd Caerfyrddin yn mis Gorffennaf 1966.

Alec Jones a enillodd y sedd i'r Blaid Lafur gyda 12,373 o bleidleisiau yn erbyn 10,067 i Davies. Yn yr Etholiad Cyffredinol a gynhaliwyd flwyddyn ynghynt yr oedd y Blaid Lafur wedi cipio 76% o'r bleidlais gyda mwyafrif o bron 17,000, ac ymgeiswyr yr holl bleidiau eraill wedi colli eu hernesau. Tipyn o fraw i Lafur felly oedd gweld un o'u seddi diogelaf yn dod o fewn trwch blewyn i syrthio i'r cenedlaetholwyr, a chododd pryderon na fyddai un o seddi'r blaid yng Nghymru bellach yn ddiogel.

Synnodd sawl un fod Plaid Cymru, a ystyrid yn blaid y Gymru wledig, Gymraeg ei hiaith, yn gallu gwneud cymaint o argraff yn y De diwydiannol, ond mewn gwirionedd diweithdra a chau glofeydd lleol oedd prif bynciau'r isetholiad, yn hytrach na rhai traddodiadol Plaid Cymru fel yr iaith Gymraeg neu hunanlywodraeth i Gymru.

Y Chwilod ym Mangor

Bu penwythnos ym Mangor yn ddigon i newid cyfeiriad bywyd un o grwpiau pop mwyaf poblogaidd yr 1960au, *The Beatles*.

'Roedd Bangor yn anhygoel,' meddai'r canwr a'r gitarydd John Lennon wedyn, ond nid am yr haul a'r môr, nac i edmygu'r bensaer-nïaeth eglwysig y daeth yr hogiau o Lerpwl i ogledd Cymru, ond ar gyfer seminâr ar ddulliau myfyrio o dan arweiniad y gwrw Indiaidd, Maharishi Mahesh Yogi.

Cynhaliwyd cynhadledd i newydd-iadurwyr ym Mangor wedi'r seminâr, ac achubodd y Beatles ar y cyfle i ddatgan yn gyhoeddus eu bod am ymwrthod â chy-ffuriau o hynny allan, gan honni nad oedd arnynt mo'u hangen bellach. Ond daeth eu penwythnos i ben mewn modd trist iawn pan ddywedyd wrth y band fod eu rheolwr, Brian Epstein, wedi'i ganfod yn farw yn ei fflat yn Llundain ac yntau wedi cymryd gormod o dabledi cysgu. Dychwelasant yn syth i Lundain, a chyfaddefodd Lennon wedyn fod y digwyddiad yn drobwynt yng ngyrfa'r band.

'Mae'r Blew yn dod!'

'Mae ar Gymru angen grŵp fel ni er mwyn iddi gael dawnsio yn Gymraeg'. Dyna oedd esboniad Richard Lloyd dros sefydlu Y Blew, band roc trydanol cyntaf y Gymraeg.

Criw o fyfyrwyr o Aberystwyth oedd y band – Maldwyn Pate, Dafydd Evans (mab Gwynfor Evans), Geraint Evans, Richard Lloyd a David Williams. Newid delwedd yr iaith Gymraeg oedd eu nod, o fod yn iaith hen ffasiwn i fod yn un gyfoes a bywiog, a gwnaent hynny trwy efelychu bandiau seicadelig y cyfnod. Er iddynt gael eu beirniadu gan rai am ganu mewn dull anghymreig, yr oedd y band yn benderfynol, yng ngeiriau Dafydd Evans, fod 'rhaid i Gymry Cymraeg newid eu hagweddau neu fydd ar ben arnom.' Gan wfftio'r cyngher-ddau a'r nosweithiau llawen a oedd yn nodweddiadol o'r diwylliant Cymraeg traddodiadol, aeth y band ar dair taith trwy Gymru benbaladr gyda gwerth £1,500 o offer cerddorol trydanol. Bu'r teithiau'n nodedig nid yn unig am y gerddoriaeth, ond hefyd am y modd proffesiynol y cawsant eu hysbysebu – printiwyd nifer o bosteri deg troedfedd wrth saith ar gyfer hysbysfyrddau mawr, a miloedd o bosteri llai eu maint a blastrwyd dros waliau a pholion telegraff yn datgan y neges groch 'MAE'R BLEW YN DOD!'.

Cawsant eu llwyddiant mwyaf â'r gân 'Maes B' a enwyd ar ôl maes pebyll yr Eisteddfod ac a berfformiwyd ym Mhabell Lên Eisteddfod Genedlaethol y Bala. Record-iwyd y gân mewn dwy awr yn stiwdio *Qualiton*, Abertawe, wedi iddi gael ei hysgrifennu'r noson gynt. Ail-recordiwyd y gân ym mis Mehefin 1997, sef y tro cyntaf ers deng mlynedd ar hugain i'r band ganu gyda'i gilydd.

Prin flwyddyn y parhaodd y band mewn bodolaeth, gan chwalu ar ôl cyngherddau'r Nadolig. Yr oedd aelodau'r band i gyd yn eu blwyddyn olaf yn y coleg a daeth arholiadau terfynol yn bwysicach ystyriaeth na roc-a-rôl. Bu'n rhaid aros tan y '70au cynnar, pan ffurfiwyd bandiau fel Edward H. Dafis a Brân, i'r sîn gerddorol Gymraeg brofi unrhyw beth tebyg i'r Blew. Aeth Richard Lloyd, un o'r ddau aelod di-Gymraeg, ymlaen i ganu gyda band Saesneg a gafodd gryn lwyddiant yn yr '80au, *The Flying Pickets*.

Deddfu dros yr iaith

Ar 27 Gorffennaf, wedi pwyso dyfal, daeth Mesur yr Iaith Gymraeg yn ddeddf.

Daeth y ddeddf yn sgil adroddiad pwyllgor Syr David Hughes-Parry, a gyhoeddwyd yn 1965, ond a sefydlwyd yn 1963, i ymchwilio i statws y Gymraeg. Yr oedd Hughes-Parry a'i gyd-bwyllgorwyr wedi datgan o blaid 'dilysrwydd cyfartal' i'r Gymraeg a'r Saesneg yng Nghymru.

Ymgorfforwyd yn y ddeddf yr egwyddor y câi'r Gymraeg ei defnyddio yn y llysoedd ar yr un sail â'r Saesneg, ac y câi pob person mewn achos llys yng Nghymru ddefnyddio'r Gymraeg fel y mynnai. Yr oedd adnoddau i'w paratoi hefyd i drosi dogfennau swyddogol i'r Gymraeg, er mewn unrhyw achos o anghysondeb rhwng y fersiwn Saesneg a'r un Cymraeg, yr un Saesneg fyddai'r fersiwn swyddogol. Yn wahanol i Ddeddf Llysoedd Cymru 1942, ni fyddai angen profi bellach fod rhywun 'dan anfantais' o orfod siarad Saesneg yn y llys cyn iddo gael caniatâd i siarad Cymraeg.

Yr oedd Deddf yr Iaith Gymraeg i gryn raddau yn ymateb i'r pwysau cynyddol er 1963 gan aelodau Cymdeithas yr Iaith Gymraeg, a fu'n arfer amrywiaeth o dactegau cyfreithlon ac anghyfreithlon yn eu brwydr dros well triniaeth i'r Gymraeg a'r rhai â'i siaradai.

Yr Ieti yn Nant Ffrancon

Yr Ieti yn Eryri.

Daeth *Dr. Who*, y teithiwr enwog trwy amser a gofod, i Nant Ffrancon ym mis Medi, pan ffilmiwyd pennod o gyfres deledu boblogaidd y BBC yno. Stori am y bwystfil chwedlonol yr Ieti a ddaeth â'r criw ffilmio i ogledd Cymru i chwilio am dirwedd tebyg i Fynyddoedd Himalaia, cynefin naturiol y Dyn Eira Dychrynllyd.

Astudio'r Emyn

Mewn cyfarfod ar 10 Awst yn y Bala, sefydlwyd Cymdeithas Emynau Cymru i hybu diddordeb yn emynau ac emynwyr y Gymraeg, dan ei Llywydd cyntaf, y Llyfrgellydd Cenedlaethol, E.D. Jones.

'Y mae ein hemynau, at ei gilydd', meddai'r Parch. Gomer M. Roberts yn y cyfarfod sefydlu, 'yn drysor nid yn unig o ran eu gwerth defosiynol i'r eglwysi, ond fel llenyddiaeth o'r radd flaenaf. Fe ddaeth yr amser, mi gredaf, i ffurfio cymdeithas i astudio ac i noddi'r emyn Cymraeg.'

Cyngor y Nawdd

Ar 9 Chwefror, sefydlwyd Cyngor y Celfyddydau o dan ei Gadeirydd cyntaf, yr Athro Gwyn Jones, fel y prif gyfrwng ar gyfer dosbarthu nawdd y llywodraeth ganolog i'r celfyddydau o bob math yng Nghymru.

Bu'r Cyngor hyd hynny yn Bwyllgor Cymreig Cyngor Celfyddydau Prydain Fawr. Gwyn Jones fu Cadeirydd y Pwyllgor, ac yna'r Cyngor am ddeng mlynedd nes iddo ymddiswyddo ym mis Mehefin 1977.

Ym mis Ebrill 1994 daeth Cyngor Celfyddydau Cymru yn annibynnol ar Gyngor Celfyddydau Prydain Fawr, o dan Gadeirydd newydd, Syr Richard Lloyd Jones.

O Goedpoeth i'r Congo

dde:
Winnie Davies yn y Congo.

Ar 16 Mehefin yn ninas Kisangani yn y Congo cynhaliwyd angladd y nyrs a'r genhades Winnie Davies o Goed-poeth, ger Wrecsam, 33 mis wedi iddi gael ei chipio a'i chaethiwo gan wrthryfelwyr yn erbyn llywodraeth y wlad. Dilynodd deunaw car ei harch trwy'r strydoedd, safodd plismyn a milwyr i saliwtio wrth iddi gael ei chludo heibio, a chanwyd clychau'r Eglwys Gadeiriol Gatholig er cof am y Brotestanes o Gymraes.

Bu Winnie Davies yn gweithio er 1946 fel bydwraig mewn ardal wledig o'r Congo pan herwgipiwyd hi ym mis Gorffennaf 1964 wrth i'r gwrthryfelwyr ymosod ar fferyllfa'r genhadaeth Brotestannaidd ym mhentref Opienge lle gweithiai. Lladdwyd miloedd o bobl y Congo yn y rhyfel cartref gwaedlyd a ymleddid ar y pryd, ac nid cyn Gorffennaf 1965 y clywyd yn sicr fod Winnie Davies yn dal yn fyw. Gyda charcharorion eraill cafodd ei symud o le i le wrth i'r gwrthryfelwyr ffoi rhag lluoedd y llywodraeth, cyn cael ei llofruddio ar 27 Mai ger Kisangani, ugain munud yn unig cyn i filwyr y llywodraeth ddod i'w hachub hi a'i chydymaith, y Tad Alphonsus Maria Strijbosch, offeiriad Catholig o'r Iseldiroedd.

Dod allan o'r cwpwrdd

Leo Abse a arferai wisgo'n drawiadol ar ddiwrnod y Gyllideb.

Ymgyrch hir a dygn gan Aelod Seneddol Pontypŵl, Leo Abse, a arweiniodd ar 27 Gorffennaf at basio deddf yn cyfreithloni gwrywgydiaeth ym Mhrydain.

Cyfreithiwr oedd Abse wrth ei waith, a gallodd ddefnyddio'i feddwl cyfreithiol miniog i lunio mesur a oedd yn dderbyniol gan y rhan fwyaf o Aelodau Seneddol, cryn gamp ar y pryd. O dan delerau'r Ddeddf Troseddau Rhywiol byddai bellach yn gyfreithlon i ddau ddyn gymryd rhan mewn gweithred rywiol gyda'i gilydd cyhyd â'u bod ar eu pennau eu hunain mewn man preifat a'r ddau ohonynt wedi cyrraedd un ar hugain oed. Disgrifiwyd y mesur ar y pryd gan yr Ysgrifennydd Cartref, Roy Jenkins o Abersychan, fel un pwysig a gwaraidd, er bod rhai pobl yn achwyn nad oedd yn deg fod rhaid i ddynion hoyw gyrraedd 21 oed cyn cael rhyw tra mai 16 oedd yr oedran cydsynio ar gyfer pobl eraill.

Roedd y ddeddf yn rhan o'r duedd yn y '60au at greu cymdeithas fwy rhyddfrydig a goddefol, ac yn yr un flwyddyn gwelwyd pasio'r Ddeddf Erthylu, mesur yr oedd Leo Abse ei hun yn ei wrthwynebu'n gryf. Aeth Abse ymlaen i gymryd rhan yn yr ymgyrchoedd a arweiniodd at Ddeddf Ysgaru a Deddf Cynllunio Teuluol.

Gittins am roi'r Gymraeg i bob plentyn

Dylai pob plentyn yn ysgolion cynradd Cymru gael cyfle i ddysgu Cymraeg, dyna oedd byrdwn yr adroddiad *Addysg Gynradd Cymru* a gyhoeddwyd y flwyddyn hon.

'Adroddiad Gittins' oedd yr enw poblogaidd a roddwyd ar y ddogfen, ar ôl yr Athro Charles Gittins o Rostyllen ger Wrecsam, Cadeirydd y Cyngor Ymgynghorol Canolog ar Addysg a gynhyrchodd yr adroddiad. Sefydlwyd y Cyngor yn 1963 gan Syr Edward Boyle.

Yr oedd dylanwad Gittins i'w weld yn amlwg ar yr adroddiad. Er nad oedd ef ei hun yn medru'r Gymraeg, yr oedd yn gwbl bendant y dylai fod i'r iaith le canolog yn ysgolion Cymru fel rhan o draddodiad hanesyddol y wlad a rhan o etifeddiaeth ddiwylliannol pob plentyn yng Nghymru. Wrth gyflwyno ei syniadau yn Nulyn ar 21 Ionawr, galwodd Gittins hefyd am ddarparu ysgolion meithrin ar raddfa helaeth yng Nghymru ac Iwerddon fel ei gilydd er mwyn hybu dwyieithrwydd yn y ddwy wlad. Yr oedd angen hefyd am fwy o ddefnydd swyddogol o'r Gymraeg a'r Wyddeleg, a gwasanaethau teledu dwyieithog, meddai.

Derbyniwyd egwyddorion 'Adroddiad Gittins' gan bedair prif blaid Cymru, ond er hyn daliodd addysg Gymraeg i fod yn bwnc llosg am flynyddoedd maith wedyn.

Enllib!

Bu cyhoeddwyr y cylchgrawn *Lol* wrthi ar faes Eisteddfod Genedlaethol y Bala yn rhwygo tudalen o bob copi o drydydd rhifyn y cylchgrawn, a hynny dan fygythiad y gyfraith arnynt gan un o ffigurau mwyaf adnabyddus a mwyaf poblogaidd y Brifwyl, y bardd a'r cyn-Archdderwydd Cynan.

Yr oedd Cynan wedi'i benodi yn Ddarllenydd Dramâu Cymraeg dros yr Arglwydd Siambrlein, gan ennill iddo'i hun y llysenw 'y Sensor Cymraeg'. Swydd Cynan fel sensor dros y llywodraeth a ysgogodd ddychanwyr *Lol* i gyhoeddi llun noeth o'r ferch 'Shân' a'r

gair 'SENSOR' mewn llythrennau breision ar draws ei bronnau. Ond y geiriau llai eu maint 'BU CYNAN YMA' a oedd wrth wraidd y cythrwfl. Bu'n rhaid i'r cyhoeddwyr osod ymddiheuriad llawn a di-amod wrth eu pabell ar y Maes, a chytunwyd hefyd i dalu holl gostau cyfreithiol Cynan a chyfrannu hanner canpunt at elusen o'i ddewis ef. Datganwyd fod y mater ar ben, er i Cynan ddod dan lach y Lolwyr y flwyddyn ganlynol pan wawdiwyd ef mewn cartŵn am dderbyn CBE gan y Frenhines.

1968

31 Ionawr

Syfrdanwyd lluoedd yr Unol Daleithiau yn Fietnam wrth i'r *Viet Cong* ddechrau ymosodiad a adwaenid fel Ymgyrch Tet.

4 Ebrill

Yn yr Unol Daleithiau, llofruddiwyd yr arweinydd croenddu, Martin Luther King.

21 Ebrill

Mewn araith ddadleuol, datganodd y gwleidydd Enoch Powell ei ofn am effaith y mewnfudiad o bobl groenddu i Brydain.

21 Mai

Aeth deng miliwn o weithwyr ar streic yn Ffrainc gan ymuno â phrotestiadau gan fyfyrwyr y wlad yn erbyn polisïau'r Arlywydd de Gaulle.

6 Mehefin

Yn Los Angeles, llofruddiwyd Robert Kennedy, brawd y cyn-Arlywydd Kennedy.

20 Awst

Yn Prague, daeth byddin yr Undeb Sofietaidd ag ymgais arweinydd Tsiecoslofacia, Alexander Dubcek, i ddemocrateiddio'r wlad i ben.

17 Medi

Canslwyd taith griced Lloegr i Dde Affrica gan fod tîm Lloegr yn cynnwys y chwaraewr croendywyll Basil d'Oliveira.

27 Hydref

Y tu allan i Lysgenhadaeth yr Unol Daleithiau yn Llundain protestiodd 250,000 o bobl yn erbyn y rhyfel yn Fietnam.

5 Tachwedd

Etholwyd Richard M. Nixon yn Arlywydd yr Unol Daleithiau.

Teledu Harlech

A r 15 Mawrth gwelwyd y rhaglenni cyntaf i'w darlledu gan gwmni teledu annibynnol newydd dan gadeiryddiaeth y cyn-Aelod Seneddol dros Groesoswallt a'r cyn-Lysgennad Prydeinig i'r Unol Daleithiau, William Ormsby-Gore, Pumed Arglwydd Harlech.

Daethai Teledu Harlech (*HTV*) i ddisodli cwmni *Television Wales and the West* (*TWW*) i ddarparu gwasanaeth teledu i Gymru a gorllewin Lloegr, pan benderfynodd yr Awdurdod Teledu Annibynnol (*ITA*) yn 1966 y dylai cytundebau'r holl gwmnïau teledu annibynnol ddod i ben o fewn dwy flynedd. I'r *ITA* yr oedd Teledu Harlech, gyda'i lu o gefnogwyr enwog megis Wynford Vaughan-Thomas, Richard Burton a Harry Secombe, yn ymddangos yn gwmni iau a mwy addawol na *TWW*, ac un peth mawr o'i blaid oedd ei fod yn bwriadu

Yr Arglwydd Harlech

lleoli ei brif swyddfeydd yng Nghaerdydd tra oedd pencadlys *TWW* ymhell o'i gynulleidfa, yn Llundain. Yn y diwedd, er nad oedd cytundeb y cwmni i ddod i ben tan 30 Gorffennaf, trosglwyddodd *TWW* yr awenau i Deledu Harlech ar 14 Mawrth, gan ddiweddu ei ddarlledu â rhaglen gyda'r teitl sentimental *All Good Things Come to an End*.

Cafodd y rhan fwyaf o weithwyr *TWW* swyddi yn y cwmni newydd, ond ymhlith y rhai a ddewisodd ymadael yr oedd y cyn-newyddiadurwr Wyn Roberts, a drodd o fyd y teledu at wleidyddiaeth a dod ar 18 Mehefin 1970 yn Aelod Seneddol Ceidwadol dros etholaeth Conwy.

Er yr holl ddisgwyliadau, cafodd Teledu Harlech ei feirniadu'n hallt gan y wasg. Disgrifiwyd ei raglen lansio fel un o'r gwaelaf i ymddangos ar y rhwydwaith erioed, a phrin y gwelwyd y sêr a gefnogodd cais y cwmni mor frwd, yn ymddangos ar y rhaglenni. Yn ôl colofnydd y *Western Mail*, Peter Tinniswood, roedd Cymru wedi disgwyl '*a non-stop cultural extravaganza*' ond yn hytrach gellid bod wedi rhoi'r cytundeb i '*consortium specialising in the sale of novelty hose pipes*'. Fodd bynnag llwyddodd y cwmni i gadw'r cytundeb am weddill y ganrif er mai ychydig iawn o raglenni y llwyddodd i gyfrannu i'r rhwydwaith Prydeinig.

Gwneud arian yn Llantrisant

Ar 17 Rhagfyr agorwyd y Bathdy Brenhinol yn Llantrisant, rhwng Caerdydd a Phont-ypridd, gan y Frenhines Elisabeth, pan bwysodd y botwm a achosodd i beiriannau'r Bathdy ddechrau ar eu gwaith o gynhyrchu'r darnau arian cochion degol cyntaf.

Daeth yr angen am fathdy newydd i gymryd lle'r hen un yn Llundain yn amlwg pan gyhoeddodd y llywodraeth yn 1966 ei bod yn bwriadu cyflwyno arian degol yn Chwefror 1971, ac y byddai eisiau felly fathu cannoedd o filiynau o ddarnau arian newydd. Yn Ebrill 1967 dewiswyd safle yn Llantrisant, rhwng Caerdydd a Phontypridd.

Byddai'r Bathdy, wedi iddo ddechrau gweithio'n llawn, yn cyflogi tua mil o bobl, a rhoddodd ei ail-leoli yn Llantrisant hwb sylweddol i economi ardal a oedd yn llesgáu wrth i'r pyllau glo gau. Erbyn 1969 cynhyrchid mwy na hanner can miliwn o ddarnau arian yr wythnos yno, ac yn Llantrisant y storiwyd y rhan fwyaf o'r arian cochion degol cyn eu rhyddhau yn 1971. Yn ogystal ag arian Prydeinig, darnau arian ar gyfer gwledydd tramor oedd mwy na hanner cynhyrchedd y Bathdy, a gwneud hefyd fedalau milwrol a sifil.

Yr oedd symud y Bathdy Brenhinol i Lantrisant yn rhan o bolisi'r llywodraeth Lafur o ail-leoli swyddfeydd y tu allan i ardal Llundain. Hefyd fel rhan o'r polisi hwn yr oedd y Swyddfa Basbortau wedi dod i Gasnewydd a'r Gofrestrfa Dir i Abertawe yn 1967, ac yn 1970 dôi'r Ganolfan Drwyddedu Cerbydau a Gyrwyr i Abertawe a'r Swyddfa Ystadegau Busnes (y Swyddfa Ystadegau Canolog wedyn) i Gasnewydd.

Teitl Byd i Winstone

uchod: Winstone yn disgwyl yn eiddgar wrth i'r dyfarnwr ddod â'r ornest i ben.

Howard Winstone o Ferthyr Tudful oedd y Cymro cyntaf i ddal teitl byd ers pum mlynedd a deugain pan ddaeth yn ben-campwr bocsio pwysau plu'r byd ar 23 Ionawr yn Llundain. Mitsunori Seki o Siapan oedd ei wrthwynebydd, a chymerodd y Cymro naw rownd i'w orchfygu mewn gornest agos a gwaedlyd. Yr oedd cymys-gwch o orfoledd a thristwch i Winstone ar y pryd am iddo ymddangos yn y llys yng Nghaerdydd fore trannoeth i dderbyn caniatâd i ysgaru ei wraig am odineb. Wedi i'r barnwr, Syr Owen Temple Morris, gyhoeddi'r *decree nisi*, galwodd Winstone at y fainc i ysgwyd ei law a'i longyfarch ar ei gamp y noson cynt. Aeth y bocsiwr ymlaen i Ferthyr lle yr oedd hyd at chwe mil o bobl wedi ymgynnull i groesawu arwr yr awr.

Yr oedd Winstone eisoes wedi cipio teitl pwysau plu Prydain pan drechodd y Llun-deiniwr Terry Spinks yn Wembley ar 2 Mai 1961, ac ym mis Gorffennaf 1963 cipiodd bencampwriaeth Ewrop oddi wrth Alberto Serti yng Nghaerdydd. Daliodd ei deitl byd hyd fis Mehefin pan gollodd ef i Jose Legra o Ciwba ar 24 Gorffennaf ym Mhorthcawl. Er bod Winstone wedi curo Legra unwaith o'r blaen, nid oedd ganddo obaith yn ei erbyn y tro hwn. Torrwyd llygad y Cymro yn y rownd gyntaf, ac erbyn y bumed rownd penderfynodd y dyfarnwr mai digon oedd digon a rhoddwyd y fuddugoliaeth i Legra.

George wrth y llyw

Ym mis Ebrill, penodwyd George Thomas, Aelod Seneddol Gorllewin Caerdydd, yn Ysgrifennydd Gwladol Cymru, y trydydd mewn pedair blynedd. Yn wahanol i'w ddau ragflaenydd, James Griffiths a Cledwyn Hughes, Cymro di-Gymraeg oedd Thomas, a daeth yn nodedig am ei wrthwynebiad cryf i bob math o genedlaetholdeb Cymreig.

Ymhlith ei weithgareddau cyhoeddus cyntaf fel Ysgrifennydd Gwladol Cymru yr oedd defod Arwisgo'r Tywysog Charles yng Nghaernarfon ar 1 Gorffennaf 1969. Daeth Thomas yn bennaeth ar y Pwyllgor Arwisgo a sefydlwyd gan Cledwyn Hughes. Nododd Thomas wedyn fel yr oedd un gweinidog yr efengyl yn amser ei ragflaenydd wedi mynnu siarad Cymraeg gerbron y Pwyllgor, a Cledwyn Hughes yn cyfieithu i'r Saesneg. Wrth gymryd drosodd datganodd Thomas y câi pawb siarad Cymraeg neu Saesneg fel y mynnai, ond na ddarperid unrhyw gyfieithu. Ni chlywyd siarad Cymraeg yn y Pwyllgor wedyn.

Yn fuan wedi ei benodi yr oedd yr Ysgrifennydd newydd wedi datgan ei gred bod y cyfnod o ymosodiadau bomio gan eithafwyr y mudiad cenedlaethol Cymreig ar ben, ond ar 25 Mai daeth y Swyddfa Gymreig ei hun yn darged i fomwyr Mudiad Amddiffyn Cymru, er nad oedd yr Ysgrifennydd Gwladol yno ar y pryd. Mewn araith a ddaeth yn adnabyddus iawn wedyn cyhuddodd Thomas genedlaetholwyr Cymru o fod wedi creu anghenfil na allent ei reoli bellach, a disgrifiodd y bomwyr fel 'llwfrgwn anhysbys...yn dwyn gwarth ar bobl Cymru'.

Llai dadleuol oedd ei benderfyniad yn yr Uwch Bwyllgor Cymreig ar 11 Rhagfyr y câi sir Fynwy ei hystyried o hynny allan yn rhan o Gymru, penderfyniad a roddodd derfyn ar flynyddoedd o amwysedd ynglŷn â safle'r sir.

[LLIW 18]

Y Bont ar stamp

Gwelwyd y Gymraeg ar stamp post am y tro cyntaf ym mis Ebrill pan gyhoeddodd y Post Brenhinol set o bedwar stamp o bontydd trwy'r oesoedd, yn cynnwys un stamp swllt a chwe cheiniog yn dwyn y geiriau 'Pont Menai/Menai Bridge' uwchben llun o'r bont ei hun.

Marw Barwn

Ar 6 Chwefror ym Monte Carlo, bu farw'r barwn papurau newydd, Arglwydd Kemsley (James Gomer Berry) o Ferthyr Tudful.

Yr ieuengaf o dri mab y gŵr busnes John Mathias Berry oedd J.G. Berry, ac o ddechrau'r ganrif hyd at 1937 bu'n cydweithio â'i frawd hŷn, William Ewert Berry (Arglwydd Camrose) i greu ymerodraeth bapurau newydd a gynhwysai nifer o gwmnïau, llu o gylchgronau, melinau papur, a sawl papur newydd safonol megis y *Daily Telegraph*, y *Financial Times* a'r *Sunday Times*.

Pan wahanodd y ddau fel partneriaid busnes yn 1937 daeth J.G. Berry yn gadeirydd grŵp *Allied Newspapers,* ac felly'n berchennog ar chwech ar hugain o bapurau newydd. Ef ar y pryd oedd y perchennog papurau newydd mwyaf ym Mhrydain. Yn 1959 gwerthodd ei ddaliadau yn y cwmni i gyd ac ymddeol i Monte Carlo.

Yn ogystal â'i ddiddordeb mawr mewn newyddiaduraeth bu Berry'n Llywydd Cymdeithas Bêl-Droed Cymru o 1946 hyd 1960. Fel ei frawd hŷn cymerai ddiddordeb parhaol yn nhref Merthyr Tudful lle ganed ef, a bu'r ddau'n hael eu rhoddion i achosion yn y dref.

Dyddiau Braf Mary Hopkin

Y Mary Hopkin benfelen yn disgwyl cael ei hurddo i orsedd yr Eisteddfod.

Dros ugain wythnos yn siartiau pop Prydain gyda chwech o'r rheini yn safle Rhif 1, dyna oedd profiad Mary Hopkin, 18 oed o Bontardawe, gyda'i chân swynol, *Those Were The Days*.

Wedi rhyddhau nifer o recordiau Cymraeg, daeth Mary Hopkin i'r amlwg trwy Brydain i gyd yn y sioe deledu *Opportunity Knocks*, lle câi perfformwyr newydd gystadlu'n erbyn ei gilydd i ddangos eu doniau. Ar awgrym y model Twiggy, cafodd ei recriwtio'n fuan wedyn gan Paul McCartney o'r Beatles i'r cwmni recordio newydd, *Apple*. McCartney a gynhyrchodd *Those Were The Days,* y gân a daflodd y Gymraes i ganol sylw'r byd dros nos. Wedi'i seilio ar gân werin o Rwsia, aeth â bryd y cyhoedd, a chyrhaeddodd frig y siartiau ar 25 Medi, gan ddisodli cân McCartney ei hun, *Hey Jude*, ac aros yno am y chwech wythnos nesaf.

Bu gan Mary Hopkin dair cân arall yn y Deg Uchaf yn 1969 ac 1970 cyn iddi benderfynu rhoi'r gorau i ganu a symud i Awstralia yn 1971. Yn 1979 dychwelodd at ei gwreiddiau pan ryddhawyd *The Welsh World of Mary Hopkin*, casgliad o fersiynau Cymraeg o ganeuon gwerin adnabyddus, ond â'i record fawr gyntaf yn 1968 y cysylltir hi bellach bob amser. Er gwaethaf geiriau llawen y gân, mae'n debyg nad oedd y gantores ei hun yn ystyried ei dyddiau o enwogrwydd yn rhai braf. 'Doeddwn i ddim yn teimlo'n gartrefol,' meddai'n ddiweddarach, 'Y ferch o'r wlad yn y ddinas fawr oeddwn i.'

Gwireddu breuddwyd

dde: Wilbert Lloyd Roberts ar safle Theatr Gwynedd.

Daeth Cwmni Theatr Cymru a'r *Welsh Theatre Company,* i fodolaeth ar Ddydd Calan, gyda'r cwmni Cymraeg yn ymgartrefu ym Mangor a'r cwmni Saesneg yng Nghaerdydd. Drwy hynny fe wireddwyd breuddwyd y cyfarwyddwr Cymraeg llawn amser cyntaf, Wilbert Lloyd Roberts.

Yr oedd y Welsh Theatre Company, cwmni heb gartref sefydlog, wedi'i ffurfio yn 1963 dan ofal y cyfarwyddwr Warren Jenkins, a pherfformiwyd rhai dramâu Cymraeg ganddo, fel *Cariad Creulon* a *Saer Doliau*, yn ogystal â rhai Saesneg. Ond pwysai Wilbert Lloyd Roberts am gefnogaeth i'w syniad o gwmni theatr Cymraeg teithiol a fyddai'n perfformio dramâu mewn theatrau ledled Cymru, a golygai sefydlu Cwmni Theatr Cymru y gallai cynulleidfaoedd weld dramâu wedi'u llwyfannu'n broffesiynol heb orfod teithio i ddinasoedd mawr. Hybwyd y fenter gydag adeiladu theatrau newydd fel Theatr Gwynedd ym Mangor a Theatr y Werin yn Aberystwyth, a rhoes y Cwmni gyfle hefyd i nifer o actorion ifanc fel John Ogwen, Lisabeth Miles a Gaynor Morgan Rees i ennill bywoliaeth drwy actio'n broffesiynol drwy gyfrwng yr iaith Gymraeg.   *[LLIW 45]*

Domingo'n ymlacio

Clywyd un o leisiau enwocaf byd yr opera yng Nghymru ar 11 Gorffennaf pan ganodd y tenor o Sbaen, Placido Domingo, yn Eisteddfod Gerddorol Gydwladol Llangollen fel artist gwadd nos Iau'r ŵyl.

Bu'r cantor mawr mewn tipyn o benbleth pan sylweddolodd na châi gyfle i lacio ei lwnc trwy ganu ychydig cyn mynd ar y llwyfan, a hynny am fod ei gynulleidfa yn eistedd prin ganllath i ffwrdd heb ddim ond cynfas y babell fawr rhyngddo ef a hwy. Achubwyd ef gan un o stiwardiaid gwirfoddol yr eisteddfod a arwyddodd â'i hances boced pan ddaeth y perfformiad blaenorol i ben, a rhoi cyfle i Domingo ymarfer ei ganu yn sŵn mawr y gynulleidfa'n curo eu dwylo mewn cymeradwyaeth.

Agor Pwerdy Trawsfynydd

Ar 18 Hydref, agorwyd yn swyddogol Atomfa Trawsfynydd yng Ngwynedd gan gyn-Ysgrifennydd Gwladol Cymru, James Griffiths. Trawsfynydd oedd pwerdy niwclear cyntaf Cymru, a'r unig un ym Mhrydain i gael ei leoli mewn Parc Cenedlaethol.

Rhoddwyd caniatâd i adeiladu atomfa ym mis Gorffennaf 1958 gan y Gweinidog Pŵer, yr Arglwydd Mills, ac ym mis Mehefin 1959 rhoddwyd contract i gwmni adeiladu fynd ati i ddechrau gweithio ar y safle. Erbyn Ionawr 1965 yr oedd Atomfa Trawsfynydd yn cyfrannu trydan i'r grid cenedlaethol.

Lleolwyd y pwerdy ar lan ogleddol Llyn Trawsfynydd ger Maentwrog , a thynnid 159 miliwn o litrau o ddŵr o'r llyn bob awr er

James Griffiths yn Atomfa Trawsfynydd.

mwyn oeri ei beiriannau. Cloddiwyd 3,823 tunnell o gerrig a phridd er mwyn codi'r atomfa, a oedd yn cynnwys dau adweithydd niwclear mewn pâr o adeiladau 55 metr o uchder. Daethpwyd â'r rhan fwyaf o'r defnyddiau adeiladu i mewn ar hyd y ffyrdd ond bu'n rhaid dod â rhai o'r darnau mwyaf ar longau i borthladd Porthmadog a bu angen cryfhau'r cei yno a charthu cryn dipyn o waelod yr aber ar gyfer y gwaith hwn.

Pelawd hanesyddol

Daeth enwogrwydd o fath nad oedd yn ei chwennych i ran y bowliwr ifanc Malcolm Nash o'r Fenni ar faes Sain Helen, Abertawe, pan gymerodd ran anfwriadol yn un o gampau mwyaf nodedig y byd criced – taro chwe chwech oddi ar un belawd.

Yr oedd Nash ar y pryd yn arbrofi â dull bowlio troell braich-chwith pan wynebodd y batiwr talentog o India'r Gorllewin, Garfield Sobers, ar brynhawn 1 Medi mewn gêm sirol rhwng Morgannwg a Swydd Nottingham.

Aeth dwy ergyd gyntaf Sobers i ganol y dyrfa, y drydedd tua'r pafiliwn a'r bedwaredd dros y sgorfwrdd. Bu rhywfaint o dyndra wrth i Sobers anelu ei bumed ergyd yn syth at ddwylo'r maeswr galluog Roger Davis. Daliodd Davis y bêl yn ddiogel ond wrth wneud cwympodd dros raff ffin y maes ac ar ôl ychydig drafod cytunodd y dyfarnwyr i roi'r chwech i Sobers. 'Betiaf i na allwch chi daro hon am chwech hefyd,' meddai'r wicedwr Eifion Jones yn gellweirus wrth

Sobers. Ni wnaeth yntau ond gwenu ar y Cymro a throi'n ôl i wynebu'r bowliwr. Glaniodd ei ergyd olaf o'r chwech yn y stryd y tu allan i'r maes, ac ni chafwyd hyd i'r bêl tan drannoeth. Cyflwynwyd hi i Sobers yn ddiweddarach, a gosodwyd hi wedyn yn Amgueddfa Griced Trent Bridge yn gofeb i'r belawd hanesyddol.

Er na ddarlledwyd y belawd yn fyw ar y teledu, yn ffodus iawn roedd camerâu'r BBC yn parhau i ffilmio'r gêm, gan sicrhau fod un o'r digwyddiadau hynotaf yn holl hanes criced ar gadw yn llyfrgell ffilmiau'r BBC yng Nghaerdydd.

Ymdrech Phil yng Nghaerffili

Cafodd y Blaid Lafur ergyd yn un o'i seddi diogelaf pan dociwyd ei mwyafrif o 21,148 i 1,874 gan ymgeisydd Plaid Cymru, yr academydd Dr. Phil Williams, yn yr isetholiad a gynhaliwyd yn etholaeth Caerffili ar 18 Gorffennaf yn dilyn marwolaeth Ness Edwards. Er i Phil Williams gael ei eni o fewn etholaeth Caerffili, gweithiai bellach fel ffisegydd ym Mhrifysgol Cymru, Aberystwyth, a syndod felly i rai oedd iddo ddod mor agos at drechu dewis ddyn Llafur, y prifathro lleol a mab i löwr, Fred Evans. Fel yn sedd Gorllewin y Rhondda yn 1967, diweithdra a phroblemau economaidd oedd craidd ymgyrch y cenedlaetholwyr, ac ni fu fawr o sôn am ymreolaeth i Gymru nac am yr iaith Gymraeg.

Cefnogwyr Phil Williams ar ôl clywed y canlyniad.

1969

3 Ionawr

Trodd ymdaith hawliau sifil yng Ngogledd Iwerddon yn derfysg wrth i Babyddion a Phrotestaniaid wrthdaro.

19 Ionawr

Yn Prague, lladdodd myfyriwr o'r enw Jan Palach ei hun drwy ymlosgi fel protest yn erbyn meddiannu Tsiecoslofacia gan yr Undeb Sofietaidd.

3 Chwefror

Daeth Yasser Arafat yn arweinydd Mudiad Rhyddid Palesteina.

2 Mawrth

Hedfanodd yr awyren uwchsonig *Concorde* am y tro cyntaf.

28 Ebrill

Ymddiswyddodd Arlywydd Ffrainc, Charles de Gaulle.

20 Gorffennaf

Wedi i Apollo 11, llongofod yr Unol Daleithiau, lanio ar y lleuad, cerddodd Neil Armstrong yno, y dyn cyntaf i wneud hynny.

15 Awst

Anfonwyd y fyddin i Ogledd Iwerddon gan lywodraeth Prydain er mwyn ceisio gosod trefn yn y dalaith wedi wythnosau o anghydfod treisgar.

20 Awst

Yn Woodstock, talaith Efrog Newydd, cynhaliwyd cyngerdd canu poblogaidd a ddaeth yn enwog drwy'r byd.

2 Tachwedd

Yn Nigeria, adroddwyd bod 300,000 o bobl yn marw o newyn yn Biafra wedi'r rhyfel cartref yno.

Arwisgiad yng Nghaernarfon

Y Tywysog a'r Ysgrifennydd Gwladol ar ddiwrnod yr Arwisgo.

Gyda seremonïaeth fawreddog a lliwgar, arwisgwyd Charles, mab y Frenhines Elisabeth II, yn Dywysog Cymru yng Nghastell Caernarfon ar 1 Gorffennaf. Yn ystod y ddefod ddwyieithog siaradodd y Tywysog yn Gymraeg a Saesneg a gofyn am gymorth pobl Cymru i'w gynorthwyo. 'Yn wir,' meddai,' rwy'n bwriadu cysylltu fy hun o ddifrif mewn gair a gweithred â chymaint o fywyd y Dywysogaeth – a'r fath dywysogaeth ydy hi – ag a fydd yn bosibl'.

Yn ogystal â'r pedair mil o westeion yn y castell, tynnodd y seremoni filoedd o bobl i strydoedd Caernarfon, ac yr oedd cynulleidfa o tua phum can miliwn naill ai'n gwrando ar y radio neu'n gwylio'r cyfan yn fyw ar y teledu. Codwyd llwyfan a chanopi o fewn y castell ar gyfer y ddefod, a dyluniwyd tlysau arbennig ar gyfer yr achlysur.

Daeth yr Arwisgo'n destun trafod tanbaid ac emosiynol yng Nghymru, ac er bod y mwyafrif o blaid y ddefod yr oedd y lleiafrif a'i gwrthwynebai yn fwy na pharod i ddangos ei hanniddigrwydd yn gyhoeddus. Symudwyd tair mil o heddlu ychwanegol i mewn i dref Caernarfon gan gymaint oedd yr ofnau y câi'r diwrnod ei ddifetha gan brotestiadau.

Diwrnod cyn yr Arwisgo, lladdwyd dau ddyn o Abergele, William Alwyn Jones a George Francis Taylor, wrth gludo bom a fwriadwyd i ddifa'r rheilffordd y byddai'r trên brenhinol yn teithio ar hyd-ddi. Yr oedd y ddau'n aelodau o Fudiad

(Drosodd)

Arwisgiad yng Nghaernarfon

(o'r tudalen cynt)

Amddiffyn Cymru, a chawsant eu dyrchafu wedyn gan rai cenedlaetholwyr i statws 'Merthyron Abergele' am yr hyn a welid yn aberth dros Gymru. Ac am 10 o'r gloch ar fore'r Arwisgo collodd bachgen deg oed, Ian Cox, ei droed dde pan gyffyrddodd â bom a adawyd mewn iard ar ymyl y ffordd y teithiai Charles ar hyd-ddi. Honnodd y bomwyr wedyn fod yr heddlu wedi cael rhybudd am y bom ond bod cymaint o alwadau ffug wedi'u hanfon i'r awdurdodau, fel na weithredwyd ar sail yr un go-iawn. Yn sgîl yr anaf i Ian Cox collodd y bomwyr gryn dipyn o'r gefnogaeth oddefol a fu ganddynt tra oeddynt yn ymosod ar dargedau fel pibau dŵr a swyddfeydd y llywodraeth. Er na chafwyd neb yn euog mewn llys o blannu'r bom, cyfaddefodd John Jenkins o Fudiad Amddiffyn Cymru wedyn mai'r garfan honno a fu'n gyfrifol.

Cyn y ddefod bu'r Tywysog yn treulio tymor academaidd yng Ngholeg y Brifysgol, Aberystwyth, yn dysgu rhyfaint am yr iaith Gymraeg a hanes Cymru, ac ar ôl ei arwisgo aeth ar daith brysur o bedwar diwrnod trwy Gymru, yn cychwyn yn Llandudno ac yn gorffen yng Nghaerdydd.

Trysorfa Cymru

Argraffu arian papur o werthoedd rhwng deg swllt a miliwn o bunnoedd – dyna oedd bwriad Richard Williams o Landudno pan sefydlodd ei gwmni dan yr enw 'Prif Drysorfa Cymru'.

Trwy alw'r cwmni'n 'drysorfa' yn lle 'banc' llwyddodd Williams, am y tro o leiaf, i osgoi'r rhan fwyaf o reolau Banc Lloegr ar gyfer banciau, tra ar yr un pryd yn darparu llawer o wasanaethau banc arferol, gan gynnwys cyfrifon cynilo a chyfrifon cyfredol. Cred yr awdurdodau pan gofrestrwyd y Brif Drysorfa oedd mai cofroddion fyddai ei phrif gynnyrch.

Cyflwynodd Williams ei arian papur i'r byd ym mis Mawrth, a gwelwyd gwerthiant eithaf da arnynt, er eu bod yn cael eu trin fel arfer fel cofroddion yn hytrach nag arian go iawn. Argraffwyd nifer o bapurau deg swllt, punt, pum punt a deg punt, ac un papur can mil o bunnoedd, gyda'r Ddraig Goch ar y naill ochr iddynt a Chastell Caernarfon ar y llall. Ni wireddwyd y cynllun i brintio papur miliwn o bunnoedd.

Nofelau'n swyno

Bu croeso mawr i'r gyntaf o bedair nofel hanesyddol boblogaidd yr awdures Marion Eames o Ddolgellau, *Y Stafell Ddirgel*, nofel yn dilyn hynt a helynt yr uchelwr o Grynwr o ardal Meirionnydd, Rowland Ellis, yn y 17eg ganrif. Cafodd yr awdures deitl ei nofel gyntaf o frawddeg yng ngwaith y cyfrinydd Cymraeg o gyfnod Ellis, Morgan Llwyd, a anogodd ei gynulleidfa, 'Dos i mewn i'r stafell ddirgel, yr hon yw goleuni Duw ynot'.

Dilynwyd llwyddiant *Y Stafell Ddirgel* dair blynedd yn ddiweddarach gan *Y Rhandir Mwyn*, a ymdriniai â hanes ymfudo Rowland Ellis i ymuno â gwladfa'r Crynwyr ym Mhensylfania. Yn 1978 cyhoeddwyd *I Hela Cnau* lle portreadir bywyd Cymry Lerpwl yn yr 1860au, ac yn 1982 ymddangosodd *Y Gaeaf Sydd Unig*, stori wedi'i lleoli yng nghyfnod Llywelyn ap Gruffudd, Tywysog Gwynedd.

Newidiodd yr awdures ei maes rywfaint ar gyfer ei dwy nofel nesaf – *Seren Gaeth* (1985), a ysbrydolwyd gan briodas y seicolegydd Ernest Jones a'r gerddores Morfydd Llwyn Owen, a'r *Ferch Dawel*(1992), hanes am ferch wedi'i mabwysiadu ac yn ceisio dod o hyd i'w mam wreiddiol.

Pencampwriaeth Morgannwg

Brian Davis a Malcolm Nash yn rhedeg yn orfoleddus o'r maes ar ôl ennill y bencampwriaeth.

Buddugoliaeth o 147 o rediadau yn erbyn sir Gaerwrangon ar 5 Medi a sicrhaodd Bencampwriaeth Siroedd Lloegr i Glwb Criced Morgannwg am yr ail dro yn ei hanes.

Wedi trechu Essex o un rhediad yn Abertawe ar benwythnos olaf mis Awst, yr oedd y bencampwriaeth yn weddol sicr yng ngafael Morgannwg, ond rhaid oedd curo naill ai Caerwrangon neu Surrey i fod yn siŵr. Daeth tyrfa o ddeng mil i Erddi Sophia, Caerdydd, ar ddechrau Medi i weld Morgannwg yn sgorio cyfanswm parchus o 265 yn eu batiad cyntaf, gyda 156 campus gan y Pacistaniad talentog Majid Khan. 183 oedd ymateb Caerwrangon, a chafodd batwyr Morgannwg 173 yn eu hail fatiad i'w rhoi 255 ar y blaen. Yn ail fatiad Caerwrangon, llwyddodd Tony Cordle a Don Shepherd i gipio naw wiced rhyngddynt, a Shepherd gafodd y fraint o gipio'r wiced olaf i sicrhau'r bencampwriaeth. Rhuthrodd y dyrfa o fil-oedd ar y maes wrth i'r chwaraewyr gydio yn y stympiau a rhedeg am y pafiliwn.

I gapten y clwb ers dwy flynedd, Tony Lewis, yr oedd cryn dipyn o'r clod yn ddyled-us am lwyddiant mawr Morgannwg. Mag-odd Lewis ysbryd da gan ganiatáu i'r chwar-aewyr gryn dipyn fwy o ryddid nag a fu'n arferol gynt i fyw eu bywydau oddi ar y maes fel y mynnent. I'r ysbryd da hwn y priod-olodd Lewis lwyddiant y clwb ym Mhen-campwriaeth y Siroedd.

Y milwyr plwm ar eu prawf

dde:
Dennis Coslett gyda'i gi Gelert mewn rali ym Machynlleth yn 1967.

Yn Abertawe, ar ddiwrnod yr Arwisgo, 1 Gorffennaf, dedfrydwyd chwe aelod o Fyddin Rhyddid Cymru a gafwyd yn euog y diwrnod cynt o droseddau yn ymwneud ag arfau tân ac amharu ar y drefn gyhoeddus. Cafwyd tri dyn arall yn ddieuog o'r un cyhuddiadau

Restiwyd y naw yn eu tai am 6 o'r gloch y bore ar 26 Chwefror, a'u cludo i bencadlys heddlu Caerfyrddin. Yr oed eu prawf o 16 Ebrill i 1 Gorffennaf yn un o'r hwyaf yn hanes cyfreithiol Cymru, a chostiodd fwy na chan mil o bunnoedd. Disgrif-iwyd y cyfan wedyn gan y newyddiadurwr Trevor Fishlock fel 'an elaborate and expensive way of dealing with toy soldiers'. Credai sawl un mai 'terfysgwyr tafarn' oedd 'milwyr' anhrefnus Byddin Rhyddid Cymru, ac nad oeddynt hanner mor beryglus ag a gredai rhai.

Cafodd Dennis Coslett a Julian Cayo Evans bymtheng mis o garchar yr un, a Keith Griffiths naw mis o garchar. Derbyniodd tri dyn arall – Harold Lewis, Vivian George Davies a William Vernon Griffiths – ddedfrydau o garchar wedi'i ohirio. Llofnododd Coslett ac Evans ddogfennau cyfreithiol yn addo na fyddent yn dal arfau'n anghyfreithlon, nac yn cymryd rhan mewn gweithgareddau para-filwrol, nac annog trais at ddibenion gwleidyddol. 'Nid anghofiaf byth mo Gymru yn fy nghell unig,' meddai Coslett cyn cael ei arwain o'r doc, a bu'n rhaid clirio'r oriel gyhoeddus gan gymaint y bloeddio a'r canu gan gefnogwyr y dynion.

Tynnodd sylwadau'r barnwr, Mr. Ustus Thompson, ar ddiwedd y prawf gryn sylw. *'I have taken into account, however misguided you all were, that you were lovers of Wales,'* meddai, *'and for this reason I can and should deal with you more leniently than I otherwise would.'*

Bill neu Dian

Daeth yr enw Bill Parry i sylw'r cyhoedd am y tro cyntaf o nifer o weithiau yn y flwyddyn hon pan geisiodd hwylio mewn hen gwch i Awstralia. Er mai un o feibion Caernarfon ydoedd, ar y pryd roedd Bill Parry'n byw gyda'i wraig a'i ddwy ferch yn Ilkeston ger Derby. Roedd wedi prynu DUKW (a yngenir fel 'duck') sef cerbyd saith tunnell a ddefnyddid yn yr Ail Ryfel Byd i gludo milwyr oddi ar longau at y lan. Roedd gan y cwch olwynion a gallai deithio yr un mor hwylus ar fôr a thir.

Yn y cerbyd anarferol hwn y penderfynodd Bill Parry deithio i Awstralia gyda'i wraig a'i ddwy ferch. Gyrrodd y DUKW i Folkestone a thrwy werthu'i stori i'r wasg, llwyddodd i godi digon o arian i dalu am y petrol angenrheidiol i groesi i Ffrainc. Pan dorrodd injan y DUKW i lawr ychydig bellter o Folkestone, roedd Bill Parry a'i deulu mewn perygl o foddi, ond fe'u hachubwyd gan dancer olew anferth. O gael sylw'r wasg cafodd Bill Parry ei ddymuniad a chroesi gyda'r DUKW ar hofranlong i Calais a dechrau ei daith drwy Ffrainc. Yn anffodus ar gyrion Paris nogiodd yr injan unwaith yn rhagor a bu raid iddo ddychwelyd i Loegr. Rhoddwyd cryn sylw i hanes ei daith gan y wasg, a dangosodd Bill Parry am y tro cyntaf ei allu i dynnu sylw'r wasg a thrwy hynny ddenu arian i gynnal ei fentrau rhyfedd.

Dwy flynedd yn ddiweddarach roedd enw Bill Parry yn y newyddion unwaith yn rhagor. Erbyn hynny roedd yn ôl yn byw yng Nghaernarfon, a chyda chyfaill o'r enw George Watson roedd am fentro unwaith eto i hwylio i Awstralia yn y DUKW. O flaen torf o wylwyr, y wasg a chamerâu teledu, dechreuodd ar ei daith ddiwrnod cyn y Nadolig 1971. Ar ôl hwylio o Gaernarfon i Ddinas Dinlle daeth i'r lan a threulio noson yn yfed yn y Goat, Llanwnda. Erbyn cyrraedd yn ôl i'r afon roedd y DUKW ar fin suddo, a chyda hynny daeth teithiau morwrol Bill Parry i ben ac yntau'n destun gwawd.

Wedi hynny cafodd dröedigaeth grefyddol ac fe'i hordeiniwyd yn 1977. Bu'n weinidog yng nghapel Hebron, Dyffryn Afan, am rai blynyddoedd cyn syfrdanu'r aelodau ym mis Awst 1998 pan ddechreuodd wisgo fel menyw. Trwy werthu ei hanes i bapur newydd y Sun, llwyddodd i godi arian i gael llawdriniaeth newid rhyw. Roedd Bill am gael ei adnabod bellach fel 'Dian'. *[LLIW 86]*

Y *Western Mail* yn gant

Ar 1 Mai dathlwyd canmlwyddiant y *Western Mail*, yr unig bapur boreol a gyhoeddid yng Nghymru, ac un a ymfalchïai yn ei statws fel 'Papur Cenedlaethol Cymru'.

Syniad y Trydydd Ardalydd Bute, 21 oed ar y pryd, oedd sefydlu'r papur, i fod yn bennaf oll yn llais i gymuned fusnes Caerdydd, a thros yr Eglwys Wladol a'r Blaid Geidwadol. Ni fu dechreuad da i'r fentr newydd ar 1 Mai 1869, a hynny oherwydd diffygion y wasg argraffu ail-law a brynwyd i gynhyrchu'r papur. Mor wael oedd ansawdd yr argraffu fel y bu'n rhaid i staff y papur Ceidwadol newydd ddefnyddio gweisg eu cystadleuydd Rhyddfrydol, *The Cardiff Times*, am gyfnod.

Yn 1922 estynnwyd dalgylch y papur i gynnwys gogledd Cymru, gan wneud y *Western Mail* yr unig bapur dyddiol i fod yn un cenedlaethol Gymreig. Yn 1868 disgrifiodd y papur ei hun fel 'Y Papur Dyddiol Newydd i Orllewin Lloegr a De Cymru', ond erbyn 1932 'Papur Dyddiol Cenedlaethol Cymru a Mynwy' oedd ei is-deitl ymffrostgar (gollyngwyd y gair Mynwy yn 1957 wrth i'r sir honno gael ei chydnabod yn raddol yn rhan o Gymru).

Wrth i werthiant y papur dyfu trwy Gymru i gyd, tueddai'n fwyfwy i gefnu ar ei hen safbwynt digyfaddawd o Dorïaidd, a'i gyflwyno'i hun yn bapur a roddai sylw teg i bob achos a digwyddiad o ddiddordeb Cymreig.

Protest ar gae rygbi

dde: Y gwrthdaro yn Abertawe.

Restiwyd 67 o bobl ac anafwyd dros 200 mewn protestiadau mawr yn Abertawe ar 15 Tachwedd yn erbyn presenoldeb tîm rygbi De Affrica ar daith trwy Gymru. Polisïau hiliol llywodraeth De Affrica oedd asgwrn y gynnen, ac er i rai ddadlau mai dau fyd ar wahân oedd chwaraeon a gwleidyddiaeth, hon fyddai'r daith rygbi olaf gan y *Springboks* yng ngwledydd Prydain hyd nes i drefn apartheid gael ei dymchwel.

Er bod trefnwyr y protestiadau wedi galw am wrthdystio heddychlon, prynhawn digon treisgar a gafwyd, a soniwyd am ddigwyddiadau'r diwrnod wedyn fel 'Brwydr Maes Sain Helen'. Cynhaliwyd protestiadau'r tu allan i'r stadiwm, ond deilliodd y prif gyffro o bresenoldeb nifer o brotestwyr ar y tu mewn ymhlith y cefnogwyr rygbi. Yn ystod hanner cyntaf y gêm bu llafarganu gan un garfan o fewn y stadiwm a phoethodd y sefyllfa gryn dipyn yn fuan ar ôl dechrau'r ail hanner pan redodd tua hanner cant o bobl ar y maes chwarae ac eistedd i lawr. Cliriwyd y maes yn gyflym gan heddweision a stiwardiaid, ond bu nifer o gyhuddiadau o driniaeth arw a threisgar yn enwedig yn erbyn y stiwardiaid. Bu rhai hyd yn oed yn honni bod protestwyr wedi cael eu taflu i ganol y dyrfa lle cawsant gurfa gan y cefnogwyr dig. Disgrifiwyd stiwardiaid Abertawe fel '*a private army of thugs*' gan Peter Hain, un o arweinwyr yr ymgyrch i atal y De Affricanwyr, ac yr oedd ymddygiad rhai heddweision yn gywilyddus. Cafwyd 236 o gwynion yn erbyn yr heddlu ac am chwe mis wedyn cynhaliwyd ymchwiliad gan yr heddlu i'r helynt, o dan Kenneth Oxford, Prif Gwnstabl Cynorthwyol Northumberland. Ni chyhoeddwyd adroddiad Oxford o ddau gan mil o eiriau ond datganwyd nad oedd yn gweld dim bai ar yr heddlu nac ar stiwardiaid Abertawe.

Dinas Newydd

Mewn seremoni ar 15 Rhagfyr yn Neuadd Brangwyn, rhoddwyd statws dinas i Abertawe pan gyflwynodd y Tywysog Charles siartr newydd i'r Maer, David Franklyn Bevan. Ymgasglodd miloedd o bobl Abertawe ar y strydoedd wrth i gar y Tywysog deithio'n araf o faes awyr y dref i Neuadd y Dref. Un o weithredoedd cyhoeddus mawr cyntaf y Tywysog Charles ar ôl ei arwisgo oedd hon, a mynegodd ef fodlonrwydd mawr ei fod yn cael cyflwyno siartr ddinesig i un o drefi Cymru.

SAIN

dde: Clawr y record *Dŵr*.

Gydag ymddangosiad record newydd Huw Jones yn dwyn y teitl 'Dŵr', lansiwyd cwmni recordiau Cymraeg newydd o'r enw 'Sain' yn ystod y flwyddyn hon. Sylfaenwyr y cwmni oedd Huw Jones ei hun, Dafydd Iwan a Brian Morgan-Edwards, ymgynghorwr ariannol o Gaerdydd.

Penderfynwyd y byddai holl ddogfennau'r cwmni yn Gymraeg neu'n ddwyieithog. Yn ôl Dafydd Iwan : 'Rydym yn edrych ar genedlaetholdeb nid fel peth gwleidyddol yn unig ond fel rhan annatod o'r diwylliant Cymreig cyfoes. Ond ein nod gyntaf fydd gwneud recordiau o safon uchel.'

Gwnaed y recordiau cyntaf mewn stiwdios yn Llundain a Threfynwy, gyda Meic Stevens, y canwr pop o Solfach, yn cynghori ar yr ochr dechnegol. Erbyn 1975 roedd y cwmni wedi agor stiwdio ei hun drwy addasu hen feudy ar fferm Gwernafalau, Llandwrog, cyn symud yn 1980 i stiwdio newydd sbon yn yr un pentref.

Dros y blynyddoedd bu Sain yn cynhyrchu recordiau unigolion a grwpiau pop adnabyddus fel Geraint Jarman, Tecwyn Ifan, Tebot Piws, Edward H Dafis, Brân a Plethyn, yn ogystal â chantorion mwy traddodiadol fel Trebor Edwards ac Aled Jones.

1970

Deng mlynedd i Jenkins

John Barnard Jenkins

12 Ionawr

Yn Nigeria, daeth y rhyfel yn Biafra i ben.

7 Mawrth

Cyhoeddwyd y *New English Bible* a gwerthwyd miliwn o gopïau ohono o fewn diwrnod.

16 Ebrill

Dychwelodd criw y llongofod *Apollo 13* yn ddiogel wedi iddi fynd i drafferthion 206,000 milltir o'r ddaear.

4 Mai

Ym Mhrifysgol Talaith Kent yn yr Unol Daleithiau, lladdwyd pedwar myfyriwr wrth i Warchodwyr Cenedlaethol saethu at brotest yn erbyn ymgais yr Unol Daleithiau i oresgyn Cambodia.

19 Mehefin

Ym Mhrydain daeth Edward Heath yn Brif Weinidog wedi i'r Ceidwadwyr ennill Etholiad Cyffredinol.

21 Gorffennaf

Yn yr Aifft cwblhawyd adeiladu Argae Aswan.

12 Medi

Ffrwydrwyd tair awyren yn niffeithwch Gwlad yr Iorddonen gan Fudiad Rhyddid Palesteina wedi iddynt eu herwgipio.

5 Hydref

Etholwyd Salvador Allende'n Arlywydd Chile.

9 Tachwedd

Bu farw cyn-Arlywydd Ffrainc, Charles de Gaulle.

A r 20 Ebrill yn y Fflint, rhoddwyd dedfryd o ddeng mlynedd o garchar i John Barnard Jenkins o Benbryn, Morgannwg, pennaeth y garfan bara-filwrol Mudiad Amddiffyn Cymru, a dedfryd o chwe blynedd i Frederick Ernest Alders. Cafwyd y ddau yn euog o osod nifer o fomiau rhwng mis Ionawr 1966 a mis Tachwedd 1969.

John Jenkins a wnaeth y bom a laddodd William Jones a George Taylor, 'Merthyron Abergele', wrth iddynt ei osod yn y dref honno ar ddiwrnod Arwisgo'r Tywysog Charles ym mis Gorffennaf 1969, a'r ddwy farwolaeth hyn a sicrhaodd yn y diwedd mai carchar fyddai tynged Jenkins. Dechreuodd rhai a fu gynt yn cydweithio â'r bomwyr anesmwytho a dod yn fwy bodlon rhoi gwybodaeth i'r heddlu. Ar yr un pryd dwysawyd ymdrechion yr heddlu i ddod o hyd i arweinwyr yr ymgyrch fomio.

Rhingyll yng Nghorfflu Deintyddol y Fyddin oedd Jenkins, yn gyfrifol am storfeydd deintyddol gwersyll milwrol yng Nghaer, ac yn y storfeydd hynny y byddai ef yn storio'r deunydd yr oedd ei angen arno i lunio ei fomiau. Ym mis Medi 1969 aeth heddweision i holi John Jenkins yn y gwaith yng Nghaer, a phenderfynodd yntau wedi iddynt ymadael y cuddiai ei ffrwydron yng nghartref Frederick Alders. Felly, ar 2 Tachwedd 1969 pan aeth heddweision i chwilio yn nhŷ Jenkins a thŷ Alders a'i briod newydd yn Wrecsam daethant o hyd yn ddidrafferth i ddyfeisiau amseru, batris, gwifrau a nifer o ddarnau gelignit.

Yr oedd Jenkins ar y dechrau yn wynebu pedwar ar bymtheg o gyhuddiadau ynglŷn â chadw ffrwydron ac achosi ffrwydriadau. Wedi gwadu pob un i ddechrau, cytunodd i bledio'n euog i wyth a gollyngwyd y lleill. Derbyniodd Alders ddedfryd fyrrach na'i gyd-ddiffynnydd wedi iddo gytuno i roi tystiolaeth yn ei erbyn.

Rhyddhawyd Jenkins yn 1976: er ei fod yn enwog fel terfysgwr a gafodd ei restru ymhlith carcharorion 'Categori A', rhyddhawyd ef o'r carchar bedair blynedd cyn pryd ar bwys ei ymddygiad rhagorol. Nid oedd chwe blynedd yn y ddalfa wedi pylu dim ar ei genedlaetholdeb tanbaid, ac roedd yn dal i fynnu'r un mor gryf fod modd gwneud Cymru'n wlad sosialaidd annibynnol. Wrth siarad â Derek Hooper o'r *Western Mail* bum wythnos wedi ei ryddhau awgrymodd Jenkins y gallai droi'n ôl at dactegau treisgar i gyrraedd ei nod. Pan ofynnodd Hooper iddo beth a ddigwyddai pe na allai ef a'i debyg ennill grym yng Nghymru trwy ddulliau arferol, atebodd Jenkins, *'There is a complex organisation still in existence. It can be reactivated at any time.'*

'Ynfytion yn y llys'

Daeth cymorth o gyfeiriad annisgwyl ym mis Ionawr i un o aelodau Cymdeithas yr Iaith Gymraeg pan gafodd ei garcharu am wrthod talu dirwy o £56 am beintio dros arwyddion ffyrdd uniaith Saesneg. 21 o ynadon a dalodd ddirwy Dafydd Iwan, a'r rhai hynny wedi'u hysgogi gan E.D Jones, cyn-Lyfrgellydd Cenedlaethol Cymru, a ysgrifennodd lythyron at ddeugain o ynadon yn eu rhybuddio yr agorai carcharu Dafydd Iwan agendor rhwng yr hen do a'r to ifanc yng Nghymru. Glyn Simon, Archesgob Cymru, a aeth i'r carchar a dweud wrth Dafydd Iwan am y weithred. Rhyddhawyd y protestiwr wedi tair wythnos o ddedfryd tri mis.

Ar 4 Chwefror, wythnos cyn rhyddhau Dafydd Iwan dedfrydwyd pedwar ar ddeg o aelodau Cymdeithas yr Iaith Gymraeg i dri mis o garchar am dorri ar draws achos enllib yn yr Uchel Lys yn Llundain. Yr oedd 22 o brotestwyr wedi rhuthro i mewn i'r llys yn bloeddio canu a dosbarthu taflenni. Arestiwyd pob un a'u symud i'r celloedd cyn cael eu dwyn gerbron y barnwr y torasant ar draws ei lys, Mr. Ustus Lawton. Cytunodd wyth i ymddiheuro am y weithred a chael eu rhyddhau, ond gwrthododd y 14 arall a charcharwyd hwy yn y fan a'r lle am dri mis. Rhyddhawyd 11 wythnos wedyn gan y Llys Apêl, ond gwrthododd tri – Arfon Gwilym, Ffred Ffransis a Rhodri Morgan – apelio a dewis yn lle hynny dreulio'r tri mis yn y carchar. Tynnodd y brotest sylw mawr yng Nghymru a hefyd ymhlith papurau newydd Llundain. 'Idiots in Court' oedd pennawd erthygl olygyddol The Sun am ddiwrnod mawr Cymdeithas yr Iaith yn y ddinas.

Colli'r mawrion

Bu sawl colled i'r genedl yn ystod y flwyddyn hon wrth i nifer o fawrion ei bywyd cyhoeddus farw. Cyn diwedd mis Ionawr bu farw'r awdur a'r cenedlaetholwr D.J. Williams (4 Ionawr), sylfaenydd yr Urdd, Syr Ifan ab Owen Edwards (23 Ionawr), a'r cyn-Archdderwydd Cynan (26 Ionawr). Ar 2 Chwefror yn ei gartref ym Mhlas Penrhyn, Meirionnydd, bu farw'r athronydd Bertrand Russell, ac ar 7 Mai collwyd y nofelydd a'r dramodydd Jack Jones o Ferthyr Tudful. Ar 3 Mehefin, bu farw'r athronydd o Bwllheli, J.R. Jones ac yn Abergele ar 9 Tachwedd bu farw'r undebwr llafur, y gwleidydd a'r bardd, Huw T. Edwards o Ddyffryn Conwy, dyn a ddisgrifiwyd unwaith fel 'Prif Weinidog answyddogol Cymru'.

'Fel bomiau'n ffrwydro'

uchod:
Cwymp Pont Cleddau.

'Daeth e lawr gyda sŵn fel bomiau'n ffrwydro'. Dyna ddisgrifiad un wraig leol o'r drychineb a laddodd bedwar o weithwyr ac anafu chwech eraill yn sir Benfro ar 2 Mehefin pan gwympodd darn 250 troedfedd o'r bont a oedd yn cael ei chodi dros Afon Cleddau o Fferi Penfro i Burton. Yn wyrthiol, syrthiodd y darn, a oedd yn pwyso tua phum can tunnell, rhwng dwy res o dai ym mhentref Fferi Penfro ond heb anafu neb o'r trigolion. Cofnodwyd amser y cwymp i'r union funud ar fysedd cloc trydan un o'r tai wrth i'r cysylltiad trydan gael ei dorri.

Yr oedd y pedwar a fu farw a'r chwech a anafwyd i gyd yn ddynion lleol o Benfro, Doc Penfro ac Aberdaugleddau.

Reardon yn pocedu'r goron

Ray Reardon, pencampwr y byd.

Ar 11 Ebrill yn Neuadd Victoria, Llundain, enillodd Ray Reardon o Dredegar Bencampwriaeth Snwcer y Byd am y gyntaf o chwech o weithiau pan drechodd John Pulman wedi gêm 73 ffrâm dros gyfnod o dridiau.y

Er iddo fethu â dal ei afael ar Bencampwriaeth y Byd yn 1971, bu Reardon yn fuddugol yn y gystadleuaeth ym mhob blwyddyn o 1973 i 1976 a thrachefn yn 1978. O 1976, pan ddechreuwyd cyhoeddi tabl o chwaraewyr, hyd 1980, ef oedd chwaraewr snwcer rhif 1 y byd, ac yn 1979 ac 1980 bu'n gapten ar dîm Cymru a enillodd Gwpan Snwcer y Byd. Yn 17 oed yn 1950, yr oedd wedi ennill Pencampwriaeth Snwcer Amatur Cymru, a'i hennill wedyn bob blwyddyn tan 1955 cyn symud i fyw i Loegr a gadael ei waith mewn pwll glo i fod yn heddwas. Pan gipiodd Bencampwriaeth y Byd yn 1978 yn 45 mlwydd a 6 mis oed, ef oedd y dyn hynaf erioed i ddal y teitl.

Buddugoliaeth olaf S.O.

Cafwyd nifer o ganlyniadau hynod ac annisgwyl yn yr Etholiad Cyffredinol a gynhaliwyd ar 18 Mehefin.

Er i'r Blaid Lafur golli pedair sedd i'r Blaid Geidwadol yng Nghymru, mae'n debyg mai'r sedd a gollwyd i un a fu gynt yn Llafurwr selog a ddenodd fwyaf o sylw. Ym Merthyr Tudful bu buddugoliaeth gofiadwy iawn i S.O. Davies, y dyn a gynrychiolodd y dref yn enw'r Blaid Lafur er 1934, ond a safodd fel Llafurwr Annibynnol yn erbyn ymgeisydd swyddogol ei hen blaid. Yr oedd Davies yn 82 oed ar y pryd a chredai swyddogion y Blaid Lafur fod yr hen sosialydd bellach yn rhy hen i fod yn Aelod Seneddol, syniad a wrthodwyd gan Davies yn chwyrn. 'Pryd ŷch chi'n mynd i ymddeol 'te, S.O.?' gofynnodd Dai Francis, Ysgrifennydd Ffederasiwn Glowyr De Cymru, iddo ar y pryd. 'Mae hwnna'n dibynnu ar bryd gallan nhw ffindo rhywun gwell i gymeryd fy lle i,' atebodd Davies, 'yr hwn sy' gyda nhw miwn golwg, dyw e ddim yn wilia'r Gymraeg hyd yn o'd!'

Yr oedd Davies wedi ennill ei sedd yn 1934 gyda mwyafrif mawr ac wedi ei dal oddi ar hynny'n weddol ddidrafferth. Hyd yn oed heb gefnogaeth swyddogol y Blaid Lafur derbyniodd 16,701 o bleidleisiau, a'i roi ymhell ar y blaen i'r ymgeisydd swyddogol, Tal Lloyd, a gafodd 9,234.

Er bod hyn yn destun syndod i rai'r tu allan i Ferthyr, i lawer un yn y dref yr oedd y rhesymau am ei fuddugoliaeth yn ddigon

S.O. Davies ar ei ffordd yn ôl i Lundain ar ôl yr etholiad.

amlwg. Yn ogystal â'r brif ymgyrch gan S.O. Davies a'i ddilynwyr, yr oedd ymgyrch fawr ac answyddogol wedi tyfu dros ei ail-ethol, ymgyrch a oedd yn dibynnu i gryn raddau ar nifer mawr o bobl ifanc heb deyrngarwch sefydlog i'r un blaid wleidyddol. Teithiodd tri chant a hanner o bobl trwy'r etholaeth mewn cant o geir yn canfasio gyda phosteri, sloganau a chaneuon. Addaswyd caneuon poblogaidd y dydd a'u canu'n frwd i fynegi

cefnogaeth i Davies. Dewisodd llawer o bleidleiswyr traddodiadol Llafur ffafrio Davies yn hytrach na'i hen blaid, a chafodd gefnogaeth hefyd gan rai o Blaid Cymru a edmygai ei safiad dros ymreolaeth a'r iaith Gymraeg, a hyd yn oed gan rai Ceidwadwyr, cymaint oedd ei apêl bersonol.

Daliodd y sedd am lai na dwy flynedd – bu farw ar 25 Chwefror 1972. Bu'n ymgyrchu hyd y diwedd ac ymhlith ei ddatganiadau cyhoeddus olaf yr oedd rhai o blaid ysgol feithrin Gymraeg i Ferthyr ac yn erbyn un o'i gas bethau, y Farchnad Gyffredinol Ewropeaidd. Aeth sedd Merthyr Tudful yn ôl i'r Blaid Lafur mewn isetholiad ar 13 Ebrill.

Ymhlith y seddi a gollodd Llafur i'r Ceidwadwyr yr oedd sedd Penfro lle safodd Desmond Donnelly, a fu'n cynrychioli'r sedd dros Lafur er 1950, fel ymgeisydd dros ei Blaid Ddemocrataidd ei hun. Diarddelwyd Donnelly o'r Blaid Lafur ym mis Mawrth 1968, ac am ddwy flynedd wedyn bu'n eistedd yn y Senedd fel Llafurwr Annibynnol. Pan ddaeth yr Etholiad Cyffredinol yr oedd yn eglur fod cefnogwyr Llafur Penfro wedi'u hollti'n ddwfn rhwng y rhai a roddai gefnogaeth bersonol i Donnelly a'r rhai a lynai wrth y blaid yr oedd ef wedi cefnu arni. O ystyried mai dim ond 1,231 o bleidleisiau a oedd rhwng y Ceidwadwr buddugol, Nicholas Edwards, a Gordon Parry o'r Blaid Lafur, yr oedd cyfanswm Donnelly o bron deuddeg mil o bleidleisiau yn allweddol wrth benderfynu'r canlyniad.

Am y tro cyntaf erioed safodd ymgeiswyr Plaid Cymru ymhob sedd yn y wlad, ac er i'r cenedlaetholwyr golli eu hunig sedd Seneddol – Caerfyrddin – bu cryn ddathlu yn eu plith pan welwyd bod y Blaid wedi casglu 175,016 o bleidleisiau (11.5%) ac felly wedi disodli'r Rhyddfrydwyr, a gafodd 103,747 (6.8%), fel y drydedd blaid o ran cefnogaeth yng Nghymru. Bellach, Emlyn Hooson yn sir Drefaldwyn oedd unig Aelod Seneddol y Blaid Ryddfrydol i'r gorllewin o Glawdd Offa.

Fel yn 1966 bu wyth o ymgeiswyr Comiwnyddol yng Nghymru, ac am y tro cyntaf erioed, safodd ymgeisydd dros y Ffrynt Cenedlaethol – cafodd G.W Parsons 982 o bleidleisiau dros y ffasgwyr yn sedd De-Ddwyrain Caerdydd.

Gyda buddugoliaeth i'r Ceidwadwyr ym Mhrydain, Peter Thomas oedd y Ceidwadwr cyntaf i gael ei benodi'n Ysgrifennydd Gwladol Cymru. Er bod Thomas yn hanu o Gymru, ac wedi cynrychioli sedd Conwy am bymtheng mlynedd, anfodlon iawn oedd llawer un ei fod bellach yn llywodraethu yn ei famwlad tra'n eistedd dros sedd Seneddol De Hendon yn Llundain. *[LLIW 18]*

Broome yn neidio i'r blaen

Yn La Baule, Llydaw, enillodd y ffermwr David Broome o Grugau Morgan ger Casgwent, Bencampwriaeth Neidio Ceffylau'r Byd ar gefn y ceffyl *Beethoven* wedi rownd derfynol anodd lle y bu'r pedwar cystadleuwr yn marchogaeth ceffylau ei gilydd.

Bu Broome, a oedd yn fab i hyfforddwr ceffylau, eisoes yn bencampwr Ewrop dair gwaith – yn 1961 ar *Sunsalve* ac yn 1967 ac 1969 ar *Mister Softee* – a phencampwr Prydain chwech o weithiau rhwng 1961 ac 1986.

Rhwng 1960 ac 1991 enillodd Gwpan Aur Siôr V chwech o weithiau ar chwech o geffylau gwahanol, a chipiodd fedalau efydd yng Ngemau Olympaidd Rhufain yn 1960 ar *Sunsalve* ac ym Mecsico yn 1968 ar *Mister*

David Broome ar gefn *Beethoven*.

Softee. Cystadlodd yn y Gemau Olympaidd bump o weithiau rhwng 1960 ac 1988 a dim ond anaf a'i cadwodd rhag cymryd rhan am y chweched tro yn 1992.

Adfer y fro Gymraeg

dde: Adferwyr ifanc yn paratoi i adfer tŷ ym Mhenrhyndeudraeth.

Yn Ysgol y Pasg Cymdeithas yr Iaith yn Aberystwyth ym mis Mawrth, sefydlwyd y mudiad radicalaidd Adfer yn sgil araith gan Emyr Llewelyn, mab y llenor T. Llew Jones, ac un a garcharwyd am ei brotest yn erbyn boddi Cwm Celyn. Gan ymwrthod â'r syniad o weithio dros Gymru ddwyieithog, byddai aelodau Adfer yn ymdrechu dros greu cymdeithas uniaith Gymraeg, yn enwedig yn y rhannau o'r gogledd a'r gorllewin a ystyrid yn rhannau o'r 'Fro Gymraeg'. Honnodd Emyr Llywelyn mai gwastraff egni ac adnoddau oedd ceisio Cymreigio Cymru i gyd, 'ond breuddwyd cwbl ymarferol fyddai troi siroedd y Gorllewin yn Gymraeg o fewn ugain mlynedd'. Ym mis Medi cofrestrwyd Cwmni Adfer i brynu tai yn y 'Fro Gymraeg' ac ymhlith gweithgareddau cyntaf y mudiad newydd yr oedd 'penwythnosau gwaith' pan alwyd ar Gymry ifanc i ymroi i drwsio hen dai a gweithio ar ffermydd mewn ardaloedd Cymraeg. Yn 1971 prynodd y mudiad ei dŷ cyntaf, Tŷ Gwyn, Tregaron, Ceredigion, a dechrau ei atgyweirio, a'r flwyddyn wedyn dechreuwyd lledaenu syniadau'r mudiad trwy'r cylchgrawn *Yr Adferwr*.

Ym mis Mehefin 1987 cyhoeddwyd *Maniffesto Adfer* lle datganwyd ei safbwynt egwyddorol mai 'iaith, ac nid dim arall, a wna genedl', a chynnig rhestr o bolisïau i sicrhau mai Cymraeg, a Chymraeg yn unig, fyddai iaith gorllewin Cymru.

Pont Brittannia ar dân

Am 9.40 nos Sadwrn 23 Mai aeth Pont Brittania, y bont reilffordd dros afon Menai, ar dân. Gan fod to'r bont wedi'i wneud o bren wedi'i goltario, cydiodd y tân yn gyflym a methodd y frigâd dân â'i reoli. Bu'r bont yn llosgi am naw awr a thyrrodd cannoedd o bobl yno i wylio trawstiau llosg yn syrthio i'r Fenai. Awgrymwyd i ddechrau mai plant oedd yn gyfrifol am gynnau'r tân.

Adeiladwyd y bont gan Robert Stephenson 120 o flynyddoedd ynghynt, a bu ar dân unwaith o'r blaen ym mis Mehefin 1946, ond y tro hwn roedd y difrod yn ddigon i atal trafnidiaeth am gyfnod hir. Achosai hyn gryn bryder i weithwyr porthladd Caergybi gan y torrwyd yr unig gysylltiad rheilffordd rhwng ynys Môn a gweddill Cymru.

Ailadeiladwyd y bont reilffordd a llwyddwyd yn ogystal i adeiladu ffordd newydd a redai uwchlaw iddi, a thrwy hynny wella'r cysylltiadau trafnidiol dros Fenai. Agorwyd y bont newydd yn 1972.

Gadael bryniau'r glaw

Pan ddaeth y Dr. Norman Tunnell a'i wraig i Gymru o'r India ym mis Ionawr, rhoi diwedd a wnaethant ar y fenter dramor fwyaf hir-hoedlog a gynhaliwyd erioed gan Gymry – cenhadaeth y Methodistiaid Calfinaidd (Eglwys Bresbyteraidd Cymru bellach) ym mryniau glawog Khasia.

Yn 1841 y dechreuodd cenhadaeth Methodistiaid Cymru yng ngogledd-ddwyrain yr India, a'r Parch. Thomas Jones o Aberriw, sir Drefaldwyn, oedd y cyntaf o tua dau gant o genhadon o Gymru i fentro i'r ardal. Thomas Jones a roddodd i bobl Khasia yr wyddor Khasi a fu'n allweddol i sefydlu llythrennedd a llenyddiaeth yno, ac erbyn 1890 yr oedd y Beibl cyfan i'w gael yn yr iaith leol. Sefydlwyd ysbytai ac ysgolion, ond er cymaint o les a wnaeth y cenhadon i bobl Khasia, y mae'n wir iddynt hefyd ddinistrio llawer o draddodiadau'r ardal a'i gwneud yn lle llai lliwgar o'r herwydd.

Ar ôl i'r India ennill ei hannibyniaeth oddi wrth Brydain yn 1947, cynyddodd y teimlad ymhlith rhai Indiaid mai pethau estron a di-alw-amdanynt oedd y cenadaethau Cristnogol yn y wlad. Tua diwedd y '60au, dechreuodd yr olaf o'r cenhadon o Gymru ymadael gan roi eu heglwys yng ngofal ei haelodau brodorol. Erbyn y '90au yr oedd tua thri chan mil o aelodau yn yr eglwys bresbyteraidd a grëwyd gan y Cymry yn Khasia.

1971

1 Ionawr

Ym Mhrydain cyflwynwyd cyfreithiau a olygai bod ysgariad yn rhwyddach.

2 Ionawr

Yn Glasgow, lladdwyd 66 o gefnogwyr pêl-droed wrth i glwydi atal tyrfa ddymchwel ym Mharc Ibrox.

15 Chwefror

Mabwysiadwyd arian degol gan Brydain.

29 Mawrth

Cafwyd swyddog ym myddin yr Unol Daleithiau'n euog o lofruddio sifiliaid yng nghyflafan Mylai, Fietnam, yn 1968.

11 Awst

Adroddwyd i 12 gael eu lladd gan yr IRA yng Ngogledd Iwrddon wedi i'r awdurdodau yno arestio 300 o weriniaethwyr dan bwerau argyfwng newydd.

11 Medi

Bu farw'r cyn-arweinydd Sofietaidd Nikita Krushchev.

17 Rhagfyr

Daeth y rhyfel rhwng India a Phacistan i ben ar ôl pythefnos o ymladd ac, o ganlyniad i fuddugoliaeth India, daeth Bangladesh yn wlad annibynnol gan dorri'r cysylltiad â Phacistan.

20 Rhagfyr

Lladdwyd 15 o bobl gan fom a osodwyd gan yr IRA mewn tafarn ym Melfast.

Meithrin y plant

Plant Ysgol Feithrin Llandegfan – gyda Dewi Pws.

Mewn cyfarfod ar 25 Medi yn Aberystwyth, sefydlwyd Mudiad yr Ysgolion Meithrin i ddarparu addysg feithrin Gymraeg i blant Cymru. Yn 1943 yr oedd Ifan ab Owen Edwards wedi ychwanegu dosbarth meithrin at ysgol Gymraeg yr Urdd, ac yn ystod y '50au sefydlwyd nifer o ysgolion meithrin gan rieni yn y De. Mewn ardaloedd lle oedd y Gymraeg ar drai yr oedd yr awydd fwyaf i greu'r fath ysgolion, ond yn 1963 gwelwyd yr ysgol feithrin Gymraeg gyntaf yn y Gogledd, ym Mangor. Yn yr un flwyddyn ffurfiodd Trefor a Gwyneth Morgan Gronfa Glyndŵr i noddi addysg Gymraeg a thrwy hynny roi hwb mawr i dwf ysgolion meithrin.

Yr oedd Cyfrifiad 1961 wedi dangos bod nifer y siaradwyr Cymraeg yn disgyn yn gyflym. Pryder ynglŷn â dyfodol yr iaith yn hytrach na thros addysg feithrin fel y cyfryw oedd prif ysgogiad pleidwyr yr ysgolion meithrin Cymraeg.

Nid sylfaenwyr Mudiad Ysgolion Meithrin oedd y cyntaf o bell ffordd i ymboeni ynghylch addysg Gymraeg i blant dan bump oed, ond aethant ati o ddifrif am y tro cyntaf i osod y cyfan ar seiliau cenedlaethol trefnus. Yn 1972 dechreuwyd cyhoeddi'r daflen newyddion *Meithrin* dan olygyddiaeth Gwilym Roberts i hysbysebu gweithgareddau'r mudiad, ac yn y blynyddoedd wedyn cynhyrchwyd llyfrau fel *Caneuon Chwarae* a *Llawlyfr Meithrin* i ateb y diffyg adnoddau addysg Cymraeg. Sefydlwyd hefyd gyrsiau hyfforddi i'r rhai a fynnai weithio mewn cylchoedd meithrin.

Bu rhywfaint o drafod yn y blynyddoedd cynnar ynglŷn â phwy a gâi ymuno â'r cylchoedd meithrin, gyda rhai rhieni Cymraeg yn pryderu y câi eu plant hwy eu Seisnigeiddio pe bai llawer o blant o gartrefi di-Gymraeg yn ymuno, ond yn 1977 cadarnhawyd polisi 'drws agored' y mudiad i blant o bob cefndir.

Erbyn canol y '90au yr oedd mwy na mil o grwpiau yn bodoli o dan nawdd y Mudiad.

Y Gymraeg a'r maes glo ar drai

Dangosodd y Cyfrifiad fod mwy o bobl yn gweithio ar y tir nag yn y pyllau glo am y tro cyntaf er 1881, arwydd glir o ddirywiad diwydiant a fu unwaith yn ganolog i economi Cymru. Yr oedd bellach 36,000 o lowyr ym maes glo'r De, o gymharu â 232,000 hanner can mlynedd ynghynt.

Dwysaodd y Cyfrifiad bryder cefnogwyr yr iaith Gymraeg trwy ddangos cwymp sylweddol yn y nifer o siaradwyr o gyfanswm o 656,000 (26%) yn 1961 i 542,425 (20.9%) ddeng mlynedd yn ddiweddarach. Yr oedd y cwymp i'w weld ym mhob man ond ar Ynys Môn, ac yr oedd ar ei fwyaf ym Morgannwg lle oedd y nifer o siaradwyr wedi disgyn o 201,000 (17.2%) i 141,000 (11.8%).

Hwn oedd y Cyfrifiad cyntaf i ofyn i bobl a fedrent ddarllen ac ysgrifennu'r Gymraeg, ac mae'n debyg fod y cwestiwn hwn wedi peri i rai pobl wadu eu bod yn gallu siarad yr iaith am nad oeddynt am gyfaddef eu bod yn anllythrennog ynddi.

Un ferch mewn cwch

Nicolette Milnes-Walker
a'i thad yn llwytho'r cwch.

Pan gyrhaeddodd Newport, Rhode Island, yn Unol Daleithiau America ar 26 Gorffennaf, Nicolette Milnes-Walker, 28 oed, o Gaerdydd oedd y ferch gyntaf i hwylio'n ddi-stop ar ei phen ei hun ar draws Môr yr Iwerydd, taith o dair mil a hanner o filltiroedd.

Gadawodd Dale, sir Benfro, ar 12 Mehefin yn y slŵp 30 troedfedd, *Aziz*, a chymerodd chwech wythnos i orffen ei thaith. Dychwelodd i Brydain wedyn ym moethusrwydd y llong *Queen Elizabeth II*.

Yn ystod y daith hir bu Milnes-Walker yn tapio ei sylwadau a'i theimladau ar beiriant recordio, gan ddweud y byddai astudio ei hymateb ei hun i straen ac unigrwydd yn gymorth i'w gwaith fel seicolegydd yn Athrofa Wyddoniaeth a Thechnoleg Prifysgol Caerdydd. Cyfaddefodd wedi dychwelyd adref ei bod wedi sefyll yn noeth ar ddec ei chwch ar un achlysur yn canu emynau i'r gwylanod i ladd yr undonedd.

Dwy gymdeithas newydd

Ar 7 Ebrill yn Abertawe, ffurfiwyd Llafur – y Gymdeithas Astudio Hanes Llafur Cymru – dan ei chadeirydd yr Athro Ieuan Gwynedd Jones, fel cymdeithas agored a'i haelodaeth heb ei chyfyngu i haneswyr academaidd yn unig.

Ac yn Eisteddfod Genedlaethol Bangor ym mis Awst daeth nifer o wyddonwyr Cymraeg ynghyd i sefydlu'r Gymdeithas Wyddonol Genedlaethol. Cynhaliodd aelodau cymdeithasau gwyddonol Caerdydd ac Aberystwyth 'Babell Wyddonol' ar y Maes gydag arddangosfeydd o wahanol bynciau gwyddonol, gan gynnwys nifer o declynnau electronig a fu'n atyniad mawr i eisteddfodwyr. Prif nod y gymdeithas oedd sbarduno eraill i sefydlu cymdeithasau lleol i drafod gwyddoniaeth yn y Gymraeg.

Lewis yn ennill yn Epsom

Ar 2 Mehefin, Geoff Lewis o Dalgarth, sir Frycheiniog, oedd y joci cyntaf o Gymru i ennill ras fawr *Derby* Epsom, ar y ceffyl *Mill Reef*. Dynododd y fuddugoliaeth ddechreuad partneriaeth rasio nodedig iawn, ac aeth y joci a'r ceffyl ymlaen yn ail hanner y flwyddyn i ennill pedair ras fawr, gan gynnwys y *Prix de l'Arc de Triomphe*. Yn yr un tymor cipiodd hefyd y *Coronation Cup* a'r *Oaks*, a dwy flynedd wedyn yn 1973 cafodd ddwbl nodedig pan enillodd yr *Oaks* a'r *1,000 Guineas* ar *Mysterious*.

Yr oedd Geoff Lewis yn un o 13 o blant, ac wedi dechrau ei yrfa fel joci yn brentis i Ronald Smyth yn Epsom. Yn 1964 daeth dan yr hyfforddwr Ian Balding, a Balding a hyfforddodd *Mill Reef* ar gyfer y *Derby* .

Geoff Lewis ar gefn *Mill Reef*.

Lladd milwyr o Gymru

Ar 14 Medi, y Rhingyll Martin Caroll o Abergynolwyn, Meirionnydd, oedd y cyntaf o bymtheng milwr o Gymru a laddwyd yn helyntion gwaedlyd Gogledd Iwerddon. Cymerodd milwyr Prydeinig gyfrifoldeb am blismona'r dalaith ar 19 Awst 1969, ond er mai amddiffyn y gymuned Gatholig rhag trais Protestaniaid eithafol oedd eu hamcan cyntaf, daeth y milwyr yn fuan wedyn yn darged i ymosodiadau'r *IRA* a gweriniaethwyr Gwyddelig eraill.

Bu farw Caroll yn Derry, a chyn diwedd y flwyddyn, roedd dau Gymro arall wedi'u lladd gan derfysgwyr. Caroll oedd y pedwerydd milwr ar bymtheg o Brydain i'w ladd er pan ddechreuodd helyntion Gogledd Iwerddon.

Robert Davies, 19 oed, oedd y milwr olaf o Gymro i gael ei ladd cyn y cadoediad a arweiniodd at gytundeb heddwch 1998. Saethwyd ef yn Lichfield, canolbarth Lloegr, ar 1 Mehefin 1990 wrth ddisgwyl trên i fynd yn ôl i'w gartref ym Mhontarddulais. Dilynwyd ef gan ei lofruddion o Faracs Lichfield a lladdwyd ef yng ngorsaf y dref er gwaethaf y ffaith fod y lle dan ei sang gan bobl ar y pryd.

Rio Tinto ym Môn

Yng Nghaergybi, Ynys Môn, agorwyd ffatri Alwminiwm Môn gan y ddau gwmni mawr, Rio Tinto Zinc o Brydain a Chorfforaeth Alwminiwm a Chemegol Kaiser o Unol Daleithiau America. Daeth y fentr newydd â mil o swyddi i'r ardal a oedd yn dioddef yn ddrwg o ddiweithdra.

Sefydlwyd y ffatri – a weithiai 24 awr y dydd 7 diwrnod yr wythnos – ar gost o £80 miliwn, a denodd weithwyr o leoedd cyn belled i ffwrdd â Dyffryn Nantlle yn sir Gaernarfon, a Glannau Mersi. Dewiswyd y safle ar Ynys Môn am fod harbwr dwfn i'w gael yng Nghaergybi a chysylltiad parod drwy reilffyrdd â phob rhan o Brydain. Yr oedd hefyd gyflenwad trydan cyfleus i'w gael o Atomfa'r Wylfa gerllaw.

Yn ogystal â'r gweithfeydd, sefydlwyd fferm gymysg o dir pori a thir âr yn ymyl y gwaith a hefyd Gwarchodfa Natur Penrhos, un o'r prif atyniadau i ymwelwyr â Môn.

Ynys ar werth

£95,000 oedd y pris ar 1 Rhagfyr pan werthodd Arglwydd Niwbwrch Ynys Enlli. Bu'r ynys yn eiddo i deulu'r Arglwydd er tri chan mlynedd, a rhoddwyd hi ar werth ym mis Medi 1970 er mwyn talu costau cynnal ei ystadau o ugain mil o erwau yng ngogledd Cymru. Nid oedd ar yr ynys ond un ffermwr ar ôl – William Evans o Fferm Tŷ Uchaf – a dywedodd ef ei fod yn fodlon gwerthu ei dri chant o ddefaid a'i ddeg o wardeg i'r perchennog newydd.

Michael Pearson, etifedd ystâd yr Arglwydd Cowdray ac un o bum dyn cyfoethocaf Prydain ar y pryd, oedd y prynwr. Er nad oedd eto ond yn saith ar hugain oed, yr oedd Pearson eisoes yn adnabyddus fel gŵr busnes a pherchennog dau hofrennydd a chwch moethus. Am ei £95,000 cafodd 444 o erwau o dir ynghyd â chapel, ysgol, deuddeg o dai a bythynnod, ac esgyrn ugain mil o saint Celtaidd cynnar a gladdwyd yn Enlli yn ôl y traddodiad.

Penllanw'r protestio

Llosgi trwyddedau teledu o flaen canolfan y BBC ym Mangor.

Dwysawyd protestiadau Cymdeithas yr Iaith Gymraeg yn ystod y flwyddyn hon, gyda'r pwyslais ar y frwydr am arwyddion dwy-ieithog ac am sefydlu gwasanaeth radio a theledu Cymraeg.

Ym mis Chwefror restiwyd wyth aelod blaenllaw o'r Gymdeithas mewn cyrch dramatig a'u cyhuddo o gynllwyn. Yn ystod yr achos ym Mrawdlys Abertawe ym mis Mai daeth 1500 o bobl o bob oedran i brotestio a charcharwyd nifer ohonynt am darfu ar y llys. Roedd dyfarniad cyfrwys y Barnwr Mars Jones, carchariad trwm ond gohiriedig, yn fodd i dawelu rhai o arweinwyr y Gymdeithas, ond daeth eraill yn eu lle a gwelwyd protestiadau pellach ar hyd a lled y wlad.

Yn yr ymgyrch ddarlledu cytunodd dros 250 o deuluoedd i beidio â phrynu trwydded deledu, tra bu eraill yn dringo mastiau darlledu ac yn ymyrryd â stiwdios teledu. Ym mis Chwefror cerddodd criw o fyfyrwyr o Lanelwy i Fangor a llosgi'u trwyddedau teledu o flaen canolfan y BBC.

Archesgob Nodedig

dde:
Glyn Simon, Archesgob Cymru

Daeth un o gyfnodau bywiocaf yr Eglwys yng Nghymru i ben ar 30 Mehefin pan ymddeolodd Glyn Simon fel Archesgob Cymru. Prin dair blynedd y bu yn y swydd cyn iddo orfod ymddiswyddo fel canlyniad i salwch difrifol, a chymerwyd ei le gan Gwilym Owen Williams, Esgob Bangor.

Yr oedd iddo bersonoliaeth rymus, a chyrhaeddodd anterth ei ddylanwad ar yr Eglwys yng Nghymru tra oedd yn Esgob Llandaf o 1957 i 1968. Amlygodd ei hun yn y wlad hefyd am ei gefnogaeth i achosion y tu allan i fusnes eglwysig pur, fel diarfogi niwclear, Rhyfel Fietnâm, a'r iaith Gymraeg. Ac yntau wedi ei fagu gan rieni Cymraeg i fod yn uniaith Saesneg, gwnaeth ei orau i feistroli'r iaith wedyn, ac yn 1957 dadleuodd yn erbyn penodi'r Sais cwbl ddi-Gymraeg, A.E. Morris, yn Archesgob Cymru. Daeth yn amlwg iawn yn 1966 am ei ofal bugeiliol dros deuluoedd Aber-fan, ac am ei ddatganiadau llym yn erbyn y rhai a adawodd i'r drychineb ddigwydd.

Bu farw Simon lai na blwyddyn wedi iddo ymddeol, ar 14 Mehefin 1972. Bu G.O. Williams yn Archesgob Cymru hyd fis Medi 1982.

Carwyn

dde:
Carwyn James yn gwisgo crys y Llewod.

Wedi methu yn ei ymgais i gipio sedd Llanelli yn Etholiad cyffredinol 1970, dychwelodd ymgeisydd Plaid Cymru, Carwyn James, i'w genhadaeth arall, sef hyfforddi rygbi, pan ddewiswyd ef i fod yn hyfforddwr ar daith tîm rygbi'r Llewod yn Seland Newydd.

Cymry oedd tri ar ddeg o'r garfan, o'u cymharu â chwech o chwaraewyr ar y mwyaf o bob un arall o wledydd Prydain. John Dawes, un o'r chwech o chwaraewyr yn y garfan o glwb Cymry Llundain, a benodwyd yn gapten, ond Barry John, maswr Caerdydd, oedd seren y daith, a chafodd ei lysenwi 'Y Brenin' am ei gampau. Ymhlith yr enwogion Cymreig a ddisgleiriodd yr oedd y mewnwr, Gareth Edwards, a'r asgellwr Gerald Davies. Er mor dalentog oedd y chwaraewyr, priodolwyd llawer o lwyddiant y Llewod i dactegau ysbrydoledig yr hyfforddwr.

Enillodd y Llewod dair ar hugain o'u pump ar hugain o gemau yn Seland Newydd, gan gynnwys dwy o'u pedair Gêm Brawf yn erbyn y tîm cenedlaethol. Yn y Bedwaredd Gêm Brawf, cic adlam feistrolgar gan y cefnwr J.P.R Williams a roddodd y Llewod ar

y blaen cyn i Mains unioni'r sgôr dros y Selandwyr wyth munud o'r diwedd i wneud gêm gyfartal a rhoi'r Gyfres Brawf i'r teithwyr o ddwy fuddugoliaeth i un. Ond mae'n debyg mai'r gêm yn erbyn clwb Canterbury a gipiodd fwyaf o sylw – 'Y Gêm Gywilyddus' ydoedd yn ôl un papur newydd, gyda chwarae brwnt ac ymladd gwaedlyd yn arwain at sawl anaf.

Cyn troi'n hyfforddwr chwaraeodd Carwyn James ei hun dros Gymru ddwywaith yn 1958. Ef hefyd oedd hyfforddwr tîm Llanelli pan gurwyd Seland Newydd ar Barc y Strade ym mis Hydref 1972. Ond yr oedd ei syniadau blaengar am y gêm yn golygu na chafodd ei ddewis yn hyfforddwr i'r tîm cenedlaethol oherwydd agweddau Undeb Rygbi Cymru. Daeth yn adnabyddus wedyn am ei golofn rygbi graff a brathog ym mhapur newydd y *Guardian*, a bu'n cyfrannu at y papur hyd at ei farwolaeth gynamserol yn Ionawr 1983 yn Amsterdam. *[LLIW 73-74]*

Amigo
Dolgellau

Mewn gweithdy bach yn Nolgellau y dechreuodd y dylunydd ceir enwog, Frank Costin, gynhyrchu ei geir newydd o'i gynllun ei hun, yr *Amigo*. Ceir cyflym, dwy-sedd oedd y rhain, gyda *chassis* pren a chorff llyfn o ffibr gwydr, ond er mai pren tenau iawn a ddefnyddiodd i'w hadeiladu, haerodd Costin fod eu cynllun yn gwneud eu cyrff yn gryfach na dur.

Agorwyd gweithdy arall wedyn i gynhyrchu'r ceir yn Aberdyfi, ond pan benderfynwyd eu cynhyrchu ar raddfa fawr symudwyd y gwaith i safle ger Luton yn Lloegr.

Gwaith costus iawn oedd adeiladu'r ceir, ac aeth yr *Amigo* ar werth yn y diwedd am £3,326, pris a'i rhoddodd y tu hwnt i gyrraedd y rhan fwyaf o brynwyr. Yr oedd gweithdy Costin yn ddibynnol iawn ar nawdd ariannol sylweddol Paul Pyecroft, dyn cyfoethog yn byw yn ardal Dolgellau, a chanddo ddiddordeb brwdfrydig mewn ceir cyflym, ac yn fuan wedi i'r nawdd beidio yn 1972 daeth y fentr i ben.

Cythruddo
Artist

Galwyd yr heddlu i Oriel Gelf Casnewydd ar 5 Mai am fod dyn yn mynnu tynnu rhai o'r lluniau oddi ar y wal, ond ni ellid gwneud dim byd i atal y 'troseddwr' am mai'r artist a wnaeth y lluniau ydoedd.

Yr oedd yr arlunydd a'r cartwnydd dychanol enwog Gerald Scarfe wedi teithio'n

unswydd o Lundain i Gasnewydd i dynnu ei waith allan o arddangosfa yn sgil anghydfod rhyngddo ef a Chyngor Bwrdeistref Casnewydd ynglŷn â delweddau rhywiol mewn tri llun. Dywedodd Scarfe nad oedd am arddangos yr un o'i luniau yn y dref os oedd y cynghorwyr am ei sarhau trwy wahardd tri ohonynt. Wedi siarad â swyddogion yr oriel aeth Scarfe i brynu sgriwdreifars ac yn y cyfamser ffoniwyd am yr heddlu. Dywedodd y plismyn wrth yr arlunydd fod ganddo berffaith hawl i symud ei waith ei hun a chlowyd yr oriel tra oedd yn gwneud hynny.

Llwybr
y Clawdd

Mewn seremoni yn Nhrefyclo ar 10 Gorffennaf agorodd yr Arglwydd Hunt Lwybr Clawdd Offa yn ymestyn 177 o filltiroedd ar hyd ffin Cymru a Lloegr rhwng Prestatyn a Chas-gwent.

Sefydlwyd Llwybr Clawdd Offa fel un o un ar ddeg Llwybr Cenedlaethol yn sgil Deddf y Parciau Cenedlaethol 1949, ac ar ôl pwyso dyfal gan Gymdeithas Clawdd Offa dros agor yr ardal i gerddwyr. Gosodwyd rhan helaeth o'r llwybr, lle oedd hynny'n bosibl, i ddilyn y clawdd amddiffynnol a godwyd gan Offa, brenin Mersia, yn yr wythfed ganrif, a daeth yn fuan yn gyrchfan i luoedd o gerddwyr a oedd am fwynhau rhai o olygfeydd harddaf cefn gwlad y Gororau a threfi prydferth megis y Gelli Gandryll a Threfaldwyn.

Hodge yn bancio ar y Cymry

Julian Hodge gyda cherflyn ohono.

Ar 30 Hydref agorwyd Banc Masnachol Cymru (Banc Cymru wedyn) yng Nghaerdydd gan y miliwnydd o ŵr busnes, Syr Julian Hodge.

Pan gorfforwyd y banc yn gwmni preifat ar 9 Chwefror, gwireddwyd hen freuddwyd Hodge o greu banc cenedlaethol i Gymru er mwyn hybu diwydiannau'r wlad. Yn ôl un hanes yr oedd Hodge wedi'i ysbrydoli i sefydlu Banc Cymru yn 1942 pan roddwyd iddo hen bapur punt a gynhyrchwyd gan Fanc Casnewydd, un o hen fanciau annibynnol Cymru, yn 1812. Dechreuodd ystyried beth a allai gwerth a phwysigrwydd banc fel Banc Casnewydd fod pe bai wedi aros yn annibynnol. Ymhlith cyfarwyddwyr Banc Cymru yr oedd dau o Aelodau Seneddol Caerdydd, George Thomas a James Callaghan.

Arhosodd Syr Julian Hodge yn Gadeirydd arno tan 1985, a'r flwyddyn wedyn penodwyd George Thomas (Is-Iarll Tonypandy erbyn hynny) yn ei le. Thomas oedd y Cadeirydd pan brynodd Banc yr Alban gyfrannau Banc Chicago a Julian Hodge ym Manc Cymru ac felly ennill rheolaeth drosto. Bu Hodge yn darged yn ystod ei yrfa i nifer o honiadau o lygredd, yn enwedig oherwydd ei berthynas â James Callaghan wedi i'r olaf ddod yn Brif Weinidog yn 1974, a dôi Callaghan, Thomas a Hodge dan lach y cylchgrawn dychanol *Rebecca*'n weddol gyson yn ystod y '70au. Symudodd Hodge ei hun i fyw i ynys Jersey ac ni bu'n amlwg ym mywyd cyhoeddus Cymru hyd 1997 pan ariannodd yr ymgyrch yn erbyn sefydlu Cynulliad Cenedlaethol.

Stad o Argyfwng

Bu pyllau glo Cymru ar gau am saith wythnos o fis Ionawr ymlaen fel rhan o streic genedlaethol gyntaf glowyr Prydain er 1926. Yr oedd glowyr de Cymru gyda'r mwyaf selog o'i phlaid.

Mewn balot o aelodau Undeb Cenedlaethol y Glowyr ar 2 Rhagfyr 1971 yr oedd 65.5% o lowyr Cymru wedi datgan eu bod yn barod i streicio, ac ar 9 Ionawr dechreuodd 280,000 o lowyr Prydain wneud hynny ar ôl gwrthod cynnig cyflog y Bwrdd Glo Cenedlaethol. Caewyd pob un o byllau'r Bwrdd Glo yn ne Cymru – 50 ohonynt, a hefyd yr 85 pump glofa breifat yn yr ardal. Yn fuan wedyn llwyddodd picedwyr i atal gwaith y rhan fwyaf o safleoedd glo brig y De.

Er na chafodd y streic effaith fawr iawn ar fywyd y wlad ar y dechrau, dwysaodd y sefyllfa pan ddechreuodd y glowyr bicedu pwerdai trydan, a dwyn pwysau ar wŷr y rheilffordd i wrthod cludo glo i'r pwerdai yn ogystal. Ar 11 Ionawr cyhoeddodd Undeb Glowyr De Cymru y rhoddid picedwyr bedair awr ar hugain y dydd y tu allan i bwerdai, a deuddydd wedyn gwrthododd docwyr Casnewydd ddadlwytho glo o longau, penderfyniad a efelychwyd yng Nghaerdydd ac Abertawe.

Ar 9 Chwefror cyhoeddodd y Prif Weinidog, Edward Heath, stad o argyfwng a roddai rymoedd newydd i'r llywodraeth. Anogwyd pobl i beidio â chynhesu ond un ystafell yn eu tai, ac yn fuan wedyn dechreuwyd ar wythnos dri diwrnod o waith er mwyn arbed trydan.

Yn niffyg cyflenwad glo a thrydan bu nifer mawr o bobl yn dioddef cyfnodau diflas o oerni a thywyllwch yn eu cartrefi. Ym Merthyr Tudful ar 17 Chwefror, dosbarthodd glowyr lleol lo i 1,400 o bensiynwyr.

Penododd y llywodraeth yr Arglwydd Wilberforce i ystyried cyflogau'r glowyr, ac ar 18 Chwefror, dan bwysau cynyddol i ildio, galwodd Edward Heath arweinwyr y glowyr a phenaethiaid y Bwrdd Glo i Rif 10 Stryd Downing i geisio datrys yr anghydfod. Er ei fod yn awyddus iawn i gadw rheolaeth agos ar gyflogau, bu'n rhaid i Heath blygu i gryn raddau i ddymuniadau'r glowyr yn y diwedd. Yr oedd Wilberforce wedi argymell codiad cyflog o hyd at £6 yr wythnos i'r glowyr, a bu rhaid i Heath ystyried hyn ynghyd â chonsesiynau eraill a olygai y byddai'r glowyr yn derbyn rai o'r cyflogau gorau yn y wlad i weithwyr corfforol. Mewn balot ar 23 Chwefror, derbyniwyd y telerau newydd, gyda 22,332 o lowyr de Cymru o'u plaid a 7,581 yn eu herbyn, ac ar 28 Chwefror aeth y glowyr yn ôl i'w gwaith. Dangosodd y streic yn glir iawn bwysigrwydd glo, a gwrthbrofwyd am y tro honiadau'r rhai a gredai y gallai'r wlad fyw hebddo.

Dim Saesneg, dim arian

Ym mis Rhagfyr, gwrthododd awdurdod lleol mwyaf Cymru, Cyngor Sir Morgannwg, dalu ei gyfraniad o fil o bunnoedd at yr Eisteddfod Genedlaethol nes bod yr ŵyl yn troi'n un ddwyieithog.

Amlycaf ymhlith y rhai a oedd am atal y grant yr oedd Arglwydd Heycock, a leisiodd ei farn y dylai'r Eisteddfod ollwng ei 'Rheol Gymraeg', a hynny am fod gan y Gymraeg a'r Saesneg statws cyfartal yng Nghymru. Os oedd y trefnwyr am gael cefnogaeth i'w gŵyl gan Gymru i gyd, rhaid oedd ei gwneud yn fwy agored i'r mwyafrif di-Gymraeg, meddai Heycock.

Daeth hyn yn sgil helynt ynglŷn ag areithiau llywyddion y dydd yn Eisteddfod Genedlaethol Hwlffordd ym mis Awst pan gwynwyd fod rhai o'r areithiau yn ffafrio cenedlaetholdeb Cymreig. Ar 6 Tachwedd rhybuddiodd Cyngor Dinas Abertawe efallai mai eu grant i Eisteddfod Genedlaethol Rhuthun yn 1973 fyddai'r un olaf ganddynt pe defnyddid y Brifwyl eto i ddibenion gwleidyddol'.

Ogofeydd 'Stiniog

Ymwelwyr yn ogofeydd Llechwedd.

Agorwyd ogofeydd hen chwarel lechi Llechwedd ger Blaenau Ffestiniog yn ganolfan ymwelwyr yn y flwyddyn hon, arwydd glir o dwf twristiaeth yng Nghymru. Torrodd Llechwedd dir newydd ym maes darparu ar gyfer twristiaid, ac yr oedd yn un o'r canolfannau treftadaeth ddiwydiannol yng Nghymru. Yn 1979 agorwyd taith y Pwll Dwfn trwy ddeg o siamberi tanddaearol, a gyrhaeddid ar reilffordd-deithwyr serthaf Prydain. Enillodd ogofeydd Llechwedd nifer o wobrau, gan gynnwys Gwobr Dwristiaeth Gŵyl Cymru y Bwrdd Croeso a Gwobr Dewch i Brydain Awdurdod Twristiaeth Prydain.

Buddugoliaeth y Sosban

isod: Y Crysau Duon yn
barod i daclo cefnwyr Llanelli.

Gareth Edwards ar ôl sgorio'i gais anfarwol.

Blwyddyn nodedig mewn cyfnod nodedig oedd hon i rygbi yng Nghymru.

Ar 5 Chwefror, ym muddugoliaeth ysgubol Cymru o 35 i 12 yn erbyn yr Alban, sgoriodd Gareth Edwards un o'r ceisiau unigol gorau a welwyd erioed. Ar y pryd roedd Edwards yn anterth ei yrfa ryngwladol hir a disglair. Chwaraeodd 53 o weithiau dros ei wlad gan sgorio ugain cais, a'r un mwyaf cofiadwy ohonynt oll oedd yr un a sgoriodd ar y prynhawn gaeafol hwnnw yng Nghaerdydd.

Ar y pryd yr Alban oedd yn pwyso ond enillwyd sgarmes rydd gan y Cymry. Cododd Edwards y bêl, llithro heibio i un amddiffynnwr a dechrau ar rediad 70 llath tuag at y llinell. Wrth i'r Albanwyr ei amgylchynu ciciodd y bêl dros y llinell gais a'i chyrraedd o flaen pawb i fonllefain y dorf.

Ar 6 Mai, yn y flwyddyn gyntaf i'r gystadleuaeth gael ei chynnal er 1914, Castell Nedd a enillodd Gwpan Undeb Rygbi Cymru, a hynny ym mlwyddyn dathlu canmlwyddiant y clwb. Daethpwyd â Chwpan Undeb Rygbi Cymru i ben yn 1914 am fod y chwarae wedi mynd yn rhy gynhyrfus ac ymladd yn dueddol o ddigwydd ymhlith y gwylwyr. Yr oedd Castell Nedd eisoes wedi gorchfygu gwrthwynebwyr cryf, Glyn Ebwy a Chaerdydd, yn rownd yr wyth olaf a'r rownd gyn-derfynol, a hwy, yn sicr, oedd y ffefrynnau i ennill erbyn y rownd derfynol. Yn y rownd honno ar Barc yr Arfau, Caerdydd, cyflawnodd 'Crysau Duon' Cymru eu camp fawr gan guro Llanelli o bymtheg pwynt i naw.

Yn ddiweddarach yn y flwyddyn, ar 31 Hydref, mewn gêm lawn cyffro, llwyddodd Llanelli i guro Seland Newydd ar Barc y Strade o 9 pwynt i 3. Roedd disgwyl i gryfder corfforol y Crysau Duon fod yn drech na bechgyn ysgafndroed tîm y Sosban, ond llwyddwyd i wrthsefyll holl nerth Seland Newydd a manteisiodd Roy Bergiers ar gamgymeriad i sgorio unig gais y gêm. Y tu ôl i lwyddiant Llanelli y prynhawn emosiynol hwnnw yr oedd meddwl craff yr hyfforddwr Carwyn James ac arweiniad ysbrydoledig Delme Thomas.

Yng Nghaerdydd ar 2 Rhagfyr, methodd Cymru o drwch blewyn ag efelychu camp Llanelli, ond ar yr un maes ychydig wythnosau'n ddiweddarach roedd saith Cymro yn nhîm y Barbariaid a gurodd y Crysau Duon o 32 i 11. Sgoriwyd cais cofiadwy arall gan Gareth Edwards, y tro hwn trwy goroni symudiad gwefreiddiol a ddechreuwyd gan Gymro arall, Phil Bennett.

Trên y Cymry

Rheilffordd Llyn Tegid Cyf., a agorwyd ar 12 Ebrill, oedd y cwmni cyntaf erioed i gael ei gofrestru'n swyddogol yn y Gymraeg, wedi i ddeng mil o bunnau gael eu codi i dalu am y prosiect trwy werthu cyfrannau'n lleol.

Llinell 1¼ milltir rhwng Llanuwchllyn a Phentre-piod yn unig oedd y rheilffordd wreiddiol. Ar 15 Medi estynnwyd y lein i Langywair, ac ar 28 Mawrth 1976 gorffennwyd y cysylltiad â gorsaf Llyn Tegid gerllaw tref y Bala.

Dadl
Disc a Dawn

dde: Awgrym y cartwnydd Elwyn Ioan ar sut y gallai George Thomas ymddangos ar 'Disc a Dawn'.

Daeth anniddigrwydd rhai Aelodau Seneddol am y rhaglen deledu boblogaidd 'Disc a Dawn' i'r wyneb yn ystod dadl yn yr Uwchbwyllgor Cymreig ym mis Mehefin.

Rhaglen o ganu pop oedd 'Disc a Dawn' ond honnai George Thomas, arweinydd yr wrthblaid yng Nghymru, ei bod yn llwyfan cyson i Blaid Cymru a bod carfanau o BBC Cymru wedi eu 'meddiannu gan y cenedlaetholwyr, mor effeithiol a *coup* militaraidd'. Cafodd ei sylwadau gefnogaeth nifer o Aelodau eraill gan gynnwys Leo Abse ac Alec Jones, a ddywedodd fod y gân a enillodd gystadleuaeth a drefnwyd gan y rhaglen ym mis Chwefror yn cyfeirio at y rhai a wrth-wynebai Gwynfor Evans yn etholiad cyffredinol 1970 fel 'bradwyr'.

Nid oedd yr Aelodau Llafur Cymraeg ei hiaith mor feirniadol. Yn ôl AS Meirionnydd, Wil Edwards, yr un caneuon a ganwyd mewn nosweithiau a drefnid gan y Blaid Lafur yn ei etholaeth.

Pencampwr
y byd

Athro Hanes 34 mlwydd oed yn Ysgol Ramadeg Tonypandy a ddaeth yn arwr annisgwyl i gefnogwyr chwaraeon yng Nghymru ym mis Mehefin. Yn Worthing, Sussex, enillodd yr athro diymhongar Mal Evans bencampwriaeth bowlio'r byd gan guro bowlwyr o bedwar ban byd.

Er i lawer ystyried bowlio yn gêm i'r henoed, honnai Mal Evans ei fod yn brysur ddatblygu'n gêm ar gyfer y to ifanc. Roedd ef ei hun wedi dechrau chwarae yn 17 mlwydd oed, gyda'i dad, Cliff, yn ei hyfforddi.

Cyn y bencampwriaeth, bu'n ymarfer am 15 awr yr wythnos ac ar ôl iddo ennill y fedal aur cafodd groeso twymgalon gan ddisgyblion yr ysgol mewn seremoni arbennig.

Aur ddwywaith

dde: Richard Meade gyda'r Dywysoges Anne.

Yn y Gemau Olympaidd a gynhaliwyd ym Munich cipiodd Richard Meade o Gas-gwent ddwy fedal aur ar y ceffyl *Laurieston*, y naill fel unigolyn a'r llall fel aelod o'r tîm Prydeinig buddugol yn y cystadlaethau marchogaeth.

Yng Ngemau Olympaidd Dinas Mecsico yn 1968, yr oedd Meade wedi ennill medal aur fel aelod o dîm marchogaeth Prydain, a daeth yn bedwerydd fel unigolyn ar *Cornishman V*. Cafodd nifer o lwyddiannau mewn cystadlaethau eraill – bu'n ail ym Mhencampwriaeth y Byd yn 1966, ac yn 1980 bu'n aelod o dîm buddugol Prydain ym Mhencampwriaeth y Byd a hefyd yn fuddugwr unigol yn nhwrnamaint Badminton.

Atomfa
ym Môn

Yn y flwyddyn hon agorwyd Atomfa'r Wylfa ar Ynys Môn, ail bwerdy niwclear Cymru a'r olaf o'r atomfeydd *Magnox* i'w chodi ym Mhrydain.

Ar 1 Ionawr ddechreuodd tyrbin cyntaf yr Wylfa gyfrannu trydan i'r Grid Cenedlaethol, a rhoddwyd yr ail ar waith bum mis yn ddiweddarach ar 1 Mehefin. Yn ei anterth gallai'r pwerdy gyflenwi 23 miliwn o oriau cilowat o drydan y diwrnod.

Dewiswyd safle Trwyn yr Wylfa ar gyfer y pwerdy am fod y tir yn wastad ac yn addas i gynnal adeiladau trymion yr atomfa, a hefyd am ei fod yn agos at y môr – gallai'r atomfa ddefnyddio hyd at 241 miliwn o litrau o ddŵr yr awr i oeri eu hoffer.

Nadolig o griced
yn yr India

Ennill ei gap rhyngwladol cyntaf ac ennill capteiniaeth tîm cenedlaethol Lloegr yr un pryd a wnaeth y cricedwr Tony Lewis o Gastell Nedd pan ofynnwyd iddo arwain y Saeson ar daith trwy'r India a Phacistan. Nododd yn ei ddyddiadur ar y pryd ei deimladau cymysg am fod yn Gymro'n chwarae dros Loegr: 'Roedd e ar y sgorfwrdd – Lloegr: A.R. Lewis. Trwy gydol fy mywyd gartref, Lloegr oedd y gwrthwynebydd.'

Arweiniodd Lewis y tîm mewn wyth gêm brawf yn erbyn timau'r ddwy wlad. Chwaraeodd ei gêm gyntaf fel capten yn y Gêm Brawf Gyntaf yn erbyn yr India yn Delhi Newydd o 20 i 25 Rhagfyr pan sgoriodd y Cymro 70 o rediadau heb fod allan. Daeth y fuddugoliaeth derfynol ar ddydd y Nadolig ei hun, a Lloegr yn cyrraedd 207 am bedair wiced i ennill o chwe wiced. 125 oedd sgôr Lewis yn y Bedwaredd Gêm Brawf yn Kanpur yn Ionawr 1973, a phan gyrhaeddodd ei gant rhedodd dwsinau o wylwyr ar y maes i'w longyfarch a rhoi torchau o flodau am ei wddf. Camgymerodd y dyrfa'r batiwr arall, Keith Fletcher, am Lewis, a gwyliodd yntau wrth i'w gyd-chwaraewr gael ei foddi gan y môr o flodeugedau.

Unwaith yn unig wedi'r daith i'r India y chwaraeodd Lewis dros Loegr cyn iddo orfod ymddeol yn 1974 oherwydd anaf i'w goes. Ond er iddo gefnu ar chwarae'n broffesiynol, daeth bron yr un mor adnabyddus wedyn fel sylwebydd criced i'r *Sunday Telegraph* a'r BBC. Er i'w ddiddordeb mewn criced beri iddo deithio trwy'r byd, cryf iawn oedd ei gysylltiadau â Chymru o hyd – yn 1992 daeth yn Gadeirydd Bwrdd Croeso Cymru, ac yn 1998 fe'i penodwyd yn Uchel Siryf sir ei febyd – Morgannwg Ganol.

1973

27 Ionawr

Cyhoeddodd yr Arlywydd Nixon ddiwedd ar y cysylltiad rhwng yr Unol Daleithiau a Fietnam.

1 Ebrill

Ym Mhrydain cyflwynwyd T.A.W. (Treth ar Werth) am y tro cyntaf.

8 Ebrill

Bu farw'r arlunydd Pablo Picasso.

17 Mai

Dechreuodd Senedd yr Unol Daleithiau ystyried achos Watergate, gan godi i'r wyneb elfennau llygredig yng ngweinyddiaeth yr Arlywydd Nixon.

11 Medi

Yn Chile lladdodd yr Arlywydd Allende ei hun wrth i luoedd adain dde, dan arweiniad y Cadfridog Pinochet, a chyda cefnogaeth yr Unol Daleithiau, gipio grym.

17 Hydref

Cyhoeddodd y gwledydd Arabaidd gynnydd o 70% ym mhris olew gan arwain at y posibilrwydd o ddogni petrol yng nghorllewin Ewrop.

24 Hydref

Daeth y rhyfel, a adweinid fel Rhyfel Yom Kippur, rhwng Israel a'r gwledydd Arabaidd i ben.

20 Rhagfyr

Lladdwyd Prif Weinidog Sbaen, Luis Carrero Blanco, gan fom a daflwyd i mewn i'w gar gan derfysgwyr ETA, y mudiad a frwydrai am annibyniaeth i wlad y Basg.

Gwobr Nobel i ffisegydd Caerdydd

Yr Athro Brian Josephson

Yr Athro Brian Josephson o Gaerdydd a enillodd Wobr Nobel am Ffiseg ar 23 Hydref am ei waith ar dra-ddargludwyr (*superconductors*). Rhannodd y Cymro'r Wobr â Leo Esaki o Siapan ac Ivar Giaever o Norwy, a fu'n ymchwilio yn yr un maes. Wrth gyhoeddi cyflwyno hanner y wobr o £49,000 i'r Cymro, dywedodd Academi Gwyddoniaeth Sweden fod gwaith Josephson wedi dylanwadu'n gryf ar ddatblygiad ffiseg yn y blynyddoedd diweddar. Derbyniodd Josephson ei wobr oddi wrth y Brenin Carl Gustaf mewn seremoni arbennig yn Sweden ar 10 Rhagfyr. Yn 33 oed, roedd yn un o'r bobl ifancaf i ennill y fath wobr ers sawl blwyddyn.

Yn ôl ei rieni, dechreuodd Brian Josephson ymddiddori mewn mathemateg pan oedd yn dair blwydd oed. Erbyn cyrraedd 15 oed, roedd eisoes wedi pasio ei arholiadau lefel-A mewn mathemateg bur a mathemateg gymhwysol pan enillodd ysgoloriaeth i fynd i Goleg y Drindod, Caergrawnt.

Dywedodd ei athro mathemateg yn Ysgol Uwchradd Caerdydd i Fechgyn ar y pryd ei fod wedi dysgu i'w ddisgybl athrylithgar bob dim y gallai ei ddysgu iddo.

Graddiodd Josephson o Brifysgol Caergrawnt yn 1960, a dwy flynedd wedyn, tra oedd yn fyfyriwr ymchwil, darganfu'r ffenomenon ffisegol a enwyd ar ei ôl ef, Effaith Josephson, ynglŷn â'r modd y medrai cerrynt trydanol deithio rhwng dau dra-ddargludiwr trwy haenen denau o ddeunydd insiwleiddio. Wrth esbonio awyddocâd gwaith Josephson yn ystod seremoni'r Gwobrau Nobel yn 1973, dywedodd yr Athro Stig Lundqvist ei bod dipyn bach fel taflu pêl rwber yn erbyn wal – gan amlaf byddai'r bêl yn taro'r wal a dod yn ôl, ond weithiau fe fyddai'n diflannu'n syth trwy'r wal. Daeth Effaith Josephson yn ddefnyddiol iawn wrth lunio dyfeisiau switsio eithriadol o sensitif a chyflym mewn cyfrifiaduron.

(Drosodd)

Gwobr Nobel

(o'r tudalen cynt)

Yn 1970 cafodd ei ethol yn Gymrawd o'r Gymdeithas Frenhinol, yn 1974 fe'i penodwyd yn Athro Ffiseg yn Labordy Cavendish, Caergrawnt, ac yn yr un flwyddyn derbyniodd radd DSc. er Anrhydedd gan Brifysgol Cymru.

Tua diwedd y '70au trodd Josephson ei olygon tuag at gwestiynau am natur deallusrwydd ac mewn cam braidd yn anghonfensiynol i ffisgeydd ei gymryd, bu'n rhoi sylw arbennig i rai o syniadau'r Maharishi Mahesh Yogi, cyfrinydd o'r India a fu'n ffigwr cwlt yn y '60au. Yn 1980 bu'n gyd-olygydd y gyfrol *Consciousness and the Physical World* ynglŷn â syniadau am ddeallusrwydd a chysylltiadau crefydd a gwyddoniaeth.

Llais y Fro

Ar 1 Ebrill cyhoeddwyd rhifyn cyntaf *Y Dinesydd*, 'Papur Lleol i Gaerdydd a'r Cylch', yn ôl ei bennawd cyntaf. Cael ei ddosbarthu am ddim ymhlith Cymry Cymraeg Caerdydd oedd dull y papur hwn o gyrraedd ei gynulleidfa gan 'adlewyrchu gweithgarwch lleiafrif bychan mewn ardal arbennig', yn ôl newyddiadurwr.

Yn ystod y flwyddyn ganlynol y dechreuwyd cyhoeddi papurau bro go-iawn gan 'adlewyrchu'r amrywiaeth cyfoethog sydd i'w chael mewn cymdeithas naturiol', yn ôl yr un newyddiadurwr. Y cyntaf o'r rhain oedd *Papur Pawb*, papur bro Tal-y-bont a'r cylch, Ceredigion, ac yn fuan wedyn ymddangosodd *Llais Ogwan*(Dyffryn Ogwen) a *Clebran*(Y Frenni). Gwerthwyd y papurau hyn i holl drigolion eu bröydd a dyna fu'r patrwm yn gyffredinol o hynny allan.

O'r dechreuadau hyn tyfodd y papurau bro i fod yn un o'r agweddau mwyaf poblogaidd a bywiog o'r bywyd Cymraeg o'r '70au ymlaen. Manteisiwyd ar ddulliau argraffu newydd *off-set litho* i gynhyrchu'r papurau ac, er mai amaturaidd yr olwg oedd llawer ohonynt, roeddent yn dyst i weithgaredd diflino mewn cymunedau ledled y wlad. Cyhoeddid papurau bro ym mhob rhan bron o Gymru gyda llu o deitlau dyfeisgar a digrif megis *Clecs y Cwm* (Castell-nedd), *Y Tincer* (Bow Street a'r cylch),*Y Cardi Bach* (Hendy Gwyn a Sain Clêr) a *Papur Fama* (de sir Fflint).

Erbyn 1986 cyhoeddid dros hanner cant o bapurau bro ledled Cymru ac iddynt werthiant o dros 67,000 o gopïau.

Elw o olew

Aberdaugleddau oedd y porthladd olew mwyaf ond un yn Ewrop wedi i gwmni Amoco agor ei bedwaredd purfa olew yno ym mis Hydref ar gost o £30 miliwn. Yr oedd traean o'r olew a burid ym Mhrydain bellach yn mynd trwy borthladdoedd de sir Benfro.

Purfa newydd Amoco oedd yr olaf o'r safleoedd prosesu olew i'w hagor yn yr ardal a chymerodd ddwy flynedd i'w chodi ar safle ger Robeston Cross, tua dwy filltir o lan y môr. Adeiladwyd glanfa ar lan y môr i dderbyn llongau tancer hyd at 275 o filoedd o dunelli o bwysau, a gosodwyd tair ar ddeg o beipiau tanddaearol rhwng y lanfa a'r burfa. Gosodwyd hefyd draciau rheilffordd arbennig i gysylltu'r safle â'r brif reilffordd rhwng tref Aberdaugleddau a Hwlffordd.

Gallai'r burfa brosesu hyd at bedair miliwn o dunelli o olew'r flwyddyn, ffigur a gododd wedyn i bum miliwn y flwyddyn.

Edward H

Er mai 'Tafodau Tân' oedd teitl y cyngerdd, noson lawen eithaf traddodiadol a ddisgwylid gan y gynulleidfa ym mhafiliwn gorlawn Corwen ar nos Fercher 8 Awst yn ystod wythnos Eisteddfod Genedlaethol Rhuthun. A dyma a gafwyd ar ddechrau'r noson; clywyd llais swynol Leah Owen, caneuon protest Dafydd Iwan a chanu gwerin gan Elfed Lewis, ond yna daeth grŵp pop newydd sbon i'r llwyfan a chreu cymaint o gyffro fel y bu i rai aelodau'r gynulleidfa neidio ar eu traed a dechrau dawnsio. Dyma oedd ymddangosiad cyntaf 'Edward H Dafis', y grŵp pop Cymraeg mwyaf poblogaidd erioed o bosib.

Aelod amlyca'r grŵp oedd Dewi 'Pws' Morris a fu'n canu gyda'r grŵp poblogaidd o'r '60au, y ' Tebot Piws', a'r pedwar arall oedd Hefin Elis, Clive Harpwood, a John Griffiths i gyd o Bontrhyd-y-fen, Cwm Afan, a Charlie Britton o Gaerdydd.

Er mai dilyn traddodiad Eingl-Americanaidd a wnâi'r grŵp hwn mewn gwirionedd, roedd caneuon Edward H yn genedlaetholgar eu naws gydag alawon syml ond gafaelgar, a geiriau dealladwy. Daeth caneuon roc fel 'Pishyn' a 'Breuddwyd Roc a Rol' a rhai arafach fel 'Dewch at eich gilydd' o'r record hir 'Plant y Fflam' yn ffefrynnau mawr a ddarlledwyd droeon ar y radio.

Bu'r grŵp yn perfformio ledled Cymru tan 1976, ac am gyfnod byr rhwng 1979 ac 1981, a chynhyrchwyd nifer o recordiau hir poblogaidd gan gynnwys 'Yr Hen Ffordd Gymreig o Fyw' ac 'Yn erbyn y Ffactore'. Daeth y grŵp yn ôl at ei gilydd yn 1996 er mwyn recordio rhaglen arbennig a ddarlledwyd ar S4C ar ddechrau Ionawr 1997.

Rebecca

Ym mis Mai cyhoeddwyd y rhifyn cyntaf o'r cylchgrawn dychanol newydd *Rebecca*, wedi'i enwi ar ôl y dynion a wisgai yn nillad merched i ymosod ar dollbyrth gorllewin Cymru yn yr 1840au.

Daeth awduron *Rebecca* yn amlwg iawn trwy'r '70au a'r '80au am ddatgelu llygredd a chamymddwyn ariannol, er na ellid bob tro ddibynnu ar ddilysrwydd eu datguddiadau. Yn 1975 dechreuwyd cyhoeddi 'Atodiad Llygredd' yn rhoi sylw i achosion honedig penodol. Ymhlith y targedau yr oedd y banciwr Syr Julian Hodge, y Seiri Rhyddion, landlordiaid gwael, a nifer mawr o gynghorwyr Llafur de Cymru.

Byw gyda'r Aboriginiaid

Byw gyda llwyth o Aboriginiaid o'r enw y Gidjinigarli ar arfordir trofannol gogledd Awstralia y bu'r archaeolegydd a'r anthropolegydd Dr Rhys Jones o Flaenau Ffestiniog am y rhan fwyaf o'r flwyddyn hon.

Cafodd ef a'i wraig, Betty Meehan, eu gwahodd i fyw gyda'r Anbarra, tylwyth o'r llwyth, er mwyn astudio ei ffordd o fyw. Iaith y llwyth oedd Gidjingarli, iaith a siaredid gan 400 o bobl yn unig. Roedd yn un o'r 200 o ieithoedd a fodolai ymhlith yr Aboriginiaid ar un adeg, er i'r rhan fwyaf ohonynt ddiflannu yn wyneb dylanwadau'r oes fodern.

Dysgodd Rhys Jones am holl ddulliau hela'r llwyth. Cyfrifoldeb y gwŷr oedd hela am gig a physgod. Teflid gwaywffyn gan ffondaflwr a elwid yn 'woomera' er mwyn rhoi mwy o rym i'r ergyd. Y prif ysglyfaeth oedd y walabi, anifail o'r un maint a dafad, a helid hefyd nadroedd, ac adar fel yr emu, gwyddau gwyllt a'r ibis. Gwaith y gwragedd oedd casglu llysiau, ffrwythau, cnau a physgod cregyn.

Pysgotai'r Aboriginiaid drwy ddefnyddio magl wedi'i phlethu o lantana. Enw'r fagl oedd 'angedaitja' ac yr oedd iddi le sanctaidd yn nhraddodiad crefyddol y llwyth. Credent bod ysbryd gwreiddiol neu 'totem' y fagl wedi'i greu yn y cyfnod cyn creu'r byd, y cyfnod a elwid ganddynt yn 'Oes y Freuddwyd'. Yn gysylltiedig â'r totem roedd caneuon arbennig, paentiadau rhyfeddol a grewyd o ocr rhwd-goch a chlai gwyn ar lenni o rysgl coed ewcalyptws, a chynhelid seremoniau ar adegau pwysig.

Dysgodd Rhys Jones fwy am hen safleoedd

Ymgyrch Dai Francis

Dai Francis

Ym mis Ionawr, wedi blynyddoedd o bwyso sefydlwyd Cyngres Undebau Llafur Cymru.

Ymgyrchu dyfal gan Dai Francis, Ysgrifennydd Rhanbarth De Cymru o Undeb Cenedlaethol y Glowyr, ac undebwyr eraill a fu'n cydweithredu yn ystod streiciau 1972 a fu'n bennaf gyfrifol am sicrhau rhywfaint o ymreolaeth i undebau llafur Cymru, hynny yn wyneb gwrthwynebiad cryf gan y *TUC* canolog yn Llundain. Bu Francis yn aelod o Bwyllgor Gwaith hen Ffederasiwn Glowyr De Cymru er 1943 ymlaen, ac yng nghynhadledd gyntaf y Gyngres newydd yn Aberystwyth ym mis Ebrill 1974 ef a etholwyd yn Gadeirydd. Yn ogystal â bod yn Gomiwnydd pybyr, yn 1976 cafodd ei urddo'n aelod o Orsedd y Beirdd dan yr enw barddol 'Dai o'r Onllwyn' yn gydnabyddiaeth am gyfraniad mawr Eisteddfod y Glowyr i fywyd diwylliannol Cymru er pan sefydlwyd hi yn 1948.

Dr Rhys Jones gyda'r fagl sanctaidd.

archaeolegol yr Aboriginiaid – olion a ddyddiai yn ôl 50,000 o flynyddoedd, a sicrhaodd fod gwybodaeth am draddodiadau'r Aboriginiaid yn cael ei chofnodi. Daeth hefyd yn flaenllaw yn y mudiad i bontio'r ddau ddiwylliant yn Awstralia, ac er iddo ymgartrefu fel Athro mewn Archaeoleg ym Mhrifysgol Genedlaethol Awstralia, yng Nghanberra, cadwodd ei gysylltiadau Cymreig a'i gariad at ei famiaith.

Dulliau Israel i ddysgwyr Cymru

Cyflwynwyd dulliau dysgu iaith o Israel i Gymru yn y flwyddyn hon pan ddechreuoedd Chris Rees y cwrs Wlpan cyntaf yng Nghaerdydd yn yr Hydref.

Cwrs dwys iawn oedd Wlpan, wedi'i addasu o raglenni llwyddiannus iawn yn Israel i ddysgu'r iaith Hebraeg i Iddewon a ddôi i fyw i'r wlad o bob cwr o'r byd. Trochi'r dysgwyr yn y Gymraeg oedd y dull, a'u hannog i'w defnyddio gymaint â phosibl, hyd yn oed cyn iddynt ddod i'w llawn ddeall. Rhoddid y pwyslais ar ddefnyddio'r Gymraeg yn gymdeithasol yn hytrach nag ar gywirdeb na choethder iaith. Nid oedd y bwriad yn ddim llai na chodi to newydd o siaradwyr Cymraeg, a hynny mewn byr o dro.

Yn ôl Chris Rees, am ei fod yn cael ei gynnal yn ystod y dydd, anelid y cwrs yn bennaf oll at famau gyda phlant ifanc yn yr ysgol, yn enwedig y rhai â phlant mewn ysgolion Cymraeg. Ar y cwrs cyntaf daeth deg o ddysgwyr bum noson yr wythnos am ddeg wythnos. Gorffennodd wyth ohonynt y cwrs ac erbyn y diwedd yr oedd eu hanner yn weddol rugl yn y Gymraeg. Erbyn Ebrill 1974 cynhelid cyrsiau Wlpan ym Mhontypridd a'r Barri yn ogystal â Chaerdydd.

Datblygodd yr Wlpan wrth iddo dyfu a chafwyd nifer o fersiynau arno i gynnwys amrywiaeth tafodiaith trwy Gymru. Sefydlwyd hefyd gwrs preswyl yr Wlpan yng Ngholeg Dewi Sant, Llanbedr Pont Steffan, i roi i'r dysgwyr selocaf ddau fis o wersi Cymraeg trwy'r dydd am saith diwrnod yr wythnos, cwrs a ddenai fyfyrwyr o lefydd cyn belled â'r Unol Daleithiau a Siapan yn ogystal ag o bob rhan o Gymru ac o Batagonia.

Adroddiad Kilbrandon

Y comisiynwyr wrth eu gwaith.

Cyrff etholedig yng Nghaeredydd a Chaeredin a Phrif Weinidigion i Gymru a'r Alban, dyna ddau o argymhellion dadleuol Adroddiad y Comisiwn Brenhinol ar y Cyfansoddiad dan yr Arglwydd Kilbrandon a gyhoeddwyd ar 31 Hydref.

Galwodd yr Adroddiad am gynulliad i Gymru ac ynddo tua chant o aelodau etholedig yn eistedd am dymor penodol am bedair blynedd ar y tro. Trwy'r fath gorff, yn ôl yr Adroddiad, gallai dyheadau pobl Cymru gael eu trafod a chasgliadau gael eu ffurfio er mwyn eu cyflwyno i'r Senedd yn Llundain. Ond nid oedd pob un o'r Comisiynwyr yn cytuno â hyn, er eu bod i gyd yn gytûn y dylid gwrthod ymreolaeth lwyr i Gymru a'r Alban am nad oedd gwir ewyllys dros ei chael ymhlith pobl y ddwy wlad. Yr oedd chwech aelod o'r Comisiwn o blaid trosglwyddo rhywfaint o rym deddfu i'r cynulliad, cael gwared ar Ysgrifennydd Gwladol Cymru a chreu swydd Prif Weinidog Cymru, a lleihau'r nifer o Aelodau Senedd a âi o Gymru i San Steffan. Yr oedd tri arall yn ffafrio corff etholedig i roi cyngor i Ysgrifennydd Gwladol, tra oedd tri arall am gryfhau pwerau'r Swyddfa Gymreig a Swyddfa'r Alban.

Y Rhyddfrydwyr a Phlaid Cymru oedd y mwyaf brwd eu croeso i'r cynllun ond rhanedig a llugoer eu hymateb oedd y ddwy blaid fwyaf, y Ceidwadwyr a Llafur.

Llyfrau'r glowyr

Ym mis Hydref agorwyd Llyfrgell Glowyr De Cymru yn Abertawe gan Glyn Williams, Llywydd Undeb y Glowyr (Dalgylch De Cymru). Canlyniad ymgyrch gan Brosiect Hanes y Maes Glo, dan arweiniad Dr Hywel Francis, mab yr arweinydd undeb Dai Francis, oedd sefydlu'r Llyfrgell. Sylwyd ym mis Medi 1972 fod llyfrwerthwyr yn prynu Llyfrgelloedd Sefydliadau'r Glowyr am y nesa peth i ddim ac aed ati i ddarganfod faint o'r llyfrgelloedd hyn oedd yn dal i fodoli.

Sefydlwyd llawer o lyfrgelloedd y glowyr yn yr ugain mlynedd cyn y Rhyfel Byd Cyntaf â'r glowyr eu hunain yn talu amdanynt. Yn ystod y '20au sefydlwyd Cronfa Les y Glowyr drwy godi toll arbennig o geiniog ar bob tunnell o lo a gynhyrchid a defnyddiwyd y Gronfa i adeiladu Neuaddau Lles, rhai ohonynt â llyfrgelloedd. Erbyn y '30au roedd dros gant o neuaddau'r glowyr yn ne Cymru yn meddu ar lyfrgell - Clydach, er enghraifft, yn ymffrostio mewn dros 15,000 o gyfrolau. Disgrifiwyd y llyfrgelloedd hyn fel 'ymennydd y maes glo' gan eu bod yn estyn y cyfle i lowyr i addysgu eu hunain. Er bod cyfrolau academaidd dyrus, gan gynnwys gweithiau Karl Marx, ar gael yn y llyfrgelloedd, roedd hefyd fodd benthyg nofelau ysgafn fel rhai Zane Grey am y 'gorllewin gwyllt'.

Wrth i'r diwydiant glo edwino o'r '50au ymlaen, daeth oes aur y llyfrgelloedd i ben. Erbyn hynny roedd llawer o feibion a merched y glowyr wedi manteisio ar y cyfleon a oedd ar gael ar gyfer addysg uwch – nid oedd hunan-addysg mor bwysig bellach – tra oedd yn well gan eraill wylio'r teledu neu fynychu sesiynau bingo.

Yn ôl y prosiect, erbyn y '70au, roedd 34 o lyfrgelloedd wedi'u chwalu'n llwyr ond llwyddwyd i achub rhai casgliadau pwysig i'w cadw yn y llyfrgell newydd yn Abertawe.

1974

13 Chwefror

Alltudiwyd Alexander Solzhenistyn, yr awdur gwrthwynebol, gan yr Undeb Sofietaidd.

15 Mawrth

Yn Leeds, carcharwyd y pensaer John Poulson am saith mlynedd am ei ran mewn cyfres o achosion o lygredd yn y sector gyhoeddus.

2 Ebrill

Bu farw Arlywydd Ffrainc, Georges Pompidou.

10 Gorffennaf

Cyhoeddwyd bod gan India fom niwclear.

8 Awst

Ymddiswyddodd yr Arlywydd Richard Nixon a thrwy hynny osgoi cael ei uchelgyhuddo. Fe'i olynwyd gan Gerald Ford.

29 Hydref

Enillodd Muhammed Ali bencampwriaeth pwysau trwm y byd am yr eildro mewn gornest yn erbyn George Foreman yn Zaire.

7 Tachwedd

Dechreuwyd chwilio am yr Arglwydd Lucan ar ôl llofruddiaeth famaeth ei blant yn Llundain.

21 Tachwedd

Lladdwyd 17 o bobl gan fomiau a osodwyd gan yr IRA mewn tafarndai yn Birmingham.

'Miss World' yn fam

Pedwar diwrnod yn unig oedd teyrnasiad Helen Morgan o'r Barri fel 'Miss World' wedi iddi ennill ei choron yn y Royal Albert Hall, Llundain, ar 22 Tachwedd. Roedd y Gymraes a fu eisoes yn 'Miss Wales' a 'Miss United Kingdom' wedi tramgwyddo un o gonfensiynau mawr y gystadleuaeth harddwch, a hynny am fod y 'Miss' ddi-briod hon eisoes yn fam i fachgen deunaw mis oed, Richard.

Mewn gwirionedd, nid oedd Helen Morgan wedi torri'r un o reolau'r gystadleuaeth, a fynnai fod rhaid i bob 'Miss World' fod yn ddibriod heb ddweud dim byd am fod yn fam. Ond, yn sicr nid oedd y trefnwyr, Eric a Julia Morley, wrth

Coroni Helen Morgan.

eu bodd fod mab ifanc gan y Gymraes a'i chariad ers chwe blynedd, Chris Clode. Nid oedd Eric Morley wedi rhagweld y cymerai mam ddi-briod ran pan benderfynodd wahardd gwragedd priod rhag cystadlu yn 1958.

Datguddiwyd y gyfrinach fawr bedwar diwrnod ar ôl i Helen Morgan gael ei choroni'n 'Miss United Kingdom' ym mis Medi, dau fis cyn iddi gystadlu ar gyfer 'Miss World'. Caniatawyd iddi gymryd rhan yn rownd derfynol 'Miss World', ond pan enillodd fe bwysodd Eric Morley arni i ymddiswyddo'n syth er mwyn arbed helynt. Er iddi fynnu nad oedd wedi gwneud dim o'i le, ymddiswyddodd fel 'Miss World'

bedwar diwrnod wedyn. Anneline Kriel o Dde Affrica a goronwyd yn 'Miss World' yn ei lle gan ddatgan nad oedd 'dim sgerbydau yn' ei chwpwrdd hi.

Ymddiswyddiad Helen Morgan oedd yr ail ergyd drom mewn dwy flynedd i'r gystadleuaeth, a oedd eisoes dan gyhuddiadau o fod yn amherthnasol ac o fychanu merched – bu cryn sgandal yn gynharach yn y flwyddyn pan gymerwyd ei theitl oddi ar 'Miss World' 1973, yr Americanes Majorie Wallace, wedi 104 diwrnod oherwydd ei ffordd liwgar o fyw. Newidiwyd y rheolau o 1975 ymlaen i wahardd mamau di-briod.

Aelwyd Gymraeg fwya'r byd

Ym mis Hydref, agorwyd Neuadd Pantycelyn yn neuadd breswyl Gymraeg eu hiaith i fyfyrwyr Aberystwyth.

Wedi blynyddoedd o bwyso gan fyfyrwyr Cymraeg a'u cefnogwyr, ac o wrthwynebiad yr un mor ddyfal gan garfannau eraill, ym mis Tachwedd 1973 pleidleisiodd mwyafrif mawr o Gyngor y Coleg o blaid troi Neuadd Pantycelyn yn neuadd Gymraeg i fyfyrwyr o'r ddau ryw. Yr oedd gwrthwynebwyr wedi honni y byddai neilltuo un neuadd i'r Cymry Cymraeg yn arbennig yn arwain at 'apartheid ieithyddol' ac yn creu 'ghetto Cymraeg'.

Cwm enwocaf Cymru

Ar 14 Hydref, darlledwyd am y tro cyntaf un o raglenni teledu mwyaf poblogaidd Cymru a'r fwyaf hirhoedlog o holl gyfresi drama'r BBC, *Pobol y Cwm*, yn adrodd hynt a helynt Magi Post, Sabrina, Harri Parri, Dic Deryn a chymeriadau lliwgar eraill yn nyffryn dychmygol yn y De, Cwm Deri.

Yn 1984 symudwyd y rhaglen i'r bedwerydd sianel newydd, S4C, a bu am flynyddoedd wedyn yn rhaglen fwyaf boblogaidd y sianel o bell ffordd. Yn 1988 aeth *Pobol y Cwm* o fod yn rhaglen wythnosol i gael ei darlledu bum gwaith yr wythnos. Arbennig o boblogaidd oedd y rhaglen omnibws ar y Sul yn cynnwys holl benodau'r wythnos gydag is-deitlau Saesneg.

Gwelwyd yn glir gymaint yr oedd *Pobol y Cwm* wedi dod yn rhan o fywyd y Cymry pan ohiriwyd un bennod yn 1980 i wneud lle i raglen deyrnged i'r cerddor John Lennon wedi iddo gael ei saethu. Boddwyd canolfan y BBC yn Llandaf gan ffrwd o alwadau ffôn gan wylwyr a oedd yn anfodlon eu bod yn colli eu dogn o'u hoff opera sebon.

Yn 1991 prynwyd rhai o'r rhaglenni gan gwmni teledu yn yr Iseldiroedd a'u dangos am gyfnod gydag is-deitlau. *[LLIW 34]*

Mynd am yr Aur

Dan ei arweinydd ysbrydoledig, yr Uwch-Gapten H.A. Kenney, Band Cory o'r Rhondda oedd y band cyntaf erioed o Gymru i ennill Pencampwriaeth Bandiau Pres Prydain yn y flwyddyn hon.

Ac yntau wedi'i sefydlu yn Nhonpentre yn 1887, Seindorf Ddirwest Ton oedd enw'r band am gyfnod, nes i'r meistr glo Clifford J. Cory gynnig cyfrannu rwyfaint at gostau'r band os oeddynt yn fodlon bod yn fand swyddogol Cwmni Glo'r Brodyr Cory. Newidiwyd yr enw, ac ym mis Gorffennaf 1923 yr oedd perfformiad gan Fand Gweithwyr Cory yn un o'r rhaglenni cynnar a ddarlledwyd o stiwdio radio newydd y BBC yng Nghaerdydd a agorwyd ym mis Chwefror yr un flwyddyn. Er i'r band fynd trwy gyfnod pur lewyrchus yn y '40au, nid cyn y '70au y dechreuodd ddisgleirio.

Band Cory yn ymarfer.

Arweiniodd H.A. Kenney Fand Cory i fuddugoliaeth yn Nghystadleuaeth Genedlaethol Bandiau Pres y Glowyr dair gwaith yn olynol yn 1970, 1971 a 1972, a dwy flynedd yn diweddarach, yn ogystal â chipio Pencampwriaeth Prydain, rhannodd Cory Gystadleuaeth y Glowyr â Band Glofa Grimethorpe o Loegr. Erbyn canol y '70au, wrth i byllau glo'r Rhondda raddol gau, bu raid i Fand Cory dynnu allan o Gystadleuaeth y Glowyr am fod llai na hanner ei aelodau bellach â chysylltiad â'r diwydiant glo, ond parhaodd y band i ffynnu, ac yn 1976 bu ar daith lwyddiannus iawn yn America gyda Band Grimethorpe fel rhan o ddathliadau dauganmlwyddiant yr Unol Daleithiau.

Jacob Ellis (Dillwyn Owen) a'i ferch, Nerys (Gaynor Morgan Rees) a Magi Post (Harriet Lewis) yn y Cwm.

Map newydd Cymru

Gwelwyd siâp hollol newydd ar fap llywodraeth leol Cymru o 1 Ebrill ymlaen, pan drowyd y tair ar ddeg hen sir a phedair bwrdeistref sirol yn wyth o siroedd. Cafwyd gwared hefyd ar 168 o fwrdeistrefi a dosbarthau gwledig a threfol, a gosod 37 dosbarth yn eu lle. Gwnaethpwyd Gwent – yr hen sir Fynwy – yn ddiamheuol ac yn derfynol yn rhan o Gymru.

Anfodlon iawn oedd rhai wrth weld hen enwau fel sir Drefaldwyn, sir Aberteifi a sir Benfro a fu'n bodoli er Deddf Uno 1536, yn diflannu, er bod rhai yn hoffi'r enwau Cymreigaidd newydd a oedd yn seiliedig ar hen diriogaethau Cymru. Sylwodd sawl un i'r newidiadau mawr gael eu cyflwyno ar Ddydd Ffŵl Ebrill, a thynnodd y *Western Mail* goes y genedl ag erthygl tafod-ym-moch am yr awdurdod dychymygol newydd, Cyngor Sir Dwydd. Yn y sir newydd hon câi holl fusnes y cyngor ei drafod yn Gymraeg yn unig a châi arwyddion dwyieithog newydd eu codi ar gost o £1 miliwn – mewn Cymraeg a Llydaweg.

uchod:
Y protestio
yng Nghaergybi.

Yr IRA yng Nghymru

Daeth helyntion Gogledd Iwerddon i dde Cymru ym mis Rhagfyr pan ffrwydrodd bom yn nhref Casnewydd

Digwyddodd y ffrwydrad yn oriau mân bore Sadwrn 14 Rhagfyr, ac er bod nifer mawr o bobl mewn clybiau nos cyfagos ar y pryd ni chafodd neb niwed. Rhuthrodd dwsinau ohonynt serch hynny i weld y difrod ar ôl clywed swn y ffrwydrad. Gadawyd y ddyfais yn cynnwys pedair neu bum pwys o ffrwydron mewn siop ddillad yn Commercial Street. Difethwyd honno a gwnaethpwyd gwerth miloedd o bunnoedd o ddifrod i tuag ugain o siopau eraill.

Dechreuodd helfa fawr yn syth, a Phrif Gwnstabl Gwent, William Farley, yn arwain llu o blismyn trwy'r nos i ddal y bomwyr. Ni hawliwyd cyfrifoldeb am y bom, ond datganodd arbenigwyr yr heddlu mai'r *IRA* a'i gosododd ac efallai fod cysylltiad â bom arall a ffrwydrodd yng Nghaerfaddon ar 9 Rhagfyr. Os felly, hwn oedd y tro cyntaf i'r *IRA* osod bom yng Nghymru.

Ffermwyr yn gwrthod gwartheg y Gwyddelod

Ym mis Hydref a mis Tachwedd gwelwyd protestiadau mawr a swnllyd gan ffermwyr Cymru ym mhorthladdoedd Caergybi, Abergwaun, y Barri a Phenbedw yn erbyn mewnforio gwartheg o Iwerddon.

Gyda'r hwyr ar 21 Hydref ceisiodd ffermwyr atal llong yn cario gwartheg o Iwerddon rhag docio yng Nghaergybi, a thrannoeth ymgasglodd tri chant o ffermwyr i rwystro pum cant o fuchod Gwyddelig rhag cael eu symud o gytiau'r porthladd i drên a'u cymerai i'r lladd-dŷ. Honnodd Huw Hughes, ffermwr llaeth o Ynys Môn, fod diwydiant da byw ar ddibyn methdaliad, a bod y ffermwyr wedi troi at bicedu anghyfreithlon fel hyn wedi i bob dim arall fethu.

Drachefn ar 28 Hydref daeth naw cant o ffermwyr o bob rhan o ogledd Cymru i atal llong wartheg rhag docio, a gwelwyd protest lai ei maint ym Mhenbedw. Y noson wedyn, mewn cyfarfod o gant o ffermwyr y gorllewin yn Aber-porth, pleidleisiwyd yn unfrydol dros bicedu porthladd Abergwaun. Ar 30 Hydref rhwystrwyd chwech o dryciau yn llawn gwartheg o Iwerddon rhag gadael cei Abergwaun, ond yng Nghaergybi y gwelwyd y golygfeydd hynotaf pan ddechreuodd rhai ffermwyr daflu cerrig at anifeiliaid wrth iddynt gael eu dadlwytho er mwyn eu gyrru'n ôl i'w llong.

Wedi noson arall o bicedu cynhyrfus yng Nghaergybi, Abergwaun a Phenbedw, datganodd Ysgrifennydd Gwladol Cymru, John Morris, ei fod yn barod i ystyried cwtogi ar fewnforio gwartheg o Iwerddon, ond yn Nhŷ'r Cyffredin dywedodd y Gweinidog Amaeth, Fred Peart, na ellid gwneud dim i gynorthwyo ffermwyr gwartheg Prydain a gwrthododd warantu prisiau cig eidion.

Dwysawyd y sefyllfa pan rybuddiodd Prif Weinidog Iwerddon, Liam Cosgrove, y byddai'n rhaid i'r Gwyddelod daro'n ôl os âi pethau ymlaen yn yr un modd, am fod y picedu yn groes i gytundebau masnach rydd rhwng Prydain ac Iwerddon, ac yn groes i reolau'r Gymuned Ewropeaidd. Er gwaethaf hyn ehangwyd y picedu i gynnwys y Barri ar 5 Tachwedd, a chafwyd nifer o drawstiau wedi'u gadael i atal trenau ar y rheilffordd o Gaergybi. Ar 6 Tachwedd, dan bwysau gan ffermwyr a docwyr, gwrthododd rheolwyr dociau Abertawe dderbyn llongau'n cludo cig Gwyddelig.

Tawelodd pethau wedyn, ond yr oedd ansicrwydd ac anniddigrwydd yn dal yn gryf ymhlith ffermwyr ar ddiwedd y flwyddyn, a rhai'n mynnu y dylid mynd â'r ymgyrch i'r trefi i ddangos i brynwyr cig eidion gymaint oedd yr argyfwng.

Grym y glowyr

Ar 4 Chwefror dechreuodd streic genedlaethol o bedair wythnos gan lowyr Prydain a arweiniodd at argyfwng ynni, wythnos waith o dri diwrnod yn y ffatrïoedd, ac yn y pen draw at gwymp llywodraeth Geidwadol Edward Heath. Felly dechreuodd y chwedl mai'r glowyr a ddymchwelodd y Torïaid, chwedl a fu'n destun balchder a gorfoledd i'r naill garfan ac yn achos dicter a chwerwder i'r llall.

Mewn balot ym mis Tachwedd 1973, yr oedd 93% o lowyr Cymru wedi pleidleisio dros streicio, canran uwch na'r un maes glo arall ym Mhrydain.

Yr oedd llywodraeth Heath wedi cyhoeddi eu bod am lynu wrth bolisi prisiau ac incwm tynn iawn fel rhan o'r frwydr yn erbyn chwyddiant, ac yr oeddynt yn gwrthod ildio i alwadau'r glowyr am fwy o arian. Cyhoeddwyd Stad o Argyfwng, yr 'wythnos dri diwrnod', ac yn y diwedd penderfynodd Heath ymladd Etholiad Cyffredinol ar 23 Chwefror ar sail ei safiad yn erbyn y glowyr. Enillodd y Blaid Lafur gyda mwyafrif o bedair sedd yn Nhŷ'r Cyffredin a chyrhaeddwyd cyfaddawd â'r glowyr, er na chawsant lawn cymaint ag y buont yn gofyn amdano. Yn un o ddelweddau mwyaf cofiadwy'r etholiad, ymddangosodd Michael Foot, Aelod Seneddol Glyn Ebwy a'r Ysgrifennydd Cyflogaeth newydd, yn gwisgo bathodyn yn cofnodi buddugoliaeth y glowyr yn streic 1972.

Eilwaith i'r Pôl

dde: Yr Aelod Seneddol newydd Dafydd Wigley ar ôl cyhoeddi'r canlyniad yng Nghaernarfon.

Noson gymysg o orfoledd a siom ydoedd i bob plaid yn yr Etholiad Cyffredinol a gynhaliwyd ar 28 Chwefror, y cyntaf o ddau a welwyd yn ystod y flwyddyn.

Dros Blaid Cymru, enillodd Dafydd Wigley sedd Caernarfon, a chipiodd Dafydd Elis Thomas sedd Meirionydd, ond methodd Gwynfor Evans ag adennill Caerfyrddin o dair pleidlais yn unig gan roi i Gwynoro Jones o'r Blaid Lafur fwyafrif Seneddol lleiaf y ganrif. Er bod Plaid Cymru wedi ennill dwy sedd newydd, trwy'r wlad i gyd cafodd y Blaid lai o gefnogaeth nag yn 1970.

Ailsefydlwyd goruchafiaeth draddodiadol y Rhyddfrydwyr yng Ngheredigion pan enillodd Geraint Howells y sedd oddi ar Elystan Morgan o'r Blaid Lafur. Cynyddodd hefyd y nifer o ymgeiswyr Rhyddfrydol yng Nghymru o 19 yn 1970 i 31 ond gwan oedd safle'r Blaid Ryddfrydol o gofio ei bod ar un adeg yn llwyr reoli gwleidyddiaeth Cymru.

Gwelodd y Blaid Lafur ei chyfanswm o seddi Cymreig yn dal i ddisgyn o 32 yn 1966 i 24 erbyn 1974, ac am y tro cyntaf erioed, nid oedd yr un o Aelodau Seneddol Llafur Cymru wedi codi trwy rengoedd undeb y glowyr.

Yn San Steffan caniatawyd i Aelodau Seneddol o Gymru dyngu'r llw o ffyddlondeb i'r Frenhines yn Gymraeg am y tro cyntaf erioed, a manteisiodd 11 o'r 36 ar y cyfle. Penodwyd John Morris, Aelod Seneddol Aberafan, yn Ysgrifennydd Gwladol Cymru, swydd a ddaliodd tan 1979 trwy gydol tymor y llywodraeth Lafur. Yn ôl un hanes, pan aeth Morris i Balas Buckingham i dderbyn ei swydd newydd, dewisodd dyngu ei lw i'r Frenhines yn Saesneg ond gyda'i law ar Feibl Cymraeg.

Yng ngwledydd Prydain i gyd cafodd y Ceidwadwyr 217,564 o bleidleisiau'n fwy na'r Blaid Lafur, ond rhoddodd natur y system etholiadol 301 o seddi i Lafur a 297 i'r Blaid Geidwadol. A mwyafrif y llywodraeth Lafur mor dila, galwyd ail Etholiad Cyffredinol y flwyddyn ar 10 Hydref. Y tro hwn cipiodd Gwynfor Evans Gaerfyrddin oddi ar y Blaid Lafur am yr ail dro, ac yn y Rhondda etholwyd Alec Jones gyda'r mwyafrif Llafur mwyaf erioed. Derbyniodd Jones 77.1% o'r pleidleisiau a 34,481 yn rhagor nag ymgeisydd yr ail safle, Don Morgan o Blaid Cymru.

Blaenoriaeth i'r Saesneg

Tynnodd Ysgrifennydd Gwladol Cymru, John Morris, nyth cacwn yn ei ben ym mis Mehefin, pan gyhoeddodd y byddai'r Saesneg uwchben y Gymraeg ar arwyddion ffyrdd dwyieithog newydd, gan ennyn ymateb dig gan gefnogwyr yr iaith Gymraeg. Ym mis Tachwedd 1972 yr oedd Pwyllgor Bowen wedi argymell gosod arwyddion mewn Cymraeg a Saesneg dros gyfnod o ddeng mlynedd ar gost o £3,275,000. Cytunodd Peter Thomas, yr Ysgrifennydd Gwladol ar y pryd, â'r egwyddor ond gadawyd y cwestiwn ynglyn â pha iaith a gâi'r flaenoriaeth heb ei ateb. Mewn datganiad ar 10 Mehefin, dywedodd John Morris ei fod wedi penderfynu gosod y Saesneg yn uchaf am resymau diogelwch am fod gwaith ymchwil wedi dangos bod gyrrwyr yn cymryd cryn dipyn mwy o amser i ddarllen arwyddion gyda'r Gymraeg ar ben y Saesneg, Cefnogwyd ei benderfyniad gan y cyn-Ysgrifennydd Gwladol, Peter Thomas, y dyn a sefydlodd y rhaglen ymchwil, ond yr oedd rhybudd gan Dafydd Elis Thomas o Blaid Cymru na fyddai'r arwyddion newydd yn bodloni rhai o garedigion y Gymraeg. Ar ran Cymdeithas yr Iaith Gymraeg, dywedodd Terwyn Tomos fod y penderfyniad yn 'sarhad', a bygythiwyd peintio dros eiriau Saesneg a roddid uwchben rhai Cymraeg. Ar ran Gorsedd y Beirdd, mynegodd yr Archdderwydd Bryn ei anfodlonrwydd â'r penderfyniad, ac yr oedd Archesgob Cymru, Gwilym Owen Williams, ymhlith y ffigurau cyhoeddus a lofnododd lythyr at yr Ysgrifennydd Gwladol i'r un perwyl.

Yn Ebrill 1974, codwyd yr arwyddion dwyieithog cyntaf ar draffordd yr M4 wedi i'r Swyddfa Gymreig orchymyn Cyngor Sir Gwent i newid ei gynlluniau i osod arwyddion uniaith Saesneg yn nodi cyfyngiadau ar lorïau'n teithio ar y draffordd.

Radio newydd yn herio'r BBC

Ar 30 Medi, clywyd rhaglenni cyntaf gorsaf radio newydd, Sain Abertawe, yr orsaf radio fasnachol gyntaf yng Nghymru. O'i stiwdios yn Nhre-gŵyr yr oedd Sain Abertawe yn cyrraedd cynulleidfa o tua 350,000 o wrandawyr posibl.

Yr oedd radio fasnachol wedi dechrau ym Mhrydain ym mis Hydref 1973 gyda Capital Radio ac LBC yn Llundain, ac o fis Rhagfyr 1973 yr oedd Radio Clyde yn denu nifer sylweddol o wrandawyr y BBC yn yr Alban. Yn ei blynyddoedd cynnar gallai Sain Abertawe ddenu hyd at 12% o drigolion gorllewin Morgannwg a dwyrain sir Gaerfyrddin i wrando arni.

Fel rhan o'i chytundeb â'r Awdurdod Darlledu Annibynnol, yr oedd gorsaf Sain Abertawe yn gorfod darlledu 10% o'i rhaglenni yn y Gymraeg. Mewn gwirionedd ceid mwy na hynny o raglenni Cymraeg, gan gynnwys awr a hanner o Gymraeg bob nos o 7 o'r gloch ymlaen a hefyd pytiau o newyddion Cymraeg a gwersi Cymraeg byr bob dydd.

Y ffordd amgen o fyw

Wrth i ddiddordeb mawr dyfu trwy'r byd yn yr amgylchfyd a materion 'gwyrdd', agorwyd Canolfan y Dechnoleg Amgen ar hen safle Chwarel Llwyn-gwern ychydig filltiroedd y tu allan i Fachynlleth ym mis Gorffennaf, gan ddenu pymtheng mil o ymwelwyr chwilfrydig yn ystod ei blwyddyn gyntaf.

Caewyd Chwarel Llwyn-gwern yn 1951 ond yn 1973 sicrhawyd prydles ar y tir gan Gerard Morgan-Grenville er mwyn gwireddu ei weledigaeth o gymuned a fyddai'n esiampl o sut y gallai cymuned ei chynnal ei hun heb orddefnyddio adnoddau'r byd. Trwsiwyd hen gytiau'r chwarel a chodwyd melin wynt a phaneli ynni haul i ddarparu trydan a dŵr poeth. Nid agorwyd y safle'n ffurfiol i ymwelwyr am flwyddyn a hanner, ond gan fod pobl yn mynnu ei weld beth bynnag, penderfynwyd ei agor yn swyddogol a chodi tâl tuag at ei gynnal. Ym mis Mawrth 1979, agorwyd Siop y Chwarel yn nhref Machynlleth fel caffi a siop fwydydd organig, ac yn yr un flwyddyn dechreuwyd darparu cyrsiau preswyl a chroesawyd 59,000 o ymwelwyr.

Peth pur ryfedd i lawer un oedd y Ganolfan yn ei

Ymwelydd enwog yn nyddiau cynnar y Ganolfan.

dyddiau cynnar, ond daeth llawer o'r syniadau arloesol a brofwyd yno'n gyntaf i gael eu derbyn yn y byd ehangach yn fuan wedyn, ac ymhlith y teclynnau pwysicaf a ddatblygwyd yn y Ganolfan yr oedd oergell ynni haul. Datblygodd y Ganolfan ei hun trwy'r blynyddoedd i fod yn ganolfan addysg a gwybodaeth o bwysigwrydd byd-eang, a hefyd yn un o'r cyrchfannau mwyaf poblogaidd i ymwelwyr â chanolbarth Cymru.

Testament Newydd newydd

dde: Seremoni cyhoeddi'r fersiwn newydd o'r Testament Newydd yn Eglwys Gadeiriol Bangor.

Ddydd Gŵyl Ddewi, cyhoeddwyd cyfieithiad newydd o'r Testament Newydd, y fersiwn Cymraeg awdurdodol cyntaf o'r ysgrythurau Groeg er Testament Newydd William Salesbury yn 1567.

Er 1963 yr oedd Panel Cyfieithu ar waith dan ofal y Parch. Owen E. Evans fel rhan o brosiect mawr i drosi'r Beibl cyfan i Gymraeg cyfoes. Ond nid oedd pawb yn fodlon ar y cyfieithiad. Cyhuddodd y Parch T J Davies y cyfieithwyr o beidio defnyddio'r dull gorau o gyfieithu yn groes i argymhellion Cymdeithas y Beiblau.

Gwelwyd ffrae arall hefyd yn y byd crefyddol yn ystod y flwyddyn pan wrthododd rhai efengylwyr gymryd rhan yn yr Ymgyrch Cymru i Grist. Nid oeddent am gerdded o ddrws i ddrws gydag enwadau eraill yr oeddynt yn anghydweld â'u dogmâu.

A oes heddwch?

Achosodd un o brotestiadau Cymdeithas yr Iaith gryn chwerwder yn ne Ceredigion yn ystod misoedd cynnar y flwyddyn.

Roedd llawer o arweinwyr y Gymdeithas yn heddychwyr pybyr ac yn arbennig felly y cadeirydd Ffred Ffransis. Fe'u cythruddwyd gan benderfyniad pwyllgor lleol yr Eisteddfod Genedlaethol, a oedd i'w chynnal yn Aberteifi yn 1976, i dderbyn cynnig gan yr Adran Ymchwil i Arfau, Aber-porth, o goron ar gyfer yr Wyl.

Yn ôl llythyr agored a arwyddwyd ar ran y Gymdeithas gan Ffred Ffransis a thri swyddog arall, 'nid oes gysondeb mewn sefydliad a'i seiliau yn ddwfn mewn gwreiddiau heddychol yn derbyn nawdd gan fudiad sydd â'i fryd ar ymchwilio i ffyrdd gwell o ladd ar raddfa gynyddol.'

Nid oedd y pwyllgor lleol yn cytuno gan gredu fod yr Eisteddfod, yn ôl geiriau'r Prifardd Dic Jones, 'yn agored i bawb', ac

ofnai colli cefnogaeth leol gan fod Aberporth yn cyflogi dros fil o weithwyr yn yr ardal. Fodd bynnag, yn wyneb y protestiadau, penderfynodd Prif Swyddog Aberporth dynnu'r cynnig yn ôl er mwyn 'rhyddhau'r pwyllgor o'r penbleth'.

Roedd Saunders Lewis, prif symbylydd Cymdeithas yr Iaith, hefyd yn anniddig a phenderfynodd ymddiswyddo o fod yn Lywydd Anrhydeddus y Gymdeithas. Yn ei lythyr o ymddiswyddiad, dywedodd ei fod yn ystyried '...gyrfa milwr yn yrfa anrhydeddus a nobl ac yn un anhepgor i unrhyw wlad rydd.'

Ennill a cholli

Roedd y Cae Ras, Wrecsam, dan ei sang ar nos Fercher stormus 17 Tachwedd ar gyfer y gêm olaf yn rowndiau rhagbrofol Cwpan Cenhedloedd Ewrop rhwng Cymru ac Awstria. Roedd Cymru eisoes wedi curo Hwngari a Luxembourg ddwywaith ac yr oedd cyfle'n awr i dalu'r pwyth yn ôl ar ôl colli mewn gêm agos yn Awstria.

Gyda nifer o sêr fel John Toshack a Dai Davies wedi'i hanafu neu wedi'i gwahardd, roedd sawl chwaraewr ifanc dibrofiad yn nhîm Cymru y noson honno, ond un o'r hen chwaraewyr, Arfon Griffiths o Wrecsam, oedd yr arwr. Er ei fod yn ei dridegau ac yn chwarae yn Nhrydedd Adran Cynghrair Lloegr, roedd Griffiths wedi'i alw i dîm Cymru'n hwyr iawn yn ei yrfa gan brofi ei fod lawn cystal â chwaraewyr gorau Ewrop.

Arfon Griffiths yn lliwiau Cymru.

Ef fanteisiodd ar bas cywir Rod Thomas ac ergydio i'r rhwyd i roi buddugoliaeth gofiadwy i'r crysau cochion a sicrhau bod Cymru'n gorffen ar frig y grwp.

Yn y dyddiau hynny roedd yr wyth gwlad ar frig y grwpiau'n chwarae mewn rownd ychwanegol, a dim ond y pedwar tim buddugol fyddai'n cystadlu yn y twrnamaint terfynol. Gwrthwynebwyr Cymru dros ddau gymal oedd Iwgoslafia. Collwyd 0-2 yn Zagreb ond ar 22 Mai 1976 roedd cefnogwyr Cymru'n dal yn obeithiol am fuddugoliaeth ar Barc Ninian. Ond mewn gêm fudr, cythruddwyd y dorf gan benderfyniadau rhyfedd y dyfarnwr, Herr Rudi Gloeckner o Ddwyrain yr Almaen. Dyfarnodd gic o'r smotyn i Iwgoslafia yn yr hanner cyntaf am drosedd honedig, ac er iddo'n ddiweddarach roi cic o'r smotyn hefyd i Gymru, methodd capten Cymru, Terry Yorath, â sgorio. 1-1 oedd y sgôr ar y chwiban olaf a rhedodd cannoedd o'r dorf ar y maes i ddangos eu dicter.

OGGI! OGGI! OGGI!

dde: Max Boyce

Cofnodwyd oes aur rygbi yn y '70au ar gân ac ar ddisg gan y baledwr a'r digrifwr Max Boyce. Roedd y Cymro-Cymraeg o Lyn Nedd yn gweithio fel trydanwr i'r Bwrdd Glo ac yn canu mewn clybiau gyda'r nos pan recordiwyd un o'i gyngherddau yn Nhreorci yn y Rhondda yn 1973. Dwy flynedd yn ddiweddarach rhyddhawyd ei record hir 'Live at Treorchy' a chyrhaeddodd hwnnw safle 21 yn y siartiau gan aros ymhlith y deugain uchaf am 32 wythnos. Enillodd bump record aur yn olynnol ac ym mis Tachwedd rhydd-hawyd record arall 'We all had doctors' papers' a gyrhaeddodd rhif un yn y siartau.

Daeth Max Boyce mor enwog â rhai o'r chwaraewyr rygbi y canai amdanynt. Byddai'n ymddangos ar lwyfan yn gwisgo sgarff a rosét goch a gwyn ac yn cario cenhinen anferth. Gwaeddai 'Oggi! Oggi! Oggi!' ar y gynulleidfa a châi'r ymateb 'Oi! Oi! Oi!', cyn dechrau ar gyfres o ganeuon gafaelgar a doniol. Yn aml testun ei ganeuon oedd sut y byddai cefnogwyr yn chwilio am bob cyfle i weld gêm rygbi - caneuon fel 'We all had doctors' papers' a 'The Incredible Plan'. Ei gân enwocaf o lawer oedd 'Hymns and Arias' a ddaeth yn anthem i gefnogwyr y gêm. Fel y canwyd emynau Cymraeg gynt, byddai'r dorf yn y Stadiwm Genedlaethol heb rybudd yn dechrau canu 'Hymns and Arias' er mwyn ysbrydoli Cymru i fuddug-oliaeth.

Wrth i lwyddiant y tîm cenedlaethol leihau, daeth oes aur Max Boyce hefyd i ben ond yr oedd yn parhau i berfformio mewn cyngherddau chwarter canrif ar ôl llwyddiant ei record gyntaf.

Pencampwyr y Pentrefi

Y dorf orfoleddus yn llongyfarch Edward Bevan wrth iddo adael y maes.

Ar 30 Awst, Clwb Criced Tre-gŵyr oedd y tîm cyntaf o Gymru i ennill Pencampwriaeth Griced y Pentrefi, gyda buddugoliaeth ysgubol ar faes Lords yn Llundain o chwe wiced yn erbyn Isleham.

Yr oedd Tre-gŵyr ac Isleham fel ei gilydd wedi brwydro trwy gyfres o rowndiau yn cynnwys 813 o dimau pentrefol o Gymru, Lloegr a'r Alban i gyrraedd y rownd derfynol, ond ar y diwrnod yr oedd y gwahaniaeth safon rhwng y ddau dîm yn amlwg. A hwythau'n batio'n gyntaf, cafwyd Isleham i gyd allan am 120 heb i'r un chwaraewr sgorio mwy nag un ar bymtheg. Er i ddwy o wicedi Tre-gŵyr gwympo'n gynnar, daliodd y capten Edward Bevan y cyfan ynghyd. Cyrhaeddodd Bevan ei hanner cant yn y 27ain belawd, ac yn y 29ain belawd gyda'r sgoriau'n gyfartal, trawodd y bêl am bedair rhediad i roi'r fuddugoliaeth i'r Cymry gyda chyfanswm o 124 am bedair wiced.

Sefydlwyd Pencampwriaeth y Pentrefi yn 1972 ar gyfer pentrefi ac iddynt lai na dwy fil a hanner o bobl ar y gofrestr o etholwyr. Twrnameint i amaturiaid pur fyddai hon, ac ni chaniateid i'r un cricedwr proffesiynol gymryd rhan. Yn 1973 yr oedd dynion Tre-gŵyr wedi cyrraedd rownd derfynol y gystadleuaeth yn 1973 pan gollasant i bencampwyr 1972, tîm pentref Troon o Gernyw, o ddeuddeg o rediadau. Yn 1974 cyrhaeddodd Tre-gŵyr rownd derfynol Rhanbarth Cymru a cholli yn erbyn Ynys-gerwyn o Lyn Nedd.

Ond codwyd cwynion nad pentref oedd Tre-gŵyr mewn gwirionedd eithr tref fach, a chyn Pencampwriaeth 1976 derbyniodd y clwb lythyr gan Ysgrifennydd y Pwyllgor Trefnu yn dweud na fyddai cricedwyr Tre-gŵyr yn gymwys i gystadlu am Dlws Haig drachefn, yn gyntaf am fod poblogaeth y pentref yn mynd yn fwy na'r ddwy fil a hanner a nodwyd yn y rheolau, ac yn ail am nad oedd y tîm yn chwarae math o griced a ystyrid yn 'griced pentrefol'. Hen honiad oedd yr un fod dynion Tre-gŵyr yn 'rhy broffesiynol' eu hagwedd, ac un y ceisiodd capten y clwb, Robert Evans, ei ateb cyn rownd derfynol 1975, 'Rŷm ni'n cymryd ein gemau o ddifrif. Pan ŷch chi'n cyrraedd cyn belled â hyn yn y gystadleuaeth, does dim diben potsian'.

'Viet Gwent'

Tîm arbrofol oedd gan Gymru yng ngêm rygbi ryngwladol gyntaf y flwyddyn yn erbyn Ffrainc ym Mharis ar 18 Ionawr. Roedd chwaraewyr newydd fel Steve Fenwick a Ray Gravell i amlygu eu hunain yn y blynyddoedd dilynol ond dyma hefyd oedd y tro cyntaf i reng flaen Pont-y-pŵl, Graham Price, Bobby Windsor a 'Charlie' Faulkner, chwarae gyda'i gilydd dros eu gwlad.

Yn gwbl annisgwyl, enillodd Cymru o 25 pwynt i 10 y diwrnod hwnnw – y tro olaf i Gymru ennill ym Mharis hyd at flwyddyn olaf y ganrif – a choronwyd camp y blaenwyr o Bont-y-pŵl pan sgoriodd Graham Price gais ardderchog.

Chwaraeodd y tri 19 gwaith gyda'i gilydd dros eu gwlad ac, yn ogystal â Price, llwyddodd Faulkner a Windsor hefyd i sgorio ceisiau yn y crys coch. Cyfranasant yn fawr hefyd at lwyddiant eu clwb. Dan hyfforddiant digyfaddawd Ray Prosser, tîm a ddibynnai ar flaenwyr caled yn hytrach na chefnwyr ysgafndroed oedd Pont-y-pŵl yn y dyddiau hynny, a thrawsblannwyd y cryfder hwnnw i'r tîm cenedlaethol.

Cymaint oedd gwytnwch Price, Windsor a Faulkner fel y gelwid hwy'n 'Viet Gwent' ar ôl ymladdwyr di-ildio y 'Viet Cong' yn Rhyfel Fietnam, ac fe'u hanfarwolwyd hefyd gan un o ganeuon mwyaf poblogaidd Max Boyce.

Comics a barddoniaeth

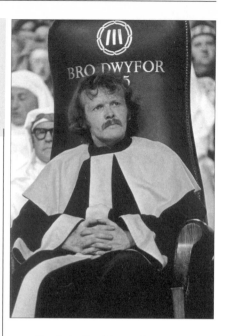

dde: Y prifardd newydd.

Yn ôl Gerallt Lloyd Owen, wedi iddo gael ei gadeirio yn Eisteddfod Genedlaethol Bro Dwyfor, Cricieth, roedd comics plant yn bwysicach na barddoniaeth. Ef oedd yn gyfrifol am gyhoeddi'r comic *Yr Hebog* a chredai na fyddai neb yn darllen barddoniaeth mewn ugain mlynedd oni fyddai i blant gael eu hybu i ddarllen Cymraeg drwy ddarllen comics.

Nodweddion ei awdl fuddugol yn ôl un beirniad oedd 'symledd mynegiant, cynildeb ymadrodd, sicrwydd cyffyrddiad a naws gyfriniol'. Roedd y cwpled cyntaf yn un o'r mwyaf cofiadwy yn holl hanes yr Eisteddfod:

> Pan feddwn dalent plentyn
> I weld llais a chlywed llun.

Enillodd Gerallt Lloyd Owen y Gadair genedlaethol eilwaith yn Abertawe 1982. Erbyn hynny roedd yn adnabyddus fel y beirniad ffraeth ar y rhaglen radio boblogaidd 'Talwrn y Beirdd' a ddarlledwyd am y tro cyntaf yn Hydref 1979.

Mathemateg Gymraeg

Ym mis Mehefin, Owen Evans o Landudno oedd y myfyriwr cyntaf erioed i ennill gradd mewn mathemateg trwy'r Gymraeg. Ar ôl astudio mathemateg trwy'r Saesneg trwy gydol ei gyfnod yn yr ysgol yr oedd yn awyddus i droi at y Gymraeg ar gyfer ei gwrs yng Ngholeg y Brifysgol, Bangor. Graddiodd gydag anrhydedd dosbarth cyntaf yn ei bwnc, er bod rhaid i'r Brifysgol anfon ei waith arholiadau i Gaerdydd ac Abertawe i gael ei gyfieithu cyn i'r mathemategwr ifanc gael clywed beth oedd ei farciau terfynol.

Pont lle bu fferi

Yn sir Benfro, caewyd y fferi olaf ar draws Afon Cleddau, o Neyland i Hobbs Point, yn sgil agor Pont Cleddau ar 8 Mawrth. Bu rhesi o geir yn aros wrth ddau ben y bont i fod gyda'r cyntaf i groesi, a chyfrifwyd bod 3,700 o fodurwyr wedi defnyddio'r bont yn ystod y diwrnod cyntaf.

Dechreuwyd codi'r bont yn 1968 a £3 miliwn oedd yr amcangyfrif cyntaf o'i chost. Yn 1970 cwympodd rhan o'r bont, ac erbyn i'r cyfan gael ei orffen yr oedd y gost wedi cynyddu i bron £12 miliwn, a bu'n rhaid i Gyngor Sir Benfro osod tollau trwm ar y rhai a ddefnyddiai'r bont i ad-dalu'r arian. O ganlyniad, pan agorwyd y bont i draffig, yr oedd rhaid i yrrwyr ceir dalu deg ceiniog ar hugain y tro a gyrrwyr bysiau trigain ceiniog, y tollau uchaf ar unrhyw bont ym Mhrydain ar y pryd.

Ar 16 Hydref cyhoeddwyd bod Ysgrifennydd Gwladol Cymru, John Morris, wedi gwrthod cwrdd â Chyngor Sir Dyfed i drafod rhoi grant i'r sir i'w digolledu am gost y bont newydd.

chwith: Fferi Afon Cleddau.

1976

16 Mawrth

Ymddiswyddodd Prif Weinidog Prydain Harold Wilson yn ddisymwth. Fe'i olynwyd gan James Callaghan.

2 Mehefin

Enillodd Lester Piggott ras y *Derby* am y seithfed tro – record i joci.

4 Gorffennaf

Llwyddodd cyrch gan yr Israeliaid i achub 106 o deithwyr wedi iddynt gael eu herwgipio a'u caethiwo ym maes awyr Entebbe, Wganda.

7 Gorffennaf

Ym Mhrydain, daeth David Steel yn arweinydd y Blaid Ryddfrydol wedi ymddiswyddiad Jeremy Thorpe.

20 Gorffennaf

Gwelwyd y lluniau manwl cyntaf o'r blaned Mawrth wedi i'r llongofod *Viking 1* lanio arni.

8 Awst

Lansiwyd y Mudiad Gwragedd dros Heddwch yng Ngogledd Iwerddon mewn rali a fynychwyd gan 20,000 o Babyddion a Phrotestaniaid y dalaith.

9 Medi

Bu farw arweinydd Tsieina, Mao Zedong, yn 82 mlwydd oed.

2 Tachwedd

Etholwyd Jimmy Carter yn Arlywydd yr Unol Daleithiau.

Storom Awst

Y prifardd anfodlon gyda'r Archdderwydd Bryn.

Disgrifiwyd Eisteddfod Genedlaethol Aberteifi ar ddechrau Awst fel 'Eisteddfod y llwch' gan fod llwch yn chwythu'n ddibaid ar draws y maes sych grimp. Ond taflwyd llwch hefyd i lygaid yr Orsedd gan achosi anghydfod a daflodd gysgod dros gamp y bardd ifanc o Wynedd, Alan Llwyd.

Roedd Alan Llwyd eisoes wedi ennill y Gadair a'r Goron yn Eisteddfod Rhuthun yn 1973, y cyntaf i gyflawni'r gamp honno ar ôl T H Parry-Williams yn 1912 a 1915. Cystadlodd yn y ddwy gystadleuaeth hefyd yn Eisteddfod Aberteifi a chlywodd ei fod wedi ennill y Goron ond nid y Gadair. Fodd bynnag, ar ddechrau wythnos yr Eisteddfod, fe'i hysbyswyd ei fod wedi dod yn ail am y Gadair ond gan fod y buddugwr wedi'i ddiarddel o'r gystadleuaeth, mai ef a gadeirid ar y dydd Iau. Nid oedd Alan Llwyd yn hapus â'r amgylchiadau, nac yn fodlon ar y modd yr oedd awdurdodau'r Eisteddfod am weithredu.

Cafwyd ar ddeall i Dic Jones, y prifardd o Flaenannerch ger Aberteifi, gystadlu am y Gadair dan y ffugenw *Rhos y Gadair*, ond gan iddo fod yn aelod o isbwyllgor llenyddiaeth yr Eisteddfod, nid oedd ganddo'r hawl i gystadlu. Serch hynny anfonodd ei awdl ar y testun 'Gwanwyn' i'r gystadleuaeth, gan ddefnyddio enw a chyfeiriad camarweiniol sef R. Lewis Jones, Hwlffordd.

Dewiswyd awdl *Rhos y Gadair* yn orau gan y beirniaid ond yn hytrach na'i ddiarddel o'r gystadleuaeth pan ddaeth yn hysbys pwy ydoedd, penderfynwyd y byddai'r beirniaid yn cyhoeddi o'r llwyfan mai ef oedd yn fuddugol, a'r Archdderwydd i gyhoeddi wedyn iddo gael ei ddiarddel.

Yna byddai *Tyst o'r Tir*, yr ail yn y gystadleuaeth, yn cael ei gadeirio. Yn ychwanegol at y penderfyniad rhyfedd hwn, cyhoeddwyd awdl Dic Jones yng nghorff y gyfrol *Cyfansoddiadau a Beirniadaethau* a'r awdl fuddugol mewn atodiad ar y diwedd.

O ganlyniad i hyn oll, aed â pheth o'r sglein oddi ar gamp Alan Llwyd wrth gipio'r 'dwbwl' am yr eildro. Bu'n rhaid ei berswadio i dderbyn y Gadair, ac yr oedd yn amlwg ei fod yn brifardd anfodlon a siomedig wrth eistedd yng Nghadair yr Eisteddfod.

Cynulliad i Gymru?

Mewn cyfres o is-etholiadau Seneddol, diflannodd mwyafrif y llywodraeth Lafur yn Nhŷ'r Cyffredin, a daeth Llafur yn fwyfwy dibynnol ar gefnogaeth Plaid Cymru a Phlaid Genedlaethol yr Alban i aros mewn grym. Ar 30 Tachwedd daeth Mesur yr Alban a Chymru gerbron y Senedd. Yr oedd Cynulliad Cenedlaethol i'w greu yng Nghyfnewidfa Lo dociau Caerdydd, wedi i'r llywodraeth gefnu ar gynllun i'w leoli yn y Deml Heddwch.

Croeso llugoer a gafodd y Mesur ar y cyfan, ac yn y bleidlais gyntaf arno yn Nhŷ'r Cyffredin dewisodd chwech o Aelodau Seneddol Llafur Cymru beidio â phleidleisio. Yr oedd dau o Aelodau Seneddol Gwent, Neil Kinnock, (Bedwellte) a Leo Abse (Pont-y-pŵl) eioes wedi siarad yng nghynhadledd flynyddol y Blaid Lafur yn Blackpool ar ddiwedd mis Medi yn erbyn unrhyw fath o ddatganoli, ac mewn arolwg barn a gyhoeddwyd yng Nghymru ar 29 Tachwedd, nid oedd ond 29% o blaid y Mesur tra oedd 40% yn ei wrthwynebu, a 79% yn credu y dylid cynnal refferendwm cyn cyflwyno unrhyw gynllun i ddatganoli grym o Lundain i Gaerdydd.

'Gwaeth na chant o ladron'

Mewn un o'r achosion llys mwyaf nodedig ynglŷn â llygredigaeth mewn llywodraeth leol yng Nghymru, yn Llys y Goron, Caerdydd ar 5 Hydref, pledion wyth o bobl yn ddi-euog i wahanol gyhuddiadau o gynllwynio a thwyll yn ymwneud â'r hen Gyngor Sir Morgannwg a ddiddymwyd yn 1974.

Ymhlith yr wyth yr oedd Ernest Westwood o'r Porth, cyn-Gadeirydd Pwyllgor Cynllunio'r hen Sir Forgannwg, a oedd bellach yn Gadeirydd Pwyllgor Cynllunio awdurdod newydd Morgannwg Ganol. Cyhuddwyd Westwood o dderbyn nifer o roddion yn dâl am gamddefnyddio ei ddylanwad ar y Pwyllgor Cynllunio i ffafrio'r rhoddwyr, gan gynnwys teithiau moethus, llond basged o fwyd a gwin a chôt ffwr i'w wraig. Clywodd y llys fod gan Westwood a'i wraig chwe chyfrif banc yn cynnwys bron £3,000 a'i fod yn byw bywyd ymhell y tu hwnt i'w incwm o £23 yr wythnos fel tirmon.

Ar 23 Chwefror 1977 cafwyd Westwood a phedwar dyn arall yn euog o wahanol droseddau yn ymwneud â llygredigaeth. Cafodd Westwood ddedfryd o 4½ blynedd o garchar, a'r lleill gyfnodau rhwng pymtheng mis a thair blynedd. Wrth osod y ddedfryd dywedodd y barnwr, Mr. Ustus

Ernest Westwood

Watkins, ei fod wedi clywed mwy o gelwyddau yn ystod y prawf 88 diwrnod nag yn yr holl 30 mlynedd y bu'n gwasanaethu Llys y Goron, Caerdydd. Yr oedd y diffynyddion wedi gwneud mwy o ddifrod i'r gymuned na 'chant neu ragor o'r lladron sy'n llenwi ein carchardai', meddai.

'Merv the Swerve'

Daeth gyrfa capten rygbi Cymru, Mervyn Davies, i ben ddiwrnodau yn unig ar ôl iddo arwain ei wlad i'r 'Gamp Lawn', sef curo'r Alban, Ffrainc, Iwerddon a Lloegr, yn ystod yr un tymor. Roedd Davies yn chwarae i'w glwb Abertawe mewn gêm gwpan gorfforol yn erbyn Pont-y-pŵl pan syrthiodd i'r llawr yn anymwybodol. Fe'i cludwyd i'r ysbyty a darganfuwyd yno fod ganddo waedlif ar ei ymennydd. Am rai dyddiau bu ei fywyd mewn perygl ond gwellodd gydag amser, er na chwaraeodd rygbi wedyn.

Roedd yr wythwr tal athletaidd wedi chwarae i'w wlad ar 38 achlysur yn olynol ac, mewn tymor cyffrous, ysbrydolodd ei gyd-chwaraewyr i guro Lloegr o 21 pwynt i 9, yr Alban 28 i 6, Iwerddon 34 i 9 a Ffrainc 19 i 13.

chwith: Mervyn Davies

Nofelydd a ddewisodd Gymru

Ar 28 Ebrill yn Nhalsarnau, Meirionnydd, bu farw'r nofelydd Richard Hughes. Er iddo gael ei eni yn Surrey a'i rieni'n Saeson, byddai Hughes bob amser yn ei ystyried ei hun yn Gymro, ac er iddo deithio'n helaeth yn ystod ei yrfa, yng Nghymru y dewisodd setlo.

Cerddi a dramâu oedd ei weithiau cynnar, ac yn 1924, ei ddrama ef, *Danger*, oedd y gyntaf erioed i gael ei darlledu ar y radio. Cafodd gryn glod am ei ddwy nofel gyntaf, *A High Wind in Jamaica* (1929) ac *In Hazard*, ac yn 1956 dechreuodd lunio ei waith mawr, nofel haneyddol o bedair cyfrol yn dilyn hanes cyfnod y Natsïaid yn Ewrop dan y teitl mawreddog, *The Human Predicament*. O'r pedair cyfrol arfaethedig, dim ond dwy, *The Fox in the Attic* (1961) a *The Wooden Sheperdess*(1973) a ymddangosodd, ac yr oedd y drydedd gyfrol ar y gweill gan yr awdur pan fu farw.

Y sychder mawr

Yn dilyn gaeaf a gwanwyn anghyffredin o sych, profodd Cymru a Phrydain i gyd haf crasboeth o heulwen ddi-gwmwl a diffyg glaw dybryd o ganol mis Mehefin hyd ddiwedd mis Awst. Y deuddeng mis o fis Mai 1975 ymlaen oedd y sychaf yng Nghymru a Lloegr er pan ddechreuwyd cadw cofnodion yn 1727.

Yr oedd ardaloedd helaeth yng Nghymru heb ddigon o ddŵr, ac o 23 Awst ymlaen yr oedd pobl mewn rhannau o dde Cymru heb ddŵr am 17 awr y dydd wrth i'r cyflenwad gael ei atal rhwng 2 o'r gloch y prynhawn a 7 o'r gloch y bore.

Ar 24 Awst, penodwyd y Gweinidog Chwaraeon, Denis Howell, yn Ysgrifennydd Adnoddau Dŵr, ond byr iawn oedd teyrnasiad Howell fel 'Gweinidog y Sychder' gan i lawogydd mawr daro'r wlad dridiau wedi ei benodi.

Statws i ogof

Yn y flwyddyn hon, Ogof Ffynnon Ddu, ger Craig-y-nos ymhen uchaf Cwm Tawe, yr ogof ddyfnaf ym Mhrydain, oedd y gyntaf ym Mhrydain hefyd i gael ei nodi'n Warchodfa Natur Genedlaethol. Rhoddwyd statws Gwarchodfa Natur i'r system o ogofâu i gydnabod eu pwysigrwydd rhyngwladol o ran daeareg, gyda'u rhychwant o raeadrau, ceudyllau, stalactidau a stalagmidau.

'Dacw'r Wyddfa'

Yn Llanberis ar 17 Gorffennaf, cychwynnodd wyth deg o redwyr ar gwrs deg Ras yr Wyddfa, y tro cyntaf i'r gystadleuaeth flynyddol boblogaidd hon gael ei chynnal. O Swyddfa Bost y pentref rhedodd y cystadleuwyr i gopa'r mynydd ac yn ôl i gae Dôl y Goeden. Dave Francis a orffennodd yn gyntaf, mewn 1 awr a 12 munud, a 25 munud wedyn Bridget Hogge oedd y wraig gyntaf dros y llinell.

Yn 1980 gwelwyd ehangu gorwelion y ras pan wahoddwyd tîm o Eidalwyr i gymryd rhan, ac yn 1985 trefnwyd cystadleuaeth i dimau rhyngwladol fel rhan o'r ras, gyda chriw o Ghurkas ymhlith y timau.

Arweiniodd y ras at sefydlu nifer o gystadlaethau tebyg mewn rhannau eraill o Gymru, a bu'n achos creu y clwb rhedeg Eryri Harriers.

Llyfrbryfed a Beirdd

Yn Eisteddfod Genedlaethol Aberteifi ym mis Awst, gwelwyd sefydlu dwy gymdeithas wahanol i'w gilydd, ond y ddwy er mwyn dod â charedigion llenyddiaeth Gymraeg yn nes at ei gilydd.

Cymdeithas Bob Owen oedd yr enw a ddewisiwyd ar y gymdeithas newydd ar gyfer llyfrgarwyr a chasglwyr hen lyfrau, a hynny er cof am Bob Owen o Groesor, Meirionnydd, casglwr llyfrau o fri a fu farw yn 1962. Ym mis Mawrth 1977, dechreuwyd cyhoeddi cylchgrawn y Gymdeithas, sef *Y Casglwr* o dan ei olygydd, y newyddiadurwr John Roberts Williams, a'i fwriad yn ymwneud, yn ôl ei is-deitl i ymwneud â 'Phob Peth Printiedig'.

Sefydlwyd y Gymdeithas Gerdd Dafod yn bennaf oll er mwyn hybu diddordeb mewn barddoniaeth Gymraeg yn y mesurau caeth. Yn ei chyfarfod cyntaf etholwyd y llenor T. Llew Jones yn Llywydd arni. Yn ganolog i'r fentr yr oedd y bardd Alan Llwyd a fu gyda Gerallt Lloyd Owen yn gyd-olygydd cylchgrawn y Gymdeithas, *Barddas*, o fis Hydref ymlaen, ac ar ei ben ei hun am gyfnod o 1983 ymlaen. Ef hefyd a benodwyd yn swyddog amser-llawn cyntaf y Gymdeithas.

uchod:
Gwylliaid Cochion Ceredigion!

Hipis noeth Pontrhydygroes

Yn ystod oriau mân bore Mawrth 13 Gorffennaf daeth oddeutu 400 o blismyn ynghyd, tua hanner holl heddlu Dyfed-Powys, yng nghwm Elan ger Rhaeadr i gymryd rhan mewn cyrch anarferol. Yn y cwm roedd 300 o hipis yn gwersylla mewn maes pebyll blêr a oedd yn cynnwys nifer o wigwams tebyg i rai'r Indiaid cochion.

Am 6 o'r gloch glaniodd yr heddlu yn y gwersyll mewn 12 bws, hanner dwsin o landrofers a char sgwad, er mwyn clirio'r hipis o'r safle. Roedd Awdurdod Dŵr Cymru wedi cael gwrit Uchel Lys i'w troi allan gan honni fod perygl i'r cyflenwad dŵr petai'r hipis yn aros yno.

Ni chafodd yr heddlu unrhyw wrth-wynebiad gan yr hipis a chliriwyd y safle'n gwbl heddychlon. Ond teithiodd tua'u hanner ddeng milltir i'r gorllewin a sefydlu gwersyll newydd ar dir hen waith mwyn plwm yng Nghwm Ystwyth, milltir a hanner o bentref Pontrhydygroes. Gan nad oedd neb yn cwyno, cafodd yr hipis lonydd gan yr heddlu ond nid gan drigolion lleol chwilfrydig a fu'n eu gwylio'n crwydro'r gwersyll yn noethlymun.

Dychwelodd llawer o'r hipis i gefn gwlad canolbarth Cymru dros y blynyddoedd dilynol gan iddynt gael blas ar y 'madarch hud' a dyfai'n wyllt yno ac y gallent eu troi'n gyffuriau.

Garddwr Cymru

dde: Clay Jones yn ei gynefin.

Ym mis Gorffennaf cafodd gwrandawyr radio trwy Brydain i gyd gyfle i glywed llais a oedd eisoes yn hen gyfarwydd i'r Cymry Cymraeg pan ymunodd Clay Jones o Aberteifi â thîm y rhaglen holi, *Gardeners' Question Time*. Er mis Mehefin 1960 yr oedd Clay Jones i'w glywed ar y rhaglen *Garddio*, rhaglen y bu'n gonglfaen iddi am 29 mlynedd, a byddai hefyd yn cynnig cynghorion i arddwyr Cymru ar *Helo Bobol* a thrwy ei golofon arddio wythnosol yn y *Wrexham Leader*. Trwy *Gardeners' Question Time*, yn ogystal â dod yn gyflwynydd radio a oedd yn hoff gan lawer, daeth Clay Jones yn wyneb adnabyddus i arddwyr ymhob cwr o wledydd Prydain wrth i'r sioe deithio o dref i dref i gael ei recordio.

Yr oedd hefyd i'w weld ar y teledu ar y rhaglenni *Gardeners' World* a *Dewch i'r Ardd* ymhlith eraill. Bu'n Gadeirydd ymgyrch 'Cymru yn ei Blodau' o 1972 nes ei farw yn 1996, a derbyniodd OBE am ei wasanaethau i arddio ac i ddarlledu yng Nghymru.

'Order! Order!'

isod: Y Llefarydd yn ei swyddfa.

Ar 3 Chwefror, cymerodd George Thomas o Donypandy le Selwyn Lloyd fel Llefarydd Tŷ'r Cyffredin, y trydydd Aelod Seneddol Cymreig erioed i ddal y swydd, a'r cyntaf er cyfnod Robert Harley yn 1701. Achosodd ei ddyrchafiad gryn benbleth i'r llywodraeth Lafur am ei fod yn lleihau ei mwyafrif Seneddol a oedd eisoes yn fach iawn.

Daeth llais miniog Thomas a'i acen Gymreig gref yn adnabyddus trwy Brydain i gyd pan ddechreuwyd darlledu trafodion y Tŷ ar y radio ar 3 Ebrill 1978. Soniodd Thomas yn ddiweddarach am y modd y câi ei gyfarch yn gyson ac ymhob man gan bobl yn dynwared ei gri uchel *'Order! Order!.'*

Llafur yn llithro'n lleol

Yn yr etholiadau lleol a gynhaliwyd ar 6 Mai gweddnewidiwyd llywodraeth leol yng Nghymru wrth i'r Blaid Lafur golli ei mwyafrif ar 11 o'r 19 o gynghorau dosbarth y bu'n eu rheoli cyn hynny.

Ymhlith y canlyniadau mwyaf syfrdanol, enillodd Plaid Cymru fwyafrif ar Gyngor Bwrdeistref Merthyr Tudful – y cyngor lleol cyntaf i'r cenedlaetholwyr ei reoli erioed – a daeth yn brif blaid Cyngor Tref Rhymni. Ym Merthyr cynyddodd nifer y Pleidwyr ar y Cyngor o bedwar yn 1973 i un ar hugain. Yng Nghwm Rhymni bu'r cynnydd yn fwy fyth, o bedwar i dri ar hugain. Bu'n llwyddiant ar y Blaid hefyd yng Ngwynedd, lle'r etholwyd tri ar ddeg o'i hymgeiswyr i seddi ar Gyngor Dosbarth Arfon.

Ond nid Plaid Cymru'n unig a oedd yn dathlu wrth i'r canlyniadau ddod i mewn: er iddynt golli rhai seddi cododd cyfanswm y Ceidwadwyr o gynghorwyr o 135 i 212, a bu llwyddiannau nodedig hefyd i blaid y Trethdalwyr, yn enwedig yn Abertawe lle'r etholwyd naw ar hugain ohonynt – y garfan fwyaf ar y cyngor o bell ffordd. Trwy Gymru i gyd collodd y Blaid Lafur ddau gant a deugain o seddi

Colli'r 'difyrrwr Cymraeg mwyaf erioed'

Ryan gyda Guto Roberts yn 'Fo a Fe'.

Trawyd llawer un yng Nghymru gan dristwch dwfn pan glywyd ar 22 Ebrill fod y difyrrwr poblogaidd Ryan Davies wedi marw tra ar daith yn Buffalo, Talaith Efrog Newydd. Nid oedd ond deugain oed ond bu'n dioddef o'r fogfa am flynyddoedd lawer, a'r anhwylder hwnnw a'i lladdodd yn y diwedd.

Ac yntau'n gantor, actor, comedïwr a dynwar- edwr, daeth yn gyfarwydd i gynulleidfaoedd Cymraeg a Saesneg eu hiaith fel ei gilydd, yn enwedig trwy ei bartneriaeth â Ronnie Williams. Disgrifiwyd ef gan Trevor Fishlock, gohebydd y *Times*, fel 'Yr unig gomedïwr ym Mhrydain sy'n gweithio mewn dwy iaith.' 'Mae chwerthin yn swnio'r un peth mewn unrhyw iaith a dyna sy'n cyfrif', oedd sylw Ryan ei hun.

Daeth yn adnabyddus hefyd trwy'r gyfres deledu *Fo a Fe*. Wedi'i sgriptio a'i gynhyrchu gan Rhydderch Jones, hon oedd y 'gomedi sefyllfa' gyntaf erioed yn y Gymraeg, ac fel yr awgryma'r teitl, yr oedd yn dibynnu i gryn raddau ar y gwahaniaethau rhwng Cymraeg y Gogledd a'r De i greu difyrrwch. Cymerai Ryan Davies ran Twm Twm, y Cymro cyffredin o'r De, ochr yn ochr â Guto Roberts fel y gogleddwr, Ephraim.

Mor adnabyddus oedd Ryan Davies yn y diwedd fel y dechreuwyd cyfeirio ato ar bosteri yn hysbysebu ei sioeau wrth ei enw cyntaf yn unig – yr oedd yr un gair 'Ryan' yn ddigon o wybodaeth.

Yn ôl y darlledwr Alun Williams, Ryan Davies oedd y 'difyrrwr Cymraeg mwyaf erioed' ac yn ei deyrnged iddo dywedodd Guto Roberts, 'Mae'n anodd iawn credu fod un mor fywiog yn llonydd a'r tafod ffraeth yn fud.'

Y Ffatri Asid

Am 6 o'r gloch y bore ar 26 Mawrth, mewn nifer o gyrchoedd yng Nghymru, Lloegr a Ffrainc, torrodd yr heddlu rwydwaith mwyaf y byd o werthwyr cyffuriau, a'r cyfan yn canoli ar storfa LSD yng nghefn gwlad Ceredigion. *Operation Julie*, a enwyd ar ôl plismones a fu'n gweithio arni, oedd y weithred fwyaf effeithiol hyd hynny gan yr heddlu yn erbyn y farchnad gyffuriau anghyfreithlon, a thrwyddi hi fe gipiwyd gwerth £100 miliwn o LSD.

Y cyn-fyfyriwr cemeg Richard Kemp o Bedford, oedd y tu ôl i'r cyfan. Cynhyrchai LSD ym Mhlas Llysin yng Ngharno a'i storio yn ei fwthyn ym Mlaencaron, ger Tregaron, lle'r oedd yn cyd-fyw gyda'i gariad a'i gynorthwy-ydd yn y byd cyffuriau, y meddyg Christine Bott. Er mai cymhellion ariannol a oedd gan lawer o aelodau'r rhwydwaith, gobaith Kemp a Bott oedd y byddai ieuenctid Prydain yn cychwyn chwyldro dan ddylan-wad LSD.

Am naw mis trowyd bwthyn arall gerllaw yn bencadlys i dîm o blismyn a weithiai yn y dirgel gan wisgo ac ymddwyn fel hipis hirwalltog er mwyn peidio ag ennyn amheuon y rhai yr ysbïent arnynt. At ei gilydd, cymerodd wyth gant o dditectifs ran yn yr ymgyrch hon, a ddechreuwyd yn 1974.

Mewn llys barn ym Mryste ar 8 Mawrth 1978, dedfrydwyd 15 o bobl i gyfnodau o garchar am eu rhan yn y cynllwyn, gan gynnwys dedfryd o 13 blynedd i Kemp a 10 mlynedd neu ragor i bump o'i gyd-ddiffyn-yddion.

Gobaith a siom i'r dynion dur

Blwyddyn o obaith a siom ydoedd i gyflogwr unigol pwysicaf Cymru, y diwydiant dur.

Ym mis Mawrth cyhoeddodd Corff-oraeth Dur Prydain y byddai'n buddsoddi £835 miliwn i ehangu gweithfeydd dur Port Talbot, a hefyd na fyddai gweithfeydd Shotton yn sir Fflint yn cael eu cau o leiaf tan 1983.

Ond yn fuan wedyn achosodd streic ddeg wythnos gan drydanwyr segurdod i saith mil o weithwyr dur, ac ar ddiwedd y flwyddyn cyhoeddodd Dur Prydain ei fod wedi gwneud colled o £80 miliwn yng Nghymru. Yr oedd yn glir bellach y byddai'n rhaid gohorio'r cynllun i fuddsoddi ym Mhort Talbot.

Mynd â'r theatr at y bobl

Mei Jones a Gari Williams yn y sioe boblogaidd 'Bynsan Binc'.

Daeth cwmni theatr newydd o'r enw Bara Caws i fodolaeth y flwyddyn hon gyda sioe dafarn a berfformiwyd yn ystod wythnos yr Eisteddfod Genedlaethol yn Wrecsam. Sylfaenwyr y cwmni oedd Mei Jones, Valmai Jones, Iola Gregory, Dyfan Roberts a Catrin Edwards, a'u bwriad, yn ôl Dyfan Roberts, oedd 'mynd â'r theatr yn ôl at ei gwreiddiau ... mynd yn ôl i Twm o'r Nant os leciwch chi'.

Penderfynwyd mai cwmni cydweithredol

Diwydiant a Môr

Yn Heol Bute, Caerdydd, agorwyd Amg-ueddfa Diwydiant a Môr Cymru dan ei Guradur cyntaf, D. Morgan Rees.

Tyfodd yr Amgueddfa fel sefydliad ar wahân allan o Adran Ddiwydiant yr Amg-ueddfa Genedlaethol, a daeth wedyn yn un o brif amgueddfeydd Cymru. Ynddi, arddangosid nifer o hen beiriannau yn ymwneud â hanes diwydiannau'r wlad, a hefyd cychod ac offer morwrol, gan gynnwys craen o ddociau Caerdydd, a'r tynfad 700 tunnell, *Sea Alarm*.

Erbyn canol y '90au penderfynwyd symud yr amgueddfa, a gwerthwyd y safle ym mae Caerdydd. Ond gan nad oedd safle arall wedi'i sicrhau ofnwyd am ddyfodol y sefydliad. Trafodwyd y posibilrwydd o symud yr amgueddfa i sawl safle yng Nghymru ac yr oedd Gwynedd yn awyddus iawn i'w ddenu i ogledd Cymru ond yn y pen draw penderfynwyd ei hail-leoli yn Abertawe.

fyddai Bara Caws gyda phawb yn rhannu'r gwaith o lwyfannu'r sioeau. Yr actorion a gasglai'r props ac a osodai'r llwyfan, a ffurfiwyd y sioeau drwy gydsgriptio. Er i'r cwmni ganolbwyntio ar berfformio yng Ngwynedd, cafodd ei wahodd i rannau eraill o Gymru cymaint oedd ei boblogrwydd.

Yn y blynyddoedd cynnar cynhyrchwyd nifer o sioeau i blant a 'rifiws' ond yn Chwefror 1979 aed ati i berfformio 'Bargen', ei sioe wirioneddol gymunedol gyntaf. Drama hwyliog ynglyn â Streic y Penrhyn oedd 'Bargen'. Cynhwysai ganeuon gafael-gar, hiwmor ysgafn, golygfeydd lleddf ond y cyfan hefyd yn cyfleu neges wleidyddol – patrwm a ddilynwyd yn llwyddiannus gan y cwmni dros y blynyddoedd.

Parhawyd hefyd i gynnal sioeau mewn clybiau a thafarndai, llawer ohonynt, fel 'Zwmba!', yn cynnwys hiwmor lled fentrus ond hynod boblogaidd. *[LLIW 44]*

Y gân a gollwyd

Ar 10 Chwefror, yn y dref y ganed hi ynddi, bu farw'r cerddor a'r gyfansoddwraig Grace Williams o'r Barri. Er iddi weithio yn Llundain o 1931 ymlaen, yn 1947 oherwydd ei hiechyd gwanllyd dychwelodd i fyw i Gymru fel y gallai ei rhieni ofalu amdani. Yn ystod y cyfnod hwn yn y Barri cynhyrchodd rhai o'i gweithiau aeddfetaf, gan gynnwys *Missa Cambrensis*, gosodiad o'r offeren Ladin a luniodd ar y cyd â Saunders Lewis.

Rees yn taro'r targed

Ym mhlwyddyn gyntaf y gystadleuaeth, tîm dartiau Cymru a gipiodd Gwpan y Byd gan gynhaliwyd hi yn Llundain ar 2 a 4 Rhagfyr.

I'r chwaraewr dawnus Leighton Rees o Ynys-y-bwl, chwaraewr unigol gorau'r gystadleuaeth, yr oedd y llwyddiant hwn yn ddyledus i gryn raddau. Gêm olaf Rees, yn erbyn Cliff Lazarenko o Loegr, a sicrhaodd y Cwpan i'r Cymry, gyda chyfanswm o 110 o bwyntiau, ymhell ar y blaen i bob tîm arall. Ddau fis yn ddiweddarach, yn Chwefror 1978, Rees oedd enillydd cyntaf Pencampwriaeth Broffesiynol y Byd pan drechodd y Sais John Lowe. Gwefreiddiodd y Cymro'r gynulleidfa yn y neuadd yn ogystal â miloedd o wylwyr teledu yn un o'r rowndiau blaenorol pan sgoriodd 501 o bwyntiau â deg o ddartiau. Cyfarfu Rees a Lowe â'i gilydd drachefn yn rownd derfynol yr un gystadleuaeth yn 1979 pan dalodd y Sais y pwyth yn ôl trwy guro ei wrthwynebydd o 5 gêm i 0. Denai'r fath gystadlaethau gynulleidfa deledu o filiynau o bobl, a daeth y dyn mawr o Gwm Rhondda yn un o bersonoliaethau mwyaf poblogaidd byd y dartiau ym mlynyddoedd cyntaf y gêm ar y teledu. Byddai'n teithio'r byd i ymarfer ei ddawn, ac yr oedd galw mawr amdano ar gyfer arddangosfeydd dartiau

Trychineb yn Kyalami

Daeth trychineb i ran y gyrrwr ceir rasio Tom Pryce o Ruthun yn *Grand Prix* De Affrica yn Kyalami ar 5 Mawrth pan drawodd ei gar *Shadow-Ford* un o stiwardiaid y cwrs.

Ar ei drydydd cylch ar hugain ar y cwrs, cyrhaeddodd car Pryce gopa bryn ochr yn ochr â'r Almaenwr Hans-Joachim Stuck, a gweld y stiward lleol Jansen van Vuuren yn ceisio croesi'r heol yn cario offer diffodd tân trwm at gar arall a oedd ar dân yn ymyl y trac. Lladdwyd Pryce a van Vuuren ill dau yn syth – bwriwyd y stiward o'r neilltu gan gar y Cymro a thrawyd Pryce yn ei ben gan yr offer tân. Rhuthrodd y car yn ei flaen gan wrthdaro â char arall cyn taro yn y diwedd yn erbyn wal goncrît.

Bu Pryce yn rasio ceir Fformiwla 1 am bedwar tymor gan ei brofi ei hun yn un o yrrwyr gorau'r byd – yn 1975 gorffennodd y tymor yn 10fed ym mhencampwriaeth y gyrrwyr, a'r flwyddyn wedyn daeth yn 11eg. Câi ei ystyried yn rasiwr addawol dros ben ac yr oedd hefyd yn gymeriad poblogaidd yn y byd rasio.

Leighton Rees

Datblygu'r Canolbarth

O ganlyniad i Ddeddf Datblygu Cymru Wledig a basiwyd gan y senedd yn 1976 daeth Bwrdd Datblygu Cymru Wledig i fodolaeth ar 1 Ebrill. Diben y Bwrdd oedd hyrwyddo cynnydd economaidd a chymdeithasol ymhlith trigolion canolbarth Cymru ac atal y dirywiad economaidd a'r diboblogi a fu'n destun pryder am flynyddoedd.

Gwnaed hyn drwy greu swyddi, datblygu tiroedd, codi tai a noddi datblygiadau economaidd a chymdeithasol yn gyffredinol, gan adeiladu ar y gwaith a gyflawnwyd gan Gorfforaeth Datblygu'r Canolbarth a sefydlwyd yn 1965. Y prif ddatblygiad yn y cyfnod hwn oedd cynyddu poblogaeth y Drenewydd drwy adeiladu ffatrioedd ar stadau diwydiannol Vastre a Mochdre, a chodi stadau tai sylweddol.

Helo Bobol!

Pan lansiwyd 'Radio Cymru' am y tro cyntaf ar ddechrau Ionawr, roedd awdurdodau'r BBC wedi troi at gyflwynydd radio mwyaf poblogaidd y dydd, Hywel Gwynfryn, i gyflwyno rhaglen bwysicaf y gwasanaeth, sef Helo Bobol!

Darlledwyd Helo Bobol! rhwng 7.05 a 7.45 ac 8.05 ac 8.45 y bore a gobeithid denu mwy o wrandawyr i'r gwasanaeth newydd drwy gyflwyno eitemau ysgafn yn y bore bach. Nid oedd y rhaglen, gyda'i chymysgedd o recordiau pop, cyfweliadau ysgafn a hiwmor direidus y cyflwynydd, at ddant pawb, ond ceisiwyd bodloni'r gwrandawr difrifol drwy ddarlledu newyddion y dydd mewn rhaglen ugain munud yng nghanol Helo Bobol!, gyda'r newyddiadurwr profiadol Gwyn Llywelyn wrth y llyw.

Daeth Hywel Gwynfryn i sylw'r cyhoedd yn gyntaf fel gohebydd ifanc ar y rhaglen deledu 'Heddiw' ganol y '60au, ond roedd ar ei orau ar y radio. Daeth ei raglen radio 'Helo, sut d'ach chi', a ddarlledwyd ar foreau Sadwrn o 5 Hydref 1968 ymlaen, yn hynod boblogaidd ac yr oedd galw mawr arno i gyflwyno rhaglenni radio a theledu o bob math wedi hynny.

Gorfoledd wrth golli

uchod:
Brearley'n cael ei ddal gan Eifion Jones yn y belawd gyntaf.

Yr oedd dilynwyr criced Cymru ar bigau'r drain ar 3 Medi wrth i gricedwyr Morgannwg wynebu tîm cryf Middlesex ar faes Lords yn rownd derfynol Cwpan Gillette – pencampwriaeth gemau undydd siroedd Lloegr.

Wedi glawogydd trwm y noson cynt, y Cymry a fatiodd gyntaf ar y maes gwlyb. Er gwaethaf cefnogaeth frwd y llu o bobl a deithiodd o Gymru i Lundain i'w calonogi, lled sigledig oedd gwaith batwyr Morgannwg, ac anodd oedd taro'r bêl am bedwar yn aml am ei bod yn teithio mor araf ar hyd y glaswellt soeglyd. Bowliwyd y capten, Alan Jones, am 18 rhediad, ac er i John Hopkins sgorio 47 cyn colli'i wiced, rhaid oedd aros tan y pumed batiwr, Mike Llewellyn, cyn gweld rhywfaint o gyffro yn y chwarae. Cofir batiad y gŵr o Glydach yn bennaf oll am ei ergyd nerthol yn anfon y bêl yn syth i ben to'r pafiliwn oddi ar fowlio John Emburey am chwe rhediad.

Cwympodd wiced olaf Morgannwg gyda'r sgôr yn 177, a chyda'r maes yn sychu wrth i'r dydd fynd yn ei flaen, nid edrychai'n debyg y câi batwyr Middlesex ryw lawer o drafferth i gipio'r fuddugoliaeth. Ond daeth cryn galondid i'r Cymry pan ddaliwyd capten Middlesex a Lloegr, Mike Brearley, gan Eifion Jones oddi ar fowlio Malcom Nash yn y belawd gyntaf heb iddo sgorio. Canwyd 'Hen Wlad Fy Nhadau' gydag afiaith gan y dorf, a'r un oedd y gân ar ddiwedd y dydd wedi i Middlesex gyrraedd cyfanswm o 178 am bum wiced. Cymaint oedd y dathlu gan gefnogwyr Morgannwg fel y gellid tybio mai ennill yn ogoneddus a wnaeth y Cymry yn hytrach na cholli o bum wiced.

Hywel Gwynfryn yn cyfweld ar y stryd.

1978

11 Mawrth

Lladdwyd 37 o Israeliaid wedi i derfysgwyr Palestinaidd osod bomiau ar dri bws ger Haifa.

9 Mai

Darganfyddwyd corff Aldo Moro, cyn-Brif Weinidog yr Eidal, a lofruddiwyd gan derfysgwyr adain chwith.

21 Mehefin

Yn Llundain, perfformiwyd y sioe gerddorol *Evita* am y tro cyntaf.

26 Gorffennaf

Yn Ysbyty Gyffredinol Oldham, ganwyd y baban profdiwb cyntaf yn y byd.

18 Medi

Yn Camp David, Maryland, arwyddodd yr Aifft ac Israel gytundeb heddwch hanesyddol.

28 Medi

Etholwyd Pieter Willem Botha yn Brif Weinidog De Affrica.

16 Hydref

Etholwyd y cardinal Pwylaidd Karol Wojtyla yn Bab, y cyntaf i'w ddewis o'r tu allan i'r Eidal mewn pedair canrif.

29 Tachwedd

Yn Guyana, darganfyddwyd cyrff dros 900 o gefnogwyr cwlt a arweiniwyd gan y 'Parchedig' Jim Jones. Roeddent i gyd, gan gynnwys Jones, wedi lladd eu hunain.

25 Rhagfyr

Ymosododd lluoedd Fietnam ar Gambodia.

Y Gamp Lawn olaf

Cais olaf Gareth Edwards: yn erbyn yr Alban.

Go brin y byddai'r cefnogwr rygbi mwyaf pesimistaidd yn rhagweld mai yn y flwyddyn hon y gwelid Cymru'n ennill y Gamp Lawn am y tro olaf yn ystod y ganrif. Er i'r tîm cenedlaethol ennill pencampwriaeth y pum gwlad ddwywaith wedi hynny, ni churwyd holl dimau'r bencampwriaeth yn yr un tymor, a chyfnod hesb iawn oedd yr '80au a'r '90au o'i gymharu â'r '70au.

Profodd y tymor hwn felly'n benllanw ar gyfnod euraid yn hanes rygbi Cymru ac erbyn y tymor canlynol roedd llawer o sêr yr 'oes aur', Gerald Davies, Phil Bennett, Terry Cobner ac yn anad neb, Gareth Edwards, wedi penderfynu dod â'u gyrfaoedd rhyngwladol i ben.

Cafwyd arwyddion clir yn ystod y tymor fod rhai o'r tîm yn dechrau heneiddio er bod eu profiad yn allweddol hefyd i lwyddiant Cymru. Y profiad hwnnw oedd yn bennaf gyfrifol am y fuddugoliaeth yn erbyn Lloegr ar ddiwrnod glawog yn Nhwickenham ar ddechrau Chwefror. Cicio cyfrwys Gareth Edwards a gadwodd pac cryf Lloegr ar ei sodlau ac yr oedd aneliad cywir Phil Bennett gyda thair cic gosb yn ddigon i sicrhau buddugoliaeth o 9 i 6.

Pythefnos yn ddiweddarach oerwyd cefnogwyr Cymru yng Nghaerdydd cyn y gêm yn erbyn yr Alban gan wynt rhewllyd a chwythai ar draws y Stadiwm Cenedlaethol, ond fe'u cynheswyd gan y pedwar cais a ddaeth â'r fuddugoliaeth i'r crysau cochion. Yn yr hanner cyntaf, sgoriodd Gareth Edwards gais cwbl nodweddiadol ohono pan hyrddiodd dros y llinell ar ôl casglu'r bêl o fôn y sgrym. Dyma oedd ei gais olaf dros ei wlad, ac ychwanegwyd cais arall cyn yr egwyl gan un a sgoriodd ei gais cyntaf dros Gymru, sef y canolwr Ray Gravell. Coronwyd y fuddugoliaeth o 22 i 14 gan geisiau yn yr ail hanner gan Fenwick a Quinnell. Yn fuan ar ôl y gêm cafwyd storm o eira, a bu'n amhosib i rai miloedd o gefnogwyr adael y brifddinas am rai dyddiau am fod y ffyrdd ar gau.

Ar 4 Mawrth mewn gêm galed a brwnt ar adegau, llwyddodd y Cymry i gadw'u pennau yn wyneb taclo ffyrnig y Gwyddelod ac ennill o 20 i 16. Arwr Cymru oedd y canolwr penfelyn, Steve Fenwick, a sgoriodd 16 o 20 pwynt Cymru gan gynnwys cais yn yr hanner

(Drosodd)

Y Gamp Lawn olaf

(o'r tudalen cynt)

cyntaf. Yr asgellwr chwim, J J Williams, sgoriodd y cais a seliodd y fuddugoliaeth ond roedd cyrff blinedig iawn yn yr ystafell wisgo wedi'r gêm.

Gêm Phil Bennett oedd gêm olaf y tymor yn erbyn Ffrainc yng Nghaerdydd. Roedd y Ffrancod hefyd yn ceisio am y Gamp Lawn ond methu â chadw Bennett yn dawel fu eu hanes. Sgoriodd dau gais yn yr hanner cyntaf a llwyddodd Gareth Edwards a Steve Fenwick i drosi dwy gôl adlam yn yr ail hanner i wneud y sgôr terfynol yn 16 i 7 i Gymru.

Gan gynnwys y gêm hon yr oedd Gareth Edwards wedi ymddangos 53 o weithiau dros Gymru, a rhoddodd ddiwedd ar yrfa anrhydeddus dros ben i'r mewnwr o Waun-caegurwen. Chwaraeodd ei gêm gyntaf dros Gymru yn 1967, a'r flwyddyn ganlynol, ac yntau ond yn ugain oed, cafodd ei ddewis yn gapten, y chwaraewr ifancaf hyd hynny i fod yn gapten tîm Cymru. Arweiniodd ei wlad dair ar ddeg o weithiau, a sgoriodd 88 o bwyntiau dros Gymru, gan gynnwys ugain cais.

Roedd Gareth Edwards yn berchen ar holl rinweddau chwaraewr rygbi amryddawn – cryfder corfforol, cyflymdra, pas hir a chic gywir. Heb amheuaeth ef oedd y mewnwr gorau a welodd Cymru erioed.

Cofio Llywelyn

Ar ddydd Sadwrn 7 Hydref gosodwyd beddfaen ar ddarn o dir yn Abaty Cwm-hir lle y claddwyd corff Llywelyn Ein Llyw Olaf yn y 13eg ganrif. Lladdwyd Llywelyn ap Gruffydd, Tywysog Cymru, yng Nghilmeri ar 11 Rhagfyr 1282 gan filwyr o Loegr. Torrwyd ei ben oddi ar y corff a'i ddwyn i Lundain i'w arddangos ar Dwr Llundain, ond cludwyd gweddill ei gorff i Abaty Cwm-hir gan ei gefnogwyr. Gyda marwolaeth Llywelyn daeth llinach hen dywysogion Cymru i ben, a rhoddwyd y teitl 'Tywysog Cymru' i fab y concwerwr, y brenin Edward y Cyntaf.

Y mudiad 'Cofiwn' oedd yn gyfrifol am drefnu gosod y beddfaen yn Abaty Cwm-hir. Bu'r mudiad hwn yn weithgar yn trefnu ralïau i gofnodi digwyddiadau o bwys yn hanes cenedlaethol Cymru a phrotestio yn erbyn 'Gŵyl Cestyll Cymru 1983', a drefnwyd gan y Bwrdd Croeso, gan ddadlau bod yr ŵyl yn clodfori concwerwyr Cymru. Daeth 'Cofiwn' i ben fel mudiad yn 1984.

'I mewn i'r gôl!'

Cyfnod euraid oedd y '70au i glwb pêl-droed Wrecsam. Cafwyd buddugoliaethau clodwiw ar feysydd Ewrop ac yng nghystadleuaeth Cwpan Lloegr ond uchafbwynt y cyfnod oedd ennill dyrchafiad yn y flwyddyn hon i Ail Adran Cynghrair Pêl-Droed Lloegr. Dyma oedd y tro cyntaf yn ystod y 106 o flynyddoedd er ei sefydlu, i'r clwb esgyn i'r Ail Adran. Coronwyd y tymor drwy ennill pencampwriaeth y Drydedd Adran ar 1 Mai pan sicrhawyd gêm gyfartal yn erbyn Peterborough ar y Cae Ras. Roedd y clwb eisoes wedi ennill dyrchafiad drwy roi crasfa i Rotherham o 7 gôl i 1 ym mis Ebrill o flaen torf o dros 17,000.

O dan reolaeth ddoeth John Neal roedd Wrecsam wedi cyrraedd safle uchel yn yr Adran yn ystod tymor 1976-77, ond collwyd dwy gêm dyngedfennol yn erbyn Crystal Palace a Mansfield ar ddiwedd y tymor, a methwyd ag ennill dyrchafiad. Erbyn y tymor nesaf roedd Neal wedi'i benodi'n rheolwr ar Middlesborough, ond atgyfnerthwyd y tîm gan y rheolwr newydd, Arfon Griffiths, drwy brynu dau chwaraewr profiadol, y gôl-geidwad rhyngwladol, Dai Davies, a'r blaenwr medrus Dixie McNeill. Gyda Bobby Shinton, Graham Whittle a McNeill yn sgorio'n gyson, dim ond wyth gêm allan o drigain a gollwyd y tymor hwnnw, dwy ohonynt yn erbyn Arsenal a Lerpwl mewn gemau cwpan. Ac ar ddiwedd y tymor cipiwyd Cwpan Cymru pan gurwyd Bangor yn y rownd derfynol.

Cymaint oedd y gefnogaeth i Wrecsam fel y cyhoeddwyd record boblogaidd gan Gôr Meibion Brymbo yn dwyn y teitl 'I mewn i'r gôl', a gofnodai lwyddiannau'r 'cochion'.

*uchod:
y Christos Bitas
ar y creigiau.*

Traethau duon Sir Benfro

Bu farw tua naw mil o adar y môr pan ddrylliwyd y llong dancer olew *Christos Bitas* oddi ar arfordir sir Benfro ym mis Hydref.

Aeth y llong 58,000 tunnell ar y creigiau Hats and Barrels, 4½ milltir o Oleudy'r Smalls, ar 12 Hydref wrth deithio o Roterdam i Belffast. Llwyddwyd i'w symud oddi ar y creigiau ac aeth ymlaen ar ei thaith tua Belffast yn gollwng olew o'i thanciau mewn llif wyth milltir o hyd a dau gan llath ar ei draws. Collwyd tua dwy fil o dunelli o olew i'r môr cyn trosglwyddo cargo'r llong i longau tancer eraill. Parhaodd y gwaith pympio am wythnos ond erbyn hynny yr oedd y llif olew wedi cyrraedd glannau sir Benfro, a channoedd o adar sâl a marw yn cyrraedd gydag ef. Casglwyd un ar ddeg o wahanol fathau o adar o'r traethau, a lladdwyd hefyd nifer o forloi ifanc pan dagwyd hwy gan yr olew.

Suddwyd y *Christos Bitas* yn fwriadol yn y diwedd wedi iddi gael ei thynnu i ddŵr dwfn dri chan milltir i'r gorllewin o Iwerddon. Gofynnodd sawl un wedyn pa faint gwaeth fyddai'r drychineb wedi bod pe bai wedi digwydd yn ystod tymor nythu'r adar, pan fyddai'r ynysoedd a'r môr wedi bod yn llawn o adar cyffredin a phrin.

Gwobrwyo ffilm

Enillwyd y wobr gyntaf yng Ngwyl Darlledu Asia a gynhaliwyd yn y Delhi Newydd ym mis Hydref gan ffilm o Gymru. 'Y gŵr o gwr yr Aran', rhaglen ddogfen yn y gyfres 'Bywyd', am ddyn anabl o'r enw Frank Letch a gipiodd y wobr i HTV. Gwobrwywyd y ffilm, a gynhyrchwyd gan Gwyn Erfyl, yn y categori am 'raglen deledu o safon uchel sy'n amcanu at ddyrchafu safonau addysgol a diwylliannol'.

Roedd testun y ffilm, Frank Letch, yn gymeriad hynod ddiddorol. Ganed ef heb freichiau a defnyddiai'i draed a'i geg i wneud y pethau a wnâi pawb arall â'u dwylo. Graddiodd ym Mhrifysgol Birmingham, gan ysgrifennu'r atebion yn yr arholiadau drwy ddal pin ysgrifennu rhwng bysedd ei draed. Ar ôl priodi, penodwyd ef yn athro Ffrangeg yn Ysgol y Berwyn, Y Bala, a mynychodd ddosbarthiadau nos er mwyn dysgu Cymraeg. Wfftiai'r syniad o gael breichiau artiffisial gan ddadlau y byddent yn fwy o 'addurniadau na chymorth.'

Frank Letch

Cymorth i Fenywod

Fel rhan o dwf ymwybyddiaeth merched a'r mudiad ffeministaidd yn y '70au, gwelwyd agor swyddfa genedlaethol yr elusen Cymorth i Fenywod yng Nghymru. Digwyddodd hyn yng Nghaerdydd ym mis Ionawr, a hwn oedd y corff cyntaf o'i fath yng Nghymru. Pwrpas y swyddfa, a sefydlwyd â grant gan y Swyddfa Gymreig, oedd trefnu'r grwpiau i ferched a ymsefydlodd mewn sawl man yng Nghymru yn ystod y blynyddoedd blaenorol, ac yn ystod tair blynedd gyntaf yr elusen treblodd y nifer o grwpiau o'r fath o saith i ddau ar hugain, gan gynnwys rhai yn y Gogledd a'r Canolbarth yn ogystal â llu ohonynt yn ardaloedd poblog y De.

Gweithwyd hefyd i agor llochesau diogel i ferched a gâi eu cam-drin yn eu cartrefi, fel llefydd iddynt ddod atynt eu hunain a chynllunio at y dyfodol. Yn 1979-80 bu 603 o fenywod a 962 o blant yn aros yn llochesau'r elusen, ac erbyn diwedd 1980 yr oedd Cymorth i Fenywod yng Nghymru wedi agor lloches ym mhob un o'r wyth sir.

Shane

Y ffilm gowbois *Shane* oedd y ffilm gyntaf erioed i gael ei dybio yn Gymraeg pan ddangoswyd hi gan HTV.

Yn groes i'r bwriad, tueddai'r gynllueidfa i chwerthin am ben y ffilm am eu bod yn adnabod lleisiau rhai o'r actorion ac yn teimlo rywsut nad oedd y Gymraeg yn gweddu i ffilm am Orllewin Gwyllt America.

Yr oedd *Shane* yn un o dair ffilm a droswyd i'r Gymraeg gan HTV ar gyfer y teledu fel rhan o arbrawf byrhoedlog.

Enllibio athrawon Gwynedd

Wrth iddo ymosod ar genedlaetholdeb yng Nghymru, mewn araith yn Nhŷ'r Cyffredin ar 2 Mawrth, cyfeiriodd Neil Kinnock, yr Aelod Seneddol dros Bedwellte, at ysgol ym Môn, na allai ei henwi, lle roedd yn rhaid i blant bach ofyn yn Gymraeg am gael mynd i'r tŷ bach. Cododd y cyhuddiad nyth cacwn ac fe heriwyd Kinnock i gyflwyno'i dystiolaeth i Awdurdod Addysg Gwynedd.

Ar ôl ildio i bwysau o sawl cyfeiriad, ar 6 Ebrill, dangosodd Kinnock 19 o lythyron yn cwyno am bolisi iaith Gwynedd, ond nid oedd yr un ohonynt yn cyfeirio at yr honiad gwreiddiol. Ar ben hynny ysgrifennwyd y llythyron ar ôl yr ail o Fawrth, dyddiad y cyhuddiad gwreiddiol, ac yr oedd un ohonynt oddi wrth chwaer yng nghyfraith Kinnock, Mrs Barbara Parry o'r Fali.

Aeth y Cyngor Sir ati i ymchwilio i'r holl fater ac yn ei adroddiad, a gyhoeddwyd ym mis Gorffennaf, datganwyd nad oedd sail i haeriadau Kinnock. Beirniadwyd ef yn hallt : 'Ni wnaeth y dull a ddefnyddiodd o dynnu sylw at y cwynion honedig ond sarnu enw da athrawon Gwynedd' a galwyd arno i dynnu ei haeriadau'n ôl yn wyneb ymchwiliad teg a thrylwyr.

Yn ôl Gareth Miles, Trefnydd Cenedlaethol Undeb Cymraeg Athrawon Cymru: 'Mae defnyddio breintiau Tŷ'r Cyffredin i wneud ymosodiadau enllibus fel hyn yn enghraifft o lwfrdra dyn' a

Faint o blant di-Gymraeg? Wel, arhoswch 'nawr ... un ...dau ... tri ...
Cartŵn deifiol Tegwyn Jones.

datgelodd y byddai UCAC wedi dwyn achos cyfreithiol yn erbyn Kinnock am enllibio athrawon Gwynedd onibai iddo wneud ei haeriadau ar lawr Tŷ'r Cyffredin.

O ganlyniad i'r achos hwn, daeth Kinnock yn un o'r gwleidyddion mwyaf amhoblogaidd ymhlith cefnogwyr yr iaith Gymraeg ac, er ei lwyddiant fel gwleidydd o fewn y Blaid Lafur, yr oedd ei wrthwynebiad chwyrn i ddatganoli yn ei wneud yn gocyn hitio cyson i genedlaetholwyr.

Nant Gwrtheyrn

dde: Dr Carl Clowes yn Nant Gwrtheyrn.

Ym mis Gorffennaf cyhoeddwyd fod ymddiriedolaeth, o dan arweiniad Dr Carl Clowes, wedi prynu hen bentref Porth y Nant yn Nant Gwrtheyrn, Gwynedd, am £25,000. Bwriad yr ymddiriedolaeth oedd sefydlu Canolfan Iaith Genedlaethol yn y pentref, a lansiwyd apêl am £300,000 er mwyn adnewyddu'r tai a darparu cyfleusterau addas i gynnal cyrsiau dwys ar gyfer dysgwyr.

Pentref chwarelyddol anghysbell ar arfordir Pen-llŷn oedd Porth y Nant, ac ni bu neb yn byw yno er 1959. Nid oedd yn rhwydd i'w gyrraedd, gan nad oedd y ffordd serth a arweiniai ato yn addas ond ar gyfer moduron gyriant pedair olwyn yn unig. Blynyddoedd ynghynt roedd yn haws ei gyrraedd o'r môr. Beirniadwyd y cynllun gan rai. Yn ôl yr *Herald Cymraeg* 'Cilfach anghysbell ac arswydus' ydoedd, 'yng nghwmpeini'r gwningod a'r llygod a gwylain y môr. Y tebyg yw na syrth unrhyw aur ar Nant Gwrtheyrn ond aur machlud.' Ond dadleuwyd bod ei safle anghysbell ond rhamantus mewn ardal gwbl Gymreig yn ei wneud yn ddelfrydol ar gyfer dysgu Cymraeg.

Aed ati yn syth i atgyweirio'r tai, darparu cysylltiadau trydan i'r pentref a gwella'r ffordd. Ar ddechrau'r '80au croesawyd y grŵp cyntaf o ddysgwyr. Cafwyd cefnogaeth frwdfrydig yn lleol ac yn genedlaethol i'r fenter, a chanmolwyd Carl Clowes, a ddaeth yn llywydd anrhydeddus yr ymddiriedolaeth, am ei weledigaeth. Fodd bynnag, erbyn y '90au, roedd Nant Gwrtheyrn mewn trafferthion. Prynwyd hen westy Plas Pistyll gerllaw ond ni fu'r fenter honno'n llwyddiant, a bu'n rhaid ei werthu ar golled o £96,000. Ym Medi 1997 cyhoeddwyd y byddai'r Ganolfan yn cau. Er i gyfanswm o 14,500 fynychu cyrsiau yno dros y blynyddoedd, nid oedd y 1,500 a ddôi yno bob blwyddyn yn ddigon i dalu'r costau, ac yr oedd angen dybryd i adnewyddu ac uwchraddio'r cyfleusterau yn y pentref. Bellach roedd cystadleuaeth hefyd gan ganolfannau eraill ledled Cymru a ddarparai wersi i ddysgwyr, ac yr oedd apêl Nant Gwrtheyrn yn pylu. Datgelwyd bod yr Ymddiriedolaeth mewn dyled o £100,000 a diswyddwyd y staff o 12 a weithiai yn y Ganolfan. Ar ddiwedd y flwyddyn er hynny cyhoeddwyd y byddai'r Ganolfan yn ail-agor ac yn datblygu rhaglen ehangach o gyrsiau.

Cecru ac ymrafael

Ar 31 Gorffennaf rhoddwyd sêl bendith ei Mawrhydi ar Ddeddf Cymru wedi naw mis o gecru ac ymrafael. Canlyniad methiant Mesur Datganoli 1976 oedd Deddf Cymru. Syrthiodd y Mesur Datganoli, a fyddai wedi arwain y ffordd at sefydlu Senedd i'r Alban a Chynulliad i Gymru yn Chwefror 1977, pan wrthododd rhai Aelodau Seneddol Llafur ei gefnogi. Wedi hynny, penderfynwyd cyflwyno Mesurau ar wahân ar gyfer yr Alban a Chymru. Diben y ddeddf oedd sefydlu cynulliad etholedig yng Nghymru. Byddai llawer o bwerau'r Ysgrifennydd Gwladol yn cael eu trosglwyddo iddo ac fe fyddai'n gyfrifol am wario grant blynyddol, ond ni fyddai ganddo'r hawl i ddeddfu na chodi trethi.

Er mai Llywodraeth leiafrifol oedd Llywodraeth Lafur James Callaghan erbyn hynny, roedd ganddi gefnogaeth y Rhyddfrydwyr ac ar adegau, ASau Plaid Cymru a'r SNP yn ogystal. Roedd y sefyllfa'n un anarferol. Gyda rhai eithriadau, nid oedd aelodau'r Cabinet yn frwd dros ddatganoli, ond er mwyn aros mewn grym, roedd yn ofynnol i'r Llywodraeth wthio'r Mesurau datganoli yn eu blaen. Er iddi dderbyn cefnogaeth gan bleidiau eraill, roedd llawer o ASau Llafur o'r meinciau cefn yn gwrthwynebu'r cynlluniau datganoli, ac yn barod i bleidleisio yn erbyn y Llywodraeth, er y byddent yn tanseilio ei hawdurdod ar yr un pryd.

Cynigiwyd sawl gwelliant i'r Mesur, gan gynnwys un dadleuol lle y byddai'n ofynnol ennill cefnogaeth 40% o bleidleiswyr mewn refferendwm cyn y gweithredid gofynion y ddeddf. Gwrthwynebai'r Llywodraeth y cynnig ond fe'i pasiwyd ar ôl dadl yn Nhŷ'r Cyffredin ar 19 Ebrill o 280 pleidlais i 208. Er i'r Llywodraeth lwyddo i gario'r Mesur drwy'r Senedd, mewn gwirionedd roedd wedi cefnu ar ei dyletswydd i ddeddfu, gan adael i bobl Cymru benderfynu ar dynged ei pholisi drwy bleidleisio mewn refferendwm.

Yn yr haf, daeth cytundeb y Llywodraeth a'r Rhyddfrydwyr i ben ond cefnogwyd y Llywodraeth o hynny allan gan ASau Plaid Cymru a'r SNP er mwyn sicrhau y byddai refferendwm yn cael ei gynnal yn yr Alban a Chymru yn 1979. Erbyn diwedd y flwyddyn roedd yr ymgyrchoedd o blaid ac yn erbyn sefydlu Cynulliad wedi'u trefnu.

Cymdeithas Edward Llwyd

Yn y flwyddyn hon sefydlwyd Cymdeithas Edward Llwyd gan Gymry-Cymraeg a oedd yn awyddus i astudio bywyd a gwaith y naturiaethwr enwog. Plentyn anghyfreithlon a aned yng Ngheredigion yn 1600 oedd Edward Llwyd. Fe'i addysgwyd yn Rhydychen a chyflogwyd ef gan Amgueddfa Ashmole y ddinas honno. Daeth yn fotanegydd amlycaf ei ddydd gan astudio planhigion, daeareg a byd natur yn gyffredinol ar deithiau niferus ym Mhrydain ac Iwerddon.

Yn ogystal ag ymddiddori ym mywyd Edward Llwyd (neu Lhuyd fel y sillafai ef ei enw), astudiai aelodau'r Gymdeithas fflora a ffawna Cymru, gan drefnu teithiau cerdded mewn ardaloedd o ddiddordeb naturiaethol. Ugain mlynedd yn ddiweddarach roedd gan y Gymdeithas dros 2,000 o aelodau a threfnid tua 150 o deithiau cerdded bob blwyddyn mewn gwahanol rannau o Gymru.

1 Chwefror

Cipiodd yr Ayatollah Khomeini rym yn Iran wedi i'r Shah ddianc o'r wlad ym mis Ionawr.

29 Mawrth

Yn Wganda disodlwyd yr arweinydd Idi Amin gan wrthryfelwyr.

30 Mawrth

Cyfaddefodd yr awdurdodau yn yr Unol Daleithiau y gallai damwain yng ngorsaf niwclear Three Mile Island, Pennsylvania, fod wedi arwain at drychineb.

3 Mai

Ym Mhrydain, enillodd y Ceidwadwyr yr Etholiad Cyffredinol a daeth Margaret Thatcher yn Brif Weinidog.

18 Mehefin

Yn Fienna, daeth yr Undeb Sofietaidd a'r Unol Daleithiau i gytundeb ynglŷn â rheoli arfau.

20 Gorffennaf

Yn Nicaragiwa, disodlwyd yr Arlywydd Somoza gan wrthryfelwyr Sandinista.

21 Tachwedd

Cyhoeddwyd bod ceidwad lluniau'r Frenhines, Syr Anthony Blunt, wedi bod yn ysbïwr Sofietaidd yn y gorffennol.

10 Rhagfyr

Cyflwynwyd Gwobr Heddwch Nobel i'r Fam Teresa am ei gwaith dyngarol ymhlith tlodion India.

21 Rhagfyr

Daeth annibyniaeth anghyfreithlon Rhodesia i ben gyda ffurfio gwlad newydd Zimbabwe.

27 Rhagfyr

Ymosododd lluoedd yr Undeb Sofietaidd ar Afghanistan.

Eliffant ar stepen y drws

Cyhoeddi'r canlyniad.

Yn y refferendwm a gynhaliwyd Ddydd Gŵyl Ddewi, gwrthododd mwyafrif mawr o bobl Cymru gynlluniau'r llywodraeth i greu Cynulliad Cymreig yng Nghaerdydd. Aeth 58.3% o etholwyr y wlad i bleidleisio, gan wrthwynebu'r Cynulliad arfaethedig o 956,330 o bleidleisiau i 243,048. O'r cyfanswm o etholwyr, yr oedd 11.8% o blaid y Cynulliad a 46.5%% yn erbyn, tra na thrafferthodd 42% i bleidleisio o gwbl. Yn Ngwynedd y gwelwyd y cefnogaeth gryfaf – 21.8% – tra nad oedd ond 7.7% o bobl Morgannwg a 6.7% o bobl Gwent o blaid. Mor amlwg oedd neges y bleidlais nes peri i Ysgrifennydd Gwladol Cymru, John Morris, sylwi, 'Pan welwch eliffant ar stepen eich drws, fe wyddoch ei fod e yna.'

Dechreuodd yr ymgyrch yn 1978 gyda'r ymgyrch 'Cymru dros Gynulliad' o dan gadeiryddiaeth Elystan Morgan, ac ymgyrch ar y cyd gan y Blaid Lafur a Chyngres Undebau Llafur Cymru ar y naill ochr, a'r ddwy garfan 'Dwedwch Na' a 'Pleidleisiwch Na' ar y llall. Wedi hir drafod, ymroddodd Plaid Cymru a'r Rhyddfrydwyr hwythau i gefnogi'r Cynulliad. Y Blaid Geidwadol oedd yr unig blaid gyda pholisi swyddogol o wrthwynebu unrhyw gynulliad, a'r Aelod Seneddol Torïaidd David Gibson Watt a ddewiswyd yn arweinydd yr ymgyrch 'Dwedwch Na'. Ond llawer mwy effeithiol oedd y garfan 'Pleidleisiwch Na', yn cynnwys chwe Aelod Seneddol Llafur o dde Cymru, a Neil Kinnock yr amlycaf a'r huotlaf yn ei plith. Dadl y gwrthryfelwyr hyn, a enwyd y 'Giang o Chwech' oedd y byddai Cynulliad cenedlaethol yn gostus ac yn amherthnasol i Gymru. Fel Aneurin Bevan o'u blaen, yr oedd y sosialwyr hyn yn erbyn unrhyw beth a allai fygwth undod dosbarth gweithiol Prydain. Gan fod Plaid Cymru, er mor anfoddog, yn cefnogi'r Cynulliad fel cam at ymreolaeth, gallai ei wrthwynebwyr yn hawdd godi bwgan cenedlaetholdeb

(Drosodd)

Eliffant ar stepen y drws

(o'r tudalen cynt)

a phosibilrwydd chwalu'r Deyrnas Unedig a gadael Cymru wedi'i hynysu.

Wedi gaeaf hir a diflas o anghydfod a streiciau a barlysodd y wlad a gadael cleifion heb eu trin, sbwriel yn pentyrru yn y strydoedd, a chyrff y meirwon heb eu claddu, yr oedd prosiect datganoli Llafur yn ymddangos yn fwyfwy amherthnasol.

Er bod y Cynulliad yn rhan o bolisi swyddogol y llywodraeth, o blith y Cabinet, dim ond Ysgrifennydd Gwladol Cymru, John Morris, ac Aelod Senedd Glyn Ebwy, Michael Foot, a ddangosodd frwdfrydedd mawr drosto. Daeth y Prif Weinidog, James Callaghan, i Gymru i annog pobl i 'bleidleisio 'ie' a meddiannu grym', ond prin iawn oedd yr awydd i wneud y naill beth na'r llall.

Mae'n debyg fod yr iaith Gymraeg yn ffactor negyddol amlwg yn y refferendwm, a nifer mawr o bobl yn yr ardaloedd di-Gymraeg wedi'u dychryn a'u diflasu gan ymgyrchoedd Cymdeithas yr Iaith. Ofnai rhai y caent eu rheoli gan elît Gymraeg ei hiaith o'r bröydd gwledig, a gwnâi Leo Abse, Aelod Seneddol Pont-y-pŵl, yn arbennig, yn fawr o'r ofnau hyn. Ar y llaw arall ceid ofnau yn y bröydd hynny y caent eu rheoli gan fwyafrif di-Gymraeg, sosialaidd trefi a dinasoedd y De, peth yr oedd Ceidwadwyr gwledig yn awyddus i'w bwysleisio.

Yr oedd y canlyniad yn ergyd drom i'r syniad o genedligrwydd Cymreig, a thanseiliwyd llawer o ddadleuon Cymry cenedlaetholgar am flynyddoedd .

'Prawf y Ganrif'

Deakin a'i wraig yn gorfoleddu wrth adael yr Old Bailey.

Dau ddyn busnes o dde Cymru, John Le Mesurier o Saint-y-brid a George Deakin o Bort Talbot, a safai o flaen llys barn ym mis Mai, gyda'r cyn-Aelod Seneddol a chyn-arweinydd y Blaid Ryddfrydol, Jeremy Thorpe, wedi'u cyhuddo o gynllwynio i lofruddio Norman Scott.

Yr oedd George Deakin yn adnabyddus yn ne Cymru fel perchennog peiriannau gamblo, ac wedi hynny, gasgliad o glybiau nos a neuaddau pŵl, mentrau a dalodd am ddau dŷ moethus a phâr o geir drud iddo. Nid oedd Le Mesurier mor adnabyddus nac mor llwyddiannus, ac yr oedd wedi methu sawl gwaith mewn busnesau gwerthu carpedi. Trwy'r busnes carpedi y daeth Le Mesurier i adnabod y pedwerydd diffynnydd yn yr achos, David Holmes. Le Mesurier a gyflwynodd Holmes i Deakin mewn clwb ym Mhort Talbot, a dechreuodd y tri drafod un o gyfeillion Holmes a oedd yn cael trafferth gyda dyn a fygythiai flacmêl. Jeremy Thorpe oedd y cyfaill hwnnw, a Norman Scott oedd y dyn a blagiai'r gwleidydd trwy honni iddo gael perthynas rywiol ag ef.

Gofynnwyd i Deakin a wyddai am rywun a allai godi ofn ar Scott fel y gadawai lonydd i Thorpe, a thrwy David Miller, cyfaill iddo yng Nghaerdydd, cysylltodd Deakin ag Andrew Newton. Aeth Newton ati dan enw ffug i chwilio am Scott a'i berswadio i ymddiried ynddo, ac ar 24 Hydref 1975 aeth y ddau am dro yng nghar Newton gyda chi Scott, *Rinka*. Wedi stopio'r car yn ymyl yr heol, saethodd Newton y ci a bygwth saethu Scott ei hun cyn gyrru i ffwrdd hebddo.

Ar 4 Awst 1978, dygwyd cyhuddiadau ffurfiol yn erbyn Thorpe, Le Mesurier, Deakin a Holmes, o gynllwyno i gael gwared ar y plagiwr Scott unwaith ac am byth – honnwyd bod Thorpe wedi talu pum mil o bunnoedd i Andrew Gino Newton i wneud y gwaith.

Am chwech wythnos o 8 Mai ymlaen, bu papurau newydd Prydain yn llawn o hanes yr achos hynod hwn yn llys yr Old Bailey, a ddisgrifiwyd gan rai fel 'prawf y ganrif'. Wrth grynhoi'r achos i'r rheithgor ar 18 Mawrth, galwodd y barnwr, Mr. Ustus Cantley, Norman Scott yn gwnwr a thwyllwr, a dwedodd mai lladdwr anfedrus iawn oedd Newton. Disgrifiodd Deakin yn ddirmygus fel y math o ddyn a fyddai'n cadw 'coctel bâr yn ei lolfa'.

Ar 22 Mehefin, wedi 52 awr o ymneilltuad, cafodd y rheithgor y pedwar dyn yn ddi-euog o bob cyhuddiad, ond erbyn hynny roedd gyrfa wleidyddol Jeremy Thorpe yn deilchion.

Llifogydd yn sgubo'r De

Ar ddiwedd y flwyddyn gwelwyd y llifogydd gwaethaf yng Nghymru ers ugain mlynedd. Lladdwyd pump o bobl a dinistriwyd cartrefi yng Nghaerdydd a nifer o drefi eraill y De. Symudwyd bron ddwy fil o bobl o'u cartrefi i lochesau dros dro, ac yng Nghaerdydd defnyddiwyd y cyfan o fysiau'r ddinas i roi to uwch pennau cannoedd o bobl a aethai'n ddigartref dros nos.

Yr oedd hyd at wyth troedfedd o ddŵr mewn rhannau o Gwm Rhondda, ac yn y Canolbarth yr oedd tref Aberhonddu wedi'i hynysu'n llwyr, a thebyg iawn oedd tynged Aberystwyth. Boddwyd cannoedd o ddefaid a da byw eraill a gwnaed difrod gwerth miloedd o bunnoedd i eiddo.

O'r pedwar a fu farw, lladdwyd pâr o bensiynwyr yn Rhyd-y-car, Merthyr Tudful, pan drawodd ton o ddŵr deg troedfedd o uchder eu bwthyn, a boddwyd un wraig wrth deithio mewn car ar y ffordd rhwng Rhaglan a Threfynwy. Mor wyllt oedd y ffrwd fel na ellid tynnu ei chorff o'i char nes i lefel y dŵr ddisgyn. Ac yng Nghaerdydd, bu farw dyn 70 oed o drawiad ar ei galon wrth geisio symud ei ddodrefn wedi i'r dŵr daro ei dŷ.

JPR

Daeth gyrfa hir a disglair y chwaraewr rygbi J P R Williams i ben ar nodyn o lawenydd. Roedd eisoes wedi arwain Cymru i'r Goron Driphlyg, ac ym mis Ebrill ef a gododd Gwpan Undeb Rygbi Cymru (Cwpan Schweppes) wedi i'w glwb – Pen-y-bont ar Ogwr – drechu Pontypridd yn y rownd derfynol yn y Stadiwm Genedlaethol.

Go brin y bu cefnwr mwy gwydn na gwrolach na John Peter Rhys Williams, neu 'JPR' fel yr adwaenid ef gan bawb yn y byd rygbi. Yn ddyn amryddawn - yn bencampwr tennis pan oedd yn llanc, ac yna'n feddyg yn arbenigo mewn anafiadau chwaraeon - roedd yn ddewis cyntaf i'w wlad ers ennill ei gap cyntaf yn 1969. Er iddo sgorio chwe chais mewn 50 gêm, pump ohonynt yn erbyn Lloegr, ar ei amddiffyn cadarn y dibynnai Cymru fel arfer. Yn y gêm dyngedfennol yn 1976 pan oedd Cymru chwe phwynt ar y blaen yn erbyn Ffrainc yng Nghaerdydd, dim ond tacl arwrol JPR ataliodd yr asgellwr Gourdon rhag dwyn y Gamp Lawn o ddwylo Cymru yn y munudau olaf.

Anafwyd ef yn y fuddugoliaeth o 27 pwynt i 3 yn erbyn Lloegr ar 17 Mawrth – buddugoliaeth o dan ei gapteniaeth a ddaeth â'r Goron Driphlyg i Gymru am y pedwerydd tro'n olynol – ond roedd yn holliach pan arweiniodd Pen-y-bont i'r maes yn rownd derfynol Cwpan Cymru. Mewn gêm gyffrous, a ddarlledwyd yn fyw ar y teledu am y tro cyntaf erioed, llwyddodd Pen-y-bont i ennill y Cwpan am y tro cyntaf erioed drwy guro Pontypridd o 18 pwynt i 12.

Tai haf – pwnc llosg

Y tŷ haf cyntaf i'w losgi ym Mhenrhyn Llŷn.

Ar 12 Rhagfyr, llosgwyd y cyntaf o nifer o dai haf a roddwyd ar dân dros gyfnod o nifer o flynyddoedd. Mewn un noson cynheuwyd tanau mewn pedwar tŷ gwag, dau ym Mhenrhyn Llŷn a dau ger Tyddewi, sir Benfro.

Credid ar y cychwyn mai Mudiad Amddiffyn Cymru, grŵp a fu'n weithredol yn y '60au, oedd yn gyfrifol, ond trowyd y sylw yn fuan at garfan na chlywyd amdani o'r blaen, a'i galwai ei hun yn 'Feibion Glyndŵr', ar ôl Owain Glyndŵr a arweiniodd wrthryfel arfog yn erbyn brenin Lloegr yn y 15fed ganrif.

Llosgwyd pedwar o dai haf eraill yn ystod mis Rhagfyr, ac ym mis Ionawr 1980, bu raid i wraig i ddyn busnes o Lerpwl ffoi o'i chartref ar Ynys Môn ar ôl i'r tŷ pymtheg ystafell wely, Plas Arthen, gael ei danio. Yr un mis llosgwyd ffermdy ym Mhenrhyndeudraeth yn ulw, y trydydd ar ddeg i ddioddef yn y fath fodd, a'r un oedd tynged ffermdy arall ger Aberhonddu ym mis Chwefror.

Ym mis Mawrth cododd storm wleidyddol pan benderfynodd y rhaglen *Nationwide* ddarlledu cyfweliad â dyn yng Nghaerdydd a honnai ei fod yn llefarydd dros y rhai a ddechreuodd y tanau. Cyhuddodd Leo Abse'r BBC o roi llwyfan gyhoeddus i '*avowed criminals*'. Datguddiwyd wedyn mai Robert Griffiths o Blaid Weriniaethol Sosialaidd Cymru a ymddangosodd yn y rhaglen. Restiwyd Griffiths ar 24 Mawrth, ac er na ddygwyd cyhuddiadau ffurfiol yn ei erbyn gan yr heddlu, cafodd ei ddiswyddo gan ei gyflogwyr.

Maer Coch y Rhondda

Ar 11 Mai yn Nhonypandy, dechreuodd y Cynghorydd Annie Powell ar ei swydd newydd fel Maer Cwm Rhondda, y maer Comiwnyddol cyntaf erioed yng ngwledydd Prydain.

Bu Mrs Powell yn gweithio fel athrawes Gymraeg yn Ysgol Uwchradd Pontypridd hyd ei hymddeoliad yn 1974, a dywedodd iddi ddechrau ymddiddori mewn gwleidyddiaeth wrth weld tlodi ac anghyfiawnder o'i chwmpas yn y '20au. Bu'n aelod o Gyngor Cwm Rhondda am ddeunaw mlynedd, a chredid ar y pryd ei bod tua 70 oed, er ei bod yn wfftio cwestiynau am ei hoedran fel rhai 'amherthnasol'. Disgrifiwyd hi gan ei rhagflaenydd fel Maer, Rufus Ashaman o'r Blaid Lafur, fel 'Gwraig hyfryd a wnaiff y gwaith yn glodwiw.'

Annie Powell, Maer Cwm Rhondda.

Dynion y llwch

Dyfal bwyso gan dri Aelod Seneddol Plaid Cymru, Gwynfor Evans, Dafydd Wigley a Dafydd Elis Thomas, ym misoedd olaf llywodraeth Lafur James Callaghan, a sicrhaodd fesur Seneddol hir-ddisgwyliedig i dalu iawn i chwarelwyr Cymru a ddioddefai o glefyd y llwch, neu niwmoconiosis.

Wrth i'r llywodraeth Lafur ddechrau gwegian, a'i chwymp yn nesáu bob dydd, bu bargeinio taer rhwng Dafydd Wigley a phwysigion Llafur ynglŷn â'r telerau ar gyfer cyflwyno mesur iawndal, nes bod y llywodraeth fwy neu lai yn cynnig cyflwyno mesur yn gyfnewid am gefnogaeth Plaid Cymru yn Nhŷ'r Cyffredin. Cyhoeddwyd y Mesur Niwmoconiosis ar 27 Mawrth, a chafodd y Blaid Lafur ddiolch amdano drannoeth pan gynhaliwyd pleidlais o ddiffyg hyder yn y llywodraeth. Yn y bleidlais, cafodd Llafur gefnogaeth tri Aelod Seneddol Plaid Cymru, ond pan drodd Plaid Genedlaethol yr Alban yn erbyn y llywodraeth yr oedd ei thranc yn anochel. Er gwaethaf hyn daeth y Mesur Niwmoconiosis yn ddeddf ar 4 Ebrill cyn i'r llywodraeth orfod galw Etholiad Cyffredinol, ac yn ystod pum mlynedd cyntaf gweithredu 'Deddf y Llwch', talwyd mwy nag £20 miliwn o iawndal i ddioddefwyr.

Yn ôl un hanesyn, enillodd Dafydd Elis Thomas, Aelod Seneddol Meirionnydd, y llysenw 'Dyn y Llwch' mewn ardaloedd chwarelyddol am ei ymgyrch dros y chwarelwyr claf, a dywedodd Dafydd Wigley wedyn fod y cynnydd yn ei fwyafrif yn sedd Arfon yn 1983 i'w briodoli yn rhannol i'r ffaith bod pobl yn rhoi'r clod i Blaid Cymru am 'Fesur y Llwch'.

Y pencampwr tawel

Ac yntau yn ei dymor cyntaf fel chwaraewr proffesiynol ac yn cymryd rhan yn y gystadleuaeth am y tro cyntaf erioed, Terry Griffiths o Lanelli a gipiodd Bencampwriaeth Snwcer Broffesiynol y Byd ym mis Ebrill yn Sheffield, gan guro'r Gwyddel Dennis Taylor o 24 ffrâm i 16.

Unwaith yn unig wedi hynny y cyrhaeddodd y Cymro rownd derfynol Pencampwriaeth y Byd, a hynny yn 1988 pan gollodd yn erbyn y Llundeiniwr Steve Davis. Er na fu'n Bencampwr y Byd am yr eildro, ef a gipiodd dlws Meistri Benson & Hedges yn 1980, a chyrraedd rownd derfynol yr un gystadleuaeth yn y ddwy flynedd ddilynol. Yn 1982 enillodd Glasur Mercantile Credit a Phencampwriaeth Agored y Deyrnas Unedig. Bu'n Bencampwr Amatur Cymru yn 1975, cyn ennill Pencampwriaeth Amatur Lloegr yn 1977 a 1978, ac yn 1985, 1986 ac 1988 ef oedd Pencampwr Proffesiynol ei famwlad. Gyda Ray Reardon a Doug Mountjoy, bu'n aelod o dîm Cymru a enillodd Gwpan y Byd ddwywaith yn olynol.

Câi ei gyfrif yn un o feistri'r gêm oherwydd ei chwarae pwyllog a phwrpasol, ac er ei fod yn nodedig am ei gymeriad addfwyn a thawel, yr oedd yn wir hefyd ei fod yn ymroi'n llwyr i ennill pob cystadleuaeth y cymerai ran ynddi. 'Canolbwyntio yw'r cyfan' oedd ei esboniad ef am ei lwyddiant.

chwith: Terry Griffiths, y pencampwr o Lanelli.

1980

Ympryd dros deledu

Ar 5 Mai syfrdanwyd y wlad gan ddatganiad Gwynfor Evans y byddai'n dechrau ymprydio oni fyddai'r llywodraeth yn anrhydeddu ei haddewid i sefydlu sianel deledu neilltuol ar gyfer rhaglenni Cymraeg. Yr oedd yr ympryd i ddechrau ar 6 Hydref, ac nid oedd neb yn amau nad oedd Gwynfor Evans yn gwbl ddiffuant pan ddatganodd fod y diwylliant Cymraeg yn werth marw drosto.

Er bod pob un o'r prif bleidiau wedi ymrwymo yn ystod yr Etholiad Cyffredinol ym mis Mai i greu sianel deledu ar wahân ar gyfer rhaglenni Cymraeg, ar 12 Medi 1979 yng Nghaergrawnt cyhoeddodd yr Ysgrifennydd Cartref newydd, William Whitelaw, na chedwid yr addewid hon, ac y dylid rhannu rhaglenni Cymraeg rhwng y sianeli i gyd. Dywedodd Whitelaw wedyn ei fod wedi cael cyngor gan ei gyd-Geidwadwyr yng Nghymru nad oedd digon o siaradwyr Cymraeg i gyfiawnhau neilltuo sianel gyfan ar gyfer yr iaith.

Dadl y llywodraeth oedd mai'r cynllun newydd hwn fyddai'r un gorau i'r Cymry Cymraeg, ond chwyrn iawn oedd ymateb llawer un. Gwaharddodd Plaid Cymru staff HTV o'u cynhadledd flynyddol ym mis Hydref fel protest, a galwyd ar aelodau'r Blaid i beidio â phrynu trwydded deledu ac i dalu'r arian yn lle hynny i mewn i gronfa arbennig. Erbyn dechrau 1980 yr oedd dwy fil o aelodau Plaid Cymru wedi addo peidio â phrynu trwydded deledu.

Dwysawyd y sefyllfa gryn dipyn gan ddatganiad Gwynfor Evans. Yr oedd ofnau gwirioneddol y gwelid helyntion a thrais tebyg i'r hyn a geid yng Ngogledd Iwerddon pe bai ef yn marw. Mewn cyfres o gyfarfodydd cyffrous ac emosiynol, siaradai'n agored am bosibilrwydd ei farwolaeth. Heidiai gohebwyr papurau newydd a'r teledu o Ewrop a gogledd America i Langadog i gwrdd â'r dyn a oedd yn fodlon marw dros sianel deledu.

Ar 10 Medi, aeth dirprwyaeth yn cynnwys yr Archesgob Gwilym Owen Roberts a'r cyn Ysgrifennydd Gwladol, Cledwyn Hughes, i ddwyn pwysau ar Whitelaw i newid ei feddwl, ac ar 17 Medi ildiodd y llywodraeth a chyhoeddwyd y darlledid hyd at 20 o oriau o raglenni Cymraeg ar bedwaredd sianel newydd a fyddai ar wahân i Sianel 4 yng ngweddill gwledydd Prydain. Yr un noson, mewn cyfarfod yng Nghrymych, cyhoeddodd Gwynfor Evans na ddechreuai ar ei ympryd.

Cyfaddefodd fod adfywio ysbryd cefnogwyr Plaid Cymru wedi bod lawn cymaint rhan o'i fwriad ag ennill sianel Gymraeg, ac ysgrifennodd wedyn yn ei hunangofiant, 'Pe gwelem bum wythnos arall o'r cynnwrf a'r deffroad yng Nghymru, gwelid y Blaid...wedi ymsefydlu mewn safle di-syfl.' Fel pe bai'n ategu hynny, ysgrifennodd William Whitelaw wedyn, 'Am unwaith, yr oedd gennyf reswm dros fod yn falch imi ildio i bwysau, nid yw hwn yn brofiad cyffredin.' *[LLIW 53]*

Gwynfor

Dim croeso

Ar 11 Chwefror daeth yr Ysgrifennydd dros Ddiwydiant, Syr Keith Joseph, i dde Cymru ar ymweliad diwrnod, ond rhaid fu canslo rhannau o'r ymweliad oherwydd protestiadau ymosodol. Nid oedd y Gweinidog, a arddelai syniadau economaidd adain dde, yn gymeradwy yn ne Cymru, yn arbennig gan fod gweithwyr yn y diwydiant dur ar streic ar y pryd. Cafodd ei ddifrïo, ei wthio a'i bledio gydag wyau a thomatos gan dorfeydd cyffrous. Daeth penllanw'r protestio yn Nglyn Ebwy pan fethodd yr heddlu ag atal y protestwyr ger mynedfa ffatri, a bu raid i'r gweinidog ddychwelyd i'w gar a oedd erbyn hynny wedi'i staenio a'i dolcio. Roedd yn amlwg fod y gweinidog wedi'i siglo gan y profiad, a datganodd wedyn ei fod yn 'surprised at the unpleasantness'.

Syr Keith Joseph a Nicholas Edwards yn edrych yn anghysurus yn wyneb y protestwyr.

MADRYN

Codwyd storm o brotest ganol Ionawr pan gyhoeddodd y Swyddfa Gymreig bod tiroedd ar y ffin rhwng Gwynedd a Phowys wedi'u nodi fel man i gychwyn rhaglen archwilio am le addas i gladdu gwastraff niwclear. Cyhoeddwyd y byddai'r Sefydliad Gwyddorau Daearegol, yn gweithredu ar ran Adran yr Amgylchedd, yn archwilio tir yn nyffryn Dyfi.

Ym mis Chwefror trefnwyd cyfarfod ym Machynlleth i brotestio yn erbyn y cynllun, a ffurfiwyd mudiad protest newydd o'r enw MADRYN (Mudiad Amddiffyn Dynoliaeth Rhag Ysbwriel Niwclear), gyda'r Archdderwydd ar y pryd, Geraint Bowen, yn gadeirydd arno. Pan gynhaliwyd seremoni gyhoeddi Eisteddfod Genedlaethol Bro Ddyfi, Machynlleth ar ddiwedd Mehefin, datganodd yr Archdderwydd o'r maen llog 'y byddai caniatáu claddu gwastraff niwclear yr un fath â chydweithio i gyflawni trosedd yn erbyn y ddynoliaeth'. Cafwyd cefnogaeth frwd i'r mudiad gan yr undebau amaethyddol ac undebau eraill, a threfnwyd ralïau i wrthwynebu'r cynlluniau.

Roedd MADRYN yn rhan o adfywiad mewn protestiadau cyffredinol yn erbyn y diwydiant niwclear. Ar ddydd Sadwrn 25 Ebrill, yn y Deml Heddwch yng Nghaerdydd, lawnsiwyd WANA (Y Cynghrair Wrth-Niwclear Cymreig: Welsh Anti Nuclear Alliance) gyda'r bwriad o gyhoeddi i bobl Cymru bod gweithredu brwd yn yr arfaeth 'er mwyn amddiffyn bywyd, iechyd ac eiddo sy'n cael eu bygwth gan domennydd gwastraff gwenwynig a thoreth o bwerdai niwclear.'

Er i'r daearegwyr archwilio'r tir yn nyffryn Dyfi, daeth dim o'r syniad o gladdu gwastraff niwclear yno, ac ym mis Tachwedd 1981 cyhoeddodd Tom King, Gweinidog yr Amgylchedd, fod y Llywodraeth am roi'r gorau i'r cynllun.

Marw actores

Ar ddydd Mercher 26 Tachwedd darganfuwyd corff yr actores Rachel Roberts yng ngardd ei chartref yn Los Angeles. Datgelwyd wedi hynny ei bod wedi gwenwyno ei hun.

Roedd yr actores 53 mlwydd oed yn ferch i weinidog gyda'r Bedyddwyr yn Llanelli, ond ar ôl graddio yng Ngholeg Prifysgol Cymru, Aberystwyth, trodd ei golygon at Lundain gan ennill lle yn y coleg drama, RADA. Ar ôl cyfnod o actio ar lwyfan, daeth i amlygrwydd ym myd y ffilmiau yn 1960, yn sgil ei pherfformiad yn Saturday Night and Sunday Morning. Fe'i dewiswyd hi'n actores ffilmiau orau Prydain yn y flwyddyn honno, ac yn 1963, fe'i henwebwyd ar gyfer Oscar am ei pherfformiad fel cariad Richard Harris yn This Sporting Life, ffilm am fywyd garw chwaraewr rygbi yng ngogledd Lloegr.

Priododd y seren ffilmiau Rex Harrison, ond ar ôl ei ysgaru yn 1971, aeth i fyw i Galifffornia gan ymddangos mewn nifer o ffilmiau enwog fel Picnic at Hanging Rock a Yanks. Er ei llwyddiant, yn ôl ei chariad Darren Ramirez, roedd Rachel Roberts yn dioddef o iselder ysbryd pan laddodd ei hun.

Rachel Roberts gyda Richard Harris yn This Sporting Life.

Sensro canwr

Penderfynodd y BBC wahardd chwarae record newydd Dafydd Iwan ar ei raglenni gan fod ei gân 'Magi Thatcher' yn debyg o ennyn dicter y llywodraeth a chefnogwyr y Prif Weinidog yng Nghymru. Cân ddychanol oedd 'Magi Thatcher' yn darlunio'r Prif Weinidog fel melltith ar Gymru :

Fflachio'r mae'r mellt
Pan ddaw Magi To Gwellt
I osod y ddeddf i lawr,
Mae 'di canu ar Gymru
Awn yn ôl at y llymru,
Henffych O! Magi Thatcher.

Roedd 'Magi Thatcher' yn un o'r ugeiniau o ganeuon cenedlaetholgar a gyfansoddwyd ac a ganwyd gan Ddafydd Iwan dros y blynyddoedd. Daeth i sylw'r cyhoedd am y tro cyntaf ganol y '60au pan ganai bob nos Fercher ar y rhaglen deledu `Y Dydd'. Yn yr un cyfnod daeth yn un o ymgyrchwyr amlycaf Cymdeithas yr Iaith Gymraeg, ac fe'i carcharwyd am dorri'r gyfraith yn ystod protestiadau'r Gymdeithas honno. Yn arwr i genedlaetholwyr ifanc, ystyriwyd ef hefyd

yn fwgan gan rai a wrthwynebai'r protestiadau.

Roedd yn un o sylfaenwyr y cwmni recordiau Sain a Chymdeithas Tai Gwynedd, ac fe'i etholwyd yn gynghorydd dros Blaid Cymru, ond yr oedd galw mawr am ei dalentau fel canwr, a denai gynulleidfaoedd niferus i'w gyngherddau ar hyd a lled y wlad. Roedd rhai o'r farn y dôi caneuon fel 'Cerddwn Ymlaen', 'Pam fod eira'n wyn?' ac 'Yma o hyd' yn rhan o etifeddiaeth y genedl. Yn 1983 cyhoeddodd mai'r gyfres o gyngherddau gyda'r grŵp gwerin Ar Log fyddai ei daith olaf fel canwr, ond cymaint oedd ei boblogrwydd fel nad oedd modd iddo ymddeol yn llwyr, ac yr oedd ei gyngherddau a'i raglenni teledu mor boblogaidd ag erioed ar ddiwedd y ganrif. *[LLIW 42]*

Cyrch Sul y Blodau

Ar Sul y Blodau, 30 Mawrth, restiwyd mwy na deg ar hugain o genedlaetholwyr Cymreig adnabyddus, a hynny heb gyhuddiadau, fel rhan o *Operation Tân*, yr ymgyrch fwyaf gan yr heddlu yn yr ymgais i ddal llosgwyr nifer o dai haf.

Cymerodd Heddlu De Cymru ran yn y gwaith am y tro cyntaf wedi i fom gael ei osod y tu allan i swyddfa'r Blaid Geidwadol yng Nghaerdydd y dydd Gwener blaenorol. Mewn nifer o gyrchoedd gyda'r wawr gan fwy na thri chant o blismyn ar dai o Benrhyn Llŷn i Gaerdydd, tynnwyd aelodau o sawl carfan genedlaetholgar i mewn i'r ddalfa i gael eu holi, gan gynnwys Adfer a Phlaid Cymru. Ni chaniatawyd i'r rhai a restiwyd weld eu cyfreithwyr na'u cyfeillion, a bu cryn feirniadaeth ar dactegau llawdrwm yr heddlu gan genedlaetholwyr. 'Byddai'n gall i'r rhai sy'n beirniadu ymddygiad yr heddlu frathu eu tafodau nes bydd yr holl ffeithiau'n hysbys', meddai Pat Molloy, pennaeth CID Heddlu Dyfed-Powys

Erbyn dydd Llun yr oedd tua hanner y rhai a restiwyd wedi eu rhyddhau, ac yr oedd yn amlwg eu bod wedi'u restio am eu bod yn genedlaetholwyr amlwg yn hytrach nag

am fod gan yr heddlu dystiolaeth yn eu herbyn. Fodd bynnag yr oedd tystiolaeth yn erbyn rhai eraill. Ar y dydd Mawrth daeth pedwar dyn gerbron ynadon Dolgellau i wynebu gwahanol gyhuddiadau yn ymwneud â llosgi tai haf.

Safodd y pedwar – Alan Beeston, John Roberts, Edward Gresty ac Eurig ap Gwilym – eu prawf yn Llys y Goron, yr Wyddgrug ym mis Tachwedd lle y plediasant i gyd yn euog i gyhuddiadau o achosi difrod i dŷ haf ger y Bala. Plediodd Roberts a Beeston yn euog hefyd i gyhuddiadau o feddu ar wn gan fwriadu cyflawni trosedd, ac o dorri i mewn i dŷ ger Dolgellau gan fwriadu ei roi ar dân, a phlediodd tri o'r pedwar yn euog o feddu ar ffrwydron. Ar 26 Tachwedd, cawsant eu dedfrydu i gyfnodau o garchar yn amrywio o ddwy flynedd i naw mis.

Yr oedd y pedwar yn aelodau o'r mudiad para-filwrol Cadwyr Cymru, a disgrifiwyd hwy gan y barnwr, Martin Thomas QC, fel milwyr lled fethedig a oedd wedi ceisio efelychu gweithredoedd llosgwyr medrusach.

Arweiniodd y cyrch at feirniadaeth lem o'r heddlu am ddefnyddio tactegau a gymharwyd â rhai'r Gestapo, ac ym mis Mai 1983 talwyd iawndal o £1,000 i Enid Gruffudd o Dal-y-bont a £600 i Huw Lawrence o Lan-non am iddynt gael eu restio ar gam.

Ymgyrch fomio

Ym mis Mawrth gwelwyd dau ffrwydrad bom o waith carfan anelwig newydd o'r enw y WAWR (enw Cymraeg a wnaed o'r geiriau Saesneg *Workers' Army of the Welsh Republic*). Ffrwydrodd un bom yn swyddfa recriwtio'r fyddin ym Mhontypridd, a'r llall yn swyddfeydd Corfforaeth Dur Prydain yng Nghaerdydd.

Ar 2 Ionawr 1982 ffrwydrodd bom a osodwyd gan y WAWR yn Llundain, ac un arall yn Birmingham, a'r un diwrnod llwyddodd yr heddlu i ddatgymalu bom arall a osodwyd yn swyddfeydd cwmni *IDC* yn Stratford-upon-Avon cyn iddo ffrwydro.

Ym mis Medi 1983 ymosodwyd ar gartref Ysgrifennydd Gwladol Cymru, Nicholas Edwards. Ym mis Tachwedd dedfrydwyd arweinwyr y mudiad – Dafydd Ladd, John Jenkins a Brian Rees – i gyfnodau o garchar rhwng dwy a naw mlynedd. Rhyddhawyd pedwar o bobl eraill.

Radio'r Bobl

Math pur wahanol o wasanaeth radio oedd yr un a ddechreuwyd ar 11 Ebrill gan Gwmni Darlledu Caerdydd (CBC), yr ail orsaf radio fasnachol i'w sefydlu yng Nghymru.

O'r cychwyn cyntaf yr oedd hon i fod yn fentr ddemocrataidd ac agored. O fis Ionawr 1979 ymlaen cynhaliwyd cyfres o dri chyfarfod cyhoeddus i geisio esbonio'r syniad y tu ôl i'r fentr, i geisio barn pobl Caerdydd ac i ethol aelodau Ymddiried-olaeth Radio Caerdydd. Ni allai'r Ymddiried-olaeth ar ei phen ei hun godi'r £½miliwn yr oedd eu hangen i ddechrau'r gwasanaeth, ac aethpwyd ati i recriwtio pobl fusnes i'r prosiect i ariannu'r fentr. Sefydlwyd Cwmni Darlledu Caerdydd gyda bwrdd rheoli, a hanner ei aelodau o'r Ymddiriedolaeth a'r hanner arall o blith y cyfranddalwyr. Ym mis Ebrill 1979, datganodd yr Awdurdod Darlledu Annibynnol mai CBC a gâi'r hawl i ddarlledu yn y brifddinas.

Bod yn wasanaeth i'r gymuned a hefyd yn llwyddiant masnachol oedd nod CBC, ond o'r dechrau cyntaf yr oedd CBC fel pe bai'n cwympo rhwng dwy stôl, gan nad oedd yn hollol fasnachol nac yn hollol gymunedol chwaith. Trefnwyd gweithdai i'r cyhoedd ddysgu am sut i wneud rhaglenni radio a cheisiwyd yn fwriadol ddenu pobl anabl, plant o phobl ifanc, a lleiafrifoedd ethnig i mewn. Ar yr un pryd yr oedd angen gwneud elw ac ad-dalu benthyciadau trwy werthu amser i hysbysebwyr. Bwriad CBC oedd darparu gwasanaeth gydag elfen gref o raglenni siarad ynddo, ond yr oedd rhaglenni cerddoriaeth yn rhatach i'w gwneud ac yn fwy poblogaidd. Nid oedd y cyfaddawd a luniwyd rhwng y ddwy elfen yn plesio neb.

Yn 1985, trosglwyddodd yr Awdurdod Darlledu Annibynnol gontractau radio masnachol Caerdydd a Gwent i orsaf radio *Red Rose* o Loegr, a dechreuodd Radio'r Ddraig Goch wasanaethu de-ddwyrain Cymru i gyd.

Glanhau'r Cwm

Cymerwyd cam arall yn hanes hynod adfywio hen fro ddiwydiannol Cwm Tawe ar 11 Mehefin pan nodwyd Parc Mentr fel yr Ardal Fentr gyntaf ym Mhrydain, lle ceid deng mlynedd o delerau ariannol a chynllunio ffafriol iawn i ddatblygwyr, er mwyn ceisio adfywio'r economi lleol.

Yn 1961 dechreuodd ymchwilwyr yng Ngholeg y Brifysgol, Abertawe, fynd ynghyd â Phrosiect Cwm Tawe Isaf i weld sut y gellid mynd i'r afael ag olion yr hen ddiwydiannau trwm. Ar y pryd, tir diffaith oedd tua 60% o Gwm Tawe ac yr oedd saith miliwn o dunelli o domenni glo yno, yn ogystal â hen gamlesi a rheilffyrdd a thiroedd lle oedd y pridd mor llygredig fel na thyfai odid ddim arno.

Cyhoeddwyd adroddiad y Prosiect, ac yn yr un flwyddyn dechreuwyd clirio tomen White Rock, y cyntaf o nifer mawr o safleodd tebyg i dderbyn triniaeth o'r fath. Yn dilyn cynllun gweithredu a gyhoeddwyd yn 1974, aethpwyd ati i greu cyfres o bum 'parc' arbennig ar hyd cwrs Afon Tawe rhwng traffordd yr M4 yn y gogledd a glan y môr yn y de. Dewisiwyd y term 'parc' yn fwriadol er mwyn cyfleu'r naws arbennig a'r amgylchedd dymunol yr oedd y cynllunwyr am eu creu. O'r pum parc, y Parc Mentr, a gynhwysai 775 erw o dir, oedd y mwyaf o dipyn, ond crëwyd hefyd Barc Hamdden ar ddarn o dir gwastraff a hen domenni copr, Parc Glan yr Afon ar hyd Afon Tawe i ganol dinas Abertawe, Parc y Ddinas ar safle hen Ddoc y Gogledd, a Pharc Morwrol o gwmpas hen Ddoc y De.

Y bychan dewr

Ar un o nosweithiau tristaf hanes chwaraeon Cymru, lloriwyd y boc-siwr pwysau bantam 24 oed, Johnny Owen o Ferthyr Tudful, wrth gwffio am bencamp-wriaeth y byd yn Los Angeles ar 19 Medi.

Yr oedd Owen wedi cwffio'n galed am un rownd ar ddeg yn erbyn y Mecsicanwr Lupe Pin-tor, ond pan loriwyd ef yn drwm yn y ddeu-ddegfed rownd, yr oedd yn glir na chodai oddi ar y cynfas.

Cafodd Owen dair awr o lawdriniaeth i symud tolchen waed oddi ar ei ymennydd, ond bu farw ar 4 Tach-wedd wedi saith wyth-nos mewn coma. Mewn mynegiant hynod o alar cyhoeddus ddofn, daeth tua deng mil o bobl i'w angladd ym Merthyr Tudful.

Enillodd Owen y llysenwau 'Sgerbwd' a 'Matsen' oherwydd ei gorff esgyrnog, ond medrai bwnio'n gyflym ac yn effeithiol. Enillodd Bencampwriaeth Pwysau Bantam Prydain oddi ar Paddy Maguire ar 29 Tachwedd 1977, a blwyddyn wedyn ar 2 Tachwedd 1978, ychwanegodd deitl y Gymanwlad at ei gasgliad pan drechodd Paul Ferreri o Awstralia mewn gornest yng Nglyn Ebwy. Hefyd yng Nglyn Ebwy, ar 28 Chwefror 1980, cipiodd deitl Ewrop pan gurodd y Sbaenwr Juan Francisco Rodriguez.

Ysgogodd ei farwolaeth gryn drafod ynglŷn â bocsio, a dadleuodd rhai y dylid gwahardd y gamp unwaith ac am byth. Cyhoeddodd Dai Gardiner, rheolwr Owen, y byddai'n ymddeol o fyd bocsio wedi'r drychineb, ac aeth tair blynedd heibio cyn iddo ail-ddechrau rheoli bocswyr o Gymru.

1981

21 Ionawr

Rhyddhawyd y gwystlon Americanaidd yn Iran ar ôl 444 diwrnod mewn caethiwed.

25 Ionawr

Yn Llundain, sefydlwyd y Cyngor Democratiaeth Cymdeithasol gan Roy Jenkins, David Owen, Shirley Williams a William Rodgers.

9 Ebrill

Ac yntau ar streic newyn yng ngharchar y Maze, Belffast, etholwyd Bobby Sands, aelod o'r IRA, yn aelod seneddol mewn isetholiad yn Fermanagh.

5 Mai

Bu farw Bobby Sands wedi 66 diwrnod ar streic newyn.

13 Mai

Saethwyd y Pab Ioan Pawl II gan derfysgwr o Dwrci ond achubwyd ei fywyd gan feddygon.

4 Gorffennaf

Dechreuodd cyfnod o derfysgoedd yn Toxteth, Lerpwl, a Moss Side, Manceinion.

30 Medi

Yn Ffrainc, daeth dyddiau'r *guillotine* i ben pan ddiddymwyd y gosb eithaf.

3 Hydref

Daeth y streic newyn yn y Maze i ben ar ôl 203 diwrnod a marwolaeth 10 carcharor.

6 Hydref

Llofruddiwyd Arlywydd yr Aifft, Anwar Sadat, gan eithafwyr Islamaidd.

O Gaerdydd i Gomin Greenham

Paratoi am noson arall ar Gomin Greenham.

Go brin fod y 36 o wragedd a 4 dyn a gychwynnodd o Gaerdydd ar 27 Awst ar y ffordd i safle milwrol Comin Greenham yn sylweddoli pa mor enwog y deuent ymhen ychydig flynyddoedd fel sefydlwyr un o brotestiadau heddwch amlycaf a mwyaf hirhoedlog Prydain.

Ym mis Rhagfyr 1979 dewiswyd Comin Greenham fel un o nifer o safleoedd yn Ewrop ar gyfer taflegrau niwclear *Cruise* yr Unol Daleithiau. Bwriad cyntaf y gwragedd wrth gyrraedd y Comin ar 5 Medi oedd cyflwyno llythyr i bennaeth y safle yn mynegi eu pryderon am y penderfyniad i osod y fath daflegrau yno, ond aeth pedair gwraig gam ymhellach trwy eu clymu eu hunain wrth y ffens, a thyfodd wedyn y syniad y gellid cynnal gwersyll wrth ffens y safle fel protest barhaol ger prif fynedfa'r safle.

Ym mis Chwefror 1982, yn unol â dymuniad mwyfrif ei drigolion, daeth y gwersyll yn un i fenywod yn unig, ac yn ystod 1983 sefydlwyd nifer o wersylloedd eraill o gwmpas y ffens, wedi'u henwi ar ôl lliwiau'r enfys.

Ymhlith y rhai a ddaeth i fyw i'r gwersyll yr oedd Helen Wynne Thomas o Gastell Newydd Emlyn. Yn Gymraes Gymraeg, daeth yn nodedig ymysg y protestwyr am wrthod llenwi ffurflenni Saesneg pan gâi ei harestio, a brawychwyd pawb pan drawyd hi i lawr a'i lladd gan un o gerbydau'r heddlu wrth geisio croesi'r ffordd ar 5 Awst 1989, ychydig cyn ei phen-blwydd yn 23 oed. Syfrdanwyd cymuned glòs Castell Newydd Emlyn gan y drychineb, a bu'n rhaid i'w rhieni deithio i Newbury i adanabod corff yr hynaf o'u pedwar plentyn. Ar 12 Medi dychwelodd rheithgor cwest yn Newbury ddyfarniad o 'farwol-aeth ddamweiniol' ar Helen Thomas, er bod rhai o ferched y gwersyll wedyn yn honni bod ymgais wedi bod i guddio gwir natur y digwyddiad.

(Drosodd)

O Gaerdydd i Gomin Greenham

(o'r tudalen cynt)

Er gwaethaf nifer mawr o ymdrechion gan yr awdurdod lleol i ddisodli'r gwersyll-wyr, ac er gwaethaf gwrthwynebiad chwyrn iawn gan rai pobl leol, parhaodd gwersyll merched Comin Greenham am dros ddeng mlynedd, a hyd nes y symudwyd y taflegrau niwclear olaf oddi yno ar 5 Mawrth 1991, wrth i'r 'Rhyfel Oer' rhwng America a'r Undeb Sofietaidd a'u cynghreiriaid ddirwyn i ben. Yn ystod y cyfnod hwnnw treuliodd miloedd o ferched gyfnodau'n amrywio o un noson i sawl blwyddyn yn gwersylla yno. Cynhaliwyd amrywiaeth eang o brotestiadau yn erbyn presenoldeb y taflegrau, a daeth llawer o'r merched o flaen eu gwell am droseddau megis tresbasu a difrodi.

Torri'r mowld

Ar 2 Mawrth yr oedd Tom Ellis, Aelod Seneddol Wrecsam, gyda'r cyntaf o'r Blaid Lafur i dorri pob cysylltiad â'i hen blaid er mwyn ymuno â rhengoedd y Blaid Ddemocrataidd Gymdeithasol (SDP) newydd.

Deilliodd yr SDP o 'Ddatganiad Limehouse' 25 Ionawr gan y 'Giang o Bedwar', pedwar o gyn-aelodau dylanwadol o asgell gymedrol y Blaid Lafur a gredai fod y Blaid honno wedi symud yn rhy bell tua'r chwith eithafol. 'Torri mowld gwleidyddiaeth Prydain' oedd eu bwriad, meddent.

Yng nghynhadledd flynyddol eu plaid yn Llandudno ar 16 Medi, pleidleisiodd mwyafrif llethol y Rhyddfrydwyr dros ffurfio cynghrair â'r SDP, gan greu un o fudiadau gwleidyddol pwysicaf yr '80au cynnar. Cyn diwedd y flwyddyn yr oedd Jeffrey Thomas, Aelod Seneddol Llafur Abertyleri, ac Ednyfed Hudson Davies, yr Aelod Llafur dros Gaerffili, wedi cyhoeddi na fyddent yn sefyll dros yn Blaid Lafur yn yr Etholiad Cyffredinol nesaf, a'u bod am ymaelodi â'r SDP.

Safodd Ellis, Thomas a Davies yn aflwyddiannus dros eu plaid newydd yn Etholiad Cyffredinol 1983 – dewiswyd Jeffrey Thomas yn ymgeisydd yr SDP yng Ngorllewin Caerdydd, ond bu'n rhaid i Hudson Davies fynd dros Glawdd Offa a chyn belled â Basingstoke cyn cael etholaeth i sefyll ynddi. Wedi cefnu ar Wrecsam, daeth Tom Ellis yn ail i'r Ceidwadwyr yn Ne-Orllewin Clwyd.

Yr Elyrch yn esgyn

uchod:
Chwaraewyr Abertawe'n dathlu'r dyrchafiad.

Gyda buddugoliaeth o dair gôl i un yn erbyn Preston, esgynnodd clwb pêl-droed Abertawe i Adran Gyntaf Cynghrair Pêl-Droed Lloegr am y tro cyntaf erioed.

Dan eu chwaraewr-reolwr, John Toshack, yr oedd y 'Swans' wedi esgyn o'r Bedwaredd Adran i'r Gyntaf mewn pedwar tymor, a hynny wedi i'r clwb ddod yn agos at ddisgyn allan o'r Gynghrair yn gyfan gwbl a gorfod cael ei ail-ethol i'r Bedwaredd Adran ym mis Mehefin 1975. Wedi cyfnod llewyrchus dros ben yn chwarae dros Lerpwl, daeth Toshack i Abertawe ym mis Mawrth 1978, a chyda'i frwdfrydedd mawr a'i barodrwydd i wario arian ar chwaraewyr newydd, sicrhaodd gyfres o ddyrchafiadau i'w glwb newydd.

Yr oedd tri chwaraewr – Wyndham Evans, Robbie James, Alan Curtis – bellach ar fin cyflawni'r gamp hynod o chwarae dros eu clwb ym mhob un o Adrannau'r Gynghrair Bêl-Droed.

Er bod y gêm dyngedfenol yn cael ei chwarae oddi cartref, teithiodd deng mil o gefnogwyr i annog bechyn Abertawe ymlaen ar faes Deepdale, ac ymgasglodd torfeydd o filoedd ar strydoedd Abertawe ar 9 Mai pan deithiodd y tîm trwy'r ddinas mewn bws agored ar eu ffordd i dderbyniad dinesig yn Neuadd y Ddinas.

I goroni'r cyfan, ar 11 Mai, cipiodd Abertawe Gwpan Cymru am y cyntaf o dri thro yn olynol, a'r tro cyntaf er 1966.

Y Cymro, Roy Jenkins, yn cydio yn llaw Shirley Williams wrth dderbyn cymeradwyaeth i'w araith yng nghynhadledd yr SDP yng Nghaerdydd, 1982.

'Annwyl Nick'

Cododd cryn sgandal ym mis Medi pan gyhoeddwyd llythyr oddi wrth Denis Thatcher, gŵr y Prif Weinidog, at Nicholas Edwards, Ysgrifennydd Gwladol Cymru. Ar 17 Medi ymddangosodd y llythyr, ynghyd â sylwadau wedi'u hysgrifennu arno gan Edwards, ar dudalen blaen y *Times*, ond yn y cyfamser yr oedd y copi gwreiddiol wedi mynd ar goll o'r Swyddfa Gymreig yng Nghaerdydd gan arwain at helfa fawr trwy holl ystafelloedd a desgiau'r adeilad.

Yn y llythyr. a ysgrifennwyd ym mis Rhagfyr 1980, cwynai Denis Thatcher am yr oedi a fu wrth drefnu apêl cynllunio ynglŷn â datblygiad arfaethedig o dai yn ardal Harlech, gan gwmni o'r enw IDC yr oedd ef yn ymgynghorydd iddo. Yr oedd Cyngor Sir Gwynedd ac Awdurdod Parc Cenedlaethol Eryri wedi gwrthod caniatáu'r datblygiad flwyddyn ynghynt fel un a fyddai'n andwyol i'r ardal.

Er bod Thatcher wedi ysgrifennu'n breifat ac yn bersonol at Edwards, gan ei gyfarch fel 'Annwyl Nick', yr oedd y llythyr ar bapur swyddogol Rhif 10 Stryd Downing. Ei esgus ef oedd ei fod yn hollol naturiol iddo ddefnyddio papur Rhif 10 am mai yno yr oedd yn byw.

Cwynodd sawl un fod gŵr y Prif Weinidog yn ceisio dylanwadu'n annheg ar yr Ysgrifennydd Gwladol, a thipyn o embaras i'r llywodraeth oedd y nodyn ar y llythyr i weision sifil y Swyddfa Gymreig yn llaw-ysgrifen Nicholas Edwards, 'Gwell i'r esboniad fod yn un da a chyflym: h.y. yr wythnos yma.'

Parhaodd yr helynt i ferwi am ychydig wythnosau, ond tawelodd yn y diwedd heb achosi unrhyw niwed parhaol i'r llywodraeth.

Sinn Fein yng Nghymru

Wrth i dyndra mawr godi yng Ngogledd Iwerddon, teimlwyd yr effeithiau yn ne Cymru.

Ar 24 Ionawr yng Nghaerdydd, bu angen mwy na 1,600 o blismyn – mwy na hanner Heddlu De Cymru – i gadw ar wahân i'w gilydd ddwy orymdaith o 1,200 o gefnogwyr Sinn Féin a 350 o'r Ffrynt Cenedlaethol, wrth i'r ddwy garfan gynnal ralïau yn y brifddinas.

Yn Llys y Goron, Saint Albans, ger Llundain ar 14 Ebrill carcharwyd trefnydd Sinn Féin yng Nghymru, yr athro mathemateg Gerry MacLaughlin o Fryn-mawr, Gwent, am chwe blynedd ar ôl i reithgor ei gael yn euog o gynllwyno i achosi ffrwydradau yng Ngogledd Iwerddon. Clywodd y llys fod MacLaughlin wedi mynd i wahanol siopau yng Nghaerdydd a Gwent i brynu darnau ar gyfer awyrennau model radio-reoledig. Cyfaddefodd iddo brynu'r darnau, ond honnodd ei fod yn credu mai ar gyfer setiau radio anghyfreithlon i garcharorion yr oeddynt. O fwyafrif o 10 i 2 gwrthododd y rheithgor ei stori.

Wedi'i fagu yn Londonderry, cafodd MacLaughlin ei anfon gan ei rieni pryderus i Nant-y-glo ymhen uchaf Glyn Ebwy yn 16 oed, i orffen ei addysg ymhell o helyntion

Gerry MacLaughlin.

ei famwlad. Aeth ymlaen i Brifysgol Cymru, Aberystwyth, lle astudiodd fathemateg ac athroniaeth, a hefyd dysgu Cymraeg yn rhugl. Yn ôl pob sôn yr oedd yn athro poblogaidd yn Ysgol Gyfun Glyn Ebwy, lle cafodd ei swydd ddysgu gyntaf, a hefyd yn y gymuned leol, er ei fod yn nodedig am ei farn llai na phoblogaidd ar bwnc Iwerddon. Restiwyd ef gyntaf ym mis Ebrill 1980 ynglŷn â thân mewn tŷ haf ger Aberystwyth, ond pan ddechreuodd yr heddlu chwilio ei gwpwrdd yn yr ysgol, cafwyd llythyr gan un o drefnwyr eraill Sinn Féin ym Mhrydain ynglŷn â phrynu'r darnau radio.

Brwydr y gwragedd

Buan a chwyrn oedd yr ymateb yn Llanelli pan gyhoeddwyd ar 23 Chwefror y collid mwy na mil o swyddi pan gaeai cwmni dur Duport ei weithfeydd yn dref. Cyhuddwyd Duport gan yr Aelod Seneddol lleol, Denzil Davies, o dwyll trwy drafod dyfodol y gweithfeydd yn ddirgel gyda'r Swyddfa Gymreig a Chorfforaeth Dur Prydain, a datganodd y gweithwyr na dderbynient yn dawel y penderfyniad i gau. Mewn ardal lle oedd 15% o weithwyr eisoes yn ddi-waith yr oedd y newyddion yn ergyd drom.

Ym mis Mawrth wrth i'r peiriannau beidio â throi am y tro olaf, dechreuodd y gweithwyr bicedu – sicrhau na symudid un darn o offer ymaith oedd y bwriad, er mwyn cadw'r safle'n gyfan fel y gellid ei werthu. Ar 17 Mawrth cynhaliodd eglwysi a chapeli Llanelli oedfa arbennig i weddïo dros ddyfodol y gweithfeydd.

Ar 26 Mehefin aeth dirprwyaeth o chwech o wragedd y gweithwyr i Gaerdydd i'r Swyddfa Gymreig ar ran Grŵp Gweithredu Gwragedd Duport. O dan arweiniad Carol Edwards o Felin-foel, aeth y gwragedd gyda Denzil Davies i gyflwyno llythyr yn condemnio cau'r gweithfeydd fel gweithred anfoesol. Ym mis Medi aethant i Strasbourg i weld Frans Andriessen, y Comisiynydd Ewropeaidd gyda chyfrifoldeb am gystadleuaeth fasnachol, ond erbyn mis Hydref yr oedd yn rhaid derbyn na ellid achub y gweithfeydd, a daeth Grŵp Gweithredu Gwragedd Duport i ben.

Y Briodas Fawr

Ymunodd Cymru â'r dathlu trwy Brydain a'r byd ar 29 Gorffennaf pan briododd y Tywysog Charles â Diana Spencer yn Llundain, y tro cyntaf i un o ddeiliaid teitl Tywysog Cymru briodi er 1863. Yng Nghaerdydd, caewyd mwy na thri chant o strydoedd i draffig wrth i bobl gynnal partïon yn yr heol, ac mewn sawl man peintiwyd palmentydd a hyd yn oed ddrysau tai yn goch, gwyn a glas. Er hyn, nid oedd y briodas fawr yn ddigon i rwystro ffermwyr a masnachwyr mart Caerfyrddin rhag prynu a gwerthu fel pob Dydd Mercher arall.

Gwisgwyd Diana Spencer ar gyfer ei phriodas mewn ffrog o sidan lliw ifori a gynlluniwyd gan y Cymro, David Emmanuel o Ben-y-bont ar Ogwr, a'i wraig Elizabeth. Yn ystod y ddefod briodas, darllenwyd o'r Ysgrythur gan George Thomas o Donypandy, Llefarydd Tŷ'r Cyffredin a chyfaill i'r Tywysog. Roedd y cerddor o Gymro, William Mathias wedi'i gomisiynu i gyfansoddi anthem newydd a chanwyd ei anthem *Let the People Praise Thee, O God*, y geiriau o Salm 67, gan gorau Eglwys Gadeiriol St Paul a'r Capel Brenhinol.

Bu croeso cynnes i'r Tywysog a'r Dywysoges o 27 i 29 Hydref pan fuont ar daith dridiau trwy Gymru am y tro cyntaf fel pâr priod, gan ddechrau yn Shotton, sir Fflint. Yn y Rhyl arhosodd deng mil o bobl i weld y cwpl yn mynd am dro yn y dref. Ymwelwyd hefyd â nifer o drefi'r De, a mynychodd Charles a Diana oedfa arbennig i nodi wyth ganmlwyddiant Eglwys Gadeiriol Tyddewi. Ar noson olaf y daith, wrth dderbyn rhyddid dinas Caerdydd yn Neuadd y Ddinas, cafodd

Cyfansoddwr yr anthem, William Mathias gyda'i wraig a'i ferch.

y Dywysoges gryn glod am fynegi ei diolch yn Gymraeg pan ddywedodd, yn bur herciog, 'Y mae'n bleser cael dod i Gymru, hoffwn ddod eto yn fuan. Diolch yn fawr'

Er i filoedd o Gymry dyrru i weld y Tywysog a'i briodferch boblogaidd newydd, bu ambell brotest gan genedlaetholwyr Cymreig. Restiwyd saith o bobl yn ystod gwrthdystiadau ym Mangor a Chaernarfon ar 27 Hydref. Ym Mangor chwifiwyd baneri i gofio Llewelyn ap Gruffudd, Tywysog Gwynedd a fu farw yn 1282, ac un faner yn datgan 'Dos Adra Diana'. Yng Nghaernarfon restiwyd un wraig wedi iddi redeg at gar y Tywysog a'r Dywysoges i'w chwistrellu â phaent gwyn. *[LLIW 59]*

Marw nofelydd

Ar 13 Ebrill yng Nghaerdydd, bu farw'r nofelydd a'r dramodydd Gwyn Thomas o'r Porth, Cwm Rhondda. Ac yntau'n ieuengaf o ddeuddeg o blant i löwr, daeth yn enwog fel disgrifiwr bywyd cymoedd glofaol Morgannwg. Rhwng 1947 ac 1971 cyhoeddwyd naw nofel o'i waith, a lluniodd hefyd chwe drama a nifer mawr o straeon byrion. Ysgrifennai'n fywiog gan greu cymeriadau llawn bywyd, ac er mai tlodi a chaledi cymoedd y De oedd prif bwnc ei waith, roedd ei lyfrau a'i ddramâu yn llawn doniolwch a ffraethineb. Yr oedd yn ieithydd medrus, ond nid oedd ganddo fawr o gydymdeimlad â'r iaith Gymraeg.

Cricedwyr Sain Ffagan

Tîm criced Sain Ffagan, Morgannwg, a enillodd Dlws Pencampwriaeth y Pentrefi ar faes Lords ar 30 Awst, y cyntaf o ddau dro yn olynol i'r cricedwyr o gyrion Caerdydd.

Yn y rownd gyn-derfynol yr oedd tîm Broad Oak o swydd Efrog wedi trechu pencampwyr y flwyddyn flaenorol, March-wiail, ger Wrecsam, yn gyfforddus o naw wiced, ond wynebent wrthwynebiad cryfach o dipyn gan hogiau Sain Ffagan. Yn batio'n gyntaf, cafodd Sain Ffagan gyfanswm canolig o 149, ond trwy fowlio effeithiol a maesu rhagorol llwyddwyd i gipio wyth wiced gyntaf y Saeson am 63, ac er i Broad Oak roi 64 o rediadau ychwanegol ar y sgorfwrdd cyn i'w dwy wiced olaf gwympo ni allasent ddal y Cymry. Aeth y fuddugoliaeth i Sain Ffagan o 22 o rediadau.

Wrth amddiffyn eu teitl ar 29 Awst 1982, rhoddodd Sain Ffagan berfformiad campus yn erbyn Collingham i ennill o chwe wiced, a naw mlynedd yn ddiweddarach, ar 31 Awst 1991, yr oedd hogiau Morgannwg yn ôl yn Lords i guro Harome o 17 rhediad ac ymuno â thîm Troon o Gernyw fel un o'r ddau bentref hyd hynny a lwyddodd i ennill y Bencampwriaeth dair gwaith.

Pa ffordd i'r Blaid?

Cododd ffrwgwd chwerw ymhlith cenedlaetholwyr Cymru ar ôl i Gwynfor Evans ymddeol wedi 36 mlynedd fel Llywydd Plaid Cymru.

Yn ymladd am Lywyddiaeth y Blaid yr oedd bellach ddau ddyn gwahanol iawn eu hanian – y cymedrolwr Dafydd Wigley, Aelod Seneddol Caernarfon, a Dafydd Elis Thomas, Marcsydd o Feirionnydd a oedd wedi sefydlu mudiad y Chwith Cenedlaethol er mwyn tynnu Plaid Cymru i gyfeiriad mwy sosialaidd.

Tynnodd Elis Thomas sylw ato'i hun ynghynt yn y flwyddyn trwy fygwth yn Nhŷ'r Cyffredin y symudai'r gwrit am is-etholiad yn sedd Fermanagh a De Tyrone lle oedd yr Aelod Seneddol, y terfysgwr carcharedig Bobby Sands, wedi ymprydio i farwolaeth ar 5 Mai, ac yr oedd rhai yng Nghymru yn eithaf pryderus am gysylltiadau dynion fel Thomas â gweriniaethwyr Iwerddon.

Yng nghynhadledd flynyddol y Blaid yng Nghaerfyrddin ar 31 Hydref, enillodd Wigley'r Llywyddiaeth o 273 o bleidleisiau i 212, ond mabwysiadwyd hefyd y newid polisi i gyfeiriad sosialaeth a ffafriai Dafydd Elis Thomas.

1982

2 Ebrill

Goresgynnwyd Ynysoedd Falkland (Malvinas) gan luoedd yr Ariannin.

5 Ebrill

Hwyliodd llongau rhyfel Prydain o Portsmouth gyda'r nod o adennill Ynysoedd Falkland.

2 Mai

Ym Môr yr Iwerydd suddwyd llong ryfel yr Ariannin, y *General Belgrano*, er ei bod y tu allan i'r ardal wahareddig a osodwyd gan y Weinyddiaeth Amddiffyn ym mis Ebrill.

14 Mehefin

Ildiodd byddin yr Ariannin wrth i luoedd Prydain gyrraedd Port Stanley, prifddinas Ynysoedd Falkland.

20 Gorffennaf

Yn Llundain, lladdwyd 10 o bobl gan fomiau a osodwyd gan yr IRA yn Hyde Park a Regent's Park.

22 Medi

Ym Mhrydain, cynhaliwyd 'Diwrnod Gweithredu' gan yr undebau llafur i gefnogi gweithwyr y Gwasanaeth Iechyd.

11 Hydref

Codwyd i'r wyneb y llong *Mary Rose* a suddodd ym mhorthladd Portsmouth yn 1545.

12 Tachwedd

Daeth Yuri Andropov, cyn-bennaeth y KGB, yn arweinydd yr Undeb Sofietaidd, dau ddiwrnod wedi marwolaeth Leonid Brezhnev.

Cymraeg ar y bocs

Syr Wynff a Plwmsan, dau o gymeriadau mwyaf poblogaidd rhaglenni cynnar S4C.

Ar Dachwedd 1, wedi ugain mlynedd o frwydro ac weithiau ymgecru chwerw, dechreuodd Sianel Pedwar Cymru (S4C) ddarlledu fel sianel arbennig ar gyfer rhaglenni yn yr iaith Gymraeg, a hynny ddiwrnod cyfan cyn ei chwaer-sianel yng ngweddill Prydain, Sianel 4.

Gallai'r sianel newydd gyrraedd 94% o gartrefi Cymru gyda 70 awr yr wythnos o raglenni, 22 ohonynt yn Gymraeg. Y Gymraeg bellach oedd yr un iaith leiafrifol yn Ewrop a chanddi ei sianel deledu neilltuol ei hun, ond dilynwyd sefydlu S4C ymhen dau fis gan Euskal Telebista 1 yng Ngwlad y Basgiaid, a'r flwyddyn ddilynol gan sianeli cyffelyb yng Nghatalonia a Galisia. Gwelwyd S4C yn batrwm hefyd ar gyfer creu gwasanaeth teledu Gaeleg yn yr Alban.

Er nad oedd y nifer o bobl yn gwylio S4C yn fawr o'i gymharu â'r sianel a welid trwy Brydain i gyd, yr oedd yn gyfran go sylweddol o'r Cymry Cymraeg. Yn ei dyddiau cynnar gallai rhaglenni mwyaf poblogaidd y sianel, *Pobol y Cwm* a *Newyddion Saith*, ddenu hyd at 150,000 o wylwyr, tua 30% o'r gynulleidfa bosibl i deledu Cymraeg. Saith mlynedd yn ddiweddarach, barn William Whitelaw, yr Ysgrifennydd Cartref pan sefydlwyd y sianel, oedd iddi fod yn llwyddiant mawr.

Yr oedd rhaglenni mwyaf poblogaidd Sianel 4 fel *Brookside* a *Treasure Hunt*, a chwaraeon poblogaidd fel pêl-droed Americanaidd, hefyd yn cael eu dangos ar S4C, ond er hyn yr oedd anniddigrwydd ymhlith rhai Cymry di-Gymraeg am eu bod wedi'u hamddifadu o wasanaeth llawn y Bedwaredd Sianel. Ar y llaw arall, yr oedd yn amlwg bod rhaglenni Cymraeg yn denu nifer sylweddol o wylwyr di-Gymraeg. Arbennig o boblogaidd oedd y rhaglen o emynau a ddarlledid o gapeli Cymru, *Dechrau Canu, Dechrau Canmol*, a'r rhaglen o bêl-droed Ewropeaidd, *Sgorio*. A phan ehangwyd gwasanaeth is-deitlau Ceefax i gynnwys S4C, yr oedd mwy fyth o raglenni Cymraeg ar gael i'r di-Gymraeg. Daeth *Pobol y Cwm* yn enwedig yn ffefryn mawr gan bobl trwy Gymru benbaladr.

Llais newydd

Clywyd llais aflonydd newydd yn llen-yddiaeth Cymru ym mis Mehefin pan enillwyd Medal Lenyddiaeth Eisteddfod yr Urdd ym Mhwllheli gan Angharad Tomos o Lanwnda am ei nofel dywyll *Hen Fyd Hurt*.

Yn 1985 dilynodd ei llwyddiant cyntaf â nofel arall yr un mor gignoeth, *Yma o Hyd*, yn croniclo profiad Cymraes ifanc mewn carchar yn Lloegr am weithgareddau anghyfreithlon dros yr iaith Gymraeg. Fel *Hen Fyd Hurt*, yr oedd elfen gref o hunan-gofiant yn y llyfr hwn am fod yr awdures ei hun yn ymgyrchydd digyfaddawd dros Gymdeithas yr Iaith ac wedi bod yn y carchar sawl gwaith o'r herwydd.

Gwelwyd ochr arall i'w dawn lenyddol yn 1983 pan gyhoeddwyd *Rala Rwdins*, y gyfrol gyntaf yn ei Chyfres Rwdlan i blant. Daeth y llyfrau hyn, gyda'u cymeriadau difyr a'u darluniau hoffus, yn boblogaidd iawn gan blant, ac yn ddiweddarach seiliwyd cyfres deledu arnynt. Yn 1986 enillodd y llyfr *Y Llipryn Llwyd* o'r Gyfres Rwdlan Wobr Tir na n-Óg i'r awdur.

Yn y '90au, enillodd Angharad Tomos Fedal Ryddiaith yr Eisteddfod Genedlaethol ddwywaith, yn 1991 yn yr Wyddgrug am *Si Hei Lwli*, ac yn 1997 yn y Bala am *Wele'n Gwawrio*.

Rhywbeth at y penwythnos?

Gwelwyd mentr hollol newydd yn newydd-iaduraeth Cymru ar 17 Hydref pan lawnsiwyd y *Sulyn*, y papur Sul Cymraeg cyntaf erioed.

Gyda staff bach o 11 o bobl, câi'r papur ei olygu yng Nghaernarfon a'i argraffu yn y Trallwng. At ddarllenwyr yng Ngwynedd yr anelid ef yn bennaf oll, a siopau ym Môn a Gwynedd yn unig a oedd ar y rhestr o werthwyr a gyhoeddwyd yn rhifyn cyntaf y papur. Argraffwyd deng mil o gopïau o'r rhifyn hwnnw yn y gobaith y cefnai llawer un ar ei bapur Sul Saesneg a throi at y *Sulyn*.

Cafodd ei feirniadu am ddefnyddio Cymraeg dafodieithol, ac am fritho'r testun â geiriau cyffredin llai na safonol fel 'iwsio', 'ffeindio' a 'pols piniwn', a ffurfiau gogleddol fel 'mi roedd' a 'dallt', ond nid oedd amheuaeth ynglŷn â'i fywiogrwydd ac amrywiaeth ei erthyglau.

Daeth y *Sulyn* i ben ym mis Ionawr 1983 wedi 14 rhifyn.

Ceidwad creiriau'r werin

Iorwerth Peate wrth ei waith yn yr Amgueddfa Werin.

Ar 19 Hydref bu farw'r llenor a sylfaenydd Amgueddfa Werin Cymru, Iorwerth Cyfeiliog Peate.

Yn anad neb, Iorwerth Peate a weithiodd dros greu yng Nghymru amgueddfa awyr-agored ar batrwm rhai a geid yng ngwledydd Sgandinafia i gofnodi ac astudio diwylliant gwerin Cymru.

Yn ystod ei fywyd daethpwyd i'w ystyried yn ymgorfforiad o 'draddodiad Llanbryn-mair', traddodiad Cymraeg o radicaliaeth wleidyddol ac anghydffurfiaeth grefyddol a enwyd ar ôl y plwyf y ganed Peate ynddo. Bu'n heddychwr selog trwy gydol ei oes, ac yn 1940 ataliwyd ef dros dro o'i swydd fel Ceidwad yn yr Amgueddfa Genedlaethol oherwydd ei gredoau pasiffis-taidd.

Yn y cyfnod ar ôl yr Ail Ryfel Byd pan oedd dwyieithrwydd yn syniad poblogaidd, safai'n gadarn dros werthoedd y gymdeithas uniaith Gymraeg y magwyd ef ynddi.

Croeso i'r Gymru 'Ddi-Niwclear'

Mewn cyfarfod yn yr Wyddgrug ar 23 Chwefror, daeth Cymru'n wlad swyddogol ddi-niwclear pan ymunodd Cyngor Sir Clwyd â phob un o'r saith cyngor sirol arall yn y wlad i wahardd arfau niwclear o'r sir.

Ymgasglodd mwy na dau gant o bobl i ddathlu penderfyniad y cyngor, a gollyngwyd mil o falwns. Rhedodd tîm o redwyr at y ffin â Lloegr gyda ffagl fflamllyd a chopïau o *Ddatganiad Cymru Ddi-Niwclear*. Ysgrifen-nwyd y ddogfen hon yn Gymraeg a Saesneg gan y cyn-Archdderwydd Geraint Bowen, a llofnodwyd hi gan Dafydd Wigley o Blaid Cymru a Neil Kinnock o'r Blaid Lafur.

Yr oedd ymgyrchwyr gwrth-niwclear yng Ngwent wedi achub y blaen ar gynghorwyr Clwyd y noson cynt trwy osod arwydd wrth y briffordd o Loegr i Drefynwy yn hysbysu gyrrwyr eu bod yn yn dod i mewn i 'wlad ddi-niwclear'.

Beirniadwyd y *Datganiad* fel un gwag a disynnwyr gan nifer o wleidyddion Ceid-wadol, a gofynnodd yr Ysgrifennydd Am-ddiffyn, John Nott, yn ddilornus a oedd pobl yn disgwyl y cymerai'r Undeb Sofietaidd ryw lawer o sylw o 'ardaloedd di-niwclear' pe bai'n ymosod ar Brydain.

Gwelwyd prif effaith y polisi gwrth-niwclear ym Morgannwg lle bu'n rhaid rhoi'r gorau i gynllun i adeiladu lloches rhag ymosodiad niwclear ar gyrion Pen-y-bont ar Ogwr. Galwodd yr Aelod Seneddol lleol, Ray Powell, am ymchwiliad i gwestiwn y lloches, a sefydlodd yr Ymgyrch dros Ddiarfogi Niwclear (CND) wersyll protest ar y safle. Wedi wythnosau o bwyso taer, ar 15 Mawrth pleidlesiodd aelodau Cyngor Sir Morgannwg Ganol o 63 i 4 i atal y gwaith adeiladu, ac addasu'r lloches at ddibenion heddychlon, penderfyniad a groesawyd fel buddug-oliaeth gan y mudiad gwrth-niwclear.

'Gwelais bobl yn cael eu dileu o'r dyfodol'

Wrth i luoedd arfog Prydain ymdrechu i ennill Ynysoedd Falkland (Islas Malvinas) yn ne Môr Iwerydd oddi ar luoedd yr Ariannin, daeth y newyddion trist fod 39 o filwyr y Gwarchodlu Cymreig wedi'u lladd, a 79 wedi'u hanafu pan drawodd torpedo y llong gludo milwyr *Sir Galahad* yn Bluff Cove ar 8 Mehefin.

Anfonwyd nifer o longau i Bluff Cove fel rhan o gynllun a alluogai milwyr i lanio a theithio ar dir sych tuag at Port Stanley, prif dref yr ynysoedd, ond wrth iddynt lanio a chyn iddynt gael cyfle i osod eu gynnau gwrth-awyrennau yn eu lle, ymosododd tua 17 o awyrennau llu awyr yr Ariannin arnynt. Dinistriwyd y *Sir Galahad* a gwnaed difrod difrifol hefyd i'r *Sir Tristam* a'r *Plymouth*.

Trowyd y *Sir Galahad* yn goelcerth o fflamau angheuol wedi iddi gael ei tharo ger ei thanciau tanwydd gan y torpedo 2,000

Y *Sir Galahad* ar dân yn Bluff Cove.

pwys. Mor gyflym oedd yr ymosodiad fel na chafodd lawer o'r dynion gyfle i wisgo eu dillad asbestos, a dioddefodd sawl un losgfeydd erchyll o'r herwydd. Aeth y tân yn fwy pan ddechreuodd petrol nifer o gerbydau *Landrover* ar y llong, a'r storfeydd o fwledi a bomiau danio yn gwres. Neidiodd dynion i'r môr rhewllyd gan nofio o dan wyneb y dŵr i osgoi'r olew a losgai arno. Rhoddwyd canmoliaeth mawr i beilotiaid hofrenyddion y llynges, a ehedodd dro ar ôl tro i mewn i'r mwg tew a thaglyd i godi dynion oddi ar y llong. Gadawodd rhai milwyr ar y tir sych eu ffosydd a cherdded i'r môr i dynnu dynion o'r dŵr a'u cario ar eu hysgwyddau i'r traeth.

Disgrifiwyd y cyfan wedyn gan y milwr Simon Weston o Nelson, Morgannwg, a fu'n cyrcydu tuag ugain troedfedd o'r man y trawyd y llong. Gwelodd nifer o'i gymdeithion yn llosgi i farwolaeth ac yn crefu am gael eu saethu yn hytrach na dioddef y boen. 'Gwelais bobl yn cael eu dileu o'r dyfodol,' meddai Weston yn ei hunangofiant, *Walking Tall*. Cafodd Weston ei hun ei losgi'n ddrwg a bu ar ei anafiadau angen blynyddoedd o driniaeth feddygol.

Ar 14 Mehefin, codwyd baner wen uwchben Port Stanley, ac ildiodd yr Uwch-Gadfridog Menedez ar ran holl luoedd yr Ariannin ar yr ynysoedd, gan ddiweddu'r cyfnod o feddiant milwrol a ddechreuodd pan laniasant yno ar 2 Ebrill.

Yn y rhyfel i gyd lladdwyd 950 o ddynion ar y ddwy ochr, a chymerwyd 10,500 o Archentwyr yn garcharorion. Dyfarnwyd Croes Victoria i'r Is-Gyrnol Herbert Jones o Newry Fawr, Ynys Môn, wedi iddo gael ei ladd wrth arwain cyrch gan Ail Fataliwn y Gatrawd Barasiwt ym Mrwydr Goose Green ar 28 Mai.

Bu'r rhyfel yn destun trafod a dadlau mawr, ond prin iawn oedd y rhai a'i wrthwynebai'n gyhoeddus. Mewn dadl yn Nhŷ'r Cyffredin ar 20 Mai, pleidleisiodd 635 o'r Aelodau Seneddol dros bolisi'r llywodraeth o barhau â'r rhyfel, a 35 yn ei erbyn. Ymhlith y 35 hyn yr oedd pedwar Aelod Seneddol o Gymru – Dafydd Wigley a Dafydd Elis Thomas o Blaid Cymru, a Leo Abse a Ray Powell o'r Blaid Lafur. Cododd Abse storm o brotest yn Nhŷ'r Cyffredin ar 10 Mehefin, pan ymosododd ar y Prif Weinidog, Margaret Thatcher, am fynnu buddugoliaeth gyflawn yn y rhyfel. 'Faint mwy o famau Cymru sydd i alaru am eu meibion,' gofynnodd, 'cyn i'r Prif Weinidog gefnu ar ei thaerineb pryfoclyd a phenderfynol am ildiad di-amod'. Galwodd Abse ar y Prif Weinidog i 'feddwl fel mam' yn hytrach nag fel *warrior queen*.

Agor Neuadd Dewi Sant

Gyda chyngerdd am ddim ar 9 Medi, agorwyd Neuadd Dewi Sant, Caerdydd, un o brif neuaddau cyngerdd Prydain, ac iddi ddwy fil o seddi. Daeth wyth gant o bobl i glywed y perfformiad anffurfiol gan Gôr Polyphonic Caerdydd, ac ar 13 Hydref clywyd y gyngerdd symffoni gyntaf yn y neuadd newydd pan berfformiodd y Gerddorfa Symffoni Gymreig i gynulleidfa o blant ysgol.

Agorwyd y drysau am y tro cyntaf ar 30 Awst i'r cyhoedd gael cipolwg ar y neuadd, ei barrau ei lolfeydd a'i thŷ bwyta 130 sedd, ac achubodd mwy nag ugain mil ar y cyfle i fwynhau'r adeilad mawreddog a godwyd ar gost o £12 miliwn. Adeiladwyd y cyfan ar ben canolfan siopa a oedd eisoes yn cael ei chodi, ac yn hytrach na'r siâp draddodiadol i neuadd gyngerdd, dewisodd y penseiri, Partneriaeth Seymour Harris, greu awditoriwm a fyddai'n 'lapio'r bobl o gwmpas y llwyfan' gyda seddi ar wahanol lefelau bob ochr iddi. Yn ystod ei blwyddyn gyntaf, cynhaliwyd 331 o ddigwyddiadau yn Neuadd Dewi Sant, a mwy na deng mil yn ystod ei degawd cyntaf, gan gynnwys cyngherddau, cynadleddau ac arddangosfeydd o bob math.

Y 3% sych

Siom fawr i ddirwestwyr oedd y refferendwm a gynhaliwyd ar 3 Tachwedd ar gwestiwn agor y tafarnau ar y Sul, y bedwaredd bleidlais ar y pwnc er 1961. Ceredigion a Dwyfor, yn cynnwys tua 3% o boblogaeth Cymru, oedd yr unig ddwy ardal a bleidleisiodd dros aros yn 'sych', ac o'r chwech aradal a ffafriai gau ar y Sul ym mheidlais 1975, aeth pedair yn 'wlyb' y tro hwn – Ynys Môn, Arfon, sir Gaerfyrddin, a Meirionnydd. O'r 4,300 o dafarnau yng Nghymru, dim ond 233 erbyn hyn a oedd yn gorfod cau eu drysau ar y Saboth.

'Popeth yn Iawn'

dde: Y tyrfaoedd yn croesawu'r Pab i Gymru.

Ar 2 Mehefin, y Pab Ioan Paul II oedd y Pab cyntaf erioed i ddod i Gymru pan laniodd ym maes awyr y Rhŵs ar ddiwedd ei daith chwe diwrnod trwy wledydd Prydain. Wedi glanio, plygodd i gusanu'r tarmac, arfer y daeth yn nodedig amdano yn ystod ei deithiau trwy'r byd. Croesawyd ef gan gôr meibion a gynulliwyd ar frys ar gyfer yr achlysur, a chan dorfeydd mawr o bobl ddisgwylgar. Ymhlith y rhain yr oedd un faner i'w gweld yn dwyn y geiriau 'Pope-th yn Iawn'.

Daeth can mil o bobl o bob rhan o Gymru i offeren arbennig ar Gaeau Pontcanna yn y bore, ac enillodd y Pab gymeradwyaeth fawr, a churwyd dwylo a chwibanwyd yn frwd pan ddechreuodd yr offeren yn Gymraeg.

Mewn defod wedyn yng Nghastell Caerdydd, derbyniodd y Pab ryddfraint Dinas Caerdydd, er bod rhaid dileu'r rhan o'r llw lle byddai'r derbynnydd fel rheol yn tyngu teyrngarwch i'r Frenhines. Cynhaliwyd rali i ddeugain mil o bobl ifanc yn y prynhawn yn stadiwn pêl-droed Parc Ninian, a'r Pab yn cyrraedd cartref clwb pêl-droed Caerdydd yn ei gerbyd enwog, y *Pobemobile*.

Gadawodd y Pab Gymru gyda'r geiriau Cymraeg 'Bendith Duw arnoch', cyn esgyn i'w awyren a hedfan yn ôl i Rufain.

Eira'n achosi anhrefn

Ar ddydd Gwener 7 Ionawr gwelwyd y storm eira waethaf yng Nghymru er 1947 pan grewyd anhrefn lwyr ledled y wlad.

Gyda lluwchfeydd eira hyd at 25 troed-fedd o ddyfnder, nid oedd yr un ffordd yng nghanolbarth Cymru ar agor, a bu raid i yrwyr adael eu cerbydau ar yr M4. Daeth trên ar lein Arfordir y Cambrian i stop yn Nhonfannau, a galwyd ar dîm achub ar fynydd i gludo'r 20 teithiwr i Dywyn. Yn Nyfed bu 100 aradr eira'r Cyngor a 150 o rai preifat yn ceisio clirio'r ffyrdd, a defnyddiwyd hofrennydd i gario bwyd a thanwydd i 17 o bentrefi yn ardal Aberystwyth a ynyswyd am rai dyddiau. Rhoddwyd yr enw 'Stork Special' ar hofrennydd o Orsaf yr Awyrlu ym Mreudeth am iddo gludo 10 mam

Yr eira mawr ar lan y môr yn Aberystwyth.

feichiog i'r ysbyty yn ystod cyfnod yr argyfwng.

Manteisiodd rai siopwyr ar y sefyllfa i godi prisiau bwyd, a bu ysbeilwyr yn dwyn o'r lorïau a adawyd ar yr M4, ond ar y cyfan, gwelwyd ysbryd o gydweithredu ar raddfa eang, a gwnaed pob ymdrech i gynorthwyo'r rhai anghenus.

Pencampwraig y bwrdd crwn

Yn y gystadleuaeth a gynhaliwyd yn Llundain ym mis Rhagfyr, Ann-Marie Davies o Lwyn-ypïa a enillodd Bencampwriaeth Dartiau'r Byd i Fenywod, ynghyd â gwobr o £1,200. Yn y rownd derfynol o bum gêm, trechodd y Gymraes chwaraewraig orau'r byd ar y pryd, Maureen Flowers o Loegr, mewn tair gêm i ennill yn gyfforddus.

Hon oedd ei hail gamp fawr ar y bwrdd crwn – yn Ionawr 1981 hi oedd enillydd Pencampwriaeth Agored Prydain i Fenywod, teitl a gipiwyd ganddi drachefn yn 1984.

Mwy nodedig fyth oedd ei champ yn 1983 o gofio mai prin dair blynedd ynghynt y dechreuodd chwarae dartiau, yn ei thafarn leol yn Nhonypandy. Dim ond dwy broblem a oedd ganddi bellach, meddai wrth y *Western Mail* – ei bod yn yn methu cael noddwr er mwyn troi'n broffesiynol, a bod dynion y dafarn yn mynd yn anniddig wrth golli gemau dartiau yn erbyn gwraig.

1983

12 Ebrill

Yn Los Angeles, enillodd y ffilm *Gandhi* wyth 'Oscar'.

5 Mai

Cyhoeddwyd mai achos o dwyll oedd y dyddiaduron yr honwyd eu bod yn eiddo i Hitler ac a werthwyd i'r *Sunday Times* am £1 miliwn.

9 Mehefin

Ym Mhrydain enillodd y Ceidwadwyr Etholiad Cyffredinol gyda mwyafrif o 144 o seddi.

1 Medi

Lladdwyd 269 o bobl mewn awyren Boeing 747 yn teithio o Efrog Newydd i Corea pan saethwyd ati gan awyrennau'r Undeb Sofietaidd wrth iddi groesi Siberia.

25 Medi

Llwyddodd 38 o garcharorion yr IRA ddianc o garchar y Maze, Belffast.

27 Hydref

Goresgynnwyd ynys Grenada gan luoedd yr Unol Daleithiau wedi i fudiad adain chwith gipio grym yno.

11 Tachwedd

Cyrhaeddodd y taflegrau *Cruise* cyntaf ganolfan Comin Greenham o'r Unol Daleithiau.

23 Tachwedd

Cafwyd Dennis Nilsen, y llofrudd torfol gwaethaf ym Mhrydain, yn euog o lofruddio 17 dyn ifanc yn Llundain.

Smyglwyr!

Yr ogof cyffuriau.

Mewn dau achos gwahanol ym mis Mehefin, daeth nifer o bobl o flaen eu gwell ar gyhuddiadau o geisio dod â chyffuriau i mewn i'r wlad.

Yn Llys y Goron, Casnewydd, safodd chwe dyn eu prawf am geisio smyglo 310 cilogram o ganabis, gwerth £387,500 ar y stryd. Daethpwyd o hyd i'r cyffuriau pan chwiliwyd y llong fananas *Montego Bay II* a gyrhaeddodd Gasnewydd o Jamaica ar 2 Chwefror. Yr oedd cymaint o ganabis yno fel y cymerodd dair awr i chwech o ddynion i'w ddadlwytho i gyd o'r llong.

Ond llawer mwy nodedig oedd achos y pum dyn a ddaeth gerbron ynadon Abergwaun wedi i Heddlu Dyfed-Powys dorri cylch o smyglwyr canabis a weithiai o faeau bach arfordir gogledd sir Benfro, gan chwalu un o'r cynllwynau mwyaf erioed i ddod â chyffuriau i mewn i Brydain. Y pump oedd Donald Holmes, Kas Dewar, Kenneth Dewar, a Robin Boswell, i gyd o Lundain, a Soeren Berg-Arnbak, miliwnydd o werthwr cyffuriau o Ddenmarc. Fe'u cyhuddwyd i

gyd o gynllwynio gydag eraill i ddod â chyffuriau anghyfreithlon i mewn i'r wlad.

Daeth y smyglwyr i sylw'r heddlu oherwydd chwilfrydedd trigolion yr ardal am y criw o ddynion a oedd yn byw bywyd moethus mewn gwestai lleol, yn bwyta ciniawau drud ac yn talu am eu diodydd â phapurau £50. Gwelodd pysgotwr lleol, Andrew Burgess, gynfasau plastig du ar draeth ger Trewyddel wrth iddo osod ei gewyll cimychiaid. Pan alwyd yr heddlu i mewn ar 19 Mehefin, gwelwyd bod gwerth miloedd o bunnoedd o offer radio drud, cychod modur, pebyll ac offer eraill, a'r cyfan yn newydd sbon ac wedi'i guddio dan y cynfasau plastig. Trannoeth canfuwyd siambr danddaearol gerllaw ac iddi ddrws cudd wedi'i orchuddio gan gerrig. Dyna fan cychwyn ymchwiliad hir a chymhleth a estynnodd cyn belled ag Ynys Manaw, Ynysoedd y Sianel, de Ffrainc a'r Swistir.

O fis Mehefin i fis Gorffennaf 1984, safodd y smyglwyr eu prawf yn Llys y Goron, Abertawe, pan

(Drosodd)

Smyglwyr!

(o'r tudalen cynt)

honnodd Robin Boswell ei fod ef a'r lleill yn chwilio am aur y Natsïaid ar longau tanfor Almaenig a suddodd yn ystod yr Ail Ryfel Byd wrth Ben Strwmbl. Er mor ddyfeisgar oedd ei stori, methodd Boswell â darbwyllo'r

Drws yr ogof.

rheithgor, ac ar 11 Gorffennaf, dedfrydwyd ef i ddeng mlynedd o garchar, a chafodd Soren-Arnbak wyth mlynedd a'i ddanfon yn ôl i Ddenmarc. Rhoddwyd pum mlynedd yr un i'r ddau Dewar. Dedfrydwyd cyfnodau o garchar hefyd i Paul Jenkins, Donald Homes, George Rowlands a Susan Boswell, gwraig Robin Boswell, am eu rhannau hwythau yn y cynllwyn.

Diffodd y fflamau

uchod: tân Amoco.

Am 11.00 o'r gloch, fore Mawrth 30 Awst, galwyd y frigâd dân i safle Purfa Olew Amoco-Murco, milltir o Aberdaugleddau, gan fod tanc storio olew a oedd yn dal 600,000 barel o olew wedi mynd ar dân. Daeth yn amlwg na allai'r frigâd dân leol ymdopi â'r tân heb gymorth, a galwyd 160 o ddynion a thri tendr tân i gynorthwyo. Galwyd hefyd am gymorth o bob ran o Brydain am fod angen miloedd ar filoedd o alwyni o ewyn i orchuddio a lladd y fflamau.

Amcangyfrifwyd y byddai angen defnyddio 50,000 o alwyni o ewyn y munud i orchuddio'r tân, ac y byddai'r proses yn cymryd o leiaf 20 munud. Anfonwyd tanceri yn cludo galwyni o ewyn o Lerpwl a swydd Hertford i ychwanegu at y stoc a oedd ar gael yng Nghymru eisoes. Protein cyfansawdd oedd yr ewyn, a phan gymysgid ef â dŵr ac awyr, ffurfiai flanced o swigod a fyddai'n gorchuddio wyneb yr olew a mygu'r fflamau.

Llwyddwyd i ddiffodd y fflamau yn y diwedd, ac er i 20 o ddynion ddioddef llosgiadau, ni chawsant niwed difrifol. Wedi diffodd y tân, chwythwyd cymylau o lwch gan wyntoedd cryfion nes gorchuddio'r ardal â phowdwr llwyd annymunol.

Dau gynnig i Gymro

Gwelwyd dwy ymgais ddewr gan y bocsiwr pwysau welter, Colin Jones, Gorseinon, i gipio coron y byd, y ddwy yn yr Unol Daleithiau.

Yn Reno, Nevada ar 19 Mawrth, cafodd y Cymro ornest gyfartal yn erbyn yr Americanwr Milton McCrory, 'The Ice Man'. Yr oedd McCrory heb ei guro mewn ugain gornest, ac wedi ennill dwy ar bymtheg o'r ugain hynny trwy lorio ei wrthwynebydd. Honnai y gwnâi'r un peth i Jones o fewn tair rownd, ond ar ddiwedd y ddeuddegfed rownd canwyd y gloch am y tro olaf a neb yn fuddugol. Trefnwyd ail ornest yn syth, i'w chynnal yn Las Vegas ar 13 Awst. Cyfartal iawn oedd pethau'r ail dro hefyd, ond yn y diwedd, er nad oedd y barnwyr yn gytûn ar y buddugwr, rhoddwyd y goron i McCrory er mawr siom i Jones a'r llu o gefnogwyr a deithiodd i'w weld yn ymladd.

Daethai Jones yn enwog yn ystod ei yrfa fel pwniwr eithriadol o galed a allai lorio ei wrthwynebydd â'r naill neu'r llall o'i ddyrnau. Daeth ei ymgais i fod yn Bencampwr y Byd yn sgîl nifer o anrhydeddau eraill. Ar 1 Ebrill 1980 yn Llundain, cipiodd Bencampwriaeth Prydain pan drechodd Kirkland Laing o Nottingham ymhen naw rownd, ac ar 3 Mawrth 1981, hefyd yn Llundain, enillodd deitl y Gymanwlad oddi wrth Mark Harris o Guyana, hefyd mewn naw rownd. Ar 5 Tachwedd 1982 yn Copenhagen, ychwanegodd y teitl Pencampwr Ewrop at ei gasgliad.

Ceisiodd drachefn ennill teitl y byd, pan wynebodd Don Curry ar 19 Ionawr 1985 yn Birmingham. Bu'n rhaid i Jones roi'r gorau iddi wedi iddo gael anaf drwg ar draws ei drwyn. Gyda'i gilydd cymerodd ran mewn 30 o ornestau proffesiynol, gan ennill 26 ohonynt.

Punt newydd

Ym mis Mehefin cyhoeddwyd y byddai darn punt newydd Cymreig yn cael ei fathu. Roedd dyddiau'r hen bapur punt eisoes wedi dod i ben, a'r darn bach metal wedi dechrau ennill ei blwy, ond roedd y llywodraeth yn awyddus i gynhyrchu darnau arian a fyddai'n cynnwys symbolau Cymreig yn ogystal â darnau ar wahân ar gyfer yr Alban a Gogledd Iwerddon.

Ar y darn newydd 'Cymreig' byddai'r geiriau 'Pleidiol wyf i'm gwlad', sef llinell o'r Anthem Genedlaethol, ar ymyl y darn, ac ar 'y gynffon' byddai cennin a choron. Byddai llun y Frenhines yn parhau ar y 'pen'.

Y Moderneiddiwr Mawr

dde: Neil Kinnock

Er bod pedwar gwleidydd a gynrychiolodd seddi Cymreig yn Nhŷ'r Cyffredin wedi arwain y Blaid Lafur o'i flaen – Keir Hardie, Ramsay MacDonald, James Callaghan, a Michael Foot – Neil Kinnock o Dredegar oedd y Cymro cyntaf i ddal y swydd pan etholwyd ef ar 2 Hydref.

Ganed ef yn 1942, ac yr oedd yn fab ac yn ŵyr i lowr. Addysgwyd ef yng Ngholeg y Brifysgol, Caerdydd, cyn cael ei ethol yn Aelod Seneddol dros Fedwellte, Gwent, yn 1970. Cynrychiolodd Fedwellte hyd 1983, a'r sedd newydd, Islwyn, o hynny ymlaen. Yr oedd yn un o'r gwleidyddion olaf i godi i amlygrwydd mawr trwy fudiad llafur maes glo de Cymru, ond nid oedd yn gymeradwy gan bawb yng Nghymru, oherwydd ei wrthwynebiad digyfaddawd i ddatganoli a'i agwedd at yr iaith Gymraeg.

Arhosodd yn arweinydd ei blaid hyd 1992, ac yn ystod ei gyfnod wrth y llyw bu'n

gyfrifol am weddnewid ei delwedd a'i pholisïau wrth iddo geisio ei gwneud yn fwy poblogaidd gan etholwyr y wlad. Cafwyd gwared ar hen symbol y Faner Goch a gosod yn ei lle rosyn coch, gweithred a enynnodd ddicter rhai Llafurwyr yng Nghymru a'r Alban a ystyriai'r rhosyn yn symbol a berthynai i Loegr yn arbennig. Cafwyd gwared hefyd ar y garfan o eithafwyr asgell-chwith a gysylltid â'r papur wythnosol Trotsgïaidd, *Militant*.

Yn fwy na'r un arweinydd Llafur o'i flaen yr oedd Kinnock yn benderfynol o newid ei blaid er mwyn ennill grym, ac yn ôl rhai o'i feirniaid ar y chwith daeth ennill grym yn bwysicach iddo nag egwyddorion sylfaenol y blaid honno. Er gwaethaf yr holl foderneiddio, ni chafodd Kinnock yr hyn a chwenychai fwyaf, sef bod yn Brif Weinidog ar lywodraeth Lafur, ac ymddiswyddodd fel arweinydd wedi i Lafur golli'r Etholiad Cyffredinol am y pedwerydd tro yn olynol ar 9 Ebrill 1992.

Cynnydd y Ceidwadwyr yn parhau

Bu dathlu mawr ymhlith Ceidwadwyr Cymru wrth iddynt gipio eu cyfanswm mwyaf o seddi yn y ganrif gyfan yn yr Etholiad Cyffredinol a gynhaliwyd ar 9 Mehefin.

Derbyniodd y Torïaid 31% o bleidleisiau'r Cymry, ac etholwyd 14 o Aelod Seneddol Ceidwadol, er bod cynnydd yn y nifer o seddi o 36 i 38 yn rhannol gyfrifol am y twf hwn. Yr oedd yr ad-drefnu seddi yn adlewyrchu fel yr oedd poblogaeth yr hen fröydd diwydiannol, ardaloedd traddodiadol y Blaid Lafur, yn disgyn, a phoblogaeth ymylon y dinasoedd a'r trefi glan-y-môr yn cynyddu. Llafur o hyd oedd y blaid fwyaf yng Nghymru. Enillodd 20 o seddi, ond ni chafodd ond 38% o'r pleidleisiau a fwriwyd, ei chyfran isaf er 1918.

Cipiodd Cyngrhair y Rhyddfrydwyr a'r SDP 23% o'r bleidlais a daeth ei hymgeiswyr yn ail mewn 19 o seddi'r wlad. Etholwyd dau Aelod Seneddol Rhyddfrydol yng nghadarnleoedd traddodiadol y blaid, Ceredigion a sir Drefaldwyn, a daliodd Plaid Cymru ei dwy sedd hithau yn y gogledd-orllewin – Meirionnydd a Chaernarfon.

Am yr ail dro erioed mewn Etholiad Cyffredinol yng Nghymru, mentrodd ymgeiswyr y Blaid Ecoleg newydd (y Blaid Werdd wedyn) i'r maes. Er na chafodd y saith ymgeisydd ond 3,500 o bleidleisiau rhyngddynt, dôi'r Gwyrddion ymhen ychydig flynyddoedd yn rym gwleidyddol na allai neb fforddio ei anwybyddu.

Yn Nhŷ'r Cyffredin yr oedd gan y Ceidwadwyr bellach fwyafrif o 144 dros yr holl bleidiau eraill. Trwy Brydain i gyd ni chafodd y Blaid Lafur ond 28% o'r bleidlais, prin 2% o flaen y Rhyddfrydwyr a'r SDP. Yr oedd yn amlwg nad oedd maniffesto Llafur o wladoli diwydiannau a diarfogi niwclear at ddant y rhan fwyaf o'r etholwyr, ac yr oedd y llwyfan yn barod bellach i Margaret Thatcher a'r Torïaid fwrw ymlaen â'u rhaglen chwyldroadol o breifateiddio ac economeg y farchnad rydd.

Canwr y Byd

Yn Neuadd Dewi Sant, Caerdydd, ar 23 Gorffennaf cynhaliwyd am y tro cyntaf gystadleuaeth Canwr y Byd.

Daeth deunaw o gantorion o ddeunaw o wledydd gwahanol i'r brifddinas i gystadlu, ond dim ond un a gâi ennill, a'r soprano 22 oed Karita Mattila o'r Ffindir oedd honno. Enillodd dlws Crisial Caerdydd a siec am £2,000. Aeth rhagddi o'i llwyddiant yng Nghaerdydd i fod yn un o brif gantoresau'r byd.

Cynhaliwyd y gystadleuaeth bob dwy flynedd wedyn, gan ennill bri rhyngwladol a denu cystadleuwyr o fwy na deugain o wledydd.

Restio Aelod Seneddol

Ar 7 Hydref, mewn toilet cyhoeddus i ddynion yn Llansamlet ger Abertawe, restiwyd yr Aelod Seneddol, Dr Roger Thomas, ar gyhuddiad yn ymwneud â chymell i ddibenion anfoesol. Holwyd ef gan aelodau'r heddlu puteiniaeth, ac anfonwyd y ffeil at y Cyfarwyddwr Erlyniadau Cyhoeddus. Yn gynnar yn 1984 fe'i cafwyd yn euog o lithio i ddibenion anfoesol a'i ddirwyio £75.

Brodor o'r Garnant, Rhydaman, oedd Dr Thomas, ac enillodd sedd Caerfyrddin oddi ar Gwynfor Evans, Plaid Cymru, yn 1979, un o'r ychydig seddi a gipiwyd gan y Blaid Lafur yn yr etholiad cyffredinol hwnnw. Gan fanteisio ar ei gefndir meddygol ymddiddorai mewn achosion o glefydau diwydiannol, ac yr oedd yn frwd dros gosbi'n llym y rhai a yrrai ar ôl yfed.

Ar ôl yr achos llys cafodd gefnogaeth yr arweinydd Llafur, Neil Kinnock, a obeithiai y byddai'r feirniadaeth leol yn gostegu'n raddol, ond ym mis Mawrth 1984 pleidleisiodd canghennau'r Blaid Lafur yn sir Gaerfyrddin o 33 i 31 yn erbyn yr Aelod Seneddol. Ceisiodd Kinnock yn aflwydd-iannus, gan ofni y byddai Llafur yn colli'r sedd mewn is-etholiad, berswadio'r blaid yn lleol i adael i Roger Thomas aros yn Aelod Seneddol hyd at yr etholiad dilynol. Fodd bynnag, ym mis Gorffennaf 1984, ar ôl cyhoeddi y byddai'n ymddiswyddo, newidiodd Dr Thomas ei feddwl, gan honni'n ddiweddarach i bawb, gan gynnwys Kinnock, droi eu cefnau arno ac eithrio'r *Labour Campaign for Gay Rights*.

Dewiswyd Dr Alan Williams, cyn-asiant Dr Thomas, yn ymgeisydd newydd yn yr etholaeth, a disgrifiwyd Dr Thomas gan ysgrifennydd y Blaid Lafur yn y sir fel 'AS heb blaid o'n rhan ni'.

Llofruddiaeth ffarmwr

isod:
John Brynambor (chwith)
a'i lofrudd (dde).

Am rai wythnosau ar ddiwedd Ionawr a dechrau Chwefror bu trigolion ardal eang yng nghanolbarth Cymru yn byw mewn ofn oherwydd eu cred bod llofrudd peryglus yn cuddio yn y mynyddoedd rhwng Tregaron a Llanwrtyd. Roedd dros gant o heddweision, rhai yn arfog, yn cribo'r ardal am lofrudd John Hughes Williams, ffarmwr 61 mlwydd oed, a saethwyd â'i wn ei hun yn ei ffermdy anghysbell, Brynambor, yn oriau mân fore Sul, 23 Ionawr.

Roedd 'John Brynambor' yn hen lanc uchel ei barch yn ardal Llanddewibrefi. Ef oedd ysgrifennydd capel Soar y Mynydd, ac yn un o'r rhai a fu'n gyfrifol am gadw'r achos ar agor. Chwe blynedd yn gynharach bu'n dyst mewn achos llys pan garcharwyd dyn ifanc o'r enw Richard Anthony Gambrell am ddwyn ei wn. Cafodd ei fygwth gan Gambrell, ac ofnai y byddai'n ceisio dial arno ar ôl ei ryddhau. Gambrell felly oedd yr un a ddrwgdybiwyd gan yr heddlu wedi i gorff John Hughes Williams gael ei ddarganfod yn ei stafell wely wedi'i saethu sawl tro. Ymddengys i Gambrell fod yn aros yn Aberystwyth ac iddo fod yn glaf yn Ysbyty Bronglais am gyfnod ar droad y flwyddyn. Diwrnod cyn y llofruddiaeth, diflannodd o'i gartref.

Er i heddweision Heddlu Dyfed-Powys chwilio'n ddyfal amdano yng Nghymru, roedd Gambrell wedi llwyddo i ddianc i Loegr, ond ar 15 Chwefror fe'i daliwyd yn swydd Hampshire. Pan ymddangosodd yn llys ynadon Llanbedr Pont Steffan, ymgasglodd torf o 200 yno, a buont yn taro ffenestri'r car a gludai Gambrell i'r llys a gweiddi arno. Yn ddiweddarach cafodd Gambrell ei garcharu am oes.

Sefydlu archif

Oherwydd ofni bod cymaint o bapurau a chofnodion gwleidyddol o ddiddordeb hanesyddol yn cael eu dinistrio, sefydlwyd yn y flwyddyn hon yr Archif Wleidyddol Gymreig i gydlynu'r gwaith o gasglu tystiolaeth ddogfennol o bob math am wleidyddiaeth Cymru. Lleolwyd yr Archif Wleidyddol yn Llyfrgell Genedlaethol Cymru, ac aed ati i gasglu cofysgrifau a phapurau pleidiau gwleidyddol, gwleidyddion, mudiadau lled-wleidyddol, ymgyrchoedd a charfanau pwyso; taflenni, pamffledi, ac effemera; posteri a ffotograffau; a thapiau radio a theledu – y cyfan i adlewyrchu hanes gwleidyddol cyfoethog y genedl.

Yr oedd y Llyfrgell eisoes yn gartref i rai o bapurau Lloyd George ond llwyddwyd i gasglu mwy o bapurau teuluol y Prif Weinidog o Lanystumdwy, a daeth papurau sawl Ysgrifennydd Gwladol, gan gynnwys rhai George Thomas, John Morris a Ron Davies, hefyd i ofal yr Archif. Casglwyd archifau canolog holl brif bleidiau Cymru i'r Archif a hefyd archifau cyrff fel TUC Cymru a Chymdeithas yr Iaith Gymraeg. Gwnaed ymgais hefyd i gasglu ynghyd holl daflenni etholiadol a ddosbarthwyd mewn etholiadau cyffredinol.

1984

'Y gelyn oddi mewn'?

Gwragedd y glowyr ar flaen y gad.

Ar 12 Mawrth, dechreuodd un o gyfnodau chwerwaf hanes diwydiannol Cymru pan gychwynnodd streic genedlaethol hir gan y glowyr. Parhaodd yr anghydfod am bron flwyddyn gyfan, gan arwain at galedi a drwgdeimlad dwfn na ddiflannodd am flynyddoedd lawer wedyn.

Bwriad y Bwrdd Glo i gau ugain pwll a chael gwared ar ugain mil o swyddi oedd asgwrn y gynnen, cynllun yr oedd arweinwyr y glowyr yn ei wrthod yn llwyr. O'r cychwyn cyntaf yr oedd safbwyntiau'r ddwy ochr yn hollol annerbyniol i'w gilydd, a'u harweinwyr yn gwbl ddigyfaddawd. Yr oedd agwedd ddigamsyniol o wleidyddol i'r streic hefyd – yr oedd Llywydd Undeb y Glowyr, Arthur Scargill, yn barod iawn i ddefnyddio'r streic i ddisodli'r llywodraeth, ac ar 19 Gorffennaf disgrifiwyd y glowyr gan y Prif Weinidog Margaret Thatcher fel 'y gelyn oddi mewn'.

O'r dechrau cyntaf clywyd cyhuddiadau nad oedd y streic yn un deg gan na chynhaliwyd balot o holl aelodau Undeb Cenedlaethol y Glowyr. Yn ôl rheolau'r undeb rhaid oedd ennill cefnogaeth 55% o'r aelodau mewn balot cenedlaethol cyn galw streic genedlaethol, ond aeth arweinwyr yr undeb ati'n fwriadol i osgoi hyn trwy ddod â'r gwahanol ardaloedd allan ar streic fesul un. Y canlyniad oedd fod streicwyr o ardaloedd brwd fel sir Efrog, Caint, a'r Alban yn heidio i bicedu i ardaloedd fel sir Nottingham lle nad oedd cefnogaeth i'r streic. Trwy wrthod cynnal balot collodd undeb y glowyr gryn dipyn o gefnogaeth gan undebau eraill, y Blaid Lafur, a'r cyhoedd yn gyffredinol, ac nid cyn Ionawr 1985 y cytunodd Neil Kinnock i ymuno'n symbolaidd â llinell biced.

Pan gynhaliwyd pleidleisiau ffurfiol ar gwestiwn y streic yn ne Cymru siomwyd arweinwyr y glowyr wrth i fwyafrif fwrw eu pleidleisiau yn erbyn streicio, heb ddim ond 10 o'r 28 o byllau o blaid. *'I've been leading the South Wales miners for twenty-five years and never before encountered a rejection like this,'* meddai Emlyn Williams wedyn. Ond erbyn ail wythnos y streic yr oedd picedwyr y chwe phwll a aeth ar streic yn syth wedi llwyddo i gau pob pwll arall yn yr ardal.

Yn ngogledd Cymru, fel mewn nifer o siroedd Lloegr, pleidleisiodd y glowyr yn bendant yn erbyn y streic. Caewyd pob un o'r 28 o byllau'r De gan y

(Drosodd)

'Y gelyn oddi mewn'?

(o'r tudalen cynt)

streic, ond yn sir Fflint parhaodd unig bwll dwfn y gogledd, y Parlwr Du, i weithio er gwaethaf ymdrechion streicwyr yno. Ar 29 Tachwedd ymosododd Ted McKay, arweinydd glowyr gogledd Cymru, ar Arthur Scargill yn bersonol, 'Wnaiff Duw byth faddau iddo am yr hyn a wnaeth i'r cymunedau glofaol,' meddai'n flin. Pan oedd yr anghydfod yn ei anterth bu raid i McKay ei hun ffoi o'i gartref ac ymguddio wedi iddo gael ei fygwth gan streicwyr selog.

Yr oedd cefnogaeth fawr i'r streicwyr yn eu cymdogaethau, yn enwedig gan eu gwragedd, a daeth grwpiau'r gwragedd yn un o nodweddion amlycaf y streic. Gwelwyd gwragedd yn casglu arian ac yn trefnu dosbarthu bwyd, a hefyd yn picedu gweithfeydd dur Port Talbot a llefydd eraill trwy Gymru, Lloegr a'r Alban. Ym Margam, byddai rhai gwragedd yn picedu o 3.40 o'r gloch y bore hyd yr oedd yn bryd iddynt hwythau fynd i'w gwaith eu hunain erbyn tua 8 o'r gloch. Datblygodd rhwydwaith effeithiol o grwpiau o wragedd glowyr a menywod eraill trwy faes glo'r De, a rhoddodd y profiad hyder newydd i nifer mawr ohonynt. Sefydlwyd Cyngres Cymru i Gefnogi'r Cymunedau Glofaol yn cynnwys pobl o eglwysi a chapeli'r wlad yn ogystal â'r Blaid Lafur a Phlaid Cymru, gan ddod yn gorff eithaf dylanwadol yn y wlad. Yr oedd cefnogaeth i lowyr y De gan chwarelwyr Gwynedd a ffermwyr y canolbarth, a gwelwyd aelodau o Gymdeithas yr Iaith Gymraeg ym Môn ac Arfon yn casglu bwyd ac arian i'w hanfon tua'r De.

Daliodd y streic yn soled iawn yn y De, ac erbyn diwedd y flwyddyn nid oedd ond 126 o ddynion yn gweithio.

Tywod yn y frechdan

Yn Eisteddfod Genedlaethol Llanbedr Pont Steffan ym mis Awst, sefydlwyd mudiad CYD (Cyngor y Dysgwyr) i ddod â Chymry Cymraeg a dysgwyr yr iaith ynghyd 'i helpu adfer yr iaith ar wefusau oedolion'. Trwy raglenni o weithgareddau amrywiol ac anffurfiol rhoddid cymorth a chefnogaeth i'r rhai a oedd am fynd i'r afael â'r Gymraeg fel ail iaith, a chrëwyd rhwydwaith o swyddogion a changhennau ymhob cwr o'r wlad.

Crëwyd CYD yn sgîl erthygl gan yr Athro Bobi Jones yng nghylchgrawn *Y Traethodydd* ym mis Ebrill 1980 yn annog sefydlu mudiad

gwirfoddol i hybu'r Gymraeg ymhlith pobl mewn oed yn hytrach na dibynnu ar roi addysg Gymraeg i'r to nesaf o blant. Ei freuddwyd oedd Cymreigio Cymru gyfan trwy'r fath fudiad, a ddylai fod 'ym mhob man fel tywod mewn brechdan.' Galwodd ar y rhai a fu'n ymgyrchu dros hawliau'r Gymraeg i droi eu sylw hefyd at sefydlu gwersi nos, gwaith nad oedd 'mor amlwg ramantus â chynnal cyfarfod protest ar fysedd traed yr heddlu ... Ond, dyna. credwch fi, dyna lle mae'r deinameit'.

Blwyddyn fawr Ian Rush

Ian Rush yn lliwiau Cymru.

Blwyddyn o lwyddiannau ac anrhydeddau oedd hon i Ian Rush, y Cymro o sir Fflint a ddisgleiriai fel seren tîm gorau'r cyfnod, Lerpwl. Gyda 48 o goliau yng ngwahanol gystadlaethau'r tymor, torrodd record sgorio ei glwb ar gyfer tymor unigol, a chipio hefyd wobr yr Esgid Aur am y cyfanswm mwyaf o goliau yn Ewrop gyfan mewn blwyddyn, y pêl-droediwr cyntaf o Gymru i dderbyn y wobr honno. Cydnabuwyd ei ddawn hynod pan ddewisiwyd ef gan Gymdeithas yr Ysgrifenwyr Pêl-Droed a chan

Gymdeithas y Pêldroedwyr Proffesiynol yn Chwaraewr y Flwyddyn.

Yr oedd Rush eisoes wedi chwarae dros Gymru yn y timau dan 15 oed, dan 18 oed ac o dan 21 oed pan enillodd ei gap rhyngwladol llawn cyntaf yn 18 oed ym mis Mai 1980. Mis ynghynt cawsai ei werthu gan glwb Caer o'r Drydedd Adran i Lerpwl am £300,000. Er i'r pwrcas dalu ar ei ganfed i Lerpwl, credai sawl un ar y pryd fod rheolwr y clwb, Bob Paisley, yn cymryd tipyn o siawns yn prynu chwaraewr ifanc a oedd heb chwarae ond 33 o weithiau yng Nghynghrair Lloegr, a hynny dros glybiau'r Drydedd Adran. Gwrthbrofodd Rush besimistiaeth ei feirniaid yn fuan iawn, ac ymhen dim daeth yn un o aelodau rheolaidd tîm cyntaf Lerpwl, ac yn ddychryn i amddiffynwyr a golgeidwaid pob tîm arall.

Wedi un tymor anhapus gyda chlwb Juventus yn yr Eidal yn 1987-88, dychwelodd i Lerpwl ym mis Awst 1988, ac ar 20 Hydref 1990, ar ei benblwydd yn 29 oed, chwaraeodd ei 500fed gêm yng Nghynghrair Lloegr. Erbyn iddo symud o Lerpwl i Leeds United yn 1996 yr oedd wedi sgorio 346 o weithiau dros y clwb mewn 658 o gemau, gan ddal recordiau sgorio ei glwb a'i wlad.

Bu'n chwaraewr allweddol yn nhimau Lerpwl a gipiodd Gwpan Lloegr yn 1986, 1989 a 1992, Cwpan y Gynghrair 1981-4 a 1995, Pencampwriaeth y Gynghrair 1981-2, 1986 a 1990, a Chwpan Ewrop yn 1984.

Fel ymosodwr, yr oedd yn allweddol hefyd i dîm rhyngwladol Cymru, er na châi yn aml iawn y cefnogaeth gref gan aelodau eraill y tîm a fyddai wedi ei alluogi i ddisgleirio gymaint dros ei wlad â thros ei glwb. Yn bur fynych, bu Rush yn seren unigol mewn perfformiadau digon canolig gan weddill y tîm, ond er hynny llwyddodd i sgorio mwy o goliau (28) nag unrhyw chwaraewr arall dros ei wlad. Ymhlith ei gemau mawr dros ei wlad yr oedd yr un yn erbyn cewri'r Almaen yng Nghaerdydd ar 5 Mehefin 1991 pan sgoriodd Rush unig gôl y gêm i roi i'r Cymry fuddugoliaeth gofiadwy ar bencampwyr y byd.

O Gilfynydd i Covent Garden

Wedi 36 o flynyddoedd o berfformio yn y Tŷ Opera Brenhinol, Covent Garden, ymddeolodd Syr Geraint Evans ar 4 Mehefin, gan roi ei berfformiad olaf yno yn rhan y gwerthwr diodydd serch yn opera Donizetti, *L'Elisir d'Amore*, gerbron cynulleidfa'n cynnwys y Tywysog Charles.

Dechreuodd y bachgen o Gilfynydd, ger Pontypridd, ei yrfa hir yn Covent Garden ar 21 Ionawr 1948 yn rhan gwyliwr nos yn opera Wagner, *Die Meistersinger*. Daeth wedyn yn Brif Fariton y cwmni, swydd a ddaliodd hyd ei ymddeoliad yn 62 mlwydd oed.

Canodd gyda rhai o gwmnïau opera mwyaf y byd, gan gynnwys rhai Berlin, Paris ac Efrog Newydd. Canai hefyd gydag Opera Cenedlaethol Cymru, ac roedd galw mawr amdano yn Salzburg, dinas enedigol Mozart ac un o ganolfannau opera mawr Ewrop. Daeth yn arbennig o adnabyddus am gymryd rhannau bariton ysgafn fel y gwas Leporello yn opera Mozart *Don Giovanni*, Guglielmo yn *Cosi Fan Tutte*, a rôl y teitl yng ngwaith Verdi, *Falstaff*.

Syr Geraint Evans yn anterth ei yrfa.

Urddwyd ef yn farchog yn 1971, y canwr opera cyntaf ers mwy na thrigain mlynedd i dderbyn y fath anrhydedd tra'n dal i berfformio. Bu'n ergyd drom i gerddoriaeth yng Nghymru a'r byd pan fu farw ar 19 Medi 1992.

Jones y Jazz

dde: Dill Jones

Yn Efrog Newydd ar 22 Mehefin, bu farw'r pianydd jazz Dillwyn Owen Jones (Dill Jones).

Ganed ef yng Nghastell-nedd, a'u fagu yn Llanymddyfri yn sŵn y piano yn ei gartref ac organ y capel. Gwrando ar recordiau Americanaidd, er hynny, a barodd iddo roi ei fryd ar jazz. Dywedodd wedyn fod clywed Louis Armstrong yn canu yn brofiad llethol a barodd iddo wylo.

Wedi cyfnod diflas o weithio mewn banc yn Llandeilo, ymunodd â'r llynges yn yr Ail Ryfel Byd, ac wrth wasanaethu yn y Dwyrain Pell cafodd gyfle i ddangos ei ddoniau wrth y piano trwy ddarlledu ar rwydwaith radio lluoedd arfog Prydain. Wedi gadael y llynges yn 1946 aeth yn fyfyriwr i Goleg Cerdd y Drindod, Llundain, a'r flwyddyn ddilynol daeth yn gerddor proffesiynol a enillai ei fara trwy chwarae jazz. Ar y radio ac ar nifer o recordiau, ac mewn clybiau a gwyliau jazz trwy'r byd, byddai'r bachgen o Gastell-nedd i'w weld yn perfformio gyda mawrion y dydd ar ei ben ei hun fel unawdydd.

Yn Eisteddfod Genedlaethol Llanbedr

Pont Steffan ychydig wythnosau wedi ei farwolaeth, cydnabuwyd ei gyfraniad i fywyd y wlad pan anrhydeddwyd ef gan Orsedd y Beirdd, a chyfeiriwyd yn benodol at ei ddawn i weu alawon gwerin Cymru i mewn i'w waith. Dywedodd y cynhyrchydd jazz Hank O'Neal amdano unwaith ei fod ar ei orau wrth chwarae tonau a amlygai ddylanwad cerddoriaeth Gymreig. 'Mae e bron yn unigryw,' meddai'r Americanwr, 'Dylan Thomas wrth y piano'.

Crynfa'r ganrif

Ar 15 Gorffennaf teimlodd miliynau o bobl, yng Nghymru a'r tu hwnt, ddaeargryn cryfaf y ganrif yng ngwledydd Prydain. Ardal Porthmadog oedd canolbwynt y grynfa a ddechreuodd dipyn cyn 8 o'r gloch y bore, ac a gofnodwyd yn 5.5 ar Raddfa Richter. Teimlwyd yr effeithiau cyn belled i ffwrdd â Bryste a dwyrain Iwerddon.

Cwympodd simneiau yn ardal Lerpwl a thorrwyd y cyflenwad trydan i Bwllheli am gyfnod. Dywedodd gwyddonwyr yn ddiweddarach eu bod yn synnu na chafodd mwy o bobl eu hanafu neu hyd yn oed eu lladd – erbyn y bore wedyn dim ond un achos a ddaeth i'r amlwg, sef bachgen a syrthiodd i lawr grisiau ei gartref yn Ynys Môn.

Cafwyd adroddiadau am ddwy grynfa arall ar 27 a 30 Gorffennaf yn effeithio ar Flaenau Ffestiniog, Porthmadog a Phenrhyn Llŷn, a bu un arall llai ei maint yn y Drenewydd ar 15 Ebrill. Parhaodd honno am ychydig eiliadau gan symud dodrefn a chracio plastr.

Draenog trydan Merthyr

Mewn ystafell gudd arbennig yn ffatri Hoover ym Merthyr Tudful ym mis Ebrill dechreuodd dwsin o weithwyr dethol weithio'n ddirgel ar brosiect i gynhyrchu cerbyd o fath hollol newydd – beic trydan tair-olwyn Syr Clive Sinclair, y C5.

Dechreuwyd cynhyrchu o ddifrif – ond yn y dirgel o hyd – ar 1 Tachwedd, ar linell gynhyrchu bwrpasol wedi'i chysylltu â'r brif ffatri gan dwnel danddaearol. Erbyn y diwrnod lawnsio ffurfiol ar 10 Ionawr 1985 yr oedd mwy na dwy fil o'r cerbydau wedi'u storio'n barod i'w gwerthu. Rhagwelai Sinclair y gellid gwerthu hyd at 500,000 o'r cerbydau bob blwyddyn. Wrth ei gyflwyno i'r byd, gwnaed yn fawr o'r ffaith fod y C5 yn defnyddio batri trydan yn lle petrol ac nad oedd angen pasio prawf gyrru na thalu treth y ffordd i yrru un.

Ond er i £7 miliwn gael eu buddsoddi yn y prosiect, methodd y car bach yn lân â gafael yn nychymyg y cyhoedd. Gwelwyd y C5 yn berygl bywyd mewn traffig trwm, yn enwedig am fod sedd y gyrrwr mor isel o'i gymharu â'r ceir a fyddai o'i gwmpas ar y

Syr Clive Sinclair yn y C5.

ffordd fawr. Pan roddwyd y llysenw 'Hoover Hedgehog' arno yr oedd yr awgrym yn glir mai'r un fyddai tynged gyrwyr y cerbyd, yn nhyb rhai, â thynged draenogod wrth groesi'r ffordd.

Peidiwyd â chynhyrchu'r C5 yn fuan wedyn, ac ar 15 Hydref 1985 bu'n rhaid i Sinclair gyfaddef fod y fentr ar ben pan alwyd y *receivers* i mewn.

Trydan o berfeddion mynydd

Ar 9 Mai ar safle hen chwarel ger Llanberis, agorodd y Tywysog Charles bwerdy trydan dŵr Dinorwig , un o'r pwerdai mwyaf o'i fath yn y byd ac un a adeilwyd yng nghrombil mynydd.

Dechreuwyd trafod posibilrwydd codi pwerdy yn Ninorwig yn 1971, ddwy flynedd wedi i'r diwydiant llechi ddod i ben yno, ond yr oedd pryderon mawr ynglŷn â lleoli'r fath adeilad ym Mharc Cenedlaethol Eryri, a bu angen cynllunio mawr i sicrhau'r effaith leiaf bosibl ar harddwch naturiol y fro.

Cymerodd pwerdy Dinorwig ddeng mlynedd i'w adeiladu, ac yn ystod y gwaith bu'n rhaid torri mwy na 16 cilometr o dwneli ac adeiladu ogof ddigon mawr i ddal Eglwys Gadeiriol Sant Paul yn llechfaen caled Mynydd Elidir.

Swyddogaeth y pwerdy newydd oedd ymateb yn fuan i gynnydd sydyn yn y galw am drydan, cynnydd na allai pwerdai confensiynol – rhai ynni niwclear a glo – ymdopi ag ef hanner mor gyflym. Yn ystod y dydd rhedai dŵr dan wasgedd o'r gronfa uchaf i'r gronfa isaf, sef Llyn Peris, gan yrru'r chwe thyrbin i gynhyrchu hyd at 1,800 megawat o drydan; ac yn ystod y nos troid y tyrbinau hynny o chwith i bwmpio'r dŵr yn ôl i'w gronfa uchel ar gyfer trannoeth.

Yr ergyd greulonaf

Wrth i streic y glowyr wanhau a dynion yn dechrau dychwelyd i'r gwaith, cododd teimlad dwys o rwystredigaeth ac anobaith ymhlith y rhai a ddaliai i streicio, teimladau a fynegwyd weithiau'n dreisgar. Pan ddaeth Norman Willis, Ysgrifennydd Cyffredinol Cyngres yr Undebau Llafur, i dde Cymru ar 13 Tachwedd i gondemnio'r trais, cafodd ei heclo'n ddidrugaredd a chwifiwyd rhaff crogwr o'i flaen. Yn fuan wedyn digwyddodd rhywbeth a ystyriai rhai yn anochel.

Ar 30 Tachwedd gwelwyd unig farwolaeth Streic y Glowyr ym maes glo'r De pan laddwyd y gyrrwr tacsi 31 oed, David Wilkie o Gaerdydd, wrth fynd â'r streic-dorrwr David Williams i'r gwaith i bwll glo Merthyr Vale. Wrth deithio ar hyd Ffordd Blaenau'r Cymoedd, trawyd Wilkie gan bostyn concrît a ollyngwyd ar ei dacsi o Bont Rhymni uwchben y ffordd.

Restiwyd dau ddyn yn syth a thrydydd dyn ym mis Ionawr, pob un o'r tri yn löwr o Rymni. Pan ddanfonwyd y tri i sefyll eu prawf i Lys y Goron, Caerdydd ar 19 Chwefror 1985, prin fod llawer yn disgwyl y dôi eu

hachos yn un o rai mwyaf nodedig y ganrif, gan fynd yn y diwedd yr holl ffordd i Dŷ'r Arglwyddi.

Ar 16 Mai, cafwyd Anthony Williams yn ddieuog o gyhuddiadau o gynllwyno i ddifrodi eiddo, ond cafwyd Dean Hancock a Russell Shankland yn euog o lofruddiaeth a'u dedfrydu i garchar am oes. Yr oedd Hancock a Shankland wedi honni nad oeddynt yn bwriadu taro'r tacsi – y cyfan y bwriadent ei wneud oedd codi ofn ar y streic-dorrwr Williams.

Wrth glywed am y ddedfryd cerddodd 762 o lowyr allan o'r gwaith mewn protest, a chafwyd beirniadaeth arni hefyd gan yr Aelodau Seneddol lleol Michael Foot a Ted Rowlands.

Ar 31 Hydref, dyfarnodd y Llys Apêl nad oedd y ddau ddyn yn euog o lofruddiaeth, a'u dedfrydu i wyth mlynedd o garchar am ddyn-laddiad, penderfyniad a gadarnhawyd ar 12 Rhagfyr. Dywedodd Jean Wilkie, mam y dyn a fu farw, ei bod yn 'chwerw iawn' am y penderfyniad. *'In my eyes it will always be murder'* meddai.

Colli actor

Ar 5 Awst yng Ngenefa, y Swistir, bu farw Richard Burton, yr un flwyddyn ag y rhyddhawyd ei ffilm olaf, sef fersiwn o nofel George Orwell, *1984*, lle rhoddodd ber-fformiad meistrolgar fel y poenydiwr, O'Brien.

Yn unol â'i ewyllys claddwyd Burton yn y Swistir, gyda baner y Ddraig Goch dros yr arch, ac emynau Cymraeg a 'Sosban Fach' yn cael eu canu. Cynhaliwyd hefyd oedfaon coffa iddo yn Los Angeles, Efrog Newydd, a'i bentref genedigol, Pont-rhyd-y-fen. Denodd yr olaf o'r rhain gynulleidfa o filoedd, i wrando ar y gwasanaeth yn y capel ac o'i gwmpas, neu ar y cyfryngau wrth i'r oedfa gael ei darlledu ar y radio a'r teledu. Un o'r rhai a fynychodd yr oedfa oedd Elizabeth Taylor, a fu'n wraig i Burton ddwywaith. 'Rwy'n teimlo fel pe bawn i gartref', meddai, wrth sefyll gyda theulu ei chyn-ŵr yn nrws y tŷ lle ganwyd ef.

5 Mawrth
Ym Mhrydain daeth streic y glowyr i ben.

11 Mawrth
Daeth Mikhail Gorbachov yn arweinydd yr Undeb Sofietaidd gan ddechrau cyfnod o ddiwygio'r wlad.

11 Mai
Lladdwyd 55 o bobl mewn tân ar faes pêl-droed Dinas Bradford.

29 Mai
Yn Stadiwm Heysel, Brwsel, lladdwyd 41 o bobl o ganlyniad i drais rhwng cefnogwyr Lerpwl a Juventus cyn rownd derfynol Cwpan Ewrop.

10 Gorffennaf
Yn Seland Newydd, suddwyd y *Rainbow Warrior*, llong o eiddo'r mudiad gwrth-niwclear *Greenpeace*, gan fom a osodwyd gan heddlu cudd Ffrainc.

13 Gorffennaf
Llwyddodd y cyngerdd roc 'Live Aid' yn Wembley godi £40 miliwn ar gyfer elusennau a weithiai i leddfu newyn yn Affrica.

1 Medi
Ger Newfoundland, darganfyddwyd gweddillion y *Titanic*, y llong a suddodd yn 1912.

7 Hydref
Llofruddiwyd heddwas yn ystod terfysgoedd yn Tottenham, Llundain.

10 Hydref
Ar yr un diwrnod bu farw dau actor enwog, Orson Welles ac Yul Brynner.

1985

Colli Kate, colli Saunders

I lawer, yr oedd fel pe bai cyfnod arbennig yn hanes Cymru wedi dod i ben y flwyddyn hon gyda marwolaeth dau o ffigurau amlycaf y Gymru Gymraeg. Ar 4 Ebrill bu farw Kate Roberts, un o awduron rhyddiaith mwyaf y ganrif yng Nghymru; ac ar 1 Medi bu farw Saunders Lewis, prif ffigur llenyddol Cymraeg yr ugeinfed ganrif a phrif ysgogydd y mudiad cenedlaethol modern.

Er eu bod wedi'u geni a'u magu mewn amgylchiadau pur wahanol – y naill yng nghymuned chwarelyddol pentref Rhosgadfan, sir Gaernarfon, a'r llall ymhlith Cymry dinas Lerpwl – datblygodd perthynas agos rhyngddynt, a buont yn gohebu'n lled gyson â'i gilydd am drigain mlynedd, o 1923 i 1983, ynghylch materion y dydd a'u gyrfaoedd llenyddol ill dau.

Yr oedd y ddau ymhlith aelodau cyntaf Plaid Genedlaethol Cymru (Plaid Cymru wedyn) pan sefydlwyd hi yn 1925. O'i ran ef yr oedd Saunders Lewis yn bresennol yn y cyfarfod sefydlu hwnnw ar 5 Awst 1925 ym Mhwllheli, ac er i'r blaid honno ymbellláu'n ddiweddarach oddi wrth ei syniadau ceidwadol a gwledig, yr oedd ei stamp ef i'w weld yn eglur arni am flynyddoedd. Yn gysylltiedig â'r syniadau hyn yr oedd ei grefydd Gatholig – edrychai'n ôl tuag at 'oes aur' dybiedig pan oedd Cymru'n rhan o ddiwylliant yr Ewrop Babyddol yn yr Oesoedd Canol, ac er ei fod yn fab ac yn ŵyr i weinidogion Methodistaidd ymunodd â'r Eglwys Babyddol yn 1932.

Bu'r ddau ohonynt yn arloeswyr yn eu dewis feysydd llenyddol, Kate Roberts fel lluniwr straeon byrion a nofelau, a Saunders Lewis fel dramodydd a beirniad llenyddol. Y mae i'w chefndir chwarelyddol

Kate Roberts.

yn y gogledd le amlwg yng ngweithiau Kate Roberts, a cheir ynddynt elfen dywyll a thrist yn aml. Ymddengys mai colli ei brawd yn y Rhyfel Byd Cyntaf, a cholli ei gŵr yn 1946, a'i gyrrodd i lenydda yn ei dau gyfnod mwyaf cynhyrchiol, sef hyd at 1937 ac o 1949 ymlaen. Ym meysydd y ddrama a beirniadaeth lenyddol y gwnaeth Saunders Lewis ei gyfraniadau mawr i lenyddiaeth Gymraeg, ac am ei ddramâu mydryddol yr enillodd y bri mwyaf. Fel beirniad, tynnodd nifer o elfennau a syniadau at ei gilydd i greu golwg hollol newydd ar hanes a thraddodiad y Gymraeg. *[LLIW 17]*

Emyr Dda ac Emyr Ddrwg

Hyd at fis Rhagfyr 1984, roedd y Parchedig Emyr Owen yn weinidog Presbyteraidd uchel ei barch yn ardal Tywyn, Meirionnydd. Ond yna cafodd ei ddrwgdybio o anfon llythyron maleisus drwy'r post, a phan archwiliwyd ei gartref, daeth yr heddlu o hyd i dystiolaeth o ddiddordebau macabr y gweinidog 62 mlwydd oed.

Tri mis yn ddiweddarach anfonwyd Emyr Owen i'r carchar am bedair blynedd wedi iddo bledio'n euog i'r cyhuddiad o lurginio cyrff meirw, – cyrff a oedd o dan ei ofal yn y capel hyd ddydd eu hangladd.

Daliwyd Owen gan heddwas pan fu'n chwilio am awdur llythyr anweddus a maleisus a ddanfonwyd at wraig, a oedd yn cynnwys bygythiad i ladd ei hwyres bedair blwydd oed. Sylwodd yr heddwas fod llawysgrifen y llythyrwr yn debyg i arysgrif a welodd ar wynebddalen copi o'r Testament Newydd, arysgrif o waith Emyr Owen. Ar ôl gwadu'r cyhuddiad yn llwyr i ddechrau, cyfaddefodd Owen yn ddiweddarach mai ef a'i hanfonodd, ond syfrdanwyd yr heddlu pan aethant ati i archwilio'r mans. Darganfuwyd organau rhywiol gwrywaidd a oedd wedi'u torri o gyrff meirw.

Yn wreiddiol cafodd Owen gefnogaeth lawer o aelodau'i gapel ond pan ddatgelwyd yr hanes yn y llys fe'u dadrithiwyd, a phryderwyd am holl effaith yr achos ar grefydd yn y gymdogaeth. Honnodd Owen yn y llys fod dwy ran i'w gymeriad, Emyr Dda – y gweinidog cydwybodol – ac Emyr Ddrwg – y gwrywgydiwr a lurginiai gyrff y meirw – ac mai Emyr Ddrwg oedd yn gyfrifol am yr anfadwaith. Wrth ei garcharu yn Llys y Goron Caer ar 26 Mawrth, dywedodd y barnwr, yr Ustus Anthony Evans, '*You abused the trust of the living just as you dishonoured the dead*.'

Marw arloeswraig

uchod: Laura Ashley gyda'i merch.

Ar 7 Mehefin agorodd Laura Ashley ffatri newydd yng Nghaernarfon, un o nifer o ffatrïoedd a gyflogai dros fil o weithwyr yng nghanolbarth a gogledd Cymru. Roedd llwyddiant y Gymraes yn y byd ffasiwn yn ysgubol, ac erbyn y flwyddyn hon roedd trosiant gwerthu'r cwmni a sefydlwyd ganddi hi a'i gŵr, Bernard Ashley, yn £100 miliwn y flwyddyn.

Ond tri mis ar ôl agor y ffatri yng Nghaernarfon syrthiodd Laura Ashley lawr grisiau cartref ei merch yn y Cotswolds, ac ar 17 Medi bu farw yn yr ysbyty. Yn y blynyddoedd a ddilynodd aeth ei chwmni i drafferthion, a rhwng 1996 ac 1998 gwerthwyd nifer o'i ffatrïoedd yng Nghymru.

Merch o Ddowlais oedd Laura Mountney. Aeth i Lundain ar ôl yr Ail Ryfel Byd a phriodi Bernard Ashley yn 1949. Yn 1953, a hithau'n disgwyl plentyn, dechreuodd arbrofi drwy ddylunio sgarffiau gan ddefnyddio proses argraffu silc a ddyfeisiwyd gan ei gŵr. Dechreuodd y ddau fusnes gan ddylunio smociau a ffedogau, ac yn 1961, gwisgoedd, blowsys a dillad eraill. Yn 1967 agorodd ei siop gyntaf yn Kensington, y cyntaf o 580 ar draws y byd, ac yn ddiweddarach addasodd hen orsaf reilffordd Carno yng Nghanolbarth Cymru i sefydlu ffatri gynhyrchu dillad.

Y mae i Laura Ashley le pwysig yn hanes y byd ffasiwn. Yn erbyn holl lif y dylunwyr a wnaeth Llundain yn brifddinas ffasiwn y byd yn y '60au, llwyddodd i werthu dillad mwy traddodiadol, gan ddod â rhamant a lliw i wisgoedd gwragedd ifainc.   *[LLIW 58]*

Cadair y dysgwr

'Cynganeddwr rhwydd, naturiol a greddfol,' dyna oedd disgrifiad Alan Llwyd o'r bardd buddugol yn ei feirniadaeth yng nghystadleuaeth y Gadair yn Eisteddfod Genedlaethol y Rhyl a'r Cyffiniau ym mis Awst. Mwy fyth oedd y clod a'r ganmoliaeth pan gyhoeddwyd mai un a fagwyd mewn teulu di-Gymraeg ac a oedd wedi dysgu'r iaith oedd y buddugwr, Robat Powell o Lyn Ebwy.

Dechreuodd ddysgu'r Gymraeg ddeunaw mlynedd ynghynt, ond dim ond pedair blynedd cyn ei fuddugoliaeth y dechreuodd astudio'r cynganeddion, a hynny ar ei ben ei hun heb gymorth neb. Yn ei awdl fuddugol, *Cynefin*, cafwyd ganddo ei weledigaeth ei hun o ardal ddiwydiannol Glyn Ebwy a'i dyfodol.

Gefaill Cymru yn Affrica

Yr oedd gan Gymru bellach 'efaill Africanaidd' meddai'r *South Wales Echo* wedi seremoni arbennig y Swyddfa Gymreig yng Nghaerdydd ar 12 Mawrth i lawnsio Dolen Cymru Lesotho.

Ffrwyth ymdrechion Dr. Carl Clowes oedd y Ddolen, a deilliodd o gyfarfod yn Eisteddfod Genedlaethol Môn yn Llangefni lle y trafodwyd gyntaf y posibilrwydd o ffurfio cyswllt rhwng Cymru ac un o wledydd llai datblygedig y byd. Erbyn 1984 dewiswyd Lesotho. Hybu a meithrin cysylltiadau agos a chyfeillgar rhwng y ddwy wlad fach oedd bwriad y mudiad newydd, yn enwedig trwy gyfrwng ysgolion ac eglwysi, ond hefyd trwy bob math o gyrff o'r diwylliannol i'r meddygol ac amaethyddol. Ymhen chwe mis o'r lawnsio yr oedd dwsin o ysgolion Cymru eisoes wedi llunio perthynas â 'chwaer-ysgolion' yn Lesotho.

Disgrifiwyd y Ddolen gan J.T. Kolane, Uchel-Gomisiynydd Lesotho yn Llundain, fel 'un o'r pethau gorau a allai ddigwydd i ni.'

Achub yr adar

Ar Ynys Gwales ger sir Benfro, un o warchod-feydd natur pwysicaf Prydain, yr oedd timau o bobl yn aros eu cyfle i achub miloedd o adar wrth i stribyn olew chwe milltir ar ei hyd nesáu at yr ynys. Yno yr oedd pryder mawr am 28,000 o barau o fulfrain gwynion a oedd yng nghanol eu tymor bridio.

Gollyngwyd tua chant a hanner o dunelli o olew i'r môr pan dyllwyd y llong dancer *Bridgeness* ar greigiau Barrels Rocks, 17 milltir oddi ar arfordir sir Benfro, wrth iddi deithio o Aberdaugleddau i Iwerddon ar 16 Mehefin.

Dywedodd Gwylwyr y Glannau dran-noeth fod gwyntoedd cryf a symudiadau'r môr bellach yn chwalu'r olew, ac na fyddai perygl mwyach i'r adar, ond erbyn trannoeth yr oedd swyddogion yr RSPCA eisoes yn adrodd bod cannoedd o adar wedi'u heffeithio, a bod y stribyn olew yn ymestyn chwe milltir o borthladd Aberdaugleddau i Ynys Dewi, ger Tŷ Ddewi, gan fygwth bron hanner miliwn o adar y môr. Bu cryn feirniadu ar yr awdurdodau am beidio â gorchymyn chwistrellu gwlybwr glanhaol ar yr olew i'w wasgaru, ond dadleuwyd na fyddai hynny wedi bod yn addas. Lladdwyd tua dwy fil o adar yn y diwedd, a bu'n rhaid gadael nifer mawr i farw ar yr ynysoedd heb eu trin rhag ofn aflonyddu ar y miloedd o adar eraill a nythai yno.

Meistr y Marathon

isod: Steve Jones

Cadarnhaodd Steve Jones o Dredegar ei safle fel un o redwyr pellter-hir gorau'r byd yn ystod y flwyddyn gan ennill Marathon Llundain am y tro cyntaf a Marathon Chicago am yr ail dro yn olynol.

Yn Llundain ar 20 Ebrill bu raid i'r Cymro frwydro bron hyd y diwedd â Charlie Spedding o Loegr, enillydd y flwyddyn flaenorol, a bu'r ddau redwr ysgwydd wrth ysgwydd hyd y filltir olaf pan gyflymodd Jones i guro'r Sais o 17 eiliad, gydag amser o 2 awr 8 munud 16 eiliad, record newydd ar gyfer y cwrs.

Yn Chicago yn 1984 yr oedd Jones wedi gosod record byd newydd o 2 awr 8 munud 5 eiliad, ac yn y flwyddyn ganlynol dim ond eiliad yr oedd yn brin o'r record newydd a osodwyd yn y cyfamser gan Carlos Lopes o Bortiwgal. Mewn perfformiad unigol eithriadol yn y 'Ddinas Wyntog' ar 20 Hydref, aeth y Cymro ar y blaen i'r rhedwyr eraill ar ôl tair milltir o'r cwrs, a hanner ffordd trwy'r ras credai llawer ei fod yn sicr o dorri record Lopes yn rhwydd. Ond dechreuodd arafu yn y pum milltir olaf, ac nid cyn iddo gyrraedd y troad olaf y sylweddolodd mor agos y bu at gipio'r record a gwobr o $50,000. Hyd yn oed heb y wobr am dorri'r record, aeth Jones adref ar ddiwedd y dydd gydag o leiaf $65,000 yn ei boced, llawer mwy na'i gyflog blynyddol ar y pryd fel corporal yn y Llu Awyr Brenhinol.

Tair blynedd yn ddiweddarach dangosodd Jones ei fod ymhlith y rhedwyr gorau erioed drwy ennill Marathon Efrog Newydd, y Prydeiniwr cyntaf i gyflawni'r gamp honno.

Daliodd y band i chwarae

Er iddynt gael eu trechu'n llwyr, i bob pwrpas, gan Ian McGregor a'r Bwrdd Glo, nid heb falchder y dychwelodd glowyr de Cymru i'w gwaith ar 5 Mawrth wedi treulio bron flwyddyn ar streic. Glowyr Maerdy yn y Rhondda a dynnodd y sylw mwyaf wrth iddynt orymdeithio'n ôl i'r gwaith y tu ôl i'w baneri a'u seindorf. Nid oedd yr un dyn o blith y 753 yn y Maerdy wedi torri'r streic, a heidiodd criwiau teledu a ffotograffwyr o nifer o wledydd i groniclo'r orymdaith araf a balch. Yn nhyb llawer un, gorymdaith glowyr y Maerdy a grisialodd obaith y streicwyr y caent ildio gydag anrhydedd, ac ymddangosodd eu lluniau mewn papurau newydd a chylchgronau ac ar sgriniau teledu ym mhob cwr o'r byd.

A thunelli lawer o lo wedi'u storio pan ddechreuodd y streic ym mis Mawrth 1984, a chyflenwad sylweddol yn dod i mewn o wledydd eraill, ni fu erioed yn wirioneddol debyg yr enillai'r streicwyr y frwydr hir. Nid amharwyd o gwbl ar y cyflenwad trydan nac ar waith y diwydiannau trwm a ddibynnai ar lo, ac er bod arweinydd y glowyr, Arthur Scargill, yn darogan y newidiai popeth pan ddôi'r gaeaf, yr oedd haf hir o wrthdaro cas wedi blino'r rhan fwyaf o'r glowyr.

Daethai'r streic i ben yn ffurfiol ar 3 Mawrth pan bleidleisiodd cynhadledd arbennig o Undeb Cenedlaethol y Glowyr dros fynd yn ôl i'r gwaith, er nad oeddynt eto wedi dod i gytundeb â'r Bwrdd Glo. Mewn cyfweliad radio ym mis Chwefror yr oedd Kim Howells, llefarydd glowyr de Cymru, wedi dadlau dros y syniad y gallai'r glowyr fynd yn ôl i'r gwaith yn drefnus o'u dewis eu hunain heb gytundeb â'u cyflogwyr, ac ar 26 Chwefror rhoddodd streicwyr y Maerdy eu cefnogaeth i'r syniad fel y ffordd orau i gadw eu hundeb rhag cael ei chwalu'n llwyr.

6% yn unig o lowyr de Cymru a ddych-welodd i'r gwaith yn ystod y streic, er bod y darlun yn bur wahanol yng Nglofa'r Parlwr Du, sir Fflint, a fu'n gweithio trwy gydol y streic a lle y sefydlwyd cangen o Undeb Democrataidd y Glowyr, corff cymedrol a grëwyd i wrthsefyll yr hyn a welid yn eithaf-iaeth Arthur Scargill ac arweinwyr eraill Undeb Cenedlaethol y Glowyr.

Wedi i'r sefyllfa dawelu, bwriodd y Bwrdd Glo ymlaen yn benderfynol â'i raglen o gau pyllau a theneuo'r gweithlu, a rhwng diwedd y streic a diwedd y flwyddyn caewyd un ar ddeg o byllau maes glo de Cymru, a chafwyd gwared ar chwarter y gweithwyr. Yn 1986 ymunodd y Maerdy ei hun â'r rhestr o lofeydd a gaewyd.

Y streic arall

dde: Y chwarelwyr ar streic.

Pum mis wedi i'r glowyr fynd yn ôl i'r gwaith ar ôl eu streic hir hwy, dechreuodd un arall, y tro hwn gan chwarelwyr Blaenau Ffestiniog. Parodd y streic, a ddechreuodd ar 17 Awst, am saith mis ac er nad oedd ar yr un raddfa â streic y glowyr, cafodd gefnogaeth eang, ac yn arbennig felly gan lowyr de Cymru.

Yn wahanol i lawer o streiciau, roedd y gweithwyr a'r perchenogion yn Gymry lleol, yn aelodau o'r un capeli ac yn rhan o'r un gymdeithas. Asgwrn y gynnen oedd penderfyniad Cwmni Llechi Ffestiniog, a oedd yn berchen ar dair chwarel yn yr ardal, i ddinistrio'r trefniant bonws yn chwarel Cwt y Bugail a olygai fod y gweithwyr yno'n ennill oddeutu £28 yr wythnos yn llai. Bu'r chwarelwyr yn gweithio i reol fel protest yn erbyn y penderfyniad, ond pan orchmynnwyd hwy i adael y chwarel, cawsant gefnogaeth gweithwyr o'r ddwy chwarel arall, Y Gloddfa Ganol a'r Oakley, a aeth ar streic.

Aeth yr anghydfod yn un chwerw. Ceisiodd y swyddogion undeb agor trafodaethau i'w ddatrys, ond gwrthododd y perchenogion gwrdd â hwy. Tacteg y perchenogion drwy gydol y streic, ar wahân i ymbil achlysurol ar y dynion ddychwelyd i'w gwaith, oedd cadw'n dawel. Trefnwyd Grŵp Cefnogi'r Chwarelwyr gan wragedd lleol, a chafwyd cefnogaeth o bob ran o Gymru, gan gynnwys cymunedau glofaol de Cymru. Casglwyd arian a threfnwyd bod pob teulu'n derbyn bocs o fwyd yn wythnosol.

Ym mis Tachwedd aeth naw allan o'r 53 a oedd ar streic yn ôl i'r gwaith. Fe'u cludwyd yno yn landrofer perchennog y chwarel gyda nifer o heddweision yn sicrhau na fyddai'r picedwyr yn eu hatal. Ond arhosodd y gweddill ar streic hyd fis Mawrth 1986. Ar Ddydd Gŵyl Ddewi 1986 gorymdeithiodd cannoedd o bobl drwy Flaenau Ffestiniog i ddangos eu cefnogaeth i'r streicwyr, ond cyhoeddwyd yn fuan wedyn i'r ddwy ochr ddod i gytundeb, a daeth y streic i ben.

Davies yn perswadio'r Dduges

dde: Hywel Davies ar *Last Suspect* yn ennill y *Grand National*.

Hywel Davies o Aberteifi a enillodd y *Grand National* yn Aintree ar 30 Mawrth, a hynny ar *Last Suspect*, ceffyl 11 mlwydd oed Duges Westminster.

Yr oedd Davies wedi dwyn perswâd ar y Dduges i adael i'w cheffyl gymryd rhan yn y ras wedi iddi benderfynu ei dynnu allan ar ôl rhediad siomedig o'i eiddo yn ei ras flaenorol. Ildiodd yn y diwedd a chafodd Davies ei gyfle i fynd am yr aur yn y *National*, 'ar fentr fy mywyd', chwedl yntau.

Wedi neidio dros y clawdd olaf glaniodd Davies yn drydydd, ac er ei fod saith neu wyth hyd ceffyl y tu ôl i'r ceffyl blaen, *Mr. Snugfit*, llwyddodd y Cymro gael gan ei farch i gyflymu mewn un ymdrech olaf, ac enillodd yn rhwydd.

Hwylio rownd y byd i gyd

Ar 17 Medi, cychwynnodd David Sinnett-Jones o borthladd Aberaeron, Ceredigion, ar daith o gwmpas y byd mewn cwch hwylio 36 troedfedd yr oedd ef ei hun wedi'i adeiladu.

Cymerodd y daith dipyn mwy o amser nag un ffuglennol Philias Fogg, ac ar ôl 80 diwrnod yr oedd cwch Sinnett-Jones yng nghanol Môr yr India, hanner ffordd rhwng Affrica ac Awstralia, ac ni welwyd y morwr mentrus yn ôl yn Aberaeron hyd 12 Awst 1988, ychydig llai na thair blynedd wedi iddo gychwyn ar ei daith.

Yr oedd Sinnett-Jones yn hanner dall ac wedi colli un ysgyfaint a rhan o'i galon trwy ganser, ac yn Ionawr 1988 ef oedd y morwr anabl cyntaf i hwylio trwy ddyfroedd peryglus yr Horn ar waelod De America. Ymhlith ei helyntion yn ystod ei daith yr oedd y difrod a wnaed i wahanol rannau o'i gwch a'i offer, a dau ddiwrnod anodd wedi glanio yn Albany, de-orllewin Awstralia, pan aeth swyddogion tollau lleol ati'n frwd i chwilio'r cwch yn drylwyr am gyffuriau.

1986

28 Ionawr

Yn Fflorida, lladdwyd criw y wennol ofod *Challenger* pan ffrwydrodd 90 eiliad ar ôl cael ei thanio o Cape Canaveral.

15 Chwefror

Yn Wapping, Llundain, gwelwyd terfysgoedd yn ystod protest gan weithwyr a wrthwynebai'r telerau a osodwyd gan Rupert Murdoch ar gyfer ei argraffdy.

28 Chwefror

Yn Stockholm, llofruddiwyd Prif Weinidog Sweden, Olaf Palme.

14 Ebrill

Yn Ffrainc, bu farw'r awdures Simone de Beauvoir.

15 Ebrill

Hedfanodd awyrennau'r Unol Daleithiau o feysydd awyr ym Mhrydain i fomio Libya er mwyn talu'r pwyth yn ôl am gefnogaeth arweinydd y wlad, Cyrnol Gaddafi, i derfysgwyr.

28 Ebrill

Arweiniodd ffrwydriad yng ngorsaf niwclear Chernobyl yn yr Wcrain at ollwng i'r awyr nwyon ymbelydrol a chwythwyd gan y gwynt i rannau eang o Ewrop.

31 Gorffennaf

Ym Mhrydain, cyhoeddwyd bod 3.25 miliwn o bobl yn ddi-waith, y ffigwr uchaf a gofrestrwyd erioed.

22 Tachwedd

Yn Las Vegas, Mike Tyson oedd yr ieuengaf erioed i ddod yn bencampwr bocsio pwysau trwm y byd.

Byncar Caerfyrddin

Y protestwyr ger y byncar.

Dros y Pasg cynhaliwyd un o'r protestiadau mwyaf a welodd tref Caerfyrddin erioed. Gorymdeithiodd oddeutu 4,000 o bobl drwy'r dref cyn amgylchynu'r byncar niwclear yr oedd Cyngor Dosbarth Caerfyrddin yn ei adeiladu ar y pryd yn wyneb protestiadau chwyrn gan fudiad CND Cymru a'i gefnogwyr. Ar ôl amgylchynu'r byncar chwythwyd chwiban amddiffyn sifil, a syrthiodd pawb i'r llawr fel pe baent wedi marw. Diben y brotest oedd dangos nad oedd yn bosibl i oroesi rhyfel niwclear, ac mai twyll oedd codi byncar niwclear yn y dref.

Yn arwain y brotest yr oedd 17 o aelodau blaenllaw CND Cymru, pob un yn gwisgo mygydau gan eu bod wedi'u gwahardd gan yr Uchel Lys rhag tresbasu ar dir y byncar. Roeddent hefyd yn wynebu cyhuddiad gan y Cyngor Dosbarth o gynllwyn a allai arwain at orfod talu £130,000 o iawndal i'r Cyngor, sef y gost o ddefnyddio cwmni diogelwch preifat i amddiffyn y safle. Roedd y gwarchodwyr wedi'u cyhuddo gan y protestwyr o ddefnyddio trais, ac ar 13 Ionawr roedd trysorydd CND Cymru, Sue Pitman, wedi colli bys bach pan rhwygwyd ei llaw ar ffens bigog wrth iddi gael ei thynnu oddi yno gan un o'r gwarchodwyr.

Tarddai'r ffrwgwd yng Nghaerfyrddin o'r datganiad a wnaed yn Chwefror 1982 mai Cymru oedd y wlad ddi-niwclear gyntaf yn Ewrop. Nid oedd y Llywodraeth yn fodlon fod pob cyngor sir yng Nghymru yn datgan eu gwrthwynebiad i baratoadau am ryfel niwclear, ac anfonwyd y Cynghorydd ar Amddiffyn Sifil i Gymru i geisio perswadio'r cynghorau i gydweithredu â chyfres o ymarferiadau amddiffyn sifil. Roedd y Llywodraeth hefyd am sefydlu canolfannau lle y byddai'r awdurdodau lleol yn medru rheoli'u hardaloedd ar ôl i ryfel niwclear ddechrau. Cynigiwyd grantiau hael i adeiladu

(Drosodd)

Byncar Caerfyrddin

(o'r tudalen cynt)

byncars, a gwelodd Cyngor Dosbarth Caerfyrddin gyfle i dderbyn arian gan y Llywodraeth ar gyfer un o'i gynlluniau.

Roedd gan y Cyngor gynllun i godi ystafell arbennig lle y gallai cadeirydd y Cyngor groesawu ymwelwyr. Gwelwyd cyfle i fanteisio ar grant o'r Llywodraeth drwy godi'r fath ystafell ar ben byncar niwclear. Pan ddaeth y cynllun yn hysbys yn 1985, cythruddwyd aelodau lleol o CND, a chynhaliwyd protestiadau ar y safle. Bu'n rhaid i'r Cyngor godi ffens o amgylch y fan a chyflogwyd cwmni diogelwch preifat i'w amddiffyn. Cyhuddwyd y Cyngor o dorri rheolau cynllunio, ac mewn adroddiad gan Ombudsman Cymru, Hywel F Jones, a gyhoeddwyd yng Ngwanwyn 1987, condemniwyd y Cyngor am beidio â dilyn y drefn gywir ar gyfer derbyn caniatâd cynllunio.

Dadleuai'r cynghorwyr mai canolfan reoli argyfwng oedd y byncar, ond synnwyd hwy pan gyhoeddodd y Prif Weithredwr, Vaughan Williams, mai dim ond mewn rhyfel y gellid ei defnyddio. Fe'u beirniadwyd yn hallt gan y Blaid Lafur a Phlaid Cymru, a dangosodd un arolwg barn fod 72% o drethdalwyr Caerfyrddin yn gwrthwynebu'r cynllun.

Fodd bynnag, er y protestio, adeiladwyd y byncar, a llwyddodd y Llywodraeth i gael awdurdodau lleol eraill i glustnodi canolfannau ar gyfer rheoli'u hardaloedd pe bai rhyfel niwclear yn digwydd. Yn eironig ddigon digwyddodd hyn oll pan oedd y 'Rhyfel Oer' ar fin dod i ben.

Pen-blwydd y Cwmni Opera

I ddathlu ei ben-blwydd yn ddeugain oed cyflwynodd y Cwmni Opera Cenedlaethol berfformiadau o'r cylch epig o operâu, *Y Fodrwy* gan Richard Wagner, yng Nghaerdydd, Birmingham, Bryste a Llundain.

Ym mis Medi, Opera Cenedlaethol Cymru oedd y cwmni rhanbarthol cyntaf erioed i berfformio yn y Tŷ Opera Brenhinol, Covent Garden, a'r cwmni cyntaf i gyflwyno'r *Fodrwy* yn Saesneg yn Covent Garden ers mwy na hanner can mlynedd.　　*[LLIW ???]*

Datgelu enw'r bardd

Cythruddwyd swyddogion yr Eisteddfod Genedlaethol pan gyhoeddwyd enw bardd y gadair yn Eisteddfod Genedlaethol Abergwaun ar dudalen flaen y *Western Mail* ddiwrnod cyn y cadeirio. Er y byddai sibrydion am fuddugwyr eisteddfodol yn hysbys i newyddiadurwyr cyn y seremonïau yn aml, roedd traddodiad cryf nad oedd y wasg yn datgelu enwau'r buddugwyr ymlaen llaw. Torrwyd ar y drefn pan gafodd y Parchedig Gwynn ap Gwilym, rheithor plwyf Penegoes, Darowen a Llanbryn-mair, ei enwi fel bardd y gadair yn Abergwaun.

Rhoddwyd y bai am ollwng y gyfrinach ar gwmni teledu HTV a oedd wedi paratoi rhaglen ar y bardd buddugol cyn yr Eisteddfod, gyda'r bwriad o'i darlledu ar noson y cadeirio. Yn ôl cynhyrchydd y rhaglen, Eifion Lloyd Jones, roedd y bardd wedi'i ffilmio'n darllen ei awdl fuddugol ar y testun 'Y Cwmwl' dros ddeufis cyn yr Eisteddfod pan na wyddai neb pwy oedd enillydd y gadair. Yn ôl Gwynn ap Gwilym : 'Cytunais i'w hadrodd ar ffilm ar yr amod nad oedd y cwmni'n cael gwybod y canlyniad. 'Does dim rheol, hyd y gwn i, sy'n gwahardd rhywun rhag dweud iddo gystadlu a'i wahardd rhag trafod ei gerdd.' Mae'n debyg felly fod y cwmni teledu wedi achub y blaen ar ddarlledwyr eraill drwy ragweld pwy fyddai'n ennill y gadair.

Ymateb swyddogion yr Eisteddfod oedd gofyn am freindal o £10,000 i'r cwmni am ddarlledu'r awdl. Fel arfer byddai disgwyl i gwmni teledu dalu tua £250 am yr hawlfraint, ond cyhoeddodd Emyr Jenkins, Cyfarwyddwr yr Eisteddfod, fod y ffigwr y gofynnwyd amdano wedi ei osod yn fwriadol uchel yn y gobaith y byddai HTV yn gwrthod ei dalu ac felly yn gorfod gollwng y rhaglen o'u hamserlen. Ond penderfynodd HTV gwtogi'n llym ar y darlleniad pan ddarlledwyd y rhaglen noson y cadeirio, er mwyn osgoi talu'r ffi hawlfraint yn llawn.

Cadeirio Gwynn ap Gwilym.

Cofnodi gwaith ysbyty

dde: Llawfeddygon wrth eu gwaith.

Yn ystod y flwyddyn hon, dechreuodd y ffotograffydd o Aberaeron, Ron Davies, ar brosiect arbennig, sef cofnodi bywyd o ddydd i ddydd yn Ysbyty Bronglais, Aberystwyth, trwy gyfrwng ffotograffau. Roedd y ffotograffydd ei hun yn ddyledus i'r gwasanaeth iechyd gan ei fod wedi derbyn llawdriniaeth a gofal dros gyfnod hir wedi iddo gael ei barlysu mewn damwain feicmodur yn 1950. O ganlyniad i'r ddamwain collodd ddefnydd ei goesau, a bu raid iddo dreulio gweddill ei fywyd mewn cadair olwyn. Iddo ef felly roedd y ffotograffau, a'r arddangosfa ohonynt a gynhaliwyd yn 1988, yn deyrnged bersonol i Ysbyty Bronglais ac i'r gwasanaeth iechyd yn gyffredinol.

Dechreuodd Ron Davies ymddiddori mewn ffotograffiaeth pan oedd yn blentyn yn Aberaeron. Bu'n cynorthwyo E. J. Thomas, fferyllydd lleol, a roddodd iddo ei gamera

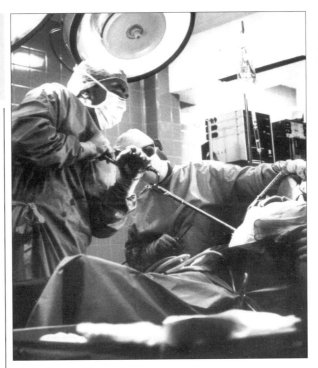

cyntaf, sef *Box Brownie*. Ar ôl gwasanaethu yn yr Ail Ryfel Byd, anfonwyd ef i ddeddwyrain Asia fel ffotograffydd rhyfel swyddogol, a bu'n gweithio yn Java, Sumatra a Bali. Ar ôl dychwelyd i Aberaeron bu'n cynorthwyo'i dad gyda'i fusnes peintio tai, ond ar ôl y ddamwain ail-gydiodd yn ei gamera a chafodd waith gyda'r *Cymro*. Er ei anbledd, bu'n ffotograffydd newyddiadurol llwyddiannus am flynyddoedd, gan weithio gyda HTV, y BBC, y *Western Mail* yn ogystal a'r *Cymro*. Bu hefyd yn dysgu ffotograffiaeth mewn colegau yn Aberystwyth a Chaerfyrddin.

Tra yn Ysbyty Bronglais tynnodd Ron Davies lu o ffotograffau trawiadol, gan gynnwys rhai o lawdriniaethau, fel llawdriniaeth y galon, ffisiotherapi, y gwasanaeth pelydr-X, profion llygaid a'r gwasanaeth mamolaeth.

Côr y Jonesiaid

Ar ddiwedd Mai anfonwyd llythyr gan 26 o aelodau o gôr Merched y Gadair, Dolgellau, i'w harweinydd, Gwilym Jones, yn gofyn iddo ymddiswyddo. Ei drosedd yn eu tyb hwy oedd dod yn aelod o gôr dirgel 'y Jonesiaid' a fu'n perfformio yn Ne Affrica, a thrwy wneud hynny wedi dangos cefnogaeth i lywodraeth hiliol y wlad honno.

Ar yr un pryd cyhoeddodd Stuart Weaving, y dyn busnes a fu'n trefnu teithiau gan gorau o Gymru i Dde Affrica er 1981, mai'r daith bresennol fyddai'r un olaf. Roedd wedi trefnu tair taith i gyd, gyda'r bwriad o gadw cysylltiadau diwylliannol â De Affrica yn wyneb y pwysau cynyddol gan y gymuned ryngwladol a wrthwynebai apartheid.

Dewisid aelodau'r corau'n ofalus, a byddent i gyd yn teithio dan yr enw 'Mr Jones' er mwyn ceisio osgoi llid y mudiad gwrth-apartheid. Fodd bynnag cafodd sawl un ei ddiarddel o'i gôr pan ddaeth ei aelodaeth o 'Gôr y Jonesiaid' yn hysbys. Cyn y daith ddiweddaraf roedd chwech o'r 42 aelod o'r côr wedi gorfod ymddiswyddo o'u corau cyn gadael Cymru er mwyn osgoi codi cywilydd ar eu cyd-aelodau. Buont yn ymarfer mewn pedwar safle cyfrinachol dros gyfnod o ddwy flynedd, ac yn Ne Affrica bu 'Côr y Jonesiaid' yn canu mewn 17 o gyngherddau mewn saith dinas.

Bishop o flaen ei well

Ar 1 Medi, y mewnwr David Bishop o Bont-y-pŵl a gafodd yr anrhydedd amheus o fod y chwaraewr cyntaf erioed o Gymru i gael ei garcharu am drais ar y cae wedi i reithgor ei gael yn euog o ymosod ar Chris Jarman o glwb rygbi Trecelyn ar 23 Hydref 1985.

Clywodd Llys y Goron, Casnewydd, fod Bishop wedi dal Jarman ar y llawr a'i daro'n nerthol unwaith, ac i Jarman fod yn anymwybodol am rai munudau, a threulio noson yn yr ysbyty wedyn fel canlyniad.

Carcharwyd Bishop am fis, ac er i'r ddedfryd gael ei gohirio gan y Llys Apêl ar 17 Medi, cafodd ei wahardd rhag chwarae am un mis ar ddeg gan Undeb Rygbi Cymru. Yn 1979 enillodd Bishop fedal y Gymdeithas Ddyngarol Frenhinol am achub gwraig a'i phlentyn wedi iddynt gwympo i Afon Taf, ond yr oedd hefyd wedi treulio blwyddyn yn y carchar am ymladd mewn clwb nos.

Bu cryn dyndra ar 3 Mai pan ddaeth Trecelyn i Bont-y-pŵl ar gyfer ail gêm y tymor

David Bishop yn mynd am y lein.

rhwng y ddau dîm, a gêm olaf y tymor i Bont-y-pŵl. Penderfynwyd peidio â dewis Bishop ar gyfer y gêm, a chredai rhai y dylai Trecelyn weithredu'n debyg trwy dynnu Jarman o'u tîm hwythau. Ond chwarae a wnaeth Jarman, ac mewn gêm annifyr ei hysbryd torrwyd trwynau dau o chwaraewyr Trecelyn, ac anfonwyd dau chwaraewr arall o'r maes gan y dyfarnwr. Datganodd pwyllgor Pont-y-pŵl wedyn na chwaraeai'r clwb yn erbyn Trecelyn y tymor dilynol. Ar y llaw arall dywedodd clybiau Abertawe, Cymry Llundain, Bryste ac eraill eu bod yn anfodlon wynebu Pont-y-pŵl am fod bechgyn Gwent yn chwarae'n rhy gorfforol.

Gwenwyn o'r nefoedd

Gosodwyd rheolau llym ar 250,000 o ddefaid ar fwy na 400 o ffermydd gogledd Cymru yn sgîl ffrwydrad yn atomfa Chernobyl yn yr Iwcrein ar 26 Ebrill.

Wedi deuddydd o ddistawrwydd, cyfaddefodd awdurdodau'r Undeb Sofietaidd fod damwain ddifrifol iawn wedi digwydd ar ôl i staff yr atmofa gynnal arbrawf heb ganiatâd a achosodd i un o'r pedwar adweithydd orboethi a ffrwydro. O 26 Ebrill hyd ganol mis Mai teithiodd y cwmwl angheuol ar draws Ewrop gan effeithio ar ugain o wledydd o Wlad Groeg yn y de i'r Ffindir yn y gogledd.

Er nad oedd yr effaith ar Gymru cyn waethed ag ar y gwledydd a ffiniai ag ardal y drychineb, dioddefodd ucheldiroedd gogledd Cymru oherwydd bod y glaw a ddisgynnai yno'n cynnwys elfennau ymbelydrol. Heintiwyd y pridd â nifer o elfennau o'r fath, gan gynnwys ïodin-131 a cesiwm-137. Ar ôl mynd i mewn i'r pridd gyda dŵr glaw gallai'r metelau hyn aros yno am gyfnodau hir gan dreiddio i laswellt a phlanhigion eraill, ac oddi yno i gig a llaeth anifeiliaid a'u porai. Y perygl mawr oedd y byddai cig llygredig wedyn yn cyrraedd byrddau bwyd y wlad, ac effaith hyn oedd peri colled i ffermwyr a fagai anifeiliaid ar yr ucheldiroedd. O'r cyntaf o Fai ymlaen casglwyd llaeth o wahanol rannau o Brydain i'w archwilio gan wyddonwyr y llywodraeth am olion ïodin-131, a chynghorwyd pobl yng ngogledd Cymru, gogledd-orllewin Lloegr a'r Alban i beidio ag yfed dŵr glaw. Bu cryn ddicter ymhlith ffermwyr am na chawsant eu rhybuddio i gadw gwartheg a defaid dan do yn ystod stormydd galw 3 Mai, ac i beidio â'u bwydo wedyn â dim ond bwyd na chafodd ei lygru gan ddeunydd ymbelydrol. Yr oedd miloedd o ddefaid yn pori ar fryniau gogledd Cymru a gogledd-orllewin Lloegr yn ystod y stormydd, ac yn anorfod fe'u llygrwyd â dognau mawr o ïodin a chesiwm. Gosodwyd 'lefel weithredu' ar gyfer cig yn cynnwys 1,000 becerel o ymbelydredd y cilogram, ac ni werthid cig a gynhwysai lefelau uwch na hynny. Ar 20 Mehefin, cyhoeddodd y Gweinidog Amaeth, Michael Joplin, gyfyngiadau ar symud a lladd defaid ar fwy na phum mil o ffermydd Gwynedd, Clwyd a Phowys. Yr oedd y rheolau'n anghyson, a sylwodd nifer o ffermwyr y Gogledd eu bod wedi'u gwahardd rhag anfon ŵyn i'r lladd-dy ond yn dal i gael gwerthu llaeth y preiddiau defaid. Tyfodd anniddigrwydd mawr ymhlith rhai ffermwyr wrth weld eu bywoliaeth yn cael ei ddifetha, yn enwedig gan na chadarnhawyd manylion yr iawndal iddynt hyd ddiwedd mis Medi. Yn wreiddiol, yr oedd y gwaharddiad ar gig oen i barhau am ddeng niwrnod ar hugain ond yr oedd yn dal mewn grym ar rai ffermydd flynyddoedd wedyn.

Glo olaf Cwm Rhondda

dde: Y tram olaf.

Daeth bron dwy ganrif o dorri glo yng nghymoedd Rhondda Fawr a Rhondda Fach i ben ar 31 Mehefin pan godwyd y glo olaf o bwll olaf y ddau gwm yn y Maerdy. Am flynyddoedd lawer, â glo a glowyr y cysylltid y Rhondda, ac yr oedd yn amlwg iawn fod cyfnod hynod ac arbennig yn hanes Cymru wedi dod i ben. Codwyd y dramiaid olaf o lo o'r talcen lle y torrwyd ef, 1,140 o droedfeddi o dan y ddaear, a thynnwyd lluniau'r 350 o lowyr, gweddill y miloedd o ddynion a fu ar un adeg yn torri'r 'aur du' yn y

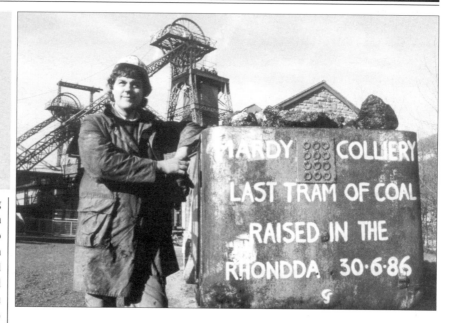

Rhondda. Daethai glowyr y Maerdy'n enwog yn y '20au am eu teyrngarwch i'r Blaid Gomiwnyddol, pan roddwyd y llysenw 'Moscow Fach' ar y pentref, ac eto yn ystod Streic y Glowyr 1984-85 am eu sêl dros y frwydr i achub y pyllau glo. Codid glo'r Maerdy bellach trwy Bwll y Tŵr yng Nghwm Cynon, wedi i'r ddau bwll gael eu cysylltu dan ddaear.

Gwynedd yn ddieuog o hiliaeth

Yn yr Uchel Lys yn Llundain ar 24 Gorffennaf, cytunodd tri barnwr nad oedd Cyngor Sir Gwynedd yn euog o hiliaeth pan wrthododd gyflogi dwy Gymraes ddi-Gymraeg mewn cartref henoed.

Yr oedd y ddwy wraig, Phyllis Hulme Jones a Justine Doyle, wedi dwyn yr achos gyda chymorth y Comisiwn Cyfartaledd Hiliol dan Ddeddf Cysylltiadau Hiliol 1976, ac ym mis Awst 1985 penderfynodd tribiwnlys diwydiannol ym Mae Colwyn eu bod wedi dioddef anffafriaeth hiliol trwy benderfyniad y cyngor sir.

Ond yn yr Uchel Lys dywedodd y barnwr, Syr Ralph Kilner Brown, nad iaith oedd yr unig ffactor a ddynodai hil, ac na ellid dweud bod y Cymry Cymraeg a'r Cymry di-Gymraeg yn ddwy garfan ethnig wahanol.

Nid oedd y gwragedd felly wedi eu trin yn hiliol yn ôl diffiniad y gyfraith. Ychwanegodd y Barnwr nad oedd neb yn credu fod myfyrwyr y gyfraith o Affrica yn dioddef hiliaeth am eu bod yn gorfod meistroli Saesneg cyn gweithio fel cyfreithwyr yn Lloegr.

20 Ionawr

Yn Beirut, Libanus, herwgipiwyd Terry Waite, cennad Archesgob Caergaint, gan derfysgwyr.

7 Mawrth

Bu farw 188 o bobl pan suddodd y fferi, *Herald of Free Enterprise*, wrth ymadael â phorthladd Zeebrugge.

8 Mai

Lladdwyd wyth aelod o'r IRA gan uned o'r SAS yn Loughal, Gogledd Iwerddon.

11 Mehefin

Ym Mhrydain, enillodd y Ceidwadwyr Etholiad Cyffredinol gyda mwyafrif o 101 o seddi.

20 Awst

Yn Hungerford, Lloegr, saethodd Michael Ryan 14 o bobl yn farw cyn lladd ei hun.

8 Tachwedd

Yn ystod gorymdaith Sul y Cofio yn Enniskillen, Gogledd Iwerddon, lladdwyd 11 o bobl pan ffrwydrodd bom a osodwyd gan yr IRA.

17 Tachwedd

Ym Mhrydain, cyhoeddodd y llywodraeth ei bwriad i gyflwyno 'treth y pen'.

18 Tachwedd

Lladdwyd 34 o bobl o ganlyniad i dân yng ngorsaf danddaearol King's Cross, Llundain.

8 Rhagfyr

Yn Washington, arwyddodd yr Undeb Sofietaidd a'r Unol Daleithiau gytundeb i leihau'r nifer o arfau niwclear a gedwid gan y ddwy wlad.

Twyll yr Aelod Seneddol

D aeth gyrfa wleidyddol yr Aelod Seneddol Torïaidd dros Ynys Môn, Keith Best, i ben wedi iddo gyfaddef torri'r gyfraith wrth brynu chwe gwaith yn fwy o gyfranddaliadau British Telecom nag a ganiateid yn gyfreithiol pan breifateiddiwyd y cwmni yn 1984. Gwnaeth hyn drwy ddefnyddio pedwar amrywiad ar ei enw, sef Keith Best MP, Keith Best, Keith Lander Best a Lander Best, a hynny o bedwar cyfeiriad gwahanol.

Datgelwyd hyn yn y cylchgrawn *Labour Research*, a daeth y cyfan i sylw'r wasg ar ddechrau Ebrill, ychydig wythnosau cyn yr oedd disgwyl i'r Prif Weinidog alw Etholiad Cyffredinol. Cyfaddefodd Best iddo dorri'r gyfraith, ond daliai ef ei fod wedi talu am yr holl gyfranddaliadau o'i gyfrif banc ei hun, ac felly nid oedd wedi bwriadu twyllo. 'Ar yr adeg y gwnes y ceisiadau nid ystyriwn fy mod yn gwneud dim o'i le', meddai. Galwodd y Blaid Lafur ar y Torïaid i'w ddiarddel, ac fe'i cyhuddwyd o ddwyn anfri ar y Senedd ac ar y proffesiwn cyfreithiol, gan ei fod yn fargyfreithiwr. Anfonwyd adroddiad ar yr achos i Wasanaeth Erlyn y Goron gan yr Heddlu Twyll.

Cyfreithiwr 29 mlwydd oed o Brighton oedd Keith Best pan gipiodd sedd Ynys Môn i'r Torïaid yn gwbl annisgwyl yn Etholiad Cyffredinol 1979. Etifeddodd sedd cyn-Ysgrifennydd Gwladol Cymru, Cledwyn Hughes, a churodd un o ymgeiswyr praffaf y Blaid Lafur yng Nghymru, Elystan Morgan. Er iddo ddod dan lach cenedlaetholwyr, aeth Keith Best ati i ddysgu Cymraeg yn rhugl, a chafodd yr enw o fod yn Aelod gweithgar ac effeithiol. Oherwydd hynny, pan ddatgelwyd y twyll, cafodd gefnogaeth y Blaid Geidwadol ym Môn, ond rhoddwyd cymaint o bwysau arno gan eraill, fel y bu'n rhaid i bwyllgor gwaith y blaid dderbyn ei ymddiswyddiad ar ddiwedd Ebrill. Ychydig wythnosau oedd gan y Ceidwadwyr felly i ddewis olynydd cyn yr Etholiad Cyffredinol a gynhaliwyd ar 11 Mehefin. Manteisiodd

Keith Best ar y ffordd i'r llys.

Plaid Cymru ar y cyfle i ddisodli'r Ceidwadwyr, ac etholwyd Ieuan Wyn Jones yn Aelod Seneddol cyntaf y Blaid ar yr ynys.

Ar 30 Medi carcharwyd Keith Best am 4 mis ar ôl ei gael yn euog o dwyll gan reithgor yn Llys y Goron Southwark, Llundain. Ef oedd y cyntaf i'w garcharu am geisio prynu cyfranddaliadau drwy dwyll. Disgrifiwyd ymddygiad Best fel '*an exercise in deceit*' gan yr erlyniad, ac wrth ei ddedfrydu dywedodd y barnwr ei fod yn euog '*of a calculated act of dishonesty*'. Hebryngwyd Best i garchar Brixton ond ar ôl 5 diwrnod, wedi apêl lwyddiannus i'r Uchel Lys, fe'i rhyddhawyd, ond cynyddwyd y ddirwy o £3,000 i £4,500. Erbyn hynny roedd gyrfa wleidyddol Best yn deilchion.

Cymru'n drydydd yng Nghwpan y Byd

Y *Rhosyn* a'r *Milwr*

Paul Thorburn

Torrodd dwy ffilm Gymraeg dir newydd pan gawsant eu dangos yn sinemâu masnachol canol Llundain ym misoedd Chwefror a Mawrth, y tro cyntaf i ffilmiau yn y Gymraeg gyrraedd y fath gynulleidfa.

Rhosyn a Rhith gan Stephen Bayly a Ruth Carter, a *Milwr Bychan* gan Karl Francis oedd y ddwy ffilm, a ryddhawyd ynghyd ag is-deitlau Saesneg dan y teitlau *Coming Up Roses* a *Boy Soldier*. Ar gyfer S4C y gwnaed y ddwy, ond fe'u dosbarthwyd hefyd trwy sinemâu cwmni Cannon i sawl rhan o Brydain.

Dwy ffilm bur wahanol i'w gilydd oedd y rhain, er eu bod ill dwy yn ddrych i broblemau a phryderon yr '80au. Yn y comedi *Rhosyn a Rhith* gwelwyd criw o bobl yn brwydro i achub hen sinema rhag cael ei chau i wneud lle i faes parcio, tra yn *Milwr Bychan* rhoddwyd sylw i benbleth dwys milwr o Gymro 19 oed wedi iddo gael ei roi mewn dalfa filwrol am saethu dyn tra ar batrôl yng Ngogledd Iwerddon. Cafodd *Milwr Bychan* ei dangos hefyd yn Ngwyliau Ffilmiau Llundain a Chaeredin yn 1986, ac yr oedd *Rhosyn a Rhith* i'w gweld yn Efrog Newydd, ac yng Ngwyliau Ffilmiau Llundain a Chicago.

Ym mlwyddyn gyntaf y gystadleuaeth, trechodd Cymru Awstralia i ddod yn drydydd o un ar bymtheg o wledydd yng Nghwpan Rygbi'r Byd a gynhaliwyd yn Awstralia a Seland Newydd rhwng 17 Mai a 20 Mehefin.

Gosodwyd y Cymry mewn grŵp gyda Chanada, Tonga ac Iwerddon ar gyfer y rownd gyntaf. Bu'n rhaid iddynt deithio mwy na mil o filltiroedd rhwng eu tair gêm gyntaf i wynebu Iwerddon ar 25 Mai, Tonga ar 29 Mai, a Chanada ar 3 Mehefin. Mewn dwy gêm anodd cafwyd buddugoliaethau clir dros y Gwyddelod a gwŷr Tonga, ond nid cyn yr ornest â Chanada y dechreuodd y Cymry ddisgleirio a dangos eu gwir ddoniau. Sgoriwyd wyth cais yn erbyn y Canadiaid, pedwar ohonynt gan Ieuan Evans a ymunodd â'r enwogion Willie Llewellyn, Reggie Gibbs a Maurice Richards fel un o'r pedwar Cymro hyd hynny i sgorio cymaint o geisiau dros ei wlad mewn un gêm. Sgoriwyd cais yr un gan Bleddyn Bowen, John Devereux, Adrian Hadley ac Alan Phillips, ac er bod Canada ar y blaen o 9 i 6 ar ddiwedd yr hanner cyntaf, eiddo'r Cymry oedd yr ail hanner. Rhoddwyd 34 o bwyntiau ar y sgorfwrdd cyn y chwiban olaf i sicrhau buddugoliaeth o 40 i 9 i Gymru.

Gêm eithaf digyffro oedd un rownd yr wyth olaf, a chwaraewyd mewn glaw trwm yn Brisbane yn erbyn Lloegr ar 8 Mehefin. Trechwyd y Saeson, a fu'n ffefrynnau gan rai i ennill y Cwpan, o 16 i 3, ond gwyddid yn dda mai pur wahanol fyddai'r gêm yn erbyn Seland Newydd yn y rownd gyn-derfynol ar yr un maes ar 14 Mehefin. 'Gallai'r Crysau Duon chwarae Cymru a Lloegr gyda'i gilydd ar yr un pryd a'u bwyta i frecwast,' meddai Bob Templeton, cyn-hyfforddwr tîm Awstralia, ac nid oedd yn bell o'r gwir. Collodd Cymru yn erbyn y Selandwyr o 49 i 6, eu colled drymaf hyd hynny. Wedi deng munud o'r gêm yr oedd y Crysau Duon ar y blaen o 12 i 0, ac erbyn y diwedd yr oeddynt wedi sgorio wyth cais, a'r ciciwr Grant Fox wedi trosi saith ohonynt. 'Mae gennym dipyn o waith i'w wneud eto,' meddai capten Seland Newydd, David Kirk, ar ddiwedd y gêm, 'Buom dipyn bach yn anniben; tipyn bach yn aneffeithlon.'

Daeth rhywfaint o gysur i Gymru yn y gêm ar gyfer y trydydd safle a chwaraewyd yn erbyn Awstralia ar 18 Mehefin, deuddydd cyn y rownd derfynol, wrth i fechgyn Cymru roi eu perfformiad mwyaf gwefreiddiol yn y gystadleuaeth. Cafwyd buddugoliaeth o drwch blewyn dros yr Awstraliaid o 22 i 21 mewn gêm a fu'n agos iawn drwyddi draw. Cic drwy'r pyst gan Paul Thorburn yn y bumed munud o amser ychwanegol a sicrhaodd y fuddugoliaeth i Gymru wedi i'r ddau dîm fod ar y blaen sawl gwaith.

Gwraig hynaf y byd yn marw

Ar 29 Rhagfyr yn Abertawe, bu farw Anna Williams, yn ôl pob tebyg y wraig hynaf yn y byd ar y pryd, yn 114 oed.

Pan aned hi yn swydd Gaerloyw, Gladstone oedd y Prif Weinidog a Victoria oedd y Frenhines. Symudodd i fyw i Abertawe yn ei harddegau a phriodi dyn lleol. Yr oedd pob un o'i brodyr a'i chwiorydd – saith ohonynt i gyd – wedi goroesi'r 90 oed, ac un chwaer wedi marw'n 101 oed. Nid oedd Mrs. Williams yn smygu nac yn yfed alcohol, ac eithrio dydd ei phen-blwydd, a byddai'n priodoli ei hirhoedledd i beidio â chymryd tabledi ac i fwyta prydau traddodiadol o gig a dau fath o lysiau.

Anna Williams

Marw darlledwr

Distawyd un o leisiau mwyaf poblogaidd y radio a'r teledu ym Mhrydain ar 3 Chwefror, pan fu farw'r awdur a'r darlledwr Wynford Vaughan-Thomas o Abertawe.

Yn 1937 yr oedd Wynford Vaughan-Thomas wedi ymuno â thîm darlledu allanol y BBC er mwyn bod yn agos at Charlotte Rowlands, y ferch a briododd yn 1946. Rhoi sylwebaeth heb sgript ar ddigwyddiadau wrth iddynt ddatblygu oedd gwaith y tîm, a daeth y Cymro'n feistr ar y grefft yn y Gymraeg a'r Saesneg. Ef a roddodd y sylwebaeth Gymraeg ar ddefod coroni Siôr VI, ac fel gohebydd rhyfel yn 1943 aeth mewn awyren fomio Lancaster, er gwaetha'r perygl mawr i'w einioes ei hun, ar gyrch fomio dros Berlin. Yr oedd yn Rhufain pan ryddhawyd y ddinas gan y Cynghreiriaid, ond mae'n debyg mai yn 1945 y clywyd ei ddarllediadau mwyaf cofiadwy, o swyddfa'r bradwr William Joyce (Lord Haw-Haw), ac o wersyll Belsen, lle y lladdwyd miloedd o Iddewon gan y Natsïaid.

Darlledodd o briodas y Dywysoges Elisabeth a Dug Caeredin, ac o ddathliad annibyniaeth yr India yn 1947, a digwyddiadau tebyg mewn sawl gwlad arall wrth i'r hen Ymerodraeth Brydeinig ddadfeilio. O 1967 ymlaen bu'n aelod o gwmni Teledu Harlech, cwmni teledu masnachol Cymru a gorllewin Lloegr, a daeth hefyd yn un o gyfarwyddwyr Opera Cenedlaethol Cymru a Chadeirydd Cyngor Diogelu'r Gymru Wledig.

Wynford Vaughan-Thomas yn ei hoff gynefin.

Ad-drefnu a gwynfydu

Ar 19 Mawrth, gwelwyd ad-drefnu sylweddol ar yr Eglwys Gatholig yng Nghymru pan grëwyd tair esgobaeth newydd o'r ddwy flaenorol. Bellach, yr oedd y wlad wedi'i rhannu rhwng Esgobaeth Mynyw, yn cynnwys Dyfed, Gorllewin Morgannwg a'r rhan fwyaf o Bowys, Esgobaeth Wrecsam, yn cynnwys Gwynedd, Clwyd a Maldwyn, ac Archesgobaeth Caerdydd yn cynnwys gweddill Cymru a rhannau o swydd Henffordd. Yr un diwrnod, yn Eglwys Sant Joseff, Abertawe, gorseddwyd Daniel Mullins yn Esgob Mynyw. Gwyddel oedd Mullins a ddysgodd Gymraeg ac a bwysodd yn ddyfal o blaid hawliau'r Gymraeg o fewn yr esgobaeth newydd.

Mewn seremoni yn Rhufain ar 22 Tachwedd, cafodd tri merthyr Catholig o Gymru eu gwynfydu gan y Pab Ioan Paul II – Humphrey Prichard, gwas tafarn a grogwyd yn 1589 am lochesu offeiriaid; Richard Flower o Ynys Môn a ddienyddiwyd yn 1588 am yr un drosedd; a William Davies o Groes-yn-Eirias, ger Bae Colwyn, a fu a rhan mewn sefydlu gwasg ddirgel yn Ogof Rhiwledyn i argraffu llyfrau Catholig anghyfreithlon. Yr oedd y tri ymhlith 85 o Brydeinwyr a dderbyniodd y teitl 'Bendigaid' gan y Pab, y cam olaf ar y ffordd at fod yn sant. Dyma hefyd oedd y tro cyntaf i'r iaith Gymraeg gael ei defnyddio'n swyddogol yn y Fatican.

Sioc ei fywyd

Tra'n gweithio ar fferm ei ewythr Ifan Davies, Morfa-du, Trefenter, ar 27 Awst cafodd Brinley Davies sioc ei fywyd pan welodd un o dair awyren ryfel yn plymio i'r ddaear nid nepell o'r fferm, cyn ffrwydro mewn pelen o dân. Rhuthrodd ef a rhai eraill a welodd y ddamwain at yr awyren ond roedd y peilot a'i lywiwr wedi'u lladd. Roedd un ohonynt wedi'i ddal yn ei sedd alldaflu gyda'i barasiwt wedi agor ond o ddim cymorth iddo pan geisiodd ddianc. Roedd darnau o'r awyren wedi'u gwasgaru ar hyd a lled y cwm gwledig yng Ngheredigion.

Awyrennau o Sgwadron 74 yn East Anglia oedd y tair Phantom 47. Roeddent wedi hedfan o'r Fali, sir Fôn, ar daith ymarfer yng nghanolbarth Cymru. Buont yn cwrsio'i gilydd ar gyflymdra uchel a chyn agosed i'r tir a oedd yn bosibl. Roedd ymarferiadau felly wedi codi dychryn ymhlith bobl cefn gwlad canolbarth Cymru a ofnai y gallai'r awyrennau ddisgyn ar bentref neu ysgol. Deufis ynghynt lladdwyd peilot pan blymiodd ei awyren Jaguar i'r tir ger Llanfair-ym-Muallt, ac ym mis Gorffennaf cyhoeddodd y Llywodraeth i 18 aelod o'r awyrlu golli eu bywydau mewn damweiniau tebyg er 1979. Yn yr un cyfnod roedd 37 Jaguar, 12 Tornado ac 11 Phantom wedi'u colli ar gost o £430 miliwn. Cyfaddefwyd hefyd bod yr awyrennau'n hedfan mor isel â 100 troedfedd ac nid 250 troedfedd, sef y ffigwr a gyhoeddwyd ynghynt. Oherwydd pryder cynyddol trigolion cefn gwlad y Canolbarth ac anniddigrwydd ffermwyr, a gredai fod yr ymarferiadau hedfan isel yn cael effaith andwyol ar ei hanifeiliaid, trefnodd Aelod Seneddol Ceredigion a Gogledd Penfro, Geraint Howells, ddirprwyaith amlbleidiol i'r Weinyddiaeth Amddiffyn er mwyn ceisio atal yr hedfan isel, ond gwrthodwyd pob ymgais i leddfu'r perygl, a pharhaodd yr ymarferiadau hedfan isel yng nghefn gwlad Cymru am weddill y ganrif.

Llwyddiant golffiwr

Blwyddyn hynod lwyddiannus oedd hon i Ian Woosnam o Lanymynech, un o'r golffwyr gorau a welodd Cymru erioed.

Yn Hawaii, enillodd tîm Cymru, sef Ian Woosnam a David Llywelyn, Gwpan Golff y Byd. Woosnam oedd enillydd unigol Cwpan y Byd gan guro Sandy Lyle a Sam Torrance o'r Alban yn y rownd derfynol.

Cyfarfu'r Cymro â Sandy Lyle unwaith yn rhagor yn rownd derfynol Pencampwriaeth Match-Play'r Byd yn ddiweddarach yn y flwyddyn, ac fel yn Hawaii, Woosnam a orfu. Bu hefyd yn aelod o dîm Ewrop a enillodd Gwpan Ryder yn erbyn yr Unol Daleithiau yn Ohio, y pedwerydd o 13 o droeon y chwaraeodd yn nhîm Cwpan Ryder Ewrop rhwng 1983 a 1997. Yn ogystal â'r cystadlaethau mawr hyn, bu'n fuddugol mewn nifer o rai llai nodedig yn ystod y flwyddyn hefyd, gan gynnwys Pencampwriaethau Agored Jersey, Madrid a Hong Kong, ac ef oedd y golffiwr cyntaf i ennill mwy na miliwn o bunnoedd wrth olffio mewn un flwyddyn, gan gasglu £1,062,662 mewn gwobrau am ei chwarae.

Ac yntau yn ŵr byr a llydan o gorff – dim ond 5 troedfedd 4 modfedd o daldra – gallai daro'r bêl yn rymus ac yn gywir i gyrraedd y nod. Trodd yn broffesiynol yn

Ian Woosnam, ei fab a'r gwpan.

18 oed yn 1976. Yn 1981 Woosnam oedd rhif 104 yn nhabl golffwyr Ewrop, ond erbyn diwedd y flwyddyn ddilynol yr oedd wedi ymddyrchafu i fod yn 8fed, ac arhosodd yn y deg uchaf trwy weddill yr '80au a'r tu hwnt.

Bu'n Bencampwr Match-Play am yr eildro yn 1990. Yn 1991 cyrhaeddodd frig y tabl fel golffiwr Rhif 1 y byd, a chadarnhaodd y safle hwnnw pan gipiodd Bencampwriaeth Meistri'r Unol Daleithiau yn yr un flwyddyn. Ef hefyd oedd pencampwr unigol Cwpan y Byd yn 1991, er i dîm Cymru ddod yn ail i Sweden y tro hwn. Yn 1994 bu'n fuddugol yng nghystadleuaeth Meistri Prydain am y tro cyntaf.

Trannoeth y pôl

Er na leihaodd cefnogaeth i'r Blaid Geidwadol yng Nghymru ond ychydig o'i gymharu ag 1983, gwelodd Torïaid y wlad bump o'u seddi'n llithro o'u gafael yn yr Etholiad Cyffredinol a gynhaliwyd ar 11 Mehefin.

O'r seddi a gollwyd, aeth pedair i'r Blaid Lafur – Pen-y-Bont ar Ogwr, Gorllewin Caerdydd, De-Orllewin Clwyd a Gorllewin Casnewydd – a bu plaid Neil Kinnock yn dathlu wedi ennill cyfanswm o 24 o seddi i gyd yng Nghymu, a chynyddodd ei chyfran o'r bleidlais o 37.5% i 45.1%. Plaid Cymru a gipiodd Ynys Môn oddi ar y Ceidwadwyr, ond sylwyd hefyd fod cyfran y Blaid o bleidleisiau'r Cymry wedi disgyn er 1970 o 11.5% i 7.3%.

Daliodd Cynghrair y Rhyddfrydwyr eu gafael ar y seddi Rhyddfrydol traddodiadol, Ceredigion a Gogledd Penfro, a Sir Drefaldwyn, a llwyddo hefyd i ddal Brycheiniog a Maesyfed ar ôl ennill y sedd mewn is-etholiad yn 1985.

Yn 1986 yr oedd Nicholas Edwards, Ysgrifennydd Gwladol Cymru er 1979, ac Aelod Seneddol Penfro er 1970, wedi datgan na fyddai'n sefyll yn yr Etholiad Cyffredinol. Cymerwyd ei le yn y Swyddfa Gymreig gan Peter Walker, dyn heb yr un cysylltiad amlwg â Chymru.

SUPERTED!

Mewn seremoni yn Llundain ar 22 Mawrth, y gyfres gartŵn Superted, gan gwmni Siriol o Gaerdydd a enillodd wobr BAFTA am y gwaith animeiddio gorau.

Ymddangosodd Superted ar sgriniau'r wlad am y tro cyntaf ar noson gyntaf darlledu S4C ar 1 Tachwedd 1982, ac ym mis Mai 1983 lawnsiodd y sianel gyfres o ddeuddeg cartŵn wyth munud yn croniclo helyntion Superted a Smotyn yn mynd ar ôl criw o ddihirod, Dai Tecsas, Sgerbwd a Clob. Bu dwsin o animeiddwyr yn gweithio ar y gyfres, a byddai pob ffilm yn cymryd tuag ugain wythnos i'w gorffen.

Syniad Mike Young oedd yr arth bach hedegog yn wreiddiol, a David Edwards oedd y prif animeiddiwr.

Bu'r rhaglenni yr un mor boblogaidd yn Lloegr ag yng Nghymru, a gwerthwyd yr anturiaethau i ddeugain o wledydd. Yn 1984 prynwyd rhai o'r rhaglenni gan sianel cêbl Disney.

[LLIW 52]

1988

Llosgi yn Lloegr

Ymateb un i'r broblem dai haf.

Estynnwyd ymgyrch llosgi'r garfan annelwig Meibion Glyndŵr y tu hwnt i Glawdd Offa am y tro cyntaf ar 27 Chwefror pan ymosodwyd ar swyddfeydd pedwar o asiantiaid tai yng Nghaer. Fel rhan o'u hymgyrch yn erbyn mewnfudwyr i ardaloedd Cymraeg, yr oedd y bomwyr wedi penderfynu targedu'r cwmnïau yn Lloegr a werthai dai yng Nghymru i bobl o'r tu allan i'r wlad.

Gwelwyd ymosodiadau tebyg mewn nifer o drefi eraill y ffin ym mis Mai, ac ar 1 Hydref pan ffrwydrodd dau fom mewn dwy swyddfa yn Telford, ac un arall yn Neston ger Lerpwl. Llwyddwyd i ddifa'n ddiogel fomiau tân eraill yn Chipping Campden yn swydd Gaerloyw, Bryste a Chaerwrangon. Ar 2 Hydref canfuwyd dyfais arall a'i difa'n ddiogel wedi iddi gael ei gadael y tu allan i gymdeithas adeiladu yng Nghaerwrangon, ac ar yr un diwrnod daeth cynrychiolwyr heddlu chwe rhanbarth ynghyd yn Telford i drafod sut i ddal y bomwyr.

Er gwaethaf holl ymdrechion yr awdurdodau, yr oedd y llosgwyr yn dal â'u traed yn rhydd ar 26 Tachwedd pan ymosodwyd ar chwe swyddfa yng nghanol Llundain. Methodd un ddyfais â ffrwydro, ac ni wnaethpwyd ond mân niwed i bedwar o'r targedi, ond llosgwyd adeilad pedwar-llawr cwmni Strutt & Parker ym Mayfair yn ulw wedi i un o'r bomiau cyntefig gael ei wthio trwy'r twll llythyron.

Gyda'r datblygiad newydd hwn yn ymgyrch Meibion Glyndŵr, daeth Heddlu Llundain i'r casgliad y byddai'n rhaid defnyddio'r un dulliau i ddal y troseddwyr ac a ddefnyddid yn achos yr IRA a'r PLO.

Y ffotograff cyntaf

Rhwng 9.30 a 10.00 y bore ar 9 Mawrth 1841 tynnwyd y ffotograff cyntaf erioed yng Nghymru gan y ffotograffydd arloesol o Abertawe, Calvert Jones. Ffotograff ydoedd o Gastell Margam, ac am flynyddoedd maith wedi hynny bu yn nwylo preifat heb neb yn ymwybodol o'i bwysigrwydd.

Yna, yn 1987, aeth y ffotograff ar werth mewn ocsiwn yn Sotheby's yn Llundain ac fe'i prynwyd gan amgueddfa yn yr Unol Daleithiau. O ganlyniad i apêl gan Lyfrgell Genedlaethol Cymru serch hynny, llwyddwyd i atal y trwydded allforio ar gyfer y ffotograff, gan y dadleuwyd ei fod yn drysor o bwys cenedlaethol. Roedd yn rhaid i'r Llyfrgell godi £20,000 i gadw'r ffotograff yng Nghymru, ond llwyddwyd i gyrraedd y nod ac arddangoswyd y 'daguerrotype' unigryw yn y Llyfrgell am y tro cyntaf ym mis Awst.

Castell Margam ar 9fed Mawrth 1841.

Marw dramodydd

dde: John Gwilym Jones

Ym mis Hydref bu farw'r dramodydd John Gwilym Jones. Darlithydd yng Ngholeg y Brifysgol, Bangor, ydoedd hyd ei ymddeoliad yn 1971, a bu'n byw yn y Groeslon ger Caernarfon am y rhan fwyaf o'i oes. Dylanwadodd yn fawr ar lu o actorion ifainc, nid yn unig fel darlithydd, ond hefyd drwy gynhyrchu dramâu yn y coleg ac yn lleol.

Roedd yn awdur nifer o ddramâu, gydag *Ac Eto Nid Myfi* yn cael ei chydnabod yn gampwaith yn y theatr Gymraeg fodern. Ym marn llawer, ef a Saunders Lewis oedd y ddau brif ddramodydd Cymraeg y ganrif.

Cwymp Casnewydd

Wedi dod yn olaf yn y Drydedd Adran a'r Bedwaredd Adran mewn dau dymor dilynol, bu'n rhaid i glwb pêl-droed Newport County ddisgyn allan o Gynghrair Lloegr ar ôl bod yn aelod er 1920.

Ar 7 Mai chwaraeodd Casnewydd eu gêm olaf yn y Gynghrair gartref yn erbyn Rochdale o flaen tyrfa o 2,560. Fel arwydd o ddifrifoldeb pethau, ar ddiwedd y tymor Robbie Taylor oedd prif sgoriwr y clwb – gyda chyfanswm o bedair gôl yn unig. Ym mis Mai 1980, yr oedd y clwb wedi cipio Cwpan Cymru ac wedi trechu Walsall yn y Gynghrair i sicrhau codi o'r Bedwaredd Adran i'r Drydedd, cyn mynd ymlaen i gyrraedd trydedd rownd Cwpan Enillwyr Cwpanau Ewrop. Chwaraewyd saith tymor yn y Drydedd Adran, ac ar un adeg, wedi i Gaerdydd ac Abertawe ddisgyn i'r Bedwaredd, Casnewydd oedd y clwb pêl-droed

Cymreig â'r safle uchaf yn y Gynghrair, ond erbyn y flwyddyn hon yr oedd dyddiau gogoneddus o'r fath wedi hen ddarfod a Chasnewydd yn gorwedd yn druenus ar waelod y tabl.

Dechreuodd Casnewydd ar un tymor yn y GM Vauxhall Conference ond cyn i'r clwb orffen ei raglen o gemau cafodd ei gau'n ffurfiol ar 2 Mawrth 1989 yn wyneb mynydd o ddyledion na ellid eu talu, ac wyth diwrnod wedyn caewyd stadiwm Parc Somerton a chloi ei ddrysau. Ym mis Mehefin yr un flwyddyn ailsefydlwyd y clwb fel Newport A.F.C., gan ollwng y gair 'County' o'r enw, ond gan na ellid cael maes yng Nghymru i chwarae arno, bu'n rhaid symud i Moreton-in-Marsh, dros y ffin yn Lloegr a 75 milltir o Gasnewydd, cyn symud yn ôl yn y diwedd i hen stadiwm Newport County, Parc Somerton, yn 1990.

Y Beibl Newydd

Ar ddydd Gŵyl Ddewi, cyhoeddwyd y Beibl Cymraeg Newydd, pedwar can mlynedd wedi cyhoeddi'r Beibl Cymraeg cyntaf o gyfieithiad yr Esgob William Morgan, a saith mlynedd ar hugain wedi dechrau'r gwaith gan gyd-bwyllgor o ysgolheigion ieithyddol, crefyddol a llenyddol ynghyd â chynrychiolwyr o bob un o brif eglwysi Cymru.

Seiliwyd y Beibl Cymraeg Newydd ar y testunau Hebraeg, Groeg ac Aramaeg mwyaf dilys y gwyddid amdanynt, a'r gobaith oedd y byddai'n fwy darllenadwy ac yn haws ei ddefnyddio na fersiwn 1588. Yn eu Rhagair i'r gwaith gorffenedig, dywedodd y cyfieithwyr eu bod yn 'deisyf iddo fod yn gyfrwng o genhadaeth Duw yn y Gymru gyfoes'. Nid disodli Beibl William Morgan oedd bwriad llunwyr y fersiwn newydd – 'Erys y Beibl Cymraeg y dathlwn ei bedwarcanmlwyddiant eleni yn brif dysor crefyddol, diwylliannol a llenyddol ein cenedl,' meddai'r Rhagair.

I dathlu pedwar canfed pen-blwydd yr hen Feibl a diwrnod cyntaf yr un newydd, cyhoeddodd Swyddfa'r Post set o bedwar stamp dwyieithog yn dangos y dynion a gymerodd rannau amlwg yng nghyfieithu'r Beibl i'r Gymraeg am y tro cyntaf – William Morgan, prif gyfieithydd yn 1588, William Salesbury, cyfieithydd Testament Newydd 1567, Richard Davies, cyd-gyfieithydd Salesbury, a Richard Parry, golygydd fersiwn diwygiedig o Feibl William Morgan yn 1620. Hon oedd y set gyntaf o stampiau arbennig i gael i neilltuo'n gyfan gwbl i thema Gymreig.

Y genhedlaeth a gollodd y Gymraeg?

Yr oedd y genhedlaeth bresennol mewn perygl o gael ei gweld yn y dyfodol fel yr un a gollodd y Gymraeg os na allai roi'r gorau i ymgecru a dechrau trafod yn synhwyrol. Dyna'r posibilrwydd a roddodd John Elfed Jones, Cadeirydd Bwrdd yr Iaith Gymraeg, gerbron ei gynulleidfa mewn cyfarfod ar faes Eisteddfod Genedlaethol Casnewydd ar 4 Awst. Yr oedd aelodau'r Bwrdd newydd wedi cwrdd am y tro cyntaf yr un diwrnod, gan fynd ati'n syth i geisio codi pontydd rhwng y llywodraeth a selogion Cymdeithas yr Iaith Gymraeg. Yr oedd y Bwrdd am fynd ati'n ddi-ymdroi i drafod gyda'r Gymdeithas, meddai John Elfed Jones, am fod gan y ddau gorff yr un amcanion yn y bôn. Yr oedd Ysgrifennydd Gwladol Cymru, Peter Walker, a benododd aelodau'r Bwrdd, wedi gwrthod siarad â'r Gymdeithas nes ei bod yn rhoi heibio ei gweithredoedd anghyfreithlon, ond dywedodd John Elfed fod gan y Bwrdd, fel corff annibynnol, fwy o ryddid i drafod gyda'r rhai a dorrai'r gyfraith nag a oedd gan y llywodraeth. Cadarnhaodd hefyd fod yr Ysgrifennydd Gwladol yn barod i gyflwyno deddf iaith newydd os oedd angen un.

Davies yn syrffedu ar Kinnock

'I am fed up with being humiliated by Mr. Kinnock.' Gyda'r geiriau hynny ymddiswyddodd Aelod Seneddol Llanelli, Denzil Davies, fel Llefarydd yr Wrthblaid ar Amddiffyn yn oriau mân y bore ar 14 Mehefin wedi pum mlynedd yn y swydd. Aeth ymlaen i ymosod yn ddidrugaredd ar arweinydd ei blaid a'i gyd-Gymro am geisio newid polisïau Llafur ar amddiffyn heb ymgynghori ag aelodau'r blaid, gan gynnwys y Llefarydd Amddiffyn ei hun.

Hon oedd yr ergyd waethaf i'r Aelod Seneddol dros Islwyn er pan ddaeth yn arweinydd ei blaid yn 1983, ac yn gryn syndod hefyd am iddi ddod am 1 o'r gloch y bore heb unrhyw fath o rybudd. 'Efallai yr ysgrifennaf at Mr. Kinnock yn y bore,' meddai Denzil Davies wrth newyddiadurwyr.

Deilliodd yr anghydfod rhwng y ddau o gyfweliad teledu naw diwrnod ynghynt pan gefnodd Kinnock yn sydyn ar bolisi traddodiadol Llafur o ddiarfogi niwclear unochrog tra oedd pwyllgor o fewn y blaid yn dal i drafod beth yn union ddylai'r polisi newydd fod. Yn ôl Davies, nid oedd dim diben iddo fod yn Llefarydd Amddiffyn am fod Kinnock yn gweithredu fel ei lefarydd ei hun ar y

Denzil Davies.

pwnc. Yn waeth fyth i Kinnock, awgrymodd Davies nad oedd yr arweinydd Llafur yn addas i fod yn Brif Weinidog am ei fod yn 'dweud pob math o bethau ym mhob man, un peth heddiw a rhywbeth arall trannoeth.'

Crwban Harlech

Ar 23 Medi ar draeth Harlech, cafwyd hyd i'r crwban môr lledrgefn mwyaf a welwyd erioed yn y byd.

Symudwyd ef yn ddiweddarach i Gaerdydd i Amgueddfa Genedlaethol Cymru. Gwryw mewn oed oedd yr anifail yn pwyso 2,106 pwys (916 cilogram), yn 113.5 modfedd (2.91 metr) o'r naill ben i'r llall ac yn 108 modfedd (2.77 metr) ar draws ei esgyll. Wedi ei bwyso a'i fesur cafodd ei gydnabod gan y *Guinness Book of Records* fel y crwban môr mwyaf a'r trymaf a gofnodwyd erioed.

Darparodd corff crwban môr Harlech gyfle gwych i astudio ffisioleg crwbanod môr, a bu tîm o wyddonwyr o Brifysgol Cymru, Bangor, wrthi'n cymryd samplau i'w dandansoddi, gan gyhoeddi canlyniadau eu hymchwil. Ymhlith y pethau a gafwyd yng ngholuddion y corff a achosodd bryder i'r gwyddonwyr, yr oedd darnau o blastig, tystiolaeth o'r llygredd yn y môr.

Arddangoswyd sgerbwd y crwban môr yn yr Amgueddfa Genedlaethol, a hefyd y croen ar ffrâm o wydr ffibrog. Bu'n rhaid defnyddio tanerdy Amgueddfa Werin Sain Ffagan i drin y croen rhag pydru.

'Ar wastad ei hwyneb'

Er i dîm rygbi Cymru ennill y Goron Driphlyg am y tro cyntaf ers naw mlynedd, yr oedd yn eglur o hyd nad oedd chwarae'r tîm cenedlaethol o'r un safon â Chrysau Duon Seland Newydd, a hynny'n rhannol oherwydd gwahanaieth agwedd at y gêm.

Ar ôl trechu Lloegr, yr Alban ac Iwerddon ym Mhencampwriaeth y Pum Gwlad, Cymru a Ffrainc a oedd ar frig y tabl, yn gyfartal â'i gilydd gyda chwe phwynt yr un a chyfanswm sgorio o 57 o bwyntiau'r un o'u pedair gêm. Ond pur wahanol oedd yr hanes wrth i fuddugwyr y Goron Driphlyg deithio trwy Seland Newydd ym misoedd Mai a Mehefin. Oddi ar pan gollwyd i glwb Waikato o 28 i 19 ar 18 Mai yr oedd yn amlwg fod rhywbeth o'i le ar rygbi Cymru. 'Cwympodd y Cymru ar wastad ei hwyneb,' meddai Duncan Dysart, hyfforddwr Waikato yn ddiweddarach. Yn y ddwy gêm brawf yn erbyn tîm cenedlaethol Seland Newydd ar 28 Mai yn Christchurch ac ar 11 Mehefin yn Auckland, gwelwyd buddugoliaethau llethol i'r Crysau Duon o 52 i 3 a 54 i 9, canlyniadau gwaethaf Cymru erioed hyd hynny.

Ysgogodd canlyniadau'r daith drafodaeth frwd am ddyfodol y gêm genedlaethol yng Nghymru, ac am rinweddau amaturiaeth a phroffesiynoldeb. Sylwodd Jonathan Davies, capten Cymru ar y rhan olaf o'r daith, fel yr oedd y gêm yn Seland Newydd yn llawer mwy proffesiynol, a chwaraewyr yn cael eu rhyddhau gan eu cyflogwyr i ymarfer hyd at ddwy awr y dydd, a hefyd am fisoedd o gwmpas gemau pwysig. Yr oedd angen ystyried hyfforddi, nawdd, hysbysebu ac amser rhydd i chwaraewyr os oeddynt am gystadlu â goreuon y byd, meddai Davies, ac yr oedd yn glir fod symudiadau ar droed i droi rygbi yng Nghymru yn gêm broffesiynol.

Carcharu ar gam

Pan gafwyd hyd i gorff marw gwaedlyd Lynette White mewn fflat yn Butetown, Caerdydd, ar 14 Chwefror, rhoddwyd dechrau ar helynt a barhâi am flynyddoedd wedyn. Arweiniodd ei marwolaeth at y prawf llofruddiaeth hwyaf erioed ym Mhrydain – 197 diwrnod – ac at garcharu ar gam dri dyn di-euog.

Yr oedd White, 21 oed, wedi'i darganfod gan ei chyfaill a'i chyd-butain Leanne Vilday, y diwrnod wedi iddi gael ei lladd, drwy gael ei thrywanu mwy na hanner cant o weithiau yn rhan uchaf ei chorff.

Holodd yr heddlu nifer mawr o bobl, gan gynnwys teulu White yn Rhymni a phut-einiaid dociau Caerdydd a'u cwsmeriaid, ond heb ddod dim nes at ddal y llofrudd. Bwriwyd amheuaeth ar y dechrau ar Peggy Farrugia, mam Francine Cordle, merch yr oedd White yn aros i roi tystiolaeth yn ei herbyn yn Llys y Goron, Caerdydd, am ymosodiad ar y butain 25 oed Tina Garton yn ardal dociau Caerdydd. Pan glywyd am ei marwolaeth bu'n rhaid gohirio prawf a oedd ar ei hanner ond dywedodd yr erlynydd, Stephen Hopkins, nad oedd dim tystiolaeth bod marwolaeth White yn gysylltiedig â phrawf Cordle.

Er bod llygad-dystion yn dweud iddynt weld dyn croenwyn mewn dillad gwaedlyd y tu allan i'r fflat lle bu farw White, restiwyd pum dyn croenddu a'u cyhuddo o lofruddiaeth – Anthony Paris, John Actie, Ron Actie, Yusef Abdullahi, a Stephen Miller, cariad White a'i *pimp*. O fis Hydref 1989 ymlaen clywyd – am 82 o ddyddiau – dystiolaeth yn erbyn y pump mewn prawf yn Llys y Goron, Abertawe, ond daeth y prawf i ben yn sydyn iawn pan fu farw'r barnwr Mr. Ustus MacNeill o drawiad ar ei galon ar 26 Chwefror 1990. Dechreuodd ail brawf ym mis Mai 1990 a pharhaodd hwnnw am 115 diwrnod. Dwy butain arall, Leanne Vilday ac Angela Psaila, oedd y prif dystion yn erbyn y pum dyn, a'r honiad oedd fod y ddwy wedi'u gorfodi i gymryd rhan yn y lladd i sicrhau y cadwent yn dawel amdano. Yr oedd datganiadau'r ddwy wrth yr heddlu'n gwrthddweud ei gilydd, a chyfaddefasant wedyn mai cel-wyddau oedd y cyfan. Nid oedd tystiolaeth fforenisg yn erbyn yr un o'r pump, er bod staeniau gwaed ar ddillad White, a gwaed ac olion bysedd mewn sawl man yn yr ystafell y lladdwyd hi ynddi. Yr oedd hefyd gyffesiad llawn, os aneglur, gan Stephen Miller iddo ef ag eraill ladd White.

Ym mis Tachwedd 1990, cafwyd tri dyn – Yusef Abdullahi, Tony Parris a Stephen Miller – yn euog o lofruddio Lynette White a'u dedfrydu i garchar am oes gan Mr. Ustus Leonard. Cafwyd dau ddyn arall, y cefndryd John Actie a Ronnie Actie, yn ddieuog. Daeth eu hachos yn destun sylw mawr gan y papurau newydd, a daeth nifer o newydd-iadurwyr dylanwadol i gredu bod y tri yn ddieuog. Yn ystod 1991 mabwysiadwyd achos y tri gan y grŵp hawliau sifil, *Liberty*, ac ymunodd Gerry Conlan, un o 'Bedwar Guildford' a garcharwyd ar gam, â'r frwydr.

Ar 10 Rhagfyr 1992 rhyddhawyd 'Tri Caerdydd', fel y daethant i gael eu hadnabod, wedi i dri barnwr yn y Llys Apêl yn Llundain benderfynu eu bod yn ddieuog. Dywedodd yr Arglwydd Taylor ei fod ef a'r ddau farnwr arall wedi'u brawychu gan yr hyn a glywsant am ymddygiad yr heddlu yn yr achos, a chytunodd na ddylid fod wedi defnyddio cyffesiad Miller yn y prawf gwreiddiol. Clywodd y Llys Apêl fod Stephen Miller wedi gwadu lladd Lynette White wrth yr heddlu fwy na thri chant o weithiau. Dywedodd yr Arglwydd Taylor fod yr heddlu wedi cael cyffesiad gan Miller trwy ormes, gan ofyn yr un cwestiynau iddo dro ar ôl tro nes yn y diwedd cael yr ateb yr oeddynt am ei gael.

Golwg Gymraeg ar y byd

Ar 8 Medi aeth y rhifyn cyntaf ar werth o'r cylchgrawn materion cyfoes wythnosol, *Golwg*, yn dilyn rhifyn arbennig a ddosbarth-wyd am ddim yn Eisteddfod Genedlaethol Casnewydd.

Er mai cylchgrawn Cymraeg oedd hwn, yn cael ei gyhoeddi yn Llanbedr Pont Steffan, Ceredigion, yr oedd y cyhoeddwyr yn awyddus iawn i bwysleisio o'r dechrau y câi Cymru gyfan ei sylw, gan gynnwys pob rhan o'r Gymru ddi-Gymraeg. Y bwriad hefyd oedd rhoi golwg ar faterion y byd i gyd o safbwynt Cymreig lle oedd hynny'n addas. Yn fuan iawn daeth yn un o gyhoedd-iadau mwyaf poblogaidd y Gymraeg gan ddenu nifer mwy o ddarllenwyr na rhai cyfnodolion Cymraeg mwy sefydlog.

'Creisis Mr Picton!'

dde: Criw *C'mon Midffild*.

Ym mis Tachwedd darlledwyd y rhaglen gyntaf yn un o gyfresi comedi mwyaf poblogaidd S4C, *C'mon Midffild*. Hynt a helynt clwb pêl-droed pentref dychmygol Bryn-coch oedd cefndir y gyfres, ond y cymeriadau digrif Arthur Picton, y rheolwr, Sandra ei ferch, George Huws, y rafin a briododd Sandra yn erbyn ewyllys ei thad, ac yn anad neb, Wali Thomas, y llumanwr hanner pan, a fu'n bennaf gyfrifol am ei llwyddiant ysgubol.

Roedd *C'mon Midffild* wedi dechrau fel cyfres radio, ond fe'i haddaswyd gan Mei Jones ar gyfer y teledu, ac ef chwaraeodd

ran Wali. Daeth rhai ymadroddion a dywed-iadau'r gyfres, fel 'creisis Mr Picton', 'beth wyt ti'n insinyretio', 'Harri paid â chwarae efo hwnna', 'trafod tic-tacs', 'camsefyllian', 'asiffeta' a 'twmffat' yn gipeiriau poblogaidd o ganlyniad i'r gyfres.

1989

Brwydr y Baritoniaid

Ar 17 Mehefin, y canwr bariton Bryn Terfel o Bant-glas, sir Gaernarfon, a enillodd Wobr Lieder cystad-leuaeth Canwr y Byd Caerdydd. Hwn oedd y tro cyntaf i'r wobr gael ei chyflwyno, a hynny o flaen cynulleidfa deledu o filoedd. Yr oedd rhai o'i gefnogwyr yn siom-edig nad enillodd Terfel brif wobr y gystadleuaeth – aeth honno i'r bariton arall, Dmitri Hvorostovsky o'r Undeb Sofietaidd, wedi noson wefreiddiol o ganu a alwyd gan rai yn 'Frwydr y Baritoniaid'.

Yr oedd Terfel wedi adeiladu ei yrfa fel canwr mewn eisteddfodau lleol yn bennaf, cyn mynd yn fyfyriwr i Ysgol Gerdd y Guildhall, Llundain. Yn 1988, ef oedd y Cymro cyntaf ers un mlynedd ar bymtheg i ennill Ysgloriaeth Kathleen Ferrier i gantorion dan 25 oed, ac yn 1989 enillodd Fedal Aur Ysgol y Guildhall am ei ganu. Yn 1992 dewiswyd ef gan ddarllenwyr cylchgrawn *Gramophone* yn Ganwr

Bryn Terfel gyda'r tlws.

Ifanc y Flwyddyn, a'r flwyddyn ddilynol, yn seremoni'r Gwobrau Cerddoriaeth Glasurol Rhyng-waldol yn Birmingham, ef a ddyfarnwyd yn 'Newydd-ddyfodiad y Flwyddyn'.

Rhoddodd ei berfformiad proffesiynol cyntaf yn 1991 yn yr opera *Cosi Fan Tutte* gydag Opera Cenedlaethol Cymru, ond mae'n debyg mai am ei ran fel Figaro yn *Priodas Figaro* Mozart y daeth yn fwyaf nodedig. Bu'n perfformio'r rhan honno yn rhai o dai opera enwocaf y byd, gan gynnwys Vienna, Milan, Lisbon, Efrog Newydd a Covent Garden. Yn 1994 ef a ddewisiwyd fel yr unawdydd ar gyfer Noson Olaf y Proms, gan ddod ar y llwyfan mewn crys rygbi coch a chicio pêl rygbi i'r gynulleidfa. Yn ogystal â pherfformio'n fyw, recordiodd nifer mawr o ganeuon, gan gynnwys darnau corawl ac operatig, alawon Cymraeg a chaneuon sioeau cerdd Rogers a Hammerstein.

Ym mis Hydref 1995, sefydlwyd Clwb y Terfeliaid gan dair gwraig o Lanberis, a denwyd 800 o gefnogwyr selocaf y canwr i ymuno yn y naw mis cyntaf, gan gynnwys rhai o Tsieina, America, y Swistir, yr Almaen a'r Eidal. Cafwyd prawf pellach o'i boblogrwydd yng Nghymru pan aeth tocynnau ar werth ar 2 Mawrth 1996 ar gyfer ei gyngerdd ym Mhafiliwn Eisteddfod Genedlaethol Bro Dinefwr, Llandeilo ym mis Awst. Dechreuodd pobl ymgasglu wrth ddrysau swyddfa'r Eisteddfod am 6 o'r gloch y bore, ac ymhen pedwar diwrnod yr oedd y tocynnau i gyd – 3,500 ohonynt – wedi'u gwerthu. *[LLIW 46]*

Llais newydd ar y Sul

Ar 5 Mawrth, lawnsiwyd *Wales on Sunday*, y papur Sul Saesneg cyntaf i'w gynhyrchu yng Nghymru ar gyfer Cymru er pan ddaeth yr *Empire News* i ben yn 1957.

Y *Western Mail* a oedd y tu ôl i'r fentr, a golygydd y papur hwnnw, John Humphries, a fu wrth y llyw wrth lansio'r papur teir-ran newydd, yn cynnwys cylchgrawn sgleiniog, tabloid chwaraeon a phapur newydd trwm. Dywedodd y cyhoeddwyr eu bod yn gweld Cymru'n rhy ddibynnol ar bapurau newydd Llundain, a'u bod yn canfod lle yn y farchnad ar gyfer papur Sul mwy Cymreig ei naws. Dwy brif stori a lenwai dudalennau rhifyn cyntaf y papur – damwain reilffordd yn lladd naw o bobl yn Surrey, a gwraig un o'r is-olygyddion yn esgor ar efeilliaid trwy genhedlu artiffisial. Siomedig oedd gwerthiant y papur ar y dechrau, ac ar 16 Mehefin 1991 cafodd ei ail-lawnsio ar fformat tabloid, wedi'i anelu at y farchnad boblogaidd. Ceisiwyd hefyd sefydlu enw'r papur ym maes ymgyrchu, fel pan bwyswyd yn 1992 ar holl gynghorau Cymru i osod larymau mwg mewn tai cyngor. Yr oedd chwilio i gefndir sgandalau hefyd yn nod.

Llofruddiaeth dychrynllyd

Ar fore olaf eu gwyliau yn sir Benfro, aeth pâr canol oed o swydd Rydychen, Peter a Gwenda Dixon, am dro ar lwybr glan y môr rhwng yr Aber Bach a Thalbenni. Ddyddiau yn ddiweddarach, a hwythau heb gyrraedd yn ôl, cysylltodd eu mab â'r heddlu, ac ar 5 Gorffennaf, chwe diwrnod ar ôl eu diflaniad, darganfuwyd eu cyrff. Roeddent wedi'u saethu bump gwaith, a rholiodd y llofrudd eu cyrff i ymyl clogwyn uwchlaw'r môr a'u cuddio â dail a mieri.

Credwyd mai lladrata oedd cymelliad y llofrudd gan fod waled Peter Dixon wedi'i dwyn, a thynnwyd dros £300 o'i gyfrif o beiriant twll-yn-y-wal ar ôl y llofruddiaeth. Bu'r heddlu'n chwilio am ddyn barfog, gwyllt yr olwg, a welwyd yn y cyffiniau ond heb lwyddiant. Credai rhai fod cysylltiad â'r IRA, gan fod arfau a fewnforiwyd o Iwerddon wedi eu darganfod yn yr ardal, a rhai terfysgwyr wedi eu harestio yno wedi hynny, ond ar ddiwedd y ganrif roedd achos llofruddiaeth Peter a Gwenda Dixon yn para'n ddirgelwch.

Llygru'r awyr

Mewn cyfarfod o'r pwyllgor dethol ar faterion Cymreig yn Nhŷ'r Cyffredin ym mis Rhagfyr, cyhuddodd Aelodau Seneddol y cwmni Rechem o gamliwio'i ffigyrau monitro llygredd yn ei ffatri ar stad ddiwydiannol Pontyfelin ym Mhant-teg ger Pont-y-pŵl. Bu enw Rechem yn y newyddion yn gyson drwy gydol y flwyddyn, gyda nifer o drigolion lleol yn ceisio cau'r ffatri am ei bod, yn eu tyb hwy, yn peryglu iechyd.

Sefydlwyd ffatri Rechem ym Mhont-y-pŵl yn 1972, ond wrth i'r wybodaeth am beryglon cemegau fel PCB gynyddu, rhoddwyd mwy o bwyslais gan amgylcheddwyr ar archwilio safleoedd lle llosgid cemegau. Credid bod PCBs yn achosi niweidiau corfforl mewn plant ac anifeiliaid fferm. Rechem oedd un o'r ychydig ffatrïoedd ym Mhrydain lle gellid difa PCBs drwy eu llosgi ar wres uchel iawn. Fodd bynnag, ofnwyd bod y cwmwl o fwg a godai o'r simne dal ar y safle ym Mhont-y-pŵl yn taenu llygredd ar hyd a lled yr ardal.

Ar ddechrau Medi honnodd Gyngor Torfaen fod lefelau PCB yn yr awyr o amgylch safle Rechem chwe gwaith yn uwch na'r hyn a ganiateid mewn gwledydd eraill.

Rhai misoedd ynghynt ceisiodd llong o'r enw *Karin B* ddod â llwyth o wastraff i Gymru i'w ddifa yn Rechem, ond gwrthodwyd yr hawl iddi ddadlwytho. Yn ddiweddarach, ymosodwyd ar y trefniadau a wnaed gan y cwmni i fewnforio gwastraff o Ganada er mwyn ei losgi yn y ffatri. I lawer o bobl leol roedd llygru'r amgylchfyd o gwmpas Pont-y-pŵl yn bris rhy uchel i'w dalu am yr hwb i'r economi leol.

uchod:
Y cyfarwyddwr ffilmiau Karl Francis.

Ffilmiau ger y Bae

Lawnsiwyd Gŵyl Ffilm Aberystwyth (Gŵyl Ffilm Ryngwladol Cymru wedi hynny) yn y dref lan môr ar ddiwedd mis Medi. Thema'r Ŵyl oedd 'hunaniaeth' a dangoswyd ffilmiau o bob ran o'r byd, fel *Little Vera* o'r Undeb Sofietaidd a *Salaam Bombay* o'r India. Dangoswyd hefyd ffilmiau o Gymru, gan gynnwys *Proud Valley*, ffilm o gyfnod y dirwasgiad yn ne Cymru, a gwaith newydd y cyfarwyddwr Karl Francis, *Angry Earth*, sef ffilm am hen wraig yn cofio ei hieuenctid yn y cyfnod helbulus yn nyffrynoedd y De cyn y Rhyfel Byd Cyntaf.

Cynhaliwyd yr Ŵyl bob blwyddyn wedyn, gan gynnwys amrywiaeth o ffilmiau hen a newydd, rhai ohonynt yn cael eu dangos yn Aberystwyth fisoedd cyn cyrraedd sinemâu gweddill Prydain. Denai'r Ŵyl filoedd o bobl bob blwyddyn i'r dref ar lannau Bae Ceredigion, gan roi hwb sylweddol i'r economi lleol, ond ym mis Ebrill 1998, er mawr siom i nifer o bobl canolbarth Cymru, penderfynwyd mai yng Nghaerdydd y cynhelid yr Ŵyl o'r flwyddyn honno ymlaen.

'Nid yw Cymru ar werth'

Ym mis Ebrill trosglwyddwyd y cyfrifoldeb am hybu, ariannu a goruchwylio cynlluniau'r 50 o gymdeithasau tai yng Nghymru i gorff newydd o'r enw Tai Cymru. Gan i'r Llywodraeth wahardd cynghorau rhag adeiladu rhagor o dai cyngor a llawer o'r stoc presennol wedi'i brynu gan denantiaid, rhoddwyd y cyfrifoldeb o ddarparu cartrefi i gymdeithasau tai fel Cymdeithas Tai Eryri a Chymdeithas Tai Cantref.

Allan o gyllideb blynyddol Tai Cymru o £72 miliwn, roedd £20 miliwn ar gyfer ardaloedd gwledig lle oedd prisiau tai wedi codi'n sylweddol, a mewnlifiad o bobl o'r tu allan i gefn gwlad Cymru yn ei gwneud yn anodd i frodorion lleol brynu tai. Ar yr un pryd, dan y arwyddair 'nid yw Cymru ar werth', roedd Cymdeithas yr Iaith Gymraeg yn dwysáu ei hymgyrch i sicrhau fod Cymry lleol yn cael pob cyfle i brynu a gwella tai yn eu cymunedau.

Dangosai ystadegau'r Swyddfa Gymreig hefyd fod cynnydd yn nifer y digartref yng Nghymru, gyda 6,800 heb gartref yn 1988 o'i gymharu â 5,700 yn 1987. Cyn diwedd y flwyddyn cyhoeddodd y Llywodraeth y byddai Tai Cymru'n cael 40% o gynnydd yn ei gyllideb yn 1990-91 er mwyn ceisio lleddfu'r broblem.

Rhagrith Rygbi

dde: Jonathan Davies cyn iddo ymadael i ogledd Loegr.

Blwyddyn helbulus oedd hon i rygbi Cymru gyda datguddiadau am ffug-amaturiaeth a chwestiynau mawr yn codi yn sgîl taith answyddogol ym mis Awst gan ddeg o chwaraewyr Cymru a chwech o swyddogion, i Dde Affrica, gwlad yr oedd rhai am ei hesgymuno o'r gymuned rygbi ryngwladol oherwydd ei chyfreithiau hiliol annerbyniol.

Ar 5 Medi honnodd Keith James, hyfforddwr clwb Casnewydd, fod chwaraewyr yn mynnu symiau o arian a help i gael swyddi da cyn ymuno â chlybiau, ac yna yn gofyn am arian am chwarae, a gwobrau ariannol am ennill. Dywedodd fod recriwtio chwaraewyr wedi mynd yn helfa wyllt, a'u bod hwythau'n ymuno â'r clybiau a gynigiai'r telerau ariannol gorau. Yr oedd y dyddiau pan oedd chwaraewyr ifainc yn ymwybodol o'r anrhydedd o ymuno ag un clwb lleol yn arbennig wedi hen ddarfod, meddai James.

Ar yr un adeg ag y gofynnid pa mor wironeddol amatur oedd y gêm yng Nghymru, yr oedd nifer o chwaraewyr dawnus y wlad yn gadael i chwarae rygbi'n agored broffesiynol dros glybiau gogledd Lloegr. Y mwyaf nodedig o'r rhain oedd Jonathan Davies a aeth o Gastell-nedd i Widnes mewn storm o gyhoeddusrwydd ym mis Ionawr.

Syfrdanwyd cyfarfod o Bwyllgor Undeb Rygbi Cymru ar 7 Medi pan ymddiswyddodd Clive Rowlands a David East fel Llywydd ac Ysgrifennydd. Er i Rowlands dynnu ei ymddiswyddiad yn ôl yn fuan wedyn, yr oedd East yn bendant fod ei ddyddiau ef fel Ysgrifennydd ar ben wedi prin wyth mis yn y swydd.

Yn achos y daith i Dde Affrica, yr oedd chwech o chwaraewyr, ynghyd ag Ysgrifennydd a Llywydd Undeb Rygbi Cymru, wedi derbyn gwahoddiadau i fynd ac wedi eu gwrthod, ond ymddengys fod y chwe chwaraewr wedi eu perswadio i ailystyried yn ddiweddarach, a bod pedwar arall hefyd wedi'u denu i fynd yno, gan ymuno â thîm rhyngwladol a chwaraeai gyfres o gemau i ddathlu canmlwyddiant Bwrdd Rygbi De Affrica.

Ar 19 Medi cyhoeddwyd llythyr gan Undeb Rygbi Cymru at ei holl glybiau yn galw am droi ar ei ben y polisi y cytunwyd arno yn 1984 o gadw cysylltiadau â De Affrica. Yn y llythyr dywedwyd na ddylai'r Undeb nac unrhyw un o'r clybiau a oedd yn aelodau ohono gymryd rhan mewn unrhyw gêm a drefnwyd gan Fwrdd Rygbi De Affrica, 'cyhyd ag y bydd unrhyw chwaraewr rygbi yn byw yng Ngweriniaeth De Affrica yn dioddef anffafriaeth hiliol dan gyfreithiau'r wlad honno.' Ac mewn cyfarfod o'r clybiau ar 6 Hydref ym Mhort Talbot, pleidleisiwyd o 276 i 113 dros dorri cysylltaid, o gymharu a 362 i 60 yn erbyn yn 1984.

Dwysawyd y sefyllfa ar 15 Hydref pan honnodd Steve Sutton fod 'aelod blaengar'

o Undeb Rygbi Cymru wedi cynnig swm sylweddol o arian iddo am fynd ar y daith i Dde Affrica. Y si ar y pryd oedd fod cynigion rhwng £30,000 a £50,000 yn cael eu rhoi gerbron chwaraewyr i fynd i Dde Affrica.

[LLIW 67]

Pysgotwyr yn ddig

Er mai gweithgaredd hamddenol yw pysgota, bu rhai pysgotwyr yn cynhyrfu'r dyfroedd yn ystod y gwanwyn yn wyneb bygythiadau i'w difyrrwch. Dôi'r prif fygythiad o'r ochr draw i Glawdd Offa wrth i gymdeithasau pysgota lleol fethu â chystadlu pan werthid hawliau pysgota ar ddarnau o afonydd Cymru i estroniaid. Gwerthwyd darn 4.6 milltir o'r afon Teifi am £400,000, swm a oedd ymhell o gyrraedd aelodau Clwb Pysgota Castell Newydd Emlyn a fu'n pysgota ar yr afon ers trigain mlynedd. Roedd rhai aelodau'n bygwth gwenwyno'r afon, gan gymaint oedd eu dicter. Ar afonydd eraill, roedd ffermwyr wedi cynyddu'r rhent am yr hawl i bysgota'n sylweddol, gydag un ffarmwr yn codi'r rhent ar un afon o £200 i £1,200.

Roedd pysgotwyr hefyd yn feirniadol o Fwrdd Dŵr Cymru am ganiatáu gormod o benhwyiaid yn afon Teifi a hwythau'n bwyta brithyll ac eogiaid ifainc cyn iddynt dyfu. Nid oedd y Bwrdd yn barod i weithredu i leihau'r nifer, gan honni fod potsian yn fwy o broblem.

Peintio'r byd yn wyrdd

Er i'r Blaid Lafur gipio pob un o bedair sedd Cymru yn etholiad Senedd Ewrop ar 15 Mehefin, llwyddiant y Blaid Werdd o bosibl a dynnodd y sylw mwyaf.

Yn sedd Gogledd Cymru, cipiodd Joe Wilson, Llafur, y sedd oddi ar y Geidwadwraig Beata Brookes, a fu'n Aelod Seneddol Ewropeaidd er 1979, gyda mwyafrif o 4,460 o bleidleisiau. Bwriwyd 15,832 o bleidleisiau dros y Blaid Werdd yno.

Yr oedd materion yr amgylchfyd yn cael sylw cyson gan y cyfryngau ar y pryd, ac yng ngwledydd Prydain i gyd cafodd y Gwyrddion 2.3 miliwn o bleidleisiau, 15% o'r cyfanswm a fwriwyd. Nid oedd gan y Blaid Werdd ond 400 o aelodau yng Nghymru ar y pryd, ond llwyddwyd i gipio 11% o bleidleisiau'r Cymry, o gymharu â'i 0.5% pitw yn Etholiadau Ewropeaidd 1984. Daeth y Blaid Werdd yn drydydd mewn tair o'r pedair sedd Gymreig, a chyfanswm ei phleidleisiau'n amrywio o 15,832 yn sedd Gogledd Cymru i 29,852 yn y Gorllewin a'r Canolbarth. Ymhob sedd yn y wlad gwnaethant yn llawer gwell na'r Democratiaid Rhyddfrydol, a chodwyd cwestiynau difrifol am ddyfodol y blaid honno a ffurfiwyd trwy uno'r Rhyddfrydwyr a'r SDP.

Bu llwyddiannau eraill i Lafur mewn dau is-etholiad Seneddol, ar 23 Chwefror ym Mhontypridd, a 4 Mai ym Mro Morgannwg. Dilynodd yr is-etholiadau farwolaethau Aelodau Seneddol y ddwy sedd, Brynmor John ar 13 Rhagfyr 1988, a Syr Raymond Gower ar 22 Chwefror 1989. Ym Mhontypridd daliodd Kim Howells y sedd dros Lafur, ond ym Mro Morgannwg methiant fu ymgais y Ceidwadwyr i ddal eu gafael ar y sedd hwy, a throwyd mwyafrif Syr Raymond Gower o 6,251 yn fwyafrif o 6,028 i'r Llafurwr, John Smith.

Cau'r pwll olaf

Daeth pennod yn hanes diwydiannol y wlad i ben ar 23 Awst, a chollodd 855 o ddynion eu swyddi pan gaewyd Glofa Oakdale, y pwll glo olaf dan berchnogaeth gyhoeddus yng Ngwent. Agorwyd Oakdale yn 1908, a phan oedd y pwll yn ei anterth cyflogai ddwy fil o ddynion a chynhyrchai filiwn o dunelli o lo'r flwyddyn. Caewyd y pwll er gwaethaf apêl bersonol gan yr Aelod Seneddol lleol ac arweinydd y Blaid Lafur, Neil Kinnock, ac wedi i'r Bwrdd Glo wrthod cynllun gan undeb y glowyr i leihau'r gweithlu. Yn ôl Des Dutfield, Llywydd Rhanbarth De Cymru o Undeb Cenedlaethol y Glowyr, yr oedd y Bwrdd Glo'n euog o 'fwtseriaeth'.

Ar yr un diwrnod collodd 526 o ddynion eu gwaith pan gaewyd Glofa Ynysowen, ac ar 26 Awst diswyddwyd 200 pan gaewyd pwll Trelewis Drift.

Tranc y 'Sul Cymreig' yn nesáu

Yn y refferendwm a gynhaliwyd ar 8 Tachwedd, Dwyfor, Penrhyn Llŷn, oedd yr unig ran o Gymru a ffafriodd gau'r tafarndai ar y Sul. O 5,951 i 4,563 yr oedd pobl un o fröydd mwyaf Cymraeg y wlad am lynu wrth y 'Sul Cymreig' traddodiadol. I rai, buddugoliaeth symbolaidd oedd hon dros werthoedd ac arferion 'anghymreig', ond y cwestiwn mawr oedd pa mor hir y gallai Dwyfor ddisgwyl gwrthsefyll tuedd gweddill y wlad i ganiatáu yfed ar bob diwrnod o'r wythnos.

Yng Ngheredigion y gwelwyd y canlyniad agosaf, gyda phleidwyr agor ar y Sul yn fuddugoliaethus o 10,961 i 10,133. Ni chynhaliwyd pledlais mewn 23 o'r 35 o ardaloedd gwlyb, ond yn y 12 lle gwelwyd pleidleisio, yr oedd pobl yn bendant iawn o blaid cadw'r tafarnau ar agor ar y Sul – yn Ynys Môn, a fu'n sych ar y Sul hyd at 1982, dewisodd pobl o 12,141 i 6,770 eu bod am aros yn wlyb. Dangosodd y canlyniadau mewn lleoedd fel Casnewydd, Llanelli a Chaerdydd mor amherthnasol yr oedd trigolion ardaloedd poblog y De'n ystyried y cyfan – ni thrafferthodd ond 8.8% o etholwyr y brifddinas fynd i bleidleisio, a'r rheini'n gwrthwynebu cau ar y Sul o 14,890 i 3,910.

Y Parti Lliw yn Abergele.

Ymddangos mewn lifrau

Am y tro cyntaf erioed, ymddangosodd grŵp yn cysylltu ei hunain â'r llosgwyr tai, Meibion Glyndŵr, mewn man cyhoeddus. Roedd naw dyn ifanc yn gwisgo lifrau milwrol ymhlith y 300 o bobl a orymdeithiodd yn Abergele ar 1 Gorffennaf i goffáu marwolaeth Alwyn Jones a George Taylor, y ddau a laddwyd ugain mlynedd ynghynt wrth iddynt baratoi i osod bom adeg yr Arwisgiad.

Bwriad y grŵp, a alwai ei hun yn Barti Lliw Meibion Glyndŵr, oedd dangos cefnogaeth i'r llosgwyr tai, ac er bod gwisgo lifrau milwrol heb ganiatâd yn anghyfreithiol, ni cheisiodd yr heddlu eu hatal. Gwisgai'r naw grysau gwyn, sbectol dywyll, berets duon gyda phlu coch, gwyn a gwyrdd. Yn ôl Prif Gwnstabl Cynorthwyol Heddlu Gogledd Cymru, John Tecwyn Owen, '*To prosecute these inadequate individuals would give them publicity far and beyond that which their actions merit*'. Fodd bynnag, naw diwrnod yn ddiweddarach, restiwyd y naw mewn cyrch gan yr heddlu, ond ni chyhuddwyd yr un ohonynt o drosedd yn ymwneud â'r orymdaith.

1990

Llifogydd Towyn

Strydoedd Towyn o dan ddŵr.

Symudwyd dwy fil o bobl o'u cartrefi a bu difrod i 2,800 o dai pan drawodd llifogydd mawr dref Towyn, ger Abergele, ar 26 Chwefror.

Torrwyd bwlch chwe chan metr ar ei hyd yn y morglawdd, a ffrydiodd y dŵr dros ardal tua phum milltir ar ei thraws. Mewn rhai mannau yr oedd dŵr hyd at chwe throedfedd o ddyfnder. Cafodd trigolion Towyn lety dros dro yn Ysgol Emrys ap Iwan yn Abergele, yng ngwersyll y fyddin ym Mharc Cinmel, a hefyd yng Nghastell Bodelwyddan. Yn groes i orchmynion yr heddlu, mentrodd nifer o bobl yn ôl i mewn i'r dref i gasglu eu heiddo, gan gynnwys un dyn a achubodd ei gasgliad o bysgod prin mewn bwcedi.

Peidiodd trenau â rhedeg ar y rheilffordd i Fangor a Chaergybi wedi i'r môr olchi'r traciau i ffwrdd ym Mostyn, Prestatyn, Abergele a Phenmaen-mawr.

Torrwyd cysylltiadau trydan, a bu peirianwyr wrthi'n ddiwyd yn ceisio adfer y cyflenwad i tua thair mil o gartrefi rhwng y Bala a Chaer. Ailadeiladu'r morglawdd oedd y dasg fawr gyntaf a wynebai Gyngor Bwrdeistref Colwyn, oherwydd heb wneud hynny nid oedd diben dechrau pwmpio'r dŵr o dai'r dref. Esboniodd Prif Weithredwr y Cyngor, Bill Breeze, na fyddai'r gwaith ar y clawdd yn gymhleth iawn – '*bloody great rocks and plenty of concrete*' oedd y cyfan a gâi ei ddefnyddio i lenwi'r bwlch dros dro, meddai Breeze.

Dechreuwyd prosiect £10 miliwn i drwsio'r difrod, ond bu cwynion er hynny nad oedd y llywodraeth yn gwneud digon dros drigolion y dref, a oeddynt, lawer ohonynt, heb yswiriant digonol neu heb ddim o gwbl i gwrdd â chostau mawr adfer eu cartrefi.

Diwedd ar y dur

dde: Dyddiau gwell yn ffwrneisi Brymbo.

Collodd mil o bobl eu swyddi a daeth bron i ddwy ganrif o gynhyrchu dur ym Mrymbo, ger Wrecsam, i ben pan gaewyd gweithfeydd dur y dref ar 27 Medi.

Agorodd y gŵr busnes a'r tirfeddiannwr, John Wilkinson, ei ffwrnais gyntaf ym Mrymbo yn 1796 a chofnodwyd iddo gynhyrchu 884 o dunelli o ddur yn ei flwyddyn gyntaf o waith yno. Cefnodd Wilkinson ar y fusnes ddur tua diwedd y 18fed ganrif, a bu gan weithfeydd Brymbo nifer o berchenogion ar ôl hynny. Yn ystod yr Ail Ryfel Byd bu gweithwyr Brymbo'n cynhyrchu dur ar gyfer y llu awyr, ac ar ddiwedd y rhyfel prynwyd y gweithfeydd gan gwmni *GKN*, cyn cael eu gwladoli a'u dadwladoli ddwywaith – yn 1951 ac 1955, ac yn 1969 ac 1974 pan ddychwelodd y gweithfeydd i ddwylo *GKN*. Ar 14 Mai cyhoeddodd y perchenogion er 1986, *United Engineering Steel Ltd.*, y byddai'n rhaid cau Brymbo, a phedwar mis wedyn cynhyrchwyd y dur olaf.

Addysg yn asgwrn cynnen

Yn y flwyddyn yr enillodd yr iaith Gymraeg ei lle fel pwnc yn y Cwricwlwm Cenedlaethol newydd, cododd ffrwgwd hynod chwerw yng ngorllewin Cymru ynglŷn â pholisi addysg Cyngor Sir Dyfed, wedi i un garfan o rieni ddechrau cwyno bod eu plant yn cael eu gorfodi i ddysgu'r iaith. Gwrthwynebai'r rhieni bolisi Dyfed, a fu mewn gweithrediad er mis Medi 1989, o gategoreiddio ysgolion cynradd yn ôl iaith: Categori A gyda'r Gymraeg yn brif gyfrwng i blant dan 7 oed, Categori B yn ddwyieithog, a Chategori C yn Saesneg. O'r 340 o ysgolion cynradd yn y sir, rhoddwyd tua dau gant yng Nghategori A, gan effeithio ar filoedd o blant. Bwriad y cynllun oedd ceisio sicrhau y byddai holl blant y sir yn ddwyieithog erbyn gadael yr ysgol gynradd yn 11 oed, ond cwynai'r gwrthwynebwyr, a ffurfiodd y grŵp *Education First*, fod addysg eu plant yn dioddef am eu bod yn gorfod defnyddio iaith estron yn yr ysgol. Dewiswyd yr enw am fod aelodau'r grŵp yn credu bod Cyngor Sir Dyfed yn rhoi mwy o bwyslais ar achub y Gymraeg nag ar safon addysg, a bod angen edrych ar ansawdd addysg yn gyntaf.

Tynnodd yr anghydfod sylw trwy Brydain pan ddechreuwyd honni'n gyhoeddus gan y gwrthwynebwyr eu bod yn dioddef casineb, sarhad a graffiti milain gan eu cymdogion am leisio barn yn erbyn y polisi, neu am dynnu eu plant allan o ysgolion Cymraeg eu hiaith. Ar ran Cyngor Sir Dyfed, dywedodd Gerwyn Morgan fod y polisi newydd wedi'i lunio i ddiogelu'r Gymraeg wedi degawdau o fewnfudo o Loegr i Gymru. (Ym mis Awst cyhoeddwyd ystadegau yn dangos bod 40,000 o bobl wedi symud i fyw i Ddyfed, Gwynedd a Phowys yn y degawd blaenorol, a 9,000 o'r rheini'n mynd i Geredigion). Gwadodd Gerwyn Morgan yn llwyr fod y polisi iaith yn niweidiol i safon Saesneg y plant, gan ddadlau bod Saesneg i'w chlywed o'u cwmpas trwy'r amser y tu allan i'r ysgol ac na chaent, felly, drafferth i'w dysgu. Pwysleisiai cefnogwyr y polisi iaith ei fod yn cael ei weinyddu'n hyblyg a sensitif, a dadleuai rhai mai gan rieni cul eu meddwl yr oedd y broblem ynglŷn â'r Gymraeg yn hytrach na chan y plant.

Er mai carfan fach ydoedd, gyda thua chant o aelodau, cafodd *Education First* gefnogaeth frwd Aelod Seneddol Caerfyrddin, Dr. Alan Williams. Ym mis Awst galwodd Williams am bleidlais gudd gan holl rieni Dyfed ar y polisi iaith, ac ym mis Hydref honnodd fod mwy na chant o blant Saesneg wedi gadael addysg gynradd Gymraeg yn y sir oherwydd y polisi 'Stalinaidd'. Yr oedd cefnogaeth hefyd gan Is-Iarll Tonypandy (George Thomas), ac yn nodedig iawn gan golofnydd y *Times*, Bernard Levin, a luniodd erthygl arbennig o finiog yn cysylltu addysg Gymraeg ag ymgyrch losgi Meibion Glyndŵr. Ond nid oedd datganiadau Alan Williams at ddant pawb o fewn ei blaid – enynnodd lid nifer o gynghorwyr sirol Llafur a bu'n rhaid iddo wynebu ymgais i'w ddisodli fel eu cynrychiolydd gan rai yn y Blaid Lafur yng Nghaerfyrddin oherwydd ei agwedd elyniaethus at yr iaith Gymraeg.

Daeth yr helynt i ben i bob pwrpas yn ystod yr hydref pan ddangosodd cyfres o gyfarfodydd o rieni a llywodraethwyr ysgolion gefnogaeth i bolisi'r cyngor sir o fwyafrif mawr. Yr oedd yn glir hefyd fod y gefnogaeth yn cynnwys y rhan fwyaf o rieni di-Gymraeg yn ogystal â'r rhai Cymraeg eu hiaith. Ym mis Rhagfyr 1991 cyhoeddodd Arolygwyr Ysgolion Ei Mawrhydi fod polisi iaith Dyfed yn foddhaol.

Ac eithrio'r athrawes Gymraeg Blodwen Griffiths, pobl a symudodd i fyw i Ddyfed o Loegr yn yr '80au oedd prif swyddogion *Education First*, a gadawodd sawl un y sir yn y '90au cynnar wedi i'r helynt dawelu.

Sefydlu Cytûn

Mewn oedfa ddathlu genedlaethol yn Aberystwyth ar 1 Medi, sefydlwyd Cytûn, mudiad yr Eglwysi Ynghyd yng Nghymru.

Yr oedd y bartneriaeth ecwmenaidd newydd yn cynnwys pob un o brif enwadau Protestannaidd Cymru ynghyd â'r Eglwys Gatholig, gyda'r Lwtheriaid a'r Eglwys Uniongred yn bresennol fel sylwebyddion. Y gobaith oedd y byddai'n foddion i gydweithio a chydweithredu'n lleol ac yn genedlaethol mewn ysbryd newydd o undod rhwng cyrff Cristnogol Cymru.

Actorion yn y ddalfa

dde: Bryn Fôn ac Anna Wyn Williams ar ôl eu rhyddhau gan yr heddlu.

Daeth Heddlu Gogledd Cymru'n destun gwawd ym mis Chwefror wrth iddynt geisio dal y rhai a fu wrthi'n llosgi tai haf er 1979.

Syfrdanwyd nifer mawr o bobl pan restiwyd tri actor adnabyddus, gan gynnwys y canwr poblogaidd ac un o sêr teledu amlycaf Cymru, Bryn Fôn, ar 14 Chwefror. Ar ôl ei restio yn ei gartref yn Nebo, holwyd ef am dri diwrnod gan heddlu Dolgellau, wedi i fom tân gael ei ganfod ar stepen ddrws siop yn Rhostryfan. Cafodd ei gariad a mam ei ddau blentyn, Anna Wyn Williams, ei holi am 24 awr hefyd. Wrth i fwy nag ugain o blismyn a chŵn chwilio'r tŷ a'r tir o'i gwmpas cafwyd nifer o wifrau mewn cae.

Ar 15 Chwefror, aethpwyd â dau actor arall i'r ddalfa – restiwyd Mei Jones yn ei gartref yn Llangernyw, ac yn Llundain digwyddodd yr un peth i Dyfed Thomas. Cymerodd ditectifs strapen wats, swits trydan, tri batri a dyddiadur o gartref Mei Jones a'i wraig, Gwenda. Holwyd Jones, a chwaraeai ran y cymeriad hoffus, Wali, yn y gyfres *C'mon Midffild*, am chwech awr cyn ei ryddhau, a threuliodd Dyfed Thomas ddeuddeng awr yn y ddalfa cyn iddo yntau gael ei draed yn rhydd. Rhyddhawyd y tri ar fechnïaeth yr heddlu, ond clywsant wedyn fod eu rhyddid bellach yn ddiamod ac na fyddai'r heddlu am eu holi mwyach. 'Chwerthinllyd' oedd disgrifiad Mei Jones o'r cyfan.

Mewn datblygiad rhyfedd wedyn, derbyniodd Bryn Fôn bedwar cerdyn post, i gyd wedi'u postio o fewn chwarter awr i'w gilydd, o wahanol rannau o Gymru. Yr oedd pob un wedi'i ysgrifennu â stensil ac wedi'i lofnodi â'r llythrennau 'R.G.', llofnod 'Rhys Gethin', un o swyddogion Meibion Glyndŵr. Dywedodd Bryn Fôn ei fod wedi rhoi'r cardiau i gyd i'r heddlu.

Wrth gael ei ryddhau, dywedodd Mei Jones ei fod yn ystyried mynd â'r heddlu i gyfraith am ei restio heb reswm, ac ar 26 Chwefror, datganwyd yn swyddogol y cynhaliai Awdurdod Cwynion yr Heddlu ymchwiliad swyddogol i'r holl helynt.

Hanes y Cymry

Ar Ddydd Gŵyl Ddewi aeth cyfrol ar werth a oedd yn arbennig iawn am ddau reswm: *Hanes Cymru* gan Dr. John Davies oedd y llyfr cyntaf i olrhain yn Gymraeg holl hanes y wlad o'r cyfnod cynharaf hyd y presennol, a hefyd y llyfr Cymraeg cyntaf erioed i'w gynhyrchu gan y cyhoeddwyr rhyngwladol, Penguin.

Yn ôl yr awdur, darlithydd uwch yn Adran Hanes Cymru Prifysgol Cymru Aberystwyth, a warden Neuadd Pantycelyn yno, yr oedd y llyfr i fod yn un clawr papur o tua 90,000 o eiriau, ond nid oedd ond wedi cyrraedd yr Oesoedd Canol erbyn ysgrifennu 90,000 o eiriau, felly roedd wedi bwrw ymlaen. Er gwaethaf ei ofnau, ni wrthodwyd y llyfr gan y cyhoeddwyr oherwydd ei fod yn rhy hir.

Comisiynwyd y llyfr gan Penguin yn 1981, a hwn oedd llyfr cyntaf y cwmni mewn unrhyw iaith ar wahân i'r Saesneg. Wrth esbonio rhesymau Penguin dros gyhoeddi llyfr Cymraeg, dywedodd Prif Olygydd y

Yr hanesydd gyda'i gyfrol hanesyddol.

cwmni, Peter Carson, 'Nid oedd neb yn Penguin wedi ei wneud o'r blaen, felly yr oedd yn ymddangos yn syniad da.'

Medalau a chyffuriau

Er i dîm Cymru ennill ei gyfanswm gorau erioed o fedalau yng Ngemau'r Gymanwlad yn Auckland, Seland Newydd – pump ar hugain, gan gynnwys deng medal aur – bwriwyd cysgod dros y dathlu pan anfonwyd dau o enillwyr y medalau adref am ddefnyddio cyffuriau.

Collodd y codwr pwysau, Ricky Chaplin o Gwmbrân, y fedal aur yr oedd wedi ei hennill ar 27 Ionawr yn y dosbarth 75 cilogram, pan fethodd brawf cyffuriau. Yr oedd Chaplin, a aned yn Lloegr, yn cystadlu dros Gymru mewn cystadleuaeth fawr am y tro cyntaf, wedi iddo symud i fyw i Gwmbrân o Fryste tua deunaw mis ynghynt. Bu'n dioddef o anaf parhaol i'w ben-glin a olygai na allai hyfforddi am y pum wythnos cyn y Gemau, ac awgrymodd rhai mai rhwystredigaeth am ei fod yn methu ymarfer yn iawn a barodd iddo gymryd y cyffuriau *anabolic steroid* i wella'i berfformiad.

Nid enwyd Chaplin yn benodol gan awdurdodau'r gemau tan 31 Ionawr, ac ar yr un diwrnod daeth y newyddion fod codwr pwysau arall o Gymru, y gweithiwr dur, Gareth Hives o Gwmafan, Port Talbot, hefyd wedi methu prawf cyffuriau ac felly wedi colli'r tair medal arian a enillodd yn y Gemau.

Yr oedd y ddau gystadleuydd wedi pasio profion cyffuriau Cyngor Chwaraeon Cymru yn ystod y flwyddyn cyn y Gemau. Oherwydd i'r ddau Gymro ddefnyddio cyffuriau, yr oedd holl godwyr pwysau Prydain bellach yn wynebu gwaharddiad am flwyddyn rhag cystadlu'n rhyngwladol, ac ar 1 Mawrth cafodd Chaplin a Hives eu gwahardd am oes gan Ffederasiwn Codwyr Pwysau Amatur Prydain.

Marco Polo Mynydd Cynffig

Daeth gyrfa un o smyglwyr cyffuriau mwyaf lliwgar a mwyaf llwyddiannus y byd i ben mewn llys yn Fflorida ar 18 Hydref, pan gafodd Howard Marks o Fynydd Cynffig ddedfryd o bum mlynedd ar hugain mewn un o garchardai llymaf yr Unol Daleithiau – Terre Haute Penitentiary, Indiana. Ond er bod y ddedfryd yn un hir, yr oedd yn rhywfaint o ryddhad i'r Cymro Cymraeg 45 mlwydd oed, gan fod yr erlynydd wedi pwyso am ddedfryd o ddeugain mlynedd.

Wedi graddio o Goleg Balliol, Rhydychen, yn 1968, bu Marks ynghlwm wrth fusnes smyglo canabis am yn agos i ugain mlynedd. Yn 1973, wrth aros i sefyll ei brawf, aeth ar ffo am gyfnod cyn cael ei ailrestio a'i gyhuddo o smyglo pymtheg tunnell o ganabis. Yn 1981 yn Llys yr Old Bailey, Llundain, fe'i cafwyd yn ddieuog o'r cyhuddiad hwn, er iddo gyfaddef yn gyhoeddus wedyn iddo raffu celwyddau wrth y llys. Yng nghanol yr '80au yr oedd Marks yn berchen ar fwy nag ugain o gwmnïau, a

Cellwair y smyglwr cyffuriau.

byddai'n gweithio dan fwy na deugain o ffugenwau gwahanol gyda llu o ddogfennau ffug i gynnal y twyll. Daeth i gael ei adnabod gan yr awdurdodau fel 'Marco Polo' am ei

fod, fel y fforiwr o Fenis o'r 13eg ganrif, yn dod â nwyddau o'r Dwyrain Pell i'r Gorllewin.

Cafodd ei restio yn y diwedd ym Majorca yn 1988 wedi helfa fawr gan heddlu Sbaen, Prydain a'r Unol Daleithiau. Ac yntau'n wynebu cyhuddiadau amrywiol o smyglo gwerth £89 miliwn o ganabis o Asia i Ewrop ac America dros gyfnod o 14 blynedd, cytunodd ym mis Gorffennaf 1990 i bledio'n euog i ddau gyhuddiad o lwgrfasnachu dan gyfraith yr Unol Daleithiau.

Fe'i rhyddhawyd o'r carchar ym mis Ebrill 1995 wedi cyflawni llai na phum mlynedd o'i ddedfryd. Fel y dywedai Marks yn aml, yr oedd yn gwbl bendant nad oedd dim byd anfoesol ynglŷn â defnyddio canabis na'i brynu a'i werthu. Byddai'n dadlau'n gyson dros gyfreithloni cyffuriau ysgafn, ac yn yr Etholiad Cyffredinol mis Mai 1997, safodd fel ymgeisydd yn East Anglia dros gyfreithloni canabis.

Cymry'n dymchwel 'y Ddynes Haearn'

Dau Gymro o Forgannwg, Michael Heseltine o Abertawe a Geoffrey Howe o Aberafan, a orffennodd ym mis Tachwedd y gwaith a ddechreuwyd flwyddyn ynghynt gan Aelod Seneddol Gogledd-Orllewin Clwyd, Syr Anthony Meyer, o ddod â chyfnod hir Margaret Thatcher fel Prif Weinidog i ben.

Ar 30 Tachwedd 1989, Syr Anthony, un o'r aelodau mwyaf annibynnol ar feinciau cefn y Ceidwadwyr, oedd y cyntaf er pan ddechreuodd Margaret Thatcher arwain y Blaid Dorïaidd yn 1975 i herio safle'r 'Ddynes Haearn' fel arweinydd. Yr oedd yn glir nad oedd ganddo obaith dymchwel Thatcher, ond llwyddodd i danseilio'r hyder di-sigl a fu ynddi, ac i ddod â gwrthwynebiad iddi o fewn ei phlaid i'r amlwg. Dadl Meyer oedd nad Thatcher oedd yr un orau *to safeguard her own splendid achievements*. Yn y balot ar 5 Rhagfyr 1989 collodd Meyer o 313 o bleidleisiau i 33, a thalodd y pris am ei frad y mis canlynol pan wrthododd Ceidwadwyr Gogledd-Orllewin Clwyd ei ailddewis i gynrychioli'r sedd. Er i Meyer fygwth sefyll

fel ymgeisydd annibynnol yn ei hen sedd, diweddwyd ei yrfa wleidyddol i bob pwrpas gan ddatguddiadau am ei berthynas â chantores *jazz*.

Ergyd drymach o dipyn nag un Meyer i'r Prif Weinidog oedd ymddiswyddiad Geoffrey Howe o'r llywodraeth ar 1 Tachwedd fel protest yn erbyn ei hagwedd negyddol hi tuag at Ewrop. Ac yr oedd gwaeth fyth i ddod ar 13 Tachwedd pan esboniodd Howe wrth Dŷ'r Cyffredin pam yr oedd wedi gadael y llywodraeth. Wrth sôn am bolisi Thatcher tuag at Ewrop, mewn ymadrodd a ddaeth yn enwog wedyn, dywedodd ei fod yn teimlo fel batiwr tîm criced yn cerdded i'r maes ac yna'n darganfod bod capten y tîm wedi torri ei fat. Yr araith hon a sicrhaodd y byddai etholiad i benderfynu pwy a arweiniai'r Ceidwadwyr, ac er i Michael Heseltine fynnu'n gynharach na fyddai'n sefyll, cynigiodd ei hunan fel ymgeisydd ar 14 Dachwedd. Pan fethodd Thatcher ag ennill digon o bleidleisiau Aelodau Seneddol Ceidwadol i drechu Heseltine yn ddigon

trwyadl yn y bleidlais gyntaf, penderfynodd ymddiswyddo, ar ôl trafod y sefyllfa gyda Cheidwadwyr amlwg. Yr oedd cyfnod yng ngwleidyddiaeth Prydain wedi dod i ben, ac yr oedd y ffordd yn glir i John Major uno'r rhai nad oeddynt am weld Michael Heseltine yn arwain y Ceidwadwyr ac ennill yr ail falot.

David Hunt, a benodwyd yn Ysgrifennydd Gwladol Cymru yn gynnar yn y flwyddyn, oedd yr unig aelod o'r Cabinet i gefnogi Heseltine yn agored yn yr ail bleidlais, ond pan ddaeth John Major yn Brif Weinidog, cadarnhaodd swydd Hunt fel Ysgrifennydd Gwladol, gan wrthod y gwas ffyddlon, Wyn Roberts. Fel Gweinidog Gwladol yn y Swyddfa Gymreig, Wyn Roberts oedd yr unig weinidog yn y llywodraeth, ac eithrio'r Prif Weinidog ei hun, i ddal ei afael ar swydd gydol yr un mlynedd ar ddeg y bu Margaret Thatcher wrth y llyw. Derbyniodd Roberts ei wobr am ei deyrngarwch serch hynny pan urddwyd ef yn farchog yn rhestr anrhydeddau pen blwydd y Frenhines.

[LLIW 54]

16 Ionawr

Dechreuodd y rhyfel i ryddhau Cowait o afael lluoedd Iraq.

7 Chwefror

Yn Llundain, saethwyd bom morter gan yr IRA at rif 10 Stryd Downing tra oedd y Cabinet yn cwrdd, ond nid anafwyd neb.

27 Chwefror

Rhyddhawyd Coweit a'r diwrnod canlynol cyhoeddodd yr Arlywydd Bush ddiwedd y rhyfel.

5 Ebrill

Condemniodd y Cenhedloedd Unedig yr ymosodiadau ar boblogaeth Gwrdaidd Iraq gan fyddin y wlad.

23 Ebrill

Ym Mhrydain, cyhoeddodd y llywodraeth ei bod am ddileu 'Treth y Pen'.

21 Awst

Ym Moscow, methodd ymgais gan hen gomiwnyddion i gipio grym yn wyneb gwrthsafiad dan arweiniad Boris Yeltsin.

5 Tachwedd

Darganfyddwyd corff y perchennog papurau newydd Robert Maxwell yn y môr ger Tenerife.

18 Tachwedd

Yn Libanus, rhyddhawyd Terry Waite, bum mlynedd ar ôl iddo gael ei herwgipio.

25 Rhagfyr

Ym Moscow, ymddiswyddodd yr Arlywydd Gorbachev, a daeth yr Undeb Sofietaidd i ben yn swyddogol gyda chymanwlad o wledydd annibynnol yn cymryd ei le.

1991

Terfysgoedd yng Nghaerdydd

Yr heddlu ar faes y gad yn Elái, Caerdydd.

Gwelwyd pedair noson o derfysg yn ardal Elái, Caerdydd, o 30 Awst i 2 Medi, gyda dynion ifainc yn taflu cerrig, llechi a bomiau petrol at yr heddlu. Diweithdra uchel a pharhaol, ynghyd â'r tywydd chwilboeth oedd y cefndir i'r cynnwrf, ond achos uniongyrchol y trais oedd anghydfod rhwng y groser, Abdul Waheed, a pherchenogion y siop bapurau newydd drws nesaf, Carl a Sue Aguis, ynglŷn â phwy a gâi werthu bara a llaeth.

Bu'r ddwy siop yn eiddo i'r un perchennog ar un adeg, a gwerthwyd hwy ar yr amod na fyddai'r naill yn gwerthu dim ond papurau newydd, melysion, tybaco a nwyddau tebyg, a'r llall yn gwerthu bwyd yn unig. Ar 27 Mawrth cafodd Waheed orchymyn llys yn gwahardd y siop bapurau rhag gwerthu bwydydd, ac ymatebodd perchennog honno trwy roi nodyn yn ei ffenestr yn dweud wrth ei gwsmeriaid na allai bellach gyflenwi bwyd 'oherwydd ein cymdogion cyfeillgar'. Yn ôl Waheed, dechreuodd pobl ddod i mewn i'w siop wedyn i'w sarhau'n hiliol, a'i alw'n *Greedy Paki*, a throdd pethau'n dreisgar pan geisiodd wahardd y rhai a'i sarhaodd o'r siop. Torrwyd ffenestri fflat Waheed uwchben ei siop, ac ar 1 Medi aeth yr heddlu ag ef i leoliad cudd er mwyn ei ddiogelwch ei hun. Gwadodd trigolion lleol wedyn fod dim byd hiliol ynglŷn â'r helynt, ond yr oedd parodrwydd i gydnabod bod drwgdeimlad tuag at Waheed.

Daeth yr Aelod Seneddol lleol, Rhodri Morgan, i

(Drosodd)

Terfysgoedd yng Nghaerdydd

(o'r tudalen cynt)

Elái i apelio at bobl i roi'r gorau i'r terfysg, a galwodd Carl Aguis yntau am ddiwedd i'r cyffro, gan bwysleisio mai mater rhyngddo ef a'i wraig ac Abdul Waheed oedd y ddadl am werthu bwyd.

Arestiwyd 36 o bobl yn ystod y trafferthion, ac ar rai adegau yr oedd hyd at bum cant o bobl ar y strydoedd. Daeth yr heddlu â hofrenydd â golau pwerus i mewn, ac am y tro cyntaf erioed gwelwyd plismyn gyda helmau a tharianau terfysg ar strydoedd y brifddinas. 'Mae Elái wedi bod yn debyg i rywle yng Ngogledd Iwerddon,' meddai Rhodri Morgan wedyn. Galwodd Alan Eastwood, Cadeirydd Ffederasiwn yr Heddlu, am ddod â'r hen Ddeddf Terfysg yn ôl i ddelio â'r fath aflonyddwch treisgar. Ar ran y llywodraeth, soniodd John Patten am 'hwliganiaeth ddifeddwl'.

Y canibal o Gymru

dde:
Hannibal yn dychryn yr asiant ifanc.

Seren ffilm orau'r flwyddyn oedd y Cymro Anthony Hopkins a chwaraeodd ran y seiciatrydd seicopathig, Hannibal 'the Cannibal' Lecter, yn y ffilm *Silence of the Lambs*.

Er bod y ffilm yn ymwneud â thestun pur waedlyd, prin iawn oedd y golygfeydd o drais corfforol ynddi, gan fod y cyfan yn dibynnu'n fwy ar y ddrama seicolegol dynn rhwng cymeriad Anthony Hopkins ac un Jodie Foster, a chwaraeai ran asiant ifanc gyda'r FBI a ddanfonwyd i geisio cymorth gan Lecter i ddal llofrudd arall.

Yr oedd Hopkins, o Dai-bach, Port Talbot, eisoes wedi gwneud enw iddo'i hun fel actor mewn ffilmiau fel *The Elephant Man*, *The Bounty*, ac *84 Charing Cross Road*, ac aeth ymlaen i ddisgleirio mewn rhannau pwysig yn *Howards End*, *Remains of the Day*, *Shadowlands* a nifer o ffilmiau eraill. Prin iawn oedd yr actorion eraill a fedrai ddal sylw cynulleidfa mewn modd mor gynnil a thawel, ac er bod amheuaeth a allai Prydeiniwr chwarae rhan Hannibal Lecter yn effeithiol, yr oedd Hopkins mor frawychus o gredadwy yn y rhan fel y byddai gweithwyr ar y ffilm yn ei osgoi'n fwriadol pan oedd yn ei wisg fel y seicopath. Nid oedd Hopkins i'w weld ar y sgrîn am lawer mwy nag ugain munud o'r ffilm, ond roedd ei bresenoldeb yn ystod y munudau hynny yn ddigon i ddychryn cynulleidfaoedd, ac yn ddigon i sicrhau Oscar iddo yntau. Aeth nifer o'i linellau mwyaf iasol yn y ffilm ar lafar yn gyflym iawn.

Yr oedd *Silence of the Lambs* yn llwyddiant mawr gan feirniaid a chynulleidfaoedd sinemâu ymhob man. Ar 31 Mawrth 1992 derbyniodd Hopkins ei Wobr Oscar gyntaf am yr Actor Gorau, a bu gwobrau Oscar hefyd i'r cyfarwyddwr, Jonathan Demme, i Jodie Foster fel yr Actores Orau, ac i'r ffilm gyfan fel y Ffilm Orau. Ar ddiwedd 1992, cyhoeddwyd y câi Hopkins ei urddo'n farchog yn Rhestr Anrhydeddau'r Flwyddyn Newydd, ac yn 1999 roedd trefniadau ar y gweill i ffilmio dilyniant i *Silence of the Lambs*, a'r disgwyl oedd y byddai Hopkins a Foster yn gwrthdaro unwaith yn rhagor.

[LLIW 24]

Ysgolion eithriadol

Ar 4 Medi dechreuodd disgyblion Ysgol Cwm-carn yng Ngwent ar eu blwyddyn academaidd newydd yn yr ysgol gyntaf yng Nghymru i ddewis eithrio oddi wrth reolaeth yr awdurdod addysg lleol. Yr oedd rhieni a llywodraethwyr Cwm-carn wedi manteisio ar ddeddfwriaeth newydd y llywodraeth Geidwadol i leihau rheolaeth cynghorau lleol ar addysg. Yn lle derbyn arian trwy Gyngor Sir Gwent, byddai Ysgol Cwm-carn bellach yn cael grant uniongyrchol gan y llywodraeth ganolog yn Llundain

Yr oedd Cyngor Sir Gwent wedi pleidleisio dros beidio â darparu gwasanaethau i Ysgol Cwm-carn, ar wahân i'r rhai yr oedd yn ofynnol iddo eu rhoi o dan y gyfraith, a bu'n rhaid i'r ysgol drefnu ei chiniawau a thorri ei glaswellt ei hun. Ond yn ôl yr ysgol, yr oedd y system newydd o gael ei chynnal trwy grant yn creu safonau uwch, ac yn caniatáu rhoi sylw unigol i ddisgyblion mewn modd nad oedd i'w gael fel arfer ond yn y sector addysg breifat.

Ar 1 Ebrill 1993, Ysgol Caergeiliog, Ynys Môn, oedd yr ysgol gynradd gyntaf yng Nghymru i ddewis eithrio.

Sut i chwarae'n broffesiynol

Er i dîm Rygbi Undeb Cymru gael ei drechu'n wael ar ei faes ei hun gan Loegr ym mis Ionawr, a chan Awstralia ym mis Hydref, daeth buddugoliaeth nodedig ar 26 Hydref i ran tîm rygbi tri-ar-ddeg y wlad – tîm yn cynnwys nifer o sêr y gêm amatur a aeth i chwarae'n broffesiynol dros glybiau gogledd Lloegr.

Jonathan Davies, a adawodd glwb Castell-nedd i ymuno â Widnes, oedd capten y tîm, a chydag ef ar y maes yr oedd nifer o Gymry alltud eraill, gan gynnwys Paul Moriarty, John Devereux a Roland Phillips, a ddychwelodd i'w mamwlad o borfeydd brasach gogledd Lloegr ar gyfer y gêm fawr.

Papua Guinea Newydd a gafodd y grasfa wrth i Gymru eu curo o 68 i 0 o flaen tyrfa o 11,422 yn Abertawe, y fuddugoliaeth fwyaf erioed mewn gêm ryngwladol o rygbi tri-ar-ddeg. Sgoriodd y Cymry ddeuddeg cais, tri gan Phil Ford a dau gan Jonathan Davies, a giciodd wyth gôl hefyd i wneud cyfanswm personol o 24 o bwyntiau yn ystod y gêm. I'r cefnogwyr, yr oedd yn wledd o rygbi, ac yn y *Western Mail* disgrifiodd Graham Clutton y gêm fel 'hysbyseb dros y côd proffesiynol yn iard gefn gêm yr undeb'.

Sêr y bêl gron

Pan ddaeth tîm pêl-droed yr Almaen, deiliaid Cwpan y Byd, i'r Stadiwm Genedlaethol yng Nghaerdydd ar 5 Mehefin i chwarae gêm yn rowndiau rhagbrofol Pencampwriaeth Ewrop, 'doedd fawr neb yn rhoi siawns i wlad fechan fel Cymru. Ond 67 munud ar ôl dechrau'r gêm trawodd Paul Bodin bêl hir i lawr y cae at Ian Rush, a rhedodd yntau i ymyl y cwrt cosbi cyn ergydio'r bêl i gefn y rhwyd am unig gôl y gêm. Dyma oedd un o fuddugoliaethau mwyaf cofiadwy peldroedwyr Cymru erioed, ac ar yr un pryd sicrhaodd mai Cymru oedd ar frig eu grŵp ac o fewn trwch blewyn i ennill lle yn rowndiau terfynol y gystadleuaeth yn Sweden yn 1992.

Ni bu'r Cymry mor ffodus yn ail gêm y flwyddyn yn erbyn yr Almaenwyr, ar 16 Hydref yn Nuremberg. Anfonwyd Dean Saunders oddi ar y cae am gicio gwrthwynebydd, wrth i'w dîm golli o 4 i 1. Ond yr oedd y gêm yn nodedig fel un gyntaf y seren ddisglair newydd, Ryan Giggs, o Manchester United. Giggs ar y pryd oedd y Cymro ieuengaf erioed i chwarae pêl-droed dros ei wlad pan ddaeth ar y maes fel eilydd yn agos i ddiwedd y gêm, gan dorri record John Charles a safai er 1950.

Ar 4 Mai yr oedd Giggs wedi chwarae ei gêm lawn gyntaf dros ei glwb Manchester United, yn erbyn Manchester City, gan sgorio unig gôl y gêm honno. Aeth ymlaen yn y blynyddoedd wedyn i'w brofi'i hun yn un o beldroedwyr gorau Cymru erioed, er iddo fethu chwarae'n gyson dros ei wlad oherwydd anafiadau ac amharodrwydd rheolwr ei glwb i'w ryddhau i chwarae mewn gemau cyfeillgar. Serch hynny enillodd yr asgellwr chwim fedalau niferus dros Manchester United a dod yn eilun i gefnogwyr pêl-droed ledled y byd.   [LLIW 79]

Storm yn yr anialwch

dde: Milwyr o Gymru yn Rhyfel y Gwlff.

Roedd dau Gymro ymhlith y 26 o filwyr o luoedd Prydain a laddwyd yn ystod Rhyfel y Gwlff. Roedd y ddau'n aelodau o'r SAS a fu'n gweithredu y tu ôl i linellau'r gelyn wrth i'r Gynghrair, a oedd yn cynnwys byddinoedd Prydain a'r Unol Daleithiau, geisio gyrru lluoedd Irac allan o Goweit o fis Ionawr ymlaen.

Yr oedd milwyr Irac wedi mynd i mewn i Goweit ar 2 Awst 1990, a chymerodd rai misoedd i ffurfio'r cyrch a elwid yn *Operation Desert Storm*, i achub Coweit. Dechreuodd y rhyfel yn yr awyr ar 17 Ionawr, ond ni welwyd ymladd ar y tir hyd 24 Chwefror. Erbyn 28 Chwefror, pan gyhoeddodd George Bush, Arlywydd yr Unol Daleithiau, ddiwedd ar yr ymladd, yr oedd 175,000 o Iraciaid wedi'u cymryd yn garcharorion a miloedd eraill wedi'u lladd.

Cymro oedd y cyntaf o luoedd Prydain i gael ei ladd. Dau ddiwrnod cyn yr ymosodiad ar y tir, roedd y Corporal David Denbury o'r Bont-hir yng Ngwent gydag aelodau eraill o'r SAS yn cynnal rhagarchwiliad pan ganfuwyd hwy gan filwyr Irac. Saethwyd ef ond llwyddodd eraill i ddianc. Am ei wrhydri, dyfarnwyd y *Military Medal* iddo. Ymddengys mai marw o hypothermia wrth guddio yn y diffeithwch yn Irac a wnaeth y Cymro arall, y Rhingyll Vincent Phillips.

'Lladrata bywoliaeth'

Dim ond tri phwll dwfn oedd gan y Bwrdd Glo yn ne Cymru, a phedwar yng Nghymru i gyd, wedi cau Glofa Penallta yn Ystrad Mynach, y pwll olaf yng Nghwm Rhymni, ar 1 Tachwedd. Hwn oedd y pumed pwll ar hugain yn y De i gael ei gau ar ôl streic fawr 1984-85, a chollodd tua thri chant o ddynion eu swyddi pan gaewyd ef.

Ar un adeg yr oedd Cwm Rhymni yn un o ardaloedd glofaol enwocaf Cymru, a chafodd ei anfarwoli gan y glöwr a'r bardd, Idris Davies, yn ei gerdd *I Was Born in Rhymney*. Agorwyd Penallta yn 1906 gan gwmni mawr Powell Duffryn, ac yn 1947, fel pob pwll mawr arall, daeth dan berchenogaeth gyhoeddus fel rhan o'r Bwrdd Glo Cenedlaethol newydd. Sioc fawr i'r gymuned leol oedd clywed bod y pwll i'w gau. 'Maen nhw wedi lladrata fy mywoliaeth oddi arnaf,' meddai Alan James, glöwr ym Mhenallta er 1965.

Ar ddiwedd y flwyddyn, nid oedd gan y Bwrdd Glo bellach ond mil o lowyr yn y De. Ym mis Mai 1993 caewyd glofeydd Betws a Thaf Merthyr gan adael un pwll dwfn yn unig ym maes glo de Cymru, sef Pwll y Tŵr, Cwm Cynon.

Erbyn diwedd y flwyddyn yr oedd tua phedwar cant o ddynion yn gweithio ym Mhwll y Tŵr a Phwll y Parlwr Du, yr unig bwll dwfn yn y Gogledd, yn ogystal â thua saith cant mewn rhyw 60 o byllau preifat yn y De a 1,000 ar safleoedd glo brig. Yn y '30au rhoddai Glofa Penallta'n unig waith i 3,500 o ddynion.

Woosnam yn profi ei fod yn Rhif 1

Arhosodd miloedd o Gymry ynghlwm wrth eu setiau teledu tan hanner nos ar 14 Ebrill i weld Ian Woosnam o Lanymynech ym Maldwyn yn ennill 55ed Bencampwriaeth Meistri'r Unol Daleithiau yn Augusta, Georgia. Woosnam oedd y Cymro cyntaf i gipio un o brif gystadlaethau golff y byd, a chadarnhaodd y fuddugoliaeth ei safle fel golffiwr gorau'r byd ar y pryd, yn ogystal ag ychwanegu $243,000 at ei gyfrif banc. 'Deuthum yma yn honni mai fi oedd Rhif 1 y byd. Yr oedd yn rhaid i mi brofi hynny trwy ennill,' meddai'r buddugwr wedyn. A dangosodd cefnogwyr chwaraeon hwythau mai Woosnam oedd gorau ei wlad drwy ei ddewis yn Bersonoliaeth Chwaraeon Cymru'r Flwyddyn am yr ail flwyddyn yn olynol ar 17 Ionawr 1992.

Ni chafodd Woosnam ddechreuad addawol iawn, ac ar ddiwedd y rownd gyntaf bu tua deg ar hugain o bobl rhyngddo ef ac arweinwyr y maes. Yn yr ail rownd a'r drydedd llwyddodd i'w godi'i hun yn rhyfeddol tua brig y tabl, ond yr oedd y gystadleuaeth yn y fantol hyd at dwll olaf y rownd olaf, gyda José Maria Olazabal o Sbaen a'r Americanwr Tom Watson yn dynn ar ei sodlau. Wedi rhoi'r belen ar y 18fed lawnt am y tro olaf yr oedd angen pytiad pum troedfedd i gipio'r teitl. Yr oedd y tyndra bron yn drech na rhai o'i gefnogwyr wrth iddo daro'r bêl yn ysgafn yn syth i mewn i'r twll. Gorffennodd y gystadleuaeth â sgôr o 277, 11 ergyd yn well na'r safon, un ar y blaen i Olazabal, a dwy o flaen Watson a thri golffiwr arall. Yn ogystal â'i siec am $243,000, gwisgwyd Woosnam â'r siaced werdd enwog gan bencampwr y flwyddyn cynt, Nick Faldo o Loegr. 'Mae dipyn bach yn dynn dan y ceseilau,' sylwodd Woosnam, 'ond eiddof fi yw hi nawr ac ni all neb ei chymryd oddi arnaf'. *[LLIW 68]*

Canlyniadau calonogol

Er bod y Cyfrifiad a gynhaliwyd yn y flwyddyn hon yn dangos lleihad sylweddol yn y nifer o bobl dros 45 oed a siaradai'r Gymraeg, calondid i garedigion yr iaith oedd y cynnydd a welwyd ymhlith nifer siaradwyr Cymraeg dan 44 oed, yn enwedig ymysg plant dan 10 oed. Yr oedd yn amlwg fod nifer cynyddol o blant dwyieithog i'w cael bellach mewn ardaloedd digon di-Gymraeg, a hynny oherwydd twf addysg Gymraeg.

Yn 1991 yr oedd 18.5% o'r Cymry yn medru'r Gymraeg o'i gymharu â 18.9% yn 1981, a'r cyfanswm o siaradwyr wedi disgyn o 508,200 i 500,000. Dwyfor o hyd oedd cadarnle cryfaf y Gymraeg, gyda 75.4% o'r boblogaeth yn siarad yr iaith, a Threfynwy oedd y man gwannaf, heb ddim ond 2% yn Gymry Cymraeg.

Ateb gweddïau'r hen seintiau

Ar 26 Ebrill cyhoeddodd y Llywodraeth na fyddai'n adeiladu gorsaf radar ar y cyd â'r Unol Daleithiau ar safle ger Tyddewi, Sir Benfro, wedi'r cyfan. Roedd y cynllun i adeiladu gorsaf radar ar hen faes awyr Tyddewi, tua dwy filltir o'r Eglwys gadeiriol, wedi codi nyth cacwn yn yr ardal pan ddatgelwyd ef yng ngwanwyn 1990. Yn ôl Alan Clark, y Gweinidog Amddiffyn, dewiswyd Tyddewi o blith 166 safle ym Mhrydain, a byddai'r 35 trosglwyddydd, 16 ohonynt yn 135 troedfedd o uchder, yn cael eu codi mewn cydweithrediad â'r Unol Daleithiau. Diben yr orsaf fyddai monitro llongau'r Undeb Sofietaidd yn y môr i'r gogledd o Ynysoedd y Ffaro a Gwlad yr Iâ drwy ddull soffistigedig o daflu signalau oddi ar yr ïonosffer. Cyn dechrau ar y gwaith, byddai'r Llywodraeth yn ymgynghori â Pharc Cenedlaethol Sir Benfro, ac yn comisiynu adroddiad ar yr effaith ar yr amgylchedd.

Cafwyd gwrthwynebiad chwyrn i'r cynllun yn lleol ac yn rhyngwladol. Trefnwyd mudiad o'r enw 'Ymgyrch Sir Benfro yn erbyn y Radar' a lobïwyd gwleidyddion yr Unol Daleithiau gan gefnogwyr yn y wlad honno.

Y protestwyr yn dathlu eu buddugoliaeth o flaen yr Eglwys Gadeiriol.

Ym mis Gorffennaf 1990, gorymdeithiodd dros 2,000 o brotestwyr drwy Dyddewi mewn rali a drefnwyd gan Blaid Cymru. Seiliwyd y gwrthwynebiad ar yr effaith amgylcheddol mewn ardal o harddwch naturiol a hanesyddol, yr effaith ar y diwydiant twristiaeth, a'r perygl i iechyd o allyriant electromagnetig o'r orsaf.

Yn ystod hydref 1990, datgelwyd bod Llywodraeth yr Unol Daleithiau, yn wyneb diwedd y Rhyfel Oer, yn rhoi llai o flaenoriaeth i'r cynllun nag o'r blaen, ac er i'r Weinyddiaeth Amddiffyn ailddatgan ei bwriad i barhau, nid oedd y cyhoeddiad ym mis Ebrill yn gwbl annisgwyl. Ymhlith y rhai a fu'n dathlu ar ôl clywed y cyhoeddiad yr oedd y Tra-Pharchedig Bertie Lewis, Deon Tyddewi, a ddywedodd, 'Yma mae crud Cristionogaeth Cymru... mae hyn yn ateb gweddïau'r hen seintiau.'

1992

15 Ionawr

Cydnabu'r rhan fwyaf o wledydd Ewrop fodolaeth y ddwy wlad Croatia a Slofenia, arwydd o ddiwedd yr hen Iwgoslafia.

3 Mawrth

Cyhoeddwyd annibyniaeth Bosnia wedi i fwyafrif o'r boblogaeth bleidleisio o blaid hynny mewn refferendwm ond dilynwyd hyn gan ryfel rhwng y boblogaeth Serbaidd a'r Moslemiaid a'r Croatiaid.

17 Mawrth

Mewn refferendwm yn Ne Affrica pleidleisiodd y mwyafrif o blaid cynigion yn Arlywydd de Klerk i newid y cyfansoddiad.

26 Mawrth

Yn Indianapolis carcharwyd y cyn-bencampwr bocsio Mike Tyson am chwe blynedd am dreisio'r frenhines harddwch Desiree Washington.

9 Ebrill

Ym Mhrydain, enillodd y Ceidwadwyr Etholiad Cyffredinol.

10 Ebrill

Lladdwyd tri ac anafwyd 91 wedi i fom anferth a osodwyd gan yr IRA ffrwydro yn Ninas Llundain.

25 Ebrill

Yn Affganistan, goresgynnwyd y brifddinas Kabul gan luoedd Moslemaidd y Mujahidin.

3 Tachwedd

Etholwyd Bill Clinton yn Arlywydd yr Unol Daleithiau.

Pencampwraig mewn cadair olwyn

Go brin i'r un athletwr arall o Gymru erioed ennill cymaint o anrhydeddau yn yr un gystadleuaeth ag a gafodd Tanni Grey o Gaerdydd yng Ngemau Paralympig Barcelona ym mis Medi.

Bu'n fuddugol yn y cystadlaethau 100 metr, 200 metr, 400 metr a 500 metr i fenywod mewn cadeiriau olwyn, a thorrodd ddwy o'i recordiau byd ei hun – yn rownd gyn-derfynol y 400 metr gydag amser o 59.20 eiliad, y ferch gyntaf i wneud y pellter hwnnw mewn llai na munud, ac yn rownd derfynol y 100 metr pan orffennodd mewn 17.55 eiliad. Siomwyd ei chefnogwyr pan orffennodd yn ail yn rownd derfynol yr 800 metr, ond trodd y siom yn foddhad bum munud wedyn pan glywyd bod y fuddugwraig, Ann Cody o'r Unol Daleithiau, wedi'i diarddel o'r gystadleuaeth am symud allan o'i lôn yn rhy gynnar yn ystod y ras. Yr oedd y penderfyniad yn un dadleuol, a chyfaddefodd Tanni Grey wedyn fod ei theimladau'n gymysg iawn wrth dderbyn ei phedwaredd fedal aur heb ddod yn gyntaf yn y ras.

Tanni Grey

Yr oedd wedi ennill medal efydd yng Ngemau Paralympig Seoul yn 1988, ond rhai Barcelona oedd y Gemau Paralympig cyntaf i ddenu sylw mawr gan y wasg a'r teledu, a chyda'i phedair buddugoliaeth gampus daeth Tanni yn seren y cyfryngau. Nid oedd athletwyr anabl bellach yn cael eu gweld, meddai, fel 'cloffion yn gwneud eu gorau'. Oddi ar 4 Medi, pan dorrodd ei record 400 metr ei hun, denai'r athletwraig o Gaerdydd fwyfwy o sylw bob dydd. Fe'i gwahoddwyd i ymddangos ar y rhaglen gwis boblogaidd, *Question of Sport*, ac ym mis Hydref yr oedd ei hwyneb i'w weld ymhlith sêr Hollywood yng

nghylchgrawn *Hello*, a dewiswyd hi'n Chwaraewraig y Flwyddyn gan y *Sunday Times*. Ar ddiwedd y flwyddyn, derbyniodd fedal MBE yn Rhestr Anrhydeddau Blwyddyn Newydd am wasanaeth i chwaraeon i'r anabl, a chafodd gydnabyddiaeth am ei champau gan gefnogwyr chwaraeon yng Nghymru a'i dewisodd hi'n Bersonoliaeth Chwaraeon Cymru'r Flwyddyn ar 25 Ionawr 1993, yr athletwr cadair olwyn cyntaf i dderbyn y wobr honno.

Ganwyd hi ag asgwrn cefn hollt (*spina bifida*), a bu'n defnyddio cadair olwyn er pan oedd yn saith oed. Bu â diddordeb mawr ym mhob math o

(Drosodd)

Pencampwraig mewn cadair olwyn

(o'r tudalen cynt)

chwaraeon cystadleuol o'r dechrau, gan ymladd yn erbyn rhagfarn ac anwybodaeth yn aml i gael ei chydnabod fel athletwraig. Ni fu'n un am brotestio'n wleidyddol yn erbyn rhwystrau ar yr anabl, gan gredu y gallai wneud mwy trwy brofi ei galluoedd a'i phroffesiynoldeb yn ei maes.

Nid oedd ei doniau'n gyfyngedig i rasys byr chwaith – mewn camp unigryw i athletwyr anabl ac abl eu cyrff fel ei gilydd, enillodd Tanni Farathon Llundain i athletwyr cadeiriau olwyn bedair gwaith, yn 1992, 1994, 1996, ac 1998.

Seren newydd llenyddiaeth Gymraeg

Yr oedd rhai yn darogan adfywiad mawr mewn rhyddiaith Gymraeg ac eraill yn wfftio'n ddirmygus wedi i reolwr pentref Eidalaidd Portmeirion, Meirionnydd, Robin Llywelyn, gipio Medal Ryddiaith Eisteddfod Genedlaethol Aberystwyth ym mis Awst am ei nofel ffantasïol *Seren Wen ar Gefndir Gwyn*.

Rhoddai ei theitl rhyfedd rywfaint o awgrym o naws anghyffredin y nofel, a brithid ei thudalennau â chymeriadau hynod ac iddynt enwau hynotach fyth, fel Llwch Dan Draed ac Anwes Bach y Galon, a gwledydd fel Haf Heb Haul a Gaea Mawr. Yn ôl un o'r beirniaid yn Aberystwyth, yr oedd y llyfr yn debyg o 'agor pennod newydd arwyddocaol' yn hanes rhyddiaith Gymraeg, ond er bod rhai yn ei ganmol i'r cymylau yr oedd sawl un yn ei weld bron yn annarllenadwy, yn enwedig oherwydd defnydd yr awdur o dafodiaith gref ei fro.

Enillodd Robin Llywelyn y Fedal Ryddiaith yr eildro yn Eisteddfod Genedlaethol Castell-nedd yn 1994 â chyfrol yr un mor feiddgar a'r un mor niwlog ei naws, *O'r Harbwr Gwag i'r Cefnfor Gwyn*, a chyfieithwyd honno a'i chyhoeddi'n Saesneg yn 1996. Yn 1995, cyhoeddwyd cyfrol o'i straeon byrion, *Y Dŵr Mawr Llwyd*. Hon oedd y gyfrol gyntaf o'i waith nad oedd yn cynnwys y gair 'gwyn' yn y teitl; 'Nid oedd *Y Dŵr Mawr Gwyn* yn swnio'n iawn rywsut', meddai'r awdur.

uchod:
Cynog Dafis gyda'i ymgyrchwyr buddugoliaethus yn etholaeth Ceredigion a Gogledd Penfro.

Cynog ond nid Kinnock

O ganlyniad i'w fethiant i arwain y Blaid Lafur i fuddugoliaeth yn yr Etholiad Cyffredinol a gynhaliwyd ar 9 Ebrill cyhoeddodd Neil Kinnock, yr aelod seneddol dros Islwyn, y byddai'n rhoi'r gorau i arweinyddiaeth y blaid wedi mwy na naw mlynedd wrth y llyw. Tueddai cefnogwyr Llafur i gytuno bod Kinnock wedi poblogeiddio llawer ar y Blaid Lafur, ar ôl cyfnod o fethiannau etholiadol, ond nad oedd gan yr etholwyr feddwl uchel ohono. Rhoddai rhai ran o'r bai am fethiant Llafur yn yr Etholiad ar berfformiad Kinnock mewn rali yn Sheffield tua diwedd yr ymgyrch pan ymddangosodd yn benboeth ac amhroffesiynol, ac i bob golwg yn anaddas i fod yn Brif Weinidog.

Cadarnhaodd y Comisiwn Cydraddoldeb Hiliol wedi'r Etholiad eu bod yn edrych ar nifer o gwynion am ymddygiad hiliol yn erbyn Kinnock yn ystod yr ymgyrch oherwydd ei wreiddiau Cymreig. Yn benodol, cwynwyd bod papurau newydd yn cyfeirio ato fel '*Boyo*' a '*Welsh Windbag*', a bod Michael Heseltine ac eraill wedi gwawdio ei acen Gymreig.

Yng Nghymru, cael a chael oedd hi i Walter Sweeney yn sedd Bro Morgannwg, lle yr enillodd y Ceidwadwr gyda mwyafrif o 19, y lleiaf ym Mhrydain i gyd ar y pryd. Bu honiadau wedyn nad oedd Sweeney wedi ennill ond trwy bleidleisiau nifer o Gymry alltud yn byw yn Ne Affrica, wedi i'r llywodraeth gynnal ymgyrch mawr cyn yr Etholiad i ddarbwyllo Prydeinwyr yn byw dramor ers llai nag ugain mlynedd i gofrestru i bleidleisio yn eu hen gartrefi. Gyda Mynwy a Brycheiniog a Maesyfed, yr oedd Bro Morgannwg yn un o dair sedd a adenillodd y Ceidwadwyr wedi iddynt eu colli mewn is-etholiadau er 1985.

Y canlyniad mwyaf syfrdanol yng Nghymru oedd buddugoliaeth Cynog Dafis dros Blaid Cymru yn etholaeth Ceredigion a Gogledd Penfro lle y disodlodd y Rhyddfrydwr poblogaidd Geraint Howells. Yn 1987 roedd Cynog Dafis wedi dod yn bedwerydd ond y tro hwn cafodd gefnogaeth swyddogol y Blaid Werdd a thrwy ennill pleidleisiau niferus gan y di-Gymraeg yn ogystal â phleidleiswyr traddodiadol y Blaid, llwyddodd i danio ymgyrch a ysgubodd hen gefnogaeth Ryddfrydol yn yr etholaeth o'r neilltu.

Yr oedd Cynog Dafis yn un o bedwar Aelod Seneddol Plaid Cymru bellach, cyfanswm gorau'r Blaid erioed, ac ef oedd y cyntaf i gynrychioli safbwynt y Blaid Werdd yn y Senedd.

Gostwng y *Faner*

Ar 14 Ebrill cyhoeddwyd y rhifyn olaf o'r papur wythnosol *Baner ac Amserau Cymru*, a sefydlwyd 133 o flynyddoedd ynghynt.

Dechreuwyd cyhoeddi'r papur yn 1859 pan unodd y cyhoeddwr Thomas Gee ddau bapur, *Yr Amserau* a *Baner Cymru*, i wneud un wythnosolyn newydd a roddai sylw i faterion cyfoes o bob math, gan gynnwys crefydd, gwleidyddiaeth, llenyddiaeth, a phob math o gynhennau cyhoeddus. Ffynnodd y papur yn eithriadol yn ystod ail hanner y 19eg ganrif, ac erbyn marwolaeth Gee yn 1898, gwerthid tua phymtheng mil o gopïau bob wythnos.

Bu gan y papur gyfres hir o olygyddion nodedig, gan gynnwys y bardd a'r diwygiwr cymdeithasol, William Rees (Gwilym Hiraethog), yn ei ddyddiau cynnar, Edward Prosser Rhys o 1923 i 1945, a Gwilym R. Jones o 1945 i 1977. Ymhlith perchenogion nodedig y papur yr oedd y llenor Kate Roberts a'i gŵr, Morris T. Williams. Yn ystod yr Ail Ryfel Byd denai colofn ddadleuol Saunders Lewis, *Cwrs y Byd*, nifer mawr o ddarllenwyr i'r *Faner* oherwydd y sylw a roddai i faterion y dydd, er bod rhai o'r farn fod gan y colofnydd ormod o gydymdeimlad â gelynion Prydain.

Dechreuodd y papur fynd i drafferthion yn ystod y '60au a'r '70au wrth i'w gylchrediad leihau'n sylweddol, ac yn 1977 ail-lansiwyd ef fel cylchgrawn wythnosol gyda chymorth Cyngor Celfyddydau Cymru. Seliwyd tranc y *Faner* ym mis Mawrth 1987 pan ataliodd Cyngor y Celfyddydau'r grant honno, penderfyniad a ddisgrifiwyd gan ei olygydd olaf, Hafina Clwyd, fel 'ergyd farwol'. Bu siomedigaeth fawr pan gyhoeddwyd ar 10 Ebrill mai'r rhifyn nesaf o'r *Faner* fyddai'r un olaf, a theimlwyd cryn chwerwder gan rai yn ogystal. 'Os na all y genedl Gymreig gadw'r *Faner* yn fyw yn awr ei hargyfwng, cystal inni gydnabod ein hannheilyngdod fel pobl wareiddiedig', meddai'r cyn-olygydd Gwilym R. Jones yn y rhifyn olaf.

Joci'r ail ddewis yn ennill y National

Er mai joci'r ail ddewis oedd Carl Llewellyn o Benfro ar gyfer y ceffyl *Party Politics* yn ras fawr y *Grand National* ar 4 Ebrill, dewis ffodus ydoedd ar ran hyfforddwr y ceffyl, gan i'r Cymro fynd ymlaen i ennill y ras o ddau hyd a hanner. A'r wlad ar y pryd yng nghanol berw ymgyrch Etholiad Cyffredinol a oedd i'w gynnal ar 9 Ebrill, addas iawn, efallai, ydoedd fod ceffyl â'r fath enw'n fuddugol.

Trodd Llewellyn yn broffesiynol yn 1985, ar ôl ennill ei brofiad cynnar yn rasio *point-to-point* yng Nghymru. Enillodd 41 o rasys yn nhymor 1987-88. Torrwyd ar draws ei yrfa gan nifer o anafiadau ac afiechydon, yn amrywio o dorri ei fraich a dadleoli ei benelin, i lid yr afu, ond anaf i joci arall a sicrhaodd iddo ei gyfle mawr yn y National. Pan dorrodd Andy Adams, joci arferol *Party Politics*, ei goes, cymerodd Carl Llewellyn ei le. Hefyd yn y ras yr oedd pedwar joci arall o Gymru, gan gynnwys Neale Doughty o Lwynypïa, a oedd yn ffefryn gan rai i ennill, ond na allai wneud yn well na'r pumed safle ar y dydd.

Richard Guest ar *Romany King* oedd ar y blaen bedwar clawdd o'r diwedd, ond yna daliwyd ef gan Llewellyn. Dim ond dau geffyl oedd ynddi wedyn, a'r fuddugoliaeth yn y diwedd yn mynd i'r Cymro, un o'r 53 o rasys a enillodd yn ystod y tymor. Hwn oedd trydydd cynnig Llewellyn ar gwrs y National, a'r cyntaf iddo ei orffen heb gwympo. Coronodd ei gamp chwe blynedd wedyn yn 1998 ar y ceffyl *Earth Summit* pan ddaeth yn un o'r ychydig dethol o jocis i ennill y *Grand National* ddwywaith.

Traed o'r cyffion

Yr oedd dau frawd o Gastell-nedd yn dathlu ar 14 Gorffennaf wedi iddynt gael eu rhyddau gan y Llys Apêl yn Llundain ar ôl treulio saith mlynedd yn y carchar am lofruddiaeth nad oeddynt wedi'i chyflawni. Nid mor llawen yr oedd Heddlu De Cymru am fod yr achos wedi dod â chamymddwyn a llygredigaeth ddifrifol yn eu plith hwy i'r amlwg.

Carcharwyd y ddau, Wayne a Paul Darvel, gan Lys y Goron Abertawe yn 1986 am lofruddio'r rheolwraig siop ryw, Sandra Phillips, yn y ddinas flwyddyn ynghynt, ond clywodd y Llys Apêl fel yr oedd rhai o dditectifs Heddlu De Cymru wedi ffugio tystiolaeth yn erbyn y brodyr ac wedi cadw'n ôl dystiolaeth a allai fod wedi dangos eu bod yn ddieuog. Enwyd cyn-Bennaeth CID De Cymru, Don Carsley, yn benodol fel un a oedd wedi cadw tystiolaeth yn ôl, a chafodd saith ditectif arall a fu'n gweithio ar achos y brodyr eu gwahardd o'r gwaith dros dro yn sgîl datguddiadau. Aeth yr achos i'r Llys Apêl wedi ymchwiliad gan Heddlu Dyfnaint a

Yn rhydd o'r diwedd – y brodyr Darvel o flaen gorsaf Castell-nedd.

Chernyw, a chan y rhaglen deledu, *Rough Justice*.

Yr oedd Paul Darvell, 31 oed, wedi colli ei wallt i gyd oherwydd y straen o fod yn y carchar, a dywedodd mai'r peth gwaethaf ynglyn â bod yn y ddalfa oedd gwybod ei fod yn ddieuog. Dywedodd Wayne Darvell iddo ef a'i frawd gael eu trin yn arbennig o dda yn y carchar am fod pawb, meddai, yn gwybod nad oeddynt yn euog.

Wrth ddathlu rhyddhau'r brodyr Darvell, mynegwyd pryder mawr fod gwir lofruddion Sandra Phillips â'u traed yn rhydd o hyd, a datganodd Heddlu'r De yr ail-agorent yr ymchwiliad i'r achos ar unwaith. Ar 30 Mehefin 1994, cafwyd tri heddwas yn ddieuog o geisio gwyrdroi cwrs cyfiawnder yn ystod prawf gwreiddiol y ddau frawd.

Llorio'r pencampwyr

dde: Steve Watkin a Mickey Thomas yn dathlu.

Drysodd peldroedwyr Wrecsam drefn pethau'n lân yng Nghwpan Lloegr ar 4 Ionawr drwy guro Arsenal, Pencampwyr Cynghrair Lloegr, yn nhrydedd rownd y gystadleuaeth gartref ar y Cae Ras.

Y *Gunners* oedd y ffefrynnau i ennill y Cwpan, ac ni chredai neb fod gan y clwb o'r Bedwaredd Adran obaith yn erbyn y tîm o Lundain gyda'i sêr costus a oedd yn cynnwys pump o chwaraewyr rhyngwladol. Yn wir, pan roddodd Alan Smith y Llundeinwyr ar y blaen ddwy funud cyn hanner-amser, nid oedd pethau'n edrych yn rhyw obeithiol i Wrecsam. Yr oedd Arsenal yn ddigon bodlon i chwarae'n ddifentr i amddiffyn eu mantais, a bu'n rhaid i Wrecsam aros tan y 82fed funud pan loriwyd Gordon Davies ar ymyl y cwrt cosbi. Saethodd Mickey Thomas y gic rydd i gefn y rhwyd i unioni'r sgôr. Ni allai'r golgeidwad, David Seaman, ond cyffwrdd â hi â blaenau ei fysedd wrth iddi hedfan i gornel uchaf y gôl.

Gyda llai na deng munud yn weddill yr oedd popeth yn y fantol, ond ddwy funud yn unig wedi i Thomas ddod â Wrecsam yn ôl i mewn i'r gêm seliodd y bachgen lleol, Steve Watkin, dynged y pencampwyr pan fethodd yr amddiffynnwr Tony Adams â chlirio croesiad Gordon Davies, gan adael Watkin i wthio'r bêl heibio i Seaman. Ond yn ddi-os Mickey Thomas, 37 oed, oedd arwr y dydd. 'Pe bai e ddeng mlynedd yn iau, gallwn ei werthu am £5 miliwn,' meddai rheolwr Wrecsam, Brian Flynn, yn gellweirus wedyn. 'Dyna gymeriad, yr un mor fyrlymus ag erioed.'

Gwasanaeth radio newydd

Yn y flwyddyn hon lansiwyd y gwasanaeth radio cymunedol dwyieithog cyntaf ym Mhrydain, sef Radio Ceredigion, a ddarlledai'n bennaf o stiwdio yn yr hen Ysgol Gymraeg yn Aberystwyth. Gan ddibynnu ar gefnogaeth gwirfoddolwyr, llwyddodd y gwasanaeth i ddenu gwrandawyr nid yn unig yng Ngheredigion ond hefyd mewn ardaloedd cyfagos, ac erbyn canol y degawd honnai'r orsaf i 46% o boblogaeth yr ardal wrando ar ei darllediadau, y ffigur uchaf o'r holl wasanaethau radio a oedd ar gael i wrandawyr y dalgylch. Gan fod canran uchel o'r darllediadau yn y Gymraeg, roedd cystadleuaeth frwd am wrandawyr rhwng Radio Ceredigion a Radio Cymru. Oherwydd i'r gwasanaeth lleol ei naws a gyflwynid gan Radio Ceredigion apelio'n fawr at y gwrandawyr, bu'n rhaid i Radio Cymru ymateb drwy gynnig gwasanaethau newyddion a chwarae-on lleol i geisio cadw'i gwrandawyr. Denwyd hefyd nifer o ddarlledwyr fel Geraint Lloyd, Alun Tomos a Rhian Jones o'r orsaf leol i'r 'gwasanaeth cenedlaethol' ac efelychwyd rhai o ddulliau darlledu mwyaf llwyddiannus Radio Ceredigion. Ymhlith y rhain yr oedd y gyfres sebon boblogaidd o'r enw 'Bontlwyd'.

Ond ni bu Radio Ceredigion heb ei drafferthion. Er i'r gwasanaeth dderbyn nawdd sylweddol gan Fwrdd Datblygu Cymru Wledig ac awdurdodau lleol, aeth i ddyled sylweddol mewn dim o dro. Cafwyd cymorth Antur Teifi i geisio sefydlogi'r ochr fusnes, ond erbyn 1996 roedd y ddyled wedi cyrraedd dros £100,000. Arweiniodd hyn at anghydfod annymunol rhwng dwy garfan a fu'n cyhuddo'i gilydd o gamymddwyn, ac er ei phoblogrwydd, roedd dyfodol yr orsaf yn parhau yn y fantol yn ystod blynyddoedd ola'r ganrif.

Iechyd Da?

Ar 1 Ebrill, Awdurdod Iechyd Sir Benfro oedd y cyntaf yng Nghymru i ddewis neilltuo a dod yn ymddiriedolaeth leol o fewn y Gwasanaeth Iechyd Gwladol.

Yr oedd gweinyddwyr iechyd y sir wedi manteisio ar ddeddfwriaeth y llywodraeth Geidwadol i rannu'r Gwasanaeth Iechyd yn ymddiriedolaethau a chreu 'marchnad fewnol' o fewn y Gwasanaeth. Ar 1 Ebrill 1997, unwyd Ymddiriedolaeth Sir Benfro ag Ymddiriedolaeth Derwen i ffurfio ymddiriedolaeth newydd.

Glyn Ebwy yn ei flodau

Yr oedd 250,000 o gennin pedr wedi'u cadw mewn storfa oer yng Nglyn Ebwy am dri mis rhag ofn iddynt flodeuo'n rhy gynnar a gwywo cyn Dydd Calan Mai pan agorwyd Gŵyl Gerddi Cymru ar safle 185 erw yno.

'Digwyddiad y Degawd' oedd disgrifiad y trefnwyr o'r Ŵyl a weddnewidiodd hen dirwedd ddiwydiannol ar gost o tua £50 miliwn. Denodd tua dwy filiwn o ymwelwyr yn ystod y pum mis y bu ar agor. Yn ogystal â gerddi a choed yr oedd yr Ŵyl yn cynnwys fferm fynyddig, amrywiaeth o adeiladau a stondinau, reidiau ffair, a hefyd raglen helaeth o adloniant a chwaraeon. I'w weld yn gyson trwy'r cyfan yr oedd mascot yr Ŵyl, Gryff, cymeriad cartŵn hoffus a wisgai flodyn yn ei het werdd.

1993

1 Ionawr

Rhannwyd Tsiecoslofacia'n ddwy ran pan ffurfiwyd Gweriniaeth y Tsiec a Slofacia yn wledydd ar wahân.

3 Ebrill

Yn Lerpwl, canslwyd ras y *Grand National* ar ôl cyfres o gamgymeriadau ar ei dechrau.

13 Medi

Yn Washington, arwyddodd yr Israeliaid a'r Palestiniaid gytundeb heddwch.

17 Mai

Cafwyd y nyrs Beverley Allitt yn euog o lofruddio pedwar baban a oedd dan ei gofal mewn ysbytai yn Lloegr yn 1991.

30 Medi

Lladdwyd 30,000 o bobl o ganlyniad i ddaeargryn yn nhalaith Maharashtra, India.

4 Hydref

Ym Moscow, daeth ymgais i ddisodli'r Arlywydd Yeltsin i ben wrth i luoedd Rwsia adfeddiannu senedd y wlad.

1 Tachwedd

Daeth Cytundeb Maastricht i rym gan dynnu gwledydd yr Undeb Ewropeaidd yn nes at ei gilydd.

22 Rhagfyr

Yn Ne Affrica, daeth y system *apartheid* i ben pan bleidleisiodd senedd y wlad i fabwysiadu cyfansoddiad dros dro newydd.

Bomiau drwy'r post

Siôn Aubrey Roberts (ar y chwith) yn gadael y carchar.

Yn Llys yn Goron, Caernarfon, ar 9 Mawrth, cafwyd Siôn Aubrey Roberts, 21 oed o Langefni, Ynys Môn, yn euog o feddu ar ffrwydron ac o ddanfon bomiau llythyron trwy'r post at Geidwadwyr amlwg yng Nghymru ac at aelodau o'r heddlu. Mewn prawf dwyieithog a barhaodd am 41 o ddiwrnodau, cafwyd Roberts a dau arall, Dewi Prysor Williams a David Gareth Davies yn ddieuog o gynllwyno i achosi ffrwydradau.

Ymhlith y rhai y cyhuddwyd y tri o ddanfon bomiau atynt yr oedd y Ditectif Brif Arolygydd Maldwyn Roberts, y swyddog a arweiniai'r helfa am Feibion Glyndŵr, yr Aelod Seneddol Ceidwadol, Syr Wyn Roberts, ac asiant y Ceidwadwyr yn y Gogledd, Elwyn Jones.

Anesmwythwyd rhai gan ran y gwasanaeth cudd M15 yn achos y tri, a galwodd Aelod Seneddol Ynys Môn, Ieuan Wyn Jones, am ymchwiliad i rôl yr asiantaeth yn y mater. Clywodd y llys fod 38 o asiantiaid cudd yn gweithio ar yr achos yng ngogledd Cymru ar un adeg, ac yn y llys disgrifiodd pedwar o swyddogion M15 fel y torasant i mewn i fflat Roberts yn Llangefni i symud dyfais glustfeinio a osodwyd ganddynt yno ynghynt, ac iddynt ddod o hyd i ddeunydd gwneud bomiau yno. Gwadodd y pedwar yr honiadau mai hwy a roddodd yr offer yn y fflat i fwrw amheuaeth ar Roberts. Trwy gydol y prawf, arhosodd y pedwar yn ddi-enw, a chael eu hadnabod yn unig fel A, B, C a D, a rhoi eu tystiolaeth o'r tu ôl i sgrîn.

Cwynodd Ieuan Wyn Jones hefyd fod y dynion wedi gorfod aros am flwyddyn rhwng cael eu restio a sefyll eu prawf, a dywedodd y codai'r mater gyda'r Swyddfa Gartref. Ar 26 Mawrth, cafodd Siôn Roberts ddedfryd o ddeuddeng mlynedd o garchar. Er ei fod wedi gwadu pob cyhuddiad yn ystod ei brawf, pan ryddhawyd ef ym mis Rhagfyr 1997, wedi pum mlynedd yn y carchar, cyfaddefodd iddo gymryd rhan yn ymgyrch losgi Meibion Glyndŵr.

Dwyn tair miliwn o ddarnau deg ceiniog

Restiwyd wyth o bobl ar 9 Medi wedi i lori'n cario gwerth £3,000,000 o ddarnau arian 10 ceiniog o'r Bathdy Brenhinol yn Llantrisant, gael ei chipio ddeuddydd ynghynt.

Yr oedd y giang wedi ymosod ar y lori y tu allan i gangen o Fanc Barclays yng nghanol Llundain, gan fygwth y gyrrwr 48 oed o Gaerdydd â gynnau. Gwthiwyd y gyrrwr i mewn i gar a'i yrru o gwmpas Llundain am bedair awr cyn ei adael yn Fforest Epping ar gyrion y ddinas. Ni ddatguddiodd yr heddlu enw'r gyrrwr, ond dywedodd llefarydd dros y Bathdy ei fod mewn cyflwr rhyfeddol o dda o ystyried y profiad brawychus a gafodd.

Pan gawsant eu restio, cafodd yr heddlu 'symiau sylweddol' o ddarnau arian ym meddiant y lladron. Nid yw'n glir sut y bwriadent wario tair miliwn o ddarnau 10 ceiniog heb dynnu sylw atynt eu hunain.

Dim Cymraeg rhwng y Seiri a'u meistri

Bu'n rhaid i un o ganghennau'r Seiri Rhyddion yn ne Cymru gau am bum mlynedd o 7 Ebrill ymlaen wedi iddi gynnal cyfarfodydd yn Gymraeg.

Ffurfiwyd Cyfrinfa Dewi Sant, Rhif 9067, ym Maesteg tua deng mlynedd ynghynt, yn benodol er mwyn dod â Chymry Cymraeg ynghyd, gan dynnu ei haelodau o ardal eang o Abertawe i Gasnewydd. Ymddangosodd rhai o'i haelodau ar S4C i berfformio seremonïau'r Seiri Rhyddion yn answyddogol yn Gymraeg, a chredent eu bod ar fin ennill caniatâd swyddogol i gyflawni defodau Masonaidd yn Gymraeg, yn union fel bydd rhai canghennau yn Llundain yn gwneud mewn sawl iaith Ewropeaidd. Ond yr oedd hynny cyn i'r llythyr tyngedfennol gyrraedd oddi wrth y *Provincial Grand Secretary*, James Bevan yng Nghaerdydd, yn eu gorchymyn i gau, wedi i ddau aelod newydd gael eu derbyn i Gyfrinfa Dewi Sant mewn seremoni uniaith Gymraeg.

Er ei chau am bum mlynedd, yr oedd disgwyl o hyd i'r Gyfrinfa anfon tâl aelodaeth o £60 y pen am bob un o'i hanner cant o aelodau i bencadlys y Seiri Rhyddion yn Llundain.

Dros y clwydi

dde: Colin Jackson

12.91 o eliadau, dyna i gyd a gymerodd Colin Jackson o Gaerdydd i rasio 110 metr dros y clwydi ac felly gipio medal aur record y byd iddo'i hun gerbron tyrfa o 53,000 ym Mhencampwriaethau'r Byd yn Stuttgart ar 20 Awst.

Yr oedd y Cymro ar y blaen o'r glwyd gyntaf ac estynnodd y pellter rhyngddo ef a'i wrthwynebwyr trwy'r ras. Yn y diwedd, dim ond y Sais, Tony Jarret, a oedd yn agos at Jackson, a sicrhaodd hynny fod y fedal arian yn ogystal â'r aur yn dod i dîm Prydain. Rhoddodd Jackson daw unwaith ac am byth ar y beirniaid a fu'n honni ei fod yn debygol o berfformio'n wael am na allai ymdopi â phwysau rhedeg mewn ras fawr.

Er ei fod yn fodlon iawn ar ei fuddugoliaeth, dywedodd y Cymro wedyn, 'Rwy'n gwybod y gallaf fynd yn gyflymach fyth.' Ar 24 Ionawr 1994 cydnabuwyd ei ddawn pan ddewisiwyd ef yn Bersonoliaeth Chwaraeon Cymru'r Flwyddyn.

Cadarnhaodd Jackson ei oruchafiaeth dros y clwydi yn ystod 1994 pan gipiodd yr aur yn y 110 metr ym Mhencampwriaethau Ewrop yn Helsinki ar 12 Awst, ac eto yng Ngemau'r Gymanwlad yng Nghanada ar 23 Awst. Ond methodd yn ei uchelgais mawr i gipio 'coron driphlyg' athletaidd trwy ennill aur Olympaidd yn Atalanta yn 1996. Yng Ngemau Olympaidd 1992 yn Barcelona, yr oedd Jackson wedi croesi'r llinell yn seithfed ar ôl bod yn ffefryn mawr i ennill y ras, ac wedi iddo fethu'r ail dro yn 1996 dechreuodd rhai sôn yn gellweirus fod 'melltith Olympaidd' ar y rhedwr am mai honno oedd yr unig gystadleuaeth na allai ei hennill.

[LLIW 60]

Ffilm yn codi gwrychyn

Prin iawn yw'r ffilmiau a greodd gymaint o helynt yn y Gymru Gymraeg â *Dafydd*, a ddangoswyd yng Ngŵyl Ffilm Ryngwladol Cymru yn Aberystwyth ar 17 Tachwedd, ac ar S4C wythnos yn ddiweddarach.

Dyma'r ffilm gyntaf erioed yn y Gymraeg lle ceid y prif gymeriad yn agored hoyw. Cymro Cymraeg oedd hwnnw, a aeth i Amsterdam o Bontypridd i ddianc rhag ei gefndir cul, gan ddod yn y diwedd yn butain. Chwaraewyd y rhan gan yr actor 18 oed o Ferthyr Tudful, Richard Harrington. 'Sdim ots 'da fi ddangos fy wili ar y teledu,' meddai Harrington, er iddo ddweud mai anodd iddo ar y dechrau oedd actio rhannu gwely gyda dyn arall. Hon hefyd oedd ffilm gyntaf y cyfarwyddwr theatr o Lanelli, Ceri Sherlock. Dywedodd Sherlock, dyn hoyw ei hun, ei fod wedi gwneud y ffilm i ysgogi trafodaeth, ac yn sicr llwyddodd i wneud hynny.

'Mae lesbiaid a hoywon *yn* siarad Cymraeg ac mae'n braf gweld hynny ar y sgrîn,' oedd ymateb Berwyn Rowlands, trefnydd Gŵyl Ffilm Ryngwladol Cymru ac aelod o 'Gylch' (Cymdeithas y Lesbiaid a'r Hoywon Cymraeg eu Hiaith). Nid mor hapus â'r penderfyniad i ddangos y ffilm ddadleuol hon oedd y Cynghorydd Tom Raw-Rees, aelod o Bwyllgor Trwyddedu Cyngor Ceredigion. Yn ei farn ef ni allai'r fath ffilm ond cael effaith wael ar foesau pobl. 'Dwi'n erbyn popeth fel'na,' meddai, 'Dyw e ddim yn naturiol bod yn *homosexual*. Mae synnwyr yn dweud y dylen ni fod yn ei erbyn e'.

Ffermio'r gwynt

Melinau gwynt Llandinam.

Yn y flwyddyn pan ddechreuwyd dadgomisiynu atomfa Trawsfynydd, gwelwyd datblygu ffordd newydd o gynhyrchu ynni yng Nghymru. Roedd fferm wynt newydd eisoes wedi'i hagor yn swyddogol ar Fynydd Cemaes, ger Machynlleth, ddiwedd Tachwedd 1992, gan yr Ysgrifennydd Gwladol, David Hunt, – y cyntaf yng Nghymru i gyflenwi trydan i'r grid cenedlaethol. Gwelwyd agor nifer o ffermydd gwynt eraill yn y flwyddyn hon ac yn ystod y blynyddoedd dilynol.

Ar 15 Mawrth agorwyd fferm wynt Penrhyddlan a Llidiart-y-waun ger Llandinam, y fwyaf y tu allan i'r Unol Daleithiau ar y pryd, ac yn ddiweddarach fferm wynt gyda 22 tyrbein yn Llangwyryfon, Cere-

digion. Agorwyd ffermydd gwynt eraill ledled Cymru yn ystod y blynyddoedd dilynol, o Ryd-y-groes yng ngogledd Ynys Môn i safle Taf Elái yn ardal Pen-y-bont ar Ogwr, Morgannwg. Yn 1997 agorwyd tair melin wynt yn ymyl pentref Carno, ger y Drenewydd.

Er nad oedd y ffermydd gwynt hyn yn llygru'r amgylchfyd fel atomfeydd niwclear, fe'u beirniadwyd gan rai am eu bod yn anharddu'r wlad ac na chynhyrchent ond ychydig o drydan o'i gymharu â phwerdai ynni mwy traddodiadol.

Nid oedd y ffermydd gwynt hyn chwaith heb eu problemau. Oherwydd gwyntoedd mawr ym mis Rhagfyr torrodd pedwar tyrbein yng Nghemaes a bu raid cau'r fferm wynt hon ac un Llangwyryfon am gyfnod.

Ymddiheuriad

Ar 19 Hydref fe ymddiheurodd Ysgrifennydd Gwladol Cymru, John Redwood, i'r Senedd am y gyfres o gamgymeriadau a chamymddygiad ariannol a wnaed gan Awdurdod Datblygu Cymru (WDA) a gostiodd oddeutu £2 filiwn o arian cyhoeddus. Gwaith y WDA oedd datblygu diwydiannau a busnes yng Nghymru, a bu'n canolbwynto ar ddenu cwmnïau tramor gan ddefnyddio'r £160 biliwn a glustnodwyd iddo gan y Swyddfa Gymreig at y pwrpas hwn.

Ar 18 Hydref ymddiswyddodd Philip Head, Prif Weithredwr y WDA, ac wedi hynny ymddiswyddodd un cyfarwyddwr, israddiwyd un arall a derbyniodd un arall ei geryddu. Roedd cadeirydd y WDA, Dr Gwyn Jones, wedi cyhoeddi'i ymddeoliad ym mis Rhagfyr 1992, wedi iddo gael ei feirniadu'n hallt gan Bwyllgor Cyfrifon Cyhoeddus Tŷ'r Cyffredin. Beirniadwyd y WDA am ganiatáu taliadau o £1.39 miliwn i 83 o staff a ddiswyddwyd, am dalu costau gyrru arbennig i brif swyddogion, ac yn bennaf oll, am benodi twyllwr o'r enw Neil Smith, a chanddo record o droseddu, yn gyfarwyddwr marchnata. Ffugiodd Smith dystlythyron er mwyn cael y swydd, ac ym mis Tachwedd 1992 fe'i carcharwyd am ddwy flynedd. Ymddengys hefyd i un swyddog gael taliad ymddeol o £228,000 ar yr amod na ddatgelai ddim am weithgareddau'r WDA.

Er i'r cadeirydd newydd, David Rowe-Beddoe, addo atebion sydyn ac effeithiol i broblemau'r WDA, cynyddodd y feirniadaeth am y modd y gweinyddid arian cyhoeddus yng Nghymru gan gyrff anetholedig tebyg. Cyhuddwyd y llywodraeth o lenwi swyddi allweddol ar y cyrff hyn gan Geidwadwyr amlwg fel Gwyn Jones a Rowe-Beddoe.

Deddf ddigonol?

Ar 21 Hydref, pasiwyd ail Ddeddf yr Iaith Gymraeg i hyrwyddo'r iaith Gymraeg yng Nghymru, wedi iddi gael ei llywio trwy'r Senedd gan Syr Wyn Roberts, Gweinidog Gwladol yn y Swyddfa Gymreig er 1979.

Yn ogystal â nifer o fân bwyntiau, dau brif beth a oedd i'w canfod yn y ddeddf newydd, sef sefydlu bwrdd statudol hyrwyddo'r Gymraeg, a gorfodi cyrff cyhoeddus i baratoi cynlluniau iaith i ddangos sut yr oeddynt am roi triniaeth deg i'r Gymraeg.

Y cyn-Aelod Seneddol dros Feirionnydd, yr Arglwydd Dafydd Elis-Thomas o Nant Conwy a benodwyd yn Gadeirydd ar Fwrdd yr Iaith Gymraeg, a dechreuodd ar ei waith ym mis Ionawr 1994. Yr oedd y Marcsydd Elis-Thomas wedi digio llawer o'i hen gefnogwyr pan dderbyniodd ei urddo'n arglwydd ym mis Mehefin 1992 ac enynnodd ddicter pellach pan dderbyniodd swydd Cadeirydd Bwrdd yr Iaith, ond dadleuai ef y dylai gymryd pob cyfle i weithredu dros ei egwyddorion.

Diffyg mawr y ddeddf yn nhyb ei gwrthwynebwyr oedd na roddai statws clir i'r Gymraeg fel iaith swyddogol a hollol gydradd â'r Saesneg, ac na wnâi ddim i warantu'r hawl i ddefnyddio'r iaith ond yn y

llysoedd. Ar 13 Gorffennaf, yr oedd y Prif Weinidog, John Major, wedi gwrthod cynnwys statws cyfartal â'r Saesneg i'r Gymraeg yn y mesur, gan ddadlau yr arweiniai hynny at ddryswch wrth weinyddu'r gyfraith. Cwynodd rhai fod y ddeddf yn seiliedig ar yr egwyddor gyfyng y dylid trin y Gymraeg yn gyfartal â'r Saesneg 'lle y bo'n briodol yn yr amgylchiadau ac yn rhesymol ymarferol'. Cwynwyd hefyd nad oedd yn cynnwys y sector breifat. Cafodd ei beirniadu gan Blaid Cymru a Chymdeithas yr Iaith fel 'deddf ddi-ddannedd, ddi-ddim'.

Ar 27 Gorffennaf restiwyd saith o bobl am ddifrod i gadair y barnwr yn Llys y Goron, Caerfyrddin, fel rhan o'r ymgyrch dros statws cyfartal i'r Gymraeg. *[LLIW 54]*

Diawliaid bach!

Ym mis Ebrill cyflawnodd tîm y Cardiff Devils 'Gamp Lawn' hoci iâ Prydain trwy ennill Pencampwriaeth yr Uwch-Adran, Cwpan y Pencampwyr a Chwpan Benson and Hedges i gyd yn yr un flwyddyn. Er bod y tîm wedi ennill pob un o'r cystadlaethau hyn o leiaf unwaith o'r blaen, hwn oedd y tro cyntaf iddynt gipio pob un mewn un tymor o chwarae.

Ar ôl ei sefydlu yn 1986, cyfres o lwyddiannau cynyddol fu hanes y Devils. Cawsant gefnogaeth frwd i gêm a oedd yn ddieithr i Gymru, ac er gwaetha'r ffaith mai o Ganada y dôi'r rhan fwyaf o'r chwaraewyr. Yr eithriad oedd chwaraewr ifanc o Ddinas Powis, Nicky Chinn.

Chwarae'n troi'n chwerw

Daeth trasiedi'n dynn ar sodlau methiant tîm pêl-droed Cymru yng Nghaerdydd ar 17 Tachwedd pan laddwyd un o'r cefnogwyr gan fflêr a daniwyd o'r ochr draw i'r stadiwm.

Lladdwyd John Hill, 67 oed o Ferthyr Tudful, wedi iddo gael ei daro gan roced o'r math a ddefnyddir i dynnu sylw gan longau a chychod mewn trafferthion, a hynny eiliadau ar ôl y chwiban olaf ar ddiwedd y gêm. Ymledodd braw trwy'r dyrfa wrth i Hill gwympo mewn pwll o waed. Rhuthrodd dau feddyg a fu'n gwylio'r gêm ato ynghyd ag aelodau Brigâd Ambiwlans Sant Ioan, ond methiant fu pob ymdrech i'w adfywio. Yr oedd Hill yn gwylio'r gêm gyda'i fab, a oedd wedi prynu tocyn yn arbennig iddo. Ar 19 Tachwedd daeth dau frawd o Wrecsam, Kerry Still ac Andrew McAllister, gerbron ynadon yng Nghaerdydd wedi'u cyhuddo o lofruddio John Hill, ac ar 26 Mai 1994, carcharwyd y ddau am dair blynedd yr un wedi i Lys y Goron yng Nghaerdydd eu cael yn euog o ddynladdiad.

Yn y gêm yn erbyn Rwmania gerbron tyrfa o 40,000 yn y Stadiwm Cenedlaethol, roedd angen i Gymru ennill er mwyn sicrhau tocyn i gystadleuaeth Cwpan y Byd a oedd i'w chynnal yn yr Unol Daleithiau yn 1994. Gyda'r sgôr yn 1 i 1 dyfarnwyd cic gosb i Gymru ond tarodd Paul Bodin y bêl yn erbyn y trawst a chyda hynny daeth gobeithion Cymru i ben. Sgoriodd Rwmania saith munud cyn y diwedd i ennill o 2 i 1, ond prin fod hynny'n bwysig yn wyneb y digwyddiad trist ar ddiwedd y gêm.   *[LLIW 78]*

Buddugoliaeth olaf cricedwr mawr y Caribî

Penlinio o flaen y pafiliwn i ddiolch i Dduw ac i'w gydchwaraewyr a wnaeth Viv Richards, wedi i'w sgôr o 46 heb fod allan helpu cricedwyr Morgannwg i ennill cystadleuaeth undydd am y tro cyntaf erioed. Yn ei gêm olaf ond un dros y clwb yr oedd batiad ysbrydoledig y gŵr o'r Caribî wedi sicrhau tlws Cynghrair y Sul i'r Cymry trwy guro Caint o chwe wiced gerbron tyrfa o 12,000 yng Nghaergaint ar 19 Medi. Hwn oedd y tlws cyntaf i Forgannwg ennill er 1969.

Yr oedd Richards, brodor o Antigua, ac un o sêr mwyaf tîm India'r Gorllewin yn ystod y '70au a'r '80au, wedi ymuno â Morgannwg yn 1990 o Wlad yr Haf gan addo yr enillai o leiaf un gystadleuaeth gyda'r clwb cyn ymddeol. Ni allai fod wedi dymuno gwell diweddglo i'w yrfa ddisglair, ac ni allai Morgannwg fod wedi gobeithio am well ffarwél gan un o'u chwaraewyr

Viv Richards gyda'r gwpan.

mwyaf nodedig. Dywedodd Richards wedyn fod arno awydd dweud ei ddiolchiadau yng nghanol y maes ar ddiwedd y gêm ond ei fod yn ofni cael ei sathru'n farw gan y cefnogwyr gorfoleddus yn rhuthro tuag ato.

Hoover yn hedfan i drafferth

Blwyddyn helbulus oedd hon i'r gwneuthurwyr teclynnau trydan, *Hoover*, ac yn arbennig i'r ffatri ym Merthyr Tudful, pencadlys y cwmni ym Mhrydain, wedi i ddau o reolwyr y cwmni roi cynnig rhy dda i'w wrthod gerbron cwsmeriaid.

Cynigiwyd tocynnau hedfan rhad i'r sawl a brynai offer gwerth dros £100 ond methwyd â rhagweld y diddordeb mawr yn y cynnig lle gwelwyd oddeutu 200,000 o bobl yn ceisio hawlio tocynnau. Boddwyd y cwmni gan geisiadau am docynnau, ac er i Hoover geisio delio â phob cais, oherwydd y cwynion niferus i swyddfa Safonau

Masnach Cyngor Canol Morgannwg, trefnwyd ymchwiliad i'r achos.

Ar 30 Mawrth diswyddwyd tri rheolwr hŷn am eu rhan yn y llanast a bu raid i *Maytag*, y cwmni yn yr Unol Daleithiau a berchenogai *Hoover*, gyfrannu £20 miliwn i sicrhau fod y cynnig yn cael ei anrhydeddu. Ym mis Awst methodd cais am iawndal gan Albanwr am iddo fethu â derbyn eu docynnau, ond beirniadodd y barnwr lacrwydd y cwmni, ac er i'r Swyddfa Safonau Masnach benderfynu peidio â dwyn achos yn erbyn *Hoover*, bu'r cwmni'n destun gwawd am ei ffolineb.

1994

22 Ebrill

Bu farw'r cyn-Arlywydd Richard Nixon.

1 Mai

Yn yr Eidal, lladdwyd y gyrrwr *Grand Prix*, Ayrton Senna, pan gollodd reolaeth ar ei gar.

6 Mai

Cyhoeddwyd mai plaid yr ANC, dan arweiniad Nelson Mandela, oedd yn fuddugol yn etholiadau De Affrica.

6 Mai

Agorwyd yn swyddogol Dwnnel y Sianel a gysylltai Ffrainc a Phrydain am y tro cyntaf.

27 Mai

Dychwelodd yr awdur Alexander Solzhenitsyn i Rwsia, 20 mlynedd wedi iddo gael ei alltudio.

3 Mehefin

Yn Birmingham sgoriodd y cricedwr Brian Lara 501 o rediadau mewn batiad, record ar gyfer gêm ddosbarth cyntaf.

21 Gorffennaf

Ym Mhrydain etholwyd Tony Blair yn arweinydd y Blaid Lafur.

31 Awst

Yng Ngogledd Iwerddon, wedi 25 mlynedd o derfysg, cyhoeddwyd cadoediad gan yr IRA.

11 Rhagfyr

Ymosododd lluoedd Rwsia ar Chechenya, y weriniaeth a gyhoeddodd annibyniaeth ar Foscow yn 1991.

Prynu'r Tŵr

Glowyr y Tŵr yn gorymdeithio.

Daeth y Nadolig ddiwrnod yn gynnar i rai o gyn-lowyr Cwm Cynon pan gymerasant reolaeth dros eu pwll eu hunain. Un funud wedi canol nos ar 24 Rhagfyr, fel rhan o breifateiddio pyllau glo Prydain, trosglwyddwyd pwll dwfn olaf de Cymru, Glofa'r Tŵr yn Hirwaun, i ofal ei weithwyr.

Ar 6 Ebrill, yr oedd y Bwrdd Glo wedi cyhoeddi y câi'r pwll ei gau. Yr oedd Glofa'r Tŵr ar restr Llywydd y Bwrdd Masnach, Michael Heseltine, o byllau i'w cau, a dywedodd Heseltine ei hun fod y pwll yn '*unviable*'. Honnwyd bod problemau daearegol, ac nad oedd marchnadoedd i'r glo carreg a dorrid yng Nghwm Cynon. Pwysodd glowyr y Tŵr yn ddyfal ar yr awdurdodau i achub eu pwll, ac o 14 i 15 Ebrill cymerodd yr Aelod Seneddol lleol, Ann Clwyd, ran mewn protest 'aros-i-lawr' 27 awr gan herio Cadeirydd y Bwrdd Glo, Neil Clarke, i ddod i lawr i'w nôl hi. Ildiodd y Bwrdd Glo, gan ddatgan y cedwid y pwll ar agor nes y gellid cael prynwr iddo. Er hyn, ar 19 Ebrill pleidleisiodd y dynion dros dderbyn telerau diswyddo'r Bwrdd Glo yn wyneb y bygythiad y byddai'r telerau'n llawer gwaeth ar ôl diwedd y mis, ac ar 22 Ebrill caewyd y pwll yn derfynol. I un dyn, Peter Curtis, y Tŵr oedd y pedwerydd pwll y bu'n gweithio ynddo a gaewyd.

Ond cyn gynted ag yr oedd y gwaith o dorri glo wedi peidio dechreuodd rhai ar y gwaith o lunio cynllun i ailagor y Tŵr. Amlycaf ymhlith y rhain yr oedd Tyrone O'Sullivan, glöwr yn y Tŵr am 28 mlynedd ac ysgrifennydd y gangen o Undeb Cenedlaethol y Glowyr am 22 mlynedd. Gofynnwyd i bob un o'r glowyr fuddsoddi £2,000 yr un o'u tâl diswyddo o tua £18,000 a chasglwyd cyfanswm o £364,000. Ffurfiwyd *TEBO* (*Tower Employees Buy-Out*), a lluniwyd cynllun busnes a phenodi tîm o reolwyr, gan gynnwys Philip Weekes yn Gadeirydd. Weekes oedd cyn-bennaeth y Bwrdd Glo yn ne Cymru, ac yr oedd wedi dod i'r amlwg yn ystod Streic y Glowyr 1984-85 am ei feirniadaeth lem ar ei bennaeth ei

(Drosodd)

Prynu'r Tŵr

(o'r tudalen cynt)

hun, yr Americanwr Ian McGregor. Ymddi-swyddodd Weekes wedi'r streic mewn protest yn erbyn cynlluniau McGregor i gau nifer mawr o byllau, ac yr oedd ei bresen-oldeb yn eu tîm hwy yn gryn gaffaeliad i weithwyr y Tŵr. Bu'n rhaid wedyn mynd yn ôl at y gweithwyr i ofyn am £6,000 yn ychwanegol yr un, swm yr oedd bron pob un yn barod i'w dalu.

Ar 12 Hydref, clywodd glowyr y Tŵr o'r diwedd y caent brynu eu pwll, ond bu'n rhaid aros dau fis a hanner cyn selio'r fargen yn derfynol. Ar 23 Rhagfyr, treuliodd Tyrone O'Sullivan dair awr yn llofnodi'r ffurflenni perthnasol cyn cyflwyno siec am £1 miliwn ar ran *TEBO*.

Dechreuwyd torri glo ym mis Ionawr 1995, ac erbyn diwedd y flwyddyn honno yr oedd y pwll wedi gwneud elw o £2.1 miliwn dan reolaeth ei weithwyr. I'r Llywod-raeth Geidwadol yr oedd sosialwyr selog y Tŵr wedi profi'n glir i fentr breifat lwyddo lle yr oedd corfforaeth gyhoeddus wedi methu, tra dadleuai'r glowyr eu hunain eu bod wedi gwrthbrofi honiadau'r Bwrdd Glo na ellid codi glo'n broffidiol o byllau de Cymru. Beth bynnag oedd gwir arwyddocâd llwyddiant mawr y Tŵr, daeth cydnabydd-iaeth i Tyrone O'Sullivan gan y Sefydliad y bu'n brwydro yn ei erbyn ar hyd ei oes pan dderbyniodd fedal OBE gan y Frenhines ar ddiwedd 1995.   *[LLIW 5]*

Uffern am chwe blynedd

Rhyddhawyd Eddie Browning o Gwm-parc yn y Rhondda gan y Llys Apêl ar 13 Mai wedi iddo dreulio chwe blynedd yn y carchar am lofruddio Marie Wilks yn 1988. Yr oedd Marie Wilks wedi'i lladd wrth drafffordd yr M50 ar 18 Mehefin 1988, wedi i'w char dorri i lawr tra oedd yn gyrru o'r Rhosan ar Wy i'w chartref yn Wardon, ger Caerwrangon.

Mynnai Browning yn gyson ei fod wedi'i garcharu ar gam, ond ym mis Mai 1991 methodd ei apêl gyntaf yn erbyn ei ddedfryd. Yn allweddol i'w ail apêl lwyddiannus oedd tâp fideo yn dangos un o'r prif dystion yn erbyn Browning, yr Arolygydd Peter Clarke, wedi'i hypnoteiddio yn fuan wedi'r llof-ruddiaeth. Ar y tâp disgrifiodd Clarke weld car eithaf gwahanol i Renault 25 lliw arian Browning ger man y llofruddiaeth. Yn ogystal â hyn cafwyd tâp fideo arall yn cefnogi honiad Browning ei fod wedi teithio dros Bont Hafren ar ddiwrnod y llofrudd-iaeth yn hytrach na mynd ar hyd yr M50. Honnodd cyfreithiwr Browning hefyd fod yr heddlu wedi methu â mynd ar ôl tyst a ddywedodd iddo weld y llofrudd, gan ei ddisgrifio fel dyn gyda gwallt brown – dyn penfelyn oedd Browning. Cyn ei brawf gwreiddiol yr oedd pump o dystion posibl wedi methu ag adnabod Browning mewn rhes adnabod, ac nid oedd tystiolaeth fforensig o unrhyw fath i gysylltu ei gar ef â Marie Wilks.

Wrth adael y llys dywedodd Browning, a oedd yn gyn-filwr gyda'r Gwarchodlu Cymreig, y treuliai'r dyddiau nesaf yn dod i adnabod ei blant, gan gynnwys merch chwech oed nad oedd wedi gweld bron dim arni ers iddi gael ei geni. *'I am over the moon'* oedd ei eiriau cyntaf wrth y llu o newydd-iadurwyr a arhosai amdano wedi chwe blynedd o 'uffern bur'.

Ethol i Ewrop

Yn 27 mlwydd oed, Eluned Morgan o Gaer-dydd, oedd yr aelod ieu-engaf oll o Senedd Ew-rop pan etholwyd hi dros Orllewin a Chanolbarth Cymru yn yr Etholiadau Ewropeaidd a gynhal-iwyd ar 9 Mehefin.

Yr un mor nodedig â'i llwyddiant personol hi oedd llwyddiant ei phlaid trwy Gymru gyfan. Cipiodd y Blaid Lafur bob un o bum sedd Cymru gyda 58% o'r pleidleisiau a fwriwyd. Yn sedd Gogledd Cymru yn unig y daeth yr un blaid arall yn agos at atal llanw Llafur, lle daeth Dafydd Wigley yn ail gyda 72,849 o bleidleisiau i Joe Wilson gyda 88,091. Ymhob man arall yr oedd Llafur ymhell ar y blaen, gyda mwyafrifau'n amrywio rhwng 29,234 yn sedd Eluned Morgan yn y Gorllewin a'r Canolbarth, i 120,247 yn sedd y De-Ddwyrain lle yr enillodd Glenys Kinnock, gwraig cyn-

Eluned Morgan ar ei ffordd i Ewrop.

arweinydd y Blaid Lafur, gyda 74% o'r bleidlais.

Er i Blaid Cymru ddod yn bedwerydd mewn tair o'r pum sedd, yr oedd yr etholiad yn galondid mawr i'r cenedlaetholwyr am iddynt dderbyn y cyfanswm gorau ond un o bleideisiau – 162,478 – 368,271 yn llai na Llafur, ond 21,155 yn fwy na'r Ceidwadwyr.

Y Bardd Trwm yn Los Angeles

Wedi dod mor bell yr oedd yn gryn siom i wneuthurwyr *Hedd Wyn* yn Los Angeles ar 22 Mawrth pan fethodd y ffilm am fywyd a marwolaeth y bardd a'r milwr Ellis Evans â chipio gwobr Oscar yn adran y Ffilm Orau Mewn Iaith Dramor.

Ar 9 Chwefror, hon oedd y ffilm Gymraeg gyntaf erioed i gael ei henwebu ar gyfer gwobr Oscar, ac yr oedd gobeithion mawr y dôi hanes trasig y bardd o Drawsfynydd, a laddwyd yn y Rhyfel Byd Cyntaf, ag un o'r cerfluniau bach aur i Gymru.

Wedi'i sgriptio gan y bardd Alan Llwyd a'i chyfarwyddo gan Paul Turner, cymerwyd prif ran y ffilm gan Huw Garmon, gyda Sue Roderick, Judith Humphreys a Nia Dryhurst. Gwnaed y ffilm am £750,000, o'i gymharu â'r $3½ miliwn a wariwyd ar y ffilm fuddugol o Sbaen, *Belle Epoque*.   *[LLIW 26]*

'Llawer o drigfannau'

Ar 4 Gorffennaf cyflwynodd Eglwys Bresbyteraidd Cymru gynllun £10 miliwn i dynnu i lawr draean o'r 977 o gapeli a oedd ym meddiant yr enwad, a chodi mwy na chwe mil o dai isel eu pris i'r oedrannus a'r anghenus yn eu lle.

Yr oedd aelodaeth yr Eglwys Bresbyteraidd (y Methodistiaid Calfinaidd gynt) wedi disgyn i 56,000 o'i huchafbwynt o 300,000, ac yr oedd yn glir bellach fod gan yr enwad fwy o adeiladau na'r angen. Y gobaith oedd y gellid cadw costau'r enwad yn isel trwy rannu capeli ag eglwysi eraill, ac yr oedd trafodaethau eisoes wedi dechrau rhwng y Presbyteriaid a nifer o enwadau eraill. Byddai'r cynllun hefyd yn fodd i'r eglwysi wasanaethu eu cymunedau trwy roi eu hadeiladau dros ben i'r anghenus. Câi'r tai newydd eu rheoli gan Gymdeithas Tai Aelwyd, cymdeithas y byddai'r Presbyteriaid, y Bedyddwyr a'r Eglwys Ddiwygiedig Unedig yn gyd-berchenogion arni. Rhoddai'r gymdeithas dai i bobl yn ôl eu hanghenion a heb holi dim am eu crefydd.

'Ennill calonnau a meddyliau pobl' oedd y frwydr fawr, yn ôl y Parch. Dafydd Owen, Ysgrifennydd yr Eglwys Bresbyteraidd. Yr oedd gan lawer o bobl gysylltiad dwfn iawn â'u hen addoldai, ac yr oedd angen eu perswadio nad adeilad oedd yr eglwys. Yr oedd capeli'n gwario gormod o amser ac egni yn ceisio codi arian i gynnal adeiladau yn lle cynorthwyo'r gymuned, meddai ymhellach.

Dim merched wrth yr allor

Yr oedd llawer un yn siomedig a nifer yn eu dagrau ar 6 Ebrill pan gyhoeddwyd fod yr Eglwys yng Nghymru wedi pleidleisio o drwch blewyn yn erbyn caniatáu i'r 62 o ferched a oedd yn ddiaconiaid yn yr Eglwys gymryd y cam naturiol nesaf a chael eu hurddo'n offeiriaid.

Er bod mwyafrif mawr o blaid ordeinio menywod yn Nhŷ'r Lleygwyr a Thŷ'r Esgobion, o'r 112 o offeiriaid plwyf a ficeriaid a bleidleisiodd yr oedd 75 o blaid a 47 yn erbyn. Ni chafwyd felly'r mwyafrif angenrheidiol o ddau draean ymhob un o'r tri Thŷ i ganiatáu i'r ordeinio fynd yn ei flaen.

Dywedodd y Parch. Margaret Cooling o Landaf mai 'traddodiad' a oedd ar fai. Nid oedd y gwrthwynebwyr ordeinio merched am weld newid. 'Dŷn nhw ddim yn agored i symudiad yr Ysbryd Glân,' meddai. Honnodd ei gŵr, y Parch. Derek Cooling, fod yn esgobaeth Llandaf, 'a bizarre ecclesiastical subculture who despise and detest women', a llais y garfan hon a oedd i'w chlywed yn y ddadl a'r bleidlais. (Roy Davies, Esgob Llandaf, oedd yr unig un o'r chwech esgob i bleidleisio'n erbyn y newid).

Cysur Cristnogol: dwy ddiacones yn cysuro'i gilydd ar ôl clywed canlyniad y bleidlais.

Yn y ddadl ar y pwnc cyn y bleidlais, yr oedd 27 o bobl wedi siarad o blaid y cynnig, a dim ond chwech yn ei erbyn. Ymhlith y chwech hyn yr oedd y Parch. Peter Edwards o Drefynwy, a rybuddiodd y gallai Cymru fod ar fin chwalu'r Cymundeb Anglicanaidd trwy dderbyn merched yn offeiriaid, a dadleuodd y Parch. Carl Cooper o Fangor y creai'r ordeinio sefyllfa bosib lle na fyddai un plwyf yn cydnabod un arall. Ar y llaw arall, prif bryder cefnogwyr yr ordeinio oedd na fyddai'r Eglwys yng Nghymru yn cydgerdded ag Anglicanwyr eraill am fod Eglwys Loegr ac eglwysi Anglicanaidd mewn gwledydd eraill eisoes yn mynd ati i ordeinio merched. Mynegodd y Parch. Sally Brush, diacon yng ngofal chwe phlwyf rhwng Corwen a Betws-y-coed, ei hofnau yr âi rhai merched o blwyfi yn y Gororau drosodd i Loegr i weithio fel offeiriaid er mwyn cyflawni eu galwedigaeth grefyddol, er ei bod hi'n gwbl sicr mai yng Nghymru yr arhosai hi.

Trafferthion Tywysog

'Rhowch i ni'r Tywysog Harry'. Dyna oedd cri tudalen blaen y *Western Mail* ar 1 Gorffennaf wrth i'r Tywysog Charles ddod i Gaernarfon, bum mlynedd ar hugain union wedi iddo gael ei arwisgo'n Dywysog Cymru yng nghastell y dref.

Honnodd y papur fod y chwarter canrif a aeth heibio wedi dangos na allai Charles, fel etifedd y goron, roi digon o amser i'w waith fel Tywysog Cymru. Ei ail fab, Harry, yn lle ei fab hynaf, William, a ddylai etifeddu'r teitl fel y byddai William yn rhydd i gyflawni ei ddyletswyddau fel etifedd y goron a châi Harry fod yn dywysog teilwng i Gymru.

Yr oedd yn glir fod hoffter llawer o bobl o'r Teulu Brenhinol yn pylu rywfaint, yn enwedig er i Charles a Diana wahanu, ac wedi i 15 miliwn o wylwyr teledu ar 29 Mehefin glywed Charles yn cyfaddef wrth Jonathan Dimbleby iddo fod yn anffyddlon i'w wraig. Er bod 85% o'r bobl a gymerodd ran wedyn yn arolwg ffonio-i-mewn y sioe deledu frecwast GMTV yn credu y byddai Charles yn frenin da, pan aeth HTV ati i holi pobl cymoedd de Cymru, yr oedd 69% yn credu ei fod wedi gwneud naill ai'n ganolig neu'n wael dros Gymru.

Llugoer hefyd fu'r ymateb ar 1 Mawrth, pan ddaeth y Tywysog Charles i Gaerdydd i roi cychwyn ar y dathliadau ar gyfer nodi ei chwarter canrif fel Tywysog Cymru. Yr un diwrnod ag y cyrhaeddodd Charles y brifddinas, dangosodd arolwg barn ar gyfer y rhaglen deledu *Week In Week Out* fod 52% o'r rhai a holwyd yn credu nad oedd yn effeithiol yn ei swydd fel Tywysog Cymru.

Twymyn y Loteri

Blwyddyn y Loteri Genedlaethol oedd hon, ac er bod digon o dystiolaeth fod y Cymry wedi cydio yn y fentr newydd yr un mor frwd â phawb arall ym Mhrydain, yr oedd rhai yn barod i leisio eu hamheuon ynghylch y prosiect.

Tynnwyd y rhifau cyntaf ar 19 Tachwedd gydag 20 miliwn o bobl yn gwylio'r cyfan ar y teledu. Enillodd 1.1 miliwn o hap-chwaraewyr gyfanswm o £22 miliwn, sef 50% o'r swm a godwyd yn yr wythnos gyntaf. Byddai 28% o'r gweddill yn cael ei rannu rhwng pump achos da – y celfyddydau, chwaraeon, elusennau, y dreftadaeth genedlaethol a Chronfa'r Mileniwm – 12% yn mynd mewn trethi a'r gweddill i Camelot, y cwmni a drefnai'r cyfan.

Yr wythnos ganlynol tynnwyd y rhifau mewn darllediad allanol arbennig o Barc Treftadaeth y Rhondda. Clywyd ychydig o Gymraeg gan y gyflwynwraig Anthea Turner ond nid oedd y cefndir o gôr meibion, y cyfan yn wynebddu ac yn gwisgo hetiau glowyr, yn plesio rhai gan ei fod, meddent, yn portreadu delwedd hen ffasiwn o Gymru. Roedd yna hefyd elfen o ffars pan ddewiswyd aelod o'r gynulleidfa i gymryd rhan yn y broses o dynnu'r rhifau. Roedd y wraig a ddewiswyd yn feddw ac fe achosodd gryn embaras i'r cyflwynwyr, ac i'r ddelwedd o Gymru unwaith eto.

Ymhlith y rhai a oedd yn feirniadol o'r Loteri'n gyffredinol oedd Archesgob Cymru, Alwyn Rice Jones, a gododd gwestiynau ynglŷn â pheryglon y Loteri o safbwynt teuluoedd ar incwm isel. Fodd bynnag fe'i cyhuddwyd o ragrith gan Esgob Abertawe a Brycheiniog, Dewi Bridges, gan fod eglwys gadeiriol yr Archesgob yn Llanelwy yn ystyried anfon cais am gymhorthdal gan y Loteri.

Mwy difrifol oedd y feirniadaeth a ddaeth o gyfeiriad elusennau. *Tenovus*, yr elusen ganser o Gaerdydd oedd y cyntaf i gwyno fod y Loteri fawr yn tanseilio ymdrechion eraill i godi arian dros achosion da. Dibynnai *Tenovus* am gryn dipyn o'i incwm ar werthu cardiau crafu, a datgelodd Cyfarwyddwr yr elusen, Marc Phillips, fod ei helw wedi gostwng yn sylweddol wedi i'r Loteri Genedlaethol lansio cardiau tebyg yn costio punt yr un. Galwodd am ailystyried y dull o ddosbarthu cronfeydd y Loteri.

Enillodd nifer o Gymry wobrau mawr dros y blynyddoedd dilynol, gan gynnwys Hedley a Barbara Ames a enillodd £2 filiwn yn 1998 ac yna wrthod symud o'u cartref sef *chalet* gwerth £17,000 yng Nghaerdydd. Nid oedd popeth yn fêl i gyd i enillwyr eraill chwaith. Enillodd Michael Williams o Bencaenewydd, Gwynedd, £387,000 yn 1997, ond ar ôl cyflwyno siecau o £500 yr un i'w gyfeillion oes, Robert a Nancy Jones, a oedd wedi prynu'r tocyn buddugol iddo, fe benderfynodd atal y sieciau gan honni i'w gyfeillion ei anwybyddu. Pan aed ag ef i'r llys bu'n rhaid iddo dalu'r arian i'r ddau ond ymroddodd i beidio â siarad â'i hen gyfeillion fyth eto.

Cyffes Hen Gath

Ar 11 Mawrth, restiwyd y lleidr 77 oed, Ray 'the Cat' Jones o Nant-y-glo, Glyn Ebwy, wedi iddo gyfaddef iddo ddwyn tlysau gwerth £185,000 o ystafell yr actores Sophia Loren mewn gwesty ger Elstree Studios yn Llundain yn 1960.

Dywedodd Jones ei fod wedi cyffesu wrth heddlu swydd Hertford er mwyn datrys rhywbeth a fu'n ddirgelwch am 34 blynedd. Yr oedd Loren, 24 oed ar y pryd, yn aros yn Llundain tra'n ffilmio *The Millionairess*. Honnodd Jones ei fod ef a dyn arall wedi llogi car *Rolls-Royce* ac wedi esgus mai gŵr cyfoethog a'i yrrwr oeddynt er mwyn cael mynediad i'r Norwegian Barn Hotel heb dynnu sylw. Torasant i mewn i ystafell Loren â morthwyl toffi a chipio'r tlysau o un o'i droriau, a'u gwerthu wedyn am £44,000. Yr oedd y Cymro eisoes yn enwog am ladrata gemwaith, ac yr oedd ar ffo rhag yr heddlu ar y pryd wedi iddo dorri allan o garchar

Pentonville yn 1959.

Wedi ystyried yr achos, penderfynodd yr heddlu beidio â dod â Jones gerbron llys, a rhyddhawyd y 'Gath' oedrannus yn ddiamod.

Cylch dieflig

Yn Llys y Goron, Abertawe ar 12 Mehefin, daeth un o'r achosion mwyaf erioed ynglŷn â cham-drin plant i ben pan gafwyd pum dyn yn euog o gynnal cylch pedoffiliaid yn sir Benfro.

Wedi prawf a barhaodd am wyth mis ac a gostiodd o leiaf £8 miliwn, cymerodd y rheithgor bum diwrnod i gael y pump yn euog o nifer o droseddau rhywiol yn erbyn plant dros gyfnod o bedair blynedd hyd at 1992. Yr oedd tri aelod o'r rheithgor yn eu dagrau wrth i'r dyfarniad gael ei gyhoeddi Nid enwyd neb o'r diffynyddion yn gyhoeddus rhag ofn datguddio pwy oedd y plant a gamdriniwyd, a chyfeiriwyd atynt trwy brif lythrennau eu henwau'n unig.

Daeth y prawf ar ddiwedd ymchwiliad mawr ar y cyd gan Heddlu Dyfed-Powys a'r gwasanaethau cymdeithasol lleol. Dechreuodd yr ymchwiliad ym mis Mehefin 1991 wedi i ferch 14 mlwydd oed ffoi o gartref at ei thaid a dweud wrtho ei bod yn cael ei threisio ers deng mlynedd gan ei thad, a enwyd yn ystod y prawf fel ME. Ym mis Mehefin 1992 cafodd ME saith mlynedd o garchar am dreisio ei ferch, ond tra oedd yng ngofal yr awdurdodau lleol dechreuodd y ferch wneud honiadau bod cylch o bobl yn camdrin plant yn systematig yn ne-orllewin Cymru. Byddai'r oedolion yn mynd â hwy i ysguboriau a chytiau diarffordd a'u gorfodi i gael rhyw gyda'i gilydd a chydag oedolion, meddai'r plant. Honnodd rhai fod yr oedolion wedi gwisgo mewn wigiau a mentyll wrth gael rhyw, a'u bod wedi cael eu bygwth â chyllyll, gynnau a llif gadwyn.

Dywedodd Ray White, Prif Gwnstabl Heddlu Dyfed-Powys, fod yr heddlu wedi gwneud pob dim i sicrhau bod yr ymchwiliad yn 'drylwyr, sensitif a phroffesiynol'. Yr oedd yr heddlu wedi casglu mwy na saith mil o ddudalennau o dystiolaeth ar gyfer y prawf, a dywedodd White fod tuag ugain o blismyn yn derbyn cymorth bellach oherwydd y straen o ymchwilio i droseddau mor ffiaidd. Yr oedd y fath bethau 'y tu hwnt i brofiadau bywyd normal' meddai White.

1995

Maes rygbi ond nid tŷ opera

Zaha Hadid gyda'i 'chadwyn grisial'.

Canu a chwarae rygbi yw hoff ddiddordeb y Cymry yn ôl yr hen ystrydeb. Ond daeth y ddau weithgarwch benben â'i gilydd pan fu Undeb Rygbi Cymru ac Ymddiriedolaeth Tŷ Opera Caerdydd yn ymgeisio am arian sylweddol gan Gomisiwn y Mileniwm. Cynllun yr Undeb oedd adeiladu stadiwm newydd erbyn cystadleuaeth Cwpan y Byd a oedd i'w chynnal yng Nghymru ym 1999, tra oedd yr Ymddiriedolaeth am godi tŷ opera ysblennydd ym Mae Caerdydd. Roedd yn amlwg nad oedd y Comisiwn, a oedd i ariannu 12 prosiect sylweddol ar draws Prydain i nodi'r flwyddyn 2000, am gefnogi dau gynllun drudfawr ym mhrifddinas Cymru.

Roedd cynllun yr Ymddiriedolaeth, a fyddai'n costio cyfanswm o £88 miliwn, yn un dadleuol iawn. Cynhaliwyd cystadleuaeth bensaernïol i ddewis y cynllun gorau ar gyfer y tŷ opera, ac er i'r pensaer a hanai o Iraq, Zaha Hadid, ennill y gystadleuaeth, ychydig o'r cyhoedd a hoffai'i chynllun, a elwid 'y gadwyn grisial', a bu'r wasg yn amau faint o wir gefnogaeth oedd i'r fenter. Ofnai rhai mai ar gyfer yr uchel-ael y byddai'r tŷ opera, a methwyd â phwysleisio y gallesid defnyddio'r adeilad ar gyfer gweithgareddau eraill yn ogystal â bod yn gartref parhaol i Gwmni Opera Cenedlaethol Cymru. Roedd potensial hefyd i'r tŷ opera ddod yn ganolbwynt i adfywiad ardal dociau Caerdydd a fyddai'n costio cyfanswm o £2.75 biliwn dros y blynyddoedd dilynol.

Ar 22 Rhagfyr cyhoeddodd y Comisiwn na fyddai'n cefnogi cynllun y tŷ opera gan ddadlau fod y cynllun yn frith o wendidau technegol ac ariannol. Roedd cadeirydd yr Ymddiriedolaeth, yr Arglwydd Crickhowell, yn gandryll. Yn ei farn ef byddai'r cynllun wedi'i dderbyn petai yn Lloegr – ac yn sicr yn Llundain – tra cyfeiriai eraill at y ffaith fod cymaint o nawdd y Loteri yn mynd i Lundain.

Yn Chwefror 1996 cyhoeddodd Comisiwn y Mileniwm y byddai'n cynnig grant o £46 miliwn tuag at y prosiect o godi'r stadiwm rygbi newydd ar yr un safle â'r stadiwm bresennol yng Nghaerdydd.

Croeso Caerdydd i'r Mab Afradlon

Wrth i rygbi'r undeb droi'n agored broffesiynol o'r diwedd, gan ddod â blynyddoedd o ffug-amaturiaeth i ben, dychwelodd un o chwaraewyr gorau Cymru erioed, Jonathan Davies, i'w famwlad wedi wyth tymor yn chwarae'n broffesiynol dros glybiau gogledd Lloegr.

Chwaraeodd Davies ei gêm gyntaf o rygbi'r undeb ers saith mlynedd dros ei glwb newydd, Caerdydd, ar 5 Tachwedd. Er ei bod yn Noson Guto Ffowc, nid oedd llawer o dân gwyllt i'w weld gan Davies wrth i Gaerdydd faeddu Aberafan o 57 i 9 o flaen tyrfa o saith mil. Cyfaddefodd Davies, 33 oed, wedyn nad oedd wedi cael ei draed o dano eto a'i fod yn cael trafferth o hyd i addasu ei chwarae o ddull rygbi'r gynghrair i gêm yr undeb. Dywedodd y dyn a gafodd ei alw'n 'fradwr' a 'Jiwdas' pan aeth i Loegr i chwarae, fod y pwysau arno wedi bod yn aruthrol ers i glwb Caerdydd dalu mwy na £50,000 i Warrington i'w gael yn ôl i Gymru.

Yr oedd Davies wedi cefnu ar gêm yr undeb ym mis Ionawr 1989 pan ymunodd â chlwb Widnes. Er gwaethaf yr amheuon cynnar, disgleiriodd y Cymro dros Widnes a Warrington, a daeth hefyd yn aelod gwerthfawr iawn o dimau rygbi tri ar ddeg Cymru a Phrydain. Wedi 109 o gemau dros Widnes yr oedd wedi sgorio cyfanswm o fil o bwyntiau, ac ar daith gyda Phrydain Fawr yn Awstralia yn 1990, sgoriodd 342 o bwyntiau, gan gynnwys 30 cais. Câi ei gyfrif gan rai yn chwaraewr gorau ei ddydd yn rygbi'r gynghrair a'r undeb fel ei gilydd.

Gobaith mawr Undeb Rygbi Cymru bellach oedd y gallai'r newid o amaturiaeth i broffesiynoldeb atal y llif o chwaraewyr dawnus fel Davies i rygbi tri ar ddeg.

Eisteddfod deuluol

Busnes teuluol oedd Eisteddfod Genedlaethol Bro Colwyn ym mis Awst, wrth i'r Archdderwydd John Gwilym Jones goroni ei frawd, Aled Gwyn, a chadeirio ei fab, Tudur Dylan Jones.

Yn ei Eisteddfod olaf fel Archdderwydd cyflwynodd John Gwilym Goron y Brifwyl i'w frawd ar 7 Awst, am ei gyfres o gerddi ar y testun 'Melodïau', a'r Gadair i'w fab ar 11 Awst am ei awdl ar y testun 'Y Môr'.

'Roeddwn i'n falch iawn o allu terfynu fy nhymor fel Archdderwydd yn y fath fodd,' meddai John Gwilym Jones wedyn.

Cyrchfan i lenorion

Abertawe oedd y ddinas ym Mhrydain a ddewiswyd yn y flwyddyn hon i gynnal Gŵyl Blwyddyn Llenyddiaeth - y bedwaredd mewn cyfres o wyliau blynyddol a gynhelid i hybu diddordeb yn y celfyddydau wrth i'r mileniwm nesáu.

Wrth i'r ddinas baratoi ar gyfer y flwyddyn, nid oedd cytundeb llwyr ynghylch y cynlluniau ar gyfer yr Ŵyl. Ymddiswyddodd y gyfarwyddwraig, Maura Dooley, a phenodwyd Gwyddel, Sean Doran, yn hwyr yn y dydd i gymryd at yr awenau. Yn wreiddiol roedd bwriad i godi adeilad newydd sbon gan y pensaer rhyngwladol Will Alsopp, i fod yn gartref i'r Ŵyl, ond nid oedd y cynghorwyr lleol yn fodlon ar ei gynllun modernaidd na'r gost o £14 miliwn. Yn hytrach penderfynwyd addasu hen neuadd y dref a'i alw'n Tŷ Llên.

Agorwyd Tŷ Llên yn swyddogol ym mis Awst gan gyn-Arlywydd yr Unol Daleithiau, Jimmy Carter. Dyma oedd ail ymweliad Jimmy Carter â Chymru, a bu'n datgan ei edmygedd o'r beirdd Dylan Thomas ac R. S. Thomas. Denwyd llenorion ac ymwelwyr o bob rhan o'r byd i Abertawe, a chynhaliwyd rhaglen amrywiol o dros fil o ddigwyddiadau trwy'r flwyddyn. Ymhlith yr awduron niferus a fu'n darllen eu gwaith oedd Seamus Heaney, Allen Ginsberg, Colin Wilson, Terry Pratchett, David Lodge a T. Llew Jones.

uchod: Yr 'olygfa ryfel' ger Rhaglan.

Breciau diffygiol

Lladdwyd deg ac anafwyd dros 30 o bobl pan gollodd y gyrrwr reolaeth ar ei fws ger cylchdro yn Rhaglan, sir Fynwy, ar 5 Gorffennaf. Roedd y bws ar wibdaith o Aberdâr i Stratford-upon-Avon, ac yr oedd y rhan fwyaf o'r teithwyr yn gleifion seiciatryddol dan ofal yn y gymuned, a oedd yn mynychu Canolfan Dewi Sant yn Aberdâr. Yn ôl llygad-dystion roedd y safle wedi'r ddamwain fel golygfa ryfel, ac nid oedd y cleifion seiciatryddol yn deall beth oedd wedi digwydd iddynt. Lladdwyd saith gwraig yn y fan a'r lle a rhuthrwyd y rhai a anafwyd mewn dau hofrennydd a 21 ambiwlans i ysbytai cyfagos, lle y bu farw tri arall.

Ychydig wythnosau ynghynt lladdwyd 13 aelod o'r Lleng Brydeinig mewn damwain debyg ar yr M4, a galwyd am i bob sedd ar fws gael ei ffitio â gwregysau diogelwch. Ym mis Hydref 1996 dirwywyd perchennog y bws £750 gan ynadon y Fenni am fod breciau diffygiol ar y cerbyd a chan nad oedd yr ataliwr cyflymdra'n gweithio. Cyhuddwyd y gyrrwr, Philip Crisp, o achosi marwolaeth drwy yrru'n beryglus, ond yn Llys y Goron Caerdydd, ym Mai 1997, fe'i cafwyd yn ddieuog wrth i'r rheithgor dderbyn mai'r breciau diffygiol a achosodd y ddamwain.

Ble mae Richey?

dde: Y 'Manics' gyda Richey James (trydydd o'r chwith).

Ar 1 Chwefror, a'r band roc y *Manic Street Preachers* ar fin hedfan i'r Unol Daleithiau i gychwyn taith yno, cerddodd y prif ganwr Richey James allan o'i westy yn Llundain a diflannu.

A hwythau wedi'u magu i gyd yn y Coed Duon a'u haddysgu yn Ysgol Gyfun Oakdale, daeth y *Manics* ynghyd fel band yn 1989, wedi i Richey James (fel y dewisai gael ei adnabod, Richey Edwards oedd ei enw iawn) a Nicky Wire raddio o Brifysgol Abertawe ac ailymuno â'u hen gyfeillion o dref eu mebyd, James Dean Bradfield a Sean Moore. Cerddoriaeth roc galed a geiriau hallt gyda blas gwleidyddol oedd y rysáit, a thrwyddi llwyddodd y band i ennyn diddordeb nifer o gwmnïau recordio a llu o gefnogwyr brwd ac weithiau obsesiynol. 'Mae ganddynt fwy o ddicter ac egni na'r un band arall yr wyf wedi'i gyf-weld,' meddai'r gohebydd Steven Wells o'r papur *New Musical Express* am-danynt yn eu dyddiau cynnar.

Ond yr oedd Richey James yn dioddef problemau yfed a bwyta ers blynyddoedd, a thynnodd sylw mawr yn 1991 pan dorrodd y geiriau '4 - REAL' yng nghnawd ei fraich chwith â llafn rasal wrth geisio argyhoeddi un o feirniaid llymaf y band, y gohebydd Steve Lamacq, eu bod yn hollol o ddifrif. Yr oedd angen 17 pwyth i gau'r clwyf, ac aeth y lluniau ohono a'i fraich waedlyd o gwmpas y byd. Yn ystod 1994 bu yn yr ysbyty yng Nghaerdydd a Llundain yn derbyn cymorth am iselder ysbryd, alcoholiaeth ac anorecsia, ond erbyn mis Rhagfyr yr un flwyddyn, yr oedd cyflwr corfforol a meddyliol y canwr yn graddol wella yn ôl pob golwg. Syfr-danwyd ei deulu a'i gyd-gantorion, felly, pan ddiflannodd oddi ar wyneb y ddaear ddau fis yn ddiweddarach.

Yr oedd wedi codi £200 o'i gyfrif banc trwy beiriant twll-yn-y-wal bob dydd am saith diwrnod cyn mynd, gan awgrymu ei fod yn bwriadu teithio i rywle. Honnodd gyrwyr tacsi iddo fynd â'r canwr i Aust, y gwasanaethau olaf ar ochr Lloegr i Bont Hafren. Ar 15 Chwefror cafwyd ei gar ym maes parcio Aust ac awgrymodd rhai ei fod wedi gyrru yno er mwyn ei daflu'i hunan oddi ar y bont o Afon Hafren. Ar 20 Chwefror, aeth un dyn, David Cross, at yr heddlu a mynnu ei fod wedi gweld Richey James ac wedi siarad ag ef yng Nghas-newydd. Cafwyd hanesion tebyg gan bobl eraill, yn enwedig wedi i'r rhaglen deledu *Crimewatch* roi sylw i'r achos, ond ni ddaeth mymryn o wybodaeth bendant i ddatrys y dirgelwch.

Parhaodd y band i berfformio a recordio hebddo, gan ryddhau eu pedwerydd albwm, a'r un cyntaf hebddo ef, *Everything Must Go*, ym mis Gorffennaf 1996. Erbyn 1998 roedd y grŵp yn un o rai mwyaf llwyddiannus eu dydd.

Cofiadwr y Bobl

dde: 'Gwyn Alf'

Pan gollodd Gwyn Alfred Williams ei frwydr yn erbyn canser ym mis Tachwedd, fe gollodd Cymru hefyd un o'i haneswyr mwyaf cynhyrch-iol, craff, afieithus a phob-logaidd.

Er i'w fyfyrwyr yn Aberystwyth, Caer Efrog a Chaerdydd, a'i gyd-haneswyr, gael eu cyfareddu gan ei ffraethineb, gan dreiddgarwch a beiddgarwch ei ddehong-liadau, a'i frwdfrydedd heintus o'r '50au ymlaen, nid hyd yr '80au a'r 90au y daeth Gwyn Alf (fel yr adwaenid ef) yn ffigwr cyhoeddus poblogaidd drwy ei ymddangos-iadau cyson ar y teledu.

Yn fyr o gorff ac yn dioddef gan atal dweud, nid ymddangosai'n berson naturiol ar gyfer y sgrîn fach, ond roedd yn gyfath-rebwr dihafal, a gwyddai sut i ennill sylw ei gynulleidfa. Ymhlith ei raglenni mwyaf cofiadwy oedd *The Dragon has Two Tongues*, cyfres ar hanes Cymru pan fu'n dadlau o safbwynt asgell chwith yn erbyn agweddau mwy ceidwadol y darlledwr Wynford Vaughan-Thomas at hanes y genedl. Gwnaeth hefyd raglenni dogfen ar gyfer y cwmni ffilm Teliesyn ar rai o'i arwyr, fel yr arlunydd Goya, y comiwnyddion Niclas y Glais a David Ivon Jones, Iolo Morganwg a'r Brenin Arthur.

Roedd ei ddaliadau gwleidyddol yn rhai cymhleth. Yn gomiwnydd o ddyddiau'i lencyndod yn Nowlais, daeth yn aelod o Blaid Cymru yn yr '80au, gan ddadlau achos y Chwith Genedlaethol ar lwyfannau ledled y wlad. Ond fel hanesydd y bobl y gwelai ef ei hun yn bennaf- nid oedd ennyn parch y byd academaidd yn bwysig iddo, gwell fyddai ganddo gael ei adnabod fel 'cofiadwr y bobl'.

Bugeiliaid newydd

dde: John Redwood

Blwyddyn o newidiadau oedd hon yn y Swyddfa Gymreig. Ar 26 Mehefin, cyhoeddodd John Redwood ei fod am ymddiswyddo fel Ysgrifennydd Gwladol er mwyn herio John Major fel arweinydd y Blaid Geidwadol a Phrif Weinidog y wlad. Yr oedd Major, a oedd wedi cael digon o'r cecru mewnol yn ei blaid, wedi mynnu cynnal pleidlais ar ei arweinyddiaeth cyn i neb ddatgan ei barodrwydd i'w wrthwynebu. Cafodd Redwood gefnogaeth adain dde'r Ceidwadwyr, ond enillodd Major yn hawdd, a dychwelodd Redwood i feinciau cefn Tŷ'r Cyffredin wedi 25 mis yn y Swyddfa Gymreig.

Cymerwyd ei le dros dro gan y cyn-Ysgrifennydd Gwladol o 1990 i 1993, David Hunt, ond pan fethodd Redwood â disodli'r Prif Weinidog, gwrthododd Hunt ailafael yn ei hen swydd yn barhaol. Gŵr o sir Efrog a ddaeth i Gaerdydd i gydio yn yr awenau, yr Aelod Seneddol dros Richmond, William Hague. Yn 35 oed, Hague oedd yr aelod ieuengaf o'r Cabinet er penodiad Harold Wilson yn 1947.

Yr oedd Hague yn awyddus iawn i bwysleisio tebygrwydd ei gefndir gwledig yng ngogledd Lloegr i rannau helaeth o Gymru, ac yn fuan wedi ei benodi bu ar daith trwy Gymru yn ymgyfarwyddo rhywfaint â'r wlad. Un peth y bu'r Ysgrifennydd Gwladol newydd yn gyflym iawn i'w wneud oedd dysgu geiriau *Hen Wlad Fy Nhadau* – yr oedd John Redwood wedi dod yn gyff gwawd i lawer pan ddangoswyd ef yng Nghynhadledd Ceidwadwyr Cymru yn mwmian a nodio ei ben yng anghysurus wrth i'r rhai o'i gwmpas forio canu'r Anthem Genedlaethol.

Anfadwaith yn Llandudno

Brawchwyd cymuned Llandudno a Chymru i gyd ar 30 Gorffennaf gan un o'r llofruddiaethau mwyaf ffiaidd a chreulon a welwyd yn y wlad erioed.

Cysgu mewn pabell yng ngardd gefn tŷ ei hewythr yn Llandudno yr oedd Sophie Hook, saith mlwydd oed, pan gipiwyd hi, ei threisio a'i thagu'n farw. Yr oedd Sophie a'i chwaer Jemma yn bwrw'r Sul gyda'i modryb a'i hewythr yng ngogledd Cymru pan ofynnodd hi a'i chwaer a dau o'u cefndryd am gael gwersyllu yn yr ardd yn lle cysgu yn y tŷ. Tua chanol nos daeth un o'r ddau fachgen i mewn i'r tŷ i gysgu ac aeth yr ewythr, Danny Jones, i'r babell i wneud yn siŵr fod popeth yn iawn. Rywbryd yn ystod y chwech awr nesaf cymerwyd Sophie o'r babell tra oedd y plant eraill yn dal i gysgu. Am 8 o'r gloch bore trannoeth cysylltodd ei hewythr a'i modryb â'r heddlu i ddweud ei bod wedi mynd ar goll, ond deugain munud ynghynt yr oedd dyn lleol, Gerry Davies, wrth fynd â'i gŵn am dro ar draeth Llandud-no eisoes wedi canfod corff marw'r ferch.

'Rwyf i gyda'r heddlu ers pum mlynedd ar hugain, a hon yw'r drosedd waethaf o bell ffordd a welais i ,' meddai'r Ditectif Uwch-Arolygydd Eric Jones, y swyddog a arweiniai'r helfa fawr am y llofrudd.

Safodd Howard Hughes, garddwr di-waith o Fae Colwyn, ei brawf yn Llys y Goron, Caer, ym mis Gorffennaf 1996. Cyffesiad a wnaeth wrth ei dad, Gerald Hughes, oedd y brif dystiolaeth yn ei erbyn. Dywedodd Hughes wrth ei dad lle y cuddiodd ddillad y ferch, a phan archwiliwyd y rheini cafwyd arnynt olion deunydd atal pryfed yr oedd Hughes yn ei ddefnyddio.

Am fod corff y ferch wedi'i thaflu i'r môr yr oedd olion a allai fod wedi rhoi tystiolaeth fforensig wedi'u golchi i ffwrdd. Cafwyd Hughes yn euog o dreisio Sophie Hook a'i lladd, a'i ddedfrydu i dri thymor o garchar am oes. Argymhellodd y barnwr y dylai Hughes dreulio gweddill ei fywyd dan glo.

Ar 18 Mawrth 1998 gwrthododd y Llys Apêl apêl Hughes yn erbyn ei ddedfryd, er bod ei fam yn mynnu y dylid rhyddhau ei mab yn wyneb diffyg tystiolaeth DNA yn ei erbyn. Yn ystod yr apêl taerodd Hughes nad oedd erioed wedi cyffesu wrth ei dad.

Damwain Atomfa'r Wylfa

Ym mis Medi dirwywyd cwmni *Nuclear Electric* £250,000 mewn llys yn yr Wyddgrug am fod yn ddiofal ar ôl damwain yn Atomfa Wylfa, Ynys Môn, ar 31 Gorffennaf 1993. Ar y diwrnod hwnnw roedd darn o graen wedi syrthio i adweithydd Rhif 1 ac o ganlyniad i hyn gollyngwyd cwmwl o sylffwr ymbelydrol o'r Atomfa i'r awyr.

Yn ôl pennaeth Archwilwyr Sefydliadau Niwclear, Dr Sam Harbison, dyma oedd y digwyddiad mwyaf peryglus yn ystod ei gyfnod yn y swydd. Gallasai'r ddamwain fod wedi arwain at doddiad niwclear oherwydd i'r cwmni fethu ag ymateb yn ddigon cyflym. Ni ddiffoddwyd yr adweithydd am naw awr ar ôl y ddamwain. Yr oedd ffermwyr lleol hefyd yn feirniadol gan i'r cwmni fethu hysbysu'r cyhoedd am y ddamwain am bum diwrnod.

Yn ogystal â'r ddirwy, bu'n rhaid i'r cwmni dalu costau o £138,000, ond ym mis Rhagfyr cafodd yr Atomfa newyddion da pan gyhoeddwyd y byddai'n derbyn estyniad o wyth mlynedd ar ei thrwydded. Nid oedd hyn wrth fodd y mudiad PAWB a wrthwynebai ynni niwclear ar yr ynys. Bu'r mudiad yn galw am ymchwiliad cyhoeddus i'r Atomfa er mwyn ystyried ei dyfodol tymor hir.

1996

13 Mawrth

Mewn ysgol gynradd yn Dunblane, yr Alban, saethwyd 16 o blant a'u hathrawes gan ŵr lleol o'r enw Thomas Hamilton.

20 Mawrth

Ym Mhrydain, rhybudd-iodd gwyddonwyr y gallai bwyta cig o wartheg a heintiwyd gan glefyd y gwartheg gwallgo arwain at ddioddef o'r clefyd marwol CJD.

29 Ebrill

Yn Hobart, Tasmania, saethwyd yn farw 34 o bobl gan ŵr arfog.

31 Mai

Etholwyd Benjamin Netanyahu'n Brif Weinidog Israel.

15 Mehefin

Ym Manceinion, achoswyd difrod mawr i ganolfan siopa gan fom a osodwyd gan yr IRA.

4 Awst

Agorwyd y Gemau Olympaidd yn Atlanta gan y cyn-bencampwr bocsio Muhammad Ali.

28 Awst

Daeth priodas y Tywysog Charles a Diana, Tywysoges Cymru, i ben.

28 Hydref

Goresgynnwyd Affganistan gan y gwrthryfelwyr Islamaidd, y Taliban.

5 Tachwedd

Ailetholwyd Bill Clinton yn Arlywydd yr Unol Daleithiau.

Trychineb ar arfordir Penfro

Un o'r miloedd o adar a niweidiwyd gan olew'r *Sea Empress*.

Am 8.07 o'r gloch nos Iau 15 Chwefror roedd llong 147,000 tunnell o'r enw *Sea Empress* yn cael ei llywio i borthladd Aberdaugleddau, pan aeth yn sownd ar greigiau a gollwng, fel canlyniad, dros chwe mil o dunelli o olew i'r môr. Am rai dyddiau bu'r *Sea Empress* yn enwog ledled y byd wrth i dynfadau achub geisio'i harbed, ac wrth i arbenigwyr ar reoli llygredd geisio atal y llif o olew rhag difetha bywyd gwyllt a sarnu traethau un o arfordiroedd harddaf Cymru.

Cafwyd cyfle i ailnofio'r llong ar y dydd Sadwrn canlynol, ond penderfynodd yr achubwyr, a gafodd eu galw i Aberdaugleddau, beidio â derbyn cyngor gan beilot lleol profiadol, a chollwyd cyfle da i arbed mwy o ddifrod. Y noson honno, mewn tywydd stormus, torrwyd y ceblau a oedd yn dal y llong i'r tynfadau, a chodwyd pawb ond tri o'r criw oddi arni. Noflithrodd y llong yn ôl ar y creigiau a chollwyd mwy o olew i'r môr. Dim ond ar y dydd Mercher canlynol y llwyddwyd i ailnofio'r *Sea Empress*, ac erbyn hynny roedd wedi'i thyllu'n ddrwg ac amcangyfrifwyd iddi golli 72,000 o dunelli o olew.

Tra bu'r achubwyr yn ceisio arnofio'r llong, aeth timau o amgylcheddwyr ati i geisio lleddfu effaith yr olew. Gwelwyd slic olew wyth milltir o hyd ac un filltir o led yn symud i gyfeiriad Bae Caerfyrddin a thraethau poblogaidd Dinbych y Pysgod. Chwistrellwyd o'r awyr dunelli o hylif gwasgarol ar yr olew, a sicrhau mai dim ond rhwng tair a phum mil o dunelli o olew a laniodd ar draethau'r arfordir. Llwyddodd gweithwyr yr awdurdod lleol glirio'r traethau a effeithiwyd cyn gwyliau'r Pasg, ac nid oedd yr effaith ar y diwydiant twristaidd mor andwyol ag yr ofnwyd. Fodd bynnag roedd yr effaith ar fywyd gwyllt yr arfordir yn ddifrifol. Golchwyd 3,500 o adar meirw i'r lan, a daethpwyd o hyd i tua'r un nifer yn fyw ond wedi'u niweidio gan yr olew. Am bob un aderyn a olchwyd i'r lan, amcangyfrifodd yr arbenigwyr fod deg wedi marw ar y môr. Yn ogystal, effeithiwyd ar ecoleg y môr a'r arfordir ac nid oedd modd pysgota yno am chwe mis. Fe gostiodd y gwaith o lanhau'r arfordir £60 miliwn.

Beirniadwyd yr achubwyr swyddogol, Awdurdod Porthladd Aberdaugleddau, a'r Llywodraeth yn hallt mewn adroddiadau swyddogol ac answyddogol am fethu â delio'n foddhaol ag un o'r ugain damwain waethaf yn holl hanes mewnforio olew. Yn Ionawr 1999 dirwywyd Awdurdod Porthladd Aberdaugleddau £4 miliwn wedi i'r Asiantaeth Amgylcheddol fynd ag ef i'r llys. Ofnwyd, fodd bynnag, y byddai'r ddirwy yn cael effaith andwyol ar economi ardal a oedd yn dioddef o ddiweithdra uchel.

Protest y myfyrwyr

isod: Restio'r protestwyr.

Ar ddiwrnod olaf Mai, am y tro cyntaf yn ei hanes, bu'n rhaid i'r Frenhines Elizabeth ganslo ymrwymiad ym Mhrydain oherwydd protest gan rai a wrthwynebai ei hymweliad. Daeth y Frenhines i Aberystwyth yn bennaf i agor estyniad newydd i'r Llyfrgell Genedlaethol, ond roedd llawer o staff y sefydliad yn anfodlon â'r penderfyniad i'w gwahodd ac yr oedd disgwyl protest gan fyfyrwyr a wrthwynebai'r frenhiniaeth. Dôi llawer o'r gwrthwynebiad o blith myfyrwyr Neuadd Pantycelyn, neuadd breswyl a saif nid nepell o'r Llyfrgell.

Ar fore'r ymweliad, arddangoswyd baneri'n datgan gwrthwynebiad i'r ymweliad yn ffenestri'r neuadd ac yr oedd rhesi o atalfeydd a llawer o heddlu yno i rwystro unrhyw brotest. Cafodd y Frenhines groeso twymgalon gan rai cannoedd o bobl wrth iddi gyrraedd Aberystwyth, ond pan ddaeth ei modurgad ar hyd y lôn i'r Llyfrgell bu'r myfyrwyr yn gweiddi'n groch arni. Ceisiodd pum protestiwr neidio dros yr atalfeydd ond fe'u harestiwyd yn syth.

Yn y Llyfrgell dangoswyd i'r Frenhines yr adeilad newydd a rhai o drysorau diwylliannol y genedl, yna fe ddadorchuddiodd blac i ddynodi'r achlysur. Defnyddiwyd y brif ystafell ddarllen ar gyfer cinio i'r gwesteion ac ar ddechrau'r prynhawn roedd disgwyl i'r Frenhines deithio i fyny rhiw Penglais er mwyn agor Adran Rewlifeg newydd y Brifysgol. Ond erbyn hynny roedd cannoedd o fyfyrwyr wedi ymgynnull ger mynediad y coleg ac nid oedd digon o heddlu yno i sicrhau diogelwch yr ymwelydd pwysig. Penderfynodd swyddog amddiffyn personol y Frenhines nad oedd yn ddoeth bwrw ymlaen â'r ymrwymiad, er mawr siom i'r rhai a fu'n paratoi ar ei gyfer.

'The Shaming of Wales' oedd y pennawd yn y Western Mail drannoeth, a rhoddwyd cryn sylw i ddigwyddiadau Aberystwyth yn y wasg a'r cyfryngau ledled y byd. Cafwyd beirniadaeth lem ar ymddygiad y myfyrwyr, gyda rhai yn galw am eu diarddel, tra mynegodd Prifathro'r coleg, Derec Llwyd Morgan, ei anfodlonrwydd â threfniadau'r heddlu ar y diwrnod. Pan ymddangosodd y pump a arestiwyd o flaen Llys Ynadon Aberystwyth ym mis Rhagfyr, cafwyd dau yn ddieuog o darfu ar yr heddwch, a dirwywyd y tri arall hyd £30 yr un.

Y Gymraes a'r Almaenes

Ar lwyfan y Theatr Newydd yng Nghaerdydd ddechrau Rhagfyr, gwelwyd un o berfformiadau mwyaf trawiadol yr actores o Gwm Aman, Siân Phillips. Gan gyfareddu'r gynulleidfa, llwyddodd i ddynwared y gantores a'r actores enwog o'r Almaen, Marlene Dietrich, mewn drama gerdd gan Pam Gems yn dwyn y teitl syml, Marlene.

Gosodwyd y ddrama mewn theatr ym Mharis yn y '70au pan oedd dyddiau llwyddiant mawr yr Almaenes wedi mynd heibio. Gyda Siân Phillips yn ei chwedegau, ond yn parhau'n hardd a gosgeiddig, llwyddodd i greu ar lwyfan ramant y seren nwydus wrth iddi geisio cadw'n fythol ifanc. Yn ystod y perfformiad bu'n canu nifer o ganeuon enwocaf Marlene Dietrich gan gynnwys, Falling in Love Again, Where have all the flowers gone a Lili Marlene. Perfformiwyd y ddrama yng Nghaeredin cyn dod i Gaerdydd, ac yn 1997 fe'i symudwyd i'r Lyric Theatr, Shaftesbury Avenue, Llundain, lle derbyniodd ganmoliaeth uchel gan bawb ond gan ŵyr i Dietrich a feirniadodd y sioe am ei bod yn ei dyb ef yn 'anllad'. Dechreuodd Siân Phillips ei hun berfformio'n ifanc iawn, gan ddarlledu ar y radio yn 11 mlwydd oed. Fe'i haddysgwyd ym Mhontardawe, yn y Brifysgol yng Nghaerdydd ac yna yn RADA yn Llundain. Yn ystod ei gyrfa hir, perfformiodd mewn ffilmiau fel Murphy's War (gyda'i gŵr Peter O'Toole) a Valmont, dramâu teledu fel I Claudius a The Old Devils, a dramâu cerdd fel Pal Joey. Byddai hefyd yn ymddangos o dro i dro ar raglenni teledu Cymraeg a Saesneg yng Nghymru.

[LLIW 22]

Siân Phillips fel Marlene.

Croesi'r bont

dde: Y Bont Hafren newydd.

Ar 5 Mehefin agorwyd pont newydd dros Hafren gan y Tywysog Charles, pont a fyddai'n gwella'r cysylltiad rhwng de-ddwyrain Cymru a de-orllewin Lloegr. Bellach byddai teithwyr ar draffordd yr M4 yn gyrru ar draws y bont 380 metr hon yn hytrach na'r hen Bont Hafren a adeiladwyd yn y '60au. Y disgwyl oedd y byddai'r bont newydd yn arbed 15 munud i deithwyr ond yn bwysicach na hynny gobeithid y byddai'n arwain at ddenu mwy o fuddsoddiad allanol i economi Cymru.

Codwyd y bont gan gonsortiwm o Brydain a Ffrainc, a chan ei bod yn fenter breifat, daeth y cwmni *Severn River Crossing plc* yn gyfrifol am gasglu tollau, yn amrywio o £3.80 i £11.50, gan yrwyr cerbydau er mwyn talu'r gost o adeiladu'r bont. Pan gliriai'r cwmni'r ddyled yn llwyr – mewn 19 mlynedd yn ôl y disgwyl – byddai'r bont yn dod yn eiddo i'r Llywodraeth.

Er mai am 11 o'r gloch y bore yr agorwyd y bont yn swyddogol, ni chaniatawyd cerbydau arni tan oriau mân y bore canlynol gan fod angen peintio llinellau ar y ffyrdd a arweiniai ati.   *[LLIW 80]*

Streic y beirdd

Yn ystod yr haf, arweiniodd newidiadau yn y gwasanaeth a gynigid gan BBC Radio Cymru at anghydfod ymhlith darlledwyr a'r beirdd a gymerai ran yn y rhaglen boblogaidd 'Talwrn y Beirdd'.

Cyhuddiad o Seisnigeiddio'r gwasanaeth oedd asgwrn y gynnen wrth i'r BBC geisio ehangu apêl ei raglenni. Yn ôl Golygydd Radio Cymru, Aled Glynne Davies, roedd y gwasanaeth yn dueddol o apelio at bobl hŷn yn unig ac yr oedd yn awyddus i ddenu mwy o wrandawyr, ac yn arbennig rhai ifanc, drwy gynnig amrywiaeth o raglenni.

Fodd bynnag, beirniadwyd y rhaglenni newydd a ddarparwyd ar gyfer bobl ifanc gan eu bod yn cynnwys cymaint o recordiau Saesneg, ac yr oedd anfodlonrwydd ynghylch y cynnydd yn y cyfweliadau Saesneg a'r fratiaith a glywyd gan rai cyflwynwyr.

Ym mis Gorffennaf gwrthryfelodd dros 75 o brif gyflwynwyr a chynhyrchwyr Radio Cymru, gan gynnwys Huw Llywelyn Davies, Beti George a Dei Tomos, am i Olygydd Radio Cymru eu gwahardd rhag defnyddio'r enwau Cymraeg ar wyth lle yn Lloegr. Rhaid oedd defnyddio *Bath* yn lle Caerfaddon er enghraifft, a *Somerset* yn lle Gwlad yr Haf. Ildiodd y Golygydd i'r pwysau ond bellach rhaid oedd defnyddio'r enwau Cymraeg a Saesneg gyda'i gilydd. Daeth pethau megis 'Caerloyw - *Gloucester*' yn gyffredin o hynny allan.

Ond achoswyd mwy o drafferth i'r BBC ym mis Awst pan benderfynodd nifer sylweddol o feirdd beidio â chymryd rhan yn y gyfres nesaf o 'Dalwrn y Beirdd' a oedd i'w recordio o fis Medi ymlaen. Yn ôl trefnydd y streic, y Prifardd Myrddin ap Dafydd, roedd y gefnogaeth eang i'w safiad yn profi '...nad oes gan y bobol mewn siwtiau crand yng Nghaerdydd ddim syniad o gwbl am yr hyn mae'r werin bobol ei eisiau go iawn'. Galwai'r beirdd am 'lai o ddefnydd o iaith a recordiau Saesneg ar wasanaeth cenedlaethol a ddylai fod yn uniaith Gymraeg, diddymu disgo teithiol uniaith Saesneg sydd yn ymweld ag ysgolion uwchradd (gan gynnwys ysgolion Cymraeg), a hybu delwedd Radio Cymru'. Bu'n rhaid i'r BBC ohirio recordio 'Talwrn y Beirdd' ond ar ôl cyfarfod rhwng y ddwy ochr, cytunodd y beirdd i ohirio'r streic a monitro'r newidiadau a gynigiwyd gan y BBC.

Ni chytunai pawb â safbwynt y beirdd. Yn ôl un llythyrwraig i'r cylchgrawn *Golwg* : 'Mae Radio Cymru erbyn hyn yn sianel safonol, a Jonsi yn frenin ymhlith darlledwyr.'

Y map newydd o Gymru

Ar 1 Ebrill daeth trefn newydd o awdurdodau lleol i fodolaeth yng Nghymru. Diflannodd yr wyth sir a'r 37 dosbarth a grëwyd yn 1974, a chymerwyd eu lle gan 22 awdurdod unedig. Bu cryn dipyn o wrthwynebiad i'r newid, yn enwedig o gofio mai dim ond 22 o flynyddoedd ynghynt yr oedd y siroedd wedi eu had-drefnu o'r blaen.

Codwyd ymgyrchoedd lleol dros adfer yr hen siroedd a fodolai cyn 1974, a bu pwyso arbennig o frwd a llwyddiannus am atgyfodi'r hen sir Benfro. Ymddiswyddodd Aelod Seneddol Brycheiniog a Maesyfed, Jonathan Evans, o'i swydd yn swyddfa Gogledd Iwerddon i ymgyrchu'n bersonol dros adfer hen siroedd Brycheiniog, Maesyfed a Threfaldwyn yn lle Powys, ond methiant fu ei gais.

Achubiaeth o'r Dwyrain Pell

Ar 10 Gorffennaf cyhoeddwyd y byddai'r cwmni cyfarpar electronic o Dde Corea, LG, yn agor dwy ffatri newydd ger Casnewydd - y mewnfuddsoddiad mwyaf erioed yn Ewrop yn ôl sylwebyddion economaidd. Byddai'r ffatrïoedd yn cyflogi dros chwe mil o bobl, ac yn arwain at filoedd o swyddi eraill mewn ardal o ddiweithdra uchel ac wrth i ddiwydiannau traddodiadol de Cymru barhau i grebachu.

Denwyd y buddsoddiad o £1.7 biliwn gan becyn anogaeth a drefnwyd gan Fwrdd Datblygu Cymru. Amcangyfrifwyd y byddai cyfanswm y cymorthdal cymaint â £220 miliwn, a fyddai'n cael ei dalu mewn rhandaliadau gan ddibynnu ar y nifer o swyddi a gâi eu creu. O'r ddwy ffatri, byddai'r fwyaf, LG Electronics, ffatri gwneud monitorau cyfrifiadur, yn cael ei sefydlu'n gyntaf, a disgwylid y byddai LG Semicon, ffatri'n gwneud microsglodion, yn dilyn yn 1999.

Yn ôl y Prif Weinidog, John Major, roedd y datblygiad yn llwyddiant gwych i Gymru ac yn bleidlais o hyder yn economi Prydain. Er hynny cafwyd tystiolaeth fod diwydiannwyr o'r Dwyrain Pell yn cael eu denu i Gymru oherwydd bod cyflogau yno yn is na'r cyflogau a delid i weithwyr yn Ne Corea. Roedd pryder hefyd nad oedd gan y Cymry'r sgiliau angenrheidiol i weithio yn y ffatrïoedd, ac er mwyn lleddfu'r broblem honno, byddai'r Bwrdd Datblygu'n sefydlu canolfan hyfforddi yng Nghasnewydd

Y llofrudd addfwyn

'Dyn hyfryd oedd e, y bonheddwr perffaith.' Dyna oedd disgrifiad un o'i gymdogion o berchennog sinema Bae Cinmel, Peter Moore. Dyn addfwyn ei natur, trwsiadus ei wisg a pharod ei gymwynas oedd Moore. Yr oedd hefyd yn llofrudd creulon a fu'n gyfrifol am ladd yn gïaidd bedwar dyn hoyw yng ngogledd Cymru rhwng mis Medi a mis Rhagfyr 1995.

Lladdwyd pob un o'r pedwar â chyllell ymladd chwe modfedd a brynodd Moore yn y Rhyl. Dywedodd wrth yr heddlu wedyn iddo brynu'r gyllell yn bwrpasol ar gyfer lladd pobl, ac mai boddhad personol oedd ei unig reswm dros ladd.

Henry Roberts, 56 oed o Fôn, oedd y cyntaf i farw. Pan safodd car Moore y tu allan i ffermdy Roberts ger y Fali aeth Roberts i gynnig cymorth. Dychwelodd Moore drannoeth a'i ladd. Yn ôl patholegydd yr heddlu, trywanwyd Roberts 14 o weithiau yn ei fynwes a'i fol a 13 gwaith yn ei gefn.

Edward Carthy, dyn hoyw o Lerpwl, oedd yr ail. Cyfarfu Moore â Carthy mewn tafarn hoyw yn y ddinas a chynnig mynd ag ef adref yn ei gar am ryw. Ond gyrrodd Moore ymhell y tu hwnt i gyffiniau Lerpwl ac i mewn i Gymru. Trywanodd Carthy bedair gwaith a gadael ei gorff yn Fforest Clocaenog, ger Rhuthun, lle daethpwyd o hyd iddo ym mis Rhagfyr, ddau fis wedi iddo farw.

Yn sir Fôn y llofruddiwyd Keith Randles, ac ar draeth Pen-sarn, Abergele, y darganfyddwyd corff Tony Davies, tad i ddau o blant, a laddwyd gan Moore ym mis Rhagfyr.

Ar ddiwedd Tachwedd carcharwyd Moore am oes wedi iddo gael ei ddisgrifio gan yr erlyniad fel 'y dyn mwyaf peryglus i droedio tir Cymru erioed'.

Sgandal arall

Dioddefodd Llywodraeth John Major ergyd arall i'w hymgais i roi pen ar y gyfres o sgandalau a fu'n ei llethu, pan gyhoeddodd Rod Richards, gweinidog yn y Swyddfa Gymreig, ei ymddiswyddiad ar 3 Mehefin o ganlyniad i erthygl a ymddangosodd yn y papur Sul *The News of the World*.

Yn ôl y papur bu'r Aelod Seneddol Ceidwadol dros Ogledd-Orllewin Clwyd yn cynnal perthynas rywiol â gwraig 28 oed o'r enw Julia Felthouse. Roedd yn ŵr priod a chanddo blant, ac yr oedd wedi pwysleisio

Dihangfa Gwyndaf

Cafodd y gyrrwr ceir rali Gwyndaf Evans ddihangfa ffodus pan drodd ei gar drosodd ar ôl sgidio yn ystod Rali Network Q/RAC ddydd Sul 24 Tachwedd. Ymddengys i'r car Ford Escort fod yn teithio ar gyflymdra o 60 milltir yr awr pan sgidiodd ar y rhew, a tharo bôn coeden a throi drosodd ddwywaith cyn syrthio i ganol y goedwig gerllaw. Cludwyd y gyrrwr 37 oed o Ddinas Mawddwy i Ysbyty Chesterfield, ond ni chafodd ef na'i gydyrrwr Howard Davies, eu hanafu'n ddifrifol. Roedd y ddamwain yn ddiweddglo anhapus i flwyddyn nodedig yn hanes Gwyndaf Evans. Ar ôl dod yn ail ym mhencampwriaeth Rali Prydain yn 1995, cafodd ei goroni'n bencampwr yn y flwyddyn hon wedi iddo ennill Rali Cymru ym mis Ebrill ac, yn ddiweddarach, Rali Ryngwladol Pirelli. Golygai hynny fod perfformiadau da, fel yn Rali Ryngwladol Ulster ym mis Awst, yn ddigon iddo gipio'r pwyntiau angenrheidiol i ennill y bencampwriaeth. Yn ei Escort RS2000, llwyddodd y cyn-yrrwr bysiau ysgol o gefn gwlad Cymru i guro gyrwyr enwog fel Colin McRae a Tommi Makinen, a thrwy hynny gynyddu'r diddordeb mewn ralïau ceir ymhlith ei gyd-Gymry.   [LLIW 62]

gwerthoedd y teulu traddodiadol yn y gorffennol. Bellach roedd yn agored i ymosodiadau ar sail rhagrith ac ymddygiad dichellgar. Ni chafodd gydymeimlad gan y Prif Weinidog, na chan y pleidiau eraill oherwydd ei amhoblogrwydd cyffredinol. Roedd y cyn-aelod o'r Weinyddiaeth Amddiffyn a chyn-ddarlledwr newyddion, wedi creu drwgdeimlad yn y gorffennol, fel er enghraifft pan geryddwyd ef gan yr Ysgrifennydd Gwladol, John Redwood yn 1994, wedi iddo gyhuddo cynghorwyr Llafur o fod yn 'fyr, tew a seimllyd' mewn cyfweliad a gyhoeddwyd yn y cylchgrawn *Barn*.

Nid oedd Ceidwadwyr blaenllaw yn ei etholaeth yn hapus â'i ymddygiad chwaith ac am gyfnod bu ei ddyfodol fel Aelod Seneddol yn y fantol. Er iddo barhau'n Aelod hyd at Etholiad Cyffredinol 1997, collodd ei sedd, y diogelaf o holl seddau'r Ceidwadwyr yng Nghymru, i'r ymgeisydd Llafur yn yr Etholiad hwnnw gan adael ei yrfa wleidyddol yn deilchion. Fodd bynnag, dychwelodd i'r byd gwleidyddol yn ddiweddarach gan ddod yn Arweinydd y Blaid Geidwadol yng Nghymru ac ennill lle yn y Cynulliad Cenedlaethol, ond roedd cythrwfl yn parhau i'w ddilyn ac ym mis Awst 1999, fe'i gorfodwyd i ymddiswyddo o'r arweinyddiaeth.

1997

Senedd i Gymru – o drwch blewyn

Arweinwyr y pleidiau yn dathlu ennill y refferendwm.

Cael a chael oedd hi, a phob dim yn y fantol hyd at y funud olaf, wrth i'r pleidleisiau gael eu cyfrif wedi'r refferendwm a gynhaliwyd ar 18 Medi i benderfynu a ddylai Cymru gael Cynulliad.

Erbyn 2 o'r gloch y bore ymddangosai fwy neu lai'n sicr mai 'Dim diolch' oedd ateb Cymru i gynnig y llywodraeth Lafur newydd i sefydlu corff etholedig yng Nghaerdydd i gymryd rhywfaint o bwerau'r Senedd yn Llundain. Yr oedd llawer o gefnogwyr y ddwy ochr wedi mynd i'w gwelyau yn fodlon neu'n siomedig, gan gredu nad oedd hi fawr o werth aros yn effro tan y diwedd. Bu'n rhaid aros tan ar ôl 4.45 o'r gloch y bore, a chanlyniad sir Gaerfyrddin cyn gweld bod Cymru wedi pleidleisio o blaid y cynnig o drwch blewyn. Wedi i'r miliwn a mwy o bleidleisiau gael eu cyfrif, 6,721 yn unig oedd y gwahaniaeth rhwng y ddwy garfan.

Hwn oedd y tro cyntaf i'r Cymry gael cyfle i bleidleisio ar gwestiwn datganoli grym o Lundain i Gaerdydd er 1979, pan bleidleisiodd 80% yn erbyn cynnig y llywodraeth Lafur ar y pryd i greu Cynulliad ym mhrifddinas Cymru, ac er nad oedd y mwyafrif dros Gynulliad 18 mlynedd wedyn yn un sylweddol o bell ffordd, yr oedd yn glir bod newid mawr wedi digwydd yn agwedd pobl at bwnc datganoli rhwng y ddau refferendwm.

Yn ôl rhai, i'r Ysgrifennydd Gwladol newydd, Ron Davies, yr oedd llawer o'r diolch am y bleidlais dros greu Cynulliad. Llwyddodd ef i greu a chynnal cynghrair eang o bobl o blaid y syniad. Daeth cefnogwyr datganoli ynghyd yn y grŵp ymgyrchu 'Ie Dros Gymru', tra oedd y gwrthwynebwyr i'w cael dan ymbarél 'Dwedwch Na'. Gan yr ymgyrch 'Ie' yr oedd y llefarwyr mwyaf adnabyddus, a'r garfan 'Na' yn dibynnu i gryn raddau ar wrthryfelwyr o fewn y Blaid Lafur yn erbyn polisi swyddogol eu plaid. Ymhlith y rhai o'r Blaid Lafur a oedd yn barod i leisio eu gwrthwynebaid yn agored, Carys Pugh, Cymraes o'r Rhondda, oedd yr amlycaf. O blith yr Aelodau Seneddol Llafur, Llew Smith, A.S. Blaenau Gwent,

(Drosodd)

Senedd i Gymru

(o'r tudalen cynt)
oedd yr unig un a feiddiai feirniadu polisi ei blaid yn gyson. O'r prif bleidiau, y Ceidwadwyr yn unig oedd yn swyddogol yn erbyn y Cynulliad, ond am wahanol resymau ni fu'r Blaid Geidwadol yn amlwg iawn yn ystod yr ymgyrch.

Er nad oedd y patrwm yn un syml, a phob sir wedi'u rhannu ar y cwestiwn, yr oedd y map terfynol o'r siroedd a oedd o blaid ac yn erbyn y Cynulliad yn dangos gwlad wedi'i rhannu rhwng y dwyrain a'r gorllewin. Siroedd y dwyrain a ddywedodd 'Na', yn ogystal â Bro Morgannwg, tref Casnewydd a dinas Caerdydd; cymoedd y de, siroedd y gorllewin a'r gogledd gwledig, a dinas Abertawe a ddywedodd 'Ie'. Sir Benfro oedd yr eithriad amlycaf i'r hollt hwn rhwng y gorllewin a'r dwyrain, ond o edrych ar hanes y sir honno nid annisgwyl oedd iddi bleidleisio'n erbyn. Siom mwyaf y datgan-

---

Pencampwyr!

Am y tro cyntaf er 1969 enillodd Clwb Criced Morgannwg Bencampwriaeth y Siroedd mewn tymor cyffrous a ddaeth i ben gyda buddugoliaeth o ddeg wiced yn erbyn Gwlad yr Haf yn Taunton ym mis Medi.

Cryfder y tîm drwy gydol y tymor oedd cysondeb agorwyr y batio, Hugh Morris a Steve James, bowlio Waqar Younis, seren Pacistan, Robert Croft a Steve Watkin, a chapteniaeth a batio ymosodol Matthew Maynard. Er i ddeg o'r chwaraewyr a wynebodd Gwlad yr Haf gael eu meithrin dros y blynyddoedd gan y clwb, roedd dylanwad pwysig gan ddau dramorwr. Hyfforddwyd y tîm gan Duncan Fletcher o Simbabwe a chymaint oedd ei lwyddiant fel y penodwyd ef yn hyfforddwr Lloegr yn 1999. Go brin y bu bowliwr cyflymach yn nhîm Morgannwg na Waqar Younis. Mewn buddugoliaethau ysgubol yn erbyn siroedd Caerhirfryn a Sussex ddiwedd Mehefin cymerodd Waqar saith wiced am 25 rhediad yn erbyn y naill, ac wyth wiced am 17 yn erbyn y llall. Gyda'i gilydd cymerodd gyfanswm o 68 wiced yn ystod y tymor. Steve James oedd prif sgoriwr y tymor, gan ennill gwobr cricedwr y flwyddyn, tra sgoriodd Hugh Morris gant yn ei gêm olaf i'r clwb cyn ymddeol, ac ef a Steve James oedd wrth y llain pan sgoriwyd y rhediadau a ddaeth â'r fuddug-oliaeth yn Taunton.   *[LLIW 64]*

---

olwyr, mae'n debyg, oedd i bobl Caerdydd, safle arfaethedig y Cynulliad, ddewis ei wrthod. Ar y llaw arall, yr oedd cryn foddhad fod y fath lefydd cymharol ddi-Gymraeg â Chastell-nedd Port Talbot a Rhondda Cynon Taf wedi bod yn gadarn o'i blaid, yn ogystal ag ardaloedd fel Gwynedd a Cheredigion.

Yn anad dim, difaterwch trwch y bob-logaeth oedd prif broblem y ddwy ochr. Dim ond 50.3% o'r boblogaeth a drafferthodd fwrw pleidlais o gwbl, o'i gymharu â 61.5%

Y Cymry'n galaru hefyd

isod: Gosod torch o flodau ym Mhontypridd.

Pan laddwyd Diana, Tywysoges Cymru, mewn damwain car ym Mharis ar 31 Awst, roedd yr effaith ar ganran uchel o boblog-aeth Prydain yn ysgytwol.

Roedd y galar yng Nghymru am dywys-oges a arddelai'r enw Tywysoges Cymru yn drawiadol, er na fu'n ymweld â Chymru ond yn ysbeidiol. Gosodwyd torchau o flodau

---

yn refferendwm yr Alban ar yr un pwnc wythnos ynghynt.

Yr oedd y Cynulliad newydd i reoli Cyllideb y Swyddfa Gymreig o £7 biliwn. Byddai ganddo'r hawl i newid rhywfaint ar ddeddfau yn deillio o'r Senedd yn Llundain er na allai'r cyflwyno ei ddeddfau ei hun. Yn annhebyg i Senedd newydd yr Alban, ni châi'r Cynulliad Cymreig chwaith godi trethi trwy amrywio faint o dreth incwm a delid gan y boblogaeth.   *[LLIW 20-21]*

mewn mannau cyhoeddus, a thorrodd miloedd o bobl eu henwau ar lyfrau coff-adwriaethol.

Roedd cysylltiad Cymreig arall â'r ddam-wain. Trevor Rees-Jones o Lanfyllin oedd gwarchodwr cariad y Dywysoges, ac er iddo gael ei anafu'n ddifrifol ei hun, ef oedd yr unig un yn y car i oroesi.   *[LLIW 83]*

Ffarwél ddi-chwaeth

Nid oes amheuaeth na fu bywyd George Thomas, Is-Iarll Tonypandy, yn un dadleuol, ond wedi ei farwolaeth ym mis Medi yn 88 oed, codwyd crachen pan gyhoeddwyd cerdd gan y bardd o Abertawe, Nigel Jenkins, yn dwyn y teitl '*An execrably tasteless farewell to Viscount No*'. Roedd y gerdd yn ymosodiad chwerw ar y cyn-Ysgrifennydd Gwladol a Llefarydd Tŷ'r Cyffredin, a ddisgrifiwyd fel '*the Lord of Lickspit, The grovelsome brown-snout and smiley shyster, Whose quisling wiles were the shame of Wales*'.

Roedd Jenkins yn anhapus ynglŷn â'r driniaeth ymostyngar a roddwyd i'r Is-Iarll ar ei farwolaeth gan bapurau fel y *Western Mail*, a dymuniad y bardd oedd dweud ffarwél '*to an old compliant Welshman who was quietly prepared to ditch his country*'. Bu'r Is-Iarll farw bedwar diwrnod wedi'r reffer-endwm a fyddai'n dod ag elfen o hunan-lywodraeth i Gymru – achos y bu'n ei wrth-wynebu'n ffyrnig drwy gydol ei oes.

Er i sawl un geisio amddiffyn cam yr Is-Iarll yn wyneb ymosodiad y bardd, roedd eraill, gan gynnwys nifer o Aelodau Seneddol o bob plaid, yn feirniadol iawn o'i ymddygiad fel gweinidog y goron a Llefarydd y Tŷ. Yn ei farwolaeth fel yn ei fywyd, yr oedd George Thomas yn destun dadl.

Y Gymru ddi-Dori

Am y tro cyntaf ers 91 o flynyddoedd, nid oedd yr un Aelod Seneddol Ceidwadol i'w gael yng Nghymru wedi'r Etholiad Cyffredinol a gynhaliwyd ar 1 Mai.

1906 oedd y tro diwethaf i'r Torïaid gael eu dileu'n gyfan gwbl oddi ar fap Seneddol Cymru, pan gyrhaeddodd llwyddiant y Rhyddfrydwyr ei benllanw mawr. Pur wahanol oedd y sefyllfa y tro hwn – dim ond dau Ryddfrydwr a etholwyd i seddi yng Nghymru yn y flwyddyn hon, wrth i'r Blaid Lafur ysgubo trwy'r wlad gan ddisodli'r Ceidwadwyr o rai o'i seddi diogelaf. Wrth i Lafur Newydd Tony Blair chwalu gobeithion y Ceidwadwyr i lywodraethu am bumed tymor, yr oedd yn amlwg fod pleidleiswyr Cymru yr un mor frwd â rhai gweddill gwledydd Prydain dros y Blaid Lafur ar ei newydd wedd gymedrol. O fod yn dal un sedd (Merthyr Tudful) yn 1906, yr oedd Llafur wedi ymestyn i gipio seddi trwy'r Gymru drefol a gwledig mewn dau dalp mawr yn y De a'r Gogledd, o Gonwy i Wrecsam ac o Benfro i Drefynwy. Dim ond etholaethau mawr eu tiriogaeth ond prin eu poblogaeth yn y canolbarth a'r gogledd-orllewin a arhosai'r tu allan i wersyll Llafur.

Er yr Etholiad Cyffredinol blaenorol yn 1992 yr oedd Comisiwn y Ffiniau wedi rhoi dwy sedd Seneddol ychwanegol i Gymru i ddod â'r cyfanswm i ddeugain. O'r rhain aeth 34 i'r Blaid Lafur, 4 i Blaid Cymru a 2 i'r Democratiaid Rhyddfrydol.

Taflwyd saith o Dorïaid Cymreig allan o'u seddi. Yng Nghonwy, ni allai'r cyfreithiwr lleol, David Jones, ddal ei afael ar y cefnogaeth boblogaidd a gasglodd Syr Wyn Roberts er 1970, ac etholwyd Betty Williams o'r Blaid Lafur. Gydag Ann Clwyd, Julie Morgan a Jackie Lawrence, yr oedd Betty Williams yn un o bedair gwraig a etholwyd dros seddi yng Nghymru, y cyfanswm uchaf erioed.

Yn y llywodraeth Lafur newydd, sylweddolodd Ron Davies, A.S. Caerffili, ei uchelgais i ddod yn Ysgrifennydd Gwladol Cymru. Davies oedd yr Aelod Seneddol cyntaf o Gymru i fod yn Ysgrifennydd Gwladol ers deng mlynedd, ac ef oedd yr unig A.S. o Gymru yng Nghabinet cyntaf Tony Blair. Yr oedd eisoes yn adnabyddus am ddweud ei ddweud heb flewyn ar ei dafod, ac er bod rhai sylwebwyr gwleidyddol yn Lloegr yn ei ddilorni, profodd yn eithaf poblogaidd yng Nghymru, o fewn ei blaid a'r tu allan iddi.

Syrthio 5,000 troedfedd

Cafodd Cymro achubiaeth wyrthiol wrth i'w barasiwt fethu ag agor pan oedd yn cael gwers barasiwtio yn Fflorida ddiwedd Mehefin. Roedd Gareth Griffiths, gŵr ifanc 27 mlwydd oed o Ben-y-bont ar Ogwr, yn cael ei hyfforddi gan Americanwr o'r enw Michael Costello, ac yr oedd y ddau wedi'u cysylltu i'r un parasiwt ar gyfer yr ymarfer. Pan fethodd y parasiwt ag agor, 5,000 o droedfeddi uwchlaw'r ddaear, plymiodd y ddau i'r llawr. Lladdwyd Costello ar unwaith, ond er iddo gael ei anafu'n ddrwg, cludwyd Griffiths i'r ysbyty. Ar ôl derbyn llawdriniaeth i'w gefn a'i goesau, llwyddodd i gerdded eto o fewn tri mis i'r ddamwain. Credai Griffiths i Costello, a oedd yn hyfforddwr profiadol iawn, achub ei fywyd drwy ei ddal yn dynn a sicrhau mai ef ac nid Griffiths fyddai'n taro'r ddaear gyntaf.

uchod: Gwyn Jones (7) yn arwain y ffordd.

Anaf i'r capten

Am 3.13 brynhawn Sadwrn 13 Rhagfyr, roedd capten tîm rygbi Cymru, Gwyn Jones, yng nghanol sgarmes mewn gêm gynghrair rhwng Caerdydd ac Abertawe ar Barc yr Arfau pan ddioddefodd niwed difrifol i'w gefn. Fel un a oedd yn cael ei hyfforddi i fod yn feddyg, gwyddai'n syth ei fod wedi'i anafu'n ddrwg a rhuthrwyd ef i'r ysbyty.

Darganfuwyd yno nad oedd wedi torri'i wddf ond ei fod wedi gwneud niwed mawr i linyn y cefn. Daeth yn amlwg wedi hynny na fyddai'n chwarae rygbi fyth eto, a daeth diwedd ar yrfa blaenasgellwr poblogaidd a oedd wedi arwain ei wlad 13 o weithiau. Ar ôl misoedd o driniaeth, llwyddodd Gwyn Jones i ailgydio yn ei yrfa, a chlywyd ei lais yn aml yn ystod darllediadau ar gemau rygbi ar S4C. Serch hynny, roedd yr anaf yn rhybudd i bob chwaraewr am beryglon gêm gorfforol fel rygbi.

Hunllef plwyfolion Benllech

Bu plwyf bychan Benllech ar Ynys Môn yn y newyddion am gyfnodau hir yn ystod y flwyddyn, ond nid oedd y plwyfolion yn fodlon iawn ar y sylw a roddid i'r plwyf gan y wasg. Ym mis Hydref ymddangosodd rheithor Benllech, y Parch. Clifford Williams, o flaen llys eglwysig arbennig yng Nghaernarfon i ateb cyhuddiadau o fod yn euog o gynnal perthynas odinebus â gwraig o'r enw Iris Green. Cafwyd ef yn euog, ac ym mis Tachwedd fe'i diswyddwyd a'i amddifadu o urddau eglwysig. Roedd y wasg yn llawn sibrydion am yr achos, a cheid rhai plwyfolion yn amddiffyn y rheithor ac eraill yn honni iddo gynnal perthynas rywiol â gwragedd eraill ac iddo weithredu'n anghristionogol. Yn ôl un aelod o'r eglwys *'We've been hearing rumours for years. There was a hate at the heart of this community. And a sexual predator too'*.

Byrgers yn y môr

Yr Ysgrifennydd Gwladol, Ron Davies, yn cwrdd â ffermwyr protestgar.

Ddechrau Rhagfyr roedd ffermwyr da byw wedi cael digon ar weld prisiau'u gwartheg yn gostwng tra oedd cig rhad o Iwerddon a gwledydd eraill yn Ewrop yn cael ei fewnforio. Penderfynodd rhai ohonynt gynnal gwarchae ym mhorthladdoedd Caergybi ac Abergwaun, ac fe drodd y gwarchae yng Nghaergybi yn arbennig o chwerw yn oriau mân bore cyntaf Rhagfyr wrth i'r heddlu geisio'n ofer gadw trefn.

Llwyddodd rhai ffermwyr i atal lori o'r Iwerddon a oedd yn cludo byrgyrs cig eidion, a dygwyd y llwyth a'i daflu i'r môr. Galwyd mwy o heddlu i'r porthladd wedi hynny a bu sawl ffrwgwd. Yn oriau mân bore Mercher 4 Rhagfyr arestiwyd saith ffarmwr o Gaergybi, Llanrwst, Llanrug, Pen-y-groes, Gaerwen, Llansannan a Llanerch-y-medd a'u cyhuddo o dor-heddwch. Yn ddiweddarach

bu un ffarmwr o flaen ei well am ddwyn byrgers a'u gwerthu.

Daeth y protestiadau yn ystod cyfnod pan oedd ffermwyr Cymru'n parhau i ddioddef o'r gwharddiad ar allforio cig eidion oherwydd helynt y BSE, a hefyd oherwydd

i'r bunt gref wthio prisiau anifeiliaid i lawr. Er bod yr undebau amaethyddol yn gwrthwynebu'r protestiadau anghyfreithiol, roedd yn amlwg fod ffermwyr cyffredin yn barod i dorri'r gyfraith er mwyn tynnu sylw at eu problemau.

Diwedd Danny Dyke

Yr heddlu'n chwilio am gorff Danny Dyke yng Ngarn-swllt.

Pan ddiflannodd y ffisiotherapydd Danny Dyke o'i gartref yn Abertawe yn 1994, methiant fu pob ymgais gan yr heddlu i ddarganfod beth oedd wedi digwydd iddo. Ond ar ôl derbyn gwybodaeth gan un a fu'n gysylltiedig â diflaniad Dyke, darganfyddwyd darn bach o'i benglog ar ddarn o dir diffaith ger Rhydaman yn Chwefror 1996, ac yr oedd hynny'n ddigon ym mis Gorffennaf y flwyddyn ganlynol i arwain at garchariad tri dyn am lofruddiaeth.

Roedd Dyke wedi symud i Gymru yn 1992, ond yn ogystal â'i waith fel ffisiotherapydd gyda chlwb rygbi Aberafan, enillai arian mawr yn cludo canabis, LSD, ecstasi a chocên o Lundain i gyflenwyr cyffuriau yn ardal Abertawe. Ond ar 13 Ebrill 1994 aeth Dyke i gartref cyflenwr cyffuriau o'r enw Jackie Welsby yn Elba Crescent ar gyrion dwyreiniol Abertawe. Ymddengys fod Welsby mewn dyled sylweddol i Dyke, ac arweiniodd hyn at ffrwgwd pan lofruddiwyd Dyke gan Welsby a dyn arall o'r enw John Wilson. Cludwyd y corff, gyda chymorth brawd Welsby, i gae yng Ngarn-swllt ger Rhydaman, a'i gladdu yno.

Pan ddaeth cyflenwyr Dyke yn Llundain i Abertawe ychydig wythnosau'n ddiweddarach, roeddent am waed Welsby. Dychrynodd yntau a mynd at yr heddlu. Fodd bynnag, er i'r heddlu amau Welsby a Wilson o lofruddio Dyke, heb y corff nid oedd digon o dystiolaeth ganddynt i'w cyhuddo. Yn ddiweddarach aeth Welsby i'r cae yng Ngarn-swllt a llosgi corff Dyke yn ulw, ond ym mis Chwefror 1996, ceisiodd Welsby daro bargen â'r heddlu drwy'u harwain at y corff. Er y tywydd gaeafol darganfyddwyd darn o benglog, a thrwy wneud prawf DNA ar ddarn

o gartilag yr oedd Dyke wedi'i gadw yn ei gartref ar ôl llawdriniaeth naw mlynedd ynghynt, profwyd mai darn o benglog Dyke ydoedd.

Yn Llys y Goron Abertawe ddiwedd Gorffennaf, carcharwyd Jackie Welsby a John Wilson am oes, a dedfrydwyd Terry Welsby i garchar am 30 mis am gynorthwyo'r ddau arall i guddio'r corff. Daeth hefyd yn amlwg yn ystod yr achos bod y fasnach gyffuriau yn rhemp yng ngorllewin Cymru, a chyflenwyr yn teithio yn ôl ac ymlaen o Lundain ar hyd yr M4.

1998

1 Mawrth

Gorymdeithiodd 250,000 o bobl drwy Llundain i brotestio yn erbyn y bygythiadau i fywyd traddodiadol cefn gwlad.

10 Ebrill

Arwyddwyd cytundeb heddwch ar ddydd Gwener y Groglith gan lywodraethau Prydain ac Iwerddon ac wyth o bleidiau gwleidyddol Gogledd Iwerddon.

24 Ebrill

Yn Rwanda, Affrica, dienyddiwyd yn gyhoeddus 22 o bobl a fu'n gyfrifol am lofruddiaethau yn ystod y gyflafan yn y wlad yn 1994.

31 Ebrill

Gosodwyd embargo gan y Cenhedloedd Unedig ar werthu arfau i Iwgoslafia oherwydd ymddygiad y llywodraeth at ei phoblogaeth Albanaidd yn Kosovo.

14 Mai

Bu farw'r canwr poblogaidd Frank Sinatra.

22 Mai

Mewn refferenda, cefnogodd mwyafrif llethol o bleidleiswyr Gogledd Iwerddon a'r Weriniaeth y cytundeb heddwch.

15 Awst

Yn Omagh, Gogledd Iwerddon, lladdwyd 28 ac anafwyd 200 gan fom a osodwyd gan derfysgwyr a wrthwynebai'r cytundeb heddwch.

19 Rhagfyr

Yn yr Unol Daleithiau, pleidleisiodd Tŷ'r Cynrychiolwyr o blaid uchelgyhuddo'r Arlywydd Clinton oherwydd y datgeliadau ynglŷn â'i berthynas â Monica Lewinsky.

Ennyd o wallgofrwydd

Ron Davies a'i wraig yn ceisio esbonio'r sefyllfa i'r wasg.

Wedi llwyddo i ennill y Refferendwm ym mis Medi 1997, sicrhau lleoliad teilwng i'r Cynulliad arfaethedig, ac ennill brwydr chwerw yn erbyn Rhodri Morgan am arweinyddiaeth y Blaid Lafur yng Nghymru, gallasai'r Ysgrifennydd Gwladol, Ron Davies, edrych ymlaen yn yr hydref at wireddu'i uchelgais i arwain y Cynulliad Cenedlaethol pan ddôi i fodolaeth yn 1999. Ond ar 27 Hydref syfrdanwyd pawb pan gyhoeddodd mewn datganiad dramatig ei fod am ymddiswyddo o fod yn Ysgrifennydd Gwladol. Yn ddiweddarach ymddiswyddodd hefyd o fod yn arweinydd y Blaid Lafur yng Nghymru, a chwalu felly ei obeithion o fod yn arweinydd cyntaf y Cynulliad.

Yn ôl ei dystiolaeth ei hun y rheswm am ei ymddiswyddiad oedd 'ennyd o wallgofrwydd' pan aeth am dro ar ei ben ei hun nos Lun 26 Hydref ar Gomin Clapham yn Llundain, ardal a oedd yn enwog fel man cyfarfod dynion hoyw. Cipiwyd ef gan ladron a fu'n ei fygwth â chyllell, a dygwyd ei gar oddi arno. Galwodd yr heddlu, a thrannoeth aeth i rif 10 Stryd Downing i gynnig ei ymddiswyddiad i'r Prif Weinidog. Er mai yn ei erbyn ef y troseddwyd, credai'r Ysgrifennydd Gwladol iddo fod yn gyfrifol am 'a serious lapse of judgment' ac nid oedd am beri embaras i'r llywodraeth.

Yn naturiol bu cryn ddyfalu ynglŷn ag 'ennyd o wallgofrwydd' Ron Davies, ond gwadai mai am resymau rhywiol yr oedd ar Gomin Clapham y noson honno. Serch hynny, mewn datganiad emosiynol yn Nhŷ'r Cyffredin yn ddiweddarach, dywedodd : 'We are what we are. We are all different, the product both of our genes and experiences'. Cafodd fwy o gydymdeimlad yng Nghymru nag yn Lloegr, ond pylodd hynny i raddau wrth i'r wasg ddatgelu mwy am ei gefndir a'i fywyd personol. Yn ystod haf 1999 cyfaddefodd am y tro cyntaf ei fod yn ddeurywiol. Erbyn hynny roedd wedi'i ethol i'r Cynulliad Cenedlaethol, y corff y bu'n bennaf gyfrifol am ei sefydlu, ond ni ddewiswyd ef i fod yn aelod o'r cabinet, ac oherwydd y cyhoeddusrwydd parhaol am ei fywyd rhywiol, rhoddodd y gorau i gadeirio un o bwyllgorau mwyaf dylanwadol y Cynulliad.

Fel y gwynt

Heb amheuaeth athletwr gorau'r flwyddyn ym Mhrydain oedd Iwan Thomas, y rhedwr 400 metr a ddewisodd redeg dros ei famwlad er iddo gael ei eni yn Lloegr. Ar ddechrau'r flwyddyn serch hynny, roedd y sylwebyddion yn dadlau mai'r Sais, Mark Richardson, oedd y gorau o'r ddau.

Nid oedd Thomas yn holliach ar ddechrau'r tymor, ac ni ddewiswyd ef i gynrychioli Prydain yn y gystadleuaeth ar gyfer Cwpan Ewrop yn St Petersburg, ond pan enillodd y ras 400 metr yng nghystadleuaeth yr AAA yn Birmingham roedd arwyddion ei fod yn ôl ar ei orau. Er mai Richardson oedd y ffefryn ar gyfer y fedal aur ym Mhencampwriaeth Ewrop, Thomas a'i cipiodd, gan ychwanegu at densiwn yr ymryson rhwng y ddau. Roedd dwy gystadleuaeth fawr o'u blaen ym mis Medi ond penderfynodd Richardson beidio â rhedeg ym Mhencampwriaeth y Byd a oedd i'w chynnal yn Ne Affrica. Yn hytrach gobeithiai ennill y fedal aur yng Ngemau'r Gymanwlad yn Kuala Lumpur.

Enillodd Thomas y fedal aur yn Ne Affrica ar 12 Medi ac yna trodd ei olygon at Gemau'r Gymanwlad. Mae dwy gystadleuaeth fawr yn dilyn ei gilydd yn drech na rhai athletwyr a phenderfynodd Colin Jackson beidio â rhedeg yn Kuala Lumpur, a thrwy hynny amddifadu Cymru o un o'i phrif obeithion am fedal aur. Dangosodd IwanThomas fwy o ddycnwch na Jackson er y byddai gwres y Dwyrain Pell, ar ôl ei orchest yn Ne Affrica, yn debyg o sugno'i nerth.

Ar 18 Medi, diwrnod y ras 400 metr, Richardson oedd y ffefryn unwaith eto ond rhedodd Thomas fel y gwynt, a chyda phenderfyniad di-ildio, enillodd y fedal aur o drwch blewyn. Ac yntau'n rhy flinedig i redeg o gwmpas y trac i ddathlu'r fuddugoliaeth, neidiodd ar gefn cerbyd cario camera teledu, a chan arddangos baner y Ddraig Goch, teithiodd o gwmpas y stadiwm orlawn i dderbyn cymeradwyaeth wresog y dorf.

[LLIW 61]

Gwyrth ym Mwlch yr Oernant

Bu chwilio dyfal yng ngogledd Cymru ddiwedd Awst pan ddiflannodd y cyn-arolygydd heddlu, Gwilym Evans, a'i ŵyr 13 mis oed, Liam Evans, o'u cartref ym Mae Colwyn. Tri diwrnod yn ddiweddarach roedd bachgen 10 oed yn mwynhau picnic gyda'i deulu yn ardal Bwlch yr Oernant ger Llangollen, pan welodd gar Vauxhall Vectra'r cyn-heddwas a oedd wedi disgyn 450 troedfedd oddi ar y ffordd fawr. Roedd Gwilym Evans wedi'i ladd, ond yn wyrthiol, ac er mawr ryddhad i'w rieni, Gareth a Ruth Evans, cafwyd y bachgen bach yn fyw ac yn iach ac yn gorwedd ger corff ei daid.

Yn y cwest ym mis Hydref, cyfaddefodd y crwner fod achos y ddamwain yn ddirgelwch. Wedi'r digwyddiad ymddengys i Liam gysgodi yn y rhedyn a'i cadwai'n gynnes yn y nos, a chafodd ddigon o faeth trwy fwyta pridd i'w gynnal am y tri diwrnod y bu ar goll.

uchod:
Anthony Hopkins
yn ymlacio yn Eryri.

Achub yr Wyddfa

Ddechrau Tachwedd, cyhoeddodd yr Ymddiriedolaeth Genedlaethol ei bod wedi codi dros £4 miliwn i brynu rhannau helaeth o'r Wyddfa, y mynydd uchaf a'r enwocaf yng Nghymru. Codwyd yr arian dros gyfnod o dri mis yn unig wedi i ffermwr lleol benderfynu gwerthu'r tir ar y farchnad agored. Arweiniwyd yr apêl gyhoeddus gan yr actor Syr Anthony Hopkins, a gyfrannodd £1 filiwn o'i arian ei hun at y gronfa.

Pryderai'r Ymddiriedolaeth y gallai datblygwr preifat newydd niweidio'r mynydd a dim ond trwy ei phrynu y gellid diogelu'r Wyddfa am byth. Ond ystyriai eraill fod y swm a dalwyd yn ormod o lawer, yn arbennig o gofio fod darnau eraill o'r mynydd yn parhau mewn dwylo preifat. Yn ôl Comisiwn Cefn Gwlad Cymru, ni fyddai gan berchennog preifat yr hawl i ddatblygu'r tir beth bynnag, gan y byddai'r cyfyngiadau amgylcheddol a chadwraethol a oedd mewn grym eisoes yn atal unrhyw gamddefnydd neu ddatblygiad anghydnaws.

Caerdydd neu Abertawe

Ddiwedd 1997, cyhoeddodd yr Ysgrifennydd Gwladol, Ron Davies, y byddai'n derbyn ceisiadau gan unrhyw dref yng Nghymru a ddymunai gynnig cartref i'r Cynulliad Cenedlaethol newydd. Canlyniad oedd hyn i fethiant yr Ysgrifennydd Gwladol a Chyngor Dinas Caerdydd i gytuno ar bris a fyddai'n arwain at ddefnyddio Neuadd y Ddinas, Caerdydd, i'r diben hwnnw, sef hoff opsiwn yr Ysgrifennydd Gwladol ei hun a llawer un arall. Er i nifer o drefi ymgeisio am y fraint, ac yn eu plith Machynlleth, cartref y Senedd a sefydlwyd gan Owain Glyndŵr ddechrau'r 15fed ganrif, nid oedd mewn gwirionedd ond dau opsiwn credadawy ger bron, sef Abertawe a Chaerdydd.

Y brifddinas oedd y ffefryn o'r dechrau ond llwyddodd Abertawe i baratoi cynllun blaengar a chost-effeithiol drwy gynnig adeilad ysblennydd Neuadd y Dref yn gartref i'r Cynulliad, a defnyddio systemau telathrebu i'r eithaf. O safbwynt Caerdydd, roedd ganddi'r fantais mai yno y lleolid y gweision sifil a fyddai'n gwasanaethu'r Cynulliad, ond serch hynny nid oedd cytundeb ynglŷn â'r safle gorau yn y brifddinas.

Bu dadlau brwd o'r ddwy ochr, ond yn y gwanwyn cyhoeddodd Ron Davies fod y ddadl dros osod y Cynulliad yn y brifddinas yn 'rhy rymus i'w gwrthsefyll'. Penderfynodd o blaid adeilad newydd ym Mae Caerdydd a fyddai'n costio £17 miliwn, ac a fyddai'n gysylltiedig â'r adeilad Tŷ Crucywel, lle byddai swyddfeydd y Cynulliad yn cael eu lleoli.

Trefnwyd cystadleuaeth bensaernïol ar gyfer cynllunio'r adeilad, ac ym mis Hydref cyhoeddwyd mai cynllun modern gan Bartneriaeth Richard Rogers, Llundain, a ddewiswyd gan banel o arbenigwyr dan gadeiryddiaeth yr Arglwydd Callaghan.

[LLIW 91]

Ymddeoliad arwr

Er nad oedd yn annisgwyl, roedd cyhoeddiad Ieuan Evans ym mis Mawrth ei fod am ymddeol o rygbi rhyngwladol yn destun tristwch i gefnogwyr y bêl hirgron yng Nghymru.

Yn ystod cyfnod pur dilewyrch yn hanes y gêm yng Nghymru, roedd yr asgellwr chwim o Bontarddulais yn seren ddisglair ac yn un o'r ychydig Gymry a allai gystadlu â goreuon y byd.

Enillodd gyfanswm o 72 o gapiau dros ei wlad (28 ohonynt fel capten), gan sgorio 33 cais, record i Gymro, a hynny er iddo ddioddef sawl anaf i'w ysgwydd. Aeth ar dair taith gyda'r Llewod, a'i gais ef a sicrhaodd eu buddugoliaeth yn Awstralia yn 1989.

Yn 1994 Ieuan Evans oedd capten Cymru pan enillwyd Pencampwriaeth y Pum Gwlad, y tro cyntaf ers tro i Gymru gyflawni'r gamp honno, ac ef oedd arwr y genedl pan sgoriodd yr unig gais yn y fuddugoliaeth

Y cais gan Ieuan Evans a ddaeth â'r fuddugoliaeth i Gymru yn erbyn Lloegr yn 1993.

annisgwyl yn erbyn Lloegr yn 1993. Er iddo orffen ei yrfa yn Lloegr gyda chlwb Caerfaddon, gwelodd ei ddyddiau gorau ac yntau'n gwibio mewn crys coch ar hyd feysydd Parc y Strade, Llanelli, a'r Stadiwm Genedlaethol, Caerdydd.

[LLIW 83]

'Deffrwch Gymry cysglyd'

Ychydig o grwpiau roc o Gymru a lwyddodd i gyrraedd brig y siartiau pop dros y blynyddoedd, ond erbyn y flwyddyn hon roedd sawl un ohonynt ymhlith y mwyaf poblogaidd gan bobl ifanc ar hyd a lled Prydain a thu hwnt. Yn ogystal, roedd y grwpiau hyn, Manic Street Preachers, Gorky's Zygotic Mynci, Super Furry Animals, Stereophonics a Catatonia, yn arddel eu Cymreictod, ac yr oedd rhai ohonynt yn cynnwys caneuon neu eiriau Cymraeg yn eu recordiau.

Un o brif sêr y flwyddyn oedd arweinydd y grŵp Catatonia, Cerys Matthews, y Gymraes â'r llais cras ond apelgar. Roedd ei chaneuon *Road Rage* a *Mulder and Scully* a'r albwm *International Velvet* ymhlith y mwyaf poblogaidd yn eu dydd. Sefydlwyd Catatonia yn 1990 gan y gitarydd Mark Roberts a welodd Cerys Matthews, a oedd yn 21 oed ar y pryd, yn bysgio y tu allan i siop yng Nghaerdydd. Ymunodd y ddau gitarydd Paul Jones ac Owen Powell a'r drymiwr Aled Richards yn ddiweddarach, a chyhoeddwyd albwm cyntaf Catatonia, *Way Beyond Blue*, yn 1996. Am gyfnod dilornwyd y grŵp gan adolygwyr canu poblogaidd, ond ym mis Ionawr saethodd y gân *Mulder and Scully* i ddeg uchaf y siartiau, ac o fewn dim o dro roedd recordiau Catatonia yn gwerthu wrth y miloedd.

Wedi cyhoeddi *International Velvet*, gwelid rhai golygfeydd hynod iawn, sef pobl ifanc o bob lliw a llun mewn cyngherddau ym mhob rhan o Brydain yn cydganu â Cerys Matthews y gytgan : *'Every day when I wake up, I thank the Lord I'm Welsh'*.

[LLIW 28-29, 43]

Ymwelwyr pwysig

Roedd sylw'r byd ar Gaerdydd ganol Mehefin. Ar 15 a 16 Mehefin cynhaliwyd yr Uwchgynhadledd Ewropeaidd yno, a chroesawyd 15 pennaeth gwlad a 1500 o swyddogion i'r brifddinas i drafod dyfodol yr Undeb Ewropeaidd. Canmolwyd y trefniadau ar gyfer yr Uwchgynhadledd, ac er iddi gostio £12 miliwn i'w chynnal, amcangyfrifwyd y gallai arwain at fanteision economaidd sylweddol i'r brifddinas wrth iddi dderbyn cyhoeddusrwydd nid yn unig yn Ewrop ond ym mhedwar ban byd yn ogystal.

Ar ail ddiwrnod yr Uwchgynhadledd cynhaliwyd seremoni arbennig iawn yng Nghastell Caerdydd pan dderbyniodd Arlywydd De Affrica, Nelson Mandela, ryddfraint y brifddinas, y 57fed i dderbyn yr anrhydedd honno. Tyrrodd miloedd i Gaerdydd i weld un o arwyr mawr y ganrif a garcharwyd yn Ne Affrica am dros chwarter canrif cyn ei ryddhau a dod yn arweinydd croenddu cyntaf ei wlad. Y gred gyffredinol oedd mai anrhydeddu Caerdydd â'i bresenoldeb yn hytrach na chael ei anrhydeddu gan y brifddinas yr oedd Mandela. Yn ei araith diolchodd yr Arlywydd i'r Cymry hynny a fu'n brwydro yn erbyn apartheid, gan enwi'n arbennig gyn-Ysgrifennydd y Blaid Gomiwnyddol, Bert Pearce, am ei gefnogaeth i'r mudiad gwrth-apartheid am ddegawdau.

[LLIW 84]

Protest y carcharorion

Croeso cymysg a gafodd yr Ymerawdwr Akihito o Siapan ar ei ymweliad â Chaerdydd ar 27 Mai. Roedd Tywysog Cymru a'r Ysgrifennydd Gwladol yno gyda'r bwriad o adeiladu ar y cysylltiadau economaidd cryf a fodolai eisoes rhwng Cymru a Siapan, ond yno hefyd roedd criw o gyn-garcharorion rhyfel a oedd yn ddig iawn nad oedd yr Ymerawdwr yn fodlon ymddiheuro am y driniaeth a gawsant yn ystod yr Ail Ryfel Byd. Wedi gwisgo'u medalau rhyfel, troesant eu cefnau ar yr Ymerawdwr wrth iddo deithio heibio iddynt ar ei ffordd i Gastell Caerdydd, ond i raddau helaeth anwybyddwyd eu protest.

Roedd yr Ymerawdwr eisoes wedi datgan ei dristwch fod y berthynas rhwng Prydain a'i wlad wedi'i niweidio gan ryfel, ac na fyddai'n anghofio'r dioddefaint a achoswyd. Ond nid oedd hynny'n ddigon i'r cyn-garcharion a fynnai y dylai'r Ymerawdwr ymddiheuro'n ffurfiol am yr anfadwaith a wnaed yn enw Siapan yn ystod y Rhyfel. Dadleuent hefyd y dylent dderbyn mwy o iawndal nag a gafwyd wedi'r Rhyfel.

Agwedd y llywodraeth oedd ei bod yn bwysig bellach i edrych i'r dyfodol mewn ysbryd o gymod, er na ddylid anghofio

Safiad yr hen filwyr yng Nghaerdydd.

dioddefaint y gorffennol. Neges Sadyuki Hayashi, llysgennad Siapan ym Mhrydain, oedd fod cysylltiadau economaidd cryfion rhwng Cymru a Siapan erbyn hyn. Er 1973 yr oedd dros 50 o gwmnïau wedi'u sefydlu yn Nghymru, a'r rheini'n cyflogi tua 20,000 o bobl. Ategwyd hyn gan David Rowe-Beddoe, cadeirydd Awdurdod Datblygu Cymru. Yn ei eiriau ef, 'bu'r crynhoad o gwmnïau Siapaneaidd yma yng Nghymru yn un o'r hysbysebion gorau i ni'n rhyngwladol. Mae'r ffaith fod cymaint o gynhyrchwyr o Siapan wedi ffynnu yng Nghymru wedi dylanwadu, heb unrhyw amheuaeth, ar fuddsoddwyr o wledydd eraill a sefydlodd ffatrïoedd yma'.

Takiron, cwmni'n gwneud dalennau PVC, oedd y cwmni cyntaf o Siapan i ymsefydlu yng Nghymru yn 1973. Cyflogwyd 20 yn ei ffatri ym Medwas ond, gyda chymorth grantiau hael gan y llywodraeth, denwyd cwmnïau mawr a gynhyrchai ddefnyddiau electronig, megis *Sony*, *Hitachi*, *Aiwa*, a *Sharp*, i Gymru yn ystod y blynyddoedd dilynol. Ac eithrio ffatri *Toyota* yng ngogledd-ddwyrain Cymru, lleolwyd y ffatrïoedd newydd hyn yn ne-ddwyrain Cymru gan wella'r sefyllfa economaidd mewn ardal a ddioddefodd gymaint gan ddirywiad y diwydiannau glo a dur.

[LLIW 81]

Y Gymraeg yn y gofod

Ym mis Ebrill, am y tro cyntaf erioed, siaradwyd yr iaith Gymraeg yn y gofod, bron ddeugain mlynedd wedi i'r dyn cyntaf esgyn yno. Roedd Dafydd Rhys Williams yn aelod o griw'r wennol ofod Columbia, a daniwyd i'r entrychion o Cape Canaveral, Fflorida, ar 16 Ebrill. Er iddo gael ei eni yng Nghanada, dôi ei deulu o Fargoed, ac ymfalchïai yn ei Gymreictod. Dysgodd ychydig Gymraeg a chariodd gydag ef ar y daith un o gapiau rygbi rhyngwladol Gareth Edwards, casét Côr Meibion Dowlais a thri bathodyn gan fragdy enwog o Gymru. Anfonodd neges Gymraeg o'r gofod mewn cyfweliad a ddarlledwyd ar y rhaglen *Wales Today*.

Er gwaethaf ei orchest, hawliwyd mai astronot arall, Joe Tanner, oedd y Cymro cyntaf i hedfan i'r gofod. Roedd Tanner yn aelod o griw gwennol ofod a daniwyd o Cape Canaveral yn 1994, a chariodd gydag ef faner y Ddraig Goch. Roedd ei fam yn Gymraes o Landdewibrefi, Ceredigion, a chafodd yntau ei addysgu ym Mhrifysgol Caerdydd.

12 Chwefror

Yn Washington, methodd yr ymgais i uchelgyhuddo'r Arlywydd Clinton.

12 Mawrth

Bu farw'r cerddor Yehudi Menuhin.

24 Mawrth

Dechreuodd awyrennau *NATO* fomio Iwgoslafia er mwyn ceisio atal ymgais y Serbiaid i alltudio'r boblogaeth Albanaidd o dalaith Kosovo.

21 Ebrill

Yn yr Unol Daleithiau, saethwyd yn farw 13 o ddisgyblion ysgol Columbine ger Denver, Colorado, gan ddau o'u cyd-ddisgyblion. Lladdodd y ddau eu hunain wedi'r gyflafan.

12 Mai

Cyfarfu Senedd yr Alban am y tro cyntaf ers ymron i 300 mlynedd.

26 Mai

Enillwyd Cwpan Ewrop gan glwb pêl-droed Manchester United i gloi tymor llwyddiannus iawn pryd yr enillwyd Pencampwriaeth a Chwpan Lloegr yn ogystal.

3 Mehefin

Cytunodd yr Arlywydd Milosevic, arweinydd Iwgoslafia, i dermau cynllun heddwch yn Kosovo a daeth bomio *NATO* i ben.

2 Awst

Yn India, lladdwyd dros 300 o bobl mewn damwain trên.

11 Awst

Mewn rhai rhannau o'r byd, gwelwyd eclips haul cyflawn.

17 Awst

Lladdwyd miloedd o bobl o ganlyniad i ddaeargryn a drawodd ogledd-orllewin Twrci.

1999

Y Ddraig ar dân!

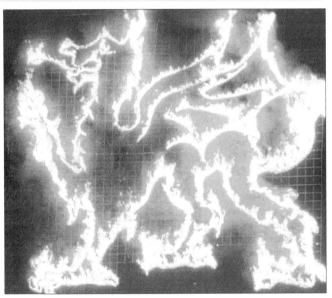

Ar ddiwedd 26 Mai, y diwrnod hanesyddol pan agorwyd y Cynulliad Cenedlaethol yn swyddogol, coronwyd y dathliadau gan ddraig goch mewn fflamau a godwyd uwchben Bae Caerdydd lle y bu 10,000 o Gymry a rhai ymwelwyr pwysig, gan gynnwys y Frenhines a'r Prif Weinidog, yn mwynhau cyngerdd arbennig. Yn ôl rhai roedd y ddraig danllyd yn symbol o'r ysbryd newydd a oedd i'w weld yng Nghymru ar droad y mileniwm – ysbryd hyderus ac egnïol – a'r Cynulliad yn cael ei gydnabod yn gyfle euraid i adeiladu dyfodol gwell i'r genedl.

Yn gynharach yn y dydd, am 3.10 pm yn Nhŷ Crucywel, cartref dros dro'r Cynulliad, ac o flaen y 60 aelod ohono, arwyddodd y Frenhines gopi symbolaidd o Ddeddf Llywodraeth Cymru mewn seremoni syml a dirodres. Yn ei haraith datganodd y Frenhines ei bod yn gweld y Cynulliad fel pont i'r dyfodol gan gynrychioli dechreuad a chyfle. Cafwyd araith hefyd yn y Gymraeg gan y Tywysog Charles. Y noson honno difyrrwyd miloedd yn fyw ac ar y teledu gan rai o ddiddanwyr enwocaf Cymru, gan gynnwys Tom Jones, Shirley Bassey, Dennis O'Neill a Max Boyce.

Roedd y Cynulliad newydd eisoes wedi dechrau ar ei waith wedi i'r 60 aelod gael eu hethol ddechrau Mai. Etholwyd 40 aelod i gynrychioli'r etholaethau seneddol ac 20 drwy system gyfrannol. Yn yr etholiad roedd disgwyl y byddai'r Blaid Lafur yn ennill mwyafrif o'r seddau, ond gyda chanran isel (46%) yn pleidleisio ar 6 Mai, daeth yn amlwg yn ystod y cyfrif y diwrnod canlynol fod Plaid Cymru wedi elwa ar yr anfodlonrwydd a ddeilliodd o ymddygiad y Blaid Lafur yn ystod y misoedd blaenorol. Syrthiodd rhai o gadarnleoedd Llafur i'r cenedlaetholwyr, gyda buddugoliaeth y fferyllydd lleol, Geraint Davies, yn y Rhondda, Brian Hancock yn hen sedd Neil Kinnock yn Islwyn, a Helen Mary Jones yn Llanelli, ymhlith y canlyniadau mwyaf syfrdanol yn holl hanes etholiadau yng Nghymru.

Enillodd Plaid Cymru gyfanswm o 17 sedd a Llafur 28, gan olygu nad oedd gan yr un blaid fwyafrif yn y Cynulliad. Dim ond un sedd etholaethol a gipiwyd gan y Ceidwadwyr, ond cafodd wyth arall, gan gynnwys yr arweinydd Rod Richards, eu hethol drwy'r system gyfrannol, tra enillodd y Rhyddfrydwyr Democrataidd dair sedd etholaethol a thair sedd trwy'r dull arall. Ar un adeg ofnai Llafur na fyddai eu harweinydd, yr Ysgrifennydd Gwladol Alun Michael, yn ennill sedd, ond oherwydd buddugoliaethau Plaid Cymru mewn pedair etholaeth yng ngorllewin Cymru, llwyddodd i gipio sedd drwy'r system gyfrannol.

Penderfynodd y Blaid Lafur beidio â ffurfio clymblaid er mwyn rheoli'r Cynulliad, ond yn hytrach ffurfio cabinet a cheisio cydweithio â'r pleidiau eraill. Etholwyd Alun Michael yn Brif Ysgrifennydd, ac enwebwyd yr Arglwydd Dafydd Elis Thomas yn Llywydd y Cynulliad, â chyfrifoldebau tebyg i rai Llefarydd Tŷ'r Cyffredin. Enwebwyd cynrychiolwyr o bob plaid i gadeirio'r pwyllgorau, gan greu patrwm o gydweithio yn hytrach na'r drefn wrthdrawiadol a nodweddai wleidyddiaeth San Steffan. Achoswyd cryn gyffro gan benodiad Christine Gwyther yn Ysgrifennydd â chyfrifoldeb am amaethyddiaeth a hithau'n llysieuwraig, a bu protestio chwyrn gan

(Drosodd)

Y Ddraig ar dân

(o'r tudalen cynt)
ffermwyr a ddadleuai nad oedd modd iddi gynrychioli'u buddiannau.

Nid oedd lle i Ron Davies, prif bensaer y Cynulliad, yn y cabinet newydd, ac er iddo gael ei ddewis yn gadeirydd y Pwyllgor Datblygu Economaidd, fe ymddiswyddodd o'r swydd honno o fewn ychydig wythnosau.

Trosglwyddo grym - aelodau'r Cynulliad Cenedlaethol yn derbyn eu cyfrifoldebau newydd.

Am gyfnod, parhaodd Alun Michael yn Brif Ysgrifennydd y Cynulliad ac ar yr un pryd yn Ysgrifennydd Gwladol ond ym mis Awst rhoddodd y gorau i'w hen swydd, a phenodwyd Paul Murphy, aelod seneddol Torfaen, ac un a ganmolwyd yn uchel am ei gyfraniad i'r broses heddwch yng Ngogledd Iwerddon, yn Ysgrifennydd Gwladol yn ei le.

Er agor y Cynulliad yn swyddogol ddiwedd Mai, nid tan 1 Gorffennaf y trosglwyddwyd pwerau o San Steffan iddo. Cyn y dyddiad hwnnw cynnal trafodaethau'n unig a wnâi'r Cynulliad, ond bellach roedd ganddo'r hawl i weithredu. Serch hynny, gan na fedrai ddeddfu na chodi trethi, ofnwyd na fyddai ganddo ddigon o awdurdod i reoli dyfodol Cymru. I ddatganolwyr, y gobaith oedd mai 'proses' ac nid 'digwyddiad' oedd datganoli, ac y byddai'r Cynulliad yn ennill mwy a mwy o rym dros y blynyddoedd i ddod.   [LLIW 37-38, 91]

Serennu ar y sgrîn fawr

Nid ers dyddiau mawr Richard Burton, Stanley Baker a Rachel Roberts y cafodd actorion o Gymru gymaint o sylw gan y wasg a dilynwyr y byd ffilmiau ag yn y flwyddyn hon, wrth i dri actor, dau ohonynt yn Gymry Cymraeg, ddod i'r amlwg.

Roedd Catherine Zeta Jones o Abertawe eisoes yn adnabyddus i wylwyr teledu ar ôl ei pherfformiad yn y gyfres *The Darling Buds of May*, ond ar ôl symud i Hollywood llwyddodd i ennill sylw rhyngwladol mewn ffilmiau fel *The Mask of Zorro* lle bu'n cyd-actio â'r Cymro Syr Anthony Hopkins. Yn y flwyddyn hon daeth ei chyfle mawr fel un o'r ddau brif

Ioan Gruffudd

gymeriad yn y ffilm *Entrapment* gyda'r Albanwr, Sean Connery. Gwelwyd ei hwyneb hardd ar bosteri ar hyd a lled y byd, a dangoswyd diddordeb mawr gan y wasg yn ei pherthynas â'r actor Michael Douglas.

Roedd Rhys Ifans o Ruthun hefyd yn adnabyddus i wylwyr S4C, ac ef oedd un o sêr y ffilm *Twin Town* a wnaed yn ardal Abertawe. Ond yn y gwanwyn ystyriwyd ei berfformiad yn y ffilm gomedi *Notting Hill* yn well, ac yn sicr yn ddigrifach, na'r hyn a gafwyd gan sêr y ffilm, Julia Roberts a Hugh Grant. Erbyn yr hydref roedd Rhys Ifans yn Hollywood yn ffilmio *The Replacements* ynghyd â Gene Hackman a Keanu Reeves.

Fel mab Reg Harris yn Pobol y Cwm y gwelwyd Ioan Gruffudd o Gaerdydd ar y sgrîn fach yn gyntaf, ond mewn fawr o dro roedd wedi ennill rhannau pwysig mewn ffilmiau a chyfresi teledu. Roedd ganddo ran cameo yn y ffilm boblogaidd *Titanic*, ac ef oedd yr arwr yn y gyfres deledu *Hornblower*, y gyfres ddrama ddrutaf i'w chynhyrchu gan ITV. Ym mis Awst roedd sibrydion ar led yn Hollywood y byddai Ioan Gruffudd yn ymddangos gyda Catherine Zeta Jones mewn ffilm ffuglen wyddonol o'r enw *The Tenth Victim*.   [LLIW 23-24]

Diwrnod o ddathlu

dde:
Mark Taylor ar fin sgorio'r cais cyntaf yn y stadiwm newydd.

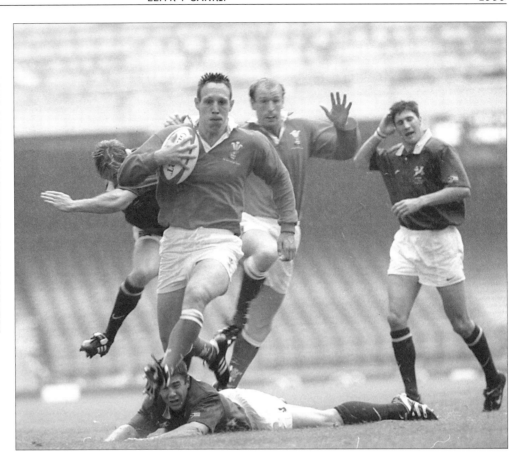

Roedd dydd Sadwrn 26 Mehefin yn un o'r dyddiau mwyaf nodedig yn holl hanes rygbi yng Nghymru. Ar y diwrnod hwnnw chwaraewyd y gêm gyntaf yn Stadiwm y Mileniwm, y maes chwaraeon newydd ysblennydd a adeiladwyd yng nghanol Caerdydd ar safle'r hen Stadiwm Cenedlaethol.

Gwrthwynebwyr Cymru oedd pencampwyr y byd, De Affrica, gwlad na chollodd gêm ryngwladol erioed yn erbyn Cymru. Nid oedd y stadiwm, a fyddai'n dal 72,000 o wylwyr erbyn Cwpan y Byd, yn gwbl barod ac felly dim ond 27,000 o gefnogwyr a gafodd y fraint o weld Cymru'n trechu De Affrica o 29 pwynt i 19. Methodd miloedd hefyd â gweld y gêm ar y teledu gan i storm o fellt dorri'r cyflenwad trydan i filoedd o gartrefi yn ne Cymru.

Bu cryn feirniadu ar y cynllun i adeiladu stadiwm newydd yng Nghaerdydd oherwydd y gost sylweddol o £120 miliwn a mwy heb sôn am y trafferthion a wynebwyd wrth i'r Undeb Rygbi geisio dod i gytundeb â chlwb rygbi Caerdydd a oedd yn berchen y maes yn ymyl y stadiwm newydd. Ofnid na fyddai'r stadiwm yn barod ar gyfer Cwpan y Byd ac y byddai'n rhaid symud rownd derfynol y gystadleuaeth i Twickenham. Roedd chwarae'r gêm gyntaf ar y maes felly'n rhyddhad mawr i'r rhai a fu'n gyfrifol am y fenter ac i gefnogwyr y bêl hirgron yng Nghymru.

Deuddeng mis ynghynt ym Mhretoria roedd Cymru wedi dioddef y gosfa fwyaf erioed yn holl hanes y tîm cenedlaethol wrth i Dde Affrica sgorio 15 cais mewn buddugoliaeth o 96 pwynt i 13. Ond ddiwedd Gorffennaf 1998 penodwyd un o hyfforddwyr gorau Seland Newydd, Graham Henry, yn brif hyfforddwr Cymru ac mewn dim o dro roedd wedi trawsnewid y tîm gyda'i dactegau craff a'i allu i ysbrydoli'r chwaraewyr. Bu bron i Gymru guro De Affrica yn ei gêm gyntaf wrth y llyw ym mis Tachwedd, ac er i Gymru golli'r ddwy gêm gyntaf ym Mhencampwriaeth y Pum Gwlad, llwyddwyd i guro Ffrainc ym Mharis ac ym mis Ebrill, yn gwbl syfrdanol, yr hen elyn Lloegr, gyda Scott Gibbs yn sgorio'r cais tyngedfennol ym munudau olaf y gêm.

Ar ôl taith lwyddiannus yn yr Ariannin ym mis Mehefin dychwelodd carfan Cymru i wynebu ei phrawf galetaf yn y stadiwm newydd. Sgoriwyd y pwyntiau cyntaf yn y stadiwm gan droed ddiogel Neil Jenkins ar ôl 104 eiliad yn unig, a'r canolwr Mark Taylor a gafodd y fraint o sgorio'r cais cyntaf, eiliadau cyn diwedd yr hanner cyntaf, gan roi mantais o 19 i 6 i Gymru ar yr egwyl. Ceisiodd De Affrica daro'n ôl ar ddechrau'r ail hanner ond roedd amddiffyn Cymru'n gadarn, a phan sgoriodd Gareth Thomas gais arall chwarter awr o'r diwedd roedd y dorf eisoes yn bloeddio mewn buddugoliaeth. Er i Percy Montgomery sgorio cais i Dde Affrica cyn y chwiban olaf, Cymru a orfu o 29 pwynt i 19.   [LLIW 70-71]

Syr Kyffin

Ar 22 Ebrill urddwyd arlunydd mwyaf poblogaidd Cymru, Kyffin Williams, yn farchog mewn seremoni yng Nghastell Caerdydd. Roedd yr arlunydd o Fôn newydd ddathlu'i ben blwydd yn 80 mlwydd oed gydag arddangosfa ysblennydd o'i waith yn y Llyfrgell Genedlaethol. Pan glywodd ei fod am gael ei anrhydeddu am ei wasanaeth i'r celfyddydau gweledol, honnodd ei fod wedi'i synnu gan iddo fod yn un o feirniaid cyson y gyfundrefn ym myd celf. Yn sicr nid oedd ei agwedd gellweirus at ddant pawb, ond nid oedd amheuaeth chwaith fod galw mawr am ei waith.

Ganwyd Kyffin Williams yn Llangefni, ond wedi cyfnod gyda'r fyddin a hyfforddiant yn y Slade School of Fine Art, bu'n athro yn Llundain. Dychwelodd i sir Fôn yn 1974, gan gychwyn cyfnod cynhyrchiol iawn o beintio tirluniau a rhai portreadau. Byddai'n cwblhau pob tirlun mewn diwrnod gan weithio'n gyflym â chyllell balet a brws. Am hynny fe'i cyhuddwyd ar adegau o fod yn arlunydd blêr, ond nid dyna farn y rhai a dyrrai i brynu ei ddarluniau.   [LLIW 55]

Rhodri neu Alun?

dde: Awyrgylch oeraidd – Rhodri Morgan ac Alun Michael.

Ar ôl brwydr hir a chwerw cyhoeddwyd mewn cyfarfod arbennig mewn gwesty ym Mae Caerdydd ar 20 Chwefror mai Alun Michael fyddai olynydd Ron Davies fel arweinydd y Blaid Lafur yng Nghymru.

Wedi ymddiswyddiad sydyn Ron Davies ddiwedd Hydref 1998, roedd Alun Michael wedi'i benodi'n Ysgrifennydd Gwladol, ond rhaid oedd cynnal etholiad o fewn y Blaid Lafur er mwyn ethol arweinydd newydd. Ceisiwyd darbwyllo Rhodri Morgan, yr aelod seneddol dros Orllewin Caerdydd, i beidio â sefyll, ond roedd yntau'n benderfynol o wneud hynny ac o wrthod ildio i'r pwysau a ddôi o gyfeiriad y Blaid Lafur yn ganolog. Cynrychiolai ef safbwynt rhai aelodau o fewn y Blaid Lafur yng Nghymru a deimlai fod gormod o reolaeth dros y blaid yng Nghymru gan rif 10 Stryd Downing, a chan aparatshiciaid y Blaid Lafur o'u swyddfeydd ym Millbank, Llundain. Er bod pwyso wedi bod i ganiatáu system etholiadol o 'un aelod un bleidlais', ofnai arweinwyr Llafur yng Nghymru a Llundain y byddai hynny'n rhoi'r fuddugoliaeth i Rhodri Morgan, ac yr achosai hynny drafferthion dybryd rhwng yr

Ysgrifennydd Gwladol ac arweinydd y blaid yng Nghymru.

Penderfynwyd felly fabwysiadu system o dri choleg etholiadol, sef yr aelodau cyffredin, yr undebau llafur, ac yn olaf yr aelodau seneddol Llundeinig, Ewropeaidd a darpar aelodau'r Cynulliad Cenedlaethol, i ethol yr arweinydd. Gwelid hyn gan lawer fel dull traddodiadol y Blaid Lafur o drefnu canlyniad a fyddai'n plesio'r arweinyddiaeth. 'Stitch-up' oedd y term a ddefnyddid yn aml, yn arbennig wrth i rai undebau llafur benderfynu cefnogi Alun Michael heb iddynt ymgynghori o gwbl â'u haelodau. Daeth nifer o arweinyddion y Blaid Lafur i Gymru i

gefnogi Alun Michael gan gynnwys y Prif Weinidog, Tony Blair, a apeliodd at aelodau'r blaid i beidio â rhoi 'trwyn gwaedlyd' iddo yn yr etholiad. Ond cyhuddwyd Alun Michael gan gyn-ddirprwy arweinydd y Blaid Lafur, Roy Hattersley, o fod yn ddim mwy na 'phwdl' Tony Blair, ac yr oedd y cyfan, meddai ef, yn 'old Labour fix'.

Ar ôl pedwar mis o ymgyrchu mileinig, cyhoeddwyd i Alun Michael ennill 52.68% o'r bleidlais, ond yr oedd yn arwyddocaol i Rhodri Morgan gipio dros 64% o bleidlais yr aelodau cyffredin. Er i Alun Michael ddod yn arweinydd nid yn unig i'r Blaid Lafur yng Nghymru ond hefyd, maes o law, yn Brif Ysgrifennydd y Cynulliad Cenedlaethol, roedd llawer o'r farn i ganlyniadau siomedig y Blaid Lafur yn yr etholiad ar gyfer y Cynulliad ddeillio o'r drwgdeimlad a achoswyd gan y modd yr enillodd yr arweinyddiaeth.

Y llofrudd tawel

dde: Brechu plentyn ym Mhontypridd.

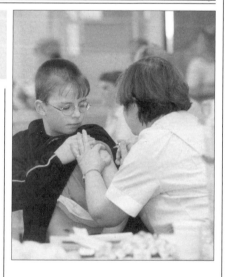

Ym mis Ionawr, Pontypridd oedd y gymuned ddiweddaraf i gael ei tharo gan feirws peryglus llid yr ymennydd.

Ar 14 Ionawr bu farw bachgen 15 mlwydd oed o'r clefyd, gan beri dychryn ymhlith rhieni plant ei ysgol, Ysgol Gyfun Coed-y-lan. O fewn dyddiau roedd pedwar plentyn arall yn yr ysbyty a rhuthrwyd stoc o frechlyn i frechu 1,700 o blant. Cwynwyd i'r awdurdodau iechyd fod yn hwyr yn gwneud hyn, tra oedd yn well gan rai rhieni gadw'u plant gartref yn hytrach na'u hanfon i gael eu brechu i ganol plant eraill.

Yn y cyfamser bu dau oedolyn farw o'r clefyd, un ohonynt yn athrawes mewn ysgol arall, ac erbyn canol Chwefror roedd cyfanswm o 13 o blant ac oedolion wedi'u taro gan yr aflwydd.

Roedd y perygl o lid yr ymennydd yn achos pryder mawr i rieni ar hyd a lled y wlad gan ei fod yn dueddol o daro'n gwbl

ddirybudd, yn enwedig plant bach a phobl ifanc. Yn aml byddai'r plentyn yn clafychu'n gyflym ac yn marw mewn dim o dro. Roedd yr achosion ym Mhontypridd yn nodweddiadol o sydynrwydd y clefyd.

Yn 1996 bu farw dwy fyfyrwraig a oedd yn aros mewn neuadd breswyl ym Mhrifysgol Caerdydd, ac yr oedd awgrym cryf fod y clefyd ar gynnydd yng Nghymru.

Diweddaru Darwin

Ym mis Medi, cyhoeddwyd llyfr diweddaraf un o wyddonwyr amlyca'r '90au, Dr Steve Jones. Yn *Almost Like a Whale*, bwriad y Cymro oedd mawrygu Charles Darwin, a gyhoeddodd ei *Origin of Species* ganol y ganrif ddiwethaf, a diweddaru'i ddadleuon, yn arbennig yn wyneb datblygiadau yn y maes genetaidd.

Ar ôl blynyddoedd o astudio geneteg, daeth Steve Jones yn enwog pan ddarlledwyd ei ddarlithoedd yn y gyfres *Reith Lectures* ac wedi hynny gwerthwyd ei lyfrau, *Language of the Genes* ac *In the Blood*, yn eu miloedd. Er ei boblogrwydd, cafodd ei feirniadu'n hallt gan greadyddion.

MYNEGAI

Gan fod y testun yn dilyn trefn gronolegol, nid yw'r mynegai'n cyfeirio at ddigwyddiadau penodol nac at bynciau fel, er enghraifft, y diwydiant glo sy'n ymddangos yn y testun drwyddo draw.

TANYSGRIFWYR

William a Carys Aaron, Bodryn, Llandwrog, Caernarfon
Rufus a Megan Adams, Y Rhyl
Helen Adler
Teulu Adsolwen, Nebo, Llan-non, Ceredigion
Alan a Brenda, Aberlleine, Waungilwen
Aled ac Ann, Rhos-y-grug
Morfudd Aled
Alun a Mair, Tŷ Bach, Ynys Enlli
Rhian a Liam Andrews, Béal Feirste
Elin Angharad, Blaencwm, Yr Wyddgrug
Shari Angharad
Annwen, Giat-Wen, Tudweiliog
Angharad Anwyl, Maldwyn
Ellen a Iolo ap Gwynn, Tal-y-bont
Rhun ap Harri, 'Gwylfa', Ynys-las, Ceredigion
Ifer a Nerys Arch, Caerdydd
Archifdy Caernarfon, Cyngor Gwynedd
Glyn Banks, Helsinki
Y Parch a Mrs John P Barnett, Llanelwy
Rod Barratt, Gwenlli, Llandre, Ceredigion
Mrs Eirionedd Baskerville, Abermagwr
Rhian Bebb, Rhosgadlas, Tal-y-llyn, Tywyn
Eluned Rhys Bere, 17 Heol Colcot, Y Barri
Beth, Tynewydd, Gorrig
Dr Huw Bevan-Jones, Pren Gwyn, Llandysul
Siân Bowyer, Aberystwyth
Stephen Ieuan Breese, Fronolau, Llanfaglan, Caernarfon
Teulu Bryn-haul, Dinas
Carys Angharad Burgess
Sioned Camlin, Llangadfan, Y Trallwm
Carreg Ateb, Tre-garth, Bangor, Gwynedd
Rhoswen E Charles, Yr Hen Siop, Bwlch-y-Ddar
Teulu Clark, Talarfor, Llanabad
Bethan Clement
Hafina Clwyd, Tafwys, Rhuthun
Adran Gymraeg, Coleg Iâl, Wrecsam
Deian Creunant, Aberystwyth
Jeff N Cross, Glan-y-môr, Biwmares
Cynog a Llinos Dafis, Crug yr Eryr Uchaf, Talgarreg
Lyn Lewis Dafis, Llyfrgell Genedlaethol Cymru
Iestyn Daniel, Aberystwyth
Awen Daniels, 17 Heol y Banc, Pontyberem
Linda Davage, Little Mill
Marcus a Julia Davage, Caerdydd
Aled a Beryl Lloyd Davies, Yr Wyddgrug
Aled Davies, Penrhiw, Ffostrasol
Alun Davies, 224 Ffordd Gaer, Wrecsam
Amy Adele Davies, Awel Deg, San Clêr
Athro Sioned Davies, Adran y Gymraeg, Prifysgol Caerdydd
Cerys Davies, Pen-y-groes
D L Davies, Cwmaman, Aberdâr
Dylan Wyn Davies, Bryn Eithin, Llansannan
Eifion Davies, Llandudoch, Aberteifi
Eirlys a Gwyn Davies, Henllys, Llanfarian
Elwyn Davies (Prif Weithredwr Cyngor Dwyfor 1973-1991) a'i briod Alwena
Emyr a Roslyn Davies, Perth, Gorllewin Awstralia
Glan Davies, Brynaman
Glyn Cadwgan Davies, Llandre, Cwrtycadno
Glyn Davies, Hafan, 46 Maes Cantaba, Rhuthun
Gwilym John Davies, Black Oak Court
Huw Davies, Rhuthun
Iestyn Lloyd Davies, Machynlleth
Iwan Davies, Pen-y-groes
John a Gwen Davies, Dolclettwr Hall, Taliesin
John Davies, Prysgol, Llandysul
Llion Wyn Davies, Glaspant, Beulah

Meirick Lloyd a Nesta Davies, Gwelfryn, Cefn Meiriadog
Meleri a Mair Davies, 15 Parc Penllwyn, Caerfyrddin
Mr & Mrs Alun Eirug Davies, Aberystwyth
Nanno Davies, Plaid Lafur, Ceredigion
Peter a Eirys Pugh Davies, Fferm y Gwynfryn, Llanystumdwy
Powys Lloyd Davies, Yr Wyddgrug
Rhiannon Davies, Llys Helyg, Pen-parc
Rhodri a Janet Lloyd Davies, Pentre Moch
Richard a Eirian Davies, Moelfre, Llandysul
Robin Harries Aled Davies, Bronllys
Sydney Davies, Glyn Ceiriog
T Gerallt Davies, Maes-y-Llan, Henfynyw, Aberaeron
Trefor C Davies, Porth-cawl
Tudor Glyn Davies
Valerie Davies, Caeralaw, Pont-tyweli
Meinir Lloyd Davies, Rhuthun
Mr & Mrs J L Day and Family, Aberystwyth
Ruth Dennis-Jones, Caerdydd
Y Parch M C Donaldson, 7 Llys Mair, Bangor
Rhian Wyn Dunn, Ael-y-bryn
Teulu Eden a Bwthyn Jeriwsalem, Llawr-plwy, Trawsfynydd
Catrin I. Edwards
Dr Huw Edwards, Garth Martin, Caerfyrddin
Huw a Carys Edwards, Penllyn, Caerfyrddin
Huw a Meinir Edwards, Penpompren, Llandre
Huw Edwards, BBC
James Wyn Edwards, Glanafon, 7 Gerddi Gwyrddion, Trefechan
Islwyn Ffowc Elis, Llambed
Bob a Megan Ellis, Llanfair Caereinion
Evan, Kathryn a Jim Ellis, Llwyndyrus Farm, Y Ffor, Pwllheli
Iwan Ellis, Rhuthun
Sioned Esyllt, Betws, Rhydaman
Euros, Siân-Elin a Rhys, Awelfa, Aberteifi
Evan, Ffarm Aberllefenni
Alun Evans, Mayals, Abertawe
Alun Evans, Pennant, Llanbedr Pont Steffan
Alwena Evans, Llanfair Pwll
Ann Francis Evans, Llyfrgell Genedlaethol Cymru
Anne a Bill Evans, Prestatyn
Anwen Nerys Evans, Veindre Parc, Gwyddgrug
Catrin Wyn ac Emlyn Elias Evans
Cyril Evans, Hafan, Tregaron
Dewi Rhys Evans, Tre-garth, Dyffryn Ogwen, Gwynedd
Dyfan Tomos Evans, Bronwydd, Coed-y-bryn
Dylan Foster Evans, Caerdydd
E Evans, Penrallt Bach
Edith Evans, Y Drenewydd
Eiryl a John Evans
Emrys W Evans, Rivendell, Caersŵs, Powys
Emyr Evans
Y Parchedig Emyr Lyn Evans, Abergwili
Glesni Evans, Pumsaint
Gwennan Evans, Pumsaint
Gwyndaf a Jean Evans, Pen-lan, Pant-glas, Llanilar
Gwynne Wheldon Evans, Porthmadog
H W Evans, Dyffryn Selach, Meidrim
Huw Evans, Cwrtnewydd
Ieuan Llwyd Evans, Pwll-clai, Capel Bangor
Jim Evans, Fron-wen
John a Lyn Evans, Y Drenewydd
John M Evans, Pen-ddôl, Machynlleth, Powys
Joyce Evans, Cwmwythig, Capel Bangor
Llinos Angharad Evans, Tre-garth, Dyffryn Ogwen, Gwynedd

Lowri Elizabeth Evans, Llecyn Clyd, Rhostrehwfa
Marie Evans, Llanilltud Fawr
Mr Eirian Evans, Yr Ysgol Gymraeg, Aberystwyth
Mr Myrddin Evans, Y Fron, Llan-non
Mrs Myra E Evans, Heddfan, Niwbwrch
Ray ac Evelyn Foster Evans
Rhian Haf Evans, Tre-garth, Dyffryn Ogwen, Gwynedd
Rhodri Evans
Robin Evans, 17 Ffordd Colomendy, Dinbych
Siôn Aled Evans, Tre-garth, Dyffryn Ogwen, Gwynedd
Siwan Lisa Evans, Dinas Oleu, Llangefni
Teulu Llywelyn J Evans, Caerdydd
Tomos Cai Gruffydd Evans, Treglemais, Solfach
William Benjamin Evans, Tan-y-foel, Lôn Groes, Bowstreet, Ceredigion
Geoffrey Eynon, Cas-blaidd
Alun Fôn, Rhyd
Gareth Francis, Abergwaun
Jonathan Fry, Llandaf, Caerdydd
Heledd Fychan, Ynys Môn
Bill Gardener, Pandy, Tal-y-bont, Ceredigion
Gareth, Eleri, Peredur a Seiriol
Gemwaith Rhiannon, Tregaron
Noel Gibbard, Caerdydd
Andrew MW Green, Llyfrgell Genedlaethol Cymru
Bethan Green
Owain Green
Buddug A Griffith, Y Gilfach, Llanfachreth, Dolgellau
Gerallt M Griffith, Doluwchadda, Llanfachreth, Dolgellau
Gwenda Pritchard Griffith
Geraint Griffith, Caerdydd
Geraint Griffith, Nefyn
Mary Lloyd Griffith, Y Gilfach, Pwllheli
Mrs S E Griffith, Sychnant, Bryncroes, Pwllheli
Olwen Griffith, 26 Parc y Coed, Creigiau, Caerdydd
Y Parchedig David Griffith a Mrs Eleanor Jones, Y Bwthyn, 50 Bro Teifi, Aberteifi
Mair Griffiths, Ger-y-nant, Pen-y-groes
Mr a Mrs D Griffiths a Camwy, Caerwithian, Blaen-porth, Aberteifi
P E Griffiths, Brynaeron, Dre-fach
Rhidian a Catherine Griffiths, Aberystwyth
Rhys Gwyn Selyf Griffiths, Dolydd, Chwilog
Y Teulu Griffiths, Plas Newydd, Ceinewydd
Ceris Gruffudd, Penrhyn-coch
Heini Gruffudd, Abertawe
Tomos Siôn Gruffudd, Llangawsai
Emyr ac Iwan Gruffydd, Caerffili
Geraint a Luned Gruffydd, Aberystwyth
Llŷr Huws Gruffydd, Caerfyrddin
Morys Gruffydd
Owain Siôn Gruffydd, Ffair-fach, Llandeilo
Martha Grug, Gwynfil, Llangeitho
Anwen Mair Guile, Pen-y-bont ar Ogwr
Ioan Guile, Erw Goch, Waunfawr, Aberystwyth
Gwasanaeth Llyfrgell i Ysgolion Gogledd-Ddwyrain Cymru
Gwasanaeth Llyfrgell a Gwybodaeth Sir Ddinbych
Gwasanaeth Llyfrgell Gwybodaeth ac Archifau Cyngor Sir Ynys Môn
Teulu Gwenhafdre, Swyddffynnon
Siân Gwenllian, Y Felinheli
Gwilym, Eirlys, Anest a Ffion, Y Ddraenen Fach
Gethin Gwyn, San Clêr
Steffan Gwynn, Cae Coch, Rhostryfan
Eleri a Robin Gwyndaf, Caerdydd
Angharad Haf, San Clêr